《甘肃省护理质量管理手册》（第二版）
编辑委员会

主　编　韩　琳（甘肃省人民医院　兰州大学护理学院）

副主编　岳淑琴（甘肃省人民医院）

马玉霞（兰州大学护理学院）

豆欣蔓（兰州大学第二医院）

张丽平（甘肃省中医院）

李海鸿（甘肃省中心医院　甘肃省妇幼保健院）

樊　落（兰州大学第一医院）

编　者（按姓氏拼音排序）

柴莉萍（中国人民解放军联勤保障部队第九四〇医院）

傅彩虹（甘肃省人民医院）

郭　宇（甘肃省妇幼保健院）

贺丽娟（甘肃中医药大学附属医院）

扈　雅（甘肃省人民医院）

纪元春（兰州大学第一医院）

景丽娜（甘肃省人民医院）

康国兰（甘肃省人民医院）

孔林芳（甘肃省人民医院）

李　玮（兰州大学第一医院）

李德霞（甘肃省人民医院）

刘小玲（甘肃省妇幼保健院）

刘宗淑（甘肃省人民医院）

吕　琳（甘肃省人民医院）

陆红蔚（甘肃省人民医院）

罗占林（甘肃省人民医院）

申响玲（甘肃省人民医院）

苏　茜（甘肃省人民医院）

谈存梅（甘肃省人民医院）

魏　敏（甘肃中医药大学附属医院）

伍严峻（甘肃省人民医院）

张志刚（兰州大学第一医院）

周　彬（甘肃省人民医院）

甘肃省
护理质量管理手册

GANSU SHENG HULI ZHILIANG GUANLI SHOUCE

（第二版）

主编 韩 琳

甘肃省护理质量控制中心 审定

兰州大学出版社
LANZHOU UNIVERSITY PRESS

图书在版编目（CIP）数据

甘肃省护理质量管理手册 / 韩琳主编. -- 2 版.

兰州 : 兰州大学出版社，2024. 11. -- ISBN 978-7-311-
06835-6

Ⅰ. R47-62

中国国家版本馆 CIP 数据核字第 2024FE7462 号

责任编辑　张　萍
封面设计　汪如祥

书　　名	**甘肃省护理质量管理手册(第二版)**
	GANSU SHENG HULI ZHILIANG GUANLI SHOUCE
作　　者	韩　琳　主编
出版发行	兰州大学出版社　（地址:兰州市天水南路222号　730000）
电　　话	0931-8912613(总编办公室)　0931-8617156(营销中心)
网　　址	http://press.lzu.edu.cn
电子信箱	press@lzu.edu.cn
印　　刷	兰州银声印务有限公司
开　　本	787 mm×1092 mm　1/16
成品尺寸	185 mm×260 mm
印　　张	58.25(插页4)
字　　数	1420千
版　　次	2024年11月第2版
印　　次	2024年11月第1次印刷
书　　号	ISBN 978-7-311-06835-6
定　　价	150.00元

（图书若有破损、缺页、掉页,可随时与本社联系）

序

护理质量是医疗质量的重要组成部分，党中央、国务院历来高度重视，习近平总书记就护理事业发展多次作出重要指示批示。为推动护理服务高质量发展，国家层面频频发力，2023年6月15日，国家卫生健康委、国家中医药局联合印发了《进一步改善护理服务行动计划（2023—2025年）》，明确提出要"全面贯彻落实党的二十大精神，聚焦人民群众日益增长的多样化护理服务需求，坚持以人民健康为中心，着力解决群众急难愁盼护理问题，持续提升患者就医体验"。2024年6月26日，国务院审议通过了《关于加强护士队伍建设优化护理服务的指导意见》，明确指出加强护士队伍建设、优化护理服务是推进健康中国建设和实施积极应对人口老龄化国家战略的重要举措。党的十八大以来，甘肃省认真学习贯彻习近平总书记重要指示批示精神，始终把护理能力提升作为推动卫生健康事业高质量发展的核心要素，护士人才队伍不断壮大，护理服务质量持续改善，护理服务内涵稳步拓展。广大护理工作者更是彰显出超乎寻常的职业素养和大无畏的精神风貌，白衣执甲，不辞辛劳，以专业诠释热爱，用行动彰显担当，全力守护全省人民群众生命安全和身体健康。

近年来，经济社会和医学科学的快速发展、人口老龄化的加剧和疾病谱的变迁，给护理工作带来了前所未有的机遇和挑战。在新时代的大背景下，如何更加科学、高效地开展全省的护理质量管理工作，如何解决护理资源的相对匮乏与分布不均等制约护理质量提升的问题，如何促进护理质量的标准化和同质化，成为了摆在卫生健康行政部门及护理管理者面前亟待解决的难题，深入推进护理质量管理和建立护理质量持续改进的长效机制刻不容缓。

正是基于这样的考虑，甘肃省护理质量控制中心组织专家，对2020年出版的《甘肃省护理质量管理手册》进行了修订。本书聚焦护理质量管理的结构、过程和结果，包含基础护理和专科护理工作中的制度规范、组织结构、技术标准、应急预案、敏感指标等护理质量管理的重要内容，旨在为一线的护理管理者提供实用的质量管理标准、方法和工具，为提升护理服务质量提供实践经验和理论指导。期望各位读者能从此书中得到收获与启示！

甘肃省卫生健康委员会

2024年10月

前　言

护理质量是护理管理的核心，也是临床护理工作的永恒主题，是衡量医疗质量的重要标志之一。护理质量管理是运用质量管理的基本原理和方法，对构成护理质量的各要素进行计划、组织、控制与持续改进，以保证护理工作达到既定标准，满足并超越服务对象需求的过程。科学化、规范化、标准化、精细化的护理质量管理可以成为整个医院护理管理的先导力量，带动和提升医院整体护理水平。在人民群众预期寿命不断延长、健康需求不断增加的今天，如何把握护理质量管理的重点，突破护理质量管理的难点，确保护理质量稳步提升，确保患者就医体验不断改善，是医疗机构护理工作者的重大课题。

甘肃省护理质量控制中心始终以全省护理高质量发展为目标，以完善的质量控制体系为基础，以强化人员能力建设为抓手，以市级护理质量控制中心目标考核和全省护理质量督导为手段，发布和推广甘肃地方标准、专科护理质量控制标准等，对全省护理工作的标准化和同质化发展起到了一定的推动作用。

授人以鱼，不如授人以渔。医疗机构是护理质量管理的基本单元，培养各医疗机构护理管理人才队伍，发挥医疗机构护理质量管理作用，是推动甘肃省护理工作高质量发展的根本路径。工欲善其事，必先利其器。护理质量管理是一项长期工程，也是一项基础工程，护理质量涉及护理工作的规章制度、基础专科护理工作的规范和流程等多个方面，因此，急需一本护理质量管理方面的工具书。

2019年，甘肃省护理质量控制中心在反复调研的基础上，组织20余位专家系统编写了《甘肃省护理质量管理手册》，并于2020年出版。2024年，为更好地顺应护理学科的发展，提高全省护理质量水平，甘肃省护理质量控制中心广泛征集意见，再次组织专家结合最新医疗指南和技术标准对《甘肃省护理质量管理手册》进行了完善和更新。全书基于最佳临床证据，结合丰富的临床护理经验，科学系统地阐述了基础护理和专科护理工作中的制度规范、组织结构、技术标准、应急预案、敏感指标等护理质量管理的重要方面，按照"结构—过程—结果"三维质量结构模式，客观、科学地进行护理质量评价，旨在为全省各级医疗机构提供一本兼具科学性和实用性的护理质量管理工具书，进而规范全省的护理质量管理，提升护理水平。

本书是甘肃省护理质量控制中心推荐用书，主要为全省各级各类医院护理管理者进行科学质量管理提供指导。本书的出版对于进一步推动全省护理质量管理的科学化、规范化、标准化以及同质化发展，缩小地区之间、机构之间的差距具有十分重要的作用。

本书再版过程中吸收了各医疗机构护理工作者的建议，参考了大量国内外相关文献，并得到了各参编单位的大力支持和帮助，在此一并致以由衷的感谢！

由于时间仓促，水平有限，难免存在不足，敬请各位读者不吝指正。

韩　琳

2024年10月

目　录

第一章　绪　论

　　护理质量是衡量医院医疗服务水平的重要标志，是医院医疗质量的重要组成部分，在确保医疗服务效果、满足患者需求、保障患者安全方面具有不可替代的作用。护理质量管理是护理管理的核心，也是护理管理的永恒主题。如何使用科学的管理方法和工具，不断提升护理质量，最大限度保证患者安全，是护理管理者以及全体护理人员面临的巨大挑战。

第一节　概　述

一、质量与护理质量

　　质量（Quality）又称"品质"。这个词有两个含义：一方面是指"度量物体惯性大小的物理质量"或"物体中所含物质的量"；另一方面是指产品或服务的优劣程度。管理学中的质量通常指第二种含义。国际标准化组织（International Standard Organization，ISO）将质量定义为："质量是产品、体系或过程中满足顾客和其他相关方面要求的能力的特性。"在这个概念中，好的质量不仅要符合技术标准的要求（符合性），同时还必须适应顾客的需求（适用性），满足社会的要求。质量评价的对象从产品扩展到过程、体系等所有方面。

　　护理质量（Health Care Quality）是指护理服务满足服务对象（个体和群体）的健康需求以及改善其预期健康结局的程度。高质量的护理应该基于最佳临床证据，通过良好的护患沟通，共同决策，从护理技术和人文关怀两个层面满足服务对象的需求。

二、护理质量管理的相关概念

（一）护理质量管理的概念

　　护理质量管理（Management of Nursing Quality）是指按照护理质量形成的过程和规律，对构成护理质量的各要素进行计划、组织、协调和控制，以保证护理工作达到规定的标准和满足服务对象需要的活动过程。护理质量管理是护理管理的核心。通过科学有效的管理，可持续改进护理质量，为服务对象提供安全、高效、便捷、整体的护理服务，不断满足服务对象的服务需求。

（二）护理质量管理的内容

1.制定护理质量方针（Quality Policy）

护理质量方针是由护理组织的最高管理者正式发布的总的质量宗旨和方向，是护理组织在一定时期内质量方面的行动纲领，并为护理组织制定质量目标提供框架和指南，应与护理组织的总方针相一致。

2.设定护理质量目标（Quality Objective）

护理质量目标是指与护理质量有关的目标，是护理质量方针的具体体现。设定护理质量目标需遵循可行性、可测量性、先进性、时效性和优先顺序等原则。

3.建立护理质量管理体系（Quality Management System）

护理质量管理的重要内容之一是建立医院的护理质量管理体系，是指在护理组织建立并实现护理质量目标过程中相互关联或相互作用的一组要素。建立护理质量管理体系包括护理质量管理组织结构的设置、护理工作流程的优化和规范、护理工作过程的监控、护理终末质量的监控以及护理质量相关资源的管理等。

4.护理质量策划（Quality Planning）

护理质量策划是连接护理质量方针和具体管理活动的桥梁和纽带。质量策划包括过程、产品实现、资源提供、测量分析及改进等。

5.护理质量控制（Quality Control）

护理质量控制是对护理质量的各要素、各过程进行全面的监控，保证护理工作按标准的流程和规范进行，及时发现可能存在的隐患，并采取纠正措施。

6.护理质量保证（Quality Assurance）

护理质量保证是以质量控制为基础，通过质量体系的建立和有效运行，提供满足质量要求的信任，分为内部质量保证和外部质量保证。内部质量保证是管理者向内部组织提供信任；外部质量保证是向组织外的学科和其他相关方提供信任，例如医院组织的第三方满意度调查。

7.持续护理质量改进（Quality Improvement）

持续护理质量改进主要包含两个层面：一是出现护理质量问题后的改进，是及时针对护理服务过程进行检查、体系审核，收集患者投诉中呈现出来的问题，组织力量分析原因并予以改进；二是没有发现质量问题时的改进，主要是指针对护理服务过程主动寻求改进机会，主动识别患者新的期望和要求，在与国内外同行比较中明确护理方向和目标，寻求改进措施并予以落实。

（三）护理质量管理的基本原则

1.以患者为中心

患者是医疗护理服务的中心，是医院赖以生存和发展的基石。以患者为中心的原则强调：无论是护理工作流程的设计及优化、护理标准的制定，还是日常服务活动的评价等管理活动，都必须打破以工作为中心的模式，建立以尊重患者人格、满足患者需求、提供专业化服务、保障患者安全的以患者为中心的文化与制度。

2.预防为主

在护理质量管理中树立"第一次把事情做对（Do things right the first time）"的观念，对形成护理质量的要素、过程和结果的风险进行识别，建立应急预案，采取预防措施，避免护理质量缺陷的发生；杜绝事后监督，防微杜渐，贯彻"质量是做出来的而不是检查出来"的理念。

3.全员参与

全员参与是护理质量管理的基本原则之一。质量管理不仅需要管理者的正确领导，还有赖于全体员工的积极参与。因此，在护理质量管理中，管理者应尊重每一个团队成员和服务对象、医护人员及其他有关人员。通过对护理人员进行培训和引导，增强护理人员的质量意识，使每一位护理人员都能自觉参与护理质量管理工作，充分发挥全体护理人员的主观能动性和创造性，引导服务对象、医护人员及其他相关人员参与，建立合作共赢关系，不断提高护理质量。例如，品质管理圈就是发挥全体护理人员，特别是临床一线护理人员的积极性而进行的质量管理。

4.科学决策

科学有效的决策必须以充分的数据和真实的信息为基础。护理管理者应对护理质量要素、过程及结果进行测量和监控，分析各种数据和信息之间的逻辑关系，寻找其内在规律，比较不同质量控制方案的优劣，结合过去的经验和直觉判断，做出质量管理决策并采取行动，这是避免决策失误的重要原则。近年来，护理管理者通过不良事件的采集、分析，获得护理质量管理的基本数据，并针对性地提出解决方案，进行科学有效的决策。

5.持续改进

持续改进是在现有服务水平上不断提高护理质量及管理体系有效性和效率的一种循环活动。护理质量是一个动态的、发展变化的过程，没有最好，只有更好，不应仅限于达到最低质量指标。因此，所有成员都应积极参与，坚持不断地发现新情况，解决新问题，以追求更高的效率和有效性为目标，主动寻求改进机会，确定改进项目，不断提高护理质量水平。

第二节　护理质量管理的组织机构

建立完善的质量管理组织机构是护理质量管理的前提和基础，明确各组织机构的职责是推进护理质量管理标准化的重要保障。

一、护理质量管理组织机构的建立

成立护理质量管理委员会，由分管院领导、护理部主任（副主任）、部分护士长代表以及护士代表组成。

实行三级或二级护理质量管理体系，即护理部（三级）—大科（二级）—病区（一级）或护理部（二级）—病区（一级）的三级或二级护理质量管理体系。护理部可根据职能成立若干个院级护理质量管理小组，包括护理质量控制管理小组、教学与科研管理小组、专科护理管理小组等，各管理小组又可根据医院的实际和需求分为不同的管理小组，如护理质量控制管理小组又可分为基础和危重患者护理、护理文件书写、消毒隔离、急救药品与物品管理、病区环境管理、优质护理等小组，教学与科研管理小组又可分为临床教学质量管理、进修实习带教质量管理、科研管理等小组，专科护理小组又可分为静脉治疗、伤口造口、疼痛、康复等专科护理小组。每组根据专业和个人能力指定组长1名，组员4～5名，详见图1-1。

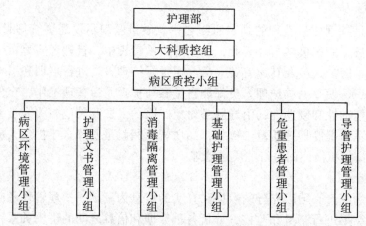

图1-1　三级护理质量管理体系示意图

大科质量管理主要由各大科护士长对所管辖的护理单元按照大科工作计划进行质量指导和督查。

病区也应按照院级护理质量管理小组的架构成立质量管理小组，小组的数量可根据病区工作特点适当减少，但所有质量管理职责均应安排相应小组负责。例如病区可成立护理质量组、环境管理组及教学管理组等，并分担质量管理职能。

二、护理质量管理组织机构的职责

充分发挥三级或二级护理质量管理组织的作用，护理部主任对科护士长、科护士长对护士长、护士长对护士，自上而下层层把关，环环控制。

（一）护理质量管理委员会的职责

制定并定期修订完善护理工作规章制度、工作流程及护理质量管理标准；定期或不定期地召开工作会议，负责研究、制订、审核医院中长期护理质量发展规划，制订年度护理工作计划，如讨论制订护理质量管理目标、策略及方法，做出全院护理人员护理质量教育的规划等。

（二）三级或二级护理质量管理体系的职责

根据护理质量管理委员会制订管理方案和计划，全面开展护理质量管理工作。

1.护理部的职责

护理部全面负责质量管理工作，制订护理质量管理目标、年度工作计划、质量管理具体方案并组织落实。此外，护理部负责制定全院护理质量标准并定期更新；根据护理部年度工作计划，每月由护理部负责护理质量的督查，副主任和院级质量管理小组负责对全院所有护理单元进行护理质量督查，考核结果通过各种形式进行反馈并作为护理单元该月护理质量考核分数的依据。每月通过护士长例会对督查中发现的共性问题进行集中反馈并制定整改措施，对次月的工作进行安排，从而达到护理质量持续改进的目的。

2.大科的职责

各大科护士长按照大科工作计划负责对所管辖的护理单元进行每月至少一次的质量

指导和督查，主要目的是实现质量管理工作的上传下达、上下联通，促进该大科所辖护理单元的护理质量持续改进。

3.病区的职责

在护士长的领导下，科室各质量管理小组按照医院护理质量标准定期检查并自查，发现问题及时反馈，建立追踪制度，对每个护理人员的具体工作质量进行管理和持续改进。病区质量管理小组是护理质量控制的基本单元，是质量管理的核心。

第三节 护理质量管理常用的方法与工具

运用质量管理工具收集与护理质量有关的各种数据，并加以统计、整理和分析，找出质量变化的规律，实现质量的持续改进，不断提高护理质量水平。常用的护理质量管理方法有PDCA循环、追踪法、QCC法、六西格玛、根本原因分析、失效模型与效应分析、SWOT分析等，常用的工具有调查表、因果分析图和系统图等。其中PDCA循环和调查表是护理质量管理最基本的方法和工具。

一、护理质量管理常用的方法

（一）PDCA循环

1.PDCA的概念

PDCA循环（PDCA Cycle）由美国质量管理专家爱德华·戴明（W. Edwards Deming）于1954年提出，又称"戴明环"（Deming Cycle），包含4个阶段，即计划（Plan）—实施（Do）—检查（Check）—处理（Act），其是一种程序化、标准化、科学化的管理方式。鉴于PDCA循环发现问题和解决问题的能力，其作为质量管理的基本方法，已经广泛应用于医疗和护理领域。

2.PDCA的步骤

PDCA循环有4个阶段8个步骤，详见表1-1。

表1-1 PDCA循环的阶段、步骤及常用的工具和方法

阶段	步骤	常用工具和方法
P——计划阶段	分析现状,找出问题 分析产生质量问题的原因 找出影响质量的主要因素 针对主要因素制定相应的措施	排列图、直方图 因果图 排列图、相关图 5W1H
D——实施阶段	实施计划	
C——检查阶段	检查实施结果	排列图、直方图
A——处理阶段	将经验标准规范化 发现新问题,进入下一个循环	

（1）分析现状，找出存在的质量问题：在制订计划前一定要分析现状，找出目前工作中存在的质量问题，使得在制订计划时更有针对性和可行性。此步骤可以用排列图、

直方图等管理工具进行分析。

（2）分析产生质量问题的原因：从分析现状的结果，找出产生质量问题的原因。可以利用因果图（鱼骨图）等方法进行分析。

（3）找出影响质量的主要因素：质量问题的产生会受到很多因素的影响，只有找出主要因素，才能彻底解决问题。因此，在分析产生质量问题的原因之后，就要找出影响质量的主要因素。此步骤可采用排列图、相关图等方法进行分析。

（4）针对主要因素制定相应的措施：找出主要因素后，针对主要因素提出改进的行动计划，并预测实际效果。解决问题的措施应具体而明确，可以通过5W1H内容来确定改进措施。

（5）实施计划：根据制订的计划实施具体的工作。

（6）检查实施结果：根据计划要求，对实际实施情况进行检查，将实际效果与预计目标进行对比分析，寻找和发现计划执行中的问题并改进。此步骤可采用排列图、直方图等工具进行前后对比分析。

（7）将经验标准化和规范化：对检查结果进行分析、评价和总结。把成功的经验纳入有关标准和规范，巩固已取得的成绩，防止不良事件再次发生；对失败的教训，要总结经验，加以改进。

（8）发现新问题：在解决旧问题的过程中会发现一些新问题，转入下一个PDCA循环，为制订下一轮循环计划提供资料。

以上8个步骤不是运行一次就结束，而是周而复始地进行，阶梯式上升。原有的质量问题解决了，又会产生新的问题，问题不断产生又不断被解决，PDCA循环不停地运转，这就是护理质量持续改进的过程，详见图1-2。

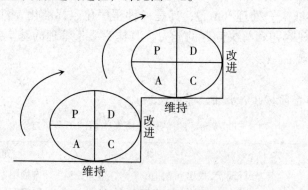

图1-2　PDCA循环递进示意图

3. PDCA的特点

（1）系统性：PDCA循环作为科学的工作程序，从结构看，循环的4个阶段是一个有机的整体，缺少任何一个环节都不可能取得预期效果，比如：计划不周，会给实施造成困难；有工作布置无后续检查，结果可能会不了了之；将未解决的问题转入下一个PDCA循环，工作质量就难以提高。

（2）周而复始：PDCA循环作为一种科学的管理方法，适用于各项管理工作和管理的各个环节。PDCA循环不是运行一次就终止了，而是周而复始地运行。一次PDCA循环结束，能够解决一部分问题，但还会有部分问题没有解决或者出现新的问题，此时就会进入新一轮的PDCA循环。

（3）阶段式上升：PDCA循环作为一个持续改进的模型，是通过一个又一个的PDCA循环，不断发现问题、解决问题，从而不断提升管理能力及工作效率。

（4）运用统计技术：PDCA循环的一个重要特点是运用了科学的统计学方法作为发现问题、解决问题的工具。常用的统计工具有排列图、直方图、因果图等。

（二）追踪法

1. 追踪法的概念

追踪法（Tracer Methodology），又称追踪检查法、追踪方法学，是美国医院认证联合委员会国际部（Joint Commission International，JCI）在医院质量论证中常用的一种方法。尽管追踪学最初主要用于第三方评审机构对医疗机构进行评审，但是近年来越来越多的医院管理者都在借鉴追踪法进行医院管理与质量持续改进。追踪法包括个案追踪和系统追踪两种类型。

追踪法是一种过程管理方法，通过跟踪患者的就诊过程或医院某一系统的运行轨迹，评价医院管理系统及考核医院整体服务，促进医疗服务质量的持续改进。与传统检查方法相比，追踪法能使检查者更客观地评估医院日常功能运行情况和流程执行情况，同时能帮助检查者识别服务流程中影响医疗服务质量的缺陷以及危害患者、家属及医务人员的潜在风险。

2. 追踪法的实施

（1）追踪法的步骤：实施追踪法的基本步骤包括三个方面。首先，检查者以面谈及查阅文件的方式，了解医院是否开展和如何进行系统性的风险管理；其次，以患者个体和个案追踪的方式，实地访查一线工作人员以及医院各部门的医疗服务质量，了解医疗服务流程的落实程度；最后，检查者以会议形式讨论和交换检查结果，并根据所发现的问题进行系统追踪，提出改进意见。

（2）追踪目标患者的选择：追踪法的核心是"以患者为中心"，强调患者安全及医疗服务质量持续改进；无论个案追踪还是系统追踪，都涉及追踪患者的就医过程。因此，选择追踪目标患者是实施追踪法的前提和基础，一般应根据以下标准选择：

1）医疗机构前一年度诊治的前5大类患者。

2）跨越多个服务项目的患者（如转科患者、手术患者、需随访者等）。

3）转院患者。

4）当日或次日即将出院的患者。

5）如进行系统追踪，则选择与该系统相关的患者。

（3）追踪法的主要内容

1）个案追踪：个案追踪是观察患者的整个诊疗过程，按照事先设计的表格，认真记录每个环节的衔接和对患者的处置，然后评价各个工作环节及衔接是否规范合理，包括资料数据使用、患者移动、治疗护理过程及院内感染控制等。个案追踪的主要内容包括但不限于：①患者相关记录，包括病历、护理记录、个人信息等；②直接观察患者治疗计划的制订过程、治疗过程、用药过程；③观察感染预防和控制；④观察环境对安全的影响及员工在降低风险方面的作用；⑤观察急诊管理和患者流程问题，其他辅助科室的流程问题；⑥与患者或家属交谈，核实相关问题；⑦与员工面谈；⑧必要时审核会议纪要和程序。

2）系统追踪：系统追踪集中考察医院的某个系统、功能模块甚至具体环节。系统追踪的主要内容包括但不限于：①评价有关环节的表现，特别是相关环节的整合与协调；②评价各职能部门和科室之间的沟通；③发现相关环节中潜在的问题；④与追踪环节相关人员的讨论，获取信息。例如，检验标本分析前质量控制，包括医生开申请单、患者准备、护士标本采集、标本运送等多个环节，质量控制难度大；可采用系统追踪法对分析前阶段的各个环节进行追踪检查，找出关键因素和不合理环节，改进和优化流程，提升分析前质量控制水平。

（三）QCC法

1. QCC的概念

质量管理圈（Quality Control Circle，QCC）又称品质管理圈或QCC小组，是由同一个工作现场或工作相互关联区域的人员，利用自发的团队精神，运用简单有效的品质管理方法，对自身的工作环境进行持续的改善和管理，是一种自下而上的管理方法。如今已广泛应用于病房管理、专科护理、健康教育等护理质量管理的各个层面，实现了护理质量管理从以物为中心的传统管理模式向以人为中心的现代管理模式的转变，体现并强调了全员、全过程、全部门质量控制的全面质量管理理念，对促进护理人才队伍发展有重要的实践意义。

2. QCC的实施步骤

（1）组圈：由工作目标相同、场所相同、性质相同的3～10人组成品质管理圈。

（2）选定主题：了解工作中存在的问题，明确此次品质管理圈活动的主题。主题应符合护理质量目标，能够量化，并具有可行性。

（3）拟订计划：主题确定后应拟订活动计划，实现拟订计划并能顺利推行品质管理圈活动的进行。

（4）现况把握与分析：对工作现况进行分析，收集数据，通过对数据整理分析，找到存在的问题，并针对存在的问题进行原因分析。

（5）制定活动目标并解析：根据主题制定相应的目标，目标应明确且可量化。

（6）检查对策：用5W2H法确定对策，即做什么（What）、为什么做（Why）、谁来做（Who）、何地做（Where）、何时做（When）、如何做（How）、成本如何（How much）。

（7）实施对策：拟订具体的实施方法，实施前对相关人员进行培训。在实施过程中，小组成员严格按照各自的责任或计划实施。

（8）确认成效：将对策实施后的效果与实施前进行比较，检验品质管理圈活动是否有效。

（9）标准化：评价品质管理圈活动的效果，应将成效实施方案标准化，写成标准操作程序。

（10）检讨与改进：客观评价活动开展过程中的效果，分析其优缺点，总结经验，为下一轮品质管理圈的开展提供经验。

（四）六西格玛

1. 六西格玛的内涵

西格玛（σ）是希腊字母，在统计学中称为标准差，用来反映样本变量的离散程度。

可以用它来衡量一个流程的完美程度，显示每一百万次操作中发生失误的次数。六西格玛管理（6 Sigma Management）是建立在管理方法和统计学原理之上，以事实数据为基础来寻找问题发生的根本原因。其内涵是帮助企业集中于开发并提供近乎完美产品和服务的一个高度规范化的过程，它通过"测量"一个过程有多少个缺陷，并系统地分析出怎样消除它们以尽可能地接近"零缺陷"，从而进行质量管理。

2.六西格玛的特点

（1）以顾客为中心：根据顾客的需求来确定管理项目，并用顾客满意度和价值影响作为改进程度的衡量标准。

（2）注重数据和事实：用数据说话是六西格玛的精髓。六西格玛管理广泛采用各种统计技术工具，使管理成为一种可测量、数字化的手段。

（3）强调领导实际参与：只有领导层的实际参与，才能保证六西格玛管理的实际推行效果。

（4）有预见的积极主动管理：六西格玛包括一系列工具和实践经验，它用动态的、即时反映的、有预见的、积极主动的管理方式取代被动的习惯，促使企业在追求几乎完美的质量并不容出错的竞争环境下快速向前发展。

（5）重视质量持续突破改进：六西格玛项目的改进是突破性的。通过改进使产品质量得到显著提高，或者使流程得到改善，从而使组织获得显著的经济利益。

3.六西格玛的主要内容

（1）六西格玛管理：建立科学、高效的人员组织体系是六西格玛管理的首要基础工作，包括建立完整的组织体系和结构。

（2）DMAIC流程：六西格玛管理模式是以DMAIC流程为核心，即界定（Define）、测量（Measure）、分析（Analyze）、改进（Improve）、控制（Control）。该流程用于每一个环节的不断改善，从而使控制目标达到"零缺陷"。

界定：陈述问题，确定改进目标及其进度，制订进度计划，是六西格玛项目的起点，也是至关重要的第一步。

测量：识别并量化服务对象的关键要求，收集数据，了解现有质量水平。

分析：分析数据，探究误差发生的根本原因，利用统计学工具对整个系统进行分析，找到影响质量的关键因素。

改进：针对关键因素确立最佳改进方案，在分析的基础上提出并验证措施，同时将措施标准化。这个步骤需不断测试以检测改善后的方案是否有效。

控制：确保所做的改善能够持续下去，避免错误再度发生，采取有效措施以维持改进的结果。它是六西格玛能长期改善品质与成本的关键。

（五）根本原因分析

1.根本原因分析简介

根本原因分析（Root Cause Analysis，RCA）是一种回溯性失误分析工具，其核心是一种基于团体的、系统的、回顾性的不良事件分析方法，找出系统和流程中的风险和缺点，并加以改善，通过从错误中反思、学习及分享经验，可以做到改善流程、事前防范。它从多角度、多层次提出针对性的预防措施，预防同类不良事件的发生，以此改变传统质量管理只解决单一事件，治标不治本的缺点。

2. 根本原因分析的实施步骤

（1）组成根本原因分析（Root Cause Analysis，RCA）团队。该团队一般由具有与事件相关专业知识并能主导团队运作的人员构成。

（2）问题描述。帮助 RCA 团队在分析问题及制定改善措施时能够清楚地关注重点。

（3）收集相关资料，绘制时间序列图，标识导致事件发生的因素。

（4）针对每个导致事件发生的因素，采用根本原因决策图识别根本原因。

（5）针对根本原因制订改进建议和改进计划。

（6）对根本原因分析结果进行汇总，将报告分发给所有与被分析事件相关的人员或可能从分析结果中受益的人员。

（7）效果评价。判定纠正性行动是否在解决问题方面有效、可行。

（六）失效模型与效应分析

1. 失效模型与效应分析简介

失效模型与效应分析（Failure Mode and Effect Analysis，FMEA）是一种基于团队的、系统的、前瞻性的分析方法；用于识别一个程序或设计出现故障的方式和原因，并为改善故障提供建议和制定措施，是一个持续的质量改进过程。

2. 失效模型与效应分析的基本步骤

（1）确定需要研究的主题；建立分析团队及基本规则，收集与评审相关的信息。

（2）识别需要进行分析的流程。

（3）针对需要分析的流程识别失效模式、后果、原因和现在采用的控制方法。

（4）通过分析确定问题的相关风险。

（5）进行风险排序，提出纠正措施。

（6）执行纠正措施，然后再评估风险。

3. 失效模型与效应分析的特点

（1）系统性：是一个全面的、系统的、有组织的活动。

（2）程序化：具有规定格式的程序。

（3）预见性：包括预想、预防时机的要素。

（4）时间性：发生在服务或过程正式定型之前。

（5）动态性：随设计、信念的改变不断修正。

（6）复杂性：系统复杂，工作量大，要求高。

（7）协同性：需要系统有关人员和有关专业人士共同合作。

（七）SWOT 分析

1. SWOT 分析简介

SWOT 分析法，又称态势分析法，20 世纪 80 年代初由美国旧金山大学管理学教授韦里克提出，经常被用于医疗机构战略制订、竞争对手分析等场合，包括医疗机构的优势（Strength）、劣势（Weakness）、机会（Opportunity）和威胁（Threats）等分析。因此，它实际上是对医疗机构内外部条件各方面内容进行综合和概括，进而分析组织的优劣势、面临的机会和威胁的一种方法。SWOT 分析可以帮助医疗机构将资源和行动聚集在自己的强项和有最多机会的地方。

2. SWOT分析步骤

（1）确认当前的战略。

（2）确认医疗机构外部环境的变化。

（3）根据医疗机构资源组合情况，确认医疗机构的关键能力和关键限制。

（4）按照通用矩阵或类似的方法进行打分评价。

（5）把识别出的所有优势分成两组，一组与行业中潜在的机会有关，另一组与潜在的威胁有关。用同样的方法把劣势分为两组，一组与机会有关，另一组与威胁有关。将结果在SWOT分析图上定位或者用SWOT分析表把优势和劣势按机会和威胁分别填入表格，形成SWOT战略方针。

二、护理质量管理常用的工具

（一）调查表

1. 定义

调查表（Data Collection Form）是一种用来收集数据的规范化表格，用来对原始数据进行记录、整理和初步分析，其方法简单，格式多样，广泛用于质量管理活动中。

2. 调查表的编制步骤

（1）明确目的，确定将要解决的问题。

（2）确定调查的项目和所要收集的数据。

（3）确定调查的人员和方法。

（4）确定调查表的格式，包括表格的形式和内容，一般应包含调查项目、日期、时间、地点及调查人员及调查方式等。

（5）收集资料，必要时对表格进行修订。

（二）因果分析图

1. 定义

因果分析图（Cause-Effect Diagram）又称鱼骨图（Fishbone Diagram），是将造成某项结果的众多原因以系统的方式图解，用图来表达结果与原因之间的关系；它可以帮助人们找到真正的问题，追踪到问题的根本原因，并层次分明地进行分析。因果分析图由问题、原因和枝干三部分组成，详见图1-3。

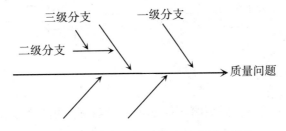

图1-3　因果分析图的基本形式(鱼骨图)

2. 因果分析图的制作步骤

（1）决定评价的问题：问题尽量简要、明确。

（2）列出大原因：将主要原因按照"5M1E"法归类，即从人员（Man）、设备

（Machine）、材料（Material）、方法（Method）、测量（Measure）和环境（Environment）六个方面分析。

（3）列出中原因和小原因：利用头脑风暴法进行分析，找出各个大原因下潜在的根本原因。

（4）找出影响质量问题的关键因素：针对所列出的原因，利用讨论法或评分法选出比较重要的原因。

（三）系统图

1.定义

系统图（Systematict Diagram）又称树状图（Tree Diagram），是为了达到目标或解决问题，以目的—方法或结果—原因的方式层层展开分析，以寻找最恰当的方法和最根本的原因。它是以分枝结构的思考方式，由方块和箭头构成，利用树木分枝图有层次地展开。系统图可以表示某个质量问题与其组成要素之间的关系，也可以系统地掌握问题，寻找实现目的的最佳手段。

2.系统图的制作步骤

根据使用目的的不同，可将其分为因素展开型和措施展开型系统图。

（1）因素展开型系统图：是将构成系统对象的因素展开，详见图1-4。其制作步骤为：

1）明确主题并简要概括。

2）确立主题的主要原因。

3）根据主要原因列出其次要原因，分别将其放在右边。

4）对系统图进行评价。

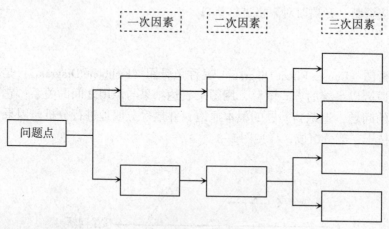

图1-4　因素展开型系统图

（2）措施展开型系统图：是将解决问题或实现目标的措施展开，详见图1-5。其制作步骤为：

1）确定问题或目的。

2）提出解决问题的措施或实行的策略，逐步展开，直到寻找出解决问题或实现目标的最佳方法。

3）对措施或策略进行评价，使其具有可行性。

4）根据措施或策略制订实施计划。

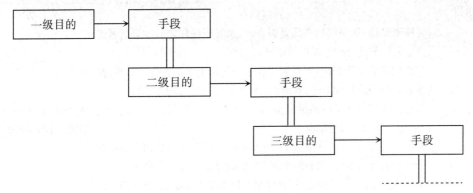

图1-5 措施展开型系统图

第四节 护理质量评价

护理质量评价（Nursing Quality Evaluation）是指通过系统监测护理活动的实施以及实施后的结果等，来综合判断护理目标的实现程度以及护理工作的实际效益。准确、有效的质量评价能保证护理活动的顺利开展，是保证护理质量的重要措施。

一、护理质量评价的内容

（一）护理质量评价模型

20世纪60年代末，美国医疗质量管理之父多那比第安（Avedis Donabedian）提出，质量可以从结构（Structure）、过程（Process）和结果（Outcome）三个方面进行测量，并以此为基础，发展形成"结构—过程—结果"质量标准和评价模型。此评价模型的提出和发展为医疗护理服务质量评价提供了更为广泛的内容，是护理质量评价的基础。

1.结构评价

以结构质量为导向的评价，侧重于组织及其成员的内在属性，是以构成护理服务结构基本内容的各个方面为导向所进行的评价。

2.过程评价

以过程质量为导向的评价，本质就是以护理流程的设计、实施和改进为导向对护理质量进行评价。

3.结果评价

以结局质量为导向的评价，是结构和过程的发展带来的结局表现，是指卫生组织的变化和服务对象的健康状况出现的变化，主要从患者角度进行评价。"结构—过程—结果"模式三个阶段的评价内容和方法详见表1-2。

表1-2　结构—过程—结果模式的评价内容和方法

阶段	评价内容	评价方法
结构评价	1.环境设施:病房结构布局是否合理,患者所处环境的质量是否安全、清洁、舒适,温度、湿度等情况 2.护理人员工作安排:人员素质和业务技术水平是否合乎标准,是否选择恰当的护理方法,管理者的组织协调是否合理等 3.与护理工作相关的器械设备:是否处于正常的工作状态,包括药品、物品基数及保持情况 4.患者情况:护士是否掌握患者的病情,制订的护理计划和采取的护理措施是否有效,患者的生理、心理、社会健康是否得到照顾 5.其他:护理文书是否完整,医院规章制度是否落实,后勤保障工作是否到位等	现场检查、考核、问卷调查、查阅资料等
过程评价	1.护理管理方面:护理人员配置是否可以发挥最大价值的护理效益;排班是否既能满足患者需求,又有利于护理人员健康和护理工作的安全有效执行;护理操作流程是否简化且使得患者、护理人员、护理部门和医院均受益 2.护理服务方面:接待患者是否热情,患者安置是否妥当及时,入院及出院介绍是否详细等 3.护理技术方面:急救流程、操作流程、药品配置流程、健康教育流程等是否合理 4.成本方面:病房固定物资损耗情况、水电消耗情况、一次性物品等护理耗材使用情况等	现场检查、考核和资料分析等
结果评价	1.主观指标:护患满意度、患者生活质量和心理状况的改善等 2.客观指标:患者健康状况的改善、并发症及不良事件的发生率等	现场检查、考核、问卷调查、资料分析、HIS系统、新媒体形式等

（二）护理敏感质量指标

护理质量评价是护理质量管理的中心环节，而指标的选择是护理质量评价的关键所在。护理敏感质量指标（Nursing-Sensitive Quality Indicators）是体现护理工作特点、符合质量管理规律、与患者的健康结果密切相关的指标。护理敏感质量指标的测量能够反映护理质量的客观、真实水平，是护理质量评价的核心和关键内容，也是保证高水平护理的重要手段。

1.护理敏感质量指标的筛选原则

（1）可行性，能够被精确测量。

（2）可操作性，能够被理解和解释。

（3）有代表性，能够反映与疾病负担、护理成本等有关的情况。

（4）相关性，与护理密切相关。

（5）具有较高的信度和效度。

2.我国的护理敏感质量指标

我国第一套全国统一的护理质量评价指标体系是1989年卫生部颁发的《综合医院分级管理标准（试行草案）》。目前多数医院应用的护理质量评价指标体系均参照该标准。

2005年卫生部制定的医院评价指南中包含了"护理质量管理与持续改进"的内容；2010年卫生部印发《2010年优质护理服务示范工程活动方案》，并制定了《优质护理服务实施细则》，在全国广泛应用。2014年，国家卫生和计划生育委员会医院管理研究所护理中心组建了护理质量指标研发小组，广泛查阅国内外质量管理文献，参考全国护理质量管理现状调研资料，结合我国医院质量管理的实践经验，出版了包含13个指标的《护理敏感质量指标使用手册（2016版）》，通过不断更新，截至2024年，形成了17个敏感指标，详见表1-3。

表1-3 护理敏感质量指标

类型	名称	测量方法
结构指标	床护比	$1:\dfrac{同期执业护士人数}{统计周期内实际开放床位数}$
结构指标	护患比	平均每天护患比$=1:\dfrac{同期每天各班次患者数之和}{统计同期内每天各班次责任护士数之和}$
结构指标	每位住院患者24h平均护理时数	$\dfrac{同期内执业护士实际上班小时数}{统计周期内实际占用床日数}$
结构指标	不同级别护士的配置	某级别护士的比率$=\dfrac{同期某级别护士人数}{统计周期内护士总人数}\times100\%$
结构指标	护士离职率	$\dfrac{同期护士离职人数}{统计周期内医疗机构执业护士总数}\times100\%$
结构指标	护理级别占比	某级别护理占比$=\dfrac{同期某一级别护理患者占用床日数}{统计周期内住院患者实际占用床日数}\times100\%$
结构指标	医护比	$1:\dfrac{统计周期内全院职业护士总数}{同期全院医生数量}$
结构指标	护士职业环境	《护士执业环境测评量表》
过程指标	住院患者身体约束率	$\dfrac{同期住院患者身体约束日数}{统计周期内住院患者实际占用床日数}\times100\%$
结果指标	住院患者跌倒/坠床发生率	$\dfrac{同期住院患者中发生跌倒例次数}{统计周期内住院患者实际占用床日数}\times1000‰$
结果指标	2期及以上院内压力性损伤发生率	$\dfrac{同期住院患者新发2期及以上院内压力性损伤发生例数}{统计周期内住院患者总数}\times100\%$
结果指标	气管导管非计划拔管发生率	$\dfrac{同期气管导管非计划拔管发生例次数}{统计周期内该导管留置总日数}\times1000‰$

续表1-3

类型	名称	测量方法
结果指标	导尿管相关尿路感染发生率	$\dfrac{\text{同期留置导尿管患者中尿路感染例次数}}{\text{统计周期内患者留置导尿管总日数}} \times 1000‰\text{（例/千导管日）}$
结果指标	中心静脉导管相关血流感染发生率	$\dfrac{\text{同期中心静脉导管相关血流感染例次数}}{\text{统计周期内中心导管插管总日数}} \times 1000‰\text{（例/千导管日）}$
结果指标	血液净化用CVC相关血流感染发生率	$\dfrac{\text{同期血液净化用CVC相关血流感染发生例次数}}{\text{统计周期内血液净化用CVC留置总日数}} \times 1000‰$
结果指标	呼吸机相关性肺炎发生率	$\dfrac{\text{同期呼吸机相关性肺炎感染例次数}}{\text{统计周期内有创机械通气总日数}} \times 1000‰\text{（例/千机械通气日）}$
结果指标	锐器伤发生率	$\dfrac{\text{同期护理人员发生锐器伤例次数}}{\text{统计周期内医疗机构执业护士总人数}} \times 100\%$

二、护理质量评价的方式

（一）院内评价

在我国，多数医院的护理质量评价一般由护理部、大科、病区三级或二级质量管理小组来完成。

1. 三级质控网络由科室自查，护理部、大科逐级检查，或科间、病区间进行同级交叉检查，对照护理质量标准，定期（按月、季、年）或不定期进行护理质量评价。

2. 质量控制小组一般由科护士长、护士长或具有高级职称的护理人员、护士骨干组成，每组3～5人，可分区（内、外、门急诊等）或分项（特别护理、一级护理、基础护理、抢救物品、医院感染管理、病室管理、护士长考核等）进行定期或不定期质量评价。

（二）院外评价

1. 医院分级管理评审委员会评价

医院分级管理评审由卫生行政部门组织有关专家按照评审标准，每3～4年为一周期，针对各级医院的功能、任务、水平、质量、管理进行综合质量评价，其中包括护理质量评价的内容。根据评价的结果，给予相应等级医院的称号。医院分为一级、二级、三级，每级又分为甲、乙、丙三等，三级医院增设特等，共三级四等。

2. 护理质量控制中心评价

各省护理质量控制中心根据国家护理质量控制中心的整体规划和部署，针对本省护理工作的特点，开展护理质量评价；既包括优质护理服务质量评价等全面督导和评价，也包括静脉治疗护理质量评价、手术室护理质量评价、血液净化护理质量评价、消毒供应质量管理评价等专项督导和评价。同时，部分市、县级护理质量控制中心也在开展各种形式的质量评价。

3. 第三方评价

目前被国内医院管理专家关注的第三方医院外部质量评价有 ISO 9000 质量认证、美国医疗机构评审国际联合委员会（Joint Commission International，JCI）认证、原卫生部和中国医院协会（CHA）发布的《病人安全目标》以及原卫生部发布的《医院管理评价指南》。其中《病人安全目标》和《医院管理评价指南》是结合我国国情制定的医院管理标准，可依据此标准进行第三方评价。

4. 新闻媒介的评价（社会舆论）

这是一种逐渐规范的院外评价方法。目前各医院主要采用聘任医德医风监督员的方式获得来自社会或消费者对医院评价的信息反馈。

参考文献

［1］赛伊.六西格玛精益流程［M］.北京:东方出版社,2011.

［2］叶文琴,李丽.护理质量评价及评价指标体系［J］.上海护理,2012,12(3):90-93.

［3］姜丽萍.护理管理学［M］.杭州:浙江大学出版社,2012.

［4］姜小鹰.护理管理理论与实践［M］.北京:人民卫生出版社,2011:233-261.

［5］姜小鹰,李继平.护理管理理论与实践［M］.2 版.北京:人民卫生出版社,2018:282-312.

［6］雷芬芳,胡友权.护理管理学［M］.北京:中国医药科技出版社,2009.

［7］刘化侠,辛霞.护理管理学［M］.南京:江苏科学技术出版社,2013.

［8］李继平.护理管理学［M］.3 版.北京:人民卫生出版社,2013.

［9］彭娟.六西格玛管理［M］.2 版.中国质检出版社,2013.

［10］钱援芳,徐东娥.根因分析法在住院患者非计划性拔管管理中的应用［J］.中华护理杂志,2012,47(11):979-980.

［11］幺莉.护理敏感质量指标实用手册［M］.北京:人民卫生出版社,2016.

［12］吴欣娟.护理管理工具与方法实用手册［M］.北京:人民卫生出版社,2015:203-215.

［13］张道丽,张丽萍,杨越,等.失效模式和效应分析在护理管理中的应用［J］.中国医院管理,2014,34(8):79-80.

［14］章飞雪,于燕燕,徐枝楼,等.品管圈活动在精神科老年病房基础护理质量管理中的作用［J］.中华护理杂志,2013,48(2):127-130.

第二章　护理管理质量标准

　　随着科学技术的不断进步，医学与护理学专业的不断发展，对病区护理管理的模式、质量及效率要求越来越高，以质量为核心，以患者为中心，遵循护理管理原理采用科学的护理程序和方法，才能为患者提供高效、优质的护理服务。

第一节　病区管理质量标准

一、组织管理标准

（一）组织架构

　　病区护士长是护理指挥系统的最基层领导者，肩负着护理管理、护理业务查房、护理安全、护理科研、护理教学、急救物品、护理病历书写、健康教育、制定规划、资源调配和行政管理等多个方面的工作职责，在提高病区护理管理质量方面起着关键的作用。

　　1.组织管理架构

　　组织管理架构详见图2-1。

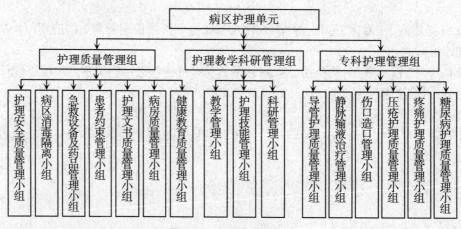

图2-1　组织管理架构图

　　注：各医院按照本院护理发展规划合并或添加相关的质控及专科管理小组。

2.工作职责

（1）护理质量管理组

护理质量管理组岗位说明详见表2-1。

表2-1　护理质量管理组岗位说明

岗位名称	岗位职数	任职资格	工作权限	岗位职责
组长	1	学历:本科及以上 职称:主管护师及以上 工作年限:相关科室15年以上、专科8年及以上	工作范围:医院 直接上级:护士长 直接下级:专科副组长	1.在护士长领导下,负责病区护理质量管理,带领全科护理人员积极参与护理各项工作 2.每年根据护理部要求修改和完善医院护理质量管理方案、医院护理管理制度、护理质量标准及评价标准、工作流程、考核办法,持续改进方案,对科室进行整改 3.定期抽查和负责督导各项护理规章制度落实情况 4.对护理单元的护理质量、考核情况进行定期或不定期抽查,并做出评价 5.定期对基础护理质量、级别护理、护理文书书写、病区管理质量、消毒隔离以及急救药品、物品和设备进行自查,将存在的问题及时反馈及整改 6.定期召开科室护理质量管理分析讨论会,对质量难点进行指导,针对护理质量方面存在的问题和隐患进行原因分析,提出整改措施,并负责落实及评价
副组长	1	学历:本科及以上 职称:主管护师及以上 工作年限:相关科室10年以上、专科5年及以上	工作范围:医院 直接上级:专科组长 直接下级:各分组组长	协助组长开展工作
秘书	1	学历:本科及以上 职称:护师及以上 工作年限:相关科室5年以上、专科3年及以上	工作范围:医院 直接上级:专科副组长	协助组长、副组长开展工作

（2）护理教学科研管理组

护理教学科研管理组岗位说明详见表2-2。

表2-2　护理教学科研管理组岗位说明

岗位名称	岗位职数	任职资格	工作权限	岗位职责
组长	1	学历：本科及以上 职称：主管护师及以上 工作年限：相关科室15年以上、专科8年及以上	工作范围：医院 直接上级：护士长 直接下级：专科副组长	1.负责制订本病区各层级护士培训计划，并组织实施 2.定期对护理人员的专业知识、操作技能等考核 3.负责对业务学习的登记与学习资料的收集与归类 4.负责检查及考核护理人员的学习笔记 5.负责落实对护理人员、新入职护理人员、轮转护理人员的培训工作，并完善相关资料 6.组织护理人员积极参与省、市继续教育项目 7.参与呈报到护理部的各项护理科研计划与科研项目申请 8.结合国内外护理科研进展及医院开展的医疗新技术、护理流程中的难点问题，组织护理人员进行研究和革新
副组长	1	学历：本科及以上 职称：主管护师及以上 工作年限：相关科室10年以上、专科5年及以上	工作范围：医院 直接上级：专科组长 直接下级：各分组组长	协助组长开展工作
秘书	1	学历：本科及以上 职称：护师及以上 工作年限：相关科室5年以上、专科3年及以上	工作范围：医院 直接上级：专科副组长	协助组长、副组长开展工作

（3）专科护理管理组

专科护理管理组岗位说明详见表2-3。

表2-3 专科护理管理组岗位说明

岗位名称	岗位职数	任职资格	工作权限	岗位职责
组长	1	学历:本科及以上 职称:主管护师及以上 工作年限:相关科室12年以上、专科8年及以上	工作范围:医院 直接上级:护士长 直接下级:专科副组长	1.参加护理部领导的专科护理管理委员会,履行其职责 2.组织制订本专科护理工作指引,制定并审核所在专科各项护理工作标准、护理质量评价标准等 3.参加医疗查房,参与危重症病例、疑难病例讨论,分析患者的护理问题,制订护理计划 4.组织院内护理会诊,按照循证护理方法,解决护理疑难问题,指导临床护理工作 5.积极组织本专科的学术活动。有计划、有目的、高质量地推广和应用专科护理新成果、新技术、新理论和新方法 6.协助制订医院专科护士人才培养计划 7.主持或协助完成护理分层级培训及临床带教工作 8.开设专科护理门诊,指导并为患者、家属、员工和公众提供咨询
副组长	1	学历:本科及以上 职称:主管护师及以上 工作年限:相关科室8年以上、专科5年及以上	工作范围:医院 直接上级:专科组长 直接下级:各分组组长	协助组长开展工作
秘书	1	学历:本科及以上 职称:护师及以上 工作年限:相关科室5年以上、专科3年及以上	工作范围:医院 直接上级:专科副组长	协助组长、副组长开展工作

（二）依法执业

根据《中华人民共和国护士管理办法》要求，具有中华人民共和国护士执业证书，并经过注册的护理专业技术人员可参与病区管理工作。

（1）严格贯彻执行医疗卫生管理法律、法规、规章和诊疗护理规范及常规，做到依法执业。

（2）严格按照《护士条例》执行《护士执业注册管理办法》。严格审查护士资质，未取得护士执业证书者，不能独立从事护理工作。

（3）护理人员在执业过程中应正确执行医嘱，观察患者的身心状态，进行科学的护理。

（4）遇紧急情况应及时通知医生并配合抢救，医生不在场时，护理人员应当采取力所能及的急救措施。

（5）护理人员有承担预防保健工作、进行康复指导、开展健康教育、宣传防病治病知识的义务。

（6）护理人员在执业活动中要注意保护患者隐私。

（7）护理人员在护理活动中违反医院规章制度等，按医院有关规定进行处理。

（8）护理专业在校生或毕业生必须在带教老师的指导下进行专业实习和临床实践。

（9）护理员只能在护理人员的指导下从事临床生活护理工作。

二、护理人员管理标准

（一）素质要求

1.思想品德素质

（1）政治思想素质：热爱祖国，热爱人民，对护理事业有坚定的信念、深厚的情感，积极参加突发公共卫生事件处置等。

（2）职业道德素质：有高尚的情操、诚实的品格、高度的社会责任感和同情心，并具有较高的慎独精神。

（3）积极参加医院的各项政治活动，服从医院及科室的安排。

（4）遵守劳动纪律，不迟到、早退及脱岗。

2.科学文化素质

（1）基础文化知识：掌握相应的数、理、化、外语知识，并能熟练进行计算机基础操作。

（2）人文科学及社会科学知识：了解心理学、伦理学、哲学、美学、政治经济学、社会学、法学、统计学等相关知识。

3.专业素质

（1）专业理论知识：掌握扎实的理论知识，并能熟练地运用专业知识、专业技能。

（2）实践操作能力：具备规范、精确、娴熟的护理操作技能，熟练使用各种常用抢救设备。

（3）洞察能力：用专业知识及技巧，准确收集资料；通过细致观察，及时发现患者的病情变化，判断问题的轻重缓急并及时处理。

（4）分析、解决问题的能力：具有较强的分析问题和解决问题的能力。

（5）评判性思维能力：具有对护理问题反思和推理的能力，包括护理人员的态度、技能、专业知识、经验及标准等内容。

（6）应变能力：发现病情变化，面对突发情况，护理人员在工作中应做到灵活机智、果断敏捷、准确地处理。

（7）学习和创新能力：在实践工作中遇到具体疑难问题时，能主动查阅资料或请教有关专家解决问题。

（8）良好的沟通能力：能有效地与患者及其家属、医生进行沟通。

4.心理素质

具有良好的心境，乐观、开朗，情绪稳定，宽容豁达，并具有较强的自控能力。

5.稳重的举止

（1）具有敏捷的反应力、始终如一的工作热情，以及良好的耐受力。

（2）举止大方，行为端庄，站姿挺拔，坐姿大方，语言文明，言辞得当，语言温和。

（二）行为规范

1.奉行救死扶伤的人道主义精神，履行保护生命、减轻痛苦、增进健康的专业职责。

2.对待患者一视同仁，尊重患者，维护患者的健康权益。

3.为患者提供医学照顾，协助完成诊疗计划，开展健康教育，提供心理支持。

4.履行岗位职责，遵守各项规章制度和操作常规，严格执行"三查八对"，预防差错事故发生。工作严谨，对个人的护理判断及职业行为负责。

5.关心、爱护患者，保守患者的隐私。

6.发现患者的生命安全受到威胁时，应积极采取保护措施。

7.积极参与公共卫生和健康促进活动，参与突发事件的医疗救护。

8.加强学习，提高专业能力，适应医学科学和护理专业的发展。

9.积极加入护理专业团体，参与促进护理专业发展的活动。

10.尊重领导，团结同事，互相支持，密切配合。

（三）仪容仪表

1.精神饱满，语言文明，举止端庄。

2.头发整洁，长发要盘起（后不过领，前不过眉）。

3.服饰清洁、适体，衣领、袖口、衣边要平整、无污渍，内衣不外露，胸牌佩戴位置合适、端正。

4.工作服应合体、平整，保持衣扣完整，无破损，无污迹，并佩戴挂表。工作服内衣领不可过高，颜色反差不可过于明显，自己的衣、裤、裙不得超出工作服、工作裤的底边。

5.袜子颜色以肤色为宜，鞋面要保持清洁，鞋底无响声。

6.淡妆上岗，妆色明朗，不可浓妆艳抹，不得佩戴耳环、手镯、戒指、手链、脚链等，不留长指甲，指甲不涂色。

（四）护理人员服务态度质量标准

1.接待患者热心，接受意见虚心，解释工作耐心，护理操作细心，一视同仁出以公心。

2.观察病情及时，治疗及时，临床护理及时。

3.患者满意，医生满意，护士满意，家属满意。

4.不收患者钱物，不利用工作之便谋私利，不与患者争吵，不讲不文明礼貌的语言。

5.所有护理工作均体现人性化的服务。

6.患者对护理人员服务态度满意率≥90%。

（五）护理人员素质评价标准

1.认真履行岗位职责，有良好的职业道德，遵守医务人员医德规范，工作责任心强，服务态度好。

2.掌握基本护理理论，整体护理理论考试合格。

3.熟练掌握基础护理和专科护理技能，基础护理操作和专科护理技能考试合格。

4.能有效地与患者进行交流和沟通，建立良好的护患关系，体现人性化的护理服务。

5.能熟练运用护理程序对患者进行健康评估，搜集患者资料全面准确，制定的护理措施正确、具体、有效，能够对患者进行健康教育、心理护理和康复指导。

6.护士长及护理教学小组组长定期组织教学查房，并能指导下级护理人员工作。

三、环境管理标准

（一）遵循标准：8S管理

8S 是指整理（Seiri）、整顿（Seiton）、清扫（Seiso）、规范（Standard）、素养（Shitsuke）、安全（Safety）、节约（Save）、学习（Study）。

整理：将要与不要的东西进行区分，不要的东西及时清理。

整顿：将留下来的东西定点、定位放置整齐，标识清楚。

清扫：将场所清扫干净。

规范：将前3S实施的做法规范化、制度化，并维持成果。

素养：养成良好的习惯，培养主动积极的精神。

安全：消除隐患，排除险情，预防事故的发生。

节约：合理利用时间、空间、能源、资源，效能最大化。

学习：深入学习，不断完善，提升素质。

（二）病区环境设置

1.病区

病区环境清洁，分区明确，布局科学合理，环境安全；基础设施配备齐全；配备应急呼叫系统；有适宜于危重患者使用的可移动病床；患者活动的防滑扶手装置性能良好；有禁止吸烟的醒目标识；配备适量的消防设施，消防通道畅通无堵塞。

2.病房

病房整洁、安静、安全，适合患者休息；卫生间设施性能良好；多人病房各病床之间有隔帘；每季度清洗隔帘及窗帘一次；保持病房温度为18～22℃，相对湿度为50%～60%。室内无蚊蝇及其他昆虫，无不良气味。

3.护士站

护士站设有患者呼叫系统、诊断栏、病历车、电脑、打印机及条码机，编号管理；病区动态牌、护理人员一览表，标识统一规范。专人负责每日清理，保持整洁有序。

4.治疗准备室

治疗准备室应备有洗手设施、冰箱、治疗车、药品及物品存放柜、生活垃圾桶、医疗废弃物桶、玻璃瓶放置桶、锐器盒等。专人负责每日清洁；药品及物品定位放置；标识醒目，标识与药品及物品相符；药品及物品每日清理，确保无过期药品及物品；物品使用后处理规范、合理。

5.换药室

换药室应备有洗手设施，换药车、药品及物品存放柜，换药碗等必需的无菌物品，生活垃圾桶、医疗废弃物桶、锐器盒等。专人负责每日清洁；物品定位放置；标识醒目，标识与物品相符；物品每日清理，确保无过期物品；物品使用后处理规范、合理。

6.抢救室

抢救室备有抢救床、监护仪、心电图机、心电除颤仪、吸氧设备、负压吸引器、呼吸机（必要时）等仪器和抢救车。抢救车内备有常用抢救药品、一次性耗材、喉镜等气管插管物品。专人负责，做到"四定"；标识醒目，标识与物品相符。

7.库房

库房由专人负责；库房整洁，物品放置有序；存放柜编号管理；标识醒目，张贴规范；标识与物品相符；无"三无"、积压多余及过期物品。出入库管理双人核对，做到账物相符，每月进行盘库。

8.办公室

办公桌椅摆放整齐，桌面干净整洁；物品分类定点放置；地面干净整洁，无堆积物。

9.值班室

值班人员负责清洁、整理床单位，保持床面、地面、桌面、卫生间台面整齐有序；值班室内的被服整齐一致，每周更换一次。柜内物品摆放有序；床铺、窗帘、洗手间及各台面、地面清洁整齐，垃圾及时倾倒。

10.清洁间

物品放置规范，整洁有序；抹布、拖布分区管理，有颜色区分标识，保持清洁，定点存放。

11.卫生间

备有男、女卫生间及无障碍卫生间，应设有扶手、防滑提示标识。洗漱间水池清洁，下水道通畅。卫生间清洁，无异味，无尿垢。地面清洁干燥，有防滑警示牌，垃圾及时倾倒。

12.开水间

墙面、地面、水槽、瓷砖清洁，无污垢，地面不积水；有防止烫伤、滑倒等温馨提示；无杂物和各种废物堆放。

13.垃圾暂存处

物品摆放整齐，室内清洁、干净，无异味，无杂物。各类垃圾桶有颜色区分，标签规范；垃圾桶内外清洁，加盖密闭，及时清洗，无污渍。

（三）环境管理标准

1.仪器电源线、氧源及负压吸引连接线等应归类，固定放置。

2.病房、治疗准备室、换药室、检查处置室、抢救室、贮藏室、办公室、值班室物品放置有序，保持整洁，有标识。

3.病区每月进行空气培养，根据报告结果发现异常，并及时整改，以保证病区环境无污染。

4.清洁

（1）病区各室无积灰，无蜘蛛网，玻璃明，灯泡亮，门窗洁，有定期保洁措施，床单每日按要求整理，做到一床一套一扫一更换，用物按常规消毒。

（2）各操作台及物品架无灰尘、无污渍。

（3）洗漱室、卫生间、垃圾暂存处清洁无臭味，无污垢。

（4）应在病区外更换被服。污染被服应装入专用袋内，不准堆积于病区地面。

5.整齐

（1）各室物品摆放统一，符合规范要求。

（2）病室床、柜一条线，床头桌上可放置暖瓶、水杯，床架上可放置脸盆、牙具、清洁便盆和尿壶，床下除放一双拖鞋外，不可放置杂物。

6.“三上”无物：窗台、暖气、床栏上不可堆放和悬挂物品。

7.安静：做到走路轻、说话轻、操作轻、开关门窗轻。

四、物品管理标准

（一）病区常用物品管理

1.护士长或由指定的专人全面负责病区药品、物品、器械的领取、保管及使用，并建立账目，分类保管，定期检查，做到账物相符。

2.管理人员掌握各类物品的领取、使用时间，做到定期清点、保养维修。

3.因不负责任，违反操作规程，损坏、丢失各类物品，应根据医院赔偿制度处理。

4.借出物品，必须履行登记手续，借用人签名后，经护士长同意方可借出，抢救器材一般不可外借。

5.护士长工作调动，物品必须办理移交手续，交接双方共同清点并签字。

（二）被服管理

1.各病区根据病床数确定被服基数及机动数，定期清点，如基数不符或遗失，须及时追查原因。

2.科室使用中的被服整洁、干净，无破损。

3.患者出院时，值班护理人员清点被服。

4.待洗被服放于指定地点，与洗衣房人员当面清点，不得在过道和清洁区清点。

5.病区的被服，私人不得借用。

五、仪器与设备管理标准

（一）一般仪器设备管理

1.建立仪器设备明细账本，分类保管，账物相符。

2.建立仪器设备的管理流程、操作手册、保养维修记录本。

3.执行“四定”制度，即定数量、定位放置、定专人负责、定期检查保养。

4.标识清晰，性能良好，处于完好与备用状态；必须定期检测与校准，已检测的仪器设备标记有计量检测合格标识，并有检查记录。

5.建立《仪器设备使用安全事件与风险管理监测报告制度》。

6.仪器设备使用过程中发生医疗器械安全事故或出现故障，应立即停止使用，及时填写医疗器械不良事件上报表，并上报相关部门。

7.仪器设备如有故障应及时维修，并悬挂"故障"提醒标识并交班，以免耽误患者治疗。

8.用于急救、生命支持的仪器设备，保证完好率为100%。有性能情况和使用情况的监管和记录，且有备用仪器设备调配使用。

9.借出仪器设备必须履行登记手续，抢救仪器一般不外借。

（二）贵重仪器设备管理

1.建立资料档案，内容包括：使用说明书、合格证明、操作规程、仪器维护方法等有关资料。

2.使用者必须经过培训和考核，了解仪器性能，掌握标准操作规程，正确使用医疗仪器、设备。

3.定期保养、维护、评估仪器设备性能，对需要维修的仪器进行标识并及时送修，并做好交班记录。

4.贵重仪器设备须经护士长同意方可借出，并登记。

（三）急救设备管理

1.急救药品器材（包括专科的）应准备齐全，处于良好备用状态，做到：

一专：专人负责，定期检查，有检查登记记录。

二及时：及时检查维修，及时领取补充。

三无：无责任性损坏，无药品过期、失效变质，无器材性能失灵。

五定：定数量，定点安置，定专人管理，定期消毒灭菌，定期检查维修；完好率达100%。

2.氧气装置、吸引器装置功能到位，做到：

（1）氧气装置各部分功能到位，放置安全。

（2）湿化瓶及贮液瓶在使用期间每周消毒1次，使用完毕终末消毒并干燥贮存；使用一次性湿化瓶装置，每位患者使用后必须更换。

（3）各部位装置表面清洁，无积灰。

3.急救车

（1）急救车内外清洁、整齐，物品齐备，放置有序。

（2）急救药品标签清晰，卡、物数目相符。

（3）无过期物品和药品。

（4）车外有每区物品标识，车内物品规范，做到分区放置：

一区：放置常规急救药品、专科急救药品。

二区：方盘内放置消毒盒、污物缸、止血带、治疗巾；弯盘内放置开瓶器、砂轮、胶布、止血钳、三通等；50mL、20mL、10mL、5mL、2mL、1mL注射器各少量，输液器，输血器，镊子罐包，留置针，肝素帽等。

三区：方盘内放置开口器、舌钳、压舌板、叩诊锤、插线板、听诊器、氧气扳手、手电筒、计时表。

四区：一次性吸氧管、吸痰管、专科用各种管道、引流袋、尸体料理盘、大镊子、棉球。

五区：专科用品，蒸馏水、生理盐水，文件，护理记录单。

（5）急救车内的器械使用后应随时补充、消毒、灭菌。

（6）护理人员应熟悉急救车内的抢救器械的性能和使用方法，并能排除一般故障，保证急救物品的完好率。

4.其他物品

（1）输液架或输液轨道功能好，清洁，无污迹及胶布痕迹。

（2）血压计性能良好，固定好，袖带保持清洁。

（3）急救床升降、折叠功能好，床边无污迹。

（4）各种管道有备份。

（5）器械柜内物品固定，放置有序，用具齐全。

（四）仪器设备管理规程

1.根据专科特点和需求，配置仪器设备的种类和数量，建立明细账本，指定专人负责，做到账物相符。

2.制定仪器设备管理人员职责，指定检查、维护、清点仪器设备的时间、班次和人员；设有使用、维护登记本，规范检查记录内容。

3.建立科室仪器设备档案，登记仪器设备购买日期，保存使用说明书、操作方法、流程图、保修单、配备的标配物品、备用零件等，定位存放。

4.使用手册随设备存放，仪器挂标牌，注明仪器名称、产地、型号、操作规程、注意事项等。

5.对护理人员进行设备仪器的应用原理、操作方法、故障处理、清洁消毒、保养维护等培训，护理人员经培训并考核合格后方能使用设备仪器。

6.每日检查仪器设备，使其处于良好备用状态；贵重、抢救仪器设备每周维护，记录使用情况；单价在5万元以上的仪器设备应建立设备档案，记录使用情况，进行成本效益分析。

7.抢救仪器设备一般不外借，要确保100%性能完好，并处于备用状态。护士长或专责护士每周质控，做好记录。建立仪器故障应急预案，有备用设备，并人人知晓。

8.仪器设备在使用前要进行安全事件与风险评估，存在安全隐患的仪器及时保修和送检。

9.仪器设备要按国家计量质量要求，定期进行检测与校准。对经检测合格的仪器设备贴计量检测合格标志。失去效能的各种仪器及时报废，贵重仪器设备要填写报废单，按程序报废和销账。

10.根据仪器设备使用情况和专科需要，申领新的仪器设备。凡新购进仪器，均由设备科工程技术人员与使用人员、档案管理人员一起进行开箱验收，做好记录，设立档案卡。

（五）设备管理标准

1.冰箱清洁，物品分类放置有序，定期除霜，禁放私人物品，有温度检测与记录。

2.建立常用仪器设备使用制度与流程，制定使用过程中意外情况的处理预案及措施。

3.在仪器旁挂有操作程序卡,提供操作提示。

4.有仪器设备维修情况记录;仪器设备定位放置,护士长定期检查,发现问题及时请专业人员维修,暂时不能使用时有明显标识,并有记录。

5.定期检查病床、平车、轮椅、常用仪器设备,并有记录;有使用操作规程,处于完好备用状态,使用时符合安全操作要求。

六、药品管理标准

为了确保住院患者及时使用药品,各病区应结合临床实际需求和收治患者的特点,备有一定数量的药品基数。具体配备何种药品及药品数量,可根据基数表增减。护理部、药剂科要定期检查核对基数药品种类、数量是否相符,有无过期变质现象,毒、麻、精、放药品管理是否符合规定。

(一)常规药品管理

常规药品要按需确定种类,建立账目,专柜分类放置,标识清楚,专人管理、清理,补充及时,无积压、过期、变质,并有交接登记。

1.口服药、外用药区分放置,瓶签清晰。

(1)病区口服药基数按需求设置,存放于干燥清洁玻璃瓶内,瓶外蓝框白底标签应标识药名、剂量及有效期。

(2)病区根据病情需要设置外用药基数。外用药应专柜存放,使用红框白底标签标识,标签清晰,勿与消毒剂混放。

(3)外用药有开瓶日期,开瓶后标明有效期及开启人。

2.各病区按病情种类和救治患者的需要设置普通针剂的基数。

(1)针剂应整齐存放于治疗室抽屉内,近效期的药品摆放于易于先用的位置。若有药品过期、字迹模糊、破损应及时更换。

(2)护士每月检查一次针剂的质量、数量及有效期等,并签名登记。

3.患者个人的药品,应注明床号、姓名、存放日期,单独存放。

(二)急救药品管理

1.常用急救药品

为了确保抢救中迅速、及时、准确地使用急救药品,各病区应结合临床实际需求和收治患者的特点,备有一定数量的常用急救药品。具体配备何种药品及药品的数量可根据基数表(详见表2-4)增减。

表2-4 常见急救药品基数表

药品名称	规格	单位	数量	药品名称	规格	单位	数量
盐酸肾上腺素	1mL×1mg	支	5	硫酸阿托品注射液	1mL×0.5mg	支	5
盐酸去甲肾上腺素	2mg×1mL	支	5	氨茶碱注射液	2mL×0.25g	支	2
异丙肾上腺素	1mg×2mL	支	5	呋塞米注射液	2mL×20mg	支	3
尼可刹米注射液	0.375g×1.5mL	支	5	地西泮(安定)注射液	2mL×10mg	支	2

续表2-4

药品名称	规格	单位	数量	药品名称	规格	单位	数量
盐酸多巴胺注射液	2mL×20mg	支	5	催产素	1mL	支	3
西地兰注射液	2mL×0.4mg	支	2	5%葡萄糖酸钙注射液	10mL	支	2
地塞米松注射液	5mg×1mL	支	5	5%碳酸氢钠注射液	10mL	支	2
利多卡因注射液	0.1g×5mL	支	3	5%碳酸氢钠注射液	250mL	瓶	1
胺碘酮注射液	0.15g×3mL	支	2	50%葡萄糖注射液	20mL	支	5
硝酸甘油注射液	5mg×1mL	支	5	20%甘露醇注射液	250mL	瓶	1
注射用硝普钠	50mg	支	2	0.9%氯化钠注射液	250mL	瓶	2

2.管理制度

为了确保急救药品能够真正发挥其作用，制定如下制度：

（1）必备的急救药品须按要求和种类配置，数量、规格要保持一定基数，报护理部、药剂科备案，确保满足临床急救需要。

（2）根据急救药品及其性质（如针剂、内服、外用、毒麻精药等），固定在抢救车上或专用急救柜指定区域定位存放，标记明显。

（3）急救药品严格执行"五定"制度管理。

（4）急救药品的有效期管理

1）护理人员领取急救药品时，要核对清楚。品名、规格、有效期、剂量等不清，标签不明或过期、变质的药品，护理人员应不使用。

2）存放急救药品的外包装盒上的标签应完整、清晰。药品的名称、规格、剂量、有效期等均应与外包装一致。品名、规格不一致，不允许放置于同一药盒内。

3）急救药品有效期不一致时，应标记于清点登记本上，以备核查。摆放时，按有效期先后顺序存放，使用时近效期的先使用。

4）急救药品使用时，应记录于抢救记录本上，并保留空安瓿以备查对。

5）应指定专人保管、定期清点急救药品，每次使用后须及时补充；如因药剂科缺药等特殊原因无法补齐时，应在抢救药品清点登记本上注明，并报告当班责任组长或护士长协调解决，次日再次核查，以保证抢救患者用药。

6）急救药品标签清楚，无破损、变质、过期等。

（5）定期检查药品质量，防止积压变质。如发生沉淀、变色，过期，药瓶标签与盒内药品不符，标签模糊或经涂改，不得使用。

（6）急救车上的急救药品要求设立专门的抢救药品清点登记本，标明所有急救药械名称、规格、剂量、数量、有效期，使用、补充时间等，使用后及时补充完整并登记。定期查验药品种类、规格、数量、有效期等是否与账目相符，记录并签名。

（7）建立急救药品基数及质量检查制度。

3.定期进行急救药品管理、使用以及注意事项等相关培训，并考核。

（三）高警示性药品管理

1.高警示性药品包括高浓度电解质制剂、肌肉松弛剂及细胞毒化药品等。

2.病区应根据实际情况，建立高警示性药品清单，专柜上锁，单独存放。

3.存放药架（柜）应标识醒目，红底黑字标明"高警示性药品"。

4.调配发放要实行双人复核，确保发放准确无误。

5.加强效期管理，保证近效期先出、先进，保持安全有效。

6.建立点账制度，做到账目与实物相符，并做好记录。

7.使用前要严格执行双人核对，静脉使用中要注意输液巡视，严密观察患者病情变化。

（四）毒麻精放药品管理

1.保险柜存放，达到"四定"要求，固定种类与数量，按要求登记、交接，基数不可随意增减，须变更时，要按照科室申请程序落实。

2.住院患者按医嘱使用，其他人员不能擅自取用或借用。

3.使用时，应按要求详细登记、双人核对签字并及时补充。

4.处方开具时必须由具有麻醉处方权的医生使用专用处方，项目填写齐全，字迹清楚，医生签全名。

5.定期检查，如发现变质、过期，应及时更换。

6.患者使用麻醉、精神药品注射剂或者贴剂的，再次调配时，要求患者将原批号的空安瓿或者用过的贴剂交回，并记录收回的空安瓿或者废贴数量。

7.各病区调配使用麻醉药品、精神药品注射剂时应收回空安瓿，核对批号和数量，并做记录。由专人负责计数记录。

8.发生麻醉、精神药品丢失或者被盗、被抢，骗取或者冒领麻醉、精神药品时，应当立即向病区护士长、科护士长及护理部和药剂科（晚上及节假日向医院总值班汇报）和药品监督管理部门报告。

（五）易混淆药品管理

1.易混淆药品包括包装相似、听似、看似药品，一品多规药品，多剂型药品等。相似药品分类：品名相似药品；成分相同厂家不同的药品、规格不同的相同药品——听似；包装相似药品——看似。

2.病区对相似药品定期进行清点并建立记录，确保出现问题及时发现。

3.根据剂型不同，注射剂、内服药及外用药分区摆放，分柜陈列。

4.药名标签放置必须与陈列药品一一对应，字迹清晰。

5.易混淆药品应分开放置，避免同一排放置。

6.对于听似、看似、多规、多剂型的易混淆药品应放置不同的"警示标识"。

七、病房管理评价标准

1.护理理念适合病区和患者的特殊性，能指导护士行为。

2.排班合理，体现以患者为中心的原则，保证护士把主要精力用在为患者的有效服务上。

3.病房基本设施达到规范要求。

4.病区各项规章制度有效落实。

5.医护关系好，团队精神强。

6.各级护理人员按工作职能体现出业务层次、工作范围与职责要求。

第二节　基础护理质量标准

一、基础护理管理标准

（一）分级护理

分极护理是指患者在住院期间，医护人员根据患者病情和生活自理能力，确定并实施不同级别的护理。通常分为4级，即特级护理、一级护理、二级护理及三级护理。

1.护理级别的范围及护理要点

护理级别范围及要点详见表2-5。

表2-5　护理级别范围及要点

护理级别	范围	护理要点
特级护理	(1)病情危重,随时可能发生病情变化而需要监护、抢救的患者; (2)维持生命,实施抢救性治疗的重症监护患者; (3)各种复杂或大手术后、严重创伤或大面积烧伤的患者	(1)严密观察患者病情变化,监测生命体征并记录 (2)根据医嘱,正确实施治疗、给药措施 (3)根据医嘱,准确测量出入量并记录 (4)根据患者病情,正确实施基础护理和专科护理,如口腔护理、压疮护理、气道护理及管路护理等,实施安全措施 (5)保持患者舒适和功能体位 (6)实施床旁交接班
一级护理	(1)病情趋向稳定的重症患者; (2)病情不稳定或随时可能发生变化的患者; (3)手术后或治疗期间需要严格卧床的患者; (4)自理能力重度依赖的患者	(1)每小时巡视患者,观察病情变化 (2)根据患者病情,测量生命体征 (3)根据医嘱,正确实施治疗、给药措施 (4)根据病情,正确实施基础护理和专科护理,如口腔护理、压疮护理、管路护理、气道护理等;实施安全措施 (5)掌握患者病情"十知道"
二级护理	(1)病情趋于稳定或未明确诊断前,仍需观察,且自理能力轻度依赖的患者; (2)病情稳定,仍需卧床,且自理能力轻度依赖的患者; (3)病情稳定或处于康复期,且自理能力中度依赖的患者	(1)每2h巡视患者,观察病情变化 (2)根据患者病情,测量生命体征 (3)根据医嘱,正确实施治疗、给药措施 (4)根据病情,实施基础护理及专科护理,如压疮护理、管道护理等;实施安全措施 (5)提供疾病相关的健康指导
三级护理	病情稳定或处于康复期,且自理能力轻度依赖或无依赖的患者	(1)每3h巡视患者,观察患者病情变化 (2)根据患者病情,测量生命体征 (3)根据医嘱,正确实施治疗、给药措施

2.特级护理质量评价标准

特级护理质量评价标准详见表2-6。

表2-6 特级护理质量评价标准

项目	标准要求	评价	
		是	否
病情观察	(1)一览表、床头牌标记齐全、清楚、正确,护理级别与病情、诊断、医嘱相符,24h有专人护理		
	(2)护理人员对危重患者"十知道"。①姓名;②年龄;③诊断;④主要病情(症状和体征、目前主要阳性检查结果、睡眠、排泄等);⑤饮食;⑥心理状况;⑦特殊检查阳性结果;⑧治疗(手术名称,主要用药的名称、目的、注意事项);⑨护理问题;⑩护理措施(护理要点、观察要点、康复要点),潜在危险及预防措施		
	(3)床头交接班内容,包括病情、治疗、护理、皮肤情况等		
	(4)护理记录客观、及时、准确、完整,体现严密观察生命体征及病情变化,发现问题及时处理		
专科护理	(1)静脉通路通畅,用药及时准确,滴速与病情需要或医嘱要求相符		
	(2)患者能按时服用药物		
	(3)各种治疗(如吸氧、雾化、鼻饲等)及护理准确、及时,各种治疗工作到位		
	(4)根据病情备齐急救药品、器材		
	(5)熟悉现用仪器(如心电监护仪、呼吸机、输液泵等)的操作规程,能识别故障,并及时处理		
	(6)所有导管有标识,记录留置开始时间及更换敷料时间		
	(7)管道护理做到:正确使用,妥善固定,管道通畅、清洁,按要求更换,护士知晓管道护理的相关知识		
	(8)掌握专科护理观察指标,如有异常,及时采取相应护理措施		
基础护理落实	(1)床单位整洁、干燥		
	(2)衣裤整洁,皮肤、口腔清洁无异味;指(趾)甲短、清洁,无污垢;头发清洁,胡须短		
	(3)及时协助患者进食、服药		
	(4)患者体位舒适,符合病情需要和治疗护理要求		
	(5)不能自理的患者有安全护理措施、标识,无护理并发症,如烫伤、坠床、压疮(不可避免性压疮除外)		
	(6)做好压疮预防护理,护理措施妥当,对不能自行翻身的患者定时翻身,有记录		

3.一级护理质量评价标准

一级护理质量评价标准详见表2-7。

表2-7 一级护理质量评价标准

项目	标准要求	评价	
		是	否
病情观察	(1)一览表、床头牌标记齐全、清楚、正确,护理级别与病情、诊断、医嘱相符		
	(2)护士对危重患者"十知道":①姓名;②年龄;③诊断;④主要病情(症状和体征、目前主要阳性检查结果、睡眠、排泄等);⑤饮食;⑥心理状况;⑦特殊检查阳性结果;⑧治疗(手术名称,主要用药的名称、目的,注意事项);⑨护理问题;⑩护理措施(护理要点、观察要点、康复要点),潜在危险及预防措施		
	(3)床头交接班内容,包括病情、治疗、护理、皮肤情况等		
	(4)至少每1h巡视一次,观察T、P、R、BP及病情变化,发现问题及时处理,护理记录客观、及时、准确,签全名		
专科护理	(1)输液通畅,用药及时准确,滴速与病情需要或医嘱要求相符		
	(2)患者能按时服用药物		
	(3)各种治疗(如吸氧、雾化、鼻饲等)及护理准确,及时完成		
	(4)按病情需要,配备急救用物、器材		
	(5)熟悉现用仪器(如心电监护仪、呼吸机、输液泵等)的操作规程,能识别故障,并及时处理		
	(6)所有导管有标识,记录留置开始时间及更换敷料时间		
	(7)管道护理做到:正确使用,妥善固定,管道通畅、清洁,观察引流液颜色、性质及量,记录正确,按要求更换		
	(8)掌握专科护理观察指标,如有异常,及时采取相应护理措施		
基础护理	(1)床单位整洁、干燥		
	(2)衣裤整洁;皮肤、口腔清洁,无异味;指(趾)甲短、清洁、无污垢;头发清洁,胡须短		
	(3)及时协助患者进食、服药		
	(4)患者体位舒适,符合病情需要和治疗护理要求		
	(5)不能自理的患者有安全护理措施、标识,无护理并发症,如烫伤、坠床、压力性损伤(不可避免性除外)		
	(6)做好压力性损伤预防护理,护理措施妥当;对不能自行翻身的患者定时翻身,有记录		
健康教育	(1)提供健康教育资料		
	(2)介绍有关药物知识、饮食注意事项,患者手术或检查前,向患者讲解有关注意事项、疾病康复的方法		
	(3)患者知晓		

4.二级护理质量评价标准

二级护理质量评价标准详见表2-8。

表2-8 二级护理质量评价标准

项目	标准要求	评价 是	评价 否
病情观察	(1)一览表、床头牌标记齐全、清楚、正确,护理级别与病情、诊断、医嘱相符		
	(2)护理人员对患者"八知道":①姓名;②诊断;③主要病情(症状和体征、目前主要阳性检查结果、睡眠、排泄等);④心理状况;⑤治疗(手术名称、主要用药的名称、目的,注意事项);⑥饮食;⑦护理措施(护理要点、观察要点、康复要点);⑧潜在危险及预防措施		
	(3)交接班内容,包括病情、治疗、护理、皮肤情况等		
	(4)至少每2h巡视一次,注意观察T、P、R、BP及病情变化,发现问题及时处理,护理记录客观、及时、准确,签全名		
专科护理	(1)输液通畅,用药及时准确,滴速与病情需要或医嘱要求相符		
	(2)指导患者按时服用药物		
	(3)各种治疗按时、准确		
	(4)管道护理做到:正确使用,妥善固定,管道通畅、清洁,观察引流液颜色、性质及量,记录正确,按要求更换		
	(5)掌握专科护理观察指标,如有异常,及时采取相应护理措施		
基础护理	(1)床单位整洁、干燥		
	(2)衣裤整洁,患者头发、皮肤清洁,口腔清洁,无异味		
	(3)患者体位舒适,符合病情需要和治疗护理要求		
	(4)根据患者的情况设有安全护理措施,无护理并发症,如烫伤、坠床、压力性损伤(不可避免除外)		
健康教育	(1)做好入院介绍,包括病房环境、应急通道、各种设施的应用,便民措施,住院患者须知和相关医院制度,科主任、护士长、主管医生、责任护士等,患者或家属知晓		
	(2)提供健康教育资料		
	(3)介绍有关药物知识、饮食注意事项,患者手术或检查前,向患者讲解有关注意事项、疾病康复的方法,患者或家属知晓		
	(4)做好出院指导,包括患者服用的药物,注意事项,出院后的休息、饮食、运动要求,专科康复注意事项,复查的时间、地点等,患者或家属知晓		

5.三级护理质量评价标准

三级护理质量评价标准详见表2-9。

表2-9 三级护理质量评价标准

项目	标准要求	评价	
		是	否
观察治疗	（1）一览表、床头牌标记齐全、清楚、正确,护理级别与病情、诊断、医嘱相符		
	（2）至少每3h巡视一次,注意观察患者病情,发现病情变化,及时报告医生并协助处理		
	（3）护理人员对患者"八知道"：①姓名；②诊断；③主要病情（症状和体征、目前主要阳性检查结果、睡眠、排泄等）；④心理状况；⑤治疗（手术名称、主要用药的名称、目的,注意事项）；⑥饮食；⑦护理措施（护理要点、观察要点、康复要点）；⑧潜在危险及预防措施		
	（4）指导患者按时服药		
	（5）各种治疗按时、准确		
专科护理	（1）输液通畅,用药及时准确,滴速与病情需要或医嘱要求相符		
	（2）掌握专科护理观察指标,如有异常,及时采取相应护理措施		
基础护理	（1）床单位整洁、干燥		
	（2）督促患者做好个人卫生		
	（3）指导患者遵守院规,保证休息		
健康教育	（1）做好入院介绍,包括病房环境、应急通道、各种设施的应用,便民措施,住院患者须知和相关医院制度,科主任、护士长、主管医生、责任护士和同病室患者等,患者或家属知晓		
	（2）提供健康教育资料		
	（3）介绍有关药物知识、饮食注意事项,患者手术或检查前,向患者讲解有关注意事项、疾病康复的方法,患者或家属知晓		
	（4）做好出院指导：患者服用的药物,注意事项,出院后的休息、饮食、运动要求,专科康复注意事项,复查的时间、地点,患者或家属知晓		

（二）健康教育

健康教育是一项科技普及工作。通过健康教育，为患者及其家属提供健康管理相关信息，以提高患者自我护理能力，改善健康状况。

健康教育质量评价标准详见表2-10。

表2-10 健康教育质量评价标准

项目	标准要求	评价	
		是	否
教育计划	(1)根据患者及其家属的学习需要及接受能力制订科室健康教育目标、计划		
	(2)健康教育内容丰富,宣传窗主题定期更换,内容贴近临床		
教育形式	(1)定期召开护患沟通会,征求意见并进行健康宣教		
	(2)病区有健康教育手册、单病种健康教育单、专科健康宣教教材等书面资料,有健康宣教专栏		
	(3)患者能够接受两种以上形式的健康指导,如口头、文字宣传,视听教材,展览等,有健康指导单		
教育技巧	(1)根据患者及其家属的具体情况选择宣教内容、宣教形式,如个别指导、集体讲解、召开座谈会		
	(2)语言清晰、流畅,有良好的语言表达能力和沟通交流技巧		
	(3)切合实际,通俗易懂,方法恰当,患者及其家属易接受		
教育内容	(1)入院宣教:接诊护士或责任护士向患者及其家属详细介绍病区环境、管理制度、作息时间、探视陪护制度及科主任、护士长、主管医生、责任护士和同病室患者		
	(2)疾病知识宣教:通俗易懂地向患者及其家属介绍疾病相关知识,如疾病的简单知识、饮食、卧位、休息活动等		
	(3)药物宣教:向患者介绍使用药物的名称、目的、作用、注意事项、不良反应等		
	(4)检查、治疗宣教:向患者讲解检查或治疗的目的、配合及注意事项等		
	(5)手术前宣教:手术前向患者及其家属介绍手术前准备,包括个人卫生、心理准备、用药准备、肠道准备、呼吸和体位训练等		
	(6)手术后宣教:手术后向患者及其家属介绍包括饮食、体位、休息、运动、管道等		
	(7)饮食宣教:根据不同的病种以及患者的具体情况,制订合理的饮食计划,向患者介绍治疗饮食的作用、注意事项		
	(8)运动及康复宣教:针对患者病情的不同时期,适当介绍康复、锻炼的方法及休息的重要性		
	(9)心理卫生宣教:指导患者及其家属保持良好心理状态,配合治疗和护理,及时做好情绪不稳定患者的思想工作,预防发生自杀等意外		
	(10)出院指导:对即将出院的患者,要进行出院后休息、运动、饮食、合理用药、个人卫生、生活习惯、心理卫生、自我护理知识及预防与复诊等方面的宣教		
	(10)阶段性健康教育按时完成,包括入院、手术、特殊检查、治疗、用药、出院等		

续表2-10

项目	标准要求	评价	
		是	否
教育效果	(1)患者及其家属反映好,并配合治疗		
	(2)健康教育覆盖率达100%		
	(3)护患沟通和健康教育效果有反馈及记录		
	(4)患者知晓责任护士、主管医生及护士长		
	(5)患者知晓住院期间的注意事项(如请假、安全等相关规定)		
	(6)患者了解卧位、休息、活动等注意事项		
	(7)患者了解自身疾病的相关知识		
	(8)患者了解自己饮食的相关事项		
	(9)患者基本掌握服用的药物、药物作用及注意事项		
	(10)患者了解自身检查的相关注意事项,手术患者了解手术前后的相关注意事项,术前准备到位		

（三）生活护理

生活护理质量评价标准详见表2-11。

表2-11　生活护理质量评价标准

项目	标准要求	评价	
		是	否
晨晚间护理	(1)患者床单元整洁		
	(2)毛发、面部、口腔、会阴、足部清洁,无味		
卧位护理	(1)及时翻身拍背,指导有效咳嗽		
	(2)需要时,指导或协助床上移动		
	(3)做好压疮预防及护理,无压疮发生或带入压疮未加重(有事实证明)		
排泄护理	(1)及时协助处理失禁的大小便、呕吐物及吸引瓶		
	(2)指导臀下便器不长时间放置		
	(3)留置尿管、尿袋护理规范,训练膀胱功能		
患者安全管理	(1)有输液、压疮、管路、跌倒/坠床等安全防范措施,管理到位		
	(2)各管路管理规范,标识清楚		
	(3)病房上、下午开窗通风		
	(4)特殊患者行空气消毒		
生活护理	(1)对非禁食患者协助进食/水		
	(2)药物看服(发)到口(手)		
	(3)衣裤整洁,皮肤清洁、干燥		
	(4)指/趾甲短(与指尖平,尊重患者意愿)		

二、基础护理技术标准

基础护理是临床护理工作中最基本的技术操作，是患者以及健康人最需要的护理活动，也是护理人员必须掌握的基础技能，更是提高护理质量的重要保证。以下为16项基础护理技术标准，每项技术包括目的、评估与准备、操作要点及注意事项等。所有16项基础护理技术标准的共性部分，如评估、准备及操作要点如下：

（1）评估：①患者评估。一是全身评估：评估患者意识、年龄、病情、治疗情况，心理状态及合作程度，患者有无药物、酒精、胶带过敏史等；二是局部评估：评估局部皮肤有无破损、瘢痕、感染等。②物品及药物评估。评估药物及物品包装有无破损、潮湿，是否在有效期内；检查药品是否混浊、沉淀、变色等；检查无菌物品包指示卡是否变色、符合要求等。③环境评估。评估环境是否安全、清洁、宽敞、明亮，无电磁波等干扰，符合操作要求。④设备评估。评估所用设备是否清洁，性能是否良好，检测是否正常、处于备用状态。

（2）准备：①环境准备。环境清洁、通风，必要性消毒，温度适宜，光线充足，安静。②护士准备。衣帽整洁，修剪指甲，洗手，戴口罩。③患者准备。一是患者已了解技术操作的目的、方法、注意事项及配合要点；二是根据患者病情，协助患者取适宜的卧位；三是必要时协助患者完成如厕。④用物准备。治疗车、基础治疗盘、速干手消毒液、医疗废弃物桶、生活垃圾桶、锐器盒、笔等。

（3）操作要点：①查对。每项操作前认真执行反向查对；操作前、中、后严格落实"三查八对"。②手卫生。操作前、中、后严格按照手卫生"五个时刻"进行手卫生。③无菌操作。使用无菌容器时，不可污染盖内面、容器边缘及内面；不可跨越无菌区；避免无菌物品在空气中暴露时间过长。④记录。所有操作完成后必须按要求记录操作时间、操作后患者反应等。⑤操作后用物处置。操作后垃圾分类处理，可复用物品及时清洁、消毒，需灭菌物品送消毒供应中心统一处理。

需要特别注意的是，在临床实际工作中，在为患者进行护理操作时，应根据患者的病情、急缓程度等实际情况进行评估并准备用物。当患者发生生命危险时，应在第一时间内先给予抢救生命的相应措施，而不是按部就班地进行环境、物品等评估。

（一）无菌技术

1.使用无菌持物钳

（1）目的：取用和传递无菌物品，保持无菌物品及无菌区的无菌状态。

（2）评估与准备

用物准备：盛有无菌持物钳的无菌罐。

（3）操作要点

1）使用过程中，始终保持钳端向下，不可触及非无菌区。

2）容器盖闭合时不能从盖孔中取放无菌持物钳。

3）防止无菌持物钳在空气中暴露过久而污染。

（4）注意事项

1）取、放无菌持物钳时应先闭合钳端。

2）无菌持物钳不能夹取未灭菌的物品，也不能夹取油纱布。

3）就地使用，取远处物品时，应将持物钳和容器一起移至操作处。

4）第一次开包使用时，应记录打开日期、时间并签名，4h内有效。

2.使用无菌容器

（1）目的：用于盛放无菌物品并保持无菌状态。

（2）评估与准备

用物准备：盛有无菌持物钳的无菌罐、盛放无菌物品的容器（常用的无菌容器有无菌盒、罐、盘等，无菌容器内盛有灭菌器械、棉球、纱布等）。

（3）操作要点

1）盖子不能在无菌容器上方翻转，防止灰尘落入容器内。

2）垂直夹取无菌物品，无菌持物钳及物品不能触及容器边缘。

（4）注意事项

1）移动无菌容器时，应托住底部。

2）从无菌容器内取出的物品，虽未使用，也不可再放回无菌容器内。

3）无菌容器打开后，记录开启的日期、时间，有效使用时间为4h。

3.使用无菌包法

（1）目的：保持无菌包内无菌物品处于无菌状态。

（2）评估与准备

用物准备：盛有无菌持物钳的无菌罐、盛放无菌包内物品的容器或区域。

（3）操作要点

1）手不可触及包布内面及无菌物品。

2）投放时，手托住包布，使无菌面朝向无菌区域。

（4）注意事项

1）已打开的无菌包，如包内剩余敷料未被污染，应按打开无菌包相反步骤依折痕原样重新包裹，并注明开包日期及时间，有效使用时间为4h。

2）打开无菌包时，包内敷料触到有菌区即为污染，不得使用。

3）无菌包内敷料如被污染，不得按原包装包裹，应重新灭菌使用。

4.铺无菌盘法

（1）目的：将无菌巾铺在清洁、干燥的治疗盘内，形成无菌区，放置无菌物品，以供实施治疗时使用。

（2）评估与准备

用物准备：盛有无菌持物钳的无菌罐、无菌物品，盛放治疗巾的无菌包，治疗盘，记录纸等。

（3）操作要点

1）扇形折叠时，边缘向外。

2）不能污染无菌治疗巾的内面，尽量减少跨越无菌区。

3）铺盘时非无菌物品与身体和无菌盘保持适当距离，手不可触及无菌巾内面。

4）注明铺盘日期及时间并签名，铺好的无菌盘4h内有效。

（4）注意事项

1）铺无菌盘区域必须清洁干燥，无菌巾避免潮湿、污染。

2）非无菌物品不可触及无菌面。

5.取用无菌溶液法

（1）目的：保持无菌溶液的无菌状态。

（2）评估与准备

用物准备：无菌溶液、弯盘、盛装无菌溶液的容器、消毒液、棉签、记录纸等。

（3）操作要点

1）确定溶液正确，质量可靠，无沉淀、混浊、絮状物等。

2）翻转瓶塞时，手不可触及瓶塞将要遮盖的瓶口部分。

3）倾倒溶液时高度适宜，勿使瓶口接触容器口周围，勿使溶液溅出，避免沾湿瓶签。

4）倒取溶液至所需量后应立即抬起瓶口，移开无菌区，以防溶液从瓶体流下而污染无菌区。

（4）注意事项

1）不可将无菌物品或敷料伸入无菌溶液内蘸取或者直接接触瓶口倒液。

2）已倒出的溶液不可再倒回瓶内。

3）已开启的无菌溶液瓶内余液，24h内有效，只做清洁操作用，所取溶液有效期为4h。

6.戴、脱无菌手套法

（1）目的：执行无菌操作或接触无菌物品时戴无菌手套，以保护患者，预防感染。

（2）评估与准备

用物准备：无菌手套、弯盘。

（3）操作要点

1）选择适合操作者手大小的手套，确认其在有效期内。

2）未戴手套的手不可触及手套的外面。

3）已戴手套的手不可触及未戴手套的手及另一手套的内面（非无菌面）。

4）戴、脱手套时避免强拉。

5）脱手套时，应翻转脱下。

6）脱手套后应洗手。

（4）注意事项

1）戴手套后如发现手套有破损或污染，应立即更换。

2）戴好手套的手始终保持在腰部或操作台面以上视线范围内的水平。

3）脱手套时应翻转脱下，手套外面（污染面）在内，勿使手套外面接触到皮肤。

4）诊疗护理不同患者之间应更换手套，一次性手套应一次性使用，戴手套不能代替洗手。

（二）常用监测技术

1.中心静脉压监测

（1）目的：了解患者的血容量、心功能与血管张力的综合情况。

（2）评估与准备

用物准备：基础治疗盘内盛放碘伏、棉签、弯盘、生理盐水、20mL注射器、无菌治疗巾、中心静脉测压装置、三通、测压管。

（3）操作要点

1）准确校正零点，校零时保证位置不变（测压0点高，CVP值偏低；反之，测压0点低，CVP值偏高），以平卧位测压为宜，患者改变体位要重新调节零点。

2）机械通气，患者若条件允许，在准备好体位，测压调0点，给予高浓度吸氧后，脱机测CVP，但应及时观察血氧变化；如缺氧严重者，可暂时将PEEP调至0cmH$_2$O，测值完毕后恢复PEEP水平。

3）确保测压管路中无凝血、空气，管道无扭曲、打折，连接紧密。

4）测压时尽量关闭输液通道，测压后及时打开，防止血液回流阻塞管路。疑有管腔堵塞时不能强行冲注，只能拔除，以防血块栓塞。

5）测压管路避免连接可来福接头。

（4）注意事项

1）操作时注意测压管内勿进入空气，防止形成空气栓塞。

2）患者取平卧位，测压前确定标准点，应注意标准点与右心房在同一平面上。

3）接呼吸机辅助呼吸的患者，当吸气压>25cmH$_2$O时胸膜腔内压增高，会影响中心静脉压值，测压时可根据病情暂时脱开呼吸机。

4）患者有咳嗽、吸痰、呕吐、躁动、抽搐、翻身时，应在其安静后10～15min测量。

5）测压前禁止应用血管活性药物和胶体类药物，如必须使用，应在测压前用生理盐水冲洗测压管路，再行测压，以保持管路通畅。

6）拔管时先用注射器抽吸后再拔，以防止尖端附着的血栓脱落而形成栓塞。

2.心电监护

（1）目的：通过心电监护，持续监测患者的生命体征，动态观察患者的病情变化。

（2）评估与准备

用物准备：基础治疗盘内盛放酒精棉片、纱布、一次性电极片、监护仪、多功能插线板、医嘱单、治疗单。

（3）操作要点

1）各导联定位准确。

2）正确连接导线、电极片、血氧饱和度探头，调整清晰的监测波形。

3）密切观察心电图变化，及时处理心律失常，观察血氧饱和度变化。

4）正确设置报警阈值，不能关闭报警声音。

5）停机时，先向患者说明，取得患者合作后关机，断开电源。

（4）注意事项

1）根据患者病情，协助患者取平卧位或者半卧位。

2）密切观察心电图波形，及时处理干扰和电极脱落。

3）每日定时回顾患者24h心电监测情况，必要时记录。

4）观察患者粘贴电极片处的皮肤，定时更换电极片和电极片位置。

5）对躁动患者，应当固定好电极和导线，避免电极脱位以及导线打折缠绕。

6）嘱患者及其家属不要随意取下心电导联线、血氧饱和度探头及调节监护仪。

7）告知患者及其家属在病房内停止使用手机等电子产品，避免干扰监护。

（三）常用标本采集法

1.血液标本的采集

（1）目的：协助临床诊断疾病，为治疗提供依据。

（2）评估与准备

1）患者准备：取舒适卧位，暴露穿刺部位。

2）环境准备：光线充足或有足够的照明，必要时隔帘遮挡。

3）用物准备：检验申请单、标签或条形码、消毒液、棉签、止血带、一次性采血针、真空采血管、乳胶手套，按需准备酒精灯、火柴、剪刀（必要时）、锐器盒。

（3）操作要点

1）不在静脉输液、输血侧手臂采血。

2）在采血过程中应当避免导致溶血的因素，如消毒液未干，穿刺时针尖在静脉内探来探去，穿刺负压过大或过小，采血量不足，抗凝管未摇匀等。

3）如同时抽取多种血液标本，注入容器时须注意先后，一般血培养在先，抗凝管为次，血清管最后。

4）血培养标本应在患者寒战和发热初起时采血，可提高培养阳性率；尽量在抗生素使用前采集，对已用抗菌药物而不能停药者，可在下次用药前采集。如果用注射器采血，应先接种厌氧瓶，避免空气进入。如果用采血针采血，应先接种需氧瓶，以免装置里的空气传送到厌氧瓶中。如果抽取的血液量少于推荐量，血液应先足量接种需氧瓶，剩余的血液应接种到厌氧瓶。

5）动脉血标本采集时，由于动脉压力高，危险性较大，故采血后按压穿刺点5～10min，直至不出血为止。

6）采血时，一般止血带捆扎时间不要超过1min，时间过长会影响检验结果。

7）注射器采血后，应先取下针头后再沿试管壁将血液缓慢地注入试管中，勿将气泡注入试管内，否则易引起溶血。

8）有抗凝剂的血标本要充分摇匀，防止凝血。

（4）注意事项

1）血标本采集后不宜剧烈震动，以免引起溶血。

2）采集血型标本和交叉配血标本尽量单独采集，操作前床边再次双人核对。

3）血液标本应及时送检（如测血糖送检不及时，红细胞会摄取样本中的葡萄糖，使检测结果偏低）。

2.尿液标本采集

（1）目的

1）根据医嘱正确采集相应的尿标本，协助临床诊断疾病，为治疗提供依据。

2）尿常规标本：用于尿液常规检查，检查有无细胞及管型，特别是用于各种有形成分的检查和尿蛋白、尿糖等项目的测定。

3）12h或24h尿标本：12h尿标本常用于细胞、管型等有形成分计数，如Addis计数等。24h尿标本适用于体内代谢产物尿液成分定量检查分析，如蛋白、糖、肌酐等。

4）尿标本培养：主要采集清洁尿标本（如中段尿、导尿管、膀胱穿刺尿等），适用于病原微生物学培养、鉴定和药物敏感试验，协助临床诊断和治疗。

（2）评估与准备

1）患者准备：能理解采集尿标本的目的、方法，协助配合。

2）用物准备：检验申请单、标签或条形码。根据检验目的不同准备：

①尿常规标本：一次性尿常规标本容器，必要时备便盆或尿壶。

②12h或24h尿标本：集尿瓶（容量3000～5000mL）、防腐剂。

③尿培养标本：无菌标本容器、无菌手套、消毒液、消毒棉球、便器或尿壶、无菌生理盐水，必要时备导尿包、一次性注射器及无菌棉签。

（3）操作要点

1）留取尿常规标本时应取中段尿。

2）婴儿或尿失禁患者可用尿套或尿袋协助收集。

3）留取12h尿标本，嘱患者于19：00排空膀胱后开始留取尿液至次日7：00留取最后一次尿液；留取24h尿标本，嘱患者于7：00排空膀胱后开始留取尿液至次日7：00留取最后一次尿液。

4）留取尿培养标本时，严格执行无菌操作，以免污染尿液。

5）危重、昏迷或尿潴留患者可通过导尿术留取尿培养标本。

（4）注意事项

1）尿标本必须新鲜，并按要求留取。

2）尿标本中应避免经血、白带、精液、粪便等混入。

3）标本留取后应及时送检，以免细菌繁殖、细胞溶解或被污染等。

4）女性患者在月经期不宜留取尿标本。

5）尿比重标本需留取尿液量为50mL。

3.粪便标本的留取

（1）目的：根据医嘱正确采集相应的粪标本，协助临床诊断疾病，为治疗提供依据。

1）常规标本：用于检查粪便的形状、颜色、细胞等。

2）培养标本：用于检查粪便中的致病菌。

3）隐血标本：用于检查粪便内肉眼不能察见的微量血液。

4）寄生虫及虫卵标本：用于检查粪便中的寄生虫成虫、幼虫及虫卵并计数。

（2）评估与准备

1）患者准备：能理解采集粪便标本的目的、方法，必要时在采集标本前排空膀胱，避免大小便混合。

2）用物准备：检验申请单、标签或条形码，根据检验目的不同准备：

①常规标本：粪便标本盒、清洁便盆。

②培养标本：无菌培养容器、无菌棉签、消毒便盆。

③隐血标本：粪便标本盒、清洁便盆。

④寄生虫或虫卵标本：粪便标本盒、透明塑料薄膜或软黏透明纸拭子或透明胶带或载玻片、清洁便盆。

（3）操作要点

1）细菌检验用标本应严格无菌操作，并收集于灭菌封口的容器内。

2）检查蛲虫时用透明塑料薄膜或软黏透明拭子于0：00或清晨排便前于肛门周围皱

褶处采集标本，并立即送检。

3）检查阿米巴原虫：将便盆加温至接近人体的体温，排便后标本连同便盆立即送检。

（4）注意事项

1）采集标本时应用干净的竹签或粪便杯上的采样装置选取含有黏液、脓血等病变成分的粪便，量至少为指头大小，放入便杯，不可直接刮取尿不湿上的粪便。

2）应取新鲜的标本，不得混有尿液，不可有消毒剂及污水，以免破坏成分，使病原菌死亡和污染腐生性原虫。

3）标本采集后盖好杯盖并立即送检，不要超过2h，否则可因消化酶等影响，使粪便中细胞成分分解破坏。

4）粪便杯未使用时，应放置在干燥避光处，杯盖不可随意开启，以免污染影响结果的准确性。

5）粪便潜血试验留取标本前3日前禁食肝脏、菠菜，并禁服铁剂、维生素C，以防止出现假阳性。

4.痰液标本的留取

（1）目的：根据医嘱正确采集相应的痰标本，协助临床诊断疾病，为治疗提供依据。

1）痰常规标本：检查痰液中的细菌、虫卵或癌细胞等。

2）痰培养标本：检查痰中的致病菌，为选择抗生素提供依据。

3）24h痰标本：检查24h的痰量，并观察痰液的性状，协助诊断或作为浓集结核菌检查。

（2）评估与准备

1）患者准备：了解采集痰液标本的目的、方法，注意事项及配合要点。

2）用物准备：检验申请单、标签或条形码、医用手套，根据检查目的不同另备：

①常规标本：痰盒；

②培养标本：无菌痰盒、无菌棉签、漱口溶液；

③24h痰标本：广口大容量痰盒；

④无力咳痰者或不合作者：一次性集痰器、吸痰用物（吸引器、吸痰管）、一次性手套。

（3）操作要点

1）留取痰液常规标本时，用清水漱口，去除口腔中杂质后咳痰于痰盒中。

2）痰培养标本时，患者先用漱口溶液漱口，再用清水漱口后留取标本。

3）如痰液黏稠/无力咳出者，可先叩背，或雾化吸入使痰液松脱再咳痰入无菌容器。

（4）注意事项

1）收集痰液时间宜选择在清晨，因此时痰量较多，痰内细菌较多，可提高阳性率。

2）勿将漱口水，口腔、鼻咽分泌物（唾液、鼻涕）等混入唾液中。

3）如查癌细胞，应用10%甲醛溶液或95%乙醇溶液固定痰液后立即送检。

4）做24h痰量和分层检查时，嘱患者将痰液吐在广口集痰器中，加少许防腐剂（如苯酚）防腐。

5）留取痰培养标本时，应用漱口液和清水漱口数次，尽量排出口腔内杂菌。

（四）氧疗法

1.目的

提高患者血氧分压，改善组织缺氧，维持机体生命活动。

2.评估与准备

（1）患者准备：评估患者鼻腔情况，有无外伤、手术史。

（2）用物准备：治疗盘内备小药杯（内盛凉水）、弯盘、纱布、胶布、棉签、安全别针、扳手；治疗盘外备管道氧气装置或氧气筒及氧气筒压力表装置、用氧记录单、标识牌。

3.操作要点

（1）检查鼻腔有无异常，确保通畅。

（2）吸氧时，调节氧气流量至医嘱所需流量后再插入鼻塞或戴上吸氧面罩；停止吸氧时，先取下鼻塞或面罩，再关流量表；吸氧过程中，调节氧流量时应先分离吸氧鼻塞或移去面罩后进行，以防大量氧气进入呼吸道，造成非组织损伤。

（3）记录用氧开始时间及流量，并签字。

4.注意事项

（1）严禁使用生理盐水湿化。

（2）吸氧时，注意观察患者脉搏、血压、精神状态及皮肤颜色等情况有无改善，及时调整用氧浓度。

（3）当氧浓度>60%，持续吸氧时间>24h时，应密切观察有无氧中毒、肺不张、呼吸抑制等不良反应的发生。

（4）一次性氧气湿化瓶应专人专用。

（5）氧气筒内氧气不可用尽，压力表上指针降至$5kg/cm^2$时，即不可再用。

（6）在吸氧的过程中要注意四防：防震、防火、防热、防油。

（五）吸痰法

1.目的

通过合适的负压吸引方法将气管切开，气管插管患者将呼吸道内滞留的分泌物吸出；维持呼吸道通畅，改善通气。

2.评估与准备

（1）患者准备：评估患者呼吸状态、痰鸣音（肺部听诊6个部位）、指脉氧饱和度，使用呼吸机者评估气道内压力、潮气量。

（2）用物准备：负压吸引装置（备床边）、吸氧装置（备床边）、氧气连接管、外用生理盐水、一次性治疗碗（已经倒好外用生理盐水）、一次性吸痰管、听诊器、呼吸气囊。

3.操作要点

（1）吸痰前，调节氧流量（氧流量大于10L/min）或按呼吸机纯氧键吸入氧气。

（2）吸痰时注意吸痰管插入是否顺利，遇到阻力时应分析原因，不可粗暴盲插。将压力调节至吸痰需要的负压。

（3）做间歇性吸引，用食指和拇指旋转吸痰管，边提边吸，在痰多处停留以提高吸痰效率，切忌将吸痰管上下提插。

（4）每次吸痰时间不宜超过15s，连续吸痰时间不超过3min，如痰液较多，需要再次吸引，应间隔3～5min，患者耐受后再进行。一根吸痰管只限使用一次。

4.注意事项

（1）按照无菌操作原则，插管动作轻柔、敏捷。

（2）若患者痰液黏稠，可以配合翻身扣背、雾化吸入；吸痰时如患者发生缺氧症状如发绀、心率下降时，应当立即停止吸痰，休息后再吸。

（3）吸痰过程中应密切观察患者的痰液情况、血氧饱和度、生命体征变化等情况。出现异常情况，应立即停止吸痰，给予纯氧吸入。

（六）雾化吸入法

1.目的

（1）稀释痰液，促进痰液排出。

（2）解除支气管痉挛，改善通气功能，消除炎症。

2.评估与准备

（1）患者准备：评估呼吸音，指导患者深呼吸及有效咳嗽方法。

（2）用物准备：药液、10mL注射器、雾化器（手持或面罩）、听诊器、雾化机、漱口水及水杯（必要时）。

3.操作要点

（1）面罩法：放置面罩，均匀呼吸，直至药液吸完，时间15～20min。

（2）咬嘴法：指导患者手持雾化器，将吸嘴放入口中，紧闭嘴唇深吸气，用鼻呼气，如此反复，直至药液吸完，时间15～20min。

（3）雾化吸入时密切观察吸入方法是否正确，患者有无剧烈咳嗽，有无呼吸困难，有无支气管痉挛等。

4.注意事项

（1）每次雾化吸入时间尽量不超过20min。

（2）注意预防呼吸道的再感染，注意雾化器的消毒以及室内空气的通风消毒，雾化治疗时应使用无菌溶液。

（3）雾化一次的液体量不宜过大，过大可能会导致肺水肿；雾化吸入激素后要及时漱口，以免激素在口腔残留。

（4）患有哮喘的患者，慎用雾化，以免药物刺激，引起患者支气管痉挛，导致哮喘发生。

（七）口腔护理

1.目的

（1）保持口腔清洁、湿润，预防口腔感染等并发症。

（2）预防或减轻口腔异味，清除牙垢，增进食欲，确保患者舒适。

（3）观察口腔黏膜、舌苔、牙龈及口腔内伤口的变化，提供病情变化的信息。

2.评估与准备

（1）患者评估：评估患者口腔情况（牙龈、黏膜、舌苔、义齿、口唇及气味）。

（2）患者准备：患者了解口腔护理的目的及配合方法。

（3）用物准备：口腔护理包（内含无菌棉球16个、止血钳1把、镊子1把、压舌板1个、治疗碗1个、弯盘1个）、口腔护理液（根据评估患者口腔情况准备）、水杯（内盛漱口溶液）、吸水管、棉签、纱布、治疗巾、手电筒、液状石蜡/患者自备的润唇膏，必要时备开口器和口腔外用药。

3.操作要点

（1）第一个棉球湿润口唇，协助患者漱口。

（2）有活动义齿者，取下义齿并用冷水刷洗，浸于冷水中。

（3）棉球不可重复使用，一个棉球擦洗一个部位。

（4）擦洗舌部及黏膜时不宜过深，以免引起恶心。

（5）昏迷或牙关紧闭患者可用开口器协助张口，开口器应从臼齿放入，牙关紧闭者不可使用暴力使其张口，以免造成损伤。

（6）对昏迷患者，应当注意棉球干湿度，禁止漱口，防止误吸。

4.注意事项

（1）护士操作前后均应清点棉球数量。

（2）操作动作应当轻柔，避免金属钳端碰到牙齿，损伤黏膜及牙龈，对凝血功能不良的患者应当特别注意。

（3）擦洗时须用止血钳或镊子夹紧棉球，每次一个，防止棉球遗留在口腔内。

（八）营养支持技术（鼻饲）

1.目的

为不能经口进食患者通过鼻胃管供给食物及药物，以维持患者营养及治疗的需要。

2.评估与准备

（1）患者评估：评估患者鼻饲的原因及鼻腔状况；心理状况及对饮食的需求，有无饥饿感，是否腹胀。

（2）患者准备：清醒患者了解鼻饲饮食的目的、操作过程及配合方法，鼻腔清洁通畅。

（3）用物准备：无菌鼻饲包（内备治疗碗、镊子、止血钳、压舌板、纱布、胃管）、50mL注射器、液状石蜡、棉签、胶布、别针、夹子或橡胶圈、手电筒、听诊器、弯盘、鼻饲饮食（38～40℃）、温开水适量，按需准备漱口液或口腔护理用物。

3.操作要点

（1）昏迷患者插管时，应将患者头向后仰，当胃管插入约15cm到达会厌部时，左手托起患者头部，使其下颌靠近胸骨柄，加大咽部通道的弧度，使管端沿后壁滑行，插至所需长度。

（2）确定胃管在胃内。一次鼻饲量<200mL，间隔时间>2h。

（3）每次鼻饲前先抽胃液，判断胃管是否在胃内及是否有食物潴留。

（4）鼻饲后反折胃管，用纱布包裹系紧，避免空气进入胃内，造成腹胀。

4.注意事项

（1）插管过程中患者出现呛咳、呼吸困难及发绀等，表示误入气管，应立即拔除，休息片刻重新插管。

（2）每天检查胃管插入的深度，鼻饲前检查胃管是否在胃内，并检查患者有无胃潴留，胃内容物超过150mL时，应当通知医生减量或者暂停鼻饲。

（3）鼻饲给药应先研碎、溶解后注入，鼻饲前后均应用20mL水冲洗导管，防止管道堵塞。

（4）鼻饲混合流食，应当间接加温，以免蛋白凝固。

（5）对长期鼻饲的患者，应当定期更换胃管。

（九）灌肠护理

1.目的

（1）解除便秘、肠胀气。

（2）稀释并清除肠道内的有害物质，减轻中毒。

（3）为高热患者降温。

（4）清洁肠道，为肠道手术、检查或分娩做准备。

2.评估与准备

（1）患者评估：评估患者心理状况、排便情况、肛周皮肤、理解配合能力。

（2）患者准备：患者了解灌肠的目的、操作过程及配合方法。

（3）用物准备：灌肠液（根据医嘱准备）、水温计、一次性灌肠袋、一次性手套、一次性护理垫、弯盘、润滑剂、量杯、纱布、卫生纸、便盆等。

3.操作要点

（1）大量不保留灌肠液温度通常为39～40℃。为高热患者行大量不保留灌肠时，灌肠液降温至28～32℃，中暑患者的灌肠液温度为4℃；保留灌肠液温度一般为38℃。

（2）大量不保留灌肠患者一般取左侧卧位，保留灌肠患者根据病情选择不同的卧位，臀部抬高10cm。

（3）插入肛管时，应润滑肛管，顺应肠道解剖插入，勿用力，以防损伤肠黏膜。如插入受阻，可退出少许，旋转后缓缓插入。成人插入深度为7～10cm，小儿插入深度为4～7cm。

（4）灌肠袋高度距肛门40～60cm，过高，压力过大，液体流入速度过快，不易保留，而且易造成肠道损伤。

（5）避免拔管时空气进入肠道及灌肠液随管流出。

（6）灌肠过程中，患者出现脉速、面色苍白、大汗、剧烈腹痛、心慌气促，患者可能发生肠道剧烈痉挛或出血，应立即停止灌肠，与医生联系，给予及时处理。

4.注意事项

（1）保留灌肠前了解清楚灌肠的目的和病变的部位，以便掌握灌肠的时机和插入导管的深度。

（2）肠道疾病患者在睡眠前灌入为宜，将臀部抬高10cm，易于保留药液。

（3）肛门、直肠及结肠等手术后的患者，排便失禁的患者，均不宜做保留灌肠。

（4）根据病情选择卧位，慢性菌痢者宜取左侧卧位，阿米巴痢疾者则宜取右侧卧位。

（十）导尿护理（导尿术）

1.目的

（1）解除尿潴留，减轻痛苦。

（2）协助临床诊断，留取未受污染的尿标本做细菌培养。

（3）测量膀胱容量、压力及检查残余尿液。

（4）进行尿道或膀胱造影，盆腔术前准备等。

（5）危重患者准确记录尿量。

（6）为膀胱肿瘤患者进行膀胱化疗。

2.评估与准备

（1）患者评估：评估患者既往有无泌尿道手术史及会阴部外伤史。

（2）患者准备：患者了解导尿的目的、操作过程及配合方法。

（3）用物准备：治疗盘内置无菌导尿包（包括初次消毒、再次消毒导尿包和导尿用物。初次消毒：方盘，内盛数个消毒棉球、镊子、纱布、手套。再次消毒及导尿用物有：手套、孔巾、弯盘、气囊导尿管、消毒液棉球袋、镊子2把、自带无菌液体的10mL注射器、润滑油棉球袋、标本瓶、纱布、集尿袋、方盘，外包治疗巾）、垫巾。

3.操作要点

（1）初次消毒：女性患者，由外向内，自上而下；男性患者，自上而下，由内向外。每个棉球限用一次。

（2）再次消毒顺序：女性患者，内→外→内，自上而下；男性患者，内→外→内，螺旋擦拭。每个棉球限用一次，避免已消毒的部位被污染。

（3）消毒尿道口时稍停片刻，充分发挥消毒液的消毒作用。

（4）插管时，清醒患者张口呼吸，可使患者腹部肌肉和尿道括约肌松弛，有利于插管。

（5）女性患者插入长度为4～5cm，男性患者插入长度为20～22cm时，见尿液流出后，再插入1～2cm。

（6）男性患者导尿时注意尿道的三个狭窄和两个弯曲。

4.注意事项

（1）导尿管选择型号适宜，导尿管的种类：一般分为单腔导尿管（用于一次性导尿）、双腔导尿管（用于留置导尿）、三腔导尿管（用于膀胱冲洗或向膀胱内滴药）三种。其中双腔导尿管和三腔导尿管均有一个气囊，均以达到将导尿管头端固定在膀胱内防止脱落的目的。操作前根据患者情况选择合适大小的导尿管，成人一般选择16～18号导尿管，小儿一般选择12～14号导尿管，插管前充分润滑导尿管，插管动作轻柔，避免损伤尿道黏膜。

（2）女性导尿时如插入阴道，应更换无菌导尿管重新插入。注意老年女性尿道口回缩，插管时应仔细观察，辨认。

（3）膀胱过度膨胀且极度虚弱的患者，第一次放尿<1000mL，以免造成膀胱黏膜急剧充血而引起血尿，或腹内压急剧下降导致血压下降而出现虚脱。

（4）导尿过程中注意保暖及保护患者隐私。

（十一）膀胱冲洗及灌注法

1.目的

（1）对留置尿管的患者，保持尿液引流通畅。

（2）清除膀胱内的一些血凝块、黏液、细菌等，预防膀胱感染。

（3）治疗某些膀胱疾病，如膀胱炎、膀胱肿瘤；前列腺及膀胱手术后预防血块形成。

2.评估与准备

（1）患者评估：评估患者尿液的性状，有无尿频、尿急、尿痛、膀胱憋尿感，是否排尽尿液及尿管通畅情况。

（2）患者准备：患者了解膀胱冲洗的目的、操作过程及配合方法。

（3）用物准备：按医嘱备冲洗液或灌注液，一般温度为38～40℃；输液管、一次性治疗巾、手套、消毒剂、棉签、胶布、治疗单。

3.操作要点

（1）排空膀胱，便于冲洗液顺利滴入膀胱，有利于药液与膀胱壁充分接触，并保持有效浓度，达到冲洗的目的。

（2）瓶内液面距床面约60cm，以便产生一定的压力，使液体能够顺利滴入膀胱。滴速一般为60～80滴/min，滴速不宜过快，以免引起患者强烈尿意，迫使冲洗液从导尿管溢出尿道外。

（3）每次冲洗时，先关闭引流管，开放冲洗管，使溶液滴入膀胱，调节滴速。待患者有尿意或滴入溶液200～300mL后，关闭冲洗管，放开引流管，将冲洗液全部引流出来后，再关闭引流管。按需要如此反复冲洗。

（4）若患者出现不适或有出血情况，应立即停止冲洗，并通知医生给予处理。

（5）在冲洗过程中，询问患者的感受，观察患者的反应及引流液形状。

4.注意事项

（1）避免用力回抽，造成黏膜损伤，若引流袋液体量少于灌入的液体量，应考虑是否有血块或脓液阻塞，可增加冲洗次数或更换导尿管。

（2）冲洗时嘱患者深呼吸，尽量放松，以减少疼痛。若患者出现腹痛、腹胀、膀胱剧烈收缩等情况，应暂停冲洗。

（3）冲洗后如出血较多或血压下降，应立即报告医生给予处理，并注意准确记录冲洗液量及性状。

（十二）引流管护理（更换引流袋）

1.目的

（1）保持引流管畅通，维持有效引流。

（2）观察引流液的性状及量，为医生诊断提供依据。

（3）防止逆行感染。

2.评估与准备

（1）患者评估：评估留置引流的目的、时间及引流的位置和种类，引流液的量、颜色、性状及流速，手术部位敷料有无渗血、渗液。

（2）患者准备：患者了解更换引流袋的目的。

（3）用物准备：消毒液、无菌棉签、无菌手套、无菌纱布、无菌引流袋、防护垫、一次性口罩、止血钳、胶带、计量容器。

3.操作要点

（1）更换引流袋时，持止血钳于引流口近侧沿身体纵轴夹闭引流管，止血钳尖端背向患者。

（2）按引流目的设置引流袋放置高度，必要时建立负压。

（3）固定引流袋时注意引流管留有足够的长度，方便患者翻身活动。

4.注意事项

（1）妥善固定引流管和引流袋，防止患者在变换体位时压迫、扭曲或因牵拉引流管而脱出。另外，还可避免或减少因引流管的牵拉而引起疼痛。

（2）保持引流管通畅，若发现引流量突然减少，患者感到腹胀伴发热，应检查引流管腔有无阻塞或引流管是否脱落。

（3）观察引流管周围皮肤有无红肿、皮肤损伤等情况。

（4）根据引流袋性质及引流目的定期更换。

（十三）注射法

包括皮内注射、皮下注射、肌肉注射法。

1.皮内注射

（1）目的

1）进行药物试验，以观察有无过敏反应。

2）预防接种。

3）局部麻醉的起始步骤。

（2）评估与准备

1）患者评估：评估患者的病情、治疗情况、用药史、过敏史及家族史，注射部位的皮肤情况。

2）患者准备：患者了解皮内注射的目的、方法、注意事项、配合要点、药物作用及副作用。

3）用物准备：基础治疗盘内盛放皮肤消毒剂、无菌棉签、无菌纱布或棉球、一次性无菌注射器（1mL、5mL）、遵医嘱准备的药品、0.1%盐酸肾上腺素（药物过敏试验时）、弯盘、医嘱执行单。

（3）操作要点

1）根据皮内注射的目的选择部位：药物过敏试验常选用前臂掌侧下端，预防接种常选用上臂三角肌下缘，局部麻醉则选择麻醉处。

2）若患者对乙醇过敏，可选择0.9%的生理盐水进行皮肤清洁。

3）进针角度不能过大，否则会刺入皮下，影响结果的观察及判断。

4）嘱患者勿按压注射部位，勿离开病房或注射室。20min后观察局部反应，做出判断。

（4）注意事项

1）做药物过敏试验前，应详细询问用药史、过敏史，备0.1%盐酸肾上腺素；如对所注射的药物有过敏史，则不能做皮试，应与医生联系，并做好记录和标记。

2）消毒皮肤忌用碘伏，以免影响结果判断。

3）拔针后切勿按揉局部，以免影响结果观察。

4）如需做对照试验，应用另一注射器和针头在另一前臂的相同部位，注入0.9%生理盐液0.1mL，20min后，观察对照反应。

2.皮下注射

（1）目的

1）用于预防接种。

2）注入小剂量药物，需要在一定时间内发生药效，而不宜口服给药时。

3）局部麻醉用药。

（2）评估与准备

1）患者评估：评估患者注射部位的皮肤及皮下组织状况。

2）患者准备：患者了解皮下注射的目的、方法、注意事项、配合要点、药物作用及副作用。

3）用物准备：基础治疗盘、弯盘、皮肤消毒剂、无菌棉签、无菌纱布或棉球、1～5mL注射器（带针头）、遵医嘱准备的药品、医嘱执行单。

（3）操作要点

1）常选择的注射部位有上臂三角肌下缘，双侧腹壁，大腿前侧、外侧等部位。

2）进针角度<45°，以免刺入肌层。

3）确保针头未刺入血管内。

（4）注意事项

1）尽量避免应用对皮肤有刺激作用的药物做皮下注射。

2）经常注射者，应有计划地更换注射部位。

3）注射少于1mL的药液，必须用1mL注射器，以保证注入药液剂量准确。

3.肌肉注射

（1）目的：用于不能或不宜口服的药物，不能或不宜做静脉注射，而需迅速发生药效或药量大的药物。

（2）评估与准备

1）患者评估：评估患者注射部位的皮肤及肌肉组织状况。

2）患者准备：患者了解肌肉注射的目的、方法、注意事项、配合要点、药物作用及副作用。

3）用物准备：基础治疗盘、弯盘、皮肤消毒剂、无菌棉签、无菌纱布或棉球、2～5mL注射器（带针头）、药品、医嘱执行单。

（3）操作要点

1）根据患者病情、年龄、药液性质选择注射部位。

2）切勿将针头全部刺入，以防针梗从根部衔接处折断而不易取出。

3）确保针头勿刺入血管内。

4）消瘦者或患儿进针深度酌减。

（4）注意事项

1）长期接受肌肉注射的患者，注射部位应交替更换，以减少硬结的发生。

2）两种药液同时注射时，要注意配伍禁忌，在不同部位注射。

3）根据药液的量、黏稠度和刺激性的强弱选择合适的注射器和针头。

4）2岁以下的婴幼儿不宜选用后臀注射，因有损伤坐骨神经的危险，可选用臀中肌、臀小肌注射。

5）避免在瘢痕、硬结、发炎、皮肤病及旧针眼处注射。瘀血及血肿部位勿进行注射。

4.静脉注射

（1）目的

1）注入药物，用于不能或不宜口服、皮下注射、肌肉注射或需迅速发挥药效时。

2）药物因浓度高、刺激性大、量多不宜采取其他注射方法。

3）注入药物做某些诊断性检查。

4）静脉营养治疗。

（2）评估与准备

1）患者评估：评估患者穿刺部位的皮肤、静脉充盈度及管壁弹性。

2）患者准备：患者了解静脉注射的目的、方法、注意事项、配合要点、药物作用及副作用。

3）用物准备：基础治疗盘、弯盘、皮肤消毒剂、无菌棉签、无菌纱布或棉球、止血带、一次性治疗巾、注射器及针头（规格视药量而定）、药品（按医嘱准备）、医嘱执行单。

（3）操作要点

1）注射部位皮肤消毒直径约5cm。

2）选择粗直、弹性好、易于固定的静脉，避开关节和静脉瓣。

3）对长期注射者，应有计划地由小到大、由远心端到近心端选择静脉。

4）注射对组织有强烈刺激性的药物，应另备抽有生理盐水的注射器及头皮针，注射穿刺成功后，先注入少量生理盐水，确认针头在静脉血管内，再推入药液，以免药液外溢而致组织坏死。

（4）注意事项

1）如穿刺失败，需重新更换穿刺部位及针头。

2）根据病情、年龄及药物性质，掌握推注药物的速度并观察注射局部及患者反应。

3）对组织刺激性强的药物，应当防止药物外溢致组织发生坏死。

（十四）搬运法

搬运法包括轮椅搬运法和平车搬运法（一人搬运法、两人搬运法、三人搬运法、四人搬运法）

1.轮椅搬运法

（1）目的：护送不能行走但能坐起的患者入院、出院、检查、治疗或室外活动；帮助患者下床活动，促进血液循环和体力恢复。

（2）评估与准备

1）患者评估：评估患者的体重、意识状态、病情、躯体活动能力、损伤部位或合作程度。

2）患者准备：患者了解轮椅运送的目的、方法、注意事项，能主动配合。

3）用物准备：轮椅（性能良好）、毛毯（必要时）、别针、软枕。

（3）操作要点

1）将患者移至轮椅时，应翻起脚踏板，制动轮椅，防止患者坐下时轮椅移动；患者坐在轮椅上应固定妥当，以免发生坠落。

2）过门槛时应翘起前轮，避免过大震动；下坡时，嘱患者抓紧扶手，保障患者安全。

3）寒冷季节注意患者保暖，防止着凉，推行中询问患者有无不适，注意观察病情变化。

（4）注意事项

1）保证患者安全、舒适。

2）根据温度适当增减衣服、盖被（或毛毯），以免患者受凉。

2.平车搬运法

（1）目的：协助受疾病或治疗限制不能行走和坐起的患者入院、检查、手术或转运及出院。

（2）评估与准备

1）患者评估：评估患者的体重、意识状态、病情、躯体活动能力、损伤部位或合作程度。

2）患者准备：患者了解搬运的目的及配合方法。

3）用物准备：平车（性能良好）、枕头、带套的毛毯或棉被。如为骨折患者，应有木板垫于平车上，并将骨折部位固定稳妥；如为颈椎、腰椎骨折的患者或病情较重的患者，应备有帆布中单或布中单。

（3）操作要点

1）一人搬运法适用于上肢活动自如、体重较轻的患者。

2）两人搬运法适用于不能活动、体重较重的患者。

3）三人搬运法适用于不能活动、体重超重的患者。

4）四人搬运法适用于颈椎、腰椎骨折及病情危重的患者。

5）推送患者时，护士应位于患者头部，随时观察患者的病情变化，推行中，速度不可过快；上下坡时，患者头部应处于高处，以减轻患者不适，并嘱患者握紧扶手，保证患者安全。

（4）注意事项

1）搬运患者时动作轻稳，协调一致，确保患者安全舒适。

2）尽量使患者靠近搬运者，以达到节力。

3）将患者头部置于平车大轮端，以减轻颠簸与不适。

4）对骨折患者，应在平车上垫木板，并固定好骨折部位再搬运。

5）在搬运患者过程中保证输液和引流的通畅。

（十五）体位护理

包括协助患者翻身侧卧法和轴线翻身法。

1.目的

协助不能起床的患者更换体位，使其感觉舒适；满足检查、治疗、护理的需要，如背部皮肤护理、更换床单等；预防并发症，如压力性损伤、坠积性肺炎等。

2.评估与准备

（1）患者评估：评估患者的年龄、体重、病情、治疗情况、心理状态及合作程度，确定翻身方法及所需用物。

（2）患者准备：患者了解翻身侧卧的目的、过程及配合要点，患者愿意配合。

（3）用物准备：视患者病情准备垫枕、床档。

3.操作要点

（1）一人协助患者翻身侧卧法适用于体重较轻的患者。

（2）双人协助患者翻身侧卧法适用于体重较重或病情较重的患者。

（3）三人轴线翻身法适用于颈椎损伤的患者。

（4）移动患者时动作轻稳，协调一致，不可拖拉，以免擦伤皮肤，应将患者先抬起，再移动。

（5）翻转患者时，应注意保持其脊柱平直，以维持脊柱的正确生理弯曲。

（6）翻身后安置患者肢体各关节处于功能位置，各管道保持通畅。

4.注意事项

（1）翻身时，护士应注意节力原则，尽量让患者靠近护士，降低重心。

（2）患者有颈椎损伤时，勿扭曲或旋转患者的头部，以免加重损伤。

（3）翻身时注意为患者保暖并防止坠床。

（4）根据病情及皮肤受压部位情况，确定翻身间隔时间，如发现皮肤发红，应增加翻身次数以防压疮发生，并做好交接班。

（5）为手术后患者翻身时，翻身前先检查敷料是否脱落或潮湿，必要时应先换药再翻身。

（6）颅脑手术患者一般只能卧于健侧或平卧位；颈椎和颅骨牵引的患者，翻身时不可放松牵引；石膏固定或伤口较大的患者，翻身后应将患处放于适当位置，防止受压。

（十六）保护具应用

1.目的

保证必要治疗通路的通畅，减少因意识改变造成的自我伤害，如坠床，在特殊操作期间的临时制动。

2.评估与准备

（1）患者评估：评估患者的病情，选择合适的保护用具。

（2）患者准备：患者及其家属了解保护具使用的目的，能够接受并积极配合。

（3）用物准备：治疗车，尼龙约束带2～4个，大单1～2条，肩部约束带1套，膝部约束带1套，棉垫若干。

3.操作要点

（1）约束带打结处及约束带另一端不得让患者的双手触及，也不能只约束单侧上肢或下肢，以免患者解开套结而发生意外。

（2）每2～4h评估约束处皮肤颜色、皮肤完整性，并记录。

（3）每24h评估约束的必要性，及时解除约束。

4.注意事项

（1）约束位置应舒适。

（2）约束的固定结要适度，不能过紧、过松，避免局部压迫或滑脱。

（3）固定于床头的结头要隐蔽，不使患者看到、摸到为宜。

（4）肩部保护时，腋下应垫棉垫或衣物，必须打固定结，勿松动，以免损伤臂丛神经。

（5）使用过程中，经常巡视，注意约束局部的松紧情况。

第三节　护理敏感质量指标

一、护理敏感质量指标介绍

护理敏感质量指标集（Nursing Sensitive Quality Indicators，NSQD）分为结构指标、

过程指标和结果指标。各指标编码为 NSQI-01～NSQI-13。如某项指标下包含二级指标，在主编码后加一位数字码，如床护比（NSQI-01）指标下包含全院床护比（NSQI-01-1）和病区床护比（NSQI-01-2）两项二级指标。

"没有测量就没有改善"，质量改善的起点始于质量的测量。应用护理敏感质量指标，监测护理质量状况，分析质量现状、影响因素，确定改善目标和对策，评价改善效果，修订相关制度和流程，是国际上常用的、有效的质量管理手段。

二、护理敏感质量指标内容

（一）NSQI-01 床护比

1.指标定义

床护比是指统计周期内实际开放床位数与所配备的护士人数比例，如全院床护比、住院病区床护比、某病区床护比。

2.指标意义

反映医院实际开放床位和护理人力的匹配关系。了解当前开放床位的护理人力配备状况，评估医院或病区基本护理人力配备情况，可进行同级别医院横向比较。

3.计算公式

（1）全院床护比

$$全院床护比 = 1 : \frac{同期全院执业护士总人数}{统计周期内全院实际开放床位数}$$

（2）住院病区床护比

$$住院病区床护比 = 1 : \frac{同期住院病区执业护士总人数}{统计周期内医院所有住院病区实际开放床位数}$$

1）计算细则

①分子：统计周期内全院执业护士总人数，指所有护理岗位的执业护士总人数，计算方法为统计周期初与统计周期末执业护士总人数之和除以2。

②分母：统计周期内全院实际开放床位数。如统计周期内实际开放床位数有变动，计算方法为统计周期初实际开放床位数与统计周期末实际开放床位数之和除以2。

③住院病区床护比分子分母均为"统计周期内所有住院病区"，计算方法同"全院床护比"。

2）分子说明：全院执业护士总人数是医院所有护理岗位的执业护士总人数，包括临床护理岗位护士、护理管理岗位护士、其他护理岗位护士、护理岗位的返聘护士、护理岗位的休假护士等。

3）分母说明：医院编制床位，除编制床位外，经医院确认，有固定物理空间和标准床单位配置，可以常规收治患者的床位。排除抢救室床位、观察室床位、手术室床位、麻醉恢复室床位、血液透析室床位、接产室的待产床和接产床、母婴同室新生儿床、检查床、治疗床、临时加床。

4.数据采集

（1）从"医院病案信息系统"或"医院医疗质量管理信息系统"获取医院实际开放床位数。

（2）通过医院人力资源信息系统获取医院执业护士总人数。

（3）如果医院没有信息系统，可以利用office等办公软件建立相关数据收集表，收集统计相关数据信息。

5.案例解析

（1）案例：某三甲医院实际开放床位数1500张，全院在临床护理岗位的执业护士人数1000人，护理部执业护士5人，医院感染控制科执业护士2人，该医院床护比是多少？

根据计算公式得出：

$$全院床护比 = 1 : \frac{1000 + 5}{1500} \times 100\% = 1 : 0.67$$

（2）解析：院感科护士属于非护理岗位护士，应排除。

（二）NSQI-02 护患比

1.指标定义

（1）护患比：统计周期内责任护士数与其负责护理住院患者数量的比例。

（2）责任护士：直接护理住院患者的执业护士。

（3）责任护士人数：指统计周期内责任护士总人数。

（4）护理患者数：指统计周期内责任护士护理的住院患者总人数。

2.指标意义

反映住院患者数量和护理人力的匹配关系，评价医院及住院病区有效护士人力配备，进而建立一种以患者需求为导向的科学调配护理人力的管理模式，保障患者的安全和护理质量。

3.计算公式

（1）NSQI-02-1平均白班护患比

$$平均白班护患比 = 1 : \frac{同期白班护理患者数}{统计周期内白班责任护士数}$$

1）计算细则

①分子：统计周期内住院病区白班患者数之和。

②分母：统计周期内住院病区白班责任护士数之和。

2）分子说明

①白班护理患者数计算方法：（白班接班时在院患者数+白班时段内新入患者数）×（白班时长÷8）。

②国家护理质量数据平台护患比数据收集只分"白班、夜班"两类，按照我国劳动法要求每周40h工作制，故定为每天每班的标准工作时长为8h，因不同医院的班次时间不统一，因此白班（以1d为例）护理的患者数的调整计算公式是：白班护理的患者数=（白班接班时在院患者数+白班时段内新入患者数）×（白班时长÷8）。统计周期内白班护理的患者总数，即统计周期内所有白班护理的患者数之和。

③白班起止时间依据本单位的班次安排时间而定，如白班8：00—18：00（白班时长10h）；或白班8：00—17：00（白班时长9h）等，医院间可不同。

④纳入群体：白班所有办理住院手续的患者。

⑤排除群体：办理住院手续但实际未到达病区即撤销住院手续或退院的患者；母婴

同室新生儿。

3）分母说明

①统计周期内白班责任护士数，即统计周期内所有白班责任护士数之和。其统计班次时间与分子一致。

②责任护士数计算以责任护士每工作8h为1个标准责任护士人力计算，因不同医院的班次时间不统一，因此白班责任护士数（以1d为例）的调整计算公式是：白班责任护士数=白班所有责任护士工作时长之和÷8。

③纳入群体：直接护理患者的责任护士。

④排除群体：治疗护士、办公班护士、配药护士、不承担责护工作的护士长。

（2）NSQI-02-2平均夜班护患比

$$平均夜班护患比 = 1 : \frac{同期夜班护理患者数}{统计周期内夜班责任护士数}$$

1）计算细则

①统计周期内住院病区夜班护理患者数之和。

②统计周期内住院病区夜班责任护士数之和。

2）分子说明

①根据"平均白班护患比"中白班时间的标准化计算，同理标准化夜班护理的患者数=（夜班接班时在院患者数+夜班时段内新入患者数）×（夜班时长÷8）。

②夜班起止时间依据本单位的班次安排时间而定，如夜班17：00—8：00（夜班时长15h）；或夜班18：00—8：00（夜班时长14h）等，医院间可以不同。

3）分母说明

①统计周期内夜班责任护士总数，即统计周期内所有夜班责任护士数之和。

②夜班包括小夜班、大夜班。计算责任护士人力时，夜班"帮班""两头班"等相关辅助护理岗位护士人力也应计算在内。

（3）NSQI-02-3平均每天护患比

$$平均每天护患比 = 1 : \frac{同期每天白、夜班护理患者数之和}{统计周期内每天白、夜班责任护士数之和}$$

1）计算细则

①分子：统计周期内住院病区每天白、夜班护理的住院患者数之和。

②分母：统计周期内住院病区每天白、夜班责任护士数之和。

4.数据采集

（1）通过护理排班信息系统，获取病区责任护士人数。

（2）通过HIS系统获取护理患者人数。

（3）如果医院没有信息系统，可利用office等办公软件建立病区各班次责任护士、护理的患者数统计表，获取责任护士人数、护理的患者数，收集统计相关数据信息，详见表2-12。

表2-12　医院科室指标数据收集表

日期＼内容	白班时间08：00—17：00			夜班时间17：00—次日08：00			合计
	接班时在院患者数	本时段新入患者数	本时段责任护士数	接班时在院患者数	本时段新入科患者数	本时段责任护士数	
1							
2							
3							
4							
5							
……							

表头：科室名称:××科室　　日期:××××年××月

5.案例解析

案例：某医院病区白班时长8：00—18：00，共10h。某一天，白班接班时患者数为38人，白班共新收患者2人。白班责任护士7名，其中5人每人白班时段内工作时长8h；另外2人，每人白班时段工作时长6h，计算这一天该病区平均白班护患比。

根据计算公式计算：

$$平均白班护患比=1：\frac{(38+2)\times(10\div 8)}{(5\times 8+2\times 6)\div 8}=1：7.69$$

（三）NSQI-03每住院患者24h平均护理时数

1.指标定义

是指平均每天每位住院患者所获得的护理时数。

2.指标意义

患者照护结局与其所获得的护理时数有一定相关性，监测每住院患者24h平均护理时数可以帮助管理者了解患者所得到的平均护理时数，关联患者结局等质量指标，分析影响患者结局质量的影响因素和患者所得护理时数是否合理，指导合理的配备护理人员及质量改进。

3.计算公式

$$每住院者24h平均护理时数=\frac{同期住院病区执业护士上班小时数}{统计周期内住院患者实际占用床日数}$$

1）计算细则

①分子：统计周期内住院病区所有执业护士上班小时数之和。

②分母：统计周期内住院患者实际占用床日数之和。

2）分子说明

包括病区护士上班小时数、护士长上班小时数、病区返聘护士上班小时数、规培/进修执业资格注册地点变更到医院的护士上班小时数。排除未取得护士执业资格人员上班小时数、非病区护士上班小时数，如手术室、门诊等。

3）分母说明

包括占用的正规病床日数、临时加床日数。排除占用的急诊抢救床日数、急诊观察床日数、手术室床日数、麻醉恢复室床日数、血液透析室床日数、接产室的待产床和接产床床日数、母婴同室新生儿床日数、检查床床日数。

4.数据采集

（1）通过护理排班信息系统，获取病区执业护士工作班次及时数。

（2）通过HIS系统或医院病案信息系统获取住院患者实际占用床日数。

（3）如果医院没有信息系统，可利用office等办公软件建立病区执业护士工作班次及时数、实际占用床日数数据收集表，收集统计相关数据信息，可参考表2-12。

5.案例解析

案例：某病区某一天的排班和上班人数如下：白班07：30—15：30时段有3名执业护士，白班08：00—17：30时段有2名执业护士，小夜班15：30—22：30时段有2名执业护士，大夜班22：30—08：00有2名执业护士，该病区该日患者实际占用总床日数为30，计算该病区该日每住院患者24h平均护理时数。

根据计算公式计算：

$$每住院患者24h护理时数=\frac{(3 \times 8 + 2 \times 9.5 + 2 \times 7 + 2 \times 9.5)}{30} \approx 2.53$$

（四）NSQI-04不同级别护士配置

1.指标定义

（1）不同级别护士配置是指在医院或其部门，不同能力级别护士在本机构或部门所有注册护士中所占的比率。"能力"需要用具体的维度来测量。常用的维度有工作年限、学历（学位）和专业技术职称等。

（2）工作年限：护士注册后从事护理工作的年限，推荐划分为六个级别，分别为<1年、$1年 \leqslant y < 2$年、$2年 \leqslant y < 5$年、$5年 \leqslant y < 10$年、$10年 \leqslant y < 20$年、$\geqslant 20$年。

（3）学历（学位）：指个体在教育机构的学习经历，通常指学习者最后也是最高层次的学习经历，以教育部门批准实施学历（学位）教育、具有国家认可文凭颁发权力的学校及其他教育机构所颁发的学历（学位）证书为凭证。学历（学位）可分为五个级别，分别是中专、大专、本科、硕士、博士。

（4）专业技术职称：指经国务院人事主管部门授权的相关机构组织评审的卫生系列专业技术职务级别。护士的专业技术职称可划分为五个级别，分别是初级护士、初级护师、主管护师、副主任护师、主任护师。

2.指标意义

分析不同级别护士的配置，旨在让护理管理者不但要关注护理团队的数量和规模，还要关注护理团队的能力结构，因为护士的能力与患者健康结局密切相关。

3.计算公式

（1）NSQI-4不同级别护士配置

$$某级别护士的比率 = \frac{同期某级别护士人数}{统计周期内执业护士总数} \times 100\%$$

①NSQI-4-1不同职称护士配置

$$某职称护士比率 = \frac{同期某职称护士人数}{统计周期内执业护士人数} \times 100\%$$

②NSQI-4-2不同学历护士配置

$$某学历护士比率 = \frac{同期某学历护士人数}{统计周期内执业护士人数} \times 100\%$$

③NSQI-4-3 不同工作年限护士配置

$$某工作年限护士比率 = \frac{同期某工作年限护士人数}{统计周期内执业护士人数} \times 100\%$$

（2）计算细则

①分子：统计周期内全院某级别护士的总人数。

②分母：统计周期内全院执业护士总人数，即统计周期初全院执业护士人数与统计周期末全院执业护士人数之和除以2。

（3）分子说明

①级别：可分别统计不同工作年限、不同学历（学位）、不同专业技术职称护士的人数。

②纳入群体：考取相应学历（学位）并已取得证书；工作年限周年满足各年限级别要求，入院前在其他医院注册并从事临床护理工作经历统计入工作年限；取得相应专业技术资格并已在医院聘用。

③排除群体：非护理岗位工作的护士；未在医院注册的护士，如新入职、进修护士等未在现医院注册；学历（学位）考取后未下发或丢失未补办的护士；未取得相应专业技术职称或已取得但医院未聘用的护士。

4.数据采集

（1）建立医院或各病区护士人力资源信息档案。

（2）动态记录护士的工作年限、学历、专业技术资格、岗位、执业注册等变更或调整情况。通过信息档案或手工填报获得相关数据。

（3）完善医院信息系统，通过信息系统获得护士人力资源数据。

（五）NSQI-05护士离职率

1.指标定义

（1）护士离职率：指在一定统计周期内，某医院护士自愿离职人数与统计周期内执业护士总人数的比率，是反映医院组织与护理队伍是否稳定的重要指标。

（2）自愿离职：是与特定组织有劳动关系且在该组织领取或享受薪酬的个人，自愿结束其与组织的这种关系的行为。

2.指标意义

衡量护士人力资源流动状况，了解护士离职的现状，分析离职原因及对组织结构和护理质量造成的影响，为管理者制订人员招聘和培训计划，改善管理策略等方面提供依据。

3.计算公式

（1）NSQI-5护士离职率

$$护士离职率 = \frac{同期护士自愿离职人数}{统计周期内执业护士总数} \times 100\%$$

①NSQI-5-1不同职称护士离职率

$$某职称护士离职率 = \frac{同期某职称护士自愿离职人数}{统计周期内某职称执业护士人数} \times 100\%$$

②NSQI-5-2不同学历护士离职率

$$某学历护士离职率 = \frac{同期某学历护士自愿离职人数}{统计周期内某学历执业护士总数} \times 100\%$$

③NSQI-14-3不同工作年限护士离职率

$$某工作年限护士离职率 = \frac{同期某工作年限护士自愿离职人数}{统计周期内某工作年限执业护士总数} \times 100\%$$

（2）计算细则

①分子：统计周期内全院执业护士中自愿离职护士人数。

②分母：统计周期内全院执业护士总人数，即统计周期初全院执业护士人数与统计周期末全院执业护士人数之和除以2。

（3）分子说明

①离职仅关注自愿离职，主要是由于护士不满意于自己的工作等原因自愿离职，包括薪酬、工作环境、团队成员或管理方面的不满意，而不包括其他离职原因，例如，疾病、伤残或退休。新入职护士未与医院签订劳动合同而离开医院不纳入离职。

②岗位调整以护士执业注册为界定标准，院内岗位调整未变更注册者不纳入离职。

③纳入群体：医院中护士自愿离职人数。

④排除群体：因退休、死亡或辞退而离开医院的护士；在同一医院中岗位调整的护士。

4.数据采集

（1）建立全院护士离职数据记录表，填写汇总表。

（2）从医院人力资源部门获取离职护士的具体信息。

（3）完善医院信息系统，通过系统获得护士人力资源数据。

（六）NSQI-06住院患者身体的约束率

1.指标定义

（1）身体约束率：是指统计周期内住院患者身体约束日数占同期住院患者实际占用床日数的百分率。

（2）约束：一切用物理、药物、环境等措施来限制患者活动能力的行为。

（3）身体约束：住院患者在医疗机构任何场所，使用任何物理或机械性设备、材料或工具附加在或临近于患者的身体，患者不能轻易将其移除，限制患者的自由活动或使患者不能正常接近自己的身体。

（4）约束用具：是指对自伤、可能伤及他人的患者限制其身体或机体某部位的活动，以达到维护患者安全，保证治疗、护理顺利进行的各种用具。

2.指标意义

身体约束以避免自我伤害、非计划拔管、坠床等保障患者安全为目的，是对医院部分有需要的患者经常采取的护理行为。通过对住院患者身体约束率的监测，医院或护理部门能够及时获得身体约束率、约束导致的不良事件和约束的其他相关信息。通过根本原因分析，找到过度使用身体约束的影响因素。通过医院管理团队和医务人员的共同努力，找到有效的替代措施，努力降低身体约束率或使身体约束更具合理性，减少因身体约束带来的负性质量问题，从而提高住院患者的安全性，提高人文护理质量。

3.计算公式

$$住院者身体约束率 = \frac{同期住院者身体约束日数}{统计周期内住院患者实际占用床数} \times 100\%$$

（1）分子说明

①统计周期内同一住院患者每天使用1次或1次以上约束均计为1天（日数）。

②统计周期内同一住院患者约束1个部位或同时约束多个部位均计1天（日数）。

③纳入群体：住院患者产生的身体约束。

④排除群体：术中因体位需要的约束；麻醉恢复室的约束；药物约束；床档约束；因疾病需要的空间限制；儿童注射临时制动。

（2）分母说明

①纳入群体：病区正规床位的住院患者；临时加床的住院患者。

②排除群体：办理入院手续后未实际入住退院的患者；母婴同室新生儿。

4.数据采集

（1）建立全院身体约束评估及使用记录表（详见表2-13），填写汇总表。

（2）动态记录身体约束使用时间。

表2-13　住院患者身体约束记录表

日期	约束患者床号、姓名			合计	信息员签名
	A班	P班	N班		
1月1日	1床张三、2床李四	1床王二、2床李四	2床李四	3	王某
1月2日	1床张三、2床李四	1床张三、3床何二	1床张三、3床何二	3	王某
……	……	……	……	……	……

（七）NSQI-07 非计划拔管率

1.指标定义

（1）非计划拔管（unplanned extubation，UEX）：又称意外拔管（以下均称UEX），是指患者有意造成或任何意外所致的拔管，即非诊疗计划范畴内的拔管。非计划拔管通常包含以下情况：

①未经医护人员同意，患者自行拔除的导管。

②各种原因导致的导管滑脱。

③因导管质量问题及导管堵塞等情况需要提前拔除的导管。

④发生导管相关性感染需要提前拔除的导管。

（2）非计划拔管率：指统计周期内住院患者发生某导管UEX例次数与该导管留置总日数的比例。

（3）主要包括气管导管、胃肠管（经口鼻）、PICC、CVC、导尿管5种导管的非计划拔管。

2.指标意义

（1）有助于及时发现非计划拔管的现状、趋势、特征及危险因素，为其预防、控制和质量改进目标制定提供科学依据，提升医护团队服务的规范性、专业性。

（2）患者带管的类别众多，应关注重点病区（如重症监护室）和高危导管（气管插管、胸腔引流管等）及一些置管比较普遍且又是UEX率较高的导管（胃管、导尿管）。另外，部分专科医院或病区重要导管可在本病区自行统计，如胸外科（胸腔引流管）、普外科（鼻肠管、腹腔引流管）、脑外科（脑室引流管）等。

3.计算公式

$$UEX率 = \frac{同期该导管UEX例次数}{统计周期某导管留置总日数} \times 1000‰$$

①NSQI-07-1气管导管非计划拔管率

$$气管导管UEX率 = \frac{同期该导管UEX例次数}{统计周期气管导管留置总日数} \times 1000‰$$

②NSQI-07-2胃肠管（经口鼻）导管非计划拔管率

$$胃肠管（经口鼻）UEX率 = \frac{同期胃肠管（经口鼻）UEX例次数}{统计周期胃肠管（经口鼻）留置总日数} \times 1000‰$$

③NSQI-07-3 PICC导管非计划拔管率

$$PICC\,UEX率 = \frac{同期中PICC\,UEX例次数}{统计周期PICC留置总日数} \times 1000‰$$

④NSQI-07-4 CVC导管非计划拔管率

$$CVC\,UEX率 = \frac{同期中CVC\,UEX例次数}{统计周期CVC留置总日数} \times 1000‰$$

⑤NSQI-07-5导尿管导管非计划拔管率

$$导尿管\,UEX率 = \frac{同期中导尿管\,UEX例次数}{统计周期导尿管留置总日数} \times 1000‰$$

（1）分子说明

①分子为患者入院后的某导管非计划性拔管的例次数。

②同一患者在同一次住院期间可能N次拔除某一种导管，分子计为N次。

③纳入群体：患者自行拔除的导管；各种原因导致的导管滑脱；因导管质量问题及导管堵塞等情况需要提前拔除的导管；发生导管相关性感染需要提前拔除的导管。

④排除群体：医生根据患者病情转归程度，达到拔除导管指征，医嘱拔除某导管；导管留置时间达到上限，拔除或更换某导管；非住院患者拔管，如门诊患者和急诊抢救患者。

（2）分母说明

①分母为统计周期内病区该导管的留置总日数。

②某导管留置总日数的计算规则为确定每日零点病区住院患者某导管数之和。

③纳入群体：住院患者处于某导管使用长期医嘱执行状态。

④排除群体：门急诊等非住院病区患者。

4.数据采集

（1）通过医院信息系统在护理记录或医嘱系统中直接采集。

（2）通过不良事件上报系统采集。

（3）通过不良事件上报登记单进行人工采集。

（八）NSQI-08导尿管相关尿路感染发生率

1.指标定义

（1）导尿管相关尿路感染发生率指在一定统计周期内，留置导尿管的住院患者单位插管时间中新发生导尿管相关尿路感染的频率。

（2）导尿管相关尿路感染是指患者留置导尿管48h后，或者拔除导尿管48h内发生的泌尿系统感染，主要诊断依据临床表现，并结合病原学检查。

2.指标意义

反映导尿管相关尿路感染情况和医院感染防控情况。发生率的高低与护理人员消毒隔离、无菌技术、导尿管集束化措施和手卫生执行等情况密切相关，可指引临床管理者把控过程质量。本指标可用于同级医院间横向比较，评价医院感染控制与护理管理质量。

3.计算公式

$$导尿管相关尿路感染发生率 = \frac{同期留置导尿管患者中尿路感染发生例次数}{统计周期内患者导尿管留置总日数} \times 1000‰$$

（1）计算细则

①分子：统计周期内住院病区患者中新发生导尿管相关尿路感染例次数。

②分母：统计周期内每日零点时住院病区患者中导尿管使用人数之和。

（2）分子说明

①仅关注导尿管相关尿路感染的感染例次数。

②留置导尿管患者中尿路感染发生例次数是指在统计周期内所监测患者发生尿路感染的例次数总和，若该患者在监测期间发生了2次及2次以上的尿路感染，应计算相应的次数。

③纳入群体：住院患者使用导尿管长期医嘱执行状态；住院患者住院期间发生的导尿管相关尿路感染。

④排除群体：拔除导尿管48h后发生的感染；不符合相关诊断者；门急诊等非住院病区患者。

（3）分母说明

①住院患者导尿管使用的监测对象为处于长期医嘱执行状态的患者。

②住院患者导尿管留置总日数是住院患者导尿管使用长期医嘱执行跨越零点的次数。

③统计住院患者导尿管使用所属病区，应根据导尿管使用长期医嘱和住院患者入、出病区记录确定。

4.数据采集

（1）建立全院范围的医院感染病例监测制度，逐步开展基于信息化的具有风险识别、判断与预警功能的医院感染病例监测工作。

（2）尚未开展或信息系统不完善的机构应建立留置导尿管患者日志，每日统计患者例次数、长期留置导尿管患者例数、新发感染例次数。

（九）NSQI-09 呼吸机相关肺炎发生率

1.指标定义

（1）呼吸机相关肺炎发生率是指在一定统计周期内，使用呼吸机的住院患者单位插管时间中新发生呼吸机相关肺炎的频率。

（2）呼吸机相关肺炎是指患者建立人工气道（气管插管或气管切开）并接受机械通气48h后至停止机械通气，拔除人工气道（气管插管或气管切开）48h内所发生的肺炎例次数。

2.指标意义

反映呼吸机相关肺炎感染情况和医院感染防控情况。发生率的高低与医护人员的消毒隔离、无菌技术、气管导管集束化措施和手卫生执行等情况密切相关，可指引临床管理者把控过程质量。本指标可用于同级医院间横向比较，评价医院感染控制与护理管理质量。

3.计算公式

$$呼吸机相关肺炎发生率 = \frac{同期呼吸机相关肺炎感染发生例次数}{统计周期内有创机械通气的总日数} \times 1000‰$$

（1）计算细则

①分子：统计周期内住院病区患者中新发生呼吸机相关肺炎的例次数。

②分母：统计周期内每日零点时住院病区患者中有创机械通气使用人数之和。

（2）分子说明

①仅关注呼吸机相关肺炎的感染例次数。

②呼吸机相关肺炎例次数是指在统计周期内所有经人工气道机械通气患者发生呼吸机相关肺炎的例次数总和，若该患者在监测期间发生了2次及2次以上的呼吸机相关肺炎，应计算相应的次数。

③纳入群体：住院患者处于有创机械通气使用长期医嘱执行状态；住院患者住院期间发生呼吸机相关肺炎。

④排除群体：门急诊等非住院病区患者。

（3）分母说明

①住院患者呼吸机使用的监测对象为处于长期医嘱执行状态的患者。

②住院患者呼吸机使用天数是住院患者呼吸机使用长期医嘱执行跨越零点的次数。

③统计住院患者呼吸机使用所属病区应根据呼吸机使用长期医嘱和住院患者入、出病区记录确定。

4.数据采集

（1）建立全院范围的医院感染病例监测制度，逐步开展基于信息化的具有风险识别、判断与预警功能的医院感染病例监测工作。

（2）尚未开展或信息系统不完善的机构应建立呼吸机患者日志，每日统计患者例次数、有创机械通气患者例数、新发感染例次数。

（十）NSQI-10中心血管导管相关血流感染发生率

1.指标定义

（1）中心血管导管相关血流感染发生率：指在一定统计周期内，使用中心血管导管的住院患者单位插管时间内新发生中心血管导管相关血流感染的频率。

（2）中心血管导管相关血流感染（central line-associated bloodstream infec-tion，CLABSI）：是指患者留置中心血管导管48h后至拔除中心血管导管48h内发生的原发性，且与其他部位存在感染无关的血流感染。

（3）中心导管（central line，CL）：指导管尖端位于或接近心脏或以下大血管的导管，常见的中心导管有中心静脉导管（central venous catheter，CVC）、经外周静脉置入中心静脉导管，PICC）和完全植入式输液港（PORT）。因PORT临床感染率较低，在此不做监测，监测的中心血管导管有CVC与PICC，其中CVC包括中心血管导管（颈内）、中心血管导管（锁骨下）、中心血管导管（股静脉）；排除动脉造瘘等动脉导管、留置针等外周静脉导管。

2.指标意义

反映中心血管导管相关血流感染情况与医院感染防控情况。发生率的高低与医护人员的消毒隔离、无菌技术、中心血管导管集束化措施和手卫生执行等情况密切相关，可指引临床管理者把控过程质量。本指标可用于同级医院间横向比较，评价医院感染控制与护理管理质量。

3.计算公式

（1）NSQI-10中心血管导管相关血流感染发生率

$$中心血管导管相关血流感染发生率=\frac{同期中心血管导管相关血流感染发生例次数}{统计周期内中心血管导管留置总日数}\times1000‰$$

1）计算细则

①分子：统计周期内住院病区患者中新发生中心血管导管相关血流感染的例次数。

②分母：统计周期内每日零点时住院病区患者中心血管导管使用人数之和。

2）分子说明

①仅关注中心血管导管相关血流感染的感染例次数。

②中心血管导管相关血流感染例次数是指在统计周期内所监测患者发生中心血管导管相关血流感染的例次数总和，即该患者在监测期间发生的CVC和PICC以及血液净化用中心静脉导管相关血流感染的例次数之和。

③纳入群体：住院患者处于中心血管导管使用长期医嘱执行状态；住院患者住院期间发生中心血管导管相关血流感染。

④排除群体：拔除中心血管导管48h后发生的感染；不符合相关诊断者；门急诊等非住院病区患者。

3）分母说明

①住院患者中心血管导管使用的监测对象为处于长期医嘱执行状态的患者。

②住院患者中心血管导管留置总日数是住院患者中心血管导管使用长期医嘱执行跨越零点的次数。

③统计住院患者中心血管导管使用所属病区应根据中心血管导管使用长期医嘱和住

院患者入、出病区记录确定。

（2）NSQI-10-1 CVC相关血流感染发生率

$$CVC相关血流感染发生率 = \frac{同期中CVC血液感染发生例次数}{统计周期内CVC留置总日数} \times 1000‰$$

1）计算细则

①分子：统计周期内住院病区患者中新发生CVC相关血流感染的例次数。

②分母：统计周期内每日零点时住院病区患者CVC使用人数之和。

2）分子说明

①仅关注CVC相关血流感染的感染例次数。

②CVC相关血流感染例次数是指在统计周期内所监测患者发生CVC血流感染的例次数总和，若该患者在监测期间发生了2次及2次以上的CVC相关血流感染，应计算相应的次数。

③纳入群体：住院患者处于CVC使用长期医嘱执行状态；住院患者住院期间发生CVC相关血流感染。

④排除群体：拔除CVC 48h后发生的感染；不符合相关诊断者；门急诊等非住院病区患者。

3）分母说明

①住院患者CVC使用的监测对象为处于长期医嘱执行状态的患者。

②住院患者CVC留置总日数是住院患者CVC使用长期医嘱执行跨越零点的次数。

③统计住院患者CVC使用所属病区应根据CVC使用长期医嘱和住院患者入、出病区记录确定。

（3）NSQI-10-2 PICC相关血流感染发生率

$$PICC相关血流感染发生率 = \frac{同期中PICC相关血流感染发生例次数}{统计周期内PICC留置总日数} \times 1000‰$$

1）计算细则

①分子：统计周期内住院病区患者中新发生PICC相关血流感染的例次数。

②分母：统计周期内每日零点时住院病区患者PICC使用人数之和。

2）分子说明

①仅关注PICC相关血流感染的感染例次数。

②PICC相关血流感染例次数是指在统计周期内所监测患者发生PICC血流感染的例次数总和，若该患者在监测期间发生了2次及2次以上的PICC相关血流感染，应计算相应的次数。

③纳入群体：住院患者处于PICC使用长期医嘱执行状态；住院患者住院期间发生PICC相关血流感染。

④排除群体：拔除PICC 48h后发生的感染；不符合相关诊断者；门急诊等非住院病区患者。

3）分母说明

①住院患者PICC使用的监测对象为处于长期医嘱执行状态的患者；

②患者PICC留置总日数是住院患者PICC使用长期医嘱执行跨越零点的次数。

③统计住院患者PICC使用所属病区，应根据PICC使用长期医嘱和住院患者入、出病区记录确定。如：根据入、出病区记录，住院患者甲在某日跨越零点时住在A病区，那么住院患者该日PICC留置日数应归属A病区。

（4）NSQI-10-3血液净化用CVC相关血流感染发生率

$$\text{血液净化用CVC相关血流感染发生率} = \frac{\text{血液净化用CVC相关血流感染发生例次数}}{\text{统计周期内血液净化用CVC留置总日数}} \times 1000‰$$

1）计算细则

①分子：血液净化用CVC相关血流感染发生例次数。

②分母：统计周期内血液净化用CVC留置总日数。

2）分子说明

①血液净化用CVC相关血流感染的诊断应与医疗诊断保持一致。

②患者发生1次导管感染的过程被记为1次导管相关血流感染例次。

③同一患者在统计周期内以血液净化用CVC相关血流感染实际发生频次统计。

④纳入群体：包括非隧道无涤纶套导管（non-cuffed catheter，NCC，或称临时导管）、隧道式涤纶套导管（tunnel cuffed catheter，TCC，或称长期导管）。

⑤排除群体：动静脉内瘘和移植动静脉内瘘。

3）分母说明

①留置导管每跨越0点1次计为1日，当天置入并拔除的不统计。

②带管入院患者以入院当时开始，每跨越0点1次计为1日；带管出院患者以出院日期为止。

③纳入群体：住院患者TCC和NCC留置日数。

④排除群体：门急诊等非住院病区置管患者的留置日数。

4.数据采集

（1）建立全院范围的医院感染病例监测制度，逐步开展基于信息化的具有风险识别、判断与预警功能的医院感染病例监测工作。

（2）尚未开展或信息系统不完善的机构应建立中心血管导管患者日志，每日统计患者例次数、留置中心血管导管患者例数、新发感染例次数。

（十一）NSQI-11住院患者跌倒（坠床）发生率和伤害率

第一部分：住院患者跌倒（坠床）发生率

1.指标定义

（1）住院患者跌倒（坠床）发生率：是指统计周期内住院患者跌倒（坠床）发生例次数（包括造成或未造成伤害）占同期住院患者实际占用床日数的千分率。

（2）跌倒：指住院患者在医疗机构任何场所，未预见性的跌倒于地面或跌倒于比初始位置更低的地方。可伴或不伴有外伤。所有无帮助及有帮助的跌倒均应包含在内。若患者是从一张较低的床上滚落至垫子（地面）上也应视其为跌倒并上报。

2.指标意义

患者发生跌倒可能造成伤害，导致严重甚至危及生命的后果。通过对住院患者跌倒发生率指标的监测，了解所在医院或部门的跌倒发生率。通过根本原因分析和有效的对策实施，可以降低导致患者跌倒的风险及跌倒发生率，保障患者安全。

3.计算公式

$$住院患者跌倒(坠床)发生率 = \frac{同期住院患者中发生跌倒例次数}{统计周期内住院患者人日数} \times 1000‰$$

（1）分子说明

①统计周期内同一患者多次跌倒，每次都需要计1例。

②如果院内患者从医院A科室转入B科室，在转运途中跌倒例次记在A科室，交接班结束后跌倒记在B科室。

③如果确定为手术室发生跌倒，可以科室上报，备注与手术室相关，便于手术室质量管理的持续改进。

④送检查患者，如在检查途中跌倒，记在住院科室。

⑤纳入群体：同一患者多次发生的跌倒；坠床。

⑥排除群体：非住院患者（如门诊、急诊留观）发生的跌倒；住院患儿生理性跌倒（小儿行走中无伤害跌倒）；非医疗机构场所发生的跌倒。

（2）分母说明

①统计周期内住院患者实际占用的床日数。

②纳入群体：住院患者占用的正规病床日数；住院患者占用的临时加床日数。

③排除群体：占用的急诊抢救床日数；急诊观察床日数；手术室床日数；麻醉恢复室床日数；血液透析室床日数；接产室的待产床和接产床床日数；母婴同室新生儿床日数；检查床床日数；治疗床床日数。

4.数据采集

（1）建立全院跌倒风险评估及动态记录表，填写汇总表。

（2）准确记录跌倒发生时间、跌倒伤害等级、预后。

（3）完善医院信息系统，通过不良事件上报系统获得跌倒发生例数和跌倒造成不同程度伤害的例数。

第二部分：住院患者跌倒（坠床）伤害率

1.指标定义

（1）住院患者跌倒伤害率：是指统计周期内住院患者中发生跌倒伤害例次数占同期住院患者中发生跌倒例次数的百分比。

（2）跌倒伤害：患者跌倒后造成不同程度的伤害甚至死亡。跌倒对患者造成的影响，根据NDNQI做出的分级定义如下：

①无伤害：患者未因跌倒而受伤（无体征或症状），X线、CT检查或其他跌倒后的评估未发现受伤情况。

②轻度（严重程度Ⅰ级）：住院患者跌倒导致青肿、擦伤、疼痛，需要外敷、包扎、伤口清理、肢体抬高、局部用药等。

③中度（严重程度Ⅱ级）：住院患者跌倒导致肌肉或关节损伤，需要缝合、使用皮肤胶、夹板固定等。

④重度（严重程度Ⅲ级）：住院患者跌倒导致骨折、神经或内部损伤，需要手术、石膏固定、牵引等。

⑤死亡：患者因为跌倒产生的持续性损伤而最终致死（而非因为导致跌倒的生理事

件本身而致死）。

2.指标意义

患者发生跌倒可能造成伤害，导致严重甚至危及生命的后果。通过对住院患者跌倒（坠床）伤害率指标的监测，了解所在医院或部门的跌倒伤害率。通过根本原因分析和有效的对策实施，可以降低跌倒伤害率，保障患者安全。

3.计算公式

$$住院患者跌倒（坠床）伤害率 = \frac{同期住院患者中发生跌倒伤害例次数}{统计周期内住院患者跌倒例次数} \times 100\%$$

（1）分子说明

①所有住院患者发生的跌倒（坠床）伤害。

②统计周期内同一患者多次跌倒伤害，每次都需要计1例。

③如果院内患者从医院A科室转入B科室，在转运途中发生跌倒伤害记在A科室，交接班结束后发生跌倒伤害记在B科室。

④如果确定为手术室发生跌倒（坠床）伤害，可以科室上报，备注与手术室相关，便于手术室质量管理的持续改进。

⑤送检查患者，如在检查途中发生跌倒（坠床）伤害，记在住院科室，如在A检查科室发生跌倒伤害，可以科室上报，备注与A检查科室相关，便于A科室持续质量改进。

⑥纳入群体：住院患者发生跌倒（坠床）伤害。

⑦排除群体：无伤害的跌倒（坠床）。

（2）分母说明

①纳入群体：同一患者多次发生跌倒（坠床）。

②排除群体：非住院患者（如门诊、急诊留观）发生的跌倒（坠床）；住院患儿生理性跌倒（坠床）（小儿行走中无伤害跌倒）；非医疗机构场所发生的跌倒。

4.数据采集

（1）建立全院跌倒风险评估及动态记录表，填写汇总表。

（2）准确记录跌倒发生时间、跌倒伤害等级、预后。

（3）完善医院信息系统，通过不良事件上报系统获得跌倒发生例数和跌倒造成不同程度伤害的例数。

（十二）NSQI-12住院患者院内压力性损伤发生率

1.指标定义

（1）住院患者院内压力性损伤发生率：是指统计周期内住院患者压力性损伤新发病例数与统计周期内住院患者总数的百分比。

（2）压力性损伤：压力性损伤是指位于骨隆突处、医疗或其他器械下的皮肤和/或软组织的局部损伤。可表现为完整皮肤或开放性溃疡，可能会伴疼痛感。损伤是由于强烈和（或）长期存在的压力或压力联合剪切力导致。软组织对压力和剪切力的耐受性可能会受到微环境、营养、灌注、并发症以及皮肤情况的影响。

（3）院内压力性损伤：是指患者入院24h后新发生的压力性损伤。

2.指标意义

护理人员通过压力性损伤发生率的监测可以了解其发生的现状、趋势、特征及影响因素，为其预防、控制等管理活动提供依据，以进行历史性、阶段性的自身比较，或与国家、地区标杆水平相比较，并进行目标性改善，可减少院内压力性损伤发生，减轻患者痛苦，提高其生活质量。

3.计算公式

（1）NSQI-12 住院患者院内压力性损伤发生率

$$住院患者院内压力性损伤发生率 = \frac{同期住院患者院内压力性损伤新发病例数}{统计周期内住院患者总数} \times 100\%$$

1）分子说明

①分子为患者入院24h后发生的压力性损伤。

②院外带入压力性损伤患者又发生了新部位的压力性损伤也计算为1例。

③住院患者中在统计周期内发生1处及以上压力性损伤者，计算为1例。

④如果院内压力性损伤患者从医院A病区转入B病区，在计算院级院内压力性损伤发生率时作为1例计算，如果压力性损伤未痊愈，例次记在A病区。注意交接清楚，如交接时存在压力性损伤计为A病区例数，交接后发生的新部位压力性损伤计为B病区例数。

⑤统计期间住院患者甲曾住过A病区和B病区，患者在A病区和B病区住院期间均新发院内压力性损伤，在两个病区压力性损伤发生例数中均计为1，而在全院压力性损伤统计中仍计为1，此时会出现各病区压力性损伤发生人数之和大于全院压力性损伤发生人数的情况。

⑥纳入群体：所有住院患者从入院24h后发现或证实为压力性损伤患者。

⑦排除群体：因动脉阻塞、静脉功能不全、糖尿病相关神经病变，或失禁性皮炎等造成的皮肤损伤；社区获得性压力性损伤。

2）分母说明

①住院患者总数是统计周期初在院患者数与统计周期内新入院患者数之和。

②同一位住院患者曾N次入院，统计全院住院人数时计为N。

③同一位住院患者曾N次入住监测目标病区，统计病区住院人数时计为N；统计时间段内同一位住院患者在一次住院期间曾N次入住监测目标病区，统计病区住院人数时计为N。

④统计期间住院患者甲曾住过A病区和B病区，A病区和B病区住院患者集合中均有患者甲，且在两个病区住院人数统计中均计为1例，两个病区住院人数之和为2，而患者甲在全院住院人数统计中仍计为1，此时会出现各病区住院人数之和大于全院住院人数的情况。

⑤纳入群体：统计周期内所有办理住院手续的患者。

⑥排除群体：办理住院手续但实际未到达病区即撤销住院手续或退院的患者；入院未满24h的患者。

（2）NSQI-12-1 住院患者2期及以上院内压力性损伤发生率

$$住院患者2期及以上院内压力性损伤发生率 = \frac{住院患者2期及以上院内压力性损伤新发病例数}{统计周期内住院患者总数} \times 100\%$$

分子、分母说明，同"住院患者院内压力性损伤发生率"。

4.数据采集

（1）通过医院信息系统（HIS）在护理记录单中直接采集。

（2）通过不良事件上报系统采集。

（3）翻阅护理记录单或通过登记单人工采集。

5.案例解析

案例：患者于2019年9月1日入住心内科，9月20日出院，此次住院期间共新发生压力性损伤3处，1处1期压力性损伤，2处2期压力性损伤，该患者应该如何上报　　（A）

A.1例2期及以上压力性损伤

B.1例1期压力性损伤、2例2期及以上压力性损伤

C.1例1期压力性损伤

D.2例2期及以上压力性损伤

（十三）NSQI-13锐器伤发生率

1.指标定义

（1）锐器伤发生率：是指统计周期内，护理人员发生锐器伤的例次数与本医疗机构执业护士人数的百分比。

（2）锐器伤：是指在工作过程中，被针头、玻璃、器械、刀片或其他锐器造成的皮肤或黏膜意外破损。

2.指标意义

锐器伤是医务人员执业暴露最主要的方式，其中护理人员是锐器伤发生的高危人群。锐器伤最常见、最大的危害是感染血源性传播疾病，如HBV、HIV等，锐器伤的发生会给护理人员身心乃至社会都造成巨大危害。锐器伤的发生率反映了医院护理人员锐器伤发生现状与防护水平。监测该指标，了解医院锐器伤发生情况，分析临床护理人员发生锐器伤的原因及危险因素，提出相应的防护策略，减少锐器伤的发生，确保护士职业安全。

3.计算公式

$$锐器伤发生率 = \frac{同期护理人员发生锐器伤例次数}{统计周期内医疗机构执业护士人数} \times 100\%$$

（1）计算细则

①分子：统计周期内护理人员发生锐器伤例次数。

②分母：统计周期内医疗机构执业护士总人数。

（2）分子说明

①统计周期内，护理人员在本院工作过程中发生的锐器伤的总例次数，同一人员统计周期内多次发生锐器伤则按实际频次计算。

②纳入群体：在医院护理岗位工作的人员发生的锐器伤，包括本院执业护士、新入职未注册护士、规培护士、实习护士、进修护士（无论是否本院注册）发生的锐器伤。

③排除标准：不在护理岗位工作的护士（如在党办工作的护士）发生的锐器伤及非工作过程中发生的锐器伤。

（3）分母说明

①统计周期内，取得护士执业资格、在本医疗机构注册并在护理岗位工作的护士。

计算执业护士人数，以统计周期初执业护士人数与统计周期末执业护士人数之和除以2。

②纳入标准：临床护理岗位护士、护理管理岗位护士、其他护理岗位护士、护理岗位返聘护士、护理岗位的休假（含病产假）护士。

③排除标准：医疗机构职能部门、后勤部门、医保部门等非护理岗位护士，未取得护士执业资格人员，未在本院注册的护士。

4.数据采集

（1）医疗机构应建立锐器伤处理与伤情登记、追踪制度。

（2）具有信息化自动收集能力的医院，建议直接从医院信息系统中获取数据。

（3）信息系统不完善的医疗机构，通过锐器伤处理与伤情登记、追踪表单人工采集。

5.特殊说明

此指标分子和分母中监测的"护士"范围不一致，分母限定医疗机构执业护士，分子除医疗机构执业护士外还包含在医院护理岗位工作的新入职未注册护士、规培护士、实习护士、进修护士（无论是否在本院注册）。若仅仅统计本院执业护士发生的锐器伤，并不能真实、客观地反映医院锐器伤发生的现状与防护水平，且新入职护士、规培护士、实习护士、进修护士（无论是否在本院注册）是更需要关注与指导的护理人员群体。因此，分子中纳入医院规培护士、实习护士、进修护士（无论是否在本院注册）发生的锐器伤例次数。但医院或病区新入职护士、规培护士、实习护士、进修护士（无论是否在本院注册）人数变动较大，总数不易统计，为减轻数据采集负担，分母采用相对固定的"执业护士人数"。分子和分母纳入群体虽不完全相同，但各医疗机构与病区采用一致的统计口径，结果依然具有可比性。

三、其他重点监测指标

给药错误发生率

1.指标定义

（1）给药错误：指药物使用过程中发生的任何药物错误事件，包括配置错误、发药错误、给药错误（包括给药时间、剂量、途径、方法等）。

（2）给药错误发生率：统计周期内给药错误发生例数与统计周期内给药总次数的比例为给药错误发生率。

2.指标意义

给药错误发生率是反映患者安全的重要指标，体现了护理质量水平。通过对该指标进行监测，可以帮助管理者了解患者给药管理情况。

3.计算公式

$$给药错误发生率=\frac{同期患者给药错误发生例数}{统计周期给药总次数}\times100\%$$

说明：在统计周期内同一患者同一时间段发生多次给药错误按实际发生例数计算。如同一患者住院期间出现2次给药错误，记录为2次；同一患者同一天内出现2次给药错误，记录为2次。

4.数据采集

根据质量控制管理原则，需要对给药错误发生率每周、每月、每季度、每年进行统计并记录。

5.案例解析

案例：某医院护士在进行给药工作时，发现给药错误1例，当日给药总人次为80人。督查是否具有记录和原因分析时，发现该科室护理不良事件的质控分析和给药错误发生率的登记和计算缺失，详见表2-14。

表2-14　给药错误相关信息收集表

日期	错误类型						护士工作年限（年）				责任护士在岗人数	病区在院患者人数
	处方	配置	发药	剂量	途径	方法	时间	1～3	4～7	8～10	>10	

计算：当日给药错误发生率=1/80×100%＝1.25%

第四节　文件书写质量标准

根据《医疗事故处理条例》规定，护理文书包括体温单、医嘱单、护理记录单等属于需要提供患者复印或复制的范畴，体现护理工作核心制度（《护理工作管理规范》），护理文书管理相关制度（《临床护理文书规范》）和《临床护理技术规范》的具体实施所产生的具有法律效应的法定资料。

文件书写基本原则应符合《医疗事故处理条例》及其配套文件的要求；应符合临床基本的诊疗护理常规和规范；有利于保护医患双方合法权益，减少医疗纠纷，做到客观、准确、真实、完整、及时地记录患者病情的动态变化，有利于促进护理质量提高，为教学、科研提供可靠的客观资料；融科学性、规范性、实用性、创新性和可操作性为一体，体现护理专业的特点和学术水平；规范护理管理，明确职责，谁执行、谁签字、谁负责，预防护理不良事件及纠纷的发生。

护理文件书写基本要求是：一律使用蓝黑或碳素墨水笔书写，日期和时间使用阿拉伯数字书写，时间采用24h制，具体到分钟；书写时应使用中文、医学术语和通用的外文缩写，字迹清晰，表述准确，语句通顺，标点正确；护理文书记录内容应当客观、真实、规范、准确、及时，写你所做，做你所写；书写过程中出现错别字时，应用双线划在错字上，保留原记录清楚、可辨，并标注修改时间、修改人签名。不得采用涂、刮、粘贴等方法掩盖或消除原来的字迹。上级护理人员有审查修改下级护理人员书写记录的责任；实习护士、试用期护士、未取得护士资格证书或未经注册护士书写的护理记录，应由本医疗机构具有合法执业资格的护士审阅并签名，需修改时用红色笔修改并签名；进修护士由接受进修的医疗机构认定其工作能力后方可书写护理文书。

一、护理评估单

（一）入院评估单

1.入院患者护理评估单（详见表2-15）

表2-15 入院患者护理评估单

科室： 床号： 姓名： 性别： 年龄： 住院号：
体温： ℃ □不升
呼吸：频率： 次/min 痰：□无 □黏液性 □浆液性 □脓性 □黏液脓性 □血性 存在：□不规则 □气促 □困难 □咳嗽 □咯血 □胸痛 □喘息 □半卧位/端坐呼吸 □气管切开 □气管插管 □呼吸机辅助呼吸 □吸氧： L/min
循环：脉搏 次/min； 血压： mmHg 存在：□脉律不齐 □心悸 □胸闷 □胸痛 □水肿 □眩晕 □晕厥 □起搏器 □置管 末梢循环：□温暖 □湿冷 □苍白 □发绀 □肢端脉搏减弱或消失
疼痛：□无 □有
意识：□清醒 □嗜睡 □昏睡 □昏迷（浅昏迷、中昏迷、深昏迷） □其他：
语言：□清晰 □含糊不清 □失语 □其他
活动：□行动正常 □疲乏 □共济失调 □使用助行器 □残疾 □其他
跌倒史：□有 □无
休息：□正常 □失眠 □服镇静剂 □其他
视力：左眼：□清晰 □近视 □老花 □失明 □其他 右眼：□清晰 □近视 □老花 □失明 □其他
听力：左耳：□清晰 □听力下降 □失聪 □其他 右耳：□清晰 □听力下降 □失聪 □其他
饮食：食欲：□正常 □降低 □增加 □鼻饲（留置日期 ） 忌食：□无 □有 （种类： ） 禁食：□无 □有
营养：身高： cm 体重： kg BMI： kg/cm²
皮肤黏膜：□正常 □潮红 □苍白 □黄疸 □发绀 □皮疹 □水肿（部位： ） □皮损/外伤（部位： 面积： cm× cm）
压疮：□无 □有（分期： 部位： 面积： cm× cm）□其他
排泄：排尿：□正常 □失禁 □尿潴留 □排尿困难 □尿频 □留置尿管（置管日期： ） □其他 排便：□正常 □便秘（次/_d） □腹泻（ 次/d） □失禁 □肠造口 □其他 其他：□呕吐 □其他

续表2-15

管路：□无　□尿管　□胃管　□鼻肠管　□鼻胆管　□深静脉置管　□动脉置管　□气管插管 □气管切开管　□颈部引流管　□胸腔管　□腹腔管　□盆腔管　□T管　□皮下引流管 □腹膜后引流管　□脑室引流管　□关节腔引流管　□腰大池引流管　□心包引流管 □纵隔引流管　□心纵引流管　□PTCD　□膀胱造瘘管　□肾造瘘管　□其他	
吸烟：□从不吸烟　□已戒烟　□吸烟　　每日　　　包　　　已吸　　　年	
饮酒：□从不饮酒　□已戒酒　□偶尔　　□大量　　每日　　　两　　　已饮　　　年	
过敏史：食物：□无　□有：　　　药物：□无　□有：　　　其他：	
既往史：□无　□有：　　　　　长期用药：□无　□有：　　　主要用药	
家族史：□无　□高血压　□糖尿病　□心脏病　□肿瘤　□精神病　□其他	
专科情况：	
资料来源：□患者　□家属　□朋友　□其他	
责任护士：　　　　　　　　　　日期：　　　年　　　月　　　日	

2.书写要求

入院患者护理评估是指护理人员对患者入院时基本护理信息收集后的记录。

（1）评估时机：入院患者护理评估应由责任护士在患者入院4h内完成。遇急诊手术、抢救等特殊情况不能及时评估时，须在24h内完成评估。各评估项目均要选√，不能漏项；有疼痛必须填写评分数字、部位及减痛方法；有管路者需注明名称；评估时间需注明年、月、日；当自理能力改变时应重新评估。

（2）有过敏史者，应详细填写过敏的药物、食物名称及反应的症状。

（3）有既往病史者，应写明过去所患疾病的医疗诊断。

（4）饮食异常者，应注明吞咽困难、咀嚼困难、管饲等。

（5）睡眠使用药物时，应详细写明药名、剂量及用法。

（6）皮肤有破损或压疮时，应注明部位和面积，详细情况记入护理记录。

（二）自理能力评估单

1.日常生活活动能力评估量表

日常生活活动能力（ADL）评估（Barthel指数）量表详见表2-16。

表2-16　日常生活活动能力（ADL）评估（Barthel指数）量表

科室：　　　床号：　　　姓名：　　　性别：　　　年龄：　　　住院号：

项目	标准		评估日期					
	内容	分值						
修饰	1.需要帮助	0						
	2.自理（独立洗脸、梳头、刷牙、剃须）	5						

续表2-16

项目	标准		评估日期						
	内容	分值							
洗澡	3.依赖	0							
	4.自理(无言语指导能进出浴池并独立洗澡)	5							
控制大便	5.失禁或昏迷	0							
	6.偶有失禁(每周<1次)	5							
	7.能控制(包括独立管理大便袋)	10							
控制小便	8.失禁、昏迷或需由他人导尿	0							
	9.小便偶有失禁(每24h<1次,每周>1次)	5							
	10.能控制(包括独立管理尿管)	10							
如厕	11.完全依赖他人	0							
	12.部分帮助(协助穿脱裤子、保持平衡、用厕)	5							
	13.自理(独立进出厕所、用厕纸、穿脱裤子)	10							
进食	14.完全依赖	0							
	15.需部分帮助(切面包、夹菜、盛饭)	5							
	16.自理(能使用用餐工具进食食物)	10							
穿脱衣	17.依赖他人	0							
	18.一半帮助(正常时间内独自完成至少一半)	5							
	19.自理(能独立穿脱衣裤、系纽扣、穿脱鞋、系鞋带)	10							
上下楼梯	20不能	0							
	21.需帮助(言语指导、身体帮助)	5							
	22.独立完成(可用辅助具,如手杖、腋杖)	10							
床椅转移	23.完全依赖他人,无坐位平衡	0							
	24.能坐起,需大量帮助(1~2人,身体帮助)	5							
	25.需少量帮助(言语指导或身体帮助)	10							
	26.独立安全完成整个过程	15							
平地行走	27.不能步行	0							
	28.不能步行,但在轮椅上能独立行动45m	5							
	29.需少量帮助能步行45m(言语指导或身体帮助)	10							
	30.独立步行至少45m(可用辅助器,不包括带轮助行器)	15							
总分									
签名									

2.本评估表背景与来源

参考国家2024年2月1日实施的分级护理行业标准。

3.书写要求

（1）评估时机：患者入院时评估；患者因病情、手术、用药等生活活动能力改变时需重新评估。

（2）评分判断：对患者进食、洗澡、修饰、穿衣、控制大便、控制小便、如厕、床椅转移、平地行走、上下楼梯等10个项目进行评定，将各项得分相加即为总分。根据总分，将自理能力分为重度依赖、中度依赖、轻度依赖和无须依赖四个等级，总分≤40分，属重度依赖，日常生活全部需要他人照护；总分41～60分，属中度依赖，日常生活大部分需要他人照护；总分61～99分，属轻度依赖，日常生活少部分需要他人照护；总分100分，属无须依赖，日常生活无须他人照护。

（三）跌倒评估单

1.跌倒评估量表及预防措施

详见表2-17。

表2-17(1)　跌倒风险临床判定法

跌倒风险等级	患者情况						
跌倒低风险	昏迷或完全瘫痪						
跌倒中风险	存在以下情况之一： ——24h内曾有手术镇静史； ——使用2种及以上高跌倒风险药物						
跌倒高风险	存在以下情况之一： ——年龄≥80岁； ——住院前6个月内有2次及以上跌倒经历，或此次住院期间有跌倒经历； ——存在步态不稳、下肢关节和/或肌肉疼痛、视力障碍等； ——6h内使用过镇静镇痛、安眠药物						

表2-17(2)　患者跌倒评估量表及预防措施(Morse评估量表)(正面)

科室：　　　床号：　　　姓名：　　　性别：　　　年龄：　　　住院号：

项目　　　　日期时间							
1.患者曾跌倒(3月内)/视觉障碍	没有=0 有=25						
2.超过一个医学诊断	没有=0 有=15						

续表2-17（2）

项目 ＼ 日期时间								
3.使用助行器具	没有需要=0 完全卧床=0 护士扶持=0 丁形拐杖/手杖=15 学步车=15 扶家具行走=30							
4.静脉输液/置管/使用药物治疗	没有=0 有=20							
5.步态	正常=0 卧床=0 轮椅代步=0 乏力/≥65岁/直立性低血压=10 失调及不平衡=20							
6.认知精神状态	了解自己能力=0 忘记自己限制/意识障碍/躁动不安/沟通障碍/睡眠障碍=15							
得分								
签名								

表2-17(3)　患者跌倒评估量表及预防措施(MORSE评估量表)(背面)

中低风险跌倒标准预防性干预措施	高风险跌倒标准预防性干预措施
1.保持病区地面清洁干燥,告知卫生间防滑措施(淋浴时有人陪伴),鼓励使用卫生间扶手	1.执行基础护理及跌倒标准预防性干预措施
2.提供足够的照明,夜晚开地灯,及时清除病房、床旁、过道及卫生间障碍	2.在床头做明显标记
3.教会患者/家属使用床头灯及呼叫器,放于可及处	3.尽可能将患者安置在距离护士站较近的病房,加强对患者夜间巡视
4.病床高度合适,将日常物品放于患者易取处	4.通知医生患者的高危情况,并进行有针对性的治疗
5.患者活动时有人陪伴,指导患者渐进坐起、渐进下床的方法	5.将两侧床栏全部拉起,告知患者下床活动需要协助时要用呼叫器呼叫

续表2-17（3）

中低风险跌倒标准预防性干预措施	高风险跌倒标准预防性干预措施
6.穿舒适的鞋及衣裤,为患者提供步态技巧指导	6.如患者有神志障碍,必要时可限制患者活动,适当约束,告知其家属应有专人陪护患者
7应用平车、轮椅时使用护栏及安全带	7.加强营养,定期协助患者排尿、排便
8.锁定病床、轮椅、担架床和坐便椅	
9.对患者及其家属进行跌倒预防宣教,评估并记录患者及其家属对宣教的接受情况	

2.本评估量表的背景及来源

参考Morse跌倒评估量表（Morse Fall Seale，MFS），MFS由美国宾夕法尼亚大学Janice Morse教授于1989年研制，该量表是公认的专为评估住院患者跌倒风险而设计的评估工具。

3.书写要求

（1）评估时机：患者入院时评估；评分>45分每周至少评估1～2次；患者病情发生变化或者使用了会导致跌倒的药物（麻醉药、抗组胺药、抗高血压药、镇静催眠药、抗癫痫痉挛药、轻泻药、利尿药、降糖药、抗抑郁抗焦虑抗精神病药）时需评估；患者转到其他科室时需重新评估；跌倒后需重新评估，危险因素改变时需重新评估。

（2）评分判断：总分125分，评分>45分为高度危险，提示患者处于易受伤危险中，应采取相应的防护措施；评分25～45分为中度风险，<25分为低风险，得分越高表示跌倒风险越大，只要有得分就要选相应的护理措施，并做好患者及其家属的相关知识宣教，要求患者或家属签字确认。

（3）当患者不符合表2-17（1）中任何条目时，宜使用Morse评估量［表2-17（2）］进行评估，根据总分判定跌倒低风险、跌倒中风险和跌倒高风险。

（四）压力性损伤评估单

1.Braden压力性损伤评估量表及预防措施

Braden压力性损伤风险评估量表及预防措施详见表2-18。

2.本评估表背景与来源

Braden量表由美国的Braden和Bergstron两位博士于1987年制定，是美国健康保健政策研究机构（AHCPR）推荐使用的一种压疮预测工具。

表2-18　Braden压力性损伤风险评估量表及预防措施

科室：　　　床号：　　　姓名：　　　性别：　　　年龄：　　　住院号：

项目	分值				评估日期		
	1	2	3	4			
1.感知能力	完全受损	非常受损	轻微受损	不受损			
2.活动能力	卧床	局限于椅	偶尔步行	经常步行			

续表2-18

项目	分值				评估日期						
	1	2	3	4							
3.移动能力	完全不能	非常受限	轻微受限	不受限							
4.潮湿度	持续潮湿	非常潮湿	偶尔潮湿	罕见潮湿							
5.营养摄取能力	非常差	可能不足	充足	良好							
6.摩擦剪切力	存在问题	潜在问题	不存在问题								
Braden评分											
7.预防措施											
(1)定时翻身更换体位1次/2h,翻身卡按时记录											
(2)使用气垫床、减压/翻身垫、保护膜等工具											
(3)强迫/被动体位时,协助变换体位,减轻受压部位											
(4)指导及协助患者变换体位,避免拖拉											
(5)大便失禁给予大便管理,正确使用便盆											
(6)保持患者皮肤和床单元清洁干燥											
(7)指导并鼓励患者合理膳食,加强营养											
(8)讲解压力性损伤相关知识,发放压力性损伤知识手册											
(9)严格交接班制度,床头交接皮肤状况											
(10)身体持续受压部位有保护措施											
(11)指导患者正确移动身体,防止皮肤损伤											
(12)小便管理:给予留置导尿或使用尿不湿、接尿器等											
(13)预防医疗器械压力性损伤											
(14)压力性损伤部位给予换药											
(15)有压力性损伤发生											
(16)无压力性损伤发生											
评估护士签名											

3.书写要求

（1）评估时机：患者入院时评估；评分≤18分的患者每周至少评估1～2次；患者病情发生变化或者手术后应及时评估。根据患者的实际情况，在符合项目的分值处打√，计算总分，评分≤12分时，上报护理部（高危预报），评估后家属签字，压疮预防结果出院留科室备查。

（2）评分判断：总分23分，评分>18分没有危险，15～18分轻度危险，13～14分中度危险，10～12分高度危险，<9分极度危险。

（五）血栓风险评估单

1. 血栓风险评估量表及预防措施

血栓风险因素评估量表及预防措施详见表2-19。

表2-19(1-1)　Caprini血栓风险因素评估表(外科)(正面)

科室：　　　床号：　　　姓名：　　　性别：　　　年龄：　　　住院号：

分值	项目 ＼ 日期	评估日期及得分					
1分/项	1.年龄40～59岁						
	2.肥胖（BMI>25kg/㎡）						
	3.异常妊娠（如习惯性流产、死胎病史、早产等）						
	4.妊娠期或者产后（1个月内）						
	5.口服避孕药或雌激素替代治疗						
	6.绝对卧床或制动4h以上的患者						
	7.炎症性肠病史（如克罗恩病、溃疡性结肠炎等）						
	8.下肢水肿						
	9.静脉曲张						
	10.严重的肺部疾病、含肺炎（1个月内）						
	11.肺功能异常,COPD						
	12.急性心肌梗死						
	13.充血性心力衰竭（1个月内）						
	14.败血症（1个月内）						
	15.大手术后（1个月内）						
	16.计划小手术，持续时间<60min*						
	17.中心静脉置管						
	18.下肢石膏或肢具固定						
	19.其他高危因素（如依从性差、自理能力差等）						
2分/项	1.年龄60～74岁						
	2.肥胖（BMI>35kg/㎡）						
	3.患者需要卧床>72h						
	4.恶性肿瘤（既往或现患）						
	5.腹腔镜手术，手术时间>45min*						
	6.关节镜手术，手术时间>45min*						
	7.大手术，手术时间>45min*						

续表2-19（1-1）

分值	项目 \ 日期	评估日期及得分						
3分/项	1.年龄≥75岁							
	2.肥胖（BMI>45kg/㎡）							
	3.深静脉血栓/肺栓塞病史							
	4.血栓家族史							
	5.肝素引起的血小板减少							
	6.抗心磷脂抗体阳性							
	7.狼疮抗凝物阳性							
	8.大手术,手术时间持续2～3h							
	9.未列出的先天或后天血栓形成（蛋白C或蛋白S测定异常、血清同型半胱氨酸升高、亚甲基四氢叶酸基因检测异常）							
5分/项	1.脑卒中后1个月内							
	2.急性脊髓损伤(瘫痪)后1个月内							
	3.选择性下肢关节置换术后1个月内							
	4.髋关节、骨盆或下肢骨折后1个月内							
	5.大手术,手术时间>3h*							
评估得分								
护士签名								

表2-19(1-2)　Caprini血栓风险因素评估表(外科)(背面)

预防措施		落实（落实打"√",未落实打"×"）	落实日期
基本预防	1.饮食:低脂、清淡饮食宣教		
	2.每日饮水量>1500mL		
	3.踝泵运动、直腿抬高运动		
	4.指导患者尽早下床主动活动		
	5.避免同一部位、同一静脉反复穿刺		
	6.保持大便通畅,戒烟		
物理预防	7.穿弹力袜或缚扎弹力绷带		
	8.气压泵治疗		
药物预防	9.监测D-二聚体等实验指标		
	10.遵医嘱使用抗凝药物干预		

续表2-19（1-2）

	预防措施	落实	落实日期
		（落实打"√"，未落实打"×"）	
效果评价	无DVT		
	有DVT发生		
护士签名			

注：（1）每个危险因素的权重取决于引起血栓事件的可能性，如恶性肿瘤评分是2分，绝对卧床的评分是1分，前者比后者更易引起血栓。

（2）*只能选择1个手术因素。

表2-19(2)　Padua血栓风险因素评估表(内科)

项目	评分标准	评估日期及得分		
活动性恶性肿瘤	3			
既往VTE史(除外表浅静脉血栓形成)	3			
制动,患者身体原因或遵医活动能力降低	3			
有血栓形成倾向	3			
近期(≤1个月)创伤或外科手术	2			
年龄≥70岁	1			
心力衰竭和(或)呼吸衰竭	1			
急性心肌梗死和(或)缺血性脑卒中	1			
急性感染和(或)风湿性疾病	1			
肥胖(体重指数≥30kg/m²)	1			
正在进行激素治疗	1			

2.本评估量表背景与来源

静脉血栓栓塞症（VTE）主要包括深静脉血栓形成（DVT）和肺静脉血栓栓塞症。Caprini评估工具最初由美国西北大学学者Caprini等人于1991年研制，随着对血栓疾病研究的病理生理学认识的不断加深和临床危险因素的研究，Caprini评估量表也不断更新，至2010年成为较成熟的风险评估工具。

3.书写要求

（1）评估时机：患者入院或转入24h内进行风险评估，在相应临床指标栏内打分，无此项画"0"；评分≥2分，每周重新评估1次，病情发生变化立即评估；得分越高，表明发生血栓风险越大；选项用"1、2、3、4、5"表示；特别注意高危因素人群，如年龄40~60岁或>60岁、卧床>3d、久坐不动、肥胖、妊娠/分娩、高血压和糖尿病病史多年、各类手术等。

（2）评分判断：评分0~1分，属低危，给予基本预防；评分2分，属中危，给予基本预防+物理预防；评分3~4分，属高危，给予基本预防+物理预防+药物预防；评分>4

分，属极高危，给予基本预防+物理预防+药物预防。

（六）疼痛评估单

1. 疼痛评估量表及护理记录

疼痛评估量表及护理记录详见表2-20。

表2-20 疼痛评估量表及护理记录

科室： 床号： 姓名： 性别： 年龄： 住院号：

疼痛评估量表选择	表1 面部表情疼痛量表 0 无疼痛　2 轻度疼痛　4 中度疼痛　6 重度疼痛　8 剧烈疼痛　10 无法忍受 表2 数字评定量表 0 1 2 3 4 5 6 7 8 9 10 无痛(0) 轻度疼痛(1~2) 中度疼痛(2~4) 重度疼痛(4~6) 剧烈疼痛(6~8) 无法忍受(8~10)						
日期							
时间							
疼痛部位							
疼痛性质							
疼痛评分	表1						
	表2						
护理措施	1.心理安慰						
	2.卧床休息						
	3.分散注意力						
	4.冷敷						
	5.热敷						
	6.理疗						
	7.针灸						
	8.通知医生						
	9.遵医嘱用药	时间					
		药名及剂量					
		途径					
	10.知识宣教						

续表2-20

11.按摩止痛							
12.调整体位							
13.其他							
效果评价	表1						
	表2						
不良反应：							
护士签名：							

2.书写要求

（1）评估时机：昏迷、麻醉未清醒不予疼痛评估；非消化道给药后30min评估，口服给药后1h评估；中度以下疼痛，每日评估2次；中度以上疼痛，每日评估3次；剧痛或需观察用药情况的患者，根据疼痛变化情况随时评估并记录。

（2）评分判断：本表中表1为面部表情疼痛量表，表2为数字评定量表，可任选1个量表进行评分。轻度疼痛为可忍受，正常生活睡眠；中度疼痛为适度影响睡眠，需要止痛药；重度疼痛为影响睡眠，需要麻醉止痛剂；剧烈疼痛为无法忍受，严重影响睡眠伴有自主神经功能紊乱或被动体位。

（3）疼痛性质判断：A胀痛、B钝痛（隐痛）、C刀割样（刺痛）、D绞痛、E抽搐痛、F烧灼痛、G撕裂痛、H闷痛或压榨痛。

（4）药物填写代码：A西乐葆、B曲马朵、C泰勒宁、D氨酚待因、E杜冷丁、F吗啡、G地佐辛、H强痛定、I适络特、J消炎痛栓、K洛芬待因、L止痛泵（PCA）、M其他。

（5）不良反应填写代码：A胃肠道反应（恶心、呕吐）、B嗜睡、C便秘、D瘙痒、E呼吸抑制、F过敏、G尿潴留。

（6）效果评价时机及代码：可任选1个量表进行评价，效果评价时机为应用护理措施30min后评价，A完全缓解、B部分缓解、C轻度缓解、D无效。

（七）营养评估单

1.营养风险筛查简表

营养风险筛查简表详见表2-21。

表2-21　营养风险筛查简表（NRS 2002）

科室：　　　床号：　　姓名：　　性别：　　年龄：　　住院号：　　诊断：　　手术名称：

一、疾病有关评分：　　　　分	评分
1.营养需要量轻度增加：□髋骨骨折　□慢性疾病有并发症　□COPD　□血液透析 □肝硬化　□一般恶性肿瘤患者	1
2.营养需要量中度增加：□腹部大手术　□脑卒中　□重度肺炎　□血液恶性肿瘤（2分）	2
3.营养需要量重度增加：□颅脑损伤　□骨髓移植　□大于APACHE10分的ICU患者（3分）	3

二、营养状态有关评分(下面3项取最高分)：　　　　　　分
1.人体测量：□0分　　　□1分　　　□2分　　　□3分 身高：　　　cm(cm,精度到0.5cm)(免鞋) 实际体重：　　　kg(kg,精度到0.5kg)(空腹、病员服、免鞋) BMI　　　kg/m²(≤18.5,3分) 注:因严重胸腹水、水肿等得不到准确的BMI值时用白蛋白来替代(ESPEN2006)： 白蛋白　　　g/L(≤30g/L,3分)
2.近期(1~3个月)体重是否下降?(是□　否□); 如果是,体重下降　　　(kg); 体重下降≥5%,是在:□3个月内(1分)　□2个月内(2分)　□1个月内(3分)
3.一周内进食量是否减少?(是□　否□) 如果是,较之前减少　□25%~50%(1分)　□50%~75%(2分)　□75%~100%(3分)
三、年龄评分:□0分　□1分
≥70岁为1分,否则为0分
合计评分:
护士签名:　　　　　　　　　　　　　　　　　　　年　　　月　　　日

2.本评估量表的背景及来源

营养风险筛查（nutrition risk screening，NRS2002）是欧洲肠外肠内营养学会（ESPEN）推荐使用的住院患者营养风险筛查方法。

3.书写要求

（1）评估时机：根据患者病情和年龄，需要时评估；总分<3分，应每周评估1次；总分≥3分，营养支持后再评估。

（2）评分判断：营养风险总评分＝疾病有关评分+营养状态有关评分+年龄评分，总分≥3分，提示患者存在营养风险，应立即开始营养支持；总分<3分，应每周用此法复查其营养风险。

（3）评估注意事项：注意在早晨空腹、着病员服、免鞋后测定身高、体重。测量值身高精确到0.5cm，体重精确到0.5kg，计算出BMI（精确到小数点后1位）。体重指数（BMI）=体重（kg）÷身高（m）的平方。体重指数正常范围为18.5~24.9。

（4）效果评价：根据筛查结果，采用营养补充、营养支持、营养治疗制订肠外、肠内营养支持计划。

4.NRS（2002）对于疾病严重程度的评分及其定义

1分：慢性疾病患者因出现并发症而住院治疗。患者虚弱但不需要卧床。蛋白质需要量略有增加，但可以通过口服补充剂来弥补。

2分：患者需要卧床，如腹部大手术后，蛋白质需要量相应增加，但大多数人仍可以通过肠外或肠内营养支持得到恢复。

3分：患者在监护病房中靠机械通气支持，蛋白质需要量增加而且不能被肠外或肠内营养支持所弥补，但是通过肠外或肠内营养支持可使蛋白质分解和氮丢失明显减少。

（八）出院评估单

1.出院患者护理评估单

出院患者护理评估单详见表2-22。

表2-22　出院患者护理评估单

科室：　　　床号：　　　姓名：　　　性别：　　　年龄：　　　住院号：

评估内容	护理问题
1.生命体征 体温：　　℃　　　脉搏：　　　次/min 呼吸：　　次/min　　血压：　　　mmHg	
2.认知/沟通 意识:□清醒　□嗜睡　□昏睡　□昏迷(浅昏迷、中昏迷、深昏迷)　□其他 瞳孔:□等大　□不等大　□光反射灵敏　□光反射不灵敏　□其他 语言:□清晰　□含糊不清　□失语　□其他 眼神交流:□有　□无	
3.日常活动/锻炼 存在:□疲乏　□步行困难　□共济失调　□肌无力 需要帮助:□是　□否 自理:□能　□部分　□不能	□跌伤的危险 □活动无耐力 □自理缺陷:全部/进食/如厕/穿着/洗漱
4.皮肤情况 皮肤颜色:□正常　□苍白　□潮红　□黄疸　□其他 皮肤完整性:□完整　□干燥　□皮疹　□瘙痒　□破损	□皮肤完整性受损 □其他
5.管道情况 管道:□无　□有 管道类型:□闭式引流　□T形管　□造瘘管　□留置尿管　□鼻饲 □PICC　□CVC	□舒适的改变 □其他
6.出院 用药指导： 饮食指导： 康复指导： 复诊指导：	□知识缺乏 □其他
护士签名：　　　　　　　　　　　　　　日期：　　　时间：	

注：患者转归　□痊愈　□好转　□转院　□自动出院　□死亡　□其他。

2.书写要求

（1）评估时机：在患者出院前完成出院评估，请在合适的项目上打"√"。

（2）评估过程中有疑问时及时与主管医生沟通，评估后的护理问题应给予护理指导。

二、护理计划单

（一）医嘱单（长期医嘱、临时医嘱、检查医嘱）

1.长期医嘱

长期医嘱单详见表2-23。

表2-23 XXXX医院长期医嘱单

科室：　　　　床号：　　　　姓名：　　　　性别：　　　　年龄：　　　　住院号：

开 始					停 止			
日期	时间	长期医嘱	医生签名	护士签名	日期	时间	医生签名	护士签名

第（　　）页

（1）书写要求：医生填写开始日期和时间、长期医嘱内容、停止日期和时间并签名。

（2）处理要求：护士每日执行长期医嘱的给药单、输液单、治疗单等，由执行护士签名，出院时打印，按要求归入病历。

2.临时医嘱单

临时医嘱单详见表2-24。

表2-24 XXXX医院临时医嘱单

科室：　　　　床号：　　　　姓名：　　　　性别：　　　　年龄：　　　　住院号：

日期	时间	临时医嘱	医生签名	执行时间	护士签名

第（　　）页

（1）书写要求：医生填写日期和时间、临时医嘱内容并签名；由执行临时医嘱的护士填写执行时间并签名。

（2）处理要求

1）长期备用医嘱有效期在24h以上，护士每次执行后，在临时医嘱单上记录执行时间并签名，医生补签名。

2）临时备用医嘱医生从开具医嘱起12h内有效，过期未执行时，护士用红笔在该项医嘱栏内写"未用"，并签名。

3）临时有多组液体输入时，必须由执行护士按实际输入时间分组签署执行时间并签名，不能全部签在同一时间。临时医嘱执行单执行时间与电脑执行时间必须相符。

4）皮试执行时间与开具医嘱时间至少间隔30min，临时医嘱要签署执行时间，谁执行谁签字；PPD试验，第一次签署执行时间，第2、3次分别在48h、72h观察结果后重新开具PPD试验医嘱，并签署皮试结果。

5）护士已经签署执行时间和签名的临时医嘱一律不能取消（必须先执行后签字）。

6）毒麻药物抽取后因故未注射，医生在该项医嘱栏内红笔写"取消"并签名，护士携带红处方、临时医嘱单、毒麻药品交班本去药房领取。

3.检查医嘱单

检查医嘱单详见表2-25。

表2-25　XXXX医院检查医嘱单

科室：　　　床号：　　　姓名：　　　性别：　　　年龄：　　　住院号：

日期	时间	医嘱	医生签名	执行时间	护士签名

第（　）页

（1）书写要求：医生填写检查医嘱日期和时间、医嘱内容并签名；由责任护士执行并填写执行时间及签名。

（2）处理要求：责任护士一定要根据本院的具体情况做好检查医嘱落实及交班，并做好检查前后、化验前后的指导和反馈工作。

（二）标准教育计划单

1.内科标准教育计划单

内科患者标准教育计划详见表2-26。

表2-26　内科患者标准教育计划

科室：　　　床号：　　　姓名：　　　性别：　　　年龄：　　　住院号：

患者教育项目　　日期及效果	日期/指导者签名	评价				患者/家属签字
		1	2	3	日期/护士签名	
1.疾病知识						
(1)疾病名称						

续表2-26

日期及效果\n\n患者教育项目	日期/指导者签名	评价				患者/家属签字
		1	2	3	日期/护士签名	
(2)治疗						
(3)好转与加重的表现						
(4)主要护理措施						
2.有关检查						
(1)留取痰、尿、便的方法和意义						
(2)抽取血标本的目的及注意事项						
(3)心电监护的意义及注意事项						
(4)CT、ECG、B超、X线等检查的目的、意义及注意事项						
3.药物知识						
(1)药物名称						
(2)作用及常见的副作用						
(3)服药时的注意事项						
(4)静脉输液时的配合及滴速调节的意义						
4.饮食						
(1)饮食的种类与治疗的关系						
(2)饮食的注意事项						
5.出院/康复指导						
(1)预防复发的自护措施						
(2)出院后服用药物的名称与注意事项						
(3)病情变化的观察						
(4)来院复查的指证						

注：评价为1表示患者及其家属完全掌握，评价为2表示部分掌握，评价为3表示未掌握。

（1）教育时机：患者入院、各项检查前后、给予药物及出院时进行教育指导。

（2）书写要求：责任护士负责宣教，根据患者的掌握情况在评价栏1、2、3对应处评价打√，针对未掌握和部分掌握的选项再重点宣教，签署日期、姓名，及时打印让患者或患者家属签字后归入病历。

2.外科标准教育计划单

外科患者标准教育计划详见表2-27。

表2-27(1)　外科患者标准教育计划(正面)

科室：　　　　床号：　　　姓名：　　　　性别：　　　年龄：　　　住院号：　　　诊断：

患者教育项目　　　日期及效果	日期/指导者签名	评价				患者/家属签字
		1	2	3	日期/护士签名	
1.入院后						
(1)疾病名称						
(2)入院检查						
①痰、尿、便的留检意义						
②X线、B超检查的意义及注意事项						
③检查心肺功能的目的及复查的意义						
④各种特殊检查的目的、意义及注意事项						
(3)测量体温的次数及意义						
(4)饮食的种类与治疗的关系；全流食、半流食、软食、普食等；合理应用膳食的方法						
(5)卧位						
(6)活动						
2.手术前						
(1)术前准备内容						
(2)口腔清洁的重要性						
(3)含漱水的用法、正确刷牙方法						
(4)床上卧位练习呼吸的目的						
(5)床上练习咳嗽、排痰的意义和方法						
(6)禁食的意义、开始时间						
(7)肠道准备的意义、操作的配合						
(8)术日晨插入胃管、尿管的目的、过程						
(9)采用麻醉方式及床前用药						

表2-27(2)　外科患者标准教育计划(背面)

科室：　　　床号：　　　姓名：　　　性别：　　　年龄：　　　住院号：

日期及效果 患者教育项目	日期/指导者签名	评价				患者/家属签字
		1	2	3	日期/护士签名	
1.手术后						
(1)所用药物及如何观察副作用						
(2)输液速度及注意事项						
(3)有效的排痰方法						
(4)刀口疼痛的护理						
(5)皮肤自护的方法及注意事项						
(6)胃肠减压的放置时间						
(7)腹胀与排气						
(8)拔管后的不适反应(胃管、胸腔引流管)						
(9)拔胃管后的进食种类、量						
(10)术后离床活动的方法、时间、活动量						
(11)术后功能锻炼的意义和方法						
2.出院前						
(1)康复锻炼的方法及步骤						
(2)饮食与用药、锻炼的关系						
(3)康复的时间						
(4)评价康复的标准化						
(5)复查检查的时间及观察项目						

注：评价为1表示患者及其家属完全掌握，评价为2表示部分掌握，评价为3表示未掌握。

　　(1)教育时机：患者入院后、各项检查前后、给予药物治疗前、手术前、手术后及出院前进行教育指导。

　　(2)书写要求：责任护士负责宣教，根据患者的掌握情况选择掌握分级评分，针对未掌握和部分掌握的选项再重点宣教，签署日期、姓名，及时打印让患者或家属签字后归入病历。

　　(三)知情同意书

　　1.入院须知

　　(1)入院须知内容

　　患者入院须知详见表2-28。

表2-28 患者入院须知

患者入院须知

尊敬的患者及患者家属：

您好!为了让您在医院住院期间更加方便,保证您的安全,使您尽快康复,请您理解和配合我们做好以下工作：

1.个人需携带的物品：毛巾、餐具、茶具、牙具、拖鞋、卫生纸等必需的生活用品；贵重物品请勿带入病房,以免丢失。

2.医院为您准备了暖瓶、陪护椅（根据实际使用天数收费）等,陪护椅承重负荷有限,仅供单人使用,不可众人同坐其上；陪员请勿睡在病床上或自带陪床。

3.请自觉爱护病区各种设施,如门窗、储物柜、病床、床头柜、呼叫器、桌椅、玻璃、坐便器、淋浴设施、空调、被服、地面等,如有损坏,须按价赔偿。

4.我院为无烟医院,病区、卫生间、楼梯间等医疗场所均严禁吸烟,吸烟者请到大楼外指定的吸烟区,请您自觉遵守。

5.病区布满氧气和负压管道,为了您和他人的安全,请勿使用电炉、家用电器、酒精炉等,以免发生火灾及爆炸。

6.请不要在设备带插座上充电,以免影响工作站、抢救医疗设备等正常运行。

7.医院每天都有保洁人员打扫卫生,尽量确保地面干燥、清洁,请您在病房、卫生间或走廊等公共区域穿舒适、防滑的鞋子,避免摔倒。如发现有积水或不清洁现象,请及时告知护士,要求保洁员打扫。卫生间有垃圾筐,请勿随地吐痰、乱扔果皮和废纸；请勿将剩菜剩饭、茶叶倒入洗手盆内；请勿将固体不溶杂物,如筷子、塑料瓶、塑料袋、卫生巾等扔入便池内。

8.病房内淋浴器是为患者清洁准备的,严禁陪员及家属在病房内洗澡；如果患者洗澡,请先询问您的主管医生,根据您目前的病情是否能够洗澡,洗澡时一定要有家属或陪护人员陪同。

9.请您在病区内勿大声喧哗,请将您的手机调至震动,以免影响其他病友休息。

10.患者和家属请不要随意进入其他病房,不要擅自调床,以免造成交叉感染或差错。

11.入院后需进行采血化验及相关检查,护士会提前告知您检查的注意事项。所有检查均有工作人员为您预约和引导,您只需在病房等候安排即可。

12.医院实行家属陪护制（特殊病房除外）,但因病房空间有限,每位患者只留一位陪员。每日8：00—16：00是为您查房治疗时间,请您不要离开病房。探视时间为17：00—21：00,每次探视时间不得超过1h,非探视时间,谢绝探视；请不要带学龄前儿童探视患者,探视者请在21：00之前离开病房,以保证患者正常休息。

13.住院期间请勿外出或回家,在院外期间发生意外,您和您的家人要承担全部责任,医院不承担任何责任。

14.为了不影响您的诊疗,请您及时缴纳住院费用。

以上敬告,希望得到您的理解与支持! 祝您早日康复!

患者或家属签字：

×××医院   年   月   日   时   分

（2）书写要求：①责任护士负责对患者或家属逐条进行详细宣教；②患者或家属了解或掌握后签字确认,归入病历。

2.保护性约束具告知及使用管理记录单

（1）保护性约束具告知及使用管理记录单（详见表2-29）。

表2-29　XXXX医院保护性约束具告知及使用管理记录单

科室：　　床号：　　姓名：　　性别：　　年龄：　　住院号：　　诊断：

一、已经使用的身体约束替代方法

□加强护患沟通,建立良好的护患关系　　□改善环境布局,减少不良刺激

□语言交流,分散患者注意力　　□加强各类导管/引流管的管理

□拉起床档,防止患者坠床　　□为患者提供舒适护理　　　□减轻疼痛

二、如使用以上身体约束替代方法无效时,请评估并选择以下使用身体约束的指征

1.急性精神紊乱:□神志不清　□谵妄　□认知障碍　□记忆紊乱　□定向紊乱　□明显躁动表现

2.安全问题:□急性攻击行为　□不配合医务人员　□自我伤害行为　□行动减弱/障碍

□意图拔除各类置管/人工气道　□各类置管/人工气道脱落风险

3.跌落风险评估:□无　□有

4.其他:

5.约束具使用:□是　□否

6.约束具选择:□棉布约束带　□尼龙搭扣　□约束手套　□多头约束带　□其他

家属签字：

年　　　月　　　日

三、使用身体约束具期间评估记录

注:约束部位编号:①左手腕　②右手腕　③左脚踝　④右脚踝　⑤其他_____

日期	时间	约束部位	约束部位皮肤		松解		异常情况描述	护士签名
			正常	异常	时间	活动		

注:(1)根据医嘱使用约束用具,需要知情同意,至少每2h松解1次,每次5min。

(2)观察记录重点为肢体颜色、温度、感觉,有无水肿,皮肤是否完整。

(3)松解约束时须有家属或医务人员在场,保证患者安全。

(4)记录时间具体到分钟。

（2）书写要求：责任护士接到医嘱后及时与家属进行沟通；患者及其家属了解或掌握后签字认可；约束过程中，由责任护士翔实记录约束情况，具体记录要求详见表中备注。

三、护理记录单

（一）生命体征单

1.生命体征单

生命体征单详见表2-30。

表2-30　生命体征单

科室：　　　床号：　　　姓名：　　　性别：　　　年龄：　　　住院号：　　　入院日期：

日　期																										
住院天数																										
手术后天数																										
时间	上午			下午			上午			下午			上午			下午			上午			下午			上午		
脉搏次/min / 体温	4 8 12			4 8 12			4 8 12			4 8 12			4 8 12			4 8 12			4 8 12			4 8 12			4 8 12		

脉搏次/min　体温
180　42
160　41
140　40
120　39°
100　38°
80　37°
60　36°
40　35°

疼痛强度	10																												
	8																												
	6																												
	4																												
	2																												
	0																												
呼吸（次/min）																												
血压（mmHg）																												
总入量（mL）																												
大便（次）																												
排出量	尿量（mL）																											
	引流（mL）																											
	其他（mL）																											
W（kg）/H（cm）（BMI）																												
血氧饱和度（%）	吸氧																											
	未吸氧																											
指尖血糖（mmol/L）																												

第（　）页

2. 书写要求

体温单项目分为眉栏、一般项目栏、生命体征绘制栏、特殊项目栏；记录内容应当客观、真实、准确、及时、完整、规范。

（1）眉栏项目：包括科室、床号、姓名、性别、年龄、住院号、入院日期，均为自动生成项目，以黑色字体显示。

（2）一般项目栏：包括日期、住院天数、手术后天数等，均为自动生成项目，以黑色字体显示。①日期：入院第1日、跨年度第1日、每页第1日需显示年-月-日，其余只显示日期。②住院天数：自入院次日开始计数直至出院。③手术（或分娩）：手术（或分娩）当日，在相应空格内显示"手术"或"分娩"；手术当日又行第2次手术的，显示手术"2/1"，以此类推；非手术当日又行第2次手术的，在第2次手术当日显示手术"/5"（表示第1次手术后第5日进行第2次手术），以此类推。手术（或分娩）后天数自手术（或分娩）次日开始连续书写14日（或分娩7日），如手术（或分娩）后第1日，在相应空格内显示"1"，第2日显示"2"，以此类推。

（3）生命体征绘制栏：包括入院、转科、出院、死亡时间及体温、脉搏、呼吸记录。

①入院、转科、出院、死亡时间：在40～42℃之间的相应时间栏内以红色字体顶格纵向显示；时间采用24h制，用中文形式精确到分钟显示，转科时间由转入科室填写，书写可超过40℃线，如"入院九时十分"。急诊手术住院患者入院时间从患者进入手术室时间算起，其他患者入院时间以到达病区办理住院程序时间为准。②体温：在相应时间格内口温以蓝"●"表示、腋温以蓝"×"表示、肛温以蓝"○"表示，相邻温度用蓝直线相连。新入院患者体温超过40℃，仍画在相应位置；体温不升时，可将"不升"两字用蓝色纵向显示在35℃线以下；物理降温30min后、药物降温30min后至2h内测量的体温以红"○"显示，在降温前温度的同一纵格内，以红虚线（下降）或红直线（上升）与降温前温度相连，体温无变化时在降温前温度外画红"○"显示。一般住院患者每日测量体温、脉搏、呼吸1次；发热、手术、新入院患者每日测量体温4次，3日后若无体温异常，即可每日测1次。病危（病重）患者每日测量体温6次；一日内多次测体温者，应将最高和最低体温显示在体温单上，体温单绘制与患者实际情况应相符。如患者外出、手术等体温未测时，体温不绘，前后不连线；体温单与护理记录单应相符，如生命体征、出入量等，原始资料应真实。③脉搏：脉搏符号以红"●"显示，每小格为4次/min，相邻的脉搏以红直线相连。心率用红"○"显示，两次心率之间也用红直线相连；脉搏与体温重叠时，先画体温符号，再用红色笔在体温符号外画"○"。与肛温重叠时在蓝"○"内画红"●"表示；与口温重叠时在蓝"●"外画红"○"表示；脉搏短绌患者应同时测量心率和脉率，二者之间用红直线填满。年龄小于5岁者可不绘制脉搏。④呼吸：用阿拉伯数字表述每分钟呼吸次数，用红色显示在呼吸栏内；如每日记录呼吸2次以上，在相应栏目内上下交错记录，第1次呼吸记录在上方；使用呼吸机患者的呼吸以"R"显示，在体温单相应时间栏目内用黑色笔顶格画"R"表示。年龄小于5岁者可不绘制呼吸情况。

（4）特殊项目栏包括：血压、总入量、排出量（尿量、引流液、其他出量）、体重、身高等需观察和记录的内容。①血压：单位为毫米汞柱（mmHg），记录方式为收缩压/舒张压（如130/80）；记录频次为新入院患者及时测量血压并记录；根据患者病情及医嘱测量并记录（记录在体温单、一般护理记录单或体温单、特级护理记录单时，数值、时间要一致），如为下肢血压需标注。栏目内每日可记录2次，若测量2次以上可记录在空格栏或护理记录单中。14岁以下患者可不测量血压。②总入量：单位为毫升（mL），记录方式为在出入量记录单上记录具体入量的时间及毫升数，将24h总入量记录在相应的体温单和出入量记录单中，每隔24h填写1次。不足24h按实际时间记录，如xxh：1500。③尿量：单位为毫升（mL），记录方式为在出入量记录单上记录具体出量的时间及毫升数，将24h总出入量记录在相应的体温单和出入量记录单中，每隔24h填写1次。不足24h按实际时间记录，记录方法为时间（小时数）：量，如15h：1600；小便失禁以"※"表示，导尿以"C"表示，长期留置尿管以"C"表示，长期留置尿管尿量记录方法为时间（小时数）：量/C，如：20h：2800/C，如满24h则不需写时间，如：3000/C。④大便：单位为次/日或大便（mL）记录，每日记录在相应日期栏内；患者无大便，以"0"表示；灌肠后大便以"E"表示，分子记录大便次数，例：2/E表示灌肠后大便2次；0/E表示灌肠后无排便；12/E表示自行排便1次，灌肠后又排便2次；1/2E表示灌肠2次后排便1次；大便失禁用"※"表示，人工肛门用"☆"表示。⑤排出量（mL）栏：按医嘱或专科要求记录排出量，空格处填写排出液（引流、呕吐、痰等）的名称，将24h量记录在相应日期栏内，不足24h记录方法为量/时间，如：痰量（mL），100/18。⑥体重：以kg计数填入。新入院患者当日应当测量体重并记录，其余患者根据病情及医嘱测量并记录，至少每周测量体重1次；凡因各种原因不能测体重者，首次应按实际记录"轮椅或平车"，以后记录"卧床"，每页体温单要有体重测量值。⑦身高：单位为厘米（cm）；新入院患者当日测量身高并记录，其余患者根据医嘱或者专科要求测量并记录。⑧空格栏：可填写需要增加的观察内容和项目，如记录管路情况、血氧饱和度、疼痛强度、指尖血糖等。使用HIS系统等医院，可在系统中建立可供选择项，在相应空格栏中予以体现。

（二）一般护理记录单

一般护理记录单包含一般患者记录单及心电监测、血压监测、血糖监测、出入量单项表格式记录等。

1.一般患者记录单

一般护理记录单详见表2-31。

表2-31　XXXX医院一般护理记录单

科室：　　　　床号：　　　姓名：　　　　性别：　　　年龄：　　　住院号：　　　诊断：

日期	时间	体温（℃）	脉搏（次/min）	呼吸（次/min）	血压（mmHg）	血氧饱和度（%）	病情观察及护理措施	签名

第（　）页

2.书写要求

（1）责任护士负责填写记录。护理记录第一页和跨年必须显示年月日，其他时间可只显示月日即可。

（2）记录时使用医学术语，表述准确，语句通顺，标点正确。病情描述不能使用主观性语言（病情平稳、精神尚好、一般情况尚可等）；写你所做，做你所写。

（3）术后记录患者返回病房时间、生命体征、血氧饱和度、麻醉方式、手术名称、麻醉清醒与否、切口情况、管路及遵医嘱给予的护理措施等，记录完毕用"。"结尾。

（4）记录时间应根据护理级别要求记录，但至少2h记录一次，病情变化随时记录，实施护理措施后1h内必须有效果评价。24h内至少有4次体温的记录，停心电监护时要注明。

（三）血糖监测记录单

1.血糖监测记录单

血糖监测记录单详见表2-32。

表2-32　XXXX医院血糖监测记录单

科室：　　床号：　　姓名：　　性别：　　年龄：　　住院号：　　诊断：

日期＼项目		空腹（mmol/L）	早餐后2h（mmol/L）	午餐前（mmol/L）	午餐后2h（mmol/L）	晚餐前（mmol/L）	晚餐后2h（mmol/L）	夜间0点（mmol/L）	夜间3点（mmol/L）
	检测值								
	时间								
	签名								
	检测值								
	时间								
	签名								

2.书写要求

（1）责任护士遵医嘱定时测量并如实记录。

（2）监测中如有血糖异常，要及时报告医生，根据医嘱做好相应处理。

（3）录入或修改时可在日期、检测值、时间、签名处直接进行。

（四）出入量记录单

1.出入量记录单

出入量记录单详见表2-33。

表2-33　XXXX医院出入量记录单

科室：　　床号：　　姓名：　　性别：　　年龄：　　住院号：

日期＼时间	入量(mL)				出量(mL)				签名
	输入液体	量	进食、水	量	胃液	呕吐量	尿量	大便	

第（　　）页

2.书写要求

（1）责任护士负责统计并记录。

（2）记录时准确描述出量的颜色、性状、量和来源。录入药物时用中文或通用的外文缩写，如5%GS、NS、VitC等；水剂药物在量上记录mL数，粉针剂药物在药物栏内紧跟药名记录g或mg等。

（3）出入量各班小结，夜班总结24h量，并记录于体温单上。出入量总结书写格式为"白班入量：　　mL，出量：　　mL。24h入量：　　mL，出量：　　mL"。

（五）危重护理记录单

危重护理记录单是指护士根据医嘱和病情对病危或病重患者住院期间护理过程的客观记录。

1.危重护理记录单

危重患者护理记录单详见表2-34（模板1）或表2-34（模板2）。

表2-34 危重患者护理记录单（模板1）

危重护理记录单

科室： 姓名： 性别： 年龄： 床号： 住院号： 诊断： 手术名称：

经口气管插管 口/经鼻气管插管 口/气管切开 口： 型号 插管距门齿/鼻外缘
cm，插管日期： 外露 cm
CVC置管： 穿刺部位 外露 cm
穿刺日期：
PICC置管： 穿刺部位 臂围 cm 外露 cm
穿刺日期：
A置管： 穿刺部位 外露 cm
穿刺日期：
胃管： 置管日期 外露 cm
小肠营养管： 置管日期
尿管： 置管日期
其他：

日期 时间	生命体征					瞳孔					呼吸					吸入参数					护理					入量（mL）			出量（mL）					
	体温	心率	呼吸	SPO₂	BP 血糖	神志	R	L	大 小	反射	吸氧方式	呼吸机模式	设定参数			基础护理	约束	皮肤	翻身/卧位	胃管	活动		静脉给药	其他	鼻饲 口服	总入量	其他	胃液 色/量	尿 色/量	大便 色/量	其他	总出量	病情记录及处理 签名
									大 反射	小 射		Fi 0₂ %	f PS EP	PE VT																			

第（ ）页

表2-34　危重患者护理记录单（模版2）

科室：　　　床号：　　　姓名：　　　性别：　　　年龄：　　　住院号：

日期 时间	体温(℃)	脉搏(次/min)	呼吸(次/min)	血压(mmHg)	心率(次/min)	血氧饱和度(%)	入量(mL)		出量(mL)				病情	签名
							药物量	饮食量	尿量	大便量	胃液量	其他		

第（　　）页

2.书写要求

（1）危重患者病情记录要体现专科治疗及专科护理特点，根据实际情况选择模板1或模板2。

（2）记录的内容包括时间、生命体征、出入量、意识状态、病情变化、护理措施及效果评价等。

（3）记录的频次每小时至少有1次记录，病情变化时随时记录，抢救未及时记录者应在6h内据实补记。

（4）24h内至少有6次体温的记录，出入量各班小结，夜班总结24h量，并记录于体温单，出入量总结书写格式详见出入量记录单。

（六）手术护理记录单

1.手术护理记录单

手术患者护理记录单详见表2-35。

表2-35　手术患者护理记录单

科室：　　　　床号：　　姓名：　　　　性别：　　年龄：　　住院号：　　手术间：　　手术日期：

术前诊断			
麻醉方式		主刀医生	
手术类别	□择期　□急诊	手术名称	
手术时间	进入手术间时间：　　手术开始时间：	手术结束时间：　　离开手术间时间：	
药物过敏史	□无　□有＿＿＿＿＿＿＿＿		
感染性疾病情况	□乙肝　□丙肝　□梅毒　□结核　□HIV　□无　□结果待检　□其他		

术中护理	患者信息查对 手术部位核对	详见手术三方核查单
	静脉输液	□无　□有　　　　　　　□病房　□手术室
	静脉穿刺	种类:□留置针　□深静脉置管　部位：
	留置尿管	□病房　□手术室　□无
	皮肤消毒	皮肤消毒液　□碘伏　□酒精　□聚维酮碘　其他＿＿＿
	手术体位	□平卧位　□俯卧位　□截石位　侧卧位:□左　□右　其他＿＿＿
	止血仪　□无　□有	压力:＿＿＿mmHg　时间:＿＿＿min上肢:□左　□右　下肢:□左　□右
	植入物	□无　□有　　详细说明:＿＿＿＿＿＿
	使用电刀 □无 □有	□单极　□双机
		负极板位置:＿＿＿＿＿　回路垫:□成人　□小儿
	输入血液制品	□有　□无 全血　　mL　红细胞悬液　　U　血浆　　mL　血小板　　个治疗量 输血反应:□有　□无　　其他：
	术中冲洗	□无　□有　氯化钠溶液＿＿＿mL,灭菌注射用水＿＿＿mL

续表2-35

术 后	术中出入 液量	术中输入总液量___mL；手术出血量___mL；术中尿量___mL	
	术中置管	引流管：□无　□有：□腹腔管　□T形管　□尿管　□胸腔管 □脑室引流管　□其他	
	手术标本	病检：□无　□有　数量：　　冰冻：□无　□有　数量： 细菌培养：□有　□无　□　其他	
其他			

器　械　物　品　查　对　登　记

物品名称	器械物品数目			物品名称	器械物品数目		
	术前 术中 添加	关腔前	术后		术前 术中 添加	关腔前	术后
布巾钳				缝　针			
卵圆钳				刀　片			
持针器				大纱布垫			
直血管钳				小纱布垫			
弯血管钳				纱　布			
蚊式钳				棉　片			
组织钳				电刀头			
鼠齿钳				血管夹			
刀　柄				穿刺针			
镊　子				纱布剥离球			
剪　刀				钻　头			
拉　钩				针　头			
吸引器头				阻断管			
长血管钳				阻断带			
压肠板				头皮夹			
器械护士/接台				接台时间			
巡回护士/接台							

粘贴条码处

2.书写要求

（1）责任护士逐项如实进行填写，及时记录。

（2）认真落实相关制度要求，及时签名。

（七）输血安全护理记录单

1.输血安全护理记录单

输血安全护理记录单详见表2-36。

表2-36 输血安全护理记录单

科室		床号		姓名		性别	
年龄		住院号			输血日期		
输血前核对	患者血型			ABO:□A □B □AB □O			
				RH:□阴性 □阳性			
	输入途径			□中心静脉 □外周静脉			
	输注血制品种类及剂量 （血袋条码粘贴处）			□红细胞_____U □血 浆_____mL □血小板_____U □自体血_____mL □冷沉淀_____U □其 他_____			
	输血前双人核对签名		/	输血执行者签名			
输血中	时 间	T(℃)	P （次/min）	R （次/min）	BP （mmHg）	滴速 （滴/min）	签名
	开始： 时 分						
	输血后15min						
	结束： 时 分						
输血后	不良反应			□无 □有(□溶血 □发热 □过敏)			

2.书写要求

（1）患者信息必须准确填写。

（2）条码粘贴不能重叠，空间不够者，可在背面粘贴。

（3）记录输血开始、结束的时间，输血前后查对者双签名。

四、管理类表单

（一）护理不良事件报告表

护理不良事件上报表详见表2-37。

表2-37　护理不良事件上报表

科室：　　　　　　　　　　　　　　　　　　　填表日期：

患者姓名		床号		性别		年龄		住院号		诊断	
护士姓名			职称				工作年限				
事件发生时在岗护士人数			事件发生时病区患者人数			患者入院日期					
发现者			□患者本人　□患者家属或陪护人员　□医生　□护士本人 □实习生　□进修人员　□其他护理人员　□其他人员								
事件类型	□不良治疗：包括给药错误、输血错误、标本采集错误、手术身份或部位识别错误、体内遗留手术器械、输液输血反应、医院感染暴发等； □管道护理不良事件：含管道相关感染、管道堵塞、管道滑脱、患者自拔等； □意外事件：包括跌倒、坠床、走失、自残、自杀、火灾、失窃、咬破体温表、约束不良等； □皮肤护理不良事件：包括院内压力性损伤、医源性皮肤损伤、烫伤等； □职业伤害：含锐器伤、割伤、暴力伤、化学伤害、生物伤害等； □饮食护理不良事件：包括误吸或窒息、咽入异物等； □不良辅助检查、患者转运事件：含身份识别错误、标本丢失、检查或运送中或后病情突变或出现意外等； □护患沟通事件：包括护患争吵、身体攻击、打架、暴力行为等； □公共设施事件：包括医院建筑毁损、病房设施故障、蓄意破坏、有害物质泄露等； □医疗设备器械事件：包括医疗材料故障、仪器故障、器械不符合无菌要求等； □供应室不良事件：操作中发现器械包中器械物品不符，包括消毒物品未达到要求、热原试验阳性； □静脉治疗相关不良事件：包括静脉输液管路阻塞、断管、各类静脉治疗相关并发症等； □其他（请描述）：										
不良事件级别	□Ⅰ级（警告事件：非预期的死亡，或是非疾病自然进展过程中造成永久性功能丧失。） □Ⅱ级（不良后果事件：在疾病医疗过程中因诊疗活动而非疾病本身造成的患者机体与功能损害。） □Ⅲ级（未造成后果事件：虽然发生了错误事实，但未给患者机体与功能造成任何损害，或有轻微后果而不需任何处理可完全康复。） □Ⅳ级（隐患事件：由于及时发现错误，未形成不良事件。） A级　环境或条件可能引发不良事件 B级　不良事件发生，但未累及患者 C级　不良事件累及患者，但没有造成伤害 D级　不良事件累及患者，需进行监测以确保患者不被伤害，或需通过干预阻止伤害发生 E级　不良事件造成患者暂时性伤害，并需进行治疗或干预 F级　不良事件造成患者暂时性伤害，并需住院或延长住院时间 G级　不良事件造成患者永久性伤害 H级　不良事件发生并导致患者需要治疗以挽救生命 I级　不良事件发生并导致患者死亡										

发生 日期		发生 时间		上报 时间		发生 地点	

<table>
<tr><td rowspan="2">常见不良事件重点信息收集表</td><td>

管道不良事件——非计划性拔管:

1. 管道类型:＿＿＿＿＿＿＿＿＿＿＿＿＿＿＿＿＿＿＿＿＿

2. 该患者本次住院,非计划拔管第几次:＿＿＿＿＿＿＿＿＿＿＿＿

3. 非计划拔管原因:□患者自拔　□管路滑脱　□阻塞　□感染　□材质问题　□其他

4. 是否(24小时内)重置:□是　□否

5. 非计划拔管时有无约束:□有　□无

6. 非计划拔管时患者状态:□卧床时　□翻身时　□过床时　□转运时　□检查时　□其他

7. 非计划拔管时患者神志:□清醒　□嗜睡　□意识模糊　□昏睡　□浅昏迷　□中昏迷
□重昏迷

8. 非计划拔管时患者是否镇静:□是　□否　□不知道

9. 非计划拔管时患者RASS评分:□+4　□+3　□+2　□+1　□0　□-1　□-2　□-3　□-4
□-5　□其他量表　□未评估
</td></tr>
<tr><td>

管道不良事件——导管相关性感染:

1. 何种导管相关性感染:

□导尿管相关尿路感染(跳到1-)　□PICC相关血流感染(跳到2-)

□CVC相关血流感染(跳到3-)　□呼吸机相关性肺炎(跳到4-)

1-1　留置导尿管的主要原因:□昏迷或精神异常无法自行排尿　□尿潴留　□尿失禁
□监测尿量　□近期有手术　□骶尾部或会阴部有开放性伤口　□其他＿＿＿＿＿

1-2　导尿管型号:□6F　□8F　□10F　□12F　□14F　□16F　□18F　□20F
□22F　□24F

1-3　导尿管类型:□普通导尿管　□双腔气囊导尿管　□三腔气囊导尿管

1-4　导管材质:□乳胶　□硅胶　□其他

1-5　是否使用抗返流集尿装置:□是　□否

1-6　发生导尿管相关感染前是否有膀胱冲洗:□是　□否

1-7　发生导尿管相关尿路感染时导尿管留置时长:＿＿＿＿＿＿＿＿天

2-1　留置导管的主要原因:□输入高渗液体　□输入化疗药物　□长期输液
□抢救和监测需要　□其他＿＿＿＿＿＿

2-2　PICC置管位置:□左贵要静脉　□右贵要静脉　□头静脉　□左肱静脉　□右肱静脉
□左肘正中静脉　□右肘正中静脉　□左大隐静脉　□右大隐静脉　□颞浅静脉
□耳后静脉　□左股静脉　□右股静脉　□其他＿＿＿＿＿＿

2-3　PICC置管方式:□超声引导　□盲穿

2-4　导管类型:□单腔导管　□双腔导管　□三腔导管

2-5　是否为抗菌导管:□是　□否

2-6　发生血流相关感染时PICC留置时长:＿＿＿＿＿＿＿天

3-1　留置导管的主要原因:□输入高渗液体　□输入化疗药物　□长期输液
□抢救和监测需要　□其他＿＿＿＿＿＿

3-2　CVC置管位置:□左锁骨下静脉　□右锁骨下静脉　□左股静脉　□右股静脉
□左颈内静脉　□右颈内静脉
</td></tr>
</table>

续表2-37

常见不良事件重点信息收集表	3-3 导管类型：□单腔导管　□双腔导管　□三腔导管

3-3　导管类型：□单腔导管　□双腔导管　□三腔导管

3-4　是否为抗菌导管：□是　□否

3-5　发生血流相关感染时CVC留置时长：＿＿＿＿＿＿＿＿天

4-1　人工气道类型：□气管插管　□气管切开

4-2　导管类型：□普通型　□声门下吸引型

4-3　湿化装置：□呼吸机加温加湿　□人工鼻湿化　□生理盐水滴注　□其他

4-4　吸痰方式：□密闭式吸痰　□开放式吸痰

4-5　口腔护理方式：□擦拭　□擦拭+冲洗　□刷牙

4-6　每天口腔护理次数：＿＿＿＿＿次

4-7　口腔护理液选择：□生理盐水　□含氯己定口腔护理液　□牙膏　□其他

4-8　经人工气道通气的同时，是否有经鼻胃肠管肠内营养：□是　□否

4-9　发生呼吸机相关性肺炎时，经人工气道机械通气时长：＿＿＿＿＿天

意外事件：

1. 发生何种意外事件：
   □跌倒(填2)　□坠床(填2)　□走失　□烧伤　□自残　□自杀　□火灾
   □失窃　□咬破体温表　□约束不良　□其他＿＿＿＿＿＿

2. 该患者本次住院跌倒/坠床几次：□1次　□2次　□3次　□大于3次

3. 跌倒/坠床前患者活动能力：□活动自如　□卧床不起　□需要辅具

4. 需要哪种辅具：□手杖　□轮椅　□助行器　□假肢

5. 跌倒/坠床发生于何项活动过程：□躺卧病床　□上下病床　□坐床旁椅　□如厕　□沐浴
   □站立　□行走　□上下平车　□坐轮椅　□上下诊床　□使用电梯　□从事康复活动
   □其他＿＿＿＿＿＿

6. 有无跌倒伤害：□无　□有(跳到6-1)

6-1　跌倒/坠床伤害级别：□轻度伤害(1级)　□中度伤害(2级)　□重度伤害(3级)　□死亡

6-2　跌倒/坠床伤害原因类型：□患者因素　□药物和(或)治疗因素　□环境因素　□其他

6-3　跌倒/坠床前有无风险评估：□无　□有(填6-3-1)

6-3-1　跌倒/坠床风险评估工具：□Morse跌倒/坠床风险评估量表　□托马斯跌倒/坠床风险评
　　　估工具　□约翰霍普金斯跌倒/坠床风险评估量表　□Hendrich跌倒/坠床风险评估表
　　　□改良版Humpty Dumpty儿童跌倒/坠床风险量表　□其他＿＿＿＿＿＿

6-3-1-1　跌倒/坠床风险评估分数为＿＿＿＿＿分

6-3-1-2　跌倒/坠床前是否评估为跌倒/坠床高危人群：□是　□否

6-3-1-3　最近一次跌倒/坠床风险评估距离此次跌倒/坠床发生时间：
　　　　　□小于24小时　□1天　□2天　□3天　□4天　□5天　□6天　□1周
　　　　　□1周前　□不确定

6-4　跌倒/坠床时有无约束：□有　□无

饮食护理不良事件：

1. 发生时患者意识：□清醒　□嗜睡　□意识模糊　□昏睡　□浅昏迷　□中昏迷　□重昏迷

2. 患者吞咽功能是否正常：□是　□否

检查或转送中或后病情突变或出现意外：

1. 患者护理级别：□特级护理　□一级护理　□二级护理　□三级护理

2. 患者意识：□清醒　□嗜睡　□意识模糊　□昏睡　□浅昏迷　□中昏迷　□重昏迷

常见不良事件重点信息收集表	静脉治疗相关不良事件： 1. 管道类型：□PICC　□CVC　□中长导管　□脐静脉　□留置针　□一次性钢针 　　□输液港　□其他 2. 出现何种意外事件：□堵管　□脱管　□断管　□导管破裂　□导管/导丝漂浮 　　□血栓　□局部感染　□血流感染　□静脉炎　□皮肤过敏　□粘胶损伤　□药物外渗 　　□药物渗出　□拔针出血　□血肿　□忘取止血带(绑止血带时长_____) 　　□输液反应(填第3条)　□输注过期药物　□药物沉淀　□其他 3. 输液反应类型：□发热　□过敏(是否出现过敏性休克：□是　□否) 　　□急性肺水肿　□空气栓塞(如为静脉输液管路非计划性拔管,请填写相应内容)
	职业伤害： 1. 发生何种职业伤害：□锐器伤　□割伤　□暴力伤　□化学损伤 2. 职业伤害发生后护士是否给予正确处理：□是　□否 3. 锐器伤发生时刻：□准备输液器/输血器时　□静脉穿刺　□采集血标本　□注射给药 　　□药液配置　□换输液瓶/袋　□茂菲氏管给药　□回套针帽　□分离针头　□拔针 　　□将针头放入锐器盒　□传递锐器　□整理手术器械　□清洗器械　□清理废物 　　□其他_____ 4. 锐器伤所涉及器具：□头皮钢针　□安全型静脉留置针　□非安全型静脉留置针 　　□安全型一次性注射器针头　□非安全型一次性注射器针头　□安全型静脉采血针 　　□非安全型静脉采血针　□安全型输液港针　□非安全型输液港针　□中心静脉导管穿刺针 　　□安全型动脉采血器　□非安全型动脉采血器　□末梢采血针　□安全型胰岛素注射笔 　　□非安全型胰岛素注射笔　□手术缝针或手术刀　□剪刀　□安瓿瓶　□其他_____ 5. 锐器是否被污染：□是　□否　□不确定 6. 污染源类型：□血液　□体液　□其他 7. 该污染源是否含有血源性传播疾病：□乙肝　□丙肝　□梅毒　□艾滋 　　□两种或两种以上类型　□其他_____ 8. 锐器伤后是否进行了定期追踪与检测：□是　□否 9. 截至上报日,该事件是否导致锐器伤确诊感染：□是　□否　□不知道

事件发生经过：

结局：

续表2-37

您认为发生差错的原因:(管理不到位:包括流程不合理、制度执行或监督管理不到位、设备的问题等;沟通不良:包括医务人员与患者及其家属沟通不良、医务人员之间的沟通不良;评估不足；违规操作；培训不到位;能力不足;个人自律;环境因素;医嘱错误;其他因素)
整改措施:
护士长审核意见:
护理部意见:

（二）护理质量管理记录

1.护理质量控制记录本

护理质量控制记录本由扉页、质控小组成员组成名单、质控小组工作职责及工作流程、周检查、月总结五部分构成。

（1）扉页：内容包含护理质控小组名称和年份，如基础护理与危重患者护理质量督查记录本。

（2）质控小组成员名单：涵盖医院或科室所有质控小组及成员，成员变动时应及时修改。

（3）质控小组工作职责及工作流程

1）质控小组工作职责：①在护理部或科室护士长领导下开展工作。②每月负责检查医院各科室或科室基础护理、危重患者护理、护理文件书写、急救药品、物品、设备及消毒隔离制度等工作的落实情况。③基础护理及危重患者护理质控小组每周至少各检查数位患者，对存在的问题提出整改措施，并详细记录，体现追踪整改落实。④护理文件书写质控小组每周至少抽查数份运行病历，对存在的问题提出整改措施，并详细记录，体现追踪整改落实。⑤急救及消毒隔离制度质控小组每月至少检查一次抢救药品、物品、设备及无菌物品、消毒液等有无过期及运行是否正常。湿化瓶、负压吸引器、体温表、止血带、扫床套等是否做到一人一用一消毒（或更换）；无菌技术执行情况。对存在的问题提出整改措施，并详细记录。⑥每月对质量检查中存在的问题进行原因分析，总结并记录。⑦把存在的问题作为下月重点质量追踪督查的内容，直至整改。

2）质控小组工作流程（详见图2-2）。

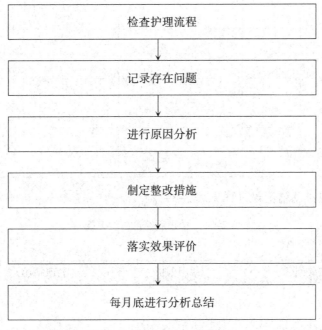

图2-2 质控小组工作流程图

（4）护理质量控制记录（详见表2-38）。

表2-38 护理质控记录

科室：   年   月

	床号	姓名	住院号	存在问题	整改措施	效果评价	责任人
第一周							

续表2-38

	床号	姓名	住院号	存在问题	整改措施	效果评价	责任人
第二周							
第三周							
第四周							

（5）护理质控月总结记录（详见表2-39）。

表2-39　护理质控月总结记录

科室：　　　　　　　　　　　　　　　　　　　　　　　　　　　　　　年　　月

	存在的主要问题	原因分析	整改措施	效果评价
月总结				

2.书写要求

认真填写封皮、扉页的内容，不得有空项，每周根据要求如实记录质控动态，周检查质控存在问题中，"无"存在问题内容每周不得超过2次，记录存在问题要简明扼要，整改措施紧扣问题进行，效果评价用"已落实""部分落实""未整改"记录即可，记录动态要充分体现护理质量持续改进。

（三）护士交班记录

1.护士交班记录单

病区护理交班记录单详见表2-40。

表2-40　病区护理交班记录单

科室：　　　　　　　　　　　　　　　　　　　　　　　　　　　年　月　日

床号	姓名	诊断	基本情况	患者总数：　　　　　　原患者总数：			
				出院：　　转出：　　死亡：　　入院：　　转入：			
				手术：　　　　　　　预手术：			
				危重：　　　　　　　分娩：			
				特级护理：　　Ⅰ级护理：　　Ⅱ级护理：　　Ⅲ级护理：			
				重度依赖　　中度依赖　　轻度依赖　　无依赖			
				病情观察及护理措施			

A班护士签名：　　　　　　P班护士签名：　　　　　　N班护士签名：

2.书写要求

（1）各班交接前填写病室报告并签名，A班用蓝笔书写，P班、N班用红笔书写，电子病历用黑色字体显示。

（2）要完整填写眉栏各空白项目，无入院患者写"0"，不能写"/"。出院、入院、预手术患者录入诊断；手术患者除录入诊断外，尚需录入麻醉方式和手术名称；危重患者录入人数，无须录入病情及处理；发热患者如未录入，需在其他地方有提示，如白板上；各班签名完整；每日交班记录可不打印；备注栏内可填写病区内须特别交代的事项。

（3）按床号顺序报告下列情况的患者

1）减员：出院、转院及转科（应交代转出原因及去向）、死亡（应扼要交代病情变化及抢救经过，呼吸、心跳停止时间）。

2）增员：入院、转入（注明由何科转来）。

3）今日重点患者：手术、分娩、病危、病重、有异常情况或病情突变的患者。

4）入院、转入、转出、手术、分娩、病危者，手写交班报告应在姓名项下以红笔注明，电子病历用黑色字体显示，但需在基本情况处注明。

5）报告内容：①新入院患者，包括体温、脉搏、呼吸、入院时间、主诉、病情、曾行过何种治疗、目前的病情及入院后做何种处理，并交代下班须观察及注意的事项。②手术患者，包括施行何种手术、术中情况，麻醉苏醒时间，切口敷料有无渗血，是否已排尿及遵医嘱使用的镇痛药等。③危重患者，包括意识状况、重要病情变化、治疗、护理措施、效果及反应等；产妇包括胎次、产程、分娩时间、会阴切口及恶露情况。

　　6）准备工作交代：预手术、预检查、留取检验标本如抽血等，待行的特殊治疗，应特别告知注意事项，术前用药及准备情况。了解患者的思想情绪、心理状态及夜间睡眠情况。

（四）业务查房记录

1.业务查房记录

业务查房记录单详见表2-41。

表2-41　业务查房记录单

科室：　　　　　　　　　　　　　　　　　　　　　　　年　　月　　日

主查人：	职称：		时间：	
参加人员：				
题目：				
内容：				
讨论：				
总结：				

2.书写要求

（1）业务查房病例可根据实际需求选择，查房按照护理程序进行。

（2）临床个案查房：内容包含病例汇报、护理问题及相关因素、护理措施、补充发言、主查人总结。

（3）教学查房：内容包含多媒体课件（疾病相关知识）、补充发言、主查人总结。

（4）主持人一般为护士长或高年资护理骨干；参加人员由参加者本人签名，他人不得代签。

（5）业务查房次数：科级每月4次，院级每月2次。

（五）案例分析记录

1.案例分析记录

案例分析记录单详见表2-42。

表2-42　案例分析记录单

科室：　　　　　　　　　　　　　　　　　　　　　　　　　年　月　日

主持人：	职称：	记录人：
参加人员：		
案例内容：		
发言内容：		

2.书写要求

（1）案例分析选择的案例可以是本院及本科室发生的，也可以是其他医院的案例，借鉴的案例最好要写明出处，以免引起混淆。

（2）主持人一般为护士长或高年资护理骨干，参加人员应由本人签字。

（3）案例内容要简明扼要；要有讨论提纲，紧紧围绕讨论提纲进行讨论；讨论发言内容要包括分组讨论记录、个人发言、补充发言。最后主持人须针对本次案例讨论进行整体总结。

（4）案例分析次数：科级每月1次，院级每季度1次。

（六）技能培训及考核记录

1.技能培训及考核记录

护理人员技能培训记录详见表2-43。

表2-43(1)　护理人员技能培训记录（正面）

科室：　　　　　　　　　　　　　　　　　　　　　　　　　年　月　日

培训时间	月　　日	培训项目		
培训地点		培训者	职称	
参加人员				

表2-43(2)　护理人员技能考试记录（背面）

姓名	层级	考核项目	考试成绩	存在问题	原因分析

2.书写要求

（1）本年度科室培训计划应粘贴在扉页。

（2）培训及考核内容应与计划相符。

（3）将每位护理人员技能考核中存在的问题详细记录并进行原因分析，以备追踪整改。

（4）参加人员应是护理人员本人签名，其他人员不能代签。

（七）理论培训及考核记录

1.理论学习及考核记录

护理人员理论培训记录详见表2-44。

表2-44(1)　护理人员理论培训记录（正面）

科室：　　　　　　　　　　　　　　　　　　　　　年　　月

培训时间	月　日		培训内容	
培训地点		培训者		职称
参加人员				

表2-44(2)　护理人员理论考试记录　（背面）

姓名	层级	考核内容	考试成绩	存在问题	原因分析

2.书写要求

（1）本年度科室培训计划应粘贴在扉页。

（2）培训及考核内容应与计划相符。

（3）将每位护理人员技能考核中存在的问题详细记录并进行原因分析，以备追踪整改。

（4）参加人员应是护理人员本人签名，其他人员不能代签。

（八）应急演练记录

1.应急演练记录

护理人员应急演练记录详见表2-45。

表2-45　护理人员应急演练记录

时　间		科　室	
应急演练题目			
参加人员			

续表2-45

情景模拟	
存在不足	
原因分析	
改进措施	

2.书写要求

（1）医院和科室均应定期开展应急演练培训及实地演练，每次应急演练应留取演练照片备查。

（2）参加人员应由本人签名或信息化签到。

（3）应将本次情景模拟演练过程中发现的不足进行原因分析，并提出改进措施。措施要有可操作性，能够落实。

〔九〕设备运行记录

1.设备运行记录

设备运行情况记录详见表2-46。

表2-46 设备运行情况记录

日 期	状 况		运行时间	记 录		操作者
	正常	故障		清洁	保养	

2.书写要求

（1）10万元以上设备须填写此记录。

（2）运行时间可记录开机时间与停机时间或该机运行的小时数。

（3）记录栏内主要记录哪些患者使用了该设备。

〔十〕查对记录

1.查对记录单

医嘱查对记录单详见表2-47。

表2-47　XXXX医院医嘱查对记录单

科室：　　　　　　　　　　　　　　　　　　　　　　　　　　　　年　　月

日期	时间	查 对 记 录	查对者签名	护士长签名

2.书写要求

（1）医嘱查对记录每日记录3次，即白班、P班、N班，白班查对后需双人签字。

（2）护士长每周至少参加医嘱大查对2次，并定期督导医嘱查对落实情况，医嘱查对记录本每页护士长至少有2次签名。

（十一）危急值记录

1.危急值记录

危急值记录单详见表2-48。

表2-48　危急值记录单

科室：　　　　　　　　　　　　　　　　　　　　　　　　　　　　年　　月

日期	床号	姓名	性别	年龄	住院号	检查项目	危急值	报告科室	报告时间	报告人员	接听人员	通知医生时间	医生签名	处理时间	备注

2.书写要求

（1）按照表内项目逐项填写。

（2）检查项目栏要填写危急值的具体名称，如血红蛋白、血钾具体数值，同时注明"单位"；报告时间栏内时间具体到时分；通知医生时间栏内同时注明通知方式，如什么时间（具体到分钟）、某医生手术、电话通知；医生签名栏内有本人签名，其他人员不能代签；处理时间栏内有护士给予处理的具体时间（到分钟）。

（十二）护患沟通记录

1.护患沟通记录

护患沟通会记录详见表2-49。

表2-49　护患沟通会记录

科室：　　　　　　　　　　　　　　　　　　　　　　　　　　　　　　　年　　月

参会患者及其家属			
时间		地点	
主持人		记录人	
发言者重点内容：			
主持人总结及处理意见：			
科主任签名		护士长签名	

2.书写要求

（1）每月召开护患沟通会1次，并有记录。

（2）参会患者及其家属栏如实记录姓名和床号；发言者重点内容应准确记录具体患者及其家属发言的重点；主持人应对本次护患沟通会患者及其家属发言进行整体总结，针对患者及其家属提出的意见和建议，本科室能够解决的问题应立即提出整改措施；本科室不能解决需要与相关职能科室沟通及向主管院领导汇报解决的问题，应向患者及其家属明确告知具体答复时间，并在总结及处理意见栏内记录。

（3）为更好、及时地为患者解决住院期间的困难与需求，体现以患者为中心的服务理念，每月为患者解决的问题，可在此记录本上有3次以上的动态记录。

（十三）患者转送交接单

1.患者转送交接单

患者转送交接单详见表2-50。

表2-50　XXXX医院患者转送交接单

科室：　　　　　　　　　　　　　　　　　　　　　　　　　　　　　　　年　　月

转出科室	患者姓名	年龄	性别	住院号	携带资料	携带设备
HR（次/min）	BP（mmHg）	R（次/min）	SpO_2（%）	呼吸支持	意识状态	
诊断						
手术名称						
皮肤情况						
各种管道						

续表2-50

目前输液：			特殊用药：			
转入科室	HR(次/min)	BP(mmHg)	R(次/min)	SpO₂(%)	呼吸支持	意识状态
各种管道通畅	□是			□否		
液体输入通畅	□是			□否		
皮肤情况	□相符			□不相符		
转送者	接受护士			交接时间	日 时 分	

2.书写要求

（1）转科患者必须认真逐项如实填写。

（2）呼吸支持项目内，填写自主或辅助；意识状态项目内填写清醒或昏迷。

（3）转科时同时打印满周的各种护理记录单入病历送至转入科室。

（十四）护理执行单

1.护理执行单

护理执行单包括护理卡（雾化吸入）、口服卡、注射卡等。

（1）护理执行单详见表2-51。

表2-51 XXXX医院护理执行单

床号	姓名	住院号	医嘱名称	剂量	频次	给药途径	执行时间	签名

（2）书写要求：责任护士每次执行后及时签署姓名及时间；医嘱变动停医嘱时，红笔写"停"，蓝笔写时间。

2.输液执行单

（1）输液卡详见表2-52。

表2-52 输液卡片

序号	药品名称	剂量	用法	给药时间	滴速(滴/min)	签名
1						
2						
3						
4						
5						

（2）书写要求：责任护士每次更换液体后应及时签署给药时间、滴数及姓名；医嘱变动停医嘱时，用红笔写"停"，蓝笔写时间。

（十五）药品、物品交接记录

1.毒、麻、精药品交接班记录

（1）毒、麻、精药品交接班及使用记录详见表2-53。

表2-53　毒、麻、精药品交接班及使用记录

科室：　　　　　　　　　　　　　　　　　　　　　　　　　　　　年　　月

药品名称			规格			基数						
日期	使 用 情 况											
	原有	新领	消耗	现有	床号	姓名	住院号	批号	剂量	双签名	交班者	接班者	备注

（2）书写要求：使用情况记录有消耗数量就必须填写接受药物治疗的患者姓名、床号、住院号、所用药物的批号及剂量，并双人签名；书写中严禁刮、涂及粘贴。

2.药品、物品交班记录

（1）药品、物品交班记录详见表2-54。

表2-54　药品、物品交接班记录

科室：　　　　　　　　　　　　　　　　　　　　　　　　　　　　年　　月

品　名		药品名或物品名				交班者	接班者	备注
日期	时间	原有	新领	消耗	现有			

（2）书写要求："原有"数由接班者在接班时填写，并在"接班者"处签名，交班前填写"消耗"和"新领"，"现有"数由交班者在交班者处签名。

第五节　　消毒隔离管理标准

一、手卫生

（一）相关术语和定义

1.医院感染（Healthcare Associated Infection）

医院感染又称医疗相关感染，是指患者在医院或其他医疗机构内的诊疗活动中发生的感染，包括在住院期间发生的感染和在医院内获得出院后发生的感染；但不包括入院前已开始或入院时已存在的感染。医务人员在医院内获得的感染也属医院感染，是医疗系统、流程和行为的一个失效后果。

2.感染源（Source of Infection）

感染源是指病原体自然生存、繁殖并排出的宿主或场所。

3.传播途径（Route of Transmission）

传播途径是指病原体从感染源传播到易感者的途径。

4.易感人群（Susceptible Population）

易感人群是指对某种疾病或传染病缺乏免疫力的人群。

5.标准预防（Standard Precaution）

标准预防是指基于患者的体液（血液、组织液等）、分泌物（不包括汗液）、黏膜和非完整皮肤均可能含有感染性因子的原则，针对医院患者和医务人员采取的一组预防感染措施。包括手卫生，根据预期可能的暴露选用手套、隔离衣、口罩、护目镜或防护面罩，安全注射，以及穿戴合适的防护用品，处理患者污染的物品与医疗器械。

6.空气传播（Airborne Transmission）

空气传播是指由悬浮于空气中、能在空气中远距离传播（>1m），并长时间保持感染性的飞沫核传播。

7.飞沫传播（Droplet Transmission）

飞沫传播是指带有病原体的飞沫核（>5μm），在空气中短距离（≤1m）移动到易感人群的口、鼻黏膜或眼结膜等导致的传播。

8.接触传播（Contact Transmission）

接触传播是指病原体通过手、媒介物直接或间接接触导致的传播。

9.个人防护用品（Personal Protective Equipment，PPE）

个人防护用品是指用于保护医务人员避免接触感染性因子的各种屏障用品。包括口罩、手套、护目镜、防护面罩、防水围裙、隔离衣、医用一次性防护服等。

10.手卫生（Hand Hygiene）

手卫生是任何清洁手部行为的总称，指通过用速干手消毒剂进行手消毒或用洗手液和水进行洗手等措施，以降低或抑制手部微生物的生长。

11.洗手（Hand Washing）

洗手是指医务人员用流动水和洗手液（肥皂）揉搓冲洗双手，去除手部皮肤污垢、碎屑和部分致病菌的过程。为达到普通洗手的最大清洁度，揉搓双手时间不要少于15s。

12.手卫生消毒（Hand Rubbing）

手卫生消毒是指使用抗菌手消毒液揉搓双手，减少手部暂居菌的过程。不需要使用外源性的水，不需要冲洗或干燥设备。

13.速干手消毒剂［Alcohol-based（han）Rub］

速干手消毒剂是指一种含有醇类的制剂（液体、凝胶或泡沫型），用于灭活手部的微生物或暂时抑制其生长。这些制剂可能含有一种或多种醇类、活性剂和护肤成分。

14.手卫生指征（Hand Hygiene Indication）

手卫生指征是指在某一时刻必须执行手卫生。手卫生指征必须存在病原体从一个表面传播到另一个表面的风险，并且每个指征只限于存在特定的接触时。

15.手卫生时机（Hand Hygiene Opportunity）

手卫生时机是指在诊疗操作中，需要通过手卫生来阻断细菌通过手传播的时刻。

16.手卫生依从性（Hand Hygiene Compliance）

手卫生依从性是指医务人员在进行医疗活动过程中按照"WHO的5个时刻"进行手卫生的程度，是实际执行手卫生次数与手卫生时机数的比率。

（二）手卫生设施

1.病区应配备符合《医务人员手卫生技术规范》（WS/T 313）要求的设施，包括洗手池、水龙头、流动水、洗手液、干手设施如干手纸巾、速干手消毒剂等；设施位置应方便医务人员、患者和陪护人员；应有醒目、正确的手卫生标识，包括洗手流程图或洗手图示等。

2.速干手消毒剂宜为一次性包装，应符合GB 27950的要求，并在有效期内。

（三）手卫生标准（详见表2-55）

表2-55　病区手卫生、各类环境空气和物表菌落总数标准

类别	环境	手卫生标准	空气标准 （空气沉降法最大平均浓度）	物表标准
I 类	手术室	详见第十二章 第一节	详见第十二章 第一节	详见第十二章 第一节
II 类	非洁净手术室、产房、导管室、血液病病区、烧伤病区等保护性隔离病区，新生儿室、重症监护病房等	≤5cfu/cm²	≤4个/（15min·90皿）	≤5cfu/cm²
III 类	母婴同室、消毒供应中心的检查包装区和无菌物品存放区、血液透析中心（室）、其他普通住院病区	≤10cfu/cm²	≤4个/（5min·90皿）	≤10cfu/cm²
IV 类	普通门（急）诊及其检查、治疗（注射、换药等）室、感染疾病科门诊和病区	≤15cfu/cm²	≤4个/（5min·90皿）	≤10cfu/cm²

（四）手卫生消毒隔离管理标准

1.护理人员手指甲长度不应超过指尖，不应戴戒指等装饰物，不应戴人工指甲，涂抹指甲油等。着装应遵循标准预防原则，按不同操作要求着装并进行职业防护，落实手卫生依从性和正确率。

2.护理人员对不同患者进行叩诊、触诊时，抽血、输液等侵入性无菌操作前后，应洗手或使用速干手消毒剂进行手卫生消毒，监测的细菌菌落总数应$\leqslant 10 cfu/cm^2$。

3.接触患者周围环境后，包括接触患者周围的医疗相关器械，听诊器、血压计、体温计等其他用具等的物体表面后，手部没有肉眼可见污染时，宜使用速干手消毒剂进行手卫生消毒。

4.进行有可能接触患者黏膜、破损皮肤或伤口、体液（血液、组织液等）、分泌物、排泄物等的诊疗、护理、清洁等工作时应戴手套。非无菌操作应戴一次性使用橡胶检查手套；无菌操作时应戴无菌手套；清洁工作可戴重复使用的橡胶手套。操作完毕，脱去手套后立即洗手，手消毒。

5.接触传染病患者的血液、体液和分泌物以及被传染性病原微生物污染的物品后，应先洗手，然后进行手卫生消毒。

6.需保护性隔离的患者，应优先做治疗护理工作；对实行床旁隔离的患者，后做治疗护理工作，轮换为两患者做治疗护理工作中间必须洗手并使用速干手消毒剂进行手卫生消毒。

7.每次换药前洗手，戴手套。换药时按无菌操作进行，换药次序应按清洁伤口、感染伤口、隔离伤口依次进行。戴手套不能代替手卫生，摘手套后应进行手卫生。

8.在诊疗、护理操作过程中，有可能发生体液（血液、组织液等）、分泌物等喷溅到面部时应戴医用外科口罩、面罩或护目镜；有可能发生体液（血液、组织液等）、分泌物等大面积喷溅或者有可能污染身体时，应穿隔离衣或防水围裙。穿脱前后应进行手卫生。

9.打喷嚏、咳嗽时用纸巾盖住口鼻并立即丢弃用过的纸巾，然后进行手卫生。

10.病区应有手卫生正确性和依从性的自查和监督检查，发现问题，及时持续改进。

手卫生是标准预防最重要的核心措施，也是最有效、最简单、最经济的感染控制措施，在接触隔离、飞沫隔离和空气隔离中起到很重要的作用。近年来在中央静脉导管相关血流感染、导尿管相关尿路感染、手术部位感染和呼吸机相关性肺炎等特定部位感染的集束化干预措施中，也强调手卫生的重要性。因此手卫生对预防医院交叉感染起到了重要作用，应将有效的手卫生始终贯穿于护理工作的各个环节。

二、环境

（一）相关术语和定义

1.床单元（Bed Unit）

床单元是指病房内为每位住院患者配备的基本服务设施，包括病床及其床上用品、床头柜、桌子、椅子、凳子、床边设备带等。

2.环境表面（Environmental Surface）

环境表面是指医疗机构建筑物内部表面（如墙面、地面、玻璃窗、门、卫生间台面等）和医疗器械设备（如监护仪、呼吸机、血液透析机、新生儿暖箱等）表面。

3.清洁（Cleaning）

清洁是指用物理方法清除污染物体表面的有机物（包括有害微生物）和污迹、尘埃。清洁可以清除和减少微生物的量，而不能杀死微生物。

4.消毒（Disinfection）

消毒是指用物理或化学方法清除外环境和媒介物上除芽孢以外的所有病原微生物的过程。

5.消毒剂（Disinfectant）

消毒剂是指能够杀灭外环境中感染性的或有害的微生物的化学因子，尤其是杀灭致病性微生物的药剂。

6.空气净化（Air Cleaninga）

空气净化是指降低室内空气中的微生物、颗粒物等，使其达到无害化的技术或方法。

7.自然通风（Natural Ventilation）

自然通风是指利用建筑物内外空气的密度差引起的热压或风压，促使空气流动而进行的通风换气。

8.隔离（Isolation）

隔离是指采用各种方法和技术，防止病原体由患者及携带者传播给他人的措施。

9.清洁区（Clean Area）

清洁区是指进行呼吸道传染病诊治的病区中不易受到患者体液（血液、组织液等）和病原微生物等物质污染及传染病患者不应进入的区域，包括医务人员的值班室、卫生间、男女更衣室、浴室以及储物间、配餐间等。

10.潜在污染区（Potentially Pontaminated Area）

潜在污染区是指进行呼吸道传染病诊治的病区中位于清洁区与污染区之间，有可能被患者体液（血液、组织液等）和病原微生物等物质污染的区域，包括医务人员的办公室、治疗准备室、护士站、患者用后复用物品和医疗器械等的处理室、内走廊等。

11.污染区（Contaminated Area）

污染区是指进行呼吸道传染病诊治的病区中传染病患者和疑似传染病患者接受诊疗的区域，包括被其体液（血液、组织液等）、分泌物、排泄物污染物品暂存和处理的场所，包括病室、处置室、污物间以及患者用卫生间和入院、出院处理室等。

（二）病区各类环境空气、物表标准

病区各类环境空气、物表标准详见表2-55。

（三）病区环境消毒隔离管理标准

1.病区环境要保持布局整齐，各类陈设规格统一，各种设备和用物设置合理。病室陈设要整齐、洁净，室内物品和病床要定位摆放。非患者必需的生活用品及非医疗护理必需用物一律不得带入病房。避免污垢积存，防止细菌扩散。

2.病室内严禁吸烟，每日应开窗通风；地面及物品采用湿式清扫，病室内墙定期除尘。必要时进行空气消毒，发现明确空气污染时，应立即进行消毒。

3.床单元应湿式清洁，做到一床一巾，每日1～2次，遇污染应及时清洁与消毒。及时清除治疗护理后的废弃物及患者的排泄物。患者转科、出院、转院、死亡后均要进行终末消毒。

4.床单、被套、枕套等直接接触患者的床上用品应一人一用一更换；患者住院时间超过1周时，应每周更换；被呕吐物、体液、分泌物、血液等污染时，应及时更换。更换后的用品应及时送清洗与消毒。

5.被芯、枕芯、褥子、床垫、病床隔帘等间接接触患者的床上用品，应定期清洗消毒；被呕吐物、体液、分泌物、血液等污染时应及时更换、清洗消毒。患者转科、出院、转院、死亡后应使用床单元消毒机进行消毒。

6.治疗准备室、换药室环境整洁，洁污分区明确。设流动水洗手设施、干手纸巾、速干手消毒剂，配备锐器盒、医疗废弃物桶及生活垃圾桶。私人物品严禁带入室内。室内空气每日通风换气，每日空气消毒至少2次（治疗、换药前和晚上），特殊情况随时消毒。地面每日湿式清洁2次，地面、物表或台面清洁后用含有效氯500mg/L消毒剂擦拭；如遇有脓液、血液污染时，应及时用吸湿材料去除可见污染物，再用含有效氯≥1500mg/L的消毒液进行消毒。抹布、地巾专物专用，用后集中清洗消毒，干燥备用，并有明确标识。

7.病区收住患者应按感染与非感染分开安置。同类感染患者相对集中，特殊感染患者单独隔离安置；疑似传染病患者应安置在单人隔离病室。隔离病室应有隔离标识，黄色标识为经空气传播的隔离，粉色标识为经飞沫传播的隔离，蓝色标识为经接触传播的隔离。

8.接触不明原因发热、不明原因肺炎患者和肺结核等经空气传播疾病患者，以及周围污染物品时，在标准预防的基础上，还应采用空气传播疾病的隔离与预防措施。

（1）患者的隔离

1）应将患者收住至有条件收治经空气传播疾病的医院或病区。

2）限制患者活动范围，病情许可的情况下应戴医用外科口罩，定期更换。

3）患者外出检查、手术、转运时，应通知相关科室采取有效措施，避免对其他患者、医务人员和环境表面的污染。

4）相关科室在患者离开后应进行空气消毒等相应的清洁与消毒措施。

5）病室每日根据需要进行空气消毒。

（2）护理人员防护：护理人员进入不同区域应穿戴不同的防护用品，离开时按要求摘脱，并正确处理使用后物品。

1）进入确诊或可疑传染病患者病室时，应戴帽子、医用防护口罩；进行吸痰等可能喷溅的护理操作时，应戴护目镜或防护面罩，穿隔离衣。

2）接触患者及体液（血液、组织液等）、分泌物和排泄物时应戴手套。

3）进入不同区域应穿戴的防护用品和穿戴流程。①由清洁区进入潜在污染区：洗手→戴帽子→戴医用防护口罩→进入潜在污染区。手部皮肤有破损时戴一次性使用橡胶检查手套。②由潜在污染区进入污染区：穿医用一次性防护服或隔离衣→戴护目镜或防护面罩→戴手套→穿鞋套→进入污染区。

4）离开不同区域脱防护用品的流程。①离开污染区至潜在污染区：脱手套→洗手及消毒手→摘护目镜或防护面罩→脱医用一次性防护服或隔离衣→脱鞋套→洗手和（或）手消毒→进入潜在污染区，洗手，手消毒。②离开潜在污染区至清洁区：洗手和（或）手消毒→脱工作服→摘医用防护口罩→摘帽子→洗手和（或）手消毒，进入清洁区。

9.接触如流感、流行性脑脊髓膜炎、病毒性腮腺炎等经飞沫传播疾病患者和周围污染物品时，在标准预防的基础上，还应采用飞沫传播疾病的隔离与预防措施。

（1）患者的隔离：1）至3）与第8条的患者的隔离相同。4）患者床间距>1.2m，患者与探视者距离应>1m，探视者戴医用外科口罩。5）病室内加强通风，必要时对病室进行空气消毒。

（2）护理人员的防护：1）一般情况下应戴医用外科口罩，严格执行手卫生，并根据护理工作需要，穿戴适宜的防护用品。2）与患者接触距离≤1m或进行可能产生气溶胶的护理操作时，应戴帽子、医用防护口罩；进行可能产生喷溅的护理操作时，应戴护目镜或防护面罩，穿隔离衣；当接触患者及其血液、组织液等体液、分泌物、排泄物等时，应戴一次性使用检查橡胶手套。

10.接触如肠道传染病、多重耐药菌感染和经血液传播疾病等经接触传播疾病的患者及周围污染物品时，在标准预防的基础上，还应采用接触传播疾病的隔离与预防措施。

（1）患者的隔离：1）隔离患者外出检查、手术、转运时，应通知相关科室采取有效措施，避免对其他患者、医务人员和环境表面的污染。2）相关科室在隔离患者离开后应实施相应的清洁与消毒措施。

（2）护理人员的防护：1）接触隔离患者及其血液、组织液等体液、分泌物、排泄物等时，应戴一次性使用检查橡胶手套。接触周围污染物品后、离开隔离病室前应脱手套，洗手，手消毒。手部皮肤破损时戴双层手套。2）进入隔离病室为患者进行治疗护理操作，有可能污染工作服时，应穿隔离衣；离开隔离病室前应脱下隔离衣。穿脱隔离衣应按要求执行，隔离衣每日更换，清洗消毒。接触甲类及乙类按甲类管理的传染病患者，应使用医用一次性防护服，脱下的医用一次性防护服处置按照医疗废物管理要求执行。

11.普通病室一般情况首选自然通风法进行空气净化，必要时根据情况选择人机共处空气消毒机、紫外线灯照射、化学消毒剂喷雾、熏蒸等方法进行空气消毒；对呼吸道传染病患者操作后随时消毒，在操作时也可采用人机共处空气消毒机进行空气消毒。

12.使用人机共处空气消毒机时应关闭门窗，进风口、出风口不应有物品覆盖或遮挡；应遵照厂家使用说明对机器外部进行定期清洁，使用湿布清洁机器时须先切断电源。机器内部清洁和过滤网等清洁更换应由专业人员进行，严禁私自拆卸。应记录每次使用地点、时间以及维护情况。

13.使用紫外线灯管照射消毒时应保持房间内清洁干燥，以减少尘埃和水雾；应保持紫外线灯表面清洁，每周用75%乙醇棉球擦拭1次。发现灯管表面有灰尘、油污时，应及时擦拭。每半年监测1次紫外线灯管的辐照强度，强度低于$70\mu W/cm^2$时应及时更换紫外线灯管；应在《紫外线消毒登记本》上记录消毒起止时间、累计使用时间、灯管擦拭时间及强度检测结果等有关内容并签字备查；累计使用时间超过额定值或照射强度未达到标准灯管时应及时更换，更换后使用时间重新累计。

14.病室环境表面不宜采用高水平消毒剂进行日常消毒。物体表面、地面应保持清洁，无明显污染时采用湿式清洁；被患者血液、体液、分泌物、排泄物等污染时，应先用吸湿材料清除可见污染物，然后再进行清洁和消毒。

15.感染高风险部门如洁净病房等地面与物体表面应增加清洁频次，每天进行消毒。有明显污染，随时去污与消毒，采用500～2000mg/L含氯消毒液擦拭消毒；卫生用具应标记明显，分区、分室使用，集中清洗，晾干备用。

16.严格执行医院探视管理制度，限制陪护探视人员数量，避免患有呼吸道疾病及幼儿探视和陪护患者，防止造成交叉感染。

三、物品

（一）相关术语和定义

1.无菌技术（Aseptic Technique）

无菌技术是指在执行医疗护理操作过程中防止一切微生物侵入机体和保持无菌物品及无菌区域不被污染的操作和管理办法。

2.一次性使用无菌医疗用品（Use Sterile Disposable Medical Supplies）

一次性使用无菌医疗用品是指医疗保健、卫生防疫机构诊断、治疗用的需要销毁的医疗用品，包括一次性注射器、输液（血）器、手术巾、手术衣、帽子、口罩、一次性口腔镜、一次性手套及其他需要消毒的医疗用品等。

3.灭菌（Sterilization）

灭菌是指杀灭或清除外环境中媒介物携带的一切微生物（包括芽孢）的过程。

4.无菌物品（Aseptic Materials）

无菌物品是指经过物理或化学方法灭菌后未被污染的物品。

（二）不同物品的消毒隔离管理标准

1.一次性使用无菌医疗用品的消毒隔离管理标准

（1）病区的一次性使用无菌医疗用品必须经设备处采购申领，使用科室不得自行购入并使用或试用厂家提供的物品。

（2）一次性使用无菌医疗用品应放置在阴凉干燥、通风良好的物品架上，距地面≥20cm，距墙壁≥5cm，距天花板≥50cm。

（3）使用前应检查包装有无破损，产品有无失效、污染等。

（4）使用时如发生热源反应、感染或其他异常情况，必须及时留取相关样本送检，按规定做详细记录，并将同批次物品封存备查，同时上报设备处和医院感染管理部门。

（5）使用后，须按照感染性废物进行分类收集，由医院集中转运收集，集中处置，严禁重复使用或回流市场。

2.无菌物品的消毒隔离管理标准

（1）应在清洁区专柜储存，与待消毒物品分区放置，标识明确；按灭菌日期依"先进先出"原则放入专柜，使用时必须做到"一人一用一灭菌"。灭菌包过期、掉落在地、误放不洁之处或被水打湿，均应视为受到污染，严禁继续使用，应送消毒供应中心重新处理。灭菌物品合格率应达100%。

（2）无菌盘须标明开始使用时间，有效期为4h。

（3）无菌棉球、棉签、纱布的灭菌包装一经打开，使用时间应<24h；无菌敷料罐应每天更换并交消毒供应中心集中处置；无菌持物钳及镊子干罐开启后注明开启时间，每2h更换一次。

（4）静脉输注药物现用现配，抽出的药液、配好的无菌液体放置时间应<2h，启封抽吸的各种溶媒放置时间应<24h。开启无菌液体后必须注明日期、时间、具体用途及启

封者。

（5）安全注射：严格执行无菌操作，每次注射使用一次性无菌注射器及针头，使用单剂量药瓶或安瓿；多剂量药瓶或安瓿不应用于多位患者，每次使用应更换新的注射器及针头。输液及给药装置只能用于一位患者，不应多位患者共用，每次使用后合理处置。其他请参看第八章静脉治疗护理质量标准第一节。

（6）碘伏、乙醇应密闭保存，启封后应标注开启日期和失效日期，时间应具体到分钟，并注明开启人（如碘伏开启时间：2024年3月12日8：20；失效时间：2024年3月19日8：20；开启人：孙某某）。碘伏打开使用有效期为7d，乙醇为3d。对于不稳定消毒剂如含氯消毒剂，配制后使用时间应≤24h。

（7）启封的外用无菌溶液限24h内使用，并注明启用日期、时间及启封者；静脉用无菌液体开启铝盖中心部位后，使用时间<2h。

3.其他物品的消毒隔离管理标准

（1）各种用于注射、穿刺、采血等有创操作的医疗器具，应一人一用一丢弃；重复使用的器械、器具及物品，应一人一用一更换消毒（或灭菌）。

（2）体温计一人一用一消毒，用含有效氯浓度500mg/L的消毒液浸泡消毒30min，清水冲洗，晾干备用。

（3）患者的衣服、被单每周更换1次。被血液、体液污染时及时更换，换下的污染被服放于污物车袋内，在规定地点更换。

（4）暖瓶、便盆等用具专人专用。传染病患者的排泄物和用过的物品，要进行消毒处理，未经消毒的物品不得带出传染病区，也不得给他人使用。传染病患者用过的衣被，应消毒后再清洗。

（5）治疗车上物品应摆放有序，上层放置清洁与无菌物品，下层放置使用后物品；进入病室的治疗车应配备速干手消毒剂、锐器盒（单独治疗盘内可配小型锐器盒），便于操作前后手消毒和锐器的及时分离收集；治疗车应每天进行清洁，遇污染随时进行清洁与消毒。

（6）各种消毒液需现用现配，使用前测定其浓度，达到有效浓度后方可使用。配制消毒剂时，应按照操作程序和所需浓度准确配制，及时在《消毒剂使用记录本》上逐项记录并签名，以备查验。消毒剂过期或未达到有效浓度时应将消毒剂废弃，不得继续使用。

（7）应根据物品的性质、污染微生物的种类和数量选择消毒灭菌方法。耐热、耐湿物品灭菌首选压力蒸汽灭菌法，不得采用化学消毒剂浸泡灭菌；不耐热、不耐湿的物品应采用低温灭菌。

（8）重复使用的诊疗器械、器具和物品，使用后应先清洁再进行消毒；朊病毒、气性坏疽及突发原因不明的传染病病原体污染的诊疗器械、器具和物品应先消毒再清洗消毒灭菌。

四、仪器与设备

（一）仪器与设备标准

病区使用的仪器设备清洁无污染，性能良好，运行正常；备用仪器或设备性能良好，电量充足，随时可以使用。病区仪器与设备完好率应达100%。

（二）仪器与设备的消毒隔离管理标准

1.病区所有仪器与设备必须经设备处采购申领，使用科室不得自行购入并使用或试用厂家提供的仪器与设备。使用经卫生行政部门批准或符合相应标准技术规范的消毒产品，并遵循批准的范围、方法及注意事项等使用。

2.所有仪器与设备必须有使用说明书，特殊仪器与设备应有厂家提供的消毒操作流程，使用后严格按照操作流程进行消毒，防止由仪器设备消毒不彻底造成的医院感染发生。

3.严格遵循消毒灭菌原则，凡进入人体无菌组织、器官、腔隙或接触人体破损皮肤、破损黏膜、组织的诊疗器械、器具和物品必须灭菌；接触完整皮肤、黏膜的诊疗器械、器具和物品应进行消毒。

4.一般仪器设备使用前应评估其是否清洁，性能是否良好。使用前做到检查电压、电源是否正常，仪器表面是否清洁。使用后及时清洁消毒、归位。

5.病区电脑显示屏、键盘、鼠标等表面应用75%乙醇定时擦拭清洁消毒，勿用戴手套的手进行操作。

6.患者使用的监护仪每日用清洁抹布擦拭；使用完毕后应用75%乙醇擦拭消毒显示屏、导联线、血压计袖带和氧饱和度探头；如被血液、体液、分泌物及排泄物污染，应用有效氯含量>1500mg/L的消毒液擦拭消毒，晾干备用。

7.吸氧管及超声雾化吸入器口含嘴及连接管专人专用，每次使用后清洁消毒；氧气湿化瓶、超声雾化吸入器内蒸馏水每日更换；吸痰操作所用物品应做到一用一换一消毒或使用一次性产品。

8.治疗车、换药车等每次使用后应及时将医疗废弃物分类处理，擦拭清洁，补充用物，摆放整齐；如被血液、脓液等污染，应用有效氯含量>1500mg/L的消毒液擦拭消毒。定期检查治疗车、换药车车轮性能，并上油。

9.输液泵、注射泵使用后应用含有效氯含量500mg/L消毒液或一次性消毒巾擦拭消毒，并填写使用记录，充电后备用。

10.氧气筒使用前后应用含有效氯含量500mg/L消毒液擦拭消毒；如被血液、体液、分泌物等污染，应用有效氯含量>1500mg/L的消毒液擦拭消毒。氧气筒充满氧气，悬挂"四禁"及"满"标识，每次使用开始及使用结束后记录使用时间等。空氧气筒应放置在病房角落，并悬挂"空"标识，如有故障请悬挂"故障"标识，并及时更换及维修。

11.呼吸机的管道、麻醉机螺纹管及配件使用后送消毒供应中心统一清洗消毒；湿化用水等详见第六章重症护理质量标准第一节相关内容。

12.负压吸引器及负压装置使用后应及时倾倒吸引瓶和负压瓶内液体，并用有效氯含量>1500mg/L的消毒液浸泡消毒60min，清水冲洗，晾干备用。

13.除颤仪等抢救设备，每次使用后应清洁，备用；除颤电极板应清洁消毒，每次使用时应涂抹清洁的耦合剂，以防止灼伤患者。每周定期检查是否已充电，放电性能是否完好，及时充电，并记录交班。

14.使用中的新生儿床和暖箱内表面，日常应用清水清洁，不应使用消毒剂。特殊感染消毒处理等请参看第四章新生儿护理质量标准第一节相关内容。

15.血液透析机内部消毒请结合厂家提供的血液透析机消毒操作流程执行；阴性区机

器外部在每位患者上机、下机后用含有效氯含量500mg/L消毒液巾擦拭消毒，阳性区机器外部及被血液、体液、分泌物等污染，应用有效氯含量≥1500mg/L的消毒液擦拭消毒。特殊感染的消毒处理等请参看第十章血液净化护理质量标准第一节。

16.空气消毒机等消毒药械（空气清洁机、床单元用臭氧消毒机）应建立使用登记记录本，详细记录消毒对象、消毒时间、操作者和定期消毒效果，应每半年清洗滤网1次。

17.每台仪器与设备均应建立运行及维修记录登记本，每次使用、消毒及维修保养后均应详细记录，便于追溯及检查。

18.急诊科、ICU、NICU、产科、手术室等专科特殊仪器与设备的消毒隔离请参看各专科章节的护理质量标准。

五、医疗废物

（一）相关术语和定义

医疗废物：是指医疗卫生机构在医疗、预防、保健以及其他相关活动中产生的具有直接或者间接感染性、毒性以及其他危害性的废物。医疗废物分类目录，由国务院卫生行政主管部门和环境保护行政主管部门共同制定、公布。

（二）医疗废物分类

1.感染性废物

感染性废物是指携带病原微生物具有引发感染性疾病传播危险的医疗废物。分为：①血液、体液、排泄物。②隔离传染病患者或者疑似传染病患者产生的生活垃圾。③培养基、标本、菌种、毒种保存液、废弃的医学标本、废弃的血液和血清。

2.病理性废物

病理性废物是指诊疗过程中产生的人体废弃物和医学实验动物尸体等。分为：①废弃的人体组织器官。②医学实验的动物组织、尸体。③病理切片后废弃的人体组织、病理蜡块等。

3.损伤性废物

损伤性废物是指能够刺伤或者割伤人体的废弃医用锐器。分为：①医用针头、缝合针、手术刀片、备皮刀、手术锯等。②玻璃片、玻璃试管、玻璃安瓿等。

4.药物性废物

药物性废物是指过期、淘汰、变质或被污染的废弃的药品。分为：①废弃的一般性药品（抗生素、非处方类药品）等。②细胞毒性和遗传毒性药物。③废弃的疫苗、血液制品等。

5.化学性废物

化学性废物是指具有毒性、腐蚀性、易燃易爆性的废弃化学物品。分为：①影像、实验室的化学试剂。②废弃的各类化学消毒剂。③废弃的汞血压计、体温计等。

（三）医疗废物管理标准

1.病区必须按照医疗废物类别进行分类收集，标识明确、醒目，分置于防渗漏、防锐器穿透的专用包装物或者密闭的容器内，容器应有明显的警示标识和说明。当回收袋装至3/4时扎紧袋口，放置在暂存处，由回收专职人员上门收集。锐器盒装至3/4时封口，及时更换，以减少工作人员锐器伤发生。

2.治疗室内未被污染的废物（如药品外包装、盐水瓶、青霉素瓶等）可以按照生活垃圾处置，并严格依据相关规定处置。

3.被血液、体液污染的口罩、帽子、鞋套、中单、尿布、便盆等按医疗废物处理；病原体的培养基、菌种等高危废弃物，应先行压力蒸汽灭菌，再按照医疗废物处理；特殊感染的患者采用一次性用品，用后装入黄色塑料袋内并粘贴标识；患者的引流液、体液、排泄物等可直接排入污水处理系统。

4.禁止将医疗废物与生活垃圾混合，如不慎将生活垃圾混入医疗废物中，应按照医疗废物进行处理。放入包装物或者容器内的各类废物一经放入就不得取出。包装物或者容器外表面被污染，应当对被污染处进行消毒处理或者增加一层包装。

5.病区收治的传染病患者或者疑似传染病患者产生的生活垃圾，按照医疗废物进行管理和处置。隔离的传染病患者或者疑似传染病患者产生的医疗废物应当使用双层包装物，并及时密封。

6.废弃的麻醉、精神、放射性等药品及其相关的废物的管理，依照有关法律、行政法规和国家有关规定、标准执行；批量报废的化学试剂和消毒剂、批量的含有汞的体温计、血压计等医疗器具报废时应当交由专门机构处置。

7.护理人员在进行医疗废物处置时应遵循标准预防的原则实施个人职业防护，发生职业暴露后，按照《血源性病原体职业接触防护导则》GBZ/T 213 的要求处理：①局部紧急处理方法：尽量挤出损伤处的血液，从近心端向远心端挤，再用流动水或生理盐水反复冲洗，最后用碘伏或75%的乙醇消毒伤口并包扎。②被 HBV 阳性、HCV 阳性、梅毒及 HIV 阳性患者血液、体液污染的锐器刺伤，由专科医生评估进行预防性治疗。③及时填写《医务人员职业暴露登记表》，上报医院感染管理科，并按照要求和流程进行报告及处置。

8.任何人不得将医疗废物自行外运、外卖，病区产生的医疗废物应及时清运。医疗废物转运由专人负责，定时收集；转运人员与病区分管人员做好《医疗废物转运交接记录本》登记并签字确认。各种医疗废物登记本应妥善保存，不得遗失或损坏。

9.发生医疗废物处理事故后，按照医院制定的应急预案、医疗废物安全处置有关的规章制度处置，在48h内上报上级卫生行政主管部门和环保部门；导致1人以上死亡或者3人以上健康损害时，应当在24h内报告，并采取相应紧急处理措施；导致传染病传播或者可能传染病传播时，应当按照《中华人民共和国传染病防治法》及有关规定报告，并采取相应措施。

10.任何病区与个人违反本标准，导致传染病传播，给他人造成损害的，依法承担民事赔偿及相关法律责任。

参考文献

［1］田敏,刘峰,陶俊荣,等.影响患者安全的护理组织因素及其权重分析[J].中华护理杂志,2014,49(6):696-699.

［2］刘素群,谢玉欢.PDCA循环管理对提升护理人员素质的影响[J].医学理论与实践,2015,28(12):1679-1680.

［3］庄艳,余明莲.护士长管理一本通[M].北京:中国医药科技出版社,2017:270-279.

［4］邓云清.护理质量控制考核［M］.北京：人民军医出版社,2008：44-45.

［5］李小寒,尚少梅.基础护理学［M］.6版.北京.人民卫生出版社,2017.

［6］中华人民共和国卫生部.综合医院分级护理指导原则(试行)［Z］,2009.

［7］中华人民共和国卫生部.住院患者基础护理服务项目(试行)［Z］,2010.

［8］中华人民共和国卫生部.病例书写基本规范［Z］,2010.

［9］中华人民共和国卫生部.电子病例书写规范(试行)［Z］,2010.

［10］Morse J M, Black C, Oberle K, et al. A pospective study to identify The fall-prone patient［J］. Soc. Sci. Med.,1989,28：81-86.

［11］阮恒芳,黄水英,徐桂红,等.新护士应用Morse评分量表预防住院病人跌倒情况的调查分析［J］.全科护理,2012,10(10)：2669-2670.

［12］WS/T 313—2019,医务人员手卫生规范［S］.

［13］WS/T 367—2012,医疗机构消毒技术规范［S］.

［14］WS/T 510—2016,消毒管理办法［S］.

［15］WS/T 311—2009,医院隔离技术规范［S］.

［16］WS/T 510—2016,医院感染管理办法［S］.

［17］WS/T 510—2016,病区医院感染管理规范［S］.

［18］WS/T 512—2016,医疗机构环境表面清洁与消毒管理规范［S］.

［19］WS/T 511—2016,经空气传播疾病医院感染预防与控制规范［S］.

［20］WS/T 525—2016,医院感染管理专业人员培训指南［S］.

第三章　分娩室护理质量标准

第一节　结构质量标准

一、制度与规范

（一）组织管理

1.组织体系构建

（1）分娩室护理单元是在护理部的领导和科主任的业务指导下开展工作，下设质量控制小组、继教科研小组、绩效考核小组、急救小组等，各小组内设置组长、组员，各司其职。

（2）组织管理架构详见图3-1。

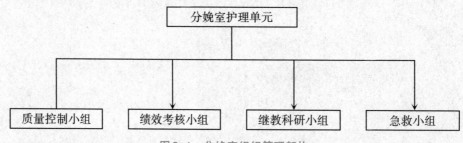

图3-1　分娩室组织管理架构

2.工作职责

（1）助产士工作职责

1）在护士长的领导和科主任的业务指导下进行工作。

2）负责正常产妇接产工作，协助医生进行难产的接产工作，做好接产准备，注意观察产程进展和变化，遇产妇发生并发症或新生儿窒息，应立即采取紧急措施，并及时报告医生。

3）根据孕妇需求，做好分娩期镇痛管理（药物镇痛及非药物镇痛）。

4）及时了解分娩前后的情况，严格执行技术操作规范，注意保护患者隐私及妇婴安全，严防差错；正确执行医嘱，准确及时地完成各项治疗、护理工作。

5）分娩室成立急救小组，遇突发情况，立即启动急救小组。

6）保持产房整洁，定期进行消毒。

7）完成护理文书：填写新生儿记录、新生儿病历、产程观察记录、分娩记录和分娩登记等。

8）做好围产期保健和妇婴卫生的宣教工作，并进行技术指导。

9）负责管理分娩室的药品、设备、器械，保证其处于良好备用状态。

10）根据需要，负责孕期检查、外出接产和产后随访工作。

11）指导进修、实习人员的接产工作。

（2）母婴同室护士工作职责

1）在护士长的领导和科主任的业务指导下进行工作。

2）按治疗规范进行治疗。负责静脉输液、新生儿护理、会阴擦洗、产妇乳房护理、母乳喂养指导等。

3）负责清点病区、治疗室以及换药室的物品、药品、器械，及时更换消毒灭菌物品，为下一班工作做好准备。

4）与助产士进行产妇及新生儿的交接；负责高危孕产妇、新生儿信息的登记及上报工作，并做好乙肝疫苗、卡介苗的接种，新生儿疾病筛查足跟血片的登记、保管、送检等工作。

5）联系会诊，预约各种特殊检查。做好准备工作，及时办理出入院、转科、转院登记手续。

6）按时巡视病房，查看输液、各种引流管是否通畅，保持病室安静、整洁，做好病房安全工作。

7）按时测量产妇体温、脉搏、呼吸、血压、子宫复旧情况及新生儿体温并记录，有异常，及时汇报医生并协助处理。

8）做好母乳喂养的指导工作，保证新生儿和母亲24h在一起（洗澡、医疗处置和观察，与母亲分开不能超过1h）。

9）做好出院产妇、新生儿的健康指导。

3.岗位管理

（1）助产士

1）分娩室设护士长或组长1名，根据实际情况可设副护士长或副组长1名。

2）三级产科的分娩室有高级职称人员1～2名，中级职称人员2～3名；二级产科的分娩室有中级职称人员1～2名。

3）助产士根据职称、学历、工作年限、工作能力等实行分层级管理。

4）按照助产士工作职责的要求完成工作，每年进行考核。

5）有一定数量的助产士参加国家或省市助产士规范化培训，并获得相关资质。

（2）母婴同室病房护士

1）母婴同室病房设护士长1名，根据实际情况可设副护士长1名。

2）三级产科的母婴同室病房有高级职称人员1～2名，中级职称人员2～3名，设责任组长2～3名；二级产科的母婴同室病房有中级职称人员1～2名，设责任组长1～2名。

3）母婴同室病房护士根据职称、学历、工作年限、工作能力等实行分层级管理。

4）按照母婴病房护士工作职责的要求完成工作，每年进行考核。

5）有一定数量的护士参加母婴专科护士的培训，并获得相关资质。

（二）管理制度

1.分娩室工作制度

（1）工作人员进入分娩室须戴帽子、口罩，更换洗手衣及室内专用拖鞋，非分娩室工作人员不得随意入内。

（2）工作人员须态度和蔼、热情接待新入室的孕妇，严密观察产程，严格遵守各产程护理常规和助产技术规范，做好人性化服务，减轻孕产妇心理压力，发现异常及时汇报医生，工作期间不得擅离职守。孕妇入分娩室后，严密观察产程进展，第一产程潜伏期每30～60min听胎心1次，每次听诊1min，活跃期15～30min听胎心1次；第二产程5min听胎心1次，臀位者每次宫缩后听胎心1次，如胎心异常可行持续电子胎心监护。

（3）保持室内清洁，定期通风，每日湿性打扫两次，空气消毒机（或紫外线灯照射）消毒2次。每月大扫除1次，每季度做空气、物表细菌培养1次。

（4）按照分娩室相关要求，备齐各种抢救物品、药品，所用抢救设备、仪器均在良好备用状态，一次性物品、无菌物品均在有效期内，且固定放置，专人管理，定期检查，及时补充更新，所用物品均不外借。

（5）接生前按外科洗手法进行洗手，接生后清理产床，整理用物，垃圾分类处理，向家属及产妇交代胎盘处置情况，并签署知情同意书。

（6）严格交接班制度，助产士应对胎心、产程进展及高危因素进行重点交接，同时做好财产、物品的交接。

（7）孕妇在分娩过程中需转为剖宫产手术时，助产士需完成术前准备，完善病历，填写手术接送单，与手术室人员进行交接。

（8）接生人员接产后应及时、准确填写分娩记录、新生儿记录、总结产程图及做好各种登记。

（9）产妇分娩后，在分娩室观察2h，每30min观察母婴的生命体征及产妇子宫收缩情况、新生儿脐带有无渗血，指导母乳喂养，并填写护理记录单。转至母婴同室病房时注意母婴保暖，与责任护士床头交接，共同核对产妇姓名，新生儿性别、体重，Apgar评分，母乳喂养情况等。

（10）促进母乳喂养，实行早接触、早吸吮、早开奶。

（11）严格执行消毒隔离制度，做好分娩室的消毒隔离工作。

（12）凡有传染病或未做产前检查的孕妇均在隔离分娩室分娩，使用一次性产包，器械按相关规定处置，胎盘交由医院处理，并签署知情同意书。

2.分娩室查对制度

（1）交接班时应将每一位孕产妇的情况进行床头交接。

（2）对新入室的孕妇，要认真与病房护士及急诊护士交接，并核对孕妇信息。

（3）新生儿娩出后，应检查眼、耳、口腔、手指、足趾、生殖器、肛门、脊柱等部位有无畸形，并让产妇确认性别。

（4）母亲姓名、住院号、新生儿性别和体重无误后将新生儿右（左）脚印、母亲右（左）拇指印印在新生儿病历上。

（5）遇抢救时，助产士要记录抢救时间，可执行口头医嘱，执行时必须大声复诵一遍，经核实无误后方可执行，并保留空安瓿，抢救结束后及时补录医嘱、各种记录，补充药品、物品等。

（6）毒麻精药品，须两人核对无误后方可使用，并做好登记及双签名。

（7）母婴送入病房时，助产士要再次核对新生儿腕带、胸前牌、病历记录（新生儿记录、分娩记录）是否相符。

3.母婴同室管理制度

（1）母婴同室工作人员必须经过系统的母乳喂养知识的学习培训，并在工作中不断学习母乳喂养的新知识。

（2）母婴同室病房应保持空气清新、安静、舒适，温度为22～26℃，相对湿度为50%～60%。

（3）产妇入母婴同室病房后给予其母乳喂养的指导，教会产妇哺乳姿势、体位、方法及婴儿含接姿势，按需哺乳，同时做好乳房护理。

（4）护理人员定时巡视，密切观察母婴情况，发现异常及时报告医生。

（5）对母婴同室的新生儿进行常规护理及预防接种等工作时，母婴分离时间每天不能超过1h。

（6）卡介苗及乙肝疫苗的接种应由专人负责，并做好相关登记。

（7）非本室工作人员不得随意进入母婴同室病区，严格执行探视制度，控制探视人员。

（8）出院前向产妇及家属进行母乳喂养等相关知识的宣教，做好随诊复诊工作指导。

（9）母婴出院时工作人员清点物品，病房进行终末消毒。

4.执业准入制度

（1）接产单位必须具有医疗机构执业许可证、母婴保健技术服务执业许可证。

（2）护士取得护士执业证，从事助产技术的护士同时取得母婴保健技术考核合格证。

（3）进行新生儿预防接种的护理人员同时取得预防接种证，须每年参加相关培训。

（4）使用全国统一的出生医学证明，并实行出生医学证明计算机打印。

（5）出生医学证明由专人负责管理，证章分离，严格执行发放、登记制度。

5.产科特殊制度

（1）新生儿重度窒息讨论制度

新生儿窒息，是指胎儿娩出后1min仅有心跳而无呼吸或未建立规律呼吸的缺氧状态，凡Apgar评分4～7分者为轻度窒息，0～3分者为重度窒息。新生儿重度窒息是新生儿死亡及伤残的主要原因，应对其高度重视，并尽量杜绝。

1）凡发生新生儿重度窒息，均须进行病例讨论。

2）讨论由产科主任主持，产科医生、儿科医生、助产士及产科护士均须参加，必要时应邀请相关科室医护人员参加。

3）讨论前必须做好准备，尽可能做出书面摘要供发言时参考，讨论的主要目的是认真总结经验教训，制定整改措施，避免新生儿重度窒息的再发生。

4）讨论程序按正常的病例讨论程序进行。要求上级医生、护士长、当事医护人员均须发言，认真分析新生儿重度窒息发生的原因。

5）讨论最后由主持人总结，讨论记录应详细、准确记录所有人员的发言。记录内容经整理后归入病历。

（2）会阴Ⅲ度裂伤讨论制度

会阴Ⅲ度裂伤是阴道分娩的严重并发症，若处置不当，对产妇的生活质量会造成长久的严重影响。为了做好预防，尽量避免会阴Ⅲ度裂伤的发生，提高助产质量，制定此制度。

1）凡发生会阴Ⅲ度裂伤，必须进行病例讨论。

2）讨论由产科主任主持，产科医生、产房助产士及护士、产科护士均须参加。必要时可邀请相关科室医护人员参加。

3）讨论前必须做好准备，尽可能做出书面摘要供发言时参考，讨论的主要目的是认真总结经验教训，制定整改措施，避免会阴Ⅲ度裂伤的再次发生。

4）讨论程序按正常的病例讨论程序进行。要求上级医生、护士长、当事医护人员均参加，当事的医护人员必须客观真实汇报当时情况，认真分析会阴Ⅲ度裂伤发生的原因。

5）讨论最后由主持人总结。

6）讨论记录应详细、准确记录所有人员的发言。记录内容经整理后归入病历中。

（3）出生缺陷登记制度

1）建立新生儿出生缺陷登记簿，如实填写围产儿出生缺陷登记表，每月定期上报。

2）分娩室发现出生缺陷儿应在24h内报告本科出生缺陷监测负责人，并做好表、卡、册的原始登记。

3）一旦发现并确诊为出生缺陷儿或残疾儿童，在家属知情同意的情况下注意收集出生缺陷病例或疑似病例照片。

4）无法确诊的报告科室负责人，在24h内组织院科两级及新生儿科医生会诊。

5）已经确诊的出生缺陷儿告知家属进一步诊断或治疗。

6）加强相关科室医务人员专业知识培训，做到不错报、漏报或迟报。

（4）产科出血讨论制度

产科出血是产科较严重的并发症，若发现不及时或处理不当，会造成患者死亡的严重后果。为了不断积累产科出血预防、及时妥善处理产科出血的经验，制定此制度。

1）凡发生产科出血均须进行病例讨论。

2）讨论由产科主任主持，产科医生、产房护士及助产士、产科护士均须参加，必要时可邀请相关科室医护人员参加。

3）讨论前必须做好准备，尽可能做出书面摘要供发言时参考，讨论的主要目的是认真总结经验教训，制定整改措施，避免产科出血的再发生。

4）讨论程序按正常的病例讨论程序进行。要求上级医生、护士长、当事医护人员均须发言，并客观、真实叙述抢救过程，认真分析产科出血发生的原因。

5）讨论最后由主持人总结，讨论记录应详细、准确记录所有人员的发言。记录内容经整理后归入病历中。

（5）新生儿产伤讨论制度

新生儿产伤，是分娩过程中较易出现的、程度或轻或重的并发症。为了不断积累新生儿产伤预防、及时妥善处理新生儿产伤的经验，制定本制度。

1）凡发生新生儿产伤均须进行病例讨论。

2）讨论由产科主任主持，产科医生、儿科医生、产房护士及助产士、产科护士均须参加。必要时可邀请相关科室医护人员参加。

3）讨论前必须做好准备，尽可能做出书面摘要供发言时参考，讨论的主要目的是认真总结经验教训，制定整改措施，避免新生儿产伤的再发生。

4）讨论程序按正常的病例讨论程序进行。要求上级医生、护士长、当事医护人员均须发言，客观、真实叙述接产过程，认真分析新生儿产伤发生的原因，总结经验，吸取教训，提高助产技能。

5）讨论最后由主持人总结，讨论记录应详细、准确记录每个人的发言，记录内容经整理后归入病历中。

（6）分娩登记制度

1）分娩登记本，要填写完整、准确，字迹清楚，并妥善保管。

2）住院孕产妇分娩实行实名登记制。在产妇入院分娩时，要主动查验产妇居民身份证，如实详细登记产妇及配偶姓名、民族、出生年月、现居住地址、户籍所在地址、身份证号码、新生儿出生日期和性别等。

3）对少数特殊对象，如未婚生育者，在做好个人隐私保密工作的情况下，必须实名登记。

4）对拒不提供身份证、拒不提供本人相关信息、冒用他人身份证件的，在做好医疗救治的前提下必须在24h内通知医务处（科）、医院保卫处，并做好记录。同时对孕、产妇夫妻的身份证信息、婚姻信息、孕产信息等严格保密，不得对外公开、泄露。

5）分娩后，要如实出具出生医学证明，并做好发证登记，确保证件内容准确无误。对拒不提供有效身份证明及真实情况的住院分娩对象，应暂缓为其办理出生医学证明；因急产而没有带身份证的，先给予入院分娩接生或手术，随后按要求查验孕妇身份信息，并补全手续。办理出生医学证明时，要做到存根联、证明联一致。

（7）信息管理制度

1）患者信息包括：患者的个人基本信息、挂号信息、就诊信息、住院医嘱信息、费用信息、影像资料和检验结果等各种和临床相关的信息。

2）患者信息的隐私保护范畴：患者向医院提供的个人基本信息以及病情、家族史、接触史、身体隐私部位、异常生理物证等个人生活秘密等，科室工作人员不得非法泄露。

3）除国家医疗信息上报的相关规定由专人负责上报外，科室其他工作人员一律不得将患者疾病、个人信息及相关隐私信息传播给他人。

4）外单位如查询患者的相关信息，必须由医院相关部门审核后，科室根据审核单按要求填写，经办人双方签字确认。

5）科室所有参与患者信息填写、管理的人员严格按照医院要求管理患者信息资料，不得出售或者非法向他人提供患者信息。如发生以上情况者，科室将上交院部依法处理，情节严重者，追究刑事责任。

（8）减少分娩疼痛和损伤制度

1）加强产前健康教育及宣教工作，督促孕妇进行产前检查，及时发现高危因素，减少风险。

2）做好高危妊娠的登记管理。对妊娠期合并内科疾病、血液系统疾病、妊娠高血压疾病、妊娠期糖尿病等高危产妇进行重点评估和监护，并详细登记。

3）充分了解产妇的疼痛情况，根据产妇需求给予相应的镇痛措施（药物镇痛，非药物镇痛如导乐、自由体位、拉玛泽生产呼吸法等）；实施椎管内麻醉镇痛的产妇，要严密观察其呼吸、脉搏、血压、血氧饱和度、四肢肌力等，提供一对一的照护，并对镇痛效果进行评估。

4）对高危及可能产生难产接产的病例组织讨论，制订相应措施及应急预案。

5）充分评估产程进展及胎儿情况，严格掌握阴道助产术的适应证和禁忌证。

6）加强各产程观察和胎儿监护，熟练掌握分娩机制及助产技术，正确保护产妇会阴。

7）接产时充分评估产妇会阴情况、胎儿大小、产妇配合程度，必要时行会阴切开，防止发生复杂会阴裂伤。

8）发生软产道裂伤后积极处理，及时报告医生，仔细检查软产道，严格按照解剖关系进行缝合。兜底缝合，不留死腔，缝合结束后进行肛诊。

9）重点交接班。详细交接产妇的产后诊断、产伤情况（部位、程度、处理情况等）、生命体征、血氧饱和度、产程异常情况、羊水性状、产后2h出血量、会阴缝合情况、会阴是否水肿、阴道有无压纱等。

10）对复杂会阴裂伤病例进行讨论、分析和总结经验。

11）做好产后宣教及随访工作。

二、人力资源

（一）人员配置

1.素质要求

（1）护理人员具有中等专业护理/助产专业及以上学历，取得中华人民共和国护士执业证书及母婴保健技术考核合格证。

（2）护理人员在产房工作1年及以上可参加助产士相关专科培训并取得母婴保健技术考核合格证后，方可从事接产工作。

（3）助产士应具备正确的人生观、价值观和崇高的道德情操，有严谨的职业道德、和蔼可亲的工作态度，以人为本，主动、热情、积极地服务于孕产妇。

（4）助产士具备扎实的理论基础、较强的业务能力，从而在产程处理中能够做到及时、准确、无误，以保证产程进展顺利，确保母婴平安。

（5）具有健康的体魄和热情开朗的性格，不怕困难，坚韧不拔，勤于学习，不断完善自己。

（6）助产士、护士具有良好的沟通能力，与患者沟通要有同情心、怜悯心、母爱心，注意语言艺术的应用。

（7）具有实施个体化健康教育的能力。

2.人员编配原则

（1）产科病房床护比达到0.4∶1，产床与助产士之比达到1∶3。

（2）科室人员结构合理，高年资助产士占比合理。

（3）实行弹性排班，合理调配人员。

（4）科室排班新老人员搭配，保证助产护理质量。

（5）排班实行动态调整原则。

（二）人员培训

1.理论培训要求

（1）科室护理人员参加护理部组织的相关理论知识培训。

（2）工作1～3年护士、助产士每月参加2次理论培训，主要是基础理论知识和专科基础知识。

（3）全体护理人员每月参加专科理论学习1次，培训内容主要涉及专科知识、新理论、新技术。

（4）科室每年组织全部人员参加院感相关知识培训。

（5）科室每年组织母乳喂养相关知识培训不少于3学时（工作1年以上医护人员）。新入科人员相关培训不低于18学时。

2.实践培训要求

（1）科室护理人员参加护理部技能培训及考核。

（2）科室每月安排技能培训1次，培训内容主要为基本护理技能和专科技能。

（3）每年对全科护理人员进行新生儿复苏技能培训并考核。

（4）科室或医院每年进行产科急救技能的演练培训（产后出血应急演练、子痫抢救应急演练、羊水栓塞应急演练）及考核。

三、环境

（一）布局

1.分娩室

（1）门窗严密（装有纱窗、纱门），空气流通，光线充足，环境安静。

（2）普通分娩室面积约为$40m^2$/间，分娩室放置多张产床时，每张产床使用面积至少$20m^2$，两张产床之间应至少相距1m，并设置可擦拭隔档，隔档高度≥1.8m。内设中心供氧和负压设备。

（3）隔离分娩室面积约为$25m^2$/间，用于隔离的房间应配备独立的卫生间。用于空气隔离的待产室、分娩室应满足洁污分明的要求，并在污染区和清洁区之间设置缓冲区。

（4）分娩室的地面、墙壁、天花板无裂隙，表面光滑，有良好的排水系统，便于清洁和消毒。

（5）分娩室内应有调温、控湿设备，温度保持在24～26℃，湿度以30%～60%为宜。

（6）各房间应设足够的电源接口、上下水道，便于使用。

（7）设有流动洗手设施，开关为感应式或脚踏式。

2.母婴同室病房

（1）产科病房设母婴同室，床位数根据实际需求确定，每组母婴床使用面积不少于$6.5m^2$，有独立的婴儿床。

（2）病房的病床、床头桌、座椅放置固定、规范、整齐、安全，保持病房整洁、舒适。

（3）室内安静，日照充足，空气新鲜，色调温馨，张贴有母乳喂养宣传画。

（4）病房温度应该保持相对恒定，为22～26℃，相对湿度以30%～60%为宜。

（5）病房入口处应设有清洁或消毒手的设备。

（6）地面清洁最好用湿的吸尘器或者用清水洗净的拖把擦洗，必要时用消毒液对病房进行消毒，以减少母婴感染机会。

3.新生儿护理室

（1）新生儿室应该设置在方便患儿转运、检查和治疗的区域，接近产房、母婴同室病房、手术室、化验室和血库等。

（2）新生儿病房地面覆盖物、墙壁和天花板应当符合环保要求，有条件者可以采用高吸音建筑材料。

（3）新生儿室应具备良好的通风、采光条件，有条件者应装配气流方向从上到下的空气净化系统，能独立控制室内温度和湿度。新生儿室的室温以22～26℃为宜，湿度以55%～65%为宜。早产儿室温应保持在24～28℃，相对湿度为60%～70%。

（4）室内光线不能太暗或太亮，以保证新生儿适应自然的室内光线，而避免阳光直射眼部。

（5）新生儿护理室应建立完善的通信、网络与临床信息管理系统。

（二）管理标准

1.分娩室

（1）有分娩室的管理制度。

（2）分娩室相对独立，应集中设在病区一端，远离污染源，有明显的区域划分：污染区、缓冲区、清洁区、隔离产房与污物专用通道。

（3）二、三级产科分娩区总面积应在100m²以上，一级产科分娩区总面积应不少于80m²。

（4）洗手区域水龙头采用非手触式（脚踏式、肘式、感应式），室内配备动态空气消毒装置。

（5）每日用500mg/L的含氯消毒剂擦拭待产室、分娩室的门窗、桌椅等，每班用消毒液擦拭地面1～2次。

（6）分娩室每日通风，每日空气消毒机消毒60min，每季度空气培养1次，分娩室和待产室每周进行1次大扫除，并对室内空气和物体表面消毒1次。

（7）隔离待产室和隔离分娩室所有器械应单独使用，用后的产房、产床应彻底消毒。定期做空气培养及无菌物品抽样细菌培养，有异常及时处理。

（8）艾滋病病毒、梅毒、乙型肝炎感染孕产妇住院分娩的院感防控符合相关要求。

（9）应制定产房传染病（尤其是呼吸道传染病）疑似或确诊患者接诊的应急预案，有相应的处置流程，储备相应的防护用品、隔离标识等，留有相应的腾挪空间，有相关人员知晓并能定期演练和不断完善流程。

2.母婴同室病房

（1）环境清洁，空气清新，通风良好。

（2）每日用一次性消毒湿巾或500mg/L含氯消毒液擦拭室内物体表面，并拖地1次。

（3）每日用空气消毒机空气消毒1～2次或上下午各开窗通风1次。

（4）定期进行空气、物体表面和医护人员手的微生物学监测。

3.新生儿护理室

（1）新生儿护理室应保持清洁整齐和适宜的温度，室内每日常规空气消毒，每日通风不少于2次，每次30min，有条件者可使用空气净化设施、设备，并定期做空气培养。

（2）工作人员必须是无传染病者，须定期做喉部细菌培养，以便检出带菌者。新上岗工作人员经体格检查合格才能入室工作。

（3）新生儿护理室谢绝参观，新生儿家属应按规定入室，非本室工作人员不得入内。

（4）工作人员进入新生儿护理室前必须洗手，戴好帽子、口罩，更换专业鞋，每次护理新生儿前后，应注意手卫生。感染患儿须分开放置及护理，先护理非感染患儿，洗净双手后再护理感染患儿，严防交叉感染。

（5）新生儿护理室应当根据相关规定建立消毒清洁制度，并按照制度对地面和物体表面进行清洁或消毒。

（6）新生儿使用的面巾、奶嘴、奶瓶须经煮沸消毒，浴盆每日消毒1次，衣服、包布、尿布须经消毒才可使用。蓝光箱和暖箱应当每日清洁并更换湿化液，一人一用一消毒。

（7）新生儿护理室内的器械、物品均应固定专用，专人管理，抢救药品和器械随时补充，定时消毒。

（8）发现特殊或不明原因感染的患儿，要按照传染病管理有关规定实施单间隔离、专人护理，并采取相应消毒措施。所用物品优先选择一次性物品，非一次性物品必须专人专用专消毒，不得交叉使用。

（9）新生儿病室的医疗废弃物管理应当按照《医疗废物管理条例》《医疗卫生机构医疗废物管理办法》及有关规定进行分类、处理。

（三）监测标准

1.分娩室

（1）定期进行环境卫生学监测（至少每季度一次）。

（2）空气中的细菌菌落总数≤4cfu/（15min·9cm皿）。

（3）医护人员手上不得检出沙门氏菌、乙型溶血性链球菌、金黄色葡萄球菌及其他致病性微生物。外科手消毒后，监测的细菌菌落总数应≤5cfu/cm²。

（4）产房的物体表面细菌菌落总数应≤5cfu/cm²。

2.母婴同室病房

（1）定期进行环境卫生学监测。

（2）空气中的细菌菌落总数≤4cfu/（5min·9cm皿）。

（3）医护人员手上不得检出沙门氏菌、乙型溶血性链球菌、金黄色葡萄球菌、其他致病性微生物。手卫生消毒，监测的细菌菌落总数应≤5cfu/cm²。

（4）病房内的物体表面细菌菌落总数应≤10cfu/cm²。

3.新生儿护理室

（1）新生儿护理室噪声监测标准，白天噪声不超过45db，傍晚不超过40db，夜间不超过20db。

（2）新生儿病房应当建立有效的医院感染监测与报告制度，严格按照《医院感染监测规范》的要求，每季度进行空气净化与消毒效果监测，以便及时发现医院感染的危险因素，采取有效预防和控制措施。

（3）定期对新生儿护理室工作人员及物体表面的手细菌总数进行监测，监测的细菌菌落总数应 ≤5cfu/cm²。

（4）定期对新生儿护理室空气细菌总数进行监测，空气细菌菌落总数≤200cfu/m³为合格。

（5）使用中消毒液细菌总数≤100cfu/mL为合格，无菌物品以无细菌生长为合格。

四、仪器与设备

（一）管理要求

1.产床

（1）严格按照操作规程进行操作。

（2）专人管理，定期检查维修，处于良好备用状态。

（3）科室必须对设备进行日常清洁和保养，定期进行安全检查，发现异常及时维修。

（4）妥善保管设备使用说明书、随机软件及各种附件。

（5）违章造成设备损坏，数据破坏，附件、说明书丢失等，要追究相关人员的责任。

（6）产床一人一用一消毒，每次接生后更换床单。

（7）定期进行细菌培养。

（8）建立运行记录本，每班交接。

2.新生儿辐射台

（1）严格按操作规程进行操作。

（2）专人管理，定期检查、维修，使其处于良好备用状态。

（3）电源线两端连接可靠，地线连接可靠，机械活动部件润滑良好，无漏水、漏气、漏油、漏电现象。

（4）设备运行正常，无异常声音和异常升温。

（5）辐射台上不堆放其他物品，做到防潮、防热、防火。

（6）做好检查记录和处理记录。

（7）定期进行细菌培养。

（8）建立运行记录本，每班交接。

3.心电监护仪（见第六章重症护理质量标准）

4.胎心监护仪

（1）严格按照操作规程进行操作。

（2）专人管理，定期检查、维修，使其处于良好备用状态。

（3）电源线两端连接可靠，地线连接可靠，机械活动部件润滑良好，无漏电现象。

（4）做好设备运行登记和检查记录。

（5）按照要求设置各项参数。

（二）使用安全

1.所有仪器、设备由专人管理，定期检查维修、记录，使其处于良好备用状态。

2.电源线两端连接可靠，地线连接可靠，机械活动部件润滑良好，无漏水、漏气、漏油、漏电现象。

3.计量设备，按照要求检定，具备有效期限内的计量检定合格证。

五、消毒隔离管理

（一）传染病的消毒隔离

1.孕产妇的管理

（1）传染病产妇、无化验检查结果的孕产妇在隔离产房分娩。

（2）产妇进入隔离产房，隔离者按隔离技术规程，严格终末消毒处理。

（3）接生时使用护目镜或防护面罩，必要时穿隔离衣、防护服。

（4）用后的一次性用品及胎盘必须放入双层黄色塑料袋内密闭运送，按感染性医疗废物处理。

（5）产床、门窗、桌椅等使用1000mg/L含氯消毒液擦拭，地面使用1000mg/L含氯消毒液拖地，器械使用1000mg/L含氯消毒液浸泡30min，再清洗、消毒。

2.新生儿的管理

（1）乙肝母亲的新生儿

HBV的母婴阻断：围产期是乙肝母婴传播的主要时期，妊娠中晚期传播率最高，早期传染概率小。

1）足月新生儿出生后尽早（出生12h内）联合应用乙型肝炎免疫球蛋白100～200IU和乙肝疫苗，早产儿如果首针疫苗接种延迟≥4周，间隔4周左右需再注射1次乙肝高效免疫球蛋白。

2）乙肝疫苗一般按照0-1-6方案免疫。第二针和第一针间隔不得少于1个月，如果第二针滞后时间较长，第三针与第二针间隔不得少于2个月，并且第一针和第三针的间隔要在4个月以上。早产儿疫苗行4针方案：出生24h内，3～4周、2～3个月、6～7个月各注射1次。

3）免疫球蛋白与乙肝疫苗的注射部位不同，两者分开注射。

4）对于有传染性的乙型肝炎产妇给予干预者，可以母乳喂养。

（2）艾滋病母亲的新生儿

1）新生儿出生后应及时使用流动的温水进行清洗，用洗耳球清理鼻腔、口腔分泌物，缩短新生儿接触母亲血液、羊水、分泌物的时间。

2）新生儿转NICU治疗，提倡人工喂养，避免母乳喂养，杜绝混合喂养。

3）选择母乳喂养者，要做好充分的咨询，强调喂养期间母亲或者婴儿无皮肤黏膜损伤，进行纯母乳喂养，不可混合喂养。

4）建议坚持服用抗病毒药物，指导正确的纯母乳喂养方式和乳房护理，告知母乳喂养时间最好不超过6个月，同时积极创造条件，尽早改为人工喂养。

5）新生儿不进行活菌疫苗接种（如卡介苗）。

（3）梅毒母亲的新生儿

1）孕期未接受规范化治疗（孕期未接受全程、足量的青霉素治疗或者接受非青霉素方案治疗）的孕妇分娩的新生儿出生后进行抗梅毒治疗。

2）对在分娩前1个月内才进行抗梅毒治疗的孕产妇所生的新生儿进行抗梅毒治疗。

3）对在孕期接受过规范化治疗，出生时非梅毒螺旋体抗原血清学试验阳性、滴度不高于母亲分娩前滴度4倍的新生儿进行抗梅毒治疗。

（4）对具有传播可能的感染性疾病，有多重耐药菌感染的新生儿应该采取相应的隔离措施并标记。

（5）应当实行单间隔离，专人护理，并采取相应消毒隔离措施，所有物品优先选择一次性物品，非一次性物品必须专人专用，用后消毒，不得交叉使用。

（6）严格执行手卫生制度，接触每一个新生儿和进行各项操作前后，必须洗手或者进行手卫生消毒。任何接触患者血液、体液的操作应戴手套，避免血液及体液污染环境。

（7）为新生儿进行各种穿刺和其他侵入性操作时，应严格执行各项无菌操作常规。

（8）新生儿护理用品，应一人一用一消毒，避免交叉感染。

（9）感染新生儿与非感染新生儿分开安置，同类感染患者相对集中，安置在隔离病房，采取相应的隔离措施，隔离标志明确，专人护理，所有用物一用一消毒，出院或转出后，应严格进行终末消毒。

（二）医疗废物的管理

1.胎盘的管理

（1）分娩前向家属及患者交代胎盘管理相关注意事项，签署知情同意书。

（2）产妇无传染病者，如产妇自带，向产妇交代注意事项，交于产妇自带，但禁止随意丢弃。如产妇放弃，则置于双层黄色垃圾袋，放入专用储存容器内，清点交班，与医疗垃圾回收人员清点后交接，双方签字。

（3）母亲有传染病（乙肝、梅毒、HIV等），按照《中华人民共和国传染病防治法》《医疗废物管理条例》的相关规定，胎盘必须由医疗机构按病理性医疗废物管理，使用双层包装盛装交专门部门处理，以防造成疾病传播。

2.引产儿、死胎儿的管理

（1）主管医生根据患者的病情，分娩前与孕妇及家属沟通，确认引产儿或死胎儿的去向，家属签字确认。

（2）分娩后，接生者详细书写分娩过程：妊娠28周及以上者书写分娩记录，并登记于分娩登记本上；不足28周者书写病程记录或引产记录，并登记于引产登记本上［详细记录胎儿的身长、体重、性别、有无畸形（详细地描述畸形）及胎盘情况］。

（3）由接生者将引产儿或者死胎儿清理包裹后与主管医生（或值班医生）共同交予家属并记录，请家属签字确认。

（4）任何工作人员不得私自处理、转让、非法买卖引产儿或者死胎儿。

（5）16周胎龄以下或质量不足500g的胚胎组织等按病理性医疗废物管理。

第二节　过程质量标准

一、安全管理

（一）药物管理

1.催产素的管理

（1）催产素催、引产的适应证

1）延期妊娠：妊娠已达41周或过期妊娠的孕妇。

2）妊娠期高血压疾病：妊娠期高血压、轻度子痫前期患者妊娠满37周，重度子痫前期妊娠满34周或经保守治疗效果不明显或病情恶化，子痫控制后无产兆，并具备阴道分娩条件者。

3）母体合并严重疾病需要提前终止妊娠：如糖尿病、肾性高血压、肾病等内科疾病患者，能够耐受阴道分娩者。

4）胎膜早破：足月妊娠胎膜早破2～12h未临产者。

5）胎儿及其附属物因素：包括胎儿自身因素如严重FGR、死胎及胎儿严重畸形等；附属物因素如羊水过少、生化或生物物理监测指标提示胎盘功能不良者，但胎儿尚能耐受宫缩者。

6）适用于协调性宫缩乏力、宫口扩张3cm、胎心良好、胎位正常者。

（2）催产素催、引产的禁忌证

1）明显头盆不称，不能经阴道分娩者。

2）胎位异常，如横位、初产臀位，估计经阴道分娩困难者。

3）软产道异常（如LEEP刀术后、阴道纵隔或阴道横隔），产道阻塞，估计阴道分娩困难者。

4）孕妇有严重合并症或并发症，不能耐受阴道分娩或不能阴道分娩者（如心力衰竭、重症肝肾疾病、重度子痫前期并发器官功能损害者等）。

5）子宫手术史，主要是指古典式剖宫产术、未知切口的剖宫产术、穿透子宫内膜的肌瘤剔除术、子宫破裂史等。

6）子宫过度伸展，如双胎、多胎、巨大儿、羊水过多等。

7）妊娠期高血压疾病（子痫前期重度，特别是症状未稳定者），严重心肺功能不全，前置胎盘。

8）某些生殖道感染性疾病，如未经治疗的单纯疱疹病毒感染活动期等。

9）严重的宫内感染、影响子宫收缩或影响胎儿下降的软产道肿瘤。

10）对引产药物过敏者。

11）严重胎盘功能不良，胎儿不能耐受阴道分娩。

（3）使用方法

1）引产或催产：静脉滴注，一次2.5U，加入0.9%氯化钠注射液500mL稀释后缓慢静脉滴注。合适的浓度与滴速：因催产素个体敏感度差异极大，静脉滴注缩宫素应从小剂量开始循序增量；从每分钟8滴开始，根据宫缩、胎心情况调整滴速，一般每隔15～30min调整1次。即从1～2mU/min调整，每次增加1～2mU/min，最大剂量通常不超过20mU/min直至出现有效宫缩。如滴注太快，可使子宫强直收缩，而致胎死宫内，胎盘早期剥离或子宫破裂。

2）防治产后出血：每次肌内注射5～10U，或5～10U加于5%葡萄糖注射液中静脉滴注，静脉滴注可持续使用。

3）子宫出血：肌内注射，一次5～10U，肌内注射极量一次20U。

（4）注意事项

1）用于催产时必须指征明确，以免产妇和胎儿发生危险。

2）静脉滴注时需使用滴速调节器（或输液泵）控制速度、用量。滴速应根据患者的具体情况进行调节。

3）下列情况慎用：用高渗盐水终止妊娠的流产，胎盘早剥，严重的妊娠期高血压疾病，心脏病，临界性头盆不称，子宫过大，曾有宫腔内感染史、受过损伤的难产史，子宫或宫颈曾经手术治疗（包括剖宫产史），宫颈癌，部分性前置胎盘，早产，胎头未衔接，臀位、胎位或胎儿的先露部位不正常，妊娠期妇女年龄已超过35岁。

4）骶管阻滞时用催产素，可发生严重的高血压，甚至血管破裂。

5）滴注过程中，必须有专人守护，严密观察产妇宫缩、胎心率和血压变化，警惕水中毒的发生。

6）如10min内宫缩超过5次，宫缩持续1min以上或胎心率异常时应立即停止滴注催产素。

7）产妇血压升高时，应减慢催产素滴注速度。

8）调整滴速从4～6滴/min开始，根据宫缩强弱进行调整，不超过40滴/min。

9）用药前和用药时需行内诊检查及监测宫缩、胎心、血压、产程进展等情况。如连续使用2～3d，仍无明显进展，应改用其他引产方法。

（5）催产素的保存：密闭，在凉暗处（避光并不超过20℃）保存。

2.抢救药品的管理

（1）必备抢救药品，详见表3-1。

（2）管理制度，详见第二章第一节相关内容。

表3-1　必备抢救药品

药品名称	规格	数量
肾上腺素	1mg	5支
去甲肾上腺素	2mg/1mL	5支
异丙肾上腺素	1mg/2mL	5支
阿托品	0.5mg/1mL	5支
洛贝林(山梗菜碱)	3mg/1mL	5支
尼可刹米(可拉明)	0.375mg/1.5mL	5支
毛花苷C(西地兰)	0.4mg/2mL	5支
呋塞米(速尿)	20mg/2mL	5支
地塞米松	5mg/1mL	5支
氨茶碱	0.25mg/2mL	5支
10%葡萄糖酸钙	1g/10mL	5支
盐酸罂粟碱	30mg/1mL	5支
纳洛酮	1mg/1支(粉针剂)	5支
安定	10mg/2mL	5支
异丙嗪(非那根)	25mg/1mL	5支

续表3-1

药品名称	规格	数量
氯丙嗪(冬眠灵)	25mg/1mL	5支
25%硫酸镁	2.5mg/10mL	5支
缩宫素	5U/1mL	5支
卡前列素氨丁三醇(欣母沛)	250U/1mL	5支
马来酸麦角新碱	0.2mg/1mL	5支
多巴胺	20mg/2mL	5支
阿拉明(间羟胺)	10mg/1mL	5支

(二)接产管理

1.正常接产的管理

(1)评估

1)孕妇情况:孕产史、合并症、生命体征、宫缩、胎位、产程进展等。

2)胎儿情况:孕周、羊水、胎监等。

(2)接产前准备

1)环境:调节并保持产房温度在25~28℃,确保分娩室内无空气流动。

2)物品:产包、带有秒针的时钟、新生儿辐射台,新生儿辐射台提前预热,调节温度至32~34℃;检查复苏气囊、面罩、吸引及吸氧装置,处于功能状态。气囊和面罩应放在距分娩床2m之内。复苏区域和复苏气囊等设备与产床按1:1配备,多胎分娩按多胎数目准备复苏区和复苏人员。

3)产妇:鼓励产妇选择自己感觉舒适的体位分娩,如侧卧、俯卧、半坐卧位或站位、蹲位、坐位等,鼓励家属陪伴分娩。

(3)接产流程,详见图3-2。

1)铺产台:打开产包,穿手术衣,戴手套,按照方便使用的顺序摆放断脐的器械。

2)胎儿娩出:胎头双顶径娩出后,额、鼻、口、颏顺次娩出。不要急于娩肩,等待胎头复位和外旋转,在下次宫缩时协助娩出前肩或后肩,顺势娩出胎儿,注射缩宫素(由助手完成)。

3)皮肤接触:立即将新生儿置于母亲腹部,用提前预热的干毛巾,彻底、全面、有力擦干新生儿全身(5s内启动,30s内完成),移去湿毛巾,新生儿俯卧位,头偏向一侧,盖上干毛巾,戴帽子,行母婴肌肤接触。

4)断脐:待脐动脉搏动消失后(胎儿出生后1~3min),更换手套(如果是同一位助产士结扎脐带,建议戴2副手套),在距脐带根部2~5cm处一次断脐,并结扎脐带(避免二次断脐),注意无菌操作。

5)胎盘娩出:协助胎盘娩出。

2.会阴切开术

(1)目的:减少产妇组织损伤和避免胎儿损伤。

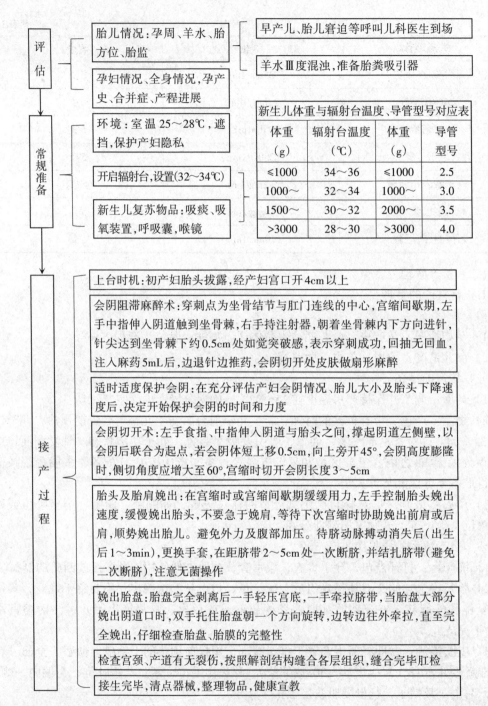

图3-2　正常接产流程

（2）评估与准备

1）全身状况：生命体征、产科情况、辅助检查结果等。

2）局部状况：会阴，重点评估会阴体长度及组织弹性，会阴部有无炎症、水肿及瘢痕等皮肤异常情况。骨盆底，重点评估骨盆底有无异常情况，如巴氏腺囊肿、肛管直肠周围脓肿、阴道直肠瘘等损伤及功能障碍性疾病。

3）胎儿情况：孕周、胎儿大小、胎方位及头盆是否相称等情况。

（3）操作要点

1）麻醉：①阴部神经阻滞麻醉，将麻醉药注入阴部神经结周围，阻断其冲动向中枢传导，达到镇痛效果，适用于会阴切开术、会阴裂伤修补术及阴道手术助产前，可单独使用，也可与会阴局部浸润麻醉方法联合使用。②会阴局部浸润麻醉，将麻醉药注入欲行会阴切开部位的皮肤及皮下组织，阻断神经末梢冲动向中枢传导，达到镇痛效果，适用于较表浅的会阴裂伤修补术、会阴切开术或其他麻醉方式效果不佳时的补充麻醉。③硬膜外麻醉，仅针对已实施硬膜外镇痛分娩的产妇，可于会阴切开术前或会阴裂伤修复术前注入适量麻醉剂以减轻产妇切开或缝合时的疼痛。

2）切开：会阴正中切开，沿会阴后联合正中垂直切开。切开的组织包括处女膜、会阴中心腱、皮肤及皮下组织、阴道黏膜、球海绵体肌；会阴侧斜切开，左右侧切开均可，临床上以左侧切开多见。自会阴后联合中线向左或后旁开45°切开会阴，如会阴高度膨隆，切开角度应增大至60°，长3～5cm，切开组织包括处女膜、阴道黏膜及黏膜下组织、皮肤及皮下脂组织、球海绵体肌、会阴浅横肌、会阴深横肌、肛提肌内侧纤维。

3）切开时机：会阴切开的时机，以胎头拔露后、着冠前、会阴高度扩张变薄时，宫缩开始、会阴部张力增加时切开，切开后1～2次宫缩即能娩出胎儿为宜。若切开过早，易导致创面出血多，切口暴露时间长，增加感染发生的可能；若切开过迟，可能会阴裂伤已经发生。

（4）注意事项

1）切开的适应证：会阴组织弹性差，过紧（充分扩张仍不足以娩出胎头）、水肿或脆性增加、瘢痕等，估计分娩时会阴撕裂不可避免者；因母儿有病理情况急需结束分娩者；产钳或胎头负压吸引器助产者（视母胎情况和手术者经验决定）；早产胎头明显受压者。

2）切开的禁忌证：死胎分娩；不能经阴道分娩者。

上述适应证和禁忌证并非绝对指征，因此，应在充分评估母儿情况基础上依照原则进行决策。

3.会阴切开缝合与裂伤修复术

（1）目的：恢复损伤组织解剖关系，止血。

（2）评估与准备

1）组织损伤的程度，包括切口是否延伸和自然裂伤。

2）会阴裂伤程度判断：2015年英国皇家妇产科协会（Royal College of Obstetricians and Gynaecologists，RCOG）及国际尿控协会（International Continence Society，ICI）采用会阴撕裂新标准，将会阴撕裂分为4度。

Ⅰ度裂伤：会阴部皮肤和（或）阴道黏膜损伤。

Ⅱ度裂伤：伴有会阴部肌肉损伤，但未伤及肛门括约肌。

Ⅲ度裂伤：损伤累及肛门括约肌。分为3个亚型：

①Ⅲa：肛门外括约肌（EAS）裂伤深度≤50%。②Ⅲb：EAS裂伤深度>50%。③Ⅲc：EAS和肛门内括约肌（IAS）均受损。

Ⅳ度裂伤：肛门内外括约肌均受损并累及直肠黏膜。

3）出血情况。

4）疼痛情况。

5）准备缝合针、缝合线、持针器、镊子、弯盘、剪刀、纱布、带尾纱、治疗巾等物品。

（3）操作要点

1）缝合阴道黏膜及黏膜下组织：充分暴露阴道黏膜，用食指、中指充分暴露切口顶端，在顶端上0.5cm处进针缝合第一针结扎回缩血管，防止阴道壁血肿形成。用2-0的可吸收线连续或间断缝合阴道黏膜及黏膜下组织至处女膜缘打结。

2）用2-0的可吸收线连续或间断缝合会阴肌层及皮下组织。

3）用3-0或4-0的可吸收线在皮内连续缝合至阴道口打结，充分对合。

（4）注意事项

1）逐层按解剖结构缝合，不留死腔。

2）兜底缝合防止出血，注意不要穿过直肠。

3）缝合时内外缘对合整齐。

4）缝合前后均要清点缝针、纱布及器械数目，避免其遗留于体腔。

4.产后出血的管理

（1）产后出血的原因：子宫收缩乏力、胎盘因素、软产道损伤和凝血功能障碍，这四大因素可同时存在，可互为因果，相互影响。

1）子宫收缩乏力：子宫收缩乏力约占产后出血患者总数的86.7%，多发生在胎儿娩出后2h内。因此应加强分娩期的监护，及时监测生命体征，观察阴道出血和子宫收缩情况，同时要检查患者血压及血氧饱和度等情况，有胎盘剥离症状时及时牵引脐带，协助胎盘娩出，在第三产程，胎儿前肩娩出后注射缩宫素。如发现子宫收缩乏力，阴道出血较多时，按摩子宫，必要时遵医嘱给予欣母沛、马来酸麦角新碱等药物。

2）胎盘因素：胎盘因素导致产后出血的原因包括胎盘早剥、前置胎盘、胎盘植入、胎盘滞留、胎盘胎膜残留等。在第三产程出现胎盘剥离征象前，严禁按揉子宫、用力牵引脐带，避免引起子宫内翻。协助胎盘自然娩出后应立即检查胎盘胎膜是否完整，尤其要注意是2层胎膜，如发现有缺失，应立即手取，手取困难时应先尝试人工剥离，必要时行清宫术。如考虑有胎盘植入，必要时行子宫切除术。

3）软产道损伤：任何导致子宫颈，阴道和会阴的医源性或非医源性损伤都可能导致产后出血的发生，此时应立即进行缝合术；软产道损伤形成的血肿是一种隐性出血，发现后应切开血肿再行缝合术。

4）凝血功能障碍：凝血功能障碍的原因有妊娠合并血液系统疾病、肝脏疾病、DIC等，如发现阴道流出的血液不凝时，需要及时建立双静脉通道，根据医嘱输入悬浮红细胞、血浆、凝血因子、胶体，及时补充血容量，改善产妇的血液微循环。

（2）产后出血的处理

1）协助产妇取平卧位，下肢稍抬高，注意保暖，鼻导管吸氧，监测生命体征。观察血压、心率的变化，面色的改变，四肢的温湿度，及早发现休克征兆。

2）建立静脉通道，补充血容量。抽血急查血常规、凝血项目及交叉配血试验。

3）留置导尿，观察尿量及颜色。

4）准确记录出血量，观察阴道出血情况，做好护理记录。

5）针对产后出血的不同原因，进行相应的处理及护理措施。

6）给予心理护理及安慰。

7）给予饮食指导、哺乳指导。

（3）产后出血的预防

1）产前检查：产前检查要注意识别高危因素，对有产后出血史、羊水过多、双胎妊娠的孕妇应按高危孕产妇的管理要求进行管理；对有凝血功能障碍史的孕妇要加强监护，定期采血做凝血功能检查，确定凝血功能是否正常。

2）产时检查：第一产程要密切观察宫缩，定期阴道检查，了解宫口进展和胎先露情况，及时处理异常产程，评估产后出血的可能性，做好准备。第二产程也要注意胎心、宫缩的变化，胎头的下降情况，接生时注意保护好会阴。第三产程要观察是否有胎盘剥离征象，若胎盘已完全剥离应及时协助娩出胎盘，同时检查胎盘胎膜是否完整，注意宫颈及软产道是否有裂伤，是否有明显的血管出血，如有，应及时缝合止血；同时应观察子宫收缩情况，如子宫收缩不好，及时给予促进子宫收缩的药物，如缩宫素、欣母沛、卡前列素氨丁三醇等，同时监测生命体征。测量产后出血量，2h内出血量如超过200mL，要及时寻找原因并对症处理。

3）护理：产后24h监测出血量及生命体征，常规使用会阴冷敷垫，减少出血及疼痛。产妇需要摄入足够的营养，最好少食多餐，注意休息，适当地下床活动，以促进恶露排出；同时产妇要积极进行母乳喂养，帮助子宫收缩，减少出血。

（4）预见性护理

1）分娩前，筛查营养不良，纠正贫血，将血红蛋白控制在12g以上，采用导乐分娩、情绪转移等方法减轻产妇疼痛，保证产程顺利，鼓励家属陪伴，落实健康教育，评估产妇的心理状态，做好心理护理。

2）低危产妇，多观察，多巡视。

3）产程长、产力差、难产等高危因素的孕妇，应严密观察其阴道流血情况，膀胱充盈、子宫收缩及宫底高度等，监测生命体征，保留静脉通道，有软产道裂伤，要立即缝合，同时注意产妇主诉，有无排尿困难，肛门坠胀，如有血肿等出现要及时处理。

（5）预防产后感染

保持室内环境清洁，通风，定期病房消毒，更换床单及被服；保持会阴清洁，注意监测体温的变化，遵医嘱应用抗生素预防产后感染。

5.新生儿产伤的预防

新生儿产伤的发病机制不同，大部分是难产处理或手术操作不当所致，是可以预防或避免的。产前要全面了解胎儿及母亲情况，预防难产的发生。慎重选择分娩方式，正确掌握剖宫产指征，适时剖宫产以结束分娩。提高阴道分娩助产技术，增强责任心，严密观察产程进展，均是预防新生儿产伤的重要措施。

1）积极治疗产科合并症，筛查妊娠期糖尿病，降低巨大儿的出生率。

2）对与产伤密切相关的巨大儿分娩及臀位分娩，准确掌握剖宫产指征，适时剖宫产以结束分娩。

3）选择产钳助产及胎头吸引术前，应准确掌握指征，排除绝对头盆不称等经阴道分娩的禁忌证。

4）提高手术技巧：臀位和足先露分娩时宫口往往不易开全或产道扩张不充分，如胎心正常可以耐心等待，不要过早牵引，采用"堵"的办法待产道充分扩张，以利胎儿下降；第二产程助产人员不应过早用力协助胎头俯屈，特别是早产儿，由于其颅骨发育不良，易造成颅骨骨折。

5）发生肩难产时，可以采用屈大腿法、耻骨联合上方压前肩、旋肩法、后肩向前旋至前肩位置、牵后臂娩出后肩法等予以处理。

6.新生儿窒息的预防

（1）新生儿窒息原因分析

1）母体疾病：如妊娠期高血压疾病、先兆子痫、子痫、急性失血、严重贫血、心脏病、急性传染病、肺结核等。

2）子宫因素：如子宫过度膨胀、痉挛和出血，影响胎盘血液循环。

3）胎盘因素：如胎盘功能不全、前置胎盘、胎盘早剥等。

4）脐带因素：如脐带扭转、打结、绕颈、脱垂等。

5）难产：骨盆狭窄、头盆不称、胎位异常、羊膜早破、助产术不顺利或处理不当以及应用麻醉、镇痛、催产药物不妥等。

6）胎儿因素：新生儿呼吸道阻塞、颅内出血、肺发育不成熟以及严重的中枢神经系统、心血管系统畸形和膈疝等。

（2）预防措施

1）为了降低甚至避免新生儿窒息的发生，要加强产前和产时的监护，发现异常情况，及时采取有效的预防措施，必要时终止妊娠。

2）加强对孕妇的宣教，普及保健知识，提高依从性。

3）要选择最佳的分娩方式，尽量避免使用产钳术和胎头吸引术，最大限度避免新生儿窒息的发生。

4）加强产程观察，出现胎心异常要及时处理。

5）加强产科和儿科医学协作，做好充分的接产准备，一旦发生新生儿窒息，能够第一时间开展高效抢救工作，最大限度降低新生儿的伤残率和死亡率。

7.药物镇痛管理

（1）镇痛前准备

1）在镇痛前嘱咐排尿，开放静脉，摆好体位；与麻醉科医生一起核对所使用的镇痛药物，并做好协助工作。

2）安置胎心监护仪以检测胎心及宫缩情况，安置心电监护仪以监测心率、血压及氧饱和度等情况。

3）麻醉操作完成后观察30min，积极对症处理椎管内神经阻滞本身的并发症，如低血压、呼吸抑制、局麻药中毒、运动神经阻滞情况等。

（2）分娩镇痛方法

孕妇出现规律宫缩，宫口开2cm时，建立静脉通道，复方林格液500mL维持静脉通畅，孕妇取左侧或右侧卧位，屈腿，后背拱起成"弓"形，使脊柱关节打开，选择L2-3或L3-4为穿刺点进行穿刺，硬膜外穿刺成功后向头端植入硬膜外导管，给予1%利多卡因3mL观察5min，无阳性反应后，给予首次剂量0.125%罗哌卡因加0.4μg/mL舒芬太尼10mL，连接镇痛泵控制。镇痛泵配方：0.08%罗哌卡因+0.4μg/mL舒芬太尼，持续8mL/h，追加 6mL/次，锁定时间 15min。同时心电监测仪监测心率、血压、血氧饱和度、胎心及宫腔压力。

（3）第一产程管理

1）积极监测胎心和了解宫缩的变化情况，密切观察宫口扩张和先露下降情况，一般每 2h 检查 1 次，不能用简单的总产程时间对待。

2）密切观察产程进展、宫缩强度、体温、血压及胎心变化。

3）早期可行人工破膜，及时排尿，必要时行导尿，以防止尿潴留的膀胱影响胎头下降。

4）适时指导孕妇转换体位以调整胎位，保证产程顺利进行，如出现宫缩乏力，积极使用缩宫素，降低局麻药的浓度，积极进行产程管理。

（4）第二产程管理

1）助产士应正确指导产妇在宫缩时向下排便式屏气，宫缩间隙时学会全身肌肉放松，以利于体力恢复，并加速产程进展。

2）准备好接生用的产包、一次性敷料和接生衣，以及产妇的会阴消毒和体位等准备工作；检查新生儿急救与复苏的装置备用状态是否完好，及时、正确、有效地完成接生工作。

3）随时关心产妇，及时给予心理支持；正确进行新生儿 Apgar 评分和护理，以防新生儿发生意外。

4）被动期-延迟屏气：不应鼓励孕妇向下用力，尤其是初产妇。过早过多的训练和大声的鼓励，使其保持屏气会导致胸腔内压力增加，降低静脉回流和心脏输出量，可能会减少子宫胎盘循环血量；宫腔内压力增加，减少静脉血流，会导致胎儿心律异常。

5）主动期-屏气用力：镇痛药罗哌卡因浓度降至 0.075% 并不影响胎头下降引起的外阴鼓胀感及排便感。

6）及时导尿，以防止尿潴留的膀胱影响胎头下降；做好心理护理，消除产妇恐惧心理，使其始终保持清醒状态，能够积极地与医生配合，提高阴道分娩的成功率。

7）必要时可采取阴道助产的方式尽快结束分娩。

（5）第三产程管理

1）及时正确使用缩宫素，促进子宫收缩，以减少出血，积极有效按摩子宫，同时正确估计出血量。

2）按时完成早吸吮和早接触工作，以促进子宫收缩和母子感情的加深。

3）及时协助产妇排尿，做好卫生及母乳喂养知识宣教。

（三）新生儿管理

1.新生儿的身份识别

（1）新生儿出生前

1）认真阅读产妇病历和孕产妇保健册，填写婴儿病历、两条婴儿腕带、胸牌等身份标识牌。

2）标识牌上的内容包括产妇床号、姓名、住院号，多胎儿标识牌上的字母用大写，标识在产妇姓名后面，字迹清楚。

3）填写后与产妇认真核对，在出生婴儿记录单固定位置处印母亲右手拇指指印。

（2）新生儿出生时

1）自然分娩新生儿娩出处理好脐带后，助产士让产妇看清新生儿生殖器，让产妇说出新生儿性别，再与其确认性别。巡回护士将婴儿腕带与产妇腕带核对并确认后给婴儿系上，松紧适宜，并在出生婴儿记录单固定位置处印新生儿右脚印。完成各项治疗和护理工作，如接种乙肝疫苗、肌肤接触等，再逐项认真填写新生儿记录单并签名；在婴儿胸牌上补充填写出生时间、分娩方式、性别、体重等内容。接生者下台后再次核对各种标识和新生儿记录单并签名。

2）剖宫产产妇麻醉前由巡回护士核对各项标识内容；新生儿出生后助产士核对产妇腕带，各项标识内容再次与产妇核对；新生儿娩出处理好脐带后系腕带前第三次与产妇核对，反向式提问"请问你叫什么名字？"让产妇说出姓名，系上腕带、印好新生儿右脚印，让产妇查看新生儿外生殖器并确认性别。新生儿测体重，逐项填写各项内容（同自然分娩），由第二位助产士核对，双方共同在新生儿记录单上签名。

（3）新生儿出生后

1）新生儿交接：当新生儿随母亲回母婴同室病房时，需填写出生记录单院内母婴交接部分，交接双方护理人员、产妇、家属共同核对腕带和胸牌上的所有内容，交接双方护理人员、家属在出生记录单院内母婴交接部分签名。

2）新生儿护理：新生儿床旁沐浴、婴儿抚触、皮肤护理、预防接种等。严格执行新生儿身份的核对制度，新生儿洗澡脱衣前、洗澡时、穿衣时均要查对腕带、胸牌上的所有内容是否一致。进行任何治疗前，均与产妇核对标识上的所有内容，准确无误后方可执行。如发现标识不清或遗失，应及时双人核对更换或补写。

（4）新生儿出院时

新生儿出院更衣前核对产妇腕带，问清产妇新生儿性别，核对新生儿腕带和胸牌的所有内容是否一致，产妇确认无误后再摘下新生儿腕带和胸牌，更衣后再次核对并交代注意事项。

2.新生儿的交接制度

（1）新生儿出生后，当班护士应认真做好出生记录，并让产妇本人确认新生儿性别，同时建立新生儿身份识别记号。

（2）严格执行腕带识别制度，同时在使用腕带时，必须进行双核对。认真核对婴儿信息（包括产妇姓名，新生儿性别、出生日期、体重）与出生记录是否一致。

（3）新生儿注射、用药时，除严格执行三查八对制度外，还需查新生儿床头卡、手腕标识（母亲姓名、床号，新生儿出生时间、性别），核对无误后方可实施操作。

（4）新生儿沐浴回病房时，须核对母亲床头卡、床号、母亲姓名，母婴核对无误后再入母婴同室病房。

（5）在母婴同室病房内，新生儿更衣时或母婴出院更衣时，需核对新生儿床头卡、姓名、性别与手腕标识上的内容，母亲床号与姓名，核对无误。

（6）新生儿外出检查、治疗时，责任护士应明确新生儿检查的项目及时间，根据医嘱使用新生儿所需的药物。通知检查、治疗护送人员并与其核对，核对新生儿手腕标识和床头卡，核对新生儿检查的项目名称及检查所需携带的药物。新生儿检查、治疗离开病区时，必须有家属陪同。新生儿检查完毕后再次由护送人员和护士双人核对新生儿手腕标识和床头卡。

（7）新生儿出院时，责任护士与另一护士双人核对新生儿手腕标识和床头卡，内容包括：母亲姓名、年龄、诊断、住院号、床号及新生儿性别，核对无误后在护理记录单上签字，并剪下身份识别腕带放在新生儿胸前。抱给家长时做到开放式提问，让家长说出新生儿的性别、体重，与腕带核对准确无误后与家长检查新生儿的皮肤并做护理指导，必要时让家长出具身份证明并做好记录，然后将新生儿交与家长。

（8）新生儿佩戴的身份识别腕带如在沐浴、检查、治疗时损坏，应及时补戴，新的身份识别腕带要两人（不包括护工和清洁员）核对新生儿的信息正确无误后制作。

3.新生儿的观察

（1）母婴同室病房的室温必须相对恒定，夏季不高于26℃，冬季不低于24℃，相对湿度为55%～65%，并且光线充足，空气流通。

（2）新生儿在产房处理后送入母婴同室病房，值班护士应详细了解分娩情况及新生儿出生时评分情况。详细做护理记录及入室登记，并检查新生儿出生日期、时间，新生儿脚印、母亲手印是否清晰，同时核对新生儿手名条，母亲床号、姓名及新生儿性别，填写新生儿床头卡、新生儿身份牌。

（3）给予新生儿侧卧位，避免呕吐物吸入气管。应经常更换卧位，防止身体长时间受压，影响血液循环。

（4）新生儿入室24h内应每4h测体温1次，24h以后，每日测体温2次。体温37.5℃以上者每4h测体温1次，38.5℃以上者，应给予物理降温；体温不升者，给予保暖，必要时放入暖箱。

（5）每日测体重1次，如体重下降过多，应检查原因并及时通知医生。

（6）勤换尿布，并注意大小便次数、性质及颜色。大便后用温水洗净臀部并擦干，涂护臀霜，防止臀红。

（7）保持皮肤清洁，每日沐浴1次，并检查全身皮肤有无发绀、脓疱、黄疸等。淋浴水温40～45℃，使用无刺激性婴儿浴液，浴盆用消毒液擦拭，每人一条浴垫、浴巾。沐浴后用75%乙醇擦净脐带残端及脐轮周围，保持脐部清洁、干燥。

（8）正常新生儿，出生后24h内接种乙肝疫苗，24h后接种卡介苗，难产儿出生72h后接种卡介苗，早产儿、低体重儿暂缓接种。若产妇为HBsAg（+）和HBeAg（+），还须注射乙肝高效免疫球蛋白。

（9）新生儿出生后要与母亲早接触，30min内协助母亲喂哺婴儿。24h母婴同室，实行按需哺乳。每次喂奶前母亲应洗净双手和乳头。喂奶后将婴儿竖抱起，轻拍背部，驱出胃内空气，防止溢奶。

（10）1～2h巡视病房1次，密切观察新生儿变化，发现异常及时通知医生并协助处理。

（11）新生儿用物必须高压灭菌后方能使用。

（四）产后管理

1.产妇管理

（1）交接

1）严格实施腕带识别制度，对神志不清、危重和无自主能力的患者使用腕带识别。

2）急诊产妇由急诊医生和护士负责护送至产房并与产房护士进行交班。

3）产妇出现临产征象时，病房护士应详细记录宫缩和胎心情况，及时将患者和病历送入产房；接班人员应及时检查胎心、宫缩、胎方位和宫口开大情况。

4）入产房交接内容包括：产妇的生命体征、胎心、宫缩情况、胎膜是否已破、羊水量和阴道血量，产妇的治疗情况和卫生处置情况及其他特殊情况。

5）产妇产后在待产室观察2h后由产房护士护送回病房，和病房护士进行床旁交接。

6）出产房与病房护士交接内容包括：产妇的生命体征、子宫收缩情况、会阴伤口情况、母乳喂养（早吸吮、早接触、早开奶）情况、治疗情况、卫生处置、皮肤情况和产后宣教的情况。

7）入产房和出产房交接后，病房护士和产房护士在交接本上双签名。

（2）病情观察

1）分娩结束后在产房观察2h。产程结束后，给产妇擦净外阴，换衣服，垫好会阴垫，更换温床垫并保暖，使产妇安静休息。

2）产后测血压，观察子宫收缩、宫底高度、膀胱充盈及阴道出血情况。

3）分娩结束，将新生儿抱给产妇，做好"三早"（早接触、早吸吮、早开奶），增加母子感情，促进子宫收缩。

4）产妇、新生儿回到病房，值班护士要与助产士认真交接，了解分娩过程及新生儿评分，每30min巡视病房1次。注意产妇子宫收缩及阴道出血情况。如阴道出血多，应立即通知值班医生，并做好抢救准备。

5）给予高热量，高维生素，含丰富蛋白质、矿物质及纤维素的易消化流质或半流质饮食，促进泌乳。忌食辛辣刺激性食物，避免食物过量及油腻。

6）分娩后6～8h，嘱产妇排尿。不能自行排尿时，可进行诱导排尿或针灸，必要时导尿。分娩后3d无大便时，应给缓泻剂或肥皂水灌肠。

7）保持外阴清洁，每日用5%碘伏消毒液擦洗外阴。外阴水肿者，用50%硫酸镁溶液湿热敷，每日2次。会阴侧切产妇取健侧卧位。

8）嘱产妇用清水擦洗乳头，协助哺乳。对乳头凹陷者应给予纠正。使产妇树立母乳喂养的信心。

9）指导产妇及家属正确护理婴儿，包括观察婴儿的呼吸、肤色、呕吐羊水、吸吮乳汁、脐带等情况。

10）正常产产妇，产后6～12h可下床活动，剖宫产产妇可在术后24h下床活动，以利子宫收缩。

11）会阴Ⅲ度裂伤时，应卧床6～7d，给予无渣流质饮食。3d后每晚口服液状石蜡10～15mL至排出软便为止，禁服泻剂及灌肠。拆线后1周内避免下蹲姿势。每次大便后擦洗，以保持伤口清洁，避免伤口感染。

12）保证产妇睡眠充足，避免精神刺激，预防产后抑郁症发生。保持良好的泌乳功能，防止乳腺炎。

2.跌倒、坠床的管理

（1）评估患者跌倒、坠床的危险因素并记录，做好防范指导，提高患者的自我防范意识。

（2）及时告知患者及其家属预防跌倒、坠床的重要意义，使其积极配合。

（3）对存在跌倒、坠床危险因素的患者，及时制订防范计划与措施，做好交接班。

（4）保持病室环境、地面、通道、照明等设施的安全性及功能完好。

（5）加强巡视，孕产妇下床活动时应让家属陪伴。一旦发生跌倒或坠床，积极采取处理措施，将损失降至最低。

1）护士应及时赶到现场，本着患者安全第一的原则，与医生一起迅速采取救助措施。

2）记录病情及应急处理过程，认真做好交接班。

3）值班护士须立即向护士长报告，护士长定期组织科室人员认真讨论，分析原因，提出改进措施并落实。

4）及时填写"患者跌倒/坠床报告表"上报科护士长及护理部。

（6）护理风险与安全管理，定期进行分析及预警，制定防范措施，不断改进护理工作。

二、技术标准

（一）分娩室技术

1.四步触诊

（1）目的：四步触诊是孕中、晚期产科腹部检查方法，检查子宫大小、胎产式、胎先露、胎方位及胎先露是否衔接。

（2）评估与准备

1）物品准备：血压计、体重秤、皮尺、洗手液、胎心听筒或多普勒胎心仪。

2）检查者准备：清洁双手。

3）孕妇准备：孕妇排尿后仰卧位躺在检查床上，头部稍垫高，暴露腹部，双腿略屈曲稍分开，使腹部放松。

（3）操作步骤：检查者站在产妇的右侧，在做前三步手法时，检查者面向产妇，做第四步手法时，检查者面向产妇足端。注意产妇腹部形状和大小。测量宫高和腹围；塑料软尺测量子宫底到耻骨联合上缘中点的距离，此为宫高。用软尺经脐水平测量腹周径，此为腹围。并做记录。

（4）腹部四步触诊法

第一步：检查者双手置于产妇子宫底部，确定子宫底高度，估计胎儿大小与妊娠周数是否相符，再以双手指腹交替轻推，分辨宫底处是胎体的哪一部分，圆而硬有浮球感的为胎头，宽而软且形状不规则的为胎臀。

第二步：检查者双手置于产妇腹部左右两侧，一手固定，另一手轻轻深按检查，两手交替进行。分辨胎背及胎儿四肢各在母体腹壁的哪一侧，平坦饱满部分为胎背，并确定胎背向前、向侧方或向后。触到可变形的高低不平部分为胎儿肢体，有时可感到胎儿肢体在活动。

第三步：检查者右手拇指与其余四指分开，置于产妇耻骨联合上方，握住胎先露部，进一步查清先露是头还是臀，再左右推动先露部，以确定是否衔接。能被推动，表示尚未衔接入盆。若已衔接，则胎先露部不能被推动。

第四步：检查者左右手分别置于先露部两侧，沿骨盆入口向下深按，再一次核对先露部的诊断是否正确，并确定先露部入盆程度。先露为胎头时，一手能顺利进入骨盆入口，另一手则被胎头隆起部阻挡，该隆起部称胎头隆突。枕先露时，胎头隆突为额骨，与胎儿肢体同侧；面先露时，胎头隆突为枕骨，与胎背同侧。

（5）听诊：使用听诊器或多普勒在胎背一侧听取胎心，头先露时胎心于脐下右侧或左侧；臀先露时胎心于脐上右侧或左侧；肩先露时，胎心于脐周，正常胎心110～160次/min。

（6）注意事项：用皮尺测量腹围和宫高时，皮尺松紧要适宜，如腹围和宫高增长缓慢，不符合孕周，应注意胎儿生长受限。做腹部检查时，检查者手要温暖，力度适当，不宜过重或过轻。听胎心时，应注意胎心的频率、节律是否齐，注意与脐带杂音、产妇脉搏相鉴别。

2.骨盆外测量

（1）目的：骨盆外测量主要是用于了解女性骨盆的大小。骨盆外测量可以间接判断真骨盆大小及形状，当骨盆外测量有狭窄时可以经阴道测量骨盆内径，这能较准确地测知真骨盆的内径大小。

（2）评估与准备：骨盆外测量器、骨盆出口测量器；孕妇排尿后，仰卧于检查床上，双腿屈曲稍分开。

（3）操作步骤

1）髂棘间径（IS）：产妇取伸腿仰卧位，测量两髂前上棘外缘的距离，正常值为23～26cm，此径线可间接推测骨盆入口横径长度。

2）髂嵴间径（IC）：产妇取伸腿仰卧位，测量两髂嵴外缘最宽的距离，正常值为25～28cm。此径线可间接推测骨盆入口横径长度。

3）骶耻外径（EC）：产妇取左侧卧位，右腿伸直，左腿屈曲，测量第5腰椎棘突下至耻骨联合上缘中点的距离，正常值为18～20cm。第5腰椎棘突下相当于米氏菱形窝的上角，或相当于髂嵴后连线中点下1～1.5cm处。此径线可间接推断骨盆入口前后径长度，是骨盆外测量中最重要的径线。骶耻外径与骨质厚薄相关，骶耻外径值减去1/2尺桡周径（围绕右侧尺骨茎突及桡骨茎突测得的前臂下端周径）值，即相当于骨盆入口前后径值。

4）坐骨结节间径（IT）[或称出口横径（TO）]：产妇取仰卧位，两腿向腹部弯曲，双手抱双膝，测量两坐骨结节内缘间的距离，正常值为8.5～9.5cm。检查者也可用手拳概测，能容纳成人横置手拳则属正常。此径线可直接测量骨盆出口横径长度。若此长度小于8cm，应加测骨盆出口后矢状径。

5）耻骨弓角度：产妇取仰卧位，检查者用左右手拇指指尖斜着对拢，放置在耻骨联合下缘，左右两拇指平放在耻骨降支上，测量两拇指间的角度，为耻骨弓角度，正常值为90°，小于80°为异常。此角度反映骨盆出口横径的宽度。

（4）注意事项：检查时，检查者手要温暖，力度适当，不宜过重或过轻。

3.电子胎心监护

电子胎心监护（Electronic Fetal Monitoring，EFM）可从妊娠32周开始，但具体开始时间和频率应根据孕妇情况及病情进行个体化应用。如患者病情需要，EFM最早可从进入围产期（妊娠28周）开始；在妊娠28周前，开始EFM的时间应以新生儿可能存活且患者及其家属决定不放弃新生儿抢救为前提。该时期的胎儿由于神经系统发育尚不完善，故 EFM 的特点有别于足月儿。

（1）无应激试验（None-Strees Test，NST）

1）NST 的方法：孕妇取坐位或侧卧位，一般 20min 左右。由于胎儿存在睡眠周期，NST 可能需要监护 40min 或更长时间。

2）对 NST 无反应型图形的处理应该根据监护图形的基线、变异、有无减速、是否存在宫缩以及是否应用可能对监护图形产生影响的药物（如硫酸镁），并结合孕周、胎动及临床情况等决定复查监护，或者采用宫缩应激试验或超声等方法对胎儿宫内状态进行进一步评估。

3）NST 图形中减速的处理：在 50% 的 NST 图形中可能观察到变异减速。

①当变异减速类型为非反复性，且减速时间<30s 时，通常与胎儿并发症无关，不需产科干预。

②对于反复性变异减速（20min 内至少 3 次），即使减速时间<30s，也提示胎儿存在一定危险。

③如 NST 图形中减速持续 1min 以上，胎死宫内的风险将显著增加，是否终止妊娠，应取决于继续期待的利弊风险评估。

（2）宫缩应激试验（Oxytocin Challenge Test，OCT）

1）OCT 的适应证和禁忌证：当 EFM 反复出现 NST 无反应型，疑胎儿宫内缺氧状态时可行 OCT。OCT 的相对禁忌证即阴道分娩的禁忌证；对于妊娠<37 周的孕妇，EFM 出现 NST 无反应型，应用 OCT 对胎儿进行评估是安全、有效的，并且不会增加胎儿死亡和产科并发症的发生。当 NST 严重异常，如出现正弦波形时，胎儿宫内缺氧状态已非常明确，不需要进行 OCT，以免加重胎儿缺氧状态，并延误抢救胎儿的时机。

2）OCT 的方法：宫缩至少 3 次/10min，每次持续至少 40s。如果产妇自发的宫缩满足上述要求，无须诱导宫缩，否则可通过刺激乳头或静脉滴注缩宫素诱导宫缩。

3）OCT 图形结果判读：OCT 图形的判读主要基于是否出现晚期减速。

阴性：无晚期减速或明显的变异减速。

阳性：50% 以上的宫缩后出现晚期减速（即使宫缩频率<3 次/10min）。

可疑阳性：间断出现晚期减速或明显的变异减速。

可疑过度刺激：宫缩过频时（>5 次/10min）或每次宫缩时间>90s 时出现胎心减速。

不满意的 OCT：宫缩频率<3 次/10min 或出现无法解释的图形。

4.接产技术

（1）评估与准备

1）接产前评估：既往史、家族史、本次妊娠经过、一般情况评估、疼痛评估、心理社会评估、产科检查情况、胎心评估。

2）产程进展评估：观察宫缩、会阴情况，阴道检查，生命体征评估。

3）物品、人员及环境准备（同接产管理）。

（2）会阴清洁、消毒：先擦洗阴阜、左右腹股沟、左右大腿内侧上 1/3，再擦洗会阴体、两侧臀部，然后擦洗左右小阴唇、左右大阴唇、会阴体、肛门。

（3）铺产台：摆分娩体位，铺产台（顺序：铺产单，注意保护操作者手不被污染→铺治疗巾于臀部，反折后遮盖肛门→套腿套→铺治疗巾于产妇腹部→打开接产器械包）。

接产前，助产者与巡回者须双人核对纱布、器械。

（4）会阴麻醉：采用阴部神经阻滞和局部浸润麻醉。使会阴、阴道壁及盆底组织松弛，有利于产科操作快速有效地进行。（具体方法见会阴切开术）

（5）保护会阴：为避免发生产时严重会阴撕裂伤，根据产力、胎儿及会阴等情况选择保护会阴的时机及力度，在胎头及胎肩娩出过程中对会阴进行适度保护。当胎头达到阴道出口，产妇宫缩用力时见会阴部高度膨隆，胎头拨露5cm×4cm，开始控制胎头娩出速度并适度保护会阴。

（6）接产：接产时鼓励指导产妇根据自己意愿屏气用力，并给予心理支持。接产时不做常规会阴侧切。接产者在产妇分娩时协助胎头俯屈，控制胎头娩出速度，适度保护会阴，使胎头以最小径线缓慢通过阴道口，避免会阴严重撕裂。胎儿娩出后，将新生儿放置在母亲胸腹部进行皮肤接触，擦干保暖。

（7）记录胎儿娩出时间，接产者等待和协助胎盘娩出。

（8）娩出胎盘，检查胎盘、胎膜是否完整，检查软产道是否完整，必要时缝合。

（9）接产完成，清点物品，巡回助产士与接产者双人同时清点，即刻记录，确认签字。

（10）胎盘、脐带处置：按照《中华人民共和国传染病防治法》《医疗废物管理条例》有关规定进行处理，无传染病产妇的胎盘，一般由家属签字并带走，若家属放弃带走，由医院按医疗废物放入专用收集袋中进行处置。有传染病产妇的胎盘，向家属及产妇说明情况后家属签字，统一收集在专用医疗废物袋中，并标记传染病类型，由医院统一处理。

5.人工破膜术

（1）目的：旨在观察羊水颜色，加强宫缩。

（2）适应证

1）急性羊水过多，有严重压迫症状者。

2）过期妊娠宫颈已成熟，胎头已入盆。

3）头位分娩，宫口开4～5cm，宫缩乏力，产程停滞，但无明显头盆不称。

4）确诊胎死宫内或胎儿畸形，如脑积水、无脑儿等。

（3）禁忌证

1）有明显头盆不称，产道阻塞者。

2）胎位异常，如横位、臀位。

3）胎盘功能严重减退者。

（4）操作步骤

1）阴道检查：了解宫口情况，有无脐带前置，先露部位高低等。

2）先用手指扩张宫颈管、剥离胎膜，然后以右手持常有齿钳，钳端在左手中指指引下送入阴道，置于羊膜囊表面，在宫缩间歇期用齿钳刺破胎膜，以免宫缩时宫腔压力过大，羊水流出过速。

3）如羊水流出不多，可用手指扩大破口或将先露部位稍向上推，使羊水流出。

4）羊水过多者，应以羊膜穿刺针或者针头深入宫颈内刺破胎膜，穿刺点应略高于子宫口水平，使羊水沿针头流出。羊水大量涌出时，应用手堵住宫口，使羊水缓慢流出，防止羊水急骤流出而引起腹压骤降性休克、胎盘早期剥离、脐带脱垂或胎儿小部分娩出。

5）记录破膜时间及羊水的量、性状。

（5）注意事项

1）破膜前后应听取胎心音。

2）羊水过多者，穿刺孔宜小，使羊水缓慢流出。

3）破膜12h未分娩者，做外阴无菌护理。

4）破膜应在宫缩间歇期进行。

5）产程进展停滞需要人工破膜时，必须由医生操作。

6. 人工剥离胎盘术

（1）适应证：胎儿娩出后，胎盘部分剥离引起子宫大量出血，经按摩宫底或用宫缩剂等处理，胎盘不能完全排出者。

（2）手术步骤：产妇取膀胱截石位，术者更换手术衣及手套，外阴重新消毒，换消毒巾，导尿。一手放在腹部向下推压宫体，另一手手指并拢呈圆锥形，循脐带伸入宫腔，找到胎盘边缘，如胎盘已剥离但被宫颈嵌顿者，可将胎盘握住，顺一个方向，旋转取出。若胎盘尚未剥离，术者手背紧贴宫壁，掌面向胎盘的母体面，以手掌的尺侧缘慢慢将胎盘自宫壁分离，等全部胎盘剥离后方可握住全部胎盘，在宫缩时用手牵引脐带协助胎盘娩出。切忌抓住部分胎盘，人为造成胎盘破碎，引发出血多。术后肌注宫缩剂，立即检查胎盘、胎膜是否完整。如有缺损，应重新伸手入宫腔，取出残留物，如手取不净，可用大钝头刮匙刮宫。

（3）注意事项

1）注意产妇一般情况，术前备血，如失血多，应迅速输血。

2）子宫颈内口较紧时，可遵医嘱肌注哌替啶100mg及阿托品0.5mg，也可用乙醚麻醉。

3）操作要轻柔，切忌强行剥离或用手抓挖宫腔，以免损伤子宫；剥离时发现胎盘与子宫壁之间界线不清，找不到疏松的剥离面不能分离者，应疑为植入性胎盘，不可强行剥离。

4）应尽量减少宫腔内操作次数，术后用抗生素预防感染。

7. 胎头吸引术

（1）适应证

1）第二产程延长，初产妇宫口开全已达2h，经产妇宫口开全已达1h，无明显头盆不称，胎头已较低者。

2）胎头位置不正，只能用于枕先露，如持续性枕横位及枕后位时，手法回转有困难者。

3）产妇全身情况不宜在分娩时施用腹压者，如心脏病、妊娠高血压综合征（中、重度）等。

4）有剖宫产史或子宫有瘢痕者。

5）胎儿窘迫。

（2）评估与准备

1）物品准备：灭菌器械产包、无菌手套（三副）、可吸收缝合线两根（圆针、皮针）、镊子管、生理盐水、无齿卵圆钳、带尾大纱布、小纱布（数块）、碘伏棉球、胎头吸引器助产包。

2）麻醉物品准备：麻醉药物（利多卡因、丁哌卡因、普鲁卡因），麻醉用品。

3）检查者准备：外科手消毒，灭菌手术衣、手术帽、外科口罩。

（3）操作步骤

1）检查吸引器有无损坏、漏气，橡皮套是否松动，并将橡皮管接在吸头器的空心管柄上，连接负压装置。

2）产妇取膀胱截石位，常规冲洗消毒外阴，导尿排空膀胱。

3）行双侧阴部神经阻滞麻醉。

4）再次行阴道检查，排除头盆不称等禁忌证，胎膜未破者予以破膜。

5）会阴较紧者，应行较大的会阴侧切术。

6）放置吸引器：在吸引器胎头端涂消毒液状石蜡，左手分开两侧小阴唇，暴露阴道外口，以食、中指掌侧向下撑开阴道后壁，右手持吸头器将胎头端向下压入阴道后壁前方，然后食指、中指掌面转向上，挑开阴道右侧壁，使吸头器右侧缘滑入阴道内，继而左手指转向上，提拉阴道前壁，使吸头器上缘滑入阴道内，最后拉开左侧阴道壁，使吸头器胎头端完全滑入阴道内并与胎头顶端紧贴，再一手扶持吸头器并稍向内推顶，使吸头器始终与胎头紧贴，另一手食指伸入阴道内沿吸头器胎头端与胎头衔接处摸一周，检查二者是否紧密连接，有无软组织受压，若有将其推出，并将胎头吸引器牵引柄与胎头矢状缝方向一致，作为旋转标志。

7）抽吸空气形成负压。注射器抽吸法：术者左手扶持吸头器，使吸头器不可滑动，由助手用50mL或100mL空针逐渐缓慢抽气，使吸头在缓升的负压下，逐渐形成一产瘤，一般抽出空气150mL左右，如胎头位置较高，可酌情增加，负压形成后用血管钳夹紧橡皮接管，然后取下空针管。电动吸引器抽气法：将吸头器牵引柄气管上的橡皮管与电动吸引器的橡皮管相接，然后开动吸引器抽气，胎头位置低可用40kPa（300mmHg）负压，胎头位置较高或胎儿较大，估计分娩困难者，可用60kPa（450mmHg）负压，一般情况可选用50.7kPa（380mmHg）负压。

8）牵引先以轻轻握持吸头器的牵引柄，缓慢用力试牵引，另一手食指、中指指顶住胎头枕部。当吸引器向外牵拉时，如食、中指指尖随吸头器下降则表示吸头器与胎头衔接正确，不漏气。在宫缩时先向外后牵引，使胎头离开耻骨联合向后并沿产轴下降，继之向前，然后向上牵引。使胎头沿产轴方向娩出。宫缩间歇时停止牵引，保持吸头器不随头回缩，宫缩时再行牵引。注意保护会阴。枕后位或枕横位者在牵引的同时缓慢旋转胎头，使枕部转至前位娩出。

9）取下吸头器，胎头一经娩出，即拔开橡皮管或放开气管夹，消除吸头器内的负压，取下吸头器，按正常机转娩出胎头。

10）胎儿娩出后，常规由新生儿医生检查评估，预防颅内出血。

（4）胎头吸引的注意事项

1）应保证在牵拉用力时有利于胎头俯屈，吸引器中心应置于胎头后囟前方3cm的矢状缝上。

2）可用针筒抽气形成负压，一般抽120~150mL空气较适合（相当于39.23~49.03kPa负压）。抽气必须缓慢，约每分钟制成负压9.81kPa，使胎头在缓慢负压下形成产瘤再牵引，可减少吸引器滑脱失败，减少对胎头的损伤。

3）吸引器抽气的橡皮管，应选用壁厚耐负压者，以保证吸引器内与抽气筒内的负压强度一致。

4）放置后再做阴道检查，除外宫颈或阴道壁夹入。

5）牵引中如有漏气或脱落，表示吸引器与胎头未能紧密接合，应寻找原因。如无组织嵌入吸引器，需了解胎头方位是否矫正；如吸引器脱落是由于阻力过大，应改用产钳术；如系牵引方向有误，负压不够以及吸引器未与胎头紧密附着，可重新放置，一般不宜超过2次。

6）牵引时间不宜过长，整个牵引时间不宜超过10～20min，以免影响胎儿健康。

8.会阴切开及裂伤缝合技术

（1）目的：按照解剖结构对合会阴部组织，通过会阴缝合减少出血。

（2）评估与准备

1）物品准备：灭菌器械包、无菌手套（三副）、可吸收缝合线两根（圆针、皮针）、镊子罐、生理盐水、无齿卵圆钳、带尾大纱布、小纱布（数块）、碘伏棉球。

2）麻醉物品准备：麻醉药品（利多卡因、丁哌卡因、氯普鲁卡因）、麻醉用针。

3）操作者准备：外科手消毒，灭菌手术衣、手术帽、外科口罩。

（3）操作步骤

1）体位：孕妇膀胱截石位。

2）麻醉：阴部神经阻滞或局部浸润麻醉。0.5%普鲁卡因20mL，先在肛门与坐骨结节之间做一皮丘，然后沿坐骨棘方向注药10mL，再沿切开侧大小阴唇、会阴体皮下做扇形注射。对侧做同样麻醉。

3）检查软产道有无裂伤，阴道内先添置尾纱，以免宫腔血流出妨碍视野。

4）缝合阴道黏膜：以2-0可吸收线自切口顶端上方0.5cm处，间断或连续缝合阴道黏膜及黏膜下组织至处女膜环打结。

5）缝合肌层：以2-0可吸收线间断缝合，注意不留死腔，不宜过密，对称缝合，恢复解剖关系。

6）缝合皮下及皮肤：以3-0或4-0可吸收线皮内连续缝合皮肤及皮下组织。

7）缝合后取出阴道内尾纱，检查缝合处有无血肿或出血，常规肛诊，检查有无肠线穿透直肠黏膜。

8）术后准确书写手术记录。

（4）注意事项

1）各层组织缝合时不宜过紧过密，以防组织肿胀坏死。

2）缝合皮下组织时不应留下死腔，以免积血感染。

3）缝合完毕应仔细检查缝合区域，以确保止血。应进行阴道检查，以确保阴道入口没有狭窄。完成操作时还应检查直肠，确认缝合没有穿过直肠。如确有缝线穿过黏膜，应拆除重缝。

（5）术后护理

1）保持外阴清洁，以侧切口反向卧位，每次便后擦洗会阴，勤换护垫。

2）外阴伤口水肿疼痛严重者，以95%乙醇湿敷或50%硫酸镁热敷或局部理疗。

3）术后每日检查伤口，了解有无感染征象。

8.会阴撕裂伤缝合术

（1）目的：通过会阴缝合减少出血，对合会阴部组织。

（2）适用范围：第三产程后检查软产道出现会阴撕裂伤者。

（3）评估与准备：同会阴切开缝合术。

（4）操作步骤

1）体位：孕妇膀胱截石位，充分暴露、正确识别和评价会阴阴道裂伤程度。

2）麻醉：同会阴切开缝合术。

3）暴露撕裂的部位：用带尾纱布上推子宫，填塞阴道上部，达到暴露和止血的目的，探明裂伤的部位、深度并进行分度，弄清解剖关系。

4）缝合阴道黏膜：用2-0可吸收线间断缝合撕裂的阴道壁黏膜或酌情连续缝合，缝合部位应超过顶端1cm。

5）撕裂的肌层及皮肤黏膜下层：给予间断缝合，缝合时应注意创面底部，勿留死腔。

6）会阴皮肤：以3-0或4-0可吸收线间断皮内连续缝合。

7）缝合后处理：取出阴道内尾纱，检查缝合处有无血肿或出血，常规肛诊，检查有无肠线穿透直肠黏膜。

8）术后注意手术记录书写。

（5）注意事项

1）各层组织缝合时不宜过紧过密，以防组织肿胀坏死。

2）缝合皮下组织时不应留下死腔，以免积血感染。

3）缝合完毕应仔细检查缝合区域，以确保止血。应进行阴道检查，以确保阴道入口没有狭窄。完成操作时还应检查直肠，确认缝合没有穿过直肠。如有缝线穿过黏膜，应拆除重缝。

4）止血是修复的第一要务，组织结构对合是修复的重点，修复时以处女膜缘作为恢复原来解剖关系的标志。

5）撕裂修复失败或超过12h未修复，有组织水肿或明显感染征象，3个月后再行修补术，也可在水肿消退后（72h），以促进功能康复为目的地恢复解剖结构。

9.子宫颈裂伤缝合术

（1）目的：减少出血，促进子宫颈恢复。

（2）评估与准备

1）评估：一旦怀疑宫颈裂伤，应用阴道拉钩暴露宫颈，用两把无齿卵圆钳夹持宫颈，按顺时针方向交替移行，检查宫颈一周有无裂伤。确定裂伤并有活动性出血时，应立即缝合。

2）物品准备：灭菌产包一个，无菌手套一双，灭菌宫检包一个（卵圆钳、宫颈钳、阴道拉钩一对）

3）麻醉物品准备：麻醉药物（利多卡因、丁哌卡因、普鲁卡因）、麻醉用品；检查者准备：外科手消毒，灭菌手术衣、手术帽、外科口罩。

（3）操作步骤

1）外阴必须重新消毒，术者亦应更换手术衣及手套。

2）在良好照明下，以两个单叶阴道拉钩暴露宫颈。用两把卵圆钳分别钳夹在裂口两边止血，并行外牵拉宫颈，以便于缝合。

3）用可吸收线从裂口的顶端上0.5cm处开始间断或连续缝合子宫颈全层至距外口0.5cm。如裂口顶端部位过高，缝合达不到顶点，可先间断缝扎一针，牵引后再补缝上面的裂口。

（4）注意事项

1）宫颈裂伤小于1cm且无活动性出血者，不需缝合。

2）缝合时避免损伤膀胱、输尿管及直肠。

3）当宫颈裂伤上延至子宫下段时，应按子宫破裂处理。

10.会阴神经阻滞麻醉

（1）目的：采用阴部神经阻滞和局部浸润麻醉，使会阴、阴道壁及盆底组织松弛，有利于产科操作快速有效地进行。

（2）麻醉前评估：接生者在麻醉前再次核查并全面评估产妇情况，评估内容包括产妇的生命体征和神志状况、麻醉方式及部位、胎儿状况等。

（3）操作步骤

1）常规消毒后，术者将一手食指及中指深入阴道，触及切开侧坐骨棘，另一手持套有7号细长穿刺针头的20mL注射器，宫缩间歇期在该侧坐骨结节与肛门连线中点处，先注射一个皮丘，然后在阴道内手指的指引下向坐骨棘尖端内侧约1cm处刺入。当针穿过骶棘韧带时有一突破感，是穿刺成功的标志。

2）回抽无血，即可注射局部麻醉药，如利多卡因等。穿刺过程中左手须一直放于阴道中，内置于胎头与阴道壁中间，防止针头穿过阴道壁刺伤胎儿头皮。

3）在针头退出的同时回抽无血，向外退针，边退针边注射，直至全部退出，在同侧侧切方向的大小阴唇会阴体皮下做扇形注射，用纱布轻轻揉搓伞形部位，使麻醉药液充分吸收，弃去纱布。

4）注意事项：药液不可注入血管及直肠内。

（二）新生儿相关技术

1.新生儿早期基本保健技术

（1）新生儿出生至生后90min的保健措施

1）生后1min内的保健措施：新生儿娩出后，助产人员报告新生儿出生时间（时、分、秒）和性别。立即将新生儿置于母亲腹部已经铺好的干毛巾上，在5s内开始彻底擦干新生儿，在20～30s内完成擦干动作。擦干顺序为眼睛、面部、头、躯干、四肢及背部。擦干的过程中快速评估新生儿的呼吸状况。彻底擦干、刺激后，若新生儿有呼吸或哭声，撤除湿毛巾，将新生儿置于俯卧位（腹部向下，头偏向一侧）与母亲开始皮肤接触。取另一清洁已预热的干毛巾遮盖新生儿身体，给新生儿戴上小帽子。彻底擦干、刺激后，若新生儿出现喘息或不能呼吸，应立即寻求其他人员帮助。脱掉第一副手套，用无菌止血钳夹住并剪断脐带，迅速移至预热的复苏区开始复苏，务必在1min内建立有效通气。生后1min内不建议常规进行口鼻吸引，除非有胎粪污染且新生儿无活力时才进行气管内插管吸引胎粪。助产人员检查母亲腹部排除多胎妊娠后，由助手在1min内给母亲注射缩宫素，预防产后出血。首选肌内注射，因为肌内注射能更迅速达到药效峰值。

2）生后1～3min的保健措施

①皮肤接触：若新生儿状况良好，不要将新生儿与母亲分开，保持新生儿与母亲皮肤接触，除非新生儿出现以下情况：严重胸廓凹陷、喘息或呼吸暂停、严重畸形、母亲出现医疗状况需紧急处理。建议多胎及剖宫产手术时也进行生后立即母婴皮肤接触，但这时需要手术医生、麻醉师与助产人员更多的配合及手术设施的调整，并在确保母婴安全的前提下进行。

②脐带处理：可在母婴皮肤接触的同时处理脐带。助产人员在接触或处理脐带之前脱掉被污染的第一副手套，务必确保接触或处理脐带的手套和器械是无菌的。如果有其他助手在场，助手需洗手后戴无菌手套处理脐带。等待脐带搏动停止后（生后1～3min），用2把无菌止血钳分别在距脐带根部2cm和5cm处夹住脐带，并用无菌剪刀在距脐带根部2cm处一次断脐。WHO的指南建议，在医院内分娩严格执行无菌操作的条件下，不必在脐带断端及周围使用任何消毒剂（除非有感染迹象）。不包扎脐带，保持脐带断端暴露、清洁和干燥，这样更有利于脐带脱落。

3）生后90min内的保健措施：让新生儿与母亲保持不间断的持续皮肤接触至少90min。在此期间严密观察新生儿的生命体征及觅乳征象，当出现张大嘴、舔舌/嘴唇、寻找动作时，指导母亲开始母乳喂养，促进早吸吮和早开奶。任何常规保健操作，如测量体重和身长、常规查体、注射疫苗等，应推迟到生后90min进行，避免干扰母婴皮肤接触和第一次母乳喂养。母亲和新生儿身边要有医务人员或家属照顾，每隔15min监测1次新生儿的呼吸和体温。若新生儿出现疾病症状，则应对新生儿进行检查并及时处理。

（2）新生儿生后90min至24h的保健措施

在新生儿完成第一次母乳喂养之后进行以下保健内容。可在母亲旁边完成，不考虑先后顺序。操作者应洗手，并向母亲解释准备操作的内容和结果。

1）新生儿体检：确定新生儿健康状况是否良好或者存在什么问题。检查内容包括呼吸情况（包括有无呻吟、胸廓凹陷、呼吸急促或缓慢等呼吸困难）、活动和肌张力、皮肤颜色、脐带外观、有无产伤和畸形等。检查结束后，给新生儿手腕或脚踝带上有身份标识的腕带。此时应鼓励母亲与新生儿持续进行皮肤接触。如果母亲由于并发症等不能和新生儿进行皮肤接触，应教会另外一名家庭成员（如父亲）正确的操作方法。

2）测量体重和身长：与母亲核实新生儿性别后，测量新生儿身长、体重。称重结束后清洁体重秤，告知母亲和家属体重结果。

3）测量体温：低体温可以导致死亡，在早产儿和低出生体重儿中较常见，出生体重<2500g的新生儿需要加强保暖或袋鼠式护理等特殊护理，预防低体温的发生；出生体重≤1500g的新生儿应尽可能转诊至儿科接受进一步救护。EENC指南指出，新生儿的正常腋下体温是36.5～37.5℃。体温35.5～36.4℃则低于正常体温，需要改善保暖（如袋鼠式护理）。体温低于35.5℃是危险体征（低体温）。体温超过37.5℃也是危险体征，除非由于过度保暖所致（例如置于直接光照下）。通过触摸面部、腹部或足部皮肤可以估计体温，但测量体温更为准确。测量腋温比肛温更安全。应每隔6h给新生儿测量1次体温。使用水银体温计，应将体温计的尖端夹在新生儿的腋窝下，握紧新生儿的上臂以夹紧体温计，

持续5min后查看结果。测量新生儿体温时，体温计必须能够测量35.5℃以下的体温。每次测量完毕后用酒精消毒体温计。

4）眼部护理：常规进行新生儿眼部护理可以预防严重的眼部感染。EENC指南建议应用预防眼部感染的药物，推荐使用红霉素眼膏，也可使用各地医疗卫生机构批准和推荐的药物。使用红霉素眼膏时，将长约0.5cm眼膏从下眼睑鼻侧一端开始涂抹，扩展至眼睑的另一端。另一只眼睛同样用药。眼部护理一次用药即可。如果眼睑发红、肿胀或分泌物过多，须专科诊疗。

5）脐部护理：若脐带断端无感染迹象，无须给脐带断端外敷任何药物，包括草药或其他消毒剂。不要在脐带断端上缠绷带、盖纸尿裤或包裹其他东西。脐带断端应暴露在空气中并保持清洁和干燥，以促进脐带残端脱落。如果脐带断端被粪便或尿液污染，可用清洁的水清洗后擦干，保持干燥。如果脐带断端出血，需重新结扎脐带。如果脐带断端红肿或流脓，每日用75%乙醇护理感染部位3次，用干净的棉签擦干。如果流脓和红肿2d内无好转，应转诊治疗。

6）给予维生素K_1：建议遵医嘱给予维生素K_1预防出血，使用剂量是1mg（<1500g的早产儿用0.5mg）。给药方式为肌内注射，注射部位为新生儿大腿中部正面靠外侧。有产伤、早产、宫内感染时须用维生素K治疗，需要外科手术的新生儿有出血危险，必须肌内注射维生素K_1。

2.新生儿抚触

（1）评估与准备

1）护士：着装整洁，洗手。

2）新生儿准备：抚触前1h禁止喂奶，防止呕吐或溢奶造成窒息。

3）用物：包单、婴儿润肤油、尿布、替换衣服。

4）环境：调节室温至26～28℃。

（2）实施

1）护士为婴儿脱去衣裤，动作轻柔；护士将少许婴儿润肤油倒于掌心，润滑温暖双手。

2）头面部：前额中央→外侧推；下颌部中央→两侧滑动至耳根；前额发际→脑后→耳后乳突处按压。

3）胸腹部：从两侧肋缘向上至对侧的肩部推进，左右重复交替；避开双乳头；腹部的右下腹→中上腹→左上腹；右下腹→右上腹，"I"动作（顺时针方向）；右上腹→左下腹，倒"L"动作（顺时针方向）；右下腹→右上腹→左上腹→左下腹，倒"U"动作（顺时针方向）。

4）四肢：上肢近端→远端，从上到下搓揉大肌群及关节；手足：从手掌腕侧（跟侧）依次推向指（趾）侧提捏各手指（脚趾）关节。

5）背部：从脊柱两侧由中央向两侧滑动；从脊柱的中分线往相反的方向重复移动双手。从背部上端滑向臀部，再滑回肩膀。

（3）注意事项

1）动作轻柔到位，力度适宜。

2）抚触时密切观察婴儿的反应，注意保暖。

3.新生儿沐浴

（1）评估与准备

1）护士：着装整洁，修剪指甲，洗手。

2）新生儿准备：沐浴前1h禁止喂奶，防止呕吐或溢奶造成窒息，新生儿处于清醒状态。

3）用物：沐浴液、浴巾、体重秤、75%乙醇、一次性棉签、婴儿润肤油、护臀霜、尿布、包单、替换衣服等。

4）环境：清洁，安静，室温26～28℃，水温38～40℃。

（2）实施

1）将新生儿抱入沐浴室，脱去婴儿衣裤及尿布。

2）核对腕带，称体重并记录。用手腕内侧或肘部测试水温，水温38～40℃。

3）护士以左前臂托住新生儿背部，左手手掌托住其头颈部，将其下肢夹在左腋下移至沐浴池，用小毛巾为新生儿擦洗双眼（由内眦洗向外眦），洗净脸部。洗头时用左手拇指和中指将新生儿双耳郭向内盖住耳孔（防止水流入而造成内耳感染）。

4）将新生儿置于操作台上，脱去衣物及尿裤后将新生儿头部枕在护士左肘部，入沐浴池清洗躯干及四肢，可先为俯卧位，以减轻患儿不适感，清洗顺序为颈→腋下→上肢→手→背部→臀部→腿，然后掉转新生儿，清洗颈→胸→腹部→腹股沟→会阴部→下肢，注意清洗皮肤皱褶处。

5）将新生儿抱至操作台，用浴巾轻轻擦干其全身，脐部用75%乙醇消毒，臀部涂护臀霜，穿上纸尿裤及衣服。

（3）注意事项

1）注意避免在喂奶前后1h内沐浴。

2）动作轻快，减少暴露时间，注意保暖，防止着凉。

3）保持室温和水温的恒定。

4）沐浴时应注意观察患儿情况。

5）沐浴时勿使水进入耳、鼻、口、眼内。

6）若为皮肤脓疮或毒性红斑等，可采用1∶20的碘伏进行沐浴。

4.新生儿脐部护理

（1）目的：保持脐部清洁干燥，防止感染。

（2）评估与准备

1）护士：着装整洁，修剪指甲，洗手。

2）用物准备：治疗盘、棉签、酒精、弯盘。

3）评估患儿脐部情况，有无红肿及分泌物。

（3）实施

1）洗净双手，携用物至床旁。

2）沐浴后或换尿裤后，用酒精环形消毒脐带根部。

3）一般情况不宜包裹，保持干燥易于脱落。

4）脐带脱落后继续消毒至脐轮干燥无分泌物。

5）整理用物，洗手。

（4）注意事项

1）脐带未脱落前，勿强行剥落。

2）结扎线如有松动应重新结扎。

3）保持脐部清洁、干燥，每日彻底清洁消毒脐部1～2次，直至脱落。

4）沐浴时注意保护脐部，沐浴后及时擦干脐部。

5）注意观察脐部及周围皮肤状况，若有异常，及时通知医生处理。

5.新生儿预防接种

（1）乙肝疫苗接种

1）接种对象：新生儿。

2）免疫程序：接种3剂，分别于0、1、6个月时接种。

3）接种剂量：每剂0.5mL。

4）贮藏：2～8℃保存运输。

5）接种部位：上臂三角肌（右）。

6）注射方法：肌肉注射。

7）评估：新生儿意识状态、肢体活动能力，注射部位的皮肤及肌肉组织状况，向家属解释注意事项及配合要点、不良反应。

8）评估与准备

①接种者准备：取舒适体位，暴露注射部位。

②护士准备：衣帽整洁，洗手，戴口罩。

③用物准备：注射卡、注射盘、注射器、疫苗。

④环境准备：清洁，安静，光线充足。

9）实施

①按医嘱抽取疫苗。

②核对：床号、姓名、疫苗名称。

③协助患者取舒适体位，选择注射部位；常规消毒。

④二次核对，排尽空气。

⑤穿刺，推药，拔针按压。

⑥再次核对。

⑦操作后处理，用物分类处理。

10）要点：严格执行查对制度和无菌操作原则，确认对象，按注射原则选择注射部位，切勿将针头全部刺入，消瘦者进针深度酌减，严格按消毒隔离原则处理用物，做好相应记录。

（2）卡介苗接种

1）接种对象：出生3个月以内的婴儿。

2）免疫程序：接种1剂，出生24h内接种。

3）接种剂量：每剂0.1mL，含0.25mg。

4）贮藏：2～8℃避光保存及运输。

5）接种部位：上臂（左）外侧三角肌中部略下处。

6）接种方法：皮内注射。

7）评估：新生儿意识状态、肢体活动能力；注射部位的皮肤及肌肉组织状况；向家属解释注意事项及配合要点、不良反应。

8）准备：详见乙肝疫苗接种。

9）实施：详见乙肝疫苗接种。

10）要点：严格执行查对制度和无菌操作原则，确认对象，按注射原则选择注射部位，切勿将针头刺入皮下，严格按消毒隔离原则处理用物，做好相应记录。

6.新生儿疾病筛查

（1）采血时间：新生儿出生72h后，7d之内，并给予宝宝充分哺乳后。

（2）采血部位：在宝宝足跟两侧。

（3）采血量：采3滴血，滴于特殊的滤纸上制成干血片。

（4）筛查病种：根据甘肃省实际情况筛查。目前甘肃省新生儿疾病筛查的病种为：

1）先天性甲状腺功能减退症。

2）苯丙酮尿症。

3）多种遗传病筛查。

（5）注意事项

1）采血时间不能提前。

2）新生儿在出生后48h前后，因受出生应激因素影响，有一个促甲状腺素高峰，此时采血，会出现血促甲状腺素值增高，即假阳性结果。

3）出生后72h之前，因其吃奶量有限，体内未达到一定的苯丙氨酸负荷量，此时采血，会出现血苯丙氨酸值正常，即假阴性结果；因此，采血时间必须在新生儿出生满72h后进行。

第三节　结局质量标准

一、敏感指标

（一）新生儿窒息率

1.指标定义

（1）新生儿窒息（asphyxia）是指由于分娩过程中的各种原因使新生儿出生后不能建立正常呼吸，引起缺氧、酸中毒，严重时可导致全身多脏器损害的一种病理生理状况，是围产期新生儿死亡和致残的主要原因之一。

（2）新生儿窒息率是指统计周期内分娩的窒息新生儿例数与统计周期内分娩的所有新生儿总数的比例。

2.指标意义

新生儿窒息率是产科护理质量管理的核心指标之一，新生儿窒息是导致全世界新生儿死亡、脑瘫的主要原因，新生儿窒息率与助产技术密切相关。提高助产技术可降低新生儿窒息的发生。根据窒息的程度分为轻度窒息和重度窒息。轻度窒息：Apgar评分1min≤7分，或5min≤7分，伴脐动脉血pH<7.2；重度窒息：Apgar评分1min≤3分或5min≤

5分，伴脐动脉血 pH<7.0。

3.计算公式

（1）分子：统计周期内发生新生儿窒息的例数。

（2）分母：同期所有分娩出院患者（包括阴道分娩和剖宫产分娩）。

$$新生儿窒息发生率 = \frac{期内新生儿窒息例数}{统计周期内所有分娩出院患者} \times 100\%$$

（3）说明："统计周期"为每月、每季度和每年。

4.数据采集

根据质量控制管理原则，需要对每月、每季度和每年新生儿窒息率进行统计并记录。对每一例新生儿窒息病例都要进行原因分析、讨论并进行持续质量改进。

5.案例应用

（1）案例：某院产科在月质控分析时，发现某月新生儿窒息率为2.2%，较上月升高0.8%，对窒息病例分析发现当月有1例产妇产时胎监有晚期减速，当班助产士、医生没有识别出该图形，导致新生儿娩出后发生窒息。

（2）解析：因没有正确识别出异常胎监图形，导致新生儿出生时发生窒息。

（二）自然分娩新生儿产伤发生率

1.指标定义

（1）新生儿产伤是指在分娩过程中的机械因素对胎儿造成的损伤，新生儿产伤可发生于身体的任何部位，种类也多，与胎儿的大小、胎位、骨盆的形态及接产方式有关，如产程延长、胎位不正、急产、巨大儿等。

（2）自然分娩新生儿产伤发生率是指统计周期内阴道分娩发生新生儿产伤的例数与同期所有经阴道自然分娩（除外使用器械辅助分娩）的新生儿的比例。

2.指标意义

自然分娩新生儿产伤发生率反映助产士接产水平及接产质量，是考核助产质量的重要指标之一。新生儿产伤会影响新生儿的生长发育，有些产伤对新生儿的影响是终身的。

3.计算公式

（1）分子说明：统计周期内阴道分娩发生新生儿产伤的例数。

（2）分母说明：同期所有经阴道分娩（除外使用器械辅助分娩）的新生儿总数。

（3）排除病例：器械辅助分娩患者。

$$自然分娩新生儿产伤发生率 = \frac{期内自然分娩新生儿产伤例数}{统计周期内自然分娩新生儿数} \times 100\%$$

（4）说明："统计周期"为每月、每季度和每年。

4.数据采集

每发生1例新生儿产伤，均要组织全科进行讨论分析，以不断积累新生儿产伤预防、及时妥善处理新生儿产伤的经验。

5.案例应用

（1）案例：某医院产科发生1例自然分娩所致的新生儿肱骨骨折。

（2）解析：接产助产士汇报分娩经过，综合产妇的情况，新生儿的体重，娩出的胎方位，得出该新生儿出生体重偏大，助产士在娩肩时过于着急，没有按照胎方位顺势娩出前肩，导致新生儿骨折的发生。科室积极做好新生儿的治疗工作及家属的沟通工作，将损失降至最小。

（三）24h内新生儿低血糖发生率

1.指标定义

（1）新生儿低血糖的标准为出生24h内血糖<2.2mmol/L（40mg/dL），24h后血糖为2.2～2.8mmol/L（40～50mg/dL），不需考虑出生体重和胎龄。

（2）新生儿低血糖发生率是指统计周期内新生儿发生低血糖的例数与同期出生的新生儿总数的比例。

2.指标意义

24h内新生儿低血糖发生率是反映产科护理质量的重要指标之一，新生儿低血糖是新生儿期较为常见的代谢改变，严重且持续的低血糖状态可引起中枢神经系统功能紊乱及损伤。应加强喂养指导，降低新生儿低血糖发生率，保证新生儿安全。

3.计算公式

$$新生儿低血糖发生率 = \frac{期内新生儿发生低血糖的例数}{统计周期内新生儿总数} \times 100\%$$

（1）分子说明：期内新生儿发生低血糖的例数。

（2）分母说明：统计周期内出生的新生儿总数。

（3）说明："统计周期"为每月、每季度和每年。

4.数据采集

根据质量控制管理原则，需要对每月、每季度和每年新生儿低血糖发生率进行统计并记录。对每一例病例都要进行原因分析、讨论并进行持续质量改进。

5.案例解析

（1）案例：某医院某月发生2例新生儿低血糖。

（2）解析：其中一例为巨大儿，巨大儿较正常体重新生儿更易发生低血糖，新生儿产后应尽早开始母乳喂养，以预防新生儿低血糖的发生。另一例为正常新生儿，产妇产后乳汁分泌不足，责任护士指导不到位，喂养不及时，造成新生儿低血糖发生。

（四）母婴早期皮肤接触/早吸吮率

1.指标定义

（1）母婴早期皮肤接触是指出生后立即将新生儿放在母亲腹部，擦干，保暖（覆盖毛巾和戴帽子），保持与母亲皮肤接触至少90min。

（2）母婴早期皮肤接触/早吸吮率是指期内母婴早期皮肤接触/早吸吮例数与统计周期分娩的活产新生儿总例数的比例。

2.指标意义

母婴早期皮肤接触、早吸吮可提高首次尝试母乳喂养的成功概率，提高出院前母乳喂养率，从而促进婴儿前6个月纯母乳喂养。

3.计算公式

$$母婴早期皮肤接触/早吸吮率 = \frac{期内母婴早期皮肤接触/早吸吮例数}{统计周期内新生儿总数} \times 100\%$$

（1）分子说明：期内母婴早期皮肤接触/早吸吮例数。

不宜早接触、早吸吮的指征：新生儿重度窒息、产伤或其他合并症，经新生儿复苏抢救后需送高危新生儿室继续抢救或观察者；高危母亲抢救者；剖宫产母亲，麻醉未清醒者；有母乳喂养禁忌证者；小于34周及以下的早产儿，吸吮、吞咽反射不协调者，可视情况酌情部分皮肤接触。

（2）分母说明：统计周期内分娩的活产新生儿总例数。

（3）说明："统计周期"为每月、每季度和每年。

4.数据采集

根据质量控制管理原则，需要每月、每季度和每年进行母婴早期皮肤接触/早吸吮率统计并记录。

5.案例解析

（1）案例：某医院在月质量考核中发现某月的母婴早期皮肤接触/早吸吮率较上月下降1%。

（2）解析：本月分娩量增加，助产士工作量增加，母婴早期皮肤接触/早吸吮工作落实不到位。

（五）自然分娩会阴切开率

1.指标定义

（1）会阴切开缝合术为产科最常用的手术。阴道分娩时，切开会阴，目的在于避免严重会阴裂伤，减少会阴阻力以利于胎儿娩出，缩短第二产程。

（2）自然分娩会阴切开率是指期内自然分娩会阴切开例数与统计周期内自然分娩例数的比例。

2.指标意义

自然分娩会阴切开率是衡量助产质量的重要指标之一，实施自由体位分娩，减少产程中的各种干预，降低会阴切开率可促进自然分娩，保障母婴安全。

3.计算公式

$$自然分娩会阴切开率 = \frac{期内自然分娩会阴切开例数}{统计周期内自然分娩例数} \times 100\%$$

（1）分子说明：期内自然分娩会阴切开例数。

（2）分母说明：统计周期内自然分娩的总数。

（3）说明："统计周期"为每月、每季度和每年。

4.数据采集

根据质量控制管理原则，需要对每月、每季度和每年自然分娩会阴切开率进行统计、分析。

5.案例解析

（1）案例：某医院在月质量考核中发现某月的自然分娩会阴切开率较上月上升4%。

（2）解析：本月分娩的巨大儿的例数较上月增加，是导致会阴切开率增加的原因之一。

（六）阴道分娩产后出血发生率

1.指标定义

（1）产后出血是指胎儿娩出后24h内，阴道分娩者出血量≥500mL，剖宫产者≥1000mL。

（2）严重产后出血是指胎儿娩出后24h内出血量≥1000mL。

（3）难治性产后出血是指经过宫缩剂、持续性子宫按摩或按压等保守措施无法止血，需要外科手术、介入治疗甚至切除子宫的严重产后出血。

（4）产后出血发生率是指统计周期内发生产后出血的例数与同期内分娩总数的比例。

（5）阴道分娩产后出血发生率是指统计周期内阴道分娩发生产后出血的例数与同期内阴道分娩总数的比例。

2.指标意义

产后出血是反映产科医疗、助产质量的重要指标，产后出血是分娩期的严重并发症，是我国孕产妇死亡的首要原因。不明原因的迟发性出血多于已知风险引起的出血，临床上有时用主观估计代替客观测量，产后出血>500mL的发生比例往往是低于实际发生比例，正确测量出血量，早期识别是预防产后出血的重要手段。

3.计算公式

$$阴道分娩产后出血发生率 = \frac{期内阴道分娩产后出血例数}{统计周期内阴道分娩总数} \times 100\%$$

（1）分子说明：期内阴道分娩产后出血例数。

（2）分母说明：统计周期内阴道分娩总数。

（3）说明："统计周期"为每月、每季度和每年。

4.数据采集

根据质量控制管理原则，需要对每月、每季度和每年产后出血率进行统计并记录。对每一例产后出血进行回顾分析、整改，不断提高助产质量。

5.案例解析

（1）案例：某医院在月质量考核中发现某月的产后出血率较上月增加0.4%。对每一例产后出血病例进行回顾分析。2例因子宫收缩乏力引起的产后出血。

（2）解析：子宫收缩乏力是引起产后出血的常见原因，助产士在产程中加强观察，早发现、早预防可减少其发生。

（七）自然分娩Ⅲ/Ⅳ度会阴撕裂伤发生率

1.指标定义

（1）Ⅰ度裂伤：是指会阴部皮肤与黏膜、阴唇系带、前庭黏膜等处有裂伤，但不涉及肌肉及筋膜，伤口较浅，除阴部有静脉曲张者外一般出血不多。

（2）Ⅱ度裂伤：是指裂伤已累及骨盆底的肌肉与筋膜，如球海绵体，会阴浅横肌以及肛提肌等肌肉与筋膜，而肛门括约肌则仍保持完整。

（3）Ⅲ度裂伤：除盆底肌肉外，凡同时累及部分或全部肛门括约肌，为Ⅲ度裂伤。

（4）Ⅳ度裂伤：撕裂累及直肠阴道隔、直肠壁及黏膜，直肠肠腔暴露，为最严重的会阴阴道裂伤，但出血量可不多。

（5）自然分娩Ⅲ/Ⅳ度会阴撕裂伤率是指期内自然分娩Ⅲ/Ⅳ度会阴撕裂伤例数与统计周期内自然分娩例数的比例。

2.指标意义

自然分娩Ⅲ/Ⅳ度会阴撕裂伤是分娩期严重的并发症，会给产妇的身心造成巨大的伤害，是产科质量的重要考核指标之一；提高助产技术，降低自然分娩会阴Ⅲ/Ⅳ度裂伤是为了减少产后失禁的发生，从而保障母婴安全。

3.计算公式

$$自然分娩Ⅲ/Ⅳ度会阴撕裂伤率 = \frac{期内自然分娩Ⅲ/Ⅳ度会阴撕裂伤例数}{统计周期内自然分娩总数} \times 100\%$$

（1）分子说明：期内自然分娩Ⅲ/Ⅳ度会阴撕裂伤例数。

（2）分母说明：统计周期内自然分娩的总数。

（3）说明："统计周期"为每月、每季度和每年。

4.数据采集

根据质量控制管理原则，需要每月、每季度和每年进行自然分娩Ⅲ/Ⅳ度会阴撕裂伤率的统计、分析。

5.案例解析

（1）案例：某医院在月质量考核中发现某月发生1例自然分娩Ⅲ度会阴撕裂伤。

（2）解析：回顾病历，发现该产妇第二产程2h28min，新生儿体重3700g，体重较大，助产士没有全面评估产妇的情况，应该行会阴切开，可避免Ⅲ度会阴撕裂伤的发生，减轻患者痛苦。

（八）阴道试产中转剖宫产率

1.指标定义

阴道试产中转剖宫产是指在试产过程中因各种因素转为剖宫产。

2.指标意义

试产中转剖宫产容易引起产妇出血、感染、脏器粘连及新生儿并发症等近远期不良影响。因此，助产士正确判断，综合分析产力、产道、胎儿及产妇精神心理因素，熟悉产程进展的各种变化，提高助产质量，积极处理相关因素，可降低阴道试产中转剖宫产的发生率，保障产妇和新生儿的安全。

3.计算公式

$$阴道试产中转剖宫产率 = \frac{期内中转剖宫产例数}{统计周期内剖宫产例数} \times 100\%$$

（1）分子说明：期内阴道试产中转剖宫产例数。

（2）分母说明：统计周期内剖宫产例数。

（3）说明："统计周期"为每月、每季度和每年。

4.数据采集

根据质量控制管理原则，需要每月、每季度和每年进行阴道试产中转剖宫产率统计并记录。对每一例中转剖宫产进行回顾分析、整改，不断提高助产质量。

5.案例解析

（1）案例：某医院在月质量考核中发现某月的中转剖宫产率较上月增加3%。

（2）解析：其中有2例是因产程中胎头下降停滞所致，助产士及值班医生产前评估不全面，超声提示胎儿双顶径104mm，早期没有正确识别产程进展中的异常表现。

（九）意外分娩发生率

1.指标定义

意外分娩是指住院产妇在产床外分娩者。

2.指标意义

意外分娩是衡量助产士对产妇及产程的全面评估能力及对异常产程的正确识别处理能力。意外分娩易造成产妇会阴损伤、产后出血、感染、新生儿窒息等并发症。

3.计算公式

$$意外分娩发生率 = \frac{期内意外分娩的例数}{统计周期内阴道分娩的总数} \times 100\%$$

（1）分子说明：期内意外分娩的例数。

（2）分母说明：统计周期内阴道分娩的总数。

（3）说明："统计周期"为每月、每季度和每年。

4.数据采集

根据质量控制管理原则，需要对每月、每季度和每年发生的意外分娩进行统计、分析。对每一例意外分娩病例进行分析、讨论，找出不足，分析原因，提出整改措施。

5.案例解析

（1）案例：某医院某季度发生1例意外分娩。

（2）解析：该患者为经产妇，但产妇隐瞒病情，未告知助产士，当班助产士缺乏临床经验，未充分评估该孕妇的全身状况及会阴的局部情况，按照初产妇进行观察、管理产程，导致意外分娩发生。

第四节　抢救预案及流程

一、常见急危重症抢救预案

1.产后出血抢救流程详见图3-3。

2.羊水栓塞抢救流程详见图3-4。

3.子痫抢救流程详见图3-5。

4.心、肺复苏抢救流程详见第五章急诊护理质量标准。

5.新生儿复苏抢救流程详见第四章新生儿护理质量标准。

二、特殊事件处置流程

1.脐带脱垂处置流程详见图3-6。

2.子宫破裂处置流程详见图3-7。

3.胎儿宫内窘迫处置流程详见图3-8。

4.院外分娩处理流程详见图3-9。

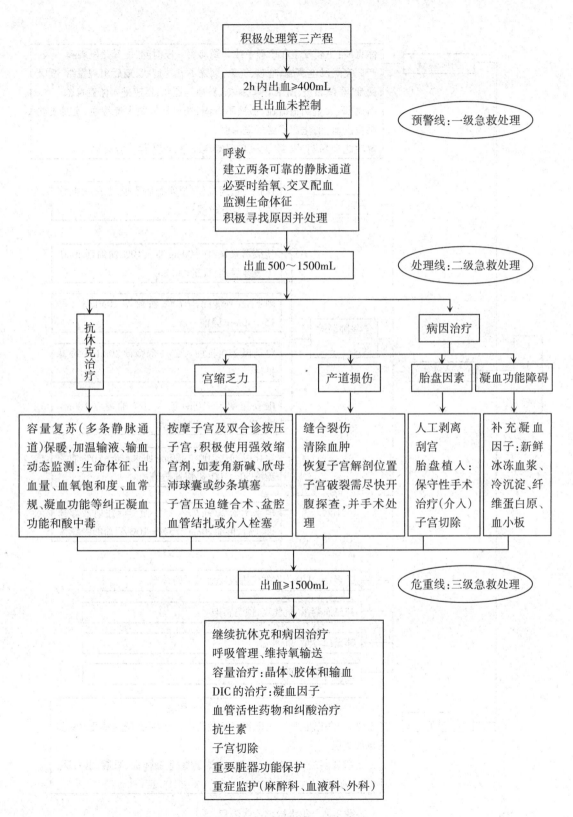

图3-3 产后出血抢救流程

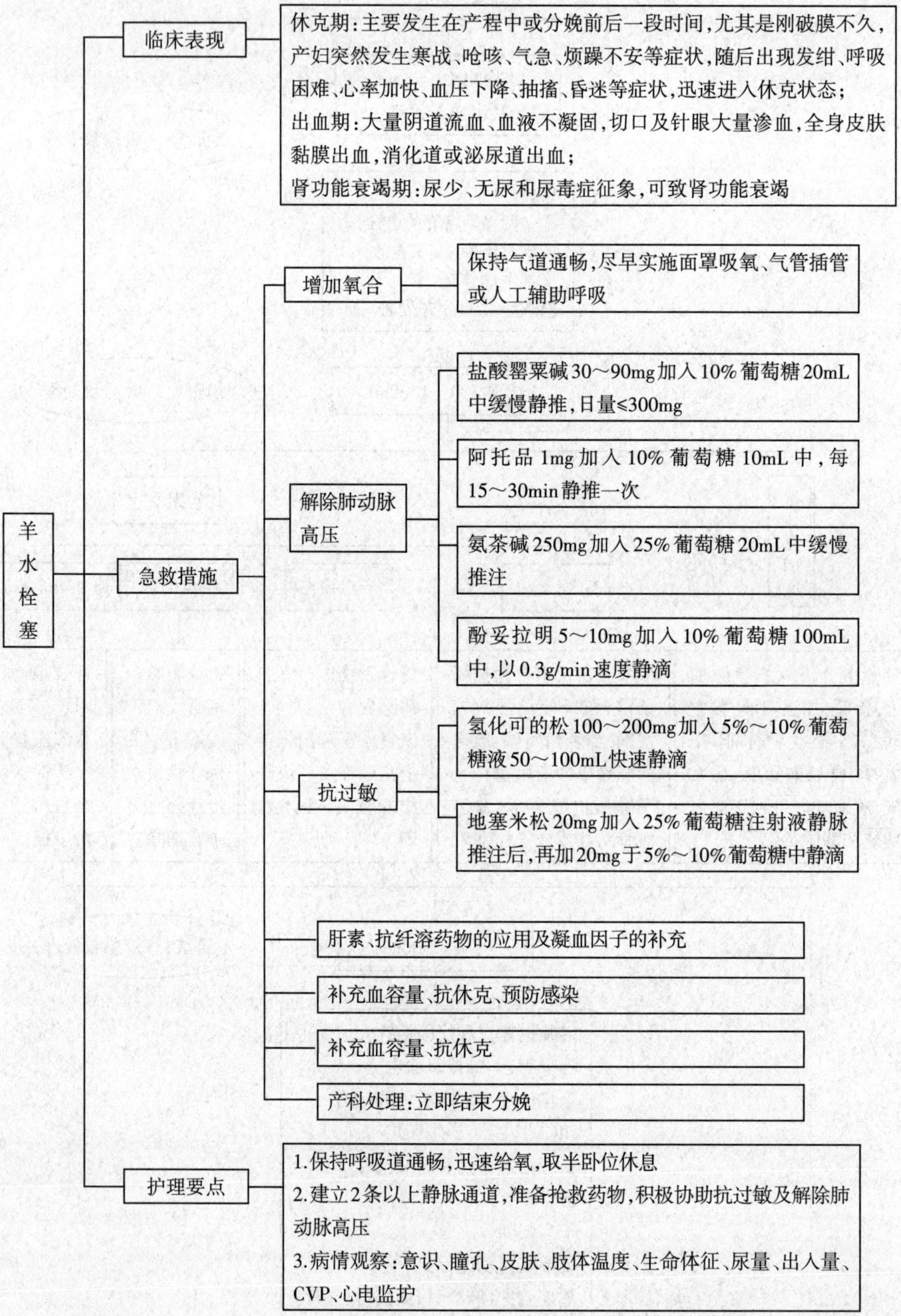

临床表现 —— 休克期:主要发生在产程中或分娩前后一段时间,尤其是刚破膜不久,产妇突然发生寒战、呛咳、气急、烦躁不安等症状,随后出现发绀、呼吸困难、心率加快、血压下降、抽搐、昏迷等症状,迅速进入休克状态;
出血期:大量阴道流血、血液不凝固,切口及针眼大量渗血,全身皮肤黏膜出血,消化道或泌尿道出血;
肾功能衰竭期:尿少、无尿和尿毒症征象,可致肾功能衰竭

增加氧合 —— 保持气道通畅,尽早实施面罩吸氧、气管插管或人工辅助呼吸

解除肺动脉高压 —— 盐酸罂粟碱30～90mg加入10%葡萄糖20mL中缓慢静推,日量≤300mg

阿托品1mg加入10%葡萄糖10mL中,每15～30min静推一次

氨茶碱250mg加入25%葡萄糖20mL中缓慢推注

酚妥拉明5～10mg加入10%葡萄糖100mL中,以0.3g/min速度静滴

抗过敏 —— 氢化可的松100～200mg加入5%～10%葡萄糖液50～100mL快速静滴

地塞米松20mg加入25%葡萄糖注射液静脉推注后,再加20mg于5%～10%葡萄糖中静滴

羊水栓塞 —— 急救措施

肝素、抗纤溶药物的应用及凝血因子的补充

补充血容量、抗休克、预防感染

补充血容量、抗休克

产科处理:立即结束分娩

护理要点 —— 1.保持呼吸道通畅,迅速给氧,取半卧位休息
2.建立2条以上静脉通道,准备抢救药物,积极协助抗过敏及解除肺动脉高压
3.病情观察:意识、瞳孔、皮肤、肢体温度、生命体征、尿量、出入量、CVP、心电监护

图3-4　羊水栓塞抢救流程

临床表现

妊娠期高血压：妊娠20周后，收缩压≥140mmHg和（或）舒张压≥90mmHg，于产后12周内恢复正常；尿蛋白（-）

子痫前期：妊娠20周后收缩压≥140mmHg和（或）舒张压≥90mmHg，伴有尿蛋白≥0.3g/24h/随机尿蛋白（+）/虽无蛋白尿，但合并下列任何一项者：血小板减少（血小板<100×10⁹/L）/肝功能损害（血清转氨酶水平为正常值2倍以上）/肾功能损害（血肌酐水平大于1.1mg/dL或为正常值2倍以上）/肺水肿/所发生的中枢神经系统异常或视觉障碍。

子痫：子痫前期基础上发生不能用其他原因解释的抽搐。

高血压并发子痫前期：妊娠前无蛋白尿，20周后出现/妊娠前有蛋白尿，妊娠后期明显增加/血压进一步升高/血小板<100×10⁹/L/出现其他肝肾功能损害、肺水肿、神经系统异常或视觉障碍等严重表现。

妊娠合并高血压：妊娠20周前收缩压≥140mmHg和（或）舒张压≥90mmHg（除外滋养细胞疾病），妊娠期无明显加重；或妊娠20周后首次诊断高血压并持续到产后12周以后

子痫

急救措施

评估检测

症状：血压、有无头痛、胸闷、眼花、腹部疼痛、胎动、阴道流血、尿量等

辅助检查：血常规、尿常规、尿蛋白、肝肾功能、凝血、胎心监护、B超等

控制血压

收缩压持续≥160mmHg或舒张压≥100mmHg时，应静脉给予降压药，如拉贝洛尔、硝苯地平、酚妥拉明、硝酸甘油等

解痉

硫酸镁100mL快速静滴（15～20min）；硫酸镁500mL，以1.0～2g/h静滴，24h用药不超过25g，时限不超过5d

镇静

地西泮10mg肌注或缓慢静推（>2min）、冬眠合剂（杜冷丁100mg+异丙嗪50mg+氯丙嗪50mg共5mL）加入5% CS 500mL中静滴或1/2量肌注、苯巴比妥0.1g肌注

产科处理

未临产：抽搐控制2h、短期内不能分娩、血压控制不理想者实施剖宫产结束分娩

临产：应行阴道助产，缩短第二产程

其他

利尿、促胎肺成熟、预防感染、处理并发症

护理要点

1.保持呼吸道通畅，迅速给氧

2.建立2条以上静脉通道，准备抢救药物

3.病情观察：意识、瞳孔、生命体征、尿量、出入量、心电监护

4.胎儿未娩出前持续胎心监护或10min听胎心率一次，各种操作均应轻柔，以减少刺激

5.注意并发症：肺水肿、出血、心衰、酸中毒、电解质紊乱、DIC

图3-5　子痫抢救流程

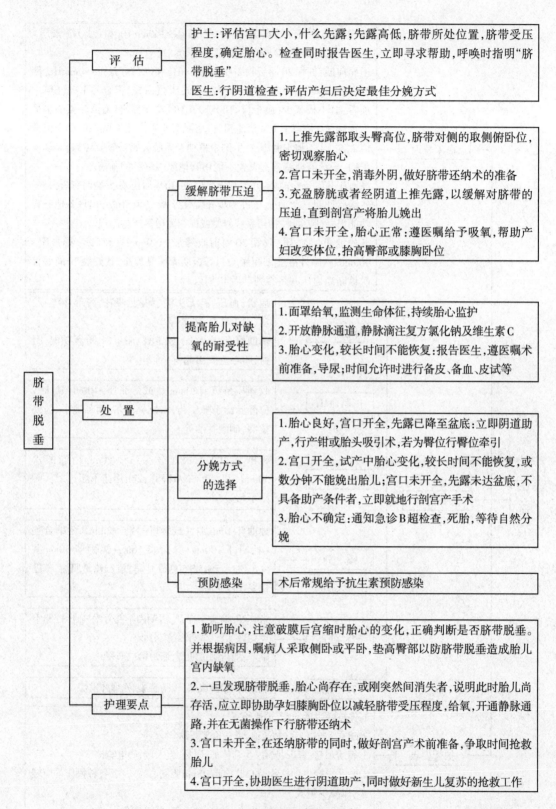

评估
护士：评估宫口大小，什么先露；先露高低，脐带所处位置，脐带受压程度，确定胎心。检查同时报告医生，立即寻求帮助，呼唤时指明"脐带脱垂"
医生：行阴道检查，评估产妇后决定最佳分娩方式

缓解脐带压迫
1.上推先露部取头臀高位，脐带对侧的取侧俯卧位，密切观察胎心
2.宫口未开全，消毒外阴，做好脐带还纳术的准备
3.充盈膀胱或者经阴道上推先露，以缓解对脐带的压迫，直到剖宫产将胎儿娩出
4.宫口未开全，胎心正常：遵医嘱给予吸氧，帮助产妇改变体位，抬高臀部或膝胸卧位

提高胎儿对缺氧的耐受性
1.面罩给氧，监测生命体征，持续胎心监护
2.开放静脉通道，静脉滴注复方氯化钠及维生素C
3.胎心变化，较长时间不能恢复：报告医生，遵医嘱术前准备，导尿；时间允许时进行备皮、备血、皮试等

处置

分娩方式的选择
1.胎心良好，宫口开全，先露已降至盆底：立即阴道助产，行产钳或胎头吸引术，若为臀位行臀位牵引
2.宫口开全，试产中胎心变化，较长时间不能恢复，或数分钟不能娩出胎儿；宫口未开全，先露未达盆底，不具备助产条件者，立即就地行剖宫产手术
3.胎心不确定：通知急诊B超检查，死胎，等待自然分娩

预防感染   术后常规给予抗生素预防感染

脐带脱垂

护理要点
1.勤听胎心，注意破膜后宫缩时胎心的变化，正确判断是否脐带脱垂。并根据病因，嘱病人采取侧卧或平卧，垫高臀部以防脐带脱垂造成胎儿宫内缺氧
2.一旦发现脐带脱垂，胎心尚存在，或刚突然间消失者，说明此时胎儿尚存活，应立即协助孕妇膝胸卧位以减轻脐带受压程度，给氧，开通静脉通路，并在无菌操作下行脐带还纳术
3.宫口未开全，在还纳脐带的同时，做好剖宫产术前准备，争取时间抢救胎儿
4.宫口开全，协助医生进行阴道助产，同时做好新生儿复苏的抢救工作

图3-6   脐带脱垂处置流程

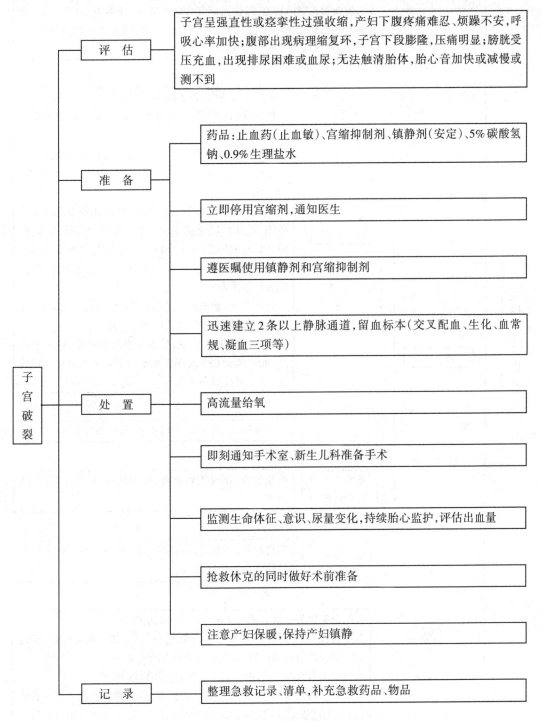

图3-7　子宫破裂处置流程

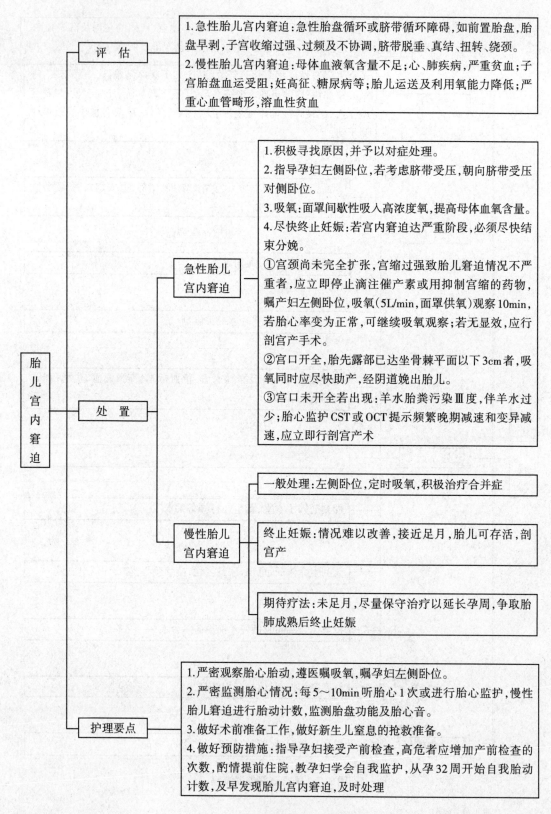

评估
1.急性胎儿宫内窘迫:急性胎盘循环或脐带循环障碍,如前置胎盘,胎盘早剥,子宫收缩过强、过频及不协调,脐带脱垂、真结、扭转、绕颈。
2.慢性胎儿宫内窘迫:母体血液氧含量不足;心、肺疾病,严重贫血;子宫胎盘血运受阻;妊高征、糖尿病等;胎儿运送及利用氧能力降低;严重心血管畸形,溶血性贫血

胎儿宫内窘迫

处置

急性胎儿宫内窘迫
1.积极寻找原因,并予以对症处理。
2.指导孕妇左侧卧位,若考虑脐带受压,朝向脐带受压对侧卧位。
3.吸氧:面罩间歇性吸入高浓度氧,提高母体血氧含量。
4.尽快终止妊娠:若宫内窘迫达严重阶段,必须尽快结束分娩。
①宫颈尚未完全扩张,宫缩过强致胎儿窘迫情况不严重者,应立即停止滴注催产素或用抑制宫缩的药物,嘱产妇左侧卧位,吸氧(5L/min,面罩供氧)观察10min,若胎心率变为正常,可继续吸氧观察;若无显效,应行剖宫产手术。
②宫口开全,胎先露部已达坐骨棘平面以下3cm者,吸氧同时应尽快助产,经阴道娩出胎儿。
③宫口未开全若出现:羊水胎粪污染Ⅲ度,伴羊水过少;胎心监护CST或OCT提示频繁晚期减速和变异减速,应立即行剖宫产术

慢性胎儿宫内窘迫
一般处理:左侧卧位,定时吸氧,积极治疗合并症

终止妊娠:情况难以改善,接近足月,胎儿可存活,剖宫产

期待疗法:未足月,尽量保守治疗以延长孕周,争取胎肺成熟后终止妊娠

护理要点
1.严密观察胎心胎动,遵医嘱吸氧,嘱孕妇左侧卧位。
2.严密监测胎心情况:每5~10min听胎心1次或进行胎心监护,慢性胎儿窘迫进行胎动计数,监测胎盘功能及胎心音。
3.做好术前准备工作,做好新生儿窒息的抢救准备。
4.做好预防措施:指导孕妇接受产前检查,高危者应增加产前检查的次数,酌情提前住院,教孕妇学会自我监护,从孕32周开始自我胎动计数,及早发现胎儿宫内窘迫,及时处理

图3-8　胎儿宫内窘迫处置流程

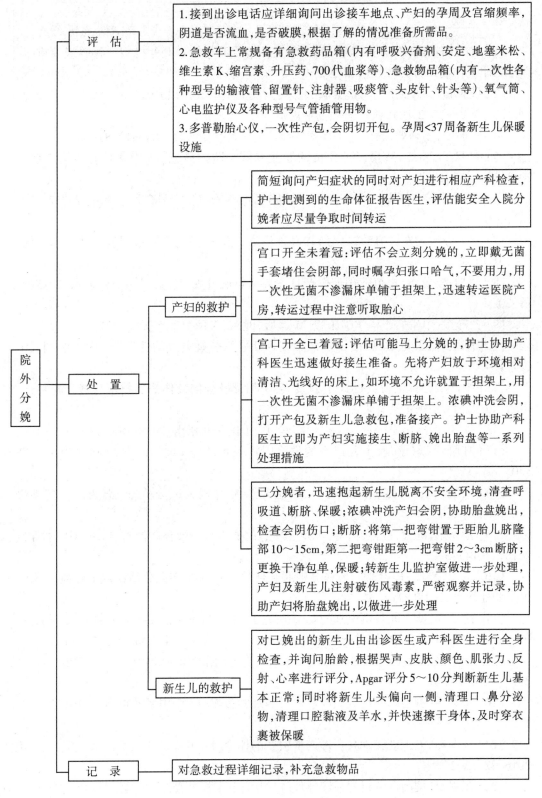

图3-9 院外分娩处置流程

参考文献

［1］甘卫妇幼函〔2017〕177号,关于印发甘肃省助产技术服务机构产科等级评审工作方案和质量控制评价标准的通知［Z］.

［2］魏碧蓉.高级助产学［M］.2版.北京:人民卫生出版社,2019.

［3］WS/T-2012,医疗机构消毒技术规范［S］.

［4］张建中,杨菊菁.新生儿室环境监测［J］.中国消毒学杂,2010(1):87-88.

［5］曹佩玉,郭红.产房医护人员的职业暴露与防护措施［J］.中华预防感染学杂志,2011(12):45-45.

［6］李征,李芳.妊娠合并人类免疫缺陷病毒感染［J］.中华产科急救电子杂志,2017(3):6-6.

［7］甘卫办妇幼发〔2015〕241号,甘肃省预防艾滋病、梅毒和乙肝母婴传播工作实施方案(2015年版)［Z］.

［8］刘喆,杨慧霞.规范使用催引产技术促进自然分娩［J］.实用妇产科杂志,2015(4):18-20.

［9］曹泽毅.中华妇产科学临床版［M］.4版.北京:人民卫生出版社,2012:52.

［10］陈金珠,罗艳敏.瘢痕子宫妊娠或延期妊娠分娩方式的选择［J］.中国医刊,2018(2):4-4.

［11］中国妇幼保健协会助产士分会.会阴切开及会阴裂伤修复技术与缝合材料选择指南(2019)［J］.中国护理管理,2019,19(3):453-457.

［12］陈佳.产后出血的观察及护理措施［J］.中国医药指南,2018(14):2-2.

［13］甘晓玲,刘建.新生儿产伤的危险因素及预防［J］.重庆医学,2008,37(5):538-540.

［14］周晓飞,王叶红,林晓华,等,新生儿产伤94例临床分析［J］.温州医学院学报,2009(4):93-95.

［15］徐易弟,陈莹,范艳卿,等.新生儿窒息的原因分析及预防措施［J］.中国妇幼保健,2018,33(14):3-3.

［16］王玲,樊薇,杨琳,等.无痛分娩联合体位管理对初产妇分娩结局的影响对比［J］.卫生职业教育,2018(2):2-2.

［17］傅爱萍.新生儿身份识别的安全护理［J］.护士进修杂志,2011(7):91-92.

［18］谢幸,孔北华,段涛.妇产科学［M］.9版.北京:人民卫生出版社,2018:50-51.

［19］中华医学会围产医学分会.电子胎心监护应用专家共识［J］.中华围产医学杂志,2015(7):486-490.

［20］张宏.双侧会阴神经组织麻醉术对分娩的影响［J］.中国医药指南,2010(22):129-130.

［21］宋春玲.人工破膜术联合催产素引产的体会［J］.世界最新医学信息文摘:电子版,2016(22):2-2.

［22］张锦.23例胎盘滞留的临床处理［J］.中国卫生标准管理,2014(22):49-50.

［23］杨永华,高珊,毕琳,等.胎头吸引阴道助产分娩512例临床分析［J］.中国当代医

药,2010(2):170-171.

[24] 李晓燕.胎头吸引阴道助产分娩的临床观察[J].中国实用医药,2011(10):93-93.

[25] 中华医学会围产医学分会,中华护理学会妇产科专业委员会,中国疾病预防控制中心妇幼保健中心.新生儿早期基本保健技术的临床实施建议(2017年,北京)[J].中国综合临床,2018(1):4-4.

[26] 郭晶.新生儿游泳的护理方法及体会[J].中国实用医药,2014(35):204-205.

[27] 李丽君,李芳花.新生儿脐部护理[J].当代医学:学术版,2008(19):125-125.

[28] 佚名.新生儿听力筛查技术规范[卫妇社发(2010)96号][J].中国儿童保健杂志,2011,19(6):574-575.

[29] 邵肖梅,叶鸿瑁,丘小汕.实用新生儿学[M].4版.北京:人民卫生出版社,2011:222.

[30] 虞人杰,叶鸿瑁,朱建幸,等.新生儿窒息诊断的专家共识[J].中华围产医学杂志,2016,19(1):3-6.

[31] 祝志梅,黄丽华,冯志仙,等.产科护理质量敏感性指标的构建[J].中华护理杂志,2016,51(5):573-577.

[32] 李剑.不同分娩方式对新生儿低血糖发生的影响[J].长治医学院学报,2011(3):52-53.

[33] 袁昌玉.母乳喂养宣教实施方法探讨[J].中国误诊学杂志,2011(33):178-178.

[34] 柯淑兰.阴道试产中转剖宫产113例临床分析[J].临床护理杂志,2013(1):26-27.

[35] WS/T 02823-23,产房医院感染预防与控制标准[S].

[36] 田燕萍,熊永芳,徐鑫芬,等.会阴切开及会阴裂伤修复技术与缝合材料选择指南(2019)[J].中国护理管理,2019,19(3):453-457.

[37] 周玮.产后出血预防与处理指南(2023年)解读[J].实用妇产科杂志,2024,40(3):195-198.

[38] 中华医学会妇产科分会产科学组,中华医学会围产医学分会.乙型肝炎病毒母婴传播预防临床指南(2020)[J].中华妇产科杂志,2020,55(5):291-299.

第四章　新生儿护理质量标准

第一节　结构质量标准

一、制度与规范

（一）组织管理

1.新生儿病房分级管理

按照中国医师学会新生儿专业委员会颁布的《新生儿病房分级建设与管理指南（建议案）》，新生儿病房依据新生儿病情复杂程度、危险程度，对诊疗护理水平的需求，以及与之相适应的资源配置、组织管理、诊疗技术等方面的条件和能力水平，可以分为Ⅰ级、Ⅱ级和Ⅲ级。Ⅰ级为新生儿观察病房；Ⅱ级为新生儿普通病房，根据其是否具有短时间辅助通气的技术条件和能力分为Ⅱ级a等（简称Ⅱa）和Ⅱ级b等（简称Ⅱb）；Ⅲ级为新生儿重症监护病房（Neonatal Intensive Care Unit，NICU），根据其是否具有常规儿童外科等专业支撑，以及高级体外生命支持的技术条件和能力分为Ⅲ级a等（简称Ⅲa）、Ⅲ级b等（简称Ⅲb）和Ⅲ级c等（简称Ⅲc）。具体分级标准详见表4-1。

表4-1　新生儿病房分级

级别		技术要求
Ⅰ级新生儿病房		（1）新生儿复苏。 （2）健康新生儿评估及出生后护理。 （3）生命体征平稳的轻度外观畸形或有高危因素的足月新生儿的护理和医学观察。 （4）需要转运的病理新生儿离院前稳定病情。
Ⅱ级新生儿病房	Ⅱa	具备Ⅰ级授权外还应具备下列能力和条件： （1）生命体征稳定的出生体重≥2000g的新生儿或胎龄≥35周的早产儿的医疗护理。 （2）生命体征稳定的病理新生儿的内科常规医疗护理。 （3）上级新生儿病房治疗后恢复期婴儿的医疗护理。 （4）头颅B超床边检测。 （5）不超过72h的连续呼吸道正压通气（CPAP）或不超过24h的机械通气。

续表4-1

级别		技术要求
Ⅲ级新生儿重症监护病房	Ⅱb	具备Ⅱa授权外还应具备下列能力和条件： (1)生命体征稳定的出生体重≥1500g的低出生体重儿或胎龄≥32周的早产儿的医疗护理。 (2)生命体征异常但预计不会发展到脏器功能衰竭的病理新生儿的医疗护理。 (3)不超过72h的连续呼吸道正压通气(CPAP)或不超过24h的机械通气。 (4)头颅B超床边检测。 (5)实施脐动、静脉置管和血液置换术等特殊诊疗护理技术。
	Ⅲa	具备Ⅰ、Ⅱ级授权外还应具备下列能力和条件： (1)出生体重＞1000g的低出生体重新生儿或胎龄≥28周的早产儿的医疗护理。 (2)严重脓毒症和各种脏器功能衰竭内科医疗护理。 (3)持久提供常规机械通气。 (4)计算机X线断层扫描术(CT)。 (5)实施脐动、静脉置管和血液置换术等特殊诊疗护理技术。
	Ⅲb	具备Ⅲa授权外还应具备下列能力和条件： (1)出生体重＜1000g的低出生体重新生儿或胎龄＜28周的早产儿的全面医疗护理。 (2)磁共振成像(MRI)检查。 (3)高频通气和NO吸入治疗。 (4)儿科各亚专业的诊断治疗，包括脑功能监护、支气管镜、胃镜、连续性血液净化、早产儿视网膜病治疗、亚低温治疗等。 (5)实施中、大型外科手术。
	Ⅲc	具备Ⅲa、Ⅲb授权外还应具备下列能力和条件： (1)实施有创循环监护。 (2)实施体外循环支持的严重先天性心脏病修补术。 (3)实施体外膜氧合(ECMO)治疗。

　　原则上，设产科的医疗机构均应设有新生儿病房，县（市、旗）区域内至少应有一家医疗机构设有不低于Ⅱb的新生儿病房；市（地、州、盟）区域内至少应有一家医疗机构设有不低于Ⅲa的新生儿病房；省（自治区、直辖市）区域内至少应有一家医疗机构设有不低于Ⅲb的新生儿病房；国家级各区域中心城市至少应有一家医疗机构设有Ⅲc的新生儿病房。

　　各级新生儿病房应当严格按照其相应功能任务，提供医疗护理服务，并开展规范的新生儿转运工作，以保证每个新生儿能够获得适宜的医疗服务。

　　2.新生儿病房收治指征

　　新生儿病房收治指征详见表4-2。

表4-2　新生儿病房收治指征

级别		收治指征
Ⅰ级新生儿病房		(1)生命体征平稳的轻度外观畸形或有高危因素的足月新生儿,如G-6-PD缺乏症患儿、乙型肝炎患儿或病毒携带者母亲所生新生儿、糖尿病母亲所生新生儿、发热母亲所生新生儿、胎膜早破新生儿、轻度胎粪污染新生儿等。 (2)生命体征平稳的轻度外观畸形的足月新生儿,如多指、耳前赘、睾丸鞘膜积液或疝气等;生命体征平稳的有高危因素的足月新生儿。
Ⅱ级新生儿病房	Ⅱa	(1)生命体征稳定的出生体重≥2000g的新生儿或胎龄≥35周的早产儿。 (2)生命体征稳定的病理新生儿:如生后5min Apgar评分4～6分和(或)需要任何形式复苏的新生儿;需要静脉滴注给予葡萄糖电解质溶液以及抗生素的新生儿;需要鼻饲喂养的新生儿;需要隔离护理的新生儿;需要面罩或头罩给氧的新生儿;需要特殊护理的患有先天畸形的新生儿;需要接受光疗的新生儿;过期产儿;足月小样儿或巨大儿等。 (3)生命体征异常但预计不可能发展到脏器功能衰竭的病理新生儿。
	Ⅱb	(1)生命体征稳定的出生体重≥1500g的低出生体重儿或胎龄≥32周的早产儿。 (2)生命体征异常但预计不会发展到脏器功能衰竭的病理新生儿的医疗护理,如呼吸系统疾病、循环系统疾病或感染性疾病出现呼吸、心率、血压、体温等异常,但预计不会发展到呼吸、心脏、微循环等脏器功能衰竭。这类患儿需要持续脏器功能监测,但预计不需要应用机械通气、连续性血液净化、手术治疗等进一步治疗。 (3)收治生命体征异常但预计不会发生呼吸、心脏、微循环等脏器功能衰竭,预计不超过72h的连续呼吸道正压通气(CPAP)或不超过24h的机械通气的新生儿。
Ⅲ级新生儿重症监护病房		收治需要密切监护或抢救治疗的患儿,主要包括: (1)母亲高危妊娠或分娩过程有并发症的新生儿。 (2)宫内窘迫持续时间较长或生后重度窒息需监护者。 (3)早产儿,极、超低出生体重儿,小于或大于胎龄儿等需要严密监护者。 (4)缺氧缺血性脑病、颅内出血及中枢神经系统感染者。 (5)反复惊厥发作者。 (6)因各种原因引起急、慢性呼吸衰竭,频繁呼吸暂停,需行氧疗、气管插管及机械通气等需要进行呼吸管理的新生儿。 (7)重症感染、各种原因所致休克者。 (8)有单个或多个脏器功能衰竭者。 (9)外科手术前、后需监护的患儿,如食管气管瘘、先天性心脏病等,严重畸形儿需监护者。 (10)严重心律失常、心功能不全者。 (11)溶血病患儿或其他原因所致胆红素水平较高需换血者。 (12)糖尿病母亲婴儿血糖不稳定者。 (13)严重酸碱、水电解质平衡紊乱者。 (14)需要进行特殊治疗者,如亚低温、胸腔引流等。 (15)其他各种需要监护的危重病患儿。

（二）管理制度

1.配奶室管理

（1）配奶室为独立区域,专人管理,有专用冰箱,每天监测冰箱温湿度,并做记录。

（2）配奶室设有洗手装置，进入配奶间须严格执行手卫生，非本病区工作人员不得进入配奶室。

（3）配奶时需穿无菌衣，戴帽子、口罩，洗手，戴无菌手套；配奶用水温度根据奶粉使用说明选择；奶粉罐开启后注明开启时间，根据奶粉使用说明有效保存，过期不再使用；提倡母乳喂养，人工喂养时做到一人一次一瓶一奶嘴。

（4）配奶室每日定时对空气进行常规紫外线消毒2次，做好记录；配奶前、后应清洁操作台面2次；清洁地面2次/日，如遇污染，及时用500mg/L的含氯消毒剂浸泡过的拖布进行地面消毒。

（5）配奶室物品放置有序，消毒后的奶具放置在清洁干燥区保管，一旦污染，随时进行消毒。

（6）配奶室有独立母乳存放冰箱，每日进行清洁，每周进行除霜，每次送入母乳需登记并签名。

（7）每季度院感管理科对配奶室进行空气和奶具灭菌效果监测并记录。

（8）出现怀疑食源性院内感染病例时应及时上报院感管理科，积极查找原因，及时复查并找到感染源。

2. 新生儿沐浴间管理

（1）保持室内空气新鲜，各区域划分明确，布局合理。

（2）工作人员入室前应严格洗手并戴手套，指甲不过肉际，不戴首饰。

（3）洗浴时关闭门窗，室温应保持在27℃左右，水温37～39℃，最好使用流动水。

（4）新生儿所用洗浴物品一婴一用一消毒。

（5）新生儿护理台、洗澡台、洗澡盆、体重秤、桌、椅等内部设施每日用500mg/L含氯消毒液擦拭消毒。

（6）每日常规使用空气消毒机或紫外线对沐浴室消毒，并开窗通风。

（7）定期对空气、物表、新生儿常用物品、工作人员手进行细菌学监测，不得检出致病菌，并符合医院感染管理规范要求。

3. 新生儿转运制度

（1）出、入院患儿的运送

1）由产科或产房转入新生儿必须由护士和家属陪送入院，做好新生儿身份核对。

2）凡病情危重在急诊科经抢救后需住院新生儿，应提前通知住院登记处和病区值班人员做好准备，并由急诊科医护人员直接护送至病房，入院手续由家长补办，并上报科主任和值班领导。

3）新生儿康复出院时，认真核对新生儿身份后与监护人进行交接。

（2）危重患儿院内转运制度

1）在严格遵照转科医嘱的同时对患儿的病情进行评估，暂有生命危险应就地抢救，不宜转运，待生命体征平稳后再转运。

2）转运患儿前应事先电话通知接收科室（告知：诊断、性别、年龄、神志、特殊管道和特殊药物），接收科室获信息后应立即备好床位、氧气、急救药品及物品等。

3）转运前由医生向家属交代病情及转送过程中可能发生的意外，在征得家属的理解和同意后履行签字手续。

4）整理患儿资料，核对并携带转运患儿的药品和物品。妥善固定静脉留置针和各种导管，标记明显。

5）根据病情需要，选择合适的转运方式，并携带监护仪、呼吸机等急救器械、药品和物品，由医护人员护送。

6）离开病区前再次评估患儿的意识、瞳孔、体温、脉搏、呼吸、血压、氧饱和度等，详细记录神志，生命体征，各引流管的名称、位置、刻度，气道情况等。

7）电梯准备：确保患儿在最短时间内转运。

8）转运途中安置合适的转运体位，保持呼吸道通畅，有效氧气的吸入，严密监测患儿意识状态、瞳孔、呼吸频率与呼吸形态、脉搏等，并做好应急处理；妥善固定各类管路，严防滑脱，标识清楚，确保静脉输液通畅，以便及时用药。

9）患儿送至接收科室后，做好病区交接，双方认真核对患儿信息，交接患儿诊断、病情（包含已做的检查）、神志、管道、用药及皮肤情况，并在交接表上签名，转运交接记录单详见表4-3。

表4-3　患儿转科交接护理记录单

姓名：　　　　性别：　　　　年龄：　　　　住院号：　　　　诊断：		
	转出科室：	转入科室：
患儿身份	□腕带　□床头牌	□腕带　□床头牌
病历	□无　□有　备注：	□无　□有　备注：
面色	□红润　□黄染　□青紫　□苍白	□红润　□黄染　□青紫　□苍白
生命体征	T:　　℃,P:　　次/min,R:　　次/min, BP:　　mmHg,SpO$_2$:　　%。	T:　　℃,P:　　次/min,R:　　次/min, BP:　　mmHg,SpO$_2$:　　%。
头颅	□水肿　□血肿	□水肿　□血肿
皮肤黏膜	□正常　□鹅口疮　□红臀 □皮损　□静脉炎	□正常　□鹅口疮　□红臀 □皮损　□静脉炎
	部位：　　范围：　cm×　cm	部位：　　范围：　cm×　cm
脐带	脐夹:□无　□有	脐夹:□无　□有
	□正常　□红肿　□渗血　□渗液	□正常　□红肿　□渗血　□渗液
静脉管路	□外周　□CVC　□PICC　□UVC	□外周　□CVC　□PICC　□UVC
管道	胸腔引流管　□无　□有(通畅　不通畅)	胸腔引流管　□无　□有(通畅　不通畅)
	心包引流管　□无　□有(通畅　不通畅)	心包引流管　□无　□有(通畅　不通畅)
	胃肠管　□无　□有(通畅　不通畅)	胃肠管　□无　□有(通畅　不通畅)
	腹腔引流管　□无　□有(通畅　不通畅)	腹腔引流管　□无　□有(通畅　不通畅)
	尿管　□无　□有(通畅　不通畅)	尿管　□无　□有(通畅　不通畅)
	吸氧管　□无　□有(通畅　不通畅)	吸氧管　□无　□有(通畅　不通畅)
	气管插管　□无　□有(通畅　不通畅)	气管插管　□无　□有(通畅　不通畅)
	其他：	其他：

喂养	□母乳　□配方奶　其他：	□母乳　□配方奶　其他：
静脉用药	长期：□无　□有　临时：□无　□有	长期：□无　□有　临时：□无　□有
其他	乙肝疫苗：□未接种　□已接种	乙肝疫苗：□未接种　□已接种
	卡介苗：□未接种　□已接种	卡介苗：□未接种　□已接种
	疫苗接种卡：□无　□有	疫苗接种卡：□无　□有
	疫苗接种证：□无　□有	疫苗接种证：□无　□有
	听力筛查单：□无　□有	听力筛查单：□无　□有
	疾病筛查单：□无　□有	疾病筛查单：□无　□有
复苏史	CPR：□无　□有　电除颤：□无　□有	CPR：□无　□有　电除颤：□无　□有
备注		
交接	转出科室：　　　　签名：	转入科室：　　　　签名：
注：转科交接单由转入科室护士核对，确认后填写并签名，归入病历。		

（3）手术新生儿运送

1）凡手术新生儿均由医护人员负责接送，双人核对新生儿身份，启用转运车或转运暖箱，准备氧气、监护仪、输液泵、急救复苏盒等。

2）接送新生儿时注意安全，防止坠床，检查转运车刹车是否灵敏。

3）手术完毕后，新生儿由专人送回病房，护送途中注意保暖及输液等管路通畅。

4）危重患儿术后需转入NICU者，手术结束前30min，事先电话通知NICU，简要介绍患儿的手术情况及生命体征，以便医护人员提前做好接收患儿的准备。

5）护送前，核对患儿病区、床号、姓名、性别、年龄、住院号、X光片等物品，再次检查患儿皮肤情况；观察患儿切口渗出情况及引流袋内的引流物，发现异常及时通知手术医生进行处理后再行护送；妥善固定留置针和各种导管；注意保暖；根据病情需要，备好简易呼吸气囊、氧气等急救用品和药品，由医护人员护送。

6）到达病区病床旁，与责任护士共同核对患儿床号、姓名、性别、年龄、住院号等；协助将患儿移至病床，监测生命体征，严格交接患儿的皮肤情况、手术方式、术中出血量、特殊病情变化、特殊用药、留置针和引流管等各种管路。

7）做好病区交接，双方认真核对患儿信息，并在交接表上签名。

（4）检查、治疗新生儿运送

1）住院新生儿在院内进行各种检查或治疗时，主管医生和责任护士应正确评估患儿病情，选择安全的运送方式。

2）进行特殊检查时，事先通知家属，由医护人员及家属陪同护送。检查前、后认真核对新生儿身份。

3）启用转运车，按需备氧气、监护仪、急救复苏盒等，必要时开通静脉输液通路。

4）出入时应注意保护新生儿，防止坠床；检查转运车刹车是否灵敏。

5）患儿不能随意交给他人看管，防止被盗或丢失。

（5）转院新生儿运送

1）应配备专用于新生儿的转运暖箱。在转运期间维持高危儿体温恒定，要求重量轻、体积小，以便于移动和置于升降台上，在救护车内进出；箱内有安全带以固定患儿，避免转运期间剧烈震动；有足够的箱内光源照明，以利于转运期间观察或操作。

2）应配备车载呼吸机、监护仪、脉氧监护仪、微量血糖仪、便携式血气电解质分析仪、瓶装氧气、负压吸引器、输液泵及急救物品和药品等。转运物品及药品详见表4-4。

表4-4 危重新生儿转运设备和药物基本配置

基本设备	便携式设备	药物配置
转运暖箱	喉镜及各型号镜片	5%、10%葡萄糖注射液
转运呼吸机	气管导管	盐酸肾上腺素
脉搏氧监护仪	吸痰管和胃管	硫酸阿托品
微量血糖仪	吸氧管	钙剂
氧气筒（大）	复苏囊及各型号面罩	呋塞米
负压吸引器	输液器	甘露醇
便携氧气瓶	静脉注射针	肝素
输液泵	胸腔闭式引流材料	生理盐水
T-组合复苏器	备用电池	5%碳酸氢钠溶液
急救箱	听诊器	异丙肾上腺素
空氧混合仪	固定胶带	多巴胺
	体温计	利多卡因
	无菌手套	苯巴比妥钠注射液
	吸氧头罩或面罩	无菌注射用水
	喉罩	皮肤消毒剂

3）告知家属在转运途中患儿可能发生的危险和经济负担，填写转运单，征得家属理解和同意并签字。

4）接收医院接到转运电话后，应充分了解转诊患儿病情，立即启动转运程序，转诊小组人员立即到位，迅速检查所有设备及药物是否齐全，调试各种医疗设施至正常工作状态。

5）高危新生儿在转运前应尽可能达到基本的稳定状态，保持体温稳定，给予持续肤温监测，确保呼吸道通畅，必要时进行气管插管、呼吸机支持，维持有效通气，维持血压稳定，监测心率及血氧饱和度。

6）患儿置暖箱妥善固定放置，如道路状况不佳、颠簸严重，由护士抱于怀中，以防震荡损伤。在转运途中各种因素均可造成病情反复，因此在转运途中应做好各种生命体征的监护与管理，以便及时发现病情的改变。

7）与接收医院的医生保持联系，观察并记录患儿转运途中情况、变化及处理。

8）到达医院后，患儿通过"绿色通道"直接进入NICU，转运人员与当班人员进行交接，整个转运过程必须有详细记录。

9）转运结束后转运小组应及时补充物品及药物，以备下次使用。收集所有的转运资料，对转运的效果做出评估及反馈。转运结束应联络家属及转诊医院反馈患儿在转运期间及目前的情况；患儿出院后应向转诊医院反馈患儿在住院期间的诊疗情况。

4.新生儿病房抢救制度

（1）接到收治危重新生儿通知后，护理人员应立即准备床单元（辐射台、监护仪、氧源、吸引器、抢救车等）。

（2）当新生儿被送入病房后，护理人员对新生儿应立即实施床旁监护，并通知医生，配合医生实施抢救措施，抢救新生儿时做到分工明确、密切配合、行动敏捷、分秒必争。

（3）抢救新生儿过程中，正确执行医嘱。执行口头医嘱前，护理人员要复述一遍，核对无误后方可执行。

（4）保留各种急救药物的空包装、输液袋、血袋等，以备抢救结束后查对、记录。

（5）协助医生抢救的同时，严密观察新生儿的病情变化，准确、及时填写护理记录单。

（6）凡危重新生儿须转送至检查科室、手术室等，须有医护人员护送，以便转运途中发生意外能及时进行紧急处理。

（7）新生儿送至接收科室时，应和接收人员做好交接，填写转运记录单。

（8）抢救完毕后，及时记录护理记录单，未能及时记录的于抢救结束后6h内据实补记，并加以说明。

（9）抢救结束后及时清理各种物品，进行初步处理及登记，及时添加抢救车内所用的药品及物品，保持抢救用物齐全。

（10）认真做好抢救新生儿的各项基础护理，确保新生儿安全，减少并发症的发生。

二、人力资源

（一）人员配置

1.人员配置

新生儿病房按照医院质量管理要求，床护比（Bed to Nurse Ratio）应为1：0.6，NICU为1：（1.5～1.8）。科室设护士长（若需要，可增设副护士长）、责任护士、助理护士等岗位，排班时要注意小组间人员层次的合理搭配，以保证每组的护理质量。新生儿各级护理人员资质与职责详见表4-5；护理人员能力分级评估详见表4-6。

表4-5　新生儿各级护理人员资质与职责

人员	资质	职责
护士长	(1)主管护师以上职称,从事新生儿科护理工作满5年以上。 (2)能够完成新生儿专科和护理技术操作。 (3)掌握新生儿科常用抢救仪器使用及维护保养。 (4)掌握医院感染相关知识。 (5)具有良好的医患沟通、协调能力。 (6)具有较强的组织管理能力、团队协作能力、决断能力和应急处理能力。	(1)在科主任和护理部的领导下,负责组织本部门的护理工作和持续改进护理质量。 (2)负责本部门的院感工作和医务用品的管理工作。 (3)负责组织护理工作和诊疗辅助工作。 (4)参加科内会诊及疑难病例、死亡病例的讨论。 (5)负责组织领导护理人员的业务学习及技术训练。
护理组长	(1)3年以上护师及以上职称,从事新生儿科护理工作满5年以上。 (2)熟练掌握本专业护理基础理论,各项护理操作技术,新生儿常用药品的剂量、浓度、配制及用法。 (3)新生儿科常见抢救仪器的自检及参数的设置。 (4)危重新生儿疾病的护理常规、新生儿窒息复苏等抢救技术,能解决本专科常见的护理问题。 (5)具有良好的职业道德素质和团队合作精神。 (6)工作细心、周到、耐心,有较强的服务意识和奉献精神,严格执行手卫生制度。	(1)在科护士长的领导下,负责组织和完成本护理组的护理工作。 (2)负责本护理组的工作安排和护理安全。 (3)负责本护理组的工作协调和护理风险防范。 (4)负责本护理组的护理人员的业务学习及技术训练。 (5)解决本专科常见的护理问题。
责任护士	(1)有执业证并注册的执业护士。 (2)掌握本专业护理基础理论、操作技术,常用药品的剂量、浓度、配制及用法,常见疾病的护理。 (3)具有良好的职业道德素质和团队合作精神。 (4)工作细心、周到、耐心,有较强的服务意识和奉献精神,严格执行手卫生制度。	(1)独立完成基础护理工作。 (2)独立完成一般专科护理工作。 (3)运用护理程序开展临床护理工作。
助理护士	(1)护理专业毕业一年内未取得护士资格证、未注册者。 (2)具有良好的职业道德素质和团队合作精神。 (3)工作细心、耐心,有较强的服务意识和奉献精神,严格执行手卫生制度。	(1)在带教老师指导下完成基础护理工作。 (2)在带教老师指导下完成一般专科护理工作。

表4-6　护理人员能力分级评估表

人员	等级	总体要求	专项能力评估
护士	Ⅰ级新生儿病房	接受相关学科的岗前培训	（1）新生儿各系统疾病病情的观察和护理。 （2）新生儿暖箱的保养与使用。 （3）新生儿静脉穿刺和留置针的使用。 （4）输液泵的临床应用和护理。
	Ⅱ级新生儿病房	接受相关学科的岗前培训	掌握上述4项能力外，还需掌握以下7项： （1）新生儿疾病患儿抢救配合技术护理。 （2）给氧治疗、呼吸道管理和人工呼吸机监护技术护理。 （3）新生儿疾病营养支持技术护理。 （4）心电监测及除颤技术护理。 （5）水、电解质及酸碱平衡监测技术护理。 （6）胸部物理治疗技术护理。 （7）生命支持技术的能力。
	Ⅲ级新生儿病房	经过规范化的相关学科轮转培训，获得护士执业资质，并接受卫健委委托相关组织开展的新生儿护士专业理论和技术培训，通过考核，获取专科护理资质认证；以确保具有对新生儿疾病患儿进行各项监测与护理的全面能力	掌握上述11项能力外，还需掌握以下5项： （1）外科各类导管的护理。 （2）深静脉及动脉置管技术护理。 （3）循环系统血流动力学监测护理。 （4）血液净化技术护理。 （5）ECMO技术护理的能力等。

2.准入制度

为提高护理质量，规范护理管理，保证护理安全，制定准入制度。

（1）严格执行《中华人民共和国护士管理条例》，规范执业，依法执业。

（2）新入职护士必须取得国家承认的大专及以上护理专业毕业证书，护士执业资格考试成绩合格，按程序考核后择优录取并进行岗前培训。

（3）完成本科室岗前培训，安排带教老师，对新入职护士进行全面的理论和临床护理技能培训，新入职护士须在带教老师的指导下从事护理工作。

（4）新入职护士试用期满，由所在科室进行综合考核，并将考核结果上报护理部。对考核合格者，人事科办理正式录用手续，签订劳动合同；对考核不合格者，不予录用。

（5）新入职护士必须通过护士执业资格考试，取得中华人民共和国护士执业证书并注册，方可独立从事护理工作。

（6）工作3年以上者，须取得相关机构颁发的专科护士资格证书。

3.人力资源调配制度

护理人力是卫生人力资源中的重要组成元素。实施护理人力资源调配是保证患儿安全，维护护士权益的重要举措。

（1）指导思想：以患儿为中心，合理调配护理人员，充实护理队伍，使人力资源得到充分利用，最大限度发挥护理人员的潜能，科学管理，推动优质护理服务。

（2）目标：以患儿为中心，以质量为核心，合理调配护理人力资源，保证护理质量与安全。

（3）工作重点：护理人力资源调配以科学、适时、安全为指导，注重专业技术、个人能力，资源的有效利用等要素，在关注工作强度和护理质量的同时，更应注重护理管理和护理人员情感等潜在影响因素，跟踪管理，统一调配，使护理管理工作更贴近临床、贴近患儿、贴近社会，保证护理安全。

（4）实施步骤：遵循人力资源配置的原则和标准，根据患儿数量的动态变化，工作量的动态变化及护士特有的生理特征动态性变化，突发公共卫生事件等情况，随时调整护理人员，保障科室医疗护理质量安全，兼顾护士利益，保证护理人力合理分配，制定调配方案。

1）护士长每周或每月公布排班表，护士提前将特殊需求写在调班本上，护士长排班时给予适当照顾。

2）排班实行小组责任制或护理责任制，体现不同级别护士能力及分工，排班表一旦公布，护士不得随意换班。如有特殊情况确实需要换班者，须在同级护士之间调整，由护士长同意方可换班。

3）如医院、科室有突发事件、重大抢救、特殊病例，需要临时调配护士时，全科护士要服从统一安排。

4）科室应建立紧急调配方案，护士长须每天了解科室人力状况，全员保持24h开机。

5）科室如遇特殊短期事件（如患儿突然增加，护士病假、事假等），护士长调整其他人员临时上班。

（二）人员培训

1.护士培训

建立和完善各类岗位培训计划和制度，以岗位胜任力为核心，以岗位需求为导向，以落实岗位职责为目标，形成注重实践能力、突出服务内涵、体现人文关怀、适应临床护理发展需求的岗位培训制度。岗位培训包括基础、专科和相关知识等课程。详见表4-7。

表4-7 新生儿病房专科课程培训内容

类别	课程内容
基础知识	(1)新生儿基本专科护理。 (2)新生儿常用仪器的使用及护理。 (3)新生儿常见药物及使用原则。 (4)新生儿病区安全问题的预防及处理。 (5)新生儿病区院内感染的防控。 (6)新生儿病区常用的护理评估方法。 (7)新生儿鼻饲喂养。 (8)输液泵的使用。 (9)心电监护仪的使用。 (10)空氧混合仪的使用。 (11)辐射抢救台的使用。 (12)暖箱的使用。 (13)蓝光箱的使用。
专科知识	(1)新生儿常见内科疾病及护理。 (2)新生儿常见外科疾病及护理。 (3)新生儿常用氧疗的方法及护理。 (4)新生儿血管通路的建立与管理。 (5)发育支持性护理。 (6)新生儿肠内肠外营养。 (7)生命支持仪器的使用及护理(初级)。 (8)新生儿鼻饲喂养。 (9)新生儿胃肠减压术。 (10)新生儿部分换血术。 (11)新生儿复苏术。 (12)气管插管内吸痰。 (13)极超低出生体重儿的管理。 (14)早产儿并发症的早期预防及管理。
相关知识	(1)疑难病例护理分析。 (2)新生儿病房专科不良事件分析。 (3)新生儿专科护理技术新进展。 (4)新生儿护理科研热点展望。 (5)PDCA在新生儿病房质量管理中的应用。 (6)医源性皮肤损伤的防控。 (7)新生儿病房院内感染的新进展。 (8)新生儿转运。

2.多团队合作中的其他人员（医疗辅助人员、保洁）培训

新生儿科的工作涉及诸多部门和人员，多学科配合、多团队合作的模式更有利于提高治疗质量，保障患儿安全。

（1）医疗辅助人员：辅助医生或家属陪同患儿外出检查；负责标本运送；负责各种监护仪器维护与保养，以保证正常运转。应定期对其进行患儿异常情况识别、急救及院感知识的培训并考核。

（2）保洁员：负责病房清洁卫生工作。应定期对其进行院感知识的培训并考核。

三、环境

（一）环境布局

1.监护病房

监护病房可有集中式和分散式两种布局。集中式病房（Open Room）是将所有抢救单位集中在一个大房间内，病房中央设中央监护台，以便于临床观察，相对节省护理人力。但噪声、强光影响较大。分散式病房（Private Room）是将所有抢救单位分散于几个小房间内，各小间之间用玻璃墙分隔，可减少噪声影响，也可减少交叉感染的机会，便于家属探视、家庭参与式护理等，但医护人力资源投入较多。

监护病房需控制声光刺激，应装有音控报警器，监护室内声音应控制在45dB以下，并有微小音乐声以促进患儿成长，提供发育支持性环境。监护病房由抢救单位（Rescue Unit）组成，一个抢救单位包括抢救床位、生命岛和重症监护仪器设备等，它可以给危重新生儿提供连续的生命体征监护和生命支持，是NICU最基本的构成单位。每个抢救单位占地面积≥6m²，床间距≥1m。

2.新生儿室（恢复期病房）

接收生命体征相对平稳，不符合NICU收治标准的新生儿。为保证NICU抢救床位的周转及充分利用，应设立恢复期病房，接收病情好转，已脱离危险或恢复期的患儿。有条件时，可设置母婴同室病房，让家长参与恢复期患儿的护理，为出院后的居家照护提供延续护理服务。

3.隔离病房

为避免交叉感染，应设立隔离病房（Isolation Room），供隔离患儿使用。需要隔离的患儿主要有：多重耐药菌感染、破伤风、梅毒、HIV感染、巨细胞病毒感染、肠道病毒感染、风疹病毒感染、细菌及真菌感染等患儿。有条件时，应该建立负压隔离病房。

4.医疗辅助用房

（1）治疗室：有条件者，配备有层流过滤装置的配药台，供配制药液等使用。

（2）配奶室：应分为无菌区和缓冲区。无菌区配备配奶操作台、消毒柜、冰箱，配奶用的各种无菌物品等；缓冲区配备水池、洗手池等。

（3）实验室（区）：配备血气分析仪、微量血糖测定仪、微量胆红素测定仪、微量电解质测定仪等。由医生或护士操作，及时出具检测结果，以利于临床抢救。

（4）设备室：存放已消毒、待用的仪器设备。

（5）储物室：存放备用物品、药品等。

（6）更衣室、休息室、卫生间等。

（7）医患沟通室：供医生接待家属，交代病情；进行母乳喂养、健康宣教。

（二）病区设施

1.护士工作站

设在病区中央位置，由监护系统、计算机数据系统等组成，可监测患儿床旁监护仪上的图像及数据，医护人员可随时查阅患儿在院期间的病案、检查结果、医疗费用等情况，帮助医护人员提高危重患儿的监护效率。

2.中心供气设备

新生儿病房的氧气、压缩空气、负压吸引都由中心供应，并配备中心供气的压力监测报警系统。不仅安全方便、氧源供应稳定，还能减少室内的噪声，有利于消毒隔离。

3.抢救单位

每个抢救单位均由以下3部分构成：

（1）抢救单元（生命岛）：多采用辐射台或暖箱。抢救床旁设有储物柜，集中存放患儿抢救所需物品，包括各种监护仪器、传感器、电极片、气囊、面罩、喉镜、电池、气管导管、导丝、一次性吸痰管、脐静脉置管包、中心静脉置管包、胸腔穿刺包、引流包、静脉留置针、一次性手套、一次性注射器、体温计、血压计及急救药品，每天专人负责检查和补充消耗物品。

（2）抢救设备主要有：①心电监护仪；②血压监护仪；③经皮氧分压和二氧化碳分压监护仪；④经皮胆红素测定仪；⑤脉氧饱和度监护仪；⑥输液泵；⑦复苏囊、面罩、空氧混合仪、湿化瓶；⑧吸引器等。

（3）气源、电源装置：在抢救单位的墙壁上设有气源及电源装置，包括氧气源、空气源、负压吸引、电源。新生儿病房的电源应有两套供电线路，一套线路由市电供应，另一套线路由医院自行发电供应，以便市电供应故障时保证电力供应。

4.洗手设施

洗手是新生儿病房预防感染的重要措施，新生儿病房应配置洗手设备，多采用感应式自来水洗手及感应式烘干机或擦手纸将手烘干或擦干，避免洗手后接触水龙头造成污染。每个抢救单位需配备速干手消毒液，以便工作人员随时进行手消毒。

5.其他设备

其他设备包括床旁X线机、床旁超声诊断仪、床旁脑电图、床旁心电图、蓝光照射灯（光疗箱、光疗毯）、紫外线消毒机、臭氧消毒仪、急救车以及转运暖箱和各种附属设备等，所有设备应处于备用状态，可随时使用。

（三）环境监测

1.环境安全管理

NICU为封闭式管理，病区应配备监控设备，便于医护人员通过监控设备观察病区每个角落，如有安全问题，可调阅录像资料佐证。

2.空气消毒净化

新生儿病室应当保持空气清新与流通，每日通风不少于2次，每次15~30min；新生儿病室需定期进行大扫除和消毒，有条件者可使用空气净化设施。净化病房不需要定期开窗通风，层流进出风口过滤网应定期清洗、消毒和更换。新生儿病房需定期进行空气菌落卫生学监测，若空气净化不能达标，必须及时寻找原因，并做整改。细菌菌落总数卫生标准详见表4-8。

表4-8　各类环境空气细菌菌落总数卫生标准

环境类别	环境	手卫生标准	空气(空气沉降法)最大平均浓度	物表标准
Ⅱ类	新生儿室、重症监护病房	≤5cfu/cm²	≤4个/(15min×90皿)	≤5cfu/cm²
Ⅲ类	母婴同室病房	≤10cfu/cm²	≤4个/(15min×90皿)	≤10cfu/cm²

四、仪器设备

（一）管理要求（详见第二章第一节）

1.设立专（兼）职护士负责仪器管理

选择有高度责任心、较高年资的护士专（兼）职管理，负责仪器的领用、登记和保养工作，并由护士长督促监管。专（兼）管护士要有丰富的院感及临床知识，掌握各种仪器的性能、操作规范等，能判断并排除常见故障，并且负责全科护士仪器设备的培训工作。

2.建立健全仪器管理制度

（1）建立贵重仪器登记册：建立仪器档案，记录仪器的名称、购进日期、生产厂家、价格、附件、保修时间及维修记录。领取仪器后应入账，做到账物相符。新仪器进入科室，应详细阅读使用说明书，对科内人员进行定期培训，使其掌握操作程序。做到定数量、定人管理，定点放置，定期检查，定期保养维修。

（2）仪器的使用登记：设立仪器使用登记本，准确记录仪器的使用时数，记录仪器使用过程中出现的故障及维修情况。对于有使用时数限制的部件按时更换。

（3）仪器的外借登记：监护仪、治疗仪器一般不外借，如需外借，归还时须由护士长或专（兼）管人员对仪器及各配件进行检查，防止仪器或配件遗失，并注明归还日期及经手人。

（二）安全使用管理

1.培训制度

（1）新引进仪器设备投入使用前，操作人员必须经过培训学习，考核合格后，方可正式上岗操作、使用。

（2）贵重仪器设备由专人管理，因工作需要移交他人管理时，应由原操作人员负责教会使用并移交操作规程，定期考核，不合格者不得继续操作仪器。

2.仪器的使用

建立各种仪器设备使用规范，依规范行事，专（兼）职护士应定期对医护人员、进修人员进行各种仪器的操作培训；专（兼）职护士对仪器说明书进行整理，使操作人员熟悉仪器的操作规程，严禁违章操作。

3.仪器的消毒

新生儿病房的仪器种类多，结构复杂，使用频率高，为防止因仪器的消毒不彻底造成院内交叉感染，应根据不同的仪器、不同的部件做好彻底的消毒处理。除特殊患儿使用仪器须特殊处理外，一般患儿所用仪器可用化学消毒法、紫外线消毒法等（具体的消毒方法，见感染控制管理部分）。

4.仪器的日常保养

防止仪器的丢失和损坏，加强仪器的日常保养维护，减少机器故障，延长仪器的使用寿命。建立独立的设备间，将仪器放置在安全、干燥、通风、无尘的地方备用，仪器使用后及时清洁、消毒、归档。

（1）设备间环境要求

1）室内通风，温湿度适宜。

2）避免强光直射。

3）避免强电磁场干扰。

4）避免化学试剂腐蚀。

（2）仪器的日常保养注意事项

1）保持仪器清洁，禁用高浓度有机溶剂擦拭。

2）仪器蓄电池应定期充电，长期不用时应取出电池存放。

3）电脑控制类仪器应减少开关电源次数。

4）避免剧烈震动。

5.仪器运转状况的定期监测

专（兼）管护士应定期对常用仪器进行全面检测，保证仪器在使用中处于最佳工作状态，并将检测的数据及时记录。需要使用该仪器时，先查看各项检测数据是否符合要求，对提示有误差的仪器，使用时做相应的调节以纠正误差。监测过程中如发现故障，必须及时查找原因，进行处理，必要时用其他仪器替换，及时通知专（兼）管护士送设备科维修。

五、感染控制管理

（一）NICU感染控制

1.相关制度及职责

（1）感染管理制度

1）医疗机构要认真贯彻落实《医疗机构感染管理办法（2006）》《医疗机构消毒技术规范（2012）》《中华人民共和国传染病防治法》《中华人民共和国传染病防治法实施细则》等规范，成立医疗机构感染管理委员会，全面领导医疗机构感染管理工作。

2）建立健全医疗机构感染质控体系，配备专（兼）职人员。各科成立院感质控小组，认真履行科室院感控制职责；临床医务人员考虑患儿有感染倾向时，立即采集相关标本进行微生物检测，早期识别，及时报告。

3）制定医疗机构感染控制方案、对策、标准防控流程、效果评价、问责制度和登记报告制度，并认真贯彻落实。

4）感染管理科人员定期深入重点科室做空气、物体表面、医务人员手的微生物学监测，统计住院患儿的感染率，进行医疗机构感染漏报率的调查，开展重点部位的目标性监测。

5）分析评价监测资料，并及时向有关科室或人员反馈信息，做好各科室医院感染危险因素评估，制定落实有效的防控措施，降低感染率。

6）与药剂科及病原微生物细菌室保持密切联系，了解微生物学的检验结果及抗生素耐药情况、抗生素使用情况，及时告知、通报。

7）对医务人员进行预防医院感染知识的技能培训，做好有关防护、消毒、隔离专业知识的技术指导。

（2）感染管理员职责

1）做好高危患儿筛查隔离工作。医护人员应主动、客观、前瞻性地观察每位患儿的疾病情况及其临床表现，及时筛查出高危患儿，及早采取隔离措施，做到早发现、早隔离，以免引起交叉感染。

2）健全新生儿病房医院感染管理制度。在医院感染科的领导下，成立院内感染质控小组，由科主任、护士长及业务骨干组成，明确工作职责，以《院内感染管理规范》和《消毒技术规范》为准绳，制定可行的各项规章制度，组织全科医务人员认真学习并进行院内感染知识培训，普及院内感染预防与控制知识，严格遵守各项规章制度和操作规程，人人自觉共同防止医院感染的发生。

3）建立新生儿病房探视制度，家属必须严格按照制度进行探视。进入新生儿病房的工作人员要更换工作服、拖鞋。有呼吸道和消化道感染疾病的工作人员应暂时调离新生儿科。执行各项诊疗操作护理前后，医务人员要按规范洗手，所有操作均应遵循对新生儿有利的原则。

4）定期进行微生物监测，包括室内空气、物体表面、工作人员的手、使用中的消毒液、无菌物品的灭菌效果等。

2.管理内容

新生儿病房是集中收治新生儿的场所。新生儿全身各系统未发育成熟，对外界适应能力弱，抵抗力差，极易受到各种病原菌的侵袭，属于医院感染的高危人群。因此，对新生儿病房的环境及物品要严格消毒及管理。

（1）物品管理

1）常用物品消毒规范

①奶具一人一用一消毒，奶具使用后全部送至消毒供应室高压消毒灭菌；隔离患儿奶瓶、奶嘴用后放入黄色医疗垃圾袋统一回收处理。

②新生儿病房内物表、地面每日用500mg/L含氯消毒液擦拭2次，如遇污染即刻消毒，定期随机抽查采样做细菌培养。

③新生儿病房、配奶室、隔离室、治疗室、污洗室清洁物品严格区分使用，分开清洗，悬挂，做到拖布专用，不可混用。

④对于高频接触、易污染、难清洁与消毒的物体表面，可采取屏障保护措施，用于屏障保护的覆盖物（塑料薄膜）应定期更换。

⑤一次性使用的医疗器械、器具应当符合国家有关规定，不得重复使用。

⑥呼吸机湿化瓶、氧气湿化瓶每日更换清洗消毒。

⑦蓝光箱、暖箱每日清洁水槽并更换灭菌注射用水，同一患儿长期连续使用暖箱和蓝光箱时，应每周消毒一次，用后终末消毒。

⑧接触患儿皮肤、黏膜的器械、器具及物品应当一人一用一消毒。

⑨新生儿使用的被服、衣物等应当保持清洁，污染后及时更换。患儿出院后床单元

要进行终末消毒。

⑩使用中的湿化瓶每日更换，备用湿化瓶（不加水）每周更换；氧气头罩使用清洗后，用75%乙醇擦拭后备用。

⑪气囊、面罩等抢救物品使用后拆卸到最小单元，进行终末消毒备用。

⑫止血带一人一用一消毒。

⑬脏纸尿裤袋装化，严禁在病室内乱放脏纸尿裤。

2）治疗室管理规范

①治疗室台面保持清洁干燥，每日用500mg/L含氯消毒液擦拭2次。

②治疗室内的无菌柜按要求放置，柜内清洁、无积灰，标记明显。清洁、无菌、一次性用品专柜放置；无菌物品按灭菌日期顺序排列，无菌包清洁干燥，无破损，无过期；包外有物品名称、有效起止日期、灭菌指示带及签名。

③治疗室内的药柜定点放置，柜内清洁、无积灰，标记明显，每班由专人清点记录。

④治疗室冰箱由专人负责，保持冰箱清洁，每日用500mg/L含氯消毒液擦拭1次。

⑤冰箱内放置需要冷藏保存的药物，请注意药物的有效期。

⑥各类药物必须定点放置，每班清点。

⑦药品冰箱内严禁放置患儿各种标本及其他物品。

⑧治疗室定期做空气培养。

3）配奶室管理规范

①配奶室的冰箱、温奶箱、操作台面保持清洁。

②恒温箱温奶后如有污渍，及时擦净。

③储奶冰箱的温度应维持在2～4℃，每次取奶时应关注冰箱是否处于正常运行当中，且每班核查冰箱的温度并做好登记。如冰箱温度有异常，应及时进行冰箱功能检测。

④进入配奶室，必须洗手、戴口罩，保持配奶室清洁。

⑤分装奶时严格遵守无菌操作原则，严格洗手后穿无菌手术衣，戴无菌手套、口罩和帽子。

⑥奶液分装后标注时间，放入冰箱，可保存24h。

⑦配奶室冰箱专为放置奶类，严禁放置患儿各种标本及其他物品。

⑧配奶室定期做空气培养，奶嘴、奶瓶、冰箱、温箱和台面定期做微生物细菌学监测。

4）隔离室管理规范

对隔离房间的患儿护理时应严格遵循隔离房间的消毒隔离制度。具体如下：

①进入隔离病房应洗手，戴帽子，口罩，穿隔离衣。

②每张病床配有速干手消毒剂、听诊器、一次性橡胶手套等。

③听诊器一人一器，使用前后用75%乙醇擦拭，终末集中处理。

④隔离衣每日更换，统一处理。

⑤患儿使用的奶具均为一次性，使用后扔入黄色垃圾袋进行集中处理。患儿产生的废物应装在黄色医疗垃圾袋内，收集时再套一层黄色垃圾袋进行转运。

⑥患儿使用后的被服装入黄色垃圾袋并注明感染类型，送至消毒供应室统一处理。

⑦隔离患儿使用过的床、暖箱、监护仪、输液泵应先在隔离室进行表面清洁消毒，

然后再进行终末消毒。

⑧检查或护理患儿时，应戴手套，为不同患儿操作时要洗手并更换手套。

⑨隔离室内的患儿若外出做检查，应注意消毒隔离，用专用推车，单独做检查，并做好隔离的标识，并告知检查科室做好隔离防护措施。

5）沐浴室物品消毒规范

①每次沐浴后，沐浴池或浴盆用500mg/L含氯消毒液擦拭。

②婴儿沐浴时用具实行一婴一用一消毒。

6）衣服被褥消毒规范

①工作人员的工作服按要求定期更换，统一送至洗衣房清洗消毒，领回后放置在衣物柜内。

②定期做好布类物品微生物细菌学监测。

（2）人员管理

新生儿病房的感染控制工作应由专（兼）人负责，在新生儿病房应设立一名院感专（兼）员。新生儿病房要根据医院的消毒隔离工作制度、医院无菌技术操作原则、医院感染及流行暴发监测管理制度、医院感染应急预案、多重耐药菌监测报告与防控管理制度等，制定病房相应的感染控制管理制度。定期开展医院感染教育与培训，通过不断培训，促使医务人员养成良好的习惯。认真履行工作职责，落实规章制度，减少医源性感染。定期由院感专员对所有医务人员进行消毒隔离、院内感染及手卫生相关知识的培训及考核，以提高医务人员对院内感染的认识，从思想上重视院内感染。

（3）设备管理

1）暖箱的消毒规范

①使用中的暖箱每日进行表面清洁：用清水擦拭暖箱内表面，外表面用500mg/L含氯消毒液擦拭，每日一次，如被奶渍、血渍、葡萄糖液等污染时，需立即擦净。

②水槽：备用中的暖箱水槽不加水，保持干燥；使用中的暖箱每日更换水槽内的水；更换之前先放水，待全部放干净清洗后，注入无菌注射用水至刻度。暖箱水槽定期抽查做细菌学监测。

③每周或出暖箱后进行终末消毒。终末消毒具体步骤如下：

a.需终末消毒的暖箱定点放置，彻底清洁。

b.隔离室患儿使用过的暖箱须在隔离室先擦拭暖箱表面，然后再推出隔离室进行终末消毒。

c.将暖箱所有可拆卸的部分全部拆卸。

d.先将暖箱水槽内的水放干净，并反复清洗。

e.感染患儿用过的暖箱，应先清洗干净水槽，再用2000mg/L含氯消毒液浸泡0.5h。

f.暖箱其他部件用500mg/L含氯消毒液擦拭，10min后用灭菌注射用水擦拭干净。

g.暖箱可拆卸部件用500mg/L含氯消毒液浸泡0.5h后，用灭菌注射用水冲洗干净，晾干备用。

h.每台暖箱终末消毒后均需在暖箱上标明消毒日期，每天清洗的暖箱均有记录。

④备用暖箱定点放置，需要用时，先查看消毒日期，如在消毒期内，按备用暖箱消毒后使用，如过消毒期，则按终末消毒处理后方可再次使用。

⑤暖箱定期做微生物细菌学监测，并有记录。

⑥接触暖箱内患儿前后，必须用流动水清洗双手至肘部或用快速消毒液消毒双手才可接触患儿。

⑦转运暖箱每周消毒一次，消毒方法同暖箱的终末消毒步骤。每转运一例患儿后更换暖箱内用物，并消毒暖箱。

⑧远红外辐射床的消毒方法同暖箱。

2）呼吸机消毒

①呼吸机表面清洗和消毒：保持呼吸机表面清洁，发现被血液、体液污染，及时用500～2000mg/L含氯消毒液擦拭消毒；使用中的呼吸机滤网每天冲洗，晾干备用。

②呼吸机管道消毒：推荐使用一次性呼吸机管路，如无条件，呼吸机管路消毒按照有关规定执行。

③呼吸盒的消毒：所有Servo呼吸机的呼吸盒撤机后进行酒精浸泡消毒1h，晾干备用。遇感染患儿使用过的呼吸机，呼吸盒送供应室进行高温高压灭菌处理。Stephany呼吸机及Drager呼吸机的呼吸盒使用后均用包布包好送供应室高温高压蒸汽灭菌。

④呼吸机通路消毒

a.对怀疑有感染的患儿在呼吸回路上加用一次性过滤器，48h更换。

b.对确诊有感染的患儿应及时联系工程师取出呼吸通路进行高温高压灭菌处理，呼吸机放置一周后再使用，不得立即给其他患儿使用。

c.定期对所有的呼吸机通路进行高温高压灭菌处理。

d.监测登记制度：对所有的呼吸机编号以及使用呼吸机的患儿情况进行详细记录，一旦发现感染，及时溯源。定期随机抽查呼吸机表面、呼吸盒、管道滤网的细菌培养。

e.CPAP的管道、湿化罐均为一次性，不能重复使用，表面的消毒同呼吸机。

f.做好呼吸机和CPAP的使用维修记录，保证处于备用状态。

3）光疗仪消毒及管理

①表面消毒：使用中的光疗仪每天用500mg/L的含氯消毒液擦拭外表，如被奶渍、葡萄糖液污染时，须立即擦净。

②每次使用后进行终末消毒，彻底清洁光疗仪。感染患儿用的光疗仪，须用2000mg/L的含氯消毒液擦拭。

③灯管：每次使用后用75%酒精擦拭，并检查灯管的亮度，做好记录。

④接触光疗箱内患儿前后，必须清洗双手至肘部或用快速消毒液擦手。

⑤做好光疗仪的使用维修记录，保证光疗仪处于功能状态。

4）新生儿病房内的各类仪器设备及电缆线，每天用500mg/L的含氯消毒液擦拭，各类仪器专人专用。如仪器表面检出致病菌，须重新消毒，再次进行细菌培养，阴性后方可投入使用。

3.工作人员的培训、考核、监测

（1）定期对新生儿病房内所有医护人员进行手卫生、消毒隔离、医院感染等相关知识的培训及考核，加强对新生儿病房新进人员的培训与考核，提高医护人员对预防医院感染重要性的认知，加大对消毒隔离工作的监督力度，及时发现薄弱环节，并采取相应的措施，降低新生儿医院感染的发生，确保新生儿的安全。

（2）院内感染监测（Hospital infection sureillance），是指长期地、系统地、连续不断地观察收集和分析院内感染在一定人群中的发生和分布及其影响因素，并对监测结果进行系统的分析和总结，以掌握院内感染的发病率、多发部位、高危因素等，为更有效地预防及控制院内感染的发生提供科学依据。院内感染常用统计指标详见表4-9。

表4-9 院内感染常用统计指标

统计指标	定义	计算公式
医院感染发生率	指在一定时间内一定人群(通常为住院患儿)中新发生的医院感染的频率	同期新发生医院感染例数/同期住院患儿人数×100%
医院感染罹患率	常用于表示较短时间和小范围内感染的暴发或流行情况，用以统计处于危险之中的新发生的医院感染的频率	同期新发生医院感染例数/观察期间具有感染危险的住院患儿例数×100%
医院感染部位发生率	用以统计特定感染部位危险人群中发生该部位医院感染的频率	同期新发生特定部位医院感染例数/同期处于该部位医院感染危险的人数×100%
医院感染患病率	是指在一定的时间内,在一定的危险人群(住院患儿)中实际感染(新、老医院感染)例数所占的百分比	特定时间存在医院感染例数/观察期间处于医院感染危险中的患儿数×100%

通过对新生儿病房院内感染的监测可以及时掌握院内感染发生的各种信息，深入认识感染的特征及规律。通过对监测所获得资料的分析，可以取得院内感染的基本数据，并可及时发现医院感染的聚集性发生，为暴发流行提供信息。通过监测，还可以将监测结果对医务人员进行宣传教育，提高其对医院感染的认识水平，并能对监测方法和控制措施进行效果评价，以减少或消除各种导致院内感染发生的危险因素，降低院内感染的发生率，提高医疗、护理质量。

（二）传染性疾病的隔离方法

1.接触感染者时应做好相应防护（手套、口罩、护目镜、防护衣、胶鞋等）。

2.严格执行手卫生，提高手卫生依从性，做好床旁隔离。

3.病室每日早、中、晚各通风换气1次，每次30min；每日用500mg/L含氯消毒剂擦拭诊疗及护理患儿过程中所使用的仪器设备、医疗用品，并对地面进行常规消毒；患儿出院后对床单元及病室进行终末消毒。

4.使用后的一次性医疗用品及时放入医疗垃圾桶。凡被血液、体液污染的医疗垃圾要及时放入双层黄色医疗垃圾袋，由专人负责每天及时回收，交至医疗废物处置中心定点放置，集中处置。

5.尽量将患儿收住单间病房，室内用物固定。呼吸道传染性疾病（麻疹、结核）患儿应安置于负压病房，无条件时相同病原微生物感染的确诊病例可住一室；床间距应≥

1.2m。

6.限制患儿的活动范围，减少不必要的转运，必须运送时注意医务人员的防护，尽可能减少病原微生物的传播。

7.减少人员进入，限制陪护探视，设专人护理，护理工作集中进行。

第二节　过程质量标准

一、患儿安全管理

安全管理（Safety Management）是护理工作的基础，由于新生儿机体抵抗力差，疾病发展迅速，配合度差，缺乏家属陪护，使得护理管理工作开展难度极大，在新生儿监护室护理管理过程中，护理人员始终承担着较大的护理风险与精神压力。为确保新生儿住院期间的安全与舒适，护理人员在工作中应严格执行医院规章制度，主要做好以下几点：

（一）身份识别

身份识别的环节包括入院、住院期间、出院三个环节。具体注意事项如下：

1.患儿办理入院时，护理人员应与值班医生一起到接待室，为患儿更换衣服，仔细核对病案首页的信息，包括姓名、性别、住院号等，并向家属交代患儿的特征及身体异常情况，如畸形、多指、头颅血肿、皮肤瘀青、臀红等；护理人员与患儿家属核对信息无误后，签字确认，并将双腕带分别佩戴于患儿手腕和脚踝，留取父母双方身份证复印件，以便出院核实确认，将患儿抱入病区。

2.患儿住院期间进行各项护理操作时，护理人员应核对患儿腕带和床头卡，内容包括床号、姓名、性别、诊断、住院号，确保信息无误后再进行操作。外出检查时，应由护理人员双人核对患儿腕带和床头卡，护理人员应明确患儿检查的项目及时间，遵医嘱准备检查所需的药物。检查前与医生及其家属共同核对患儿信息及检查项目；检查完毕后，再次与医生、患儿家属核对患儿身份信息，确认无误后返回病房。护理人员应确保每位患儿均佩戴双腕带，新生儿腕带佩戴松紧度适宜，防止过紧或脱落；多胎时需注明XX大和XX小或胎次；腕带书写或用打印机打印腕带，字迹清晰。若患儿腕带脱落，要双人核对腕带及床头牌信息，确认无误后重新佩戴。

3.患儿出院时，护理人员双人核对患儿身份信息，确认信息无误。使用开放式提问、核实患儿家属身份，与患儿家属核对患儿身份信息，查看患儿全身情况，确认信息无误后，由医护人员和家属签字确认，安全出院，并记录新生儿出院时间。

（二）安全用药

1.护理人员必须严格遵医嘱给药，不可擅自更改医嘱，对有疑问的医嘱与医生反复核对确认无误后再执行，避免盲目执行。

2.护理人员应了解患儿的病情及治疗目的，熟悉各种药物的性能及副作用，掌握剂量、用法、时间，严格执行三查八对，对血管刺激性大的药物应慎重选择血管，输液时加强巡视。

3.口服、雾化、肌肉注射、外用药等应掌握药物性质正确用药，避免混淆。

4.麻醉、贵重、高警示药品管理详见第二章第一节相关内容。

（三）坠床防范措施

1.远红外抢救辐射台四周挡板应随时将卡槽安置到位，锁紧脚刹。

2.护理住暖箱的患儿时，操作完毕后及时关闭暖箱门，避免患儿坠床。

3.怀抱患儿时须注意防止患儿从包被内滑出；患儿从暖箱移至辐射台时，须用小床转送。

4.更换床单元时须两人配合操作。

5.患儿称体重时将称移至床边。

6.定期对设备进行检修，发现故障及时处理并详细登记。

7.加强巡视，发现有坠床风险，及时处理。

（四）烫伤防范措施

1.置患儿于暖箱、蓝光箱、辐射台等设备前应监测设备各项显示指标是否正常，设置箱温或选择肤温控制模式，并预热，患儿入箱后放置舒适体位，妥善固定肤温探头，避开肝区，正确设置肤温。

2.安全使用仪器设备，加强巡视，检查肤温探头是否脱落，有无被其他物品覆盖，并监测患儿体温，记录箱温，做好交接班工作。

3.沐浴时，水温控制在39～41℃，水温以手臂内侧皮肤温热为宜。沐浴时喷头出水不可直接淋在患儿皮肤上，以防水温突然升高发生烫伤。

4.喂奶时奶液温度适宜，避免烫伤患儿口腔黏膜。

5.如果发生烫伤，立即通知医生配合紧急局部处理，上报科主任、护士长及护理部，填写《护理不良事件上报表》。

二、技术标准

（一）临床常用护理操作技术

1.新生儿沐浴

（1）目的

清洁皮肤，促进皮肤代谢与血液循环，增加抵抗力，协助皮肤排泄，评估全身体格。

（2）评估与准备

1）评估：患儿病情、全身及皮肤情况、四肢活动度。室温调节至26～28℃，水温调节至39～41℃。

2）用物准备：75%乙醇、棉签、毛巾、浴巾、沐浴露、抚触油、护臀膏、清洁衣服包被、一次性垫巾、纸尿裤、电子婴儿秤、污物桶、污衣桶。

3）操作者准备：按要求整齐着装，洗手，戴口罩，上衣口袋不放硬物，修剪指甲，不佩戴装饰，必要时穿围裙。

（3）操作要点

1）核对患儿身份信息。

2）关闭门窗，测量水温。

3）备好用物，抱患儿于操作台，脱衣，称体重并记录，注意保暖，严防坠床。

4）洗浴。①淋浴：将患儿置于沐浴池垫架上，垫架上铺一次性治疗巾，毛巾擦拭眼部、额头、耳朵、鼻及面部，用水润湿头发及全身皮肤，用沐浴液搓出泡沫，涂抹在头、颈、上肢、腋窝、腹股沟、臀部及下肢，轻轻按摩全身，用水冲净泡沫，洗头时须用手掩住患儿耳孔，防止水进入耳内。着重清洁皮肤褶皱处，如男婴的阴囊，女婴的大小阴唇。②盆浴：毛巾包裹患儿躯干，护理人员前臂托住患儿背部，将患儿下肢环抱在腋下，同侧大拇指和食指夹住患儿耳朵，毛巾蘸水依次清洁眼（从内眦到外眦）、前额、面部、头及耳后，清洁完毕迅速擦干头部，弃去毛巾，将患儿躯干置于水中，依次从头颈、腋下、上肢、前胸腹部、背部、下肢、外阴及臀部清洁皮肤。

5）沐浴后，擦干患儿身体，脐部用75%乙醇棉签擦拭，臀部涂抹护臀膏，穿好纸尿裤及衣物，再次核对患儿身份信息，裹好包被。

6）将患儿放回婴儿车送回病区，清理用物，垃圾分类处理。

7）患儿基础护理

①口腔护理：生理盐水湿润棉签，擦拭患儿口唇，依次擦拭口腔及舌面。同时观察患儿口腔黏膜状况，有无鹅口疮、赘生物等。对体重、胎龄较小的早产儿可使用初乳口腔免疫疗法。具体方法如下：出生48h内，使用棉签蘸取约为0.2mL的初乳进行口腔擦拭护理，擦拭护理部位包括新生儿的舌、牙龈、颊两侧等。

②脐部护理：用干棉签蘸干脐轮周围的水，再用75%乙醇棉签从脐窝根部由内向外环形消毒，保持局部干燥，使其易于脱落，一般情况不宜包裹；有分泌物者用3%过氧化氢溶液棉签清洗数次后再消毒，并保持干燥；结扎线或脐带夹如有脱落、脐带过长等情况，应视情况重新结扎；有脐轮红肿的患儿，用75%乙醇消毒后，告知医生进行检查处理。

③臀部护理：定时为患儿更换尿布，保持臀部的干燥和清洁，大便后用温水清洗臀部，将排泄物的残渣彻底清洁干净，如发生红臀，应积极处理，新生儿红臀分度及处理措施详见表4-10。

表4-10　新生儿红臀分度及处理措施

新生儿红臀程度	表现	处理措施
轻度	臀部皮肤潮红	将患儿置于暖箱里暴露臀部，给予鞣酸软膏涂抹，保持臀部皮肤的干燥
重度	Ⅰ度：患儿臀部潮红明显，带有皮疹症状	温生理盐水清洗后暴露臀部，局部可使用湿润烧伤膏
	Ⅱ度：皮疹加重并破皮，有溃疡表现	臀部破皮处先用温生理盐水清洗，再贴水胶体敷贴，也可用局部氧疗联合夫西地酸促进创面愈合
	Ⅲ度：臀部皮肤溃烂，表皮严重脱落，继发感染	对于臀部皮肤有溃烂并继发感染的患儿，除了继续暴露外可选用表皮生长因子联合红霉素软膏外用

（4）注意事项

1）密切观察患儿病情变化、生命体征及其他特征，如皮肤状况（发绀、疱疹、黄疸、破损等）、肢体活动度等。

2）避免在喂奶后1h内沐浴。

3）洗浴过程中注意水温和室温的恒定，注意保暖，避免烫伤，动作轻柔。

4）注意保护静脉留置针和未脱落的脐部。

5）洗澡用品一人一用一消毒，严防交叉感染。

6）在洗浴过程中，注意与患儿的交流互动。

2.新生儿洗胃

（1）目的

1）清除患儿胃内容物，减轻对胃黏膜的刺激，缓解腹胀、呕吐等。

2）为外科手术或检查做准备。

（2）评估与准备

1）评估：患儿病情、生命体征、意识状态、腹部情况及有无洗胃禁忌证。

2）用物准备：胃管（6号、8号）、无菌手套、胶布、标识贴、注射器、纱布、等渗氯化钠注射液、治疗盘、治疗巾、弯盘、听诊器。

（3）操作要点

1）将治疗车推至床头位置，核对医嘱及患儿身份信息，患儿取平卧位或抬高床头，头偏向一侧，固定头部，颌下及胸前铺治疗巾。

2）洗手，戴口罩、手套，取出胃管，检查胃管完整性，测量胃管预插入长度（鼻胃管插入长度：患儿发际至剑突或鼻尖至耳垂+耳垂至剑突+1；口胃管插入长度：鼻尖至耳垂+耳垂到剑突），确定长度后做好标记，胃管插入至预量长度，妥善固定并粘贴管路标识。

3）证实胃管在胃内的方法：①用注射器抽取胃液后用pH试纸检测为酸性。②将胃管置于水杯中，观察管内有无气体逸出，如有气体逸出表示误入气管内。③用注射器向胃管内注入少量空气，同时用听诊器在胃部能听到气过水声。④X线拍片确定胃管位置。须使用两种以上方法判断胃管位置。

4）用注射器抽取胃内容物，注入洗胃液后回抽，每次注入量不超过5mL，早产儿酌情减量，出入平衡，反复清洗，直至洗出液澄清。

5）洗胃完毕后夹闭胃管末端，拔除胃管。

6）擦净面部，整理用物及床单元，患儿安置舒适体位。

7）观察并记录洗胃液量，洗出液性质、颜色及患儿腹部情况。

8）洗手，摘口罩。

（4）注意事项

1）新生儿消化道黏膜较柔嫩，操作时动作要轻柔。

2）洗胃液温度为37~38℃，温度过高易引起黏膜血管扩张，过低会刺激胃肠蠕动，引起胃痉挛。

3）洗胃时严密观察患儿面色及反应，洗出液若有出血或病情突然变化应立即停止洗胃。

4）洗胃过程中，应将患儿头偏向一侧，预防误吸。

5）洗胃时，可上下轻轻活动胃管，以防胃管贴在胃黏膜上，影响出量，注意出入量的平衡。注入液体每次不超过5mL，早产儿可酌情减量，不可一次性注入过多洗胃液，以免造成急性胃扩张。洗胃速度应缓慢，切忌过快，且等量回抽，防止胃内积留过多液体而发生胃穿孔或水中毒。

6）洗胃过程中及时清除呕吐物，保持呼吸道畅通。

3.新生儿口、鼻腔吸痰

（1）目的

清除患儿咽喉部与气管内的分泌物，保持呼吸道通畅，改善通气，防止窒息和并发症的发生。

（2）评估与准备

1）评估：患儿病情，氧疗情况，检查口鼻腔，听诊双侧呼吸音，评估生命体征。

2）用物准备：一次性吸痰管（6号、8号）、生理盐水、纱布、手电筒、听诊器、吸引器、治疗车。

（3）操作要点

1）推治疗车至床旁，核对医嘱及患儿身份信息，洗手，戴口罩。

2）打开电源，正确连接吸引器，调节负压至60～80mmHg，不超过100mmHg（1mmHg=0.133kPa），取舒适体位，必要时吸氧。

3）置患儿合适体位。

4）洗手，戴手套，取出吸痰管并连接，注意无菌操作，吸痰管试吸后，在患儿SpO_2平稳时插入鼻腔，向下插入咽喉壁后，用拇指按住吸痰管侧孔，将吸痰管螺旋式向上提出，尽量吸尽痰液，时间<15s。吸痰完毕后，用生理盐水清洗吸引管道。

5）脱下手套包裹吸痰管丢弃，纱布擦拭患儿鼻腔，换另一鼻腔，重复以上步骤吸引口腔。

6）关闭吸引器。

7）评估患儿口鼻腔，听诊肺部情况，整理床单元，将患儿安置舒适体位。

8）记录痰液的量及性状，评价吸痰效果。

9）整理用物，垃圾分类处理，洗手。

（4）注意事项

1）严格执行无菌操作，吸痰管不可重复使用。

2）确保负压吸引器性能良好，正确调节负压。

3）吸痰动作熟练轻柔，不可暴力操作。

4）吸痰过程中密切观察患儿面色及生命体征变化，若患儿呼吸、面色、唇色有改变，应立即停止操作，必要时吸氧。

5）气管插管患儿吸痰时，吸痰管插入深度为气管插管和接头的长度，吸痰管外径以气管导管内径的1/2～2/3为宜。

4.新生儿留置针输液技术

（1）目的、评估与准备、操作要点等详见第二章第三节相关内容。

（2）注意事项

1）详见第二章第三节相关内容。

2）对长期输液的患儿，应当注意保护和合理使用静脉；如选择头皮静脉，须剃除头发者应注意剃头范围，直径>5cm，注意美观。

3）患儿因洗澡、活动等造成贴膜卷边或针眼渗血、皮肤红肿时应及时更换贴膜。

4）一次性物品检查有效期及有无破损，空针抽0.9%氯化钠注射液作为穿刺引导液，接上头皮针，排气后放入无菌盘中或留置针排气后备用。

5）穿刺过程中密切注意患儿的反应，如有发绀、呕吐等异常情况，及时处理。操作时应注意观察患儿对疼痛的反应并进行疼痛评分，根据评分结果选择合适的镇痛措施，包括使用安慰奶嘴、少量母乳喂养、口服蔗糖等。

6）如推注引导液后血管发白，可能误入小动脉，应立即拔针，穿刺点局部按压，防止血肿。

5.新生儿输血术

目的、评估与准备、操作要点及注意事项等详见第二章第三节相关内容。

6.新生儿动脉采血术

（1）目的：采集血标本。

（2）评估与准备

1）评估：患儿病情、穿刺部位皮肤情况、检查项目。

2）用物准备：基础治疗盘、一次性采血针、采血管、治疗车。

（3）操作要点

1）推治疗车于患儿床旁，核对医嘱及患儿身份信息，评估患儿血管，首选桡动脉。

2）洗手，戴口罩。患儿取舒适卧位，固定患儿肢体，暴露穿刺点，消毒皮肤，再次核对医嘱及患儿身份信息，穿刺点为第二腕横纹桡侧1/4处，15°～20°朝桡动脉搏动点处循向心方向进针（股动脉穿刺时，患儿取仰卧位双腿分开，垫高穿刺部位，护理人员固定穿刺侧肢体，在腹股沟韧带下方内侧动脉搏动最明显处40°进针），见回血固定针头，抽取所需血量，拔针，压迫穿刺点5～10min至采血处不出血为止。

3）再次核对患儿身份信息及医嘱，送检标本。

4）洗手，摘口罩，整理用物，垃圾分类处理。

（4）注意事项

1）动脉选取准确，避免反复穿刺增加感染概率，减轻患儿疼痛。

2）有凝血功能障碍的患儿，按压时间应适当延长。

3）严格落实无菌操作及查对制度。

7.新生儿氧疗术

（1）目的：通过给氧，纠正患儿缺氧，维持生命体征。

（2）评估与准备

1）评估：患儿病情及缺氧程度，血气分析结果，患儿鼻腔有无破损、有无堵塞，鼻中隔有无偏曲。

2）用物准备：治疗车、治疗盘、弯盘、氧气管、一次性氧气湿化瓶、流量表、棉签、胶布、纱布、手电筒。（早产儿吸氧遵医嘱准备空氧混合仪）

（3）操作要点

1）推治疗车置患儿床旁，洗手，戴口罩，核对医嘱及患儿身份信息。

2）患儿取舒适卧位，检查患儿鼻腔黏膜。

3）流量表连接氧源（或空氧混合仪），连接一次性氧气湿化瓶及氧气管，检查装置是否通畅。

4）调节氧流量，妥善固定鼻导管。

5）再次核对患儿身份信息及氧流量（氧浓度），评估用氧效果。洗手，记录吸氧时间、浓度和流量，整理用物。

6）用氧结束后，取下鼻导管，关闭氧源，清除患儿面部胶痕，记录停氧时间及患儿生命体征。

（4）注意事项

1）严格用氧安全，做到"四防"，即防震、防火、防油、防热。

2）患儿吸氧过程中，密切观察患儿生命体征及呼吸状况，按需要监测SpO_2及血气分析。

3）持续吸氧的患儿，定时更换导管，同时保持口鼻清洁。

4）对早产儿用氧时应当书面告知家长用氧的必要性和可能造成的危害。对于长时间高浓度用氧的早产儿，为避免早产儿视网膜病（retinopathy of prematurity，ROP）的发生，可使用空氧混合仪给氧。

5）使用空氧混合仪时经常检查仪器是否正常运转，各项指标是否符合要求，每班密切监测FiO_2和氧流量，根据缺氧情况及时调整。

8.新生儿持续气道正压通气术（CPAP）

（1）目的：适用于轻中度呼吸衰竭，没有紧急插管指征，生命体征相对平稳或呼吸衰竭早期干预、有创呼吸机撤机的患儿。

（2）评估与准备

1）评估：患儿孕周、体重、头围、鼻部、血气分析、生命体征、有无禁忌证。

2）用物准备：CPAP呼吸机、CPAP管路、湿化瓶、鼻塞、纱布、灭菌注射用水、鼻贴、面贴。

（3）操作要点

1）备齐用物置于患儿床边，核对医嘱及患儿身份信息。

2）准备CPAP并连接好管路。

3）连接电源、气源，湿化瓶内注入灭菌注射用水，打开主机及湿化器开关，进行仪器自检。

4）根据医嘱调节FiO_2、PEEP、流量及湿化温度参数。

5）清洁患儿面部皮肤，贴好鼻贴、面贴，佩戴帽子，选择合适型号的鼻塞并妥善固定。

6）监测患儿生命体征变化，遵医嘱查血气分析，记录用氧方式、时间及各项参数。

（4）注意事项

1）禁忌证：严重的酸中毒、纵隔气肿、气胸等。

2）鼻塞、帽子应大小适宜，减少对患儿鼻中隔的压迫。定时观察受压部位皮肤情况。

3）根据患儿病情可适当抬高肩部，帮助开放气道，遵医嘱留置胃管并开放末端。

4）在医生指导下根据患儿生命体征及病情变化调节参数，遵医嘱复查血气分析，若达插管指征则需配合医生行气管插管。

9.新生儿光照疗法

（1）目的：通过光疗，促进患儿体内胆红素的排泄。

（2）评估与准备

1）评估：患儿意识反应、生命体征、黄疸的程度、体重、日龄及皮肤情况。调节室温至24～26℃。

2）用物准备：光疗箱、蓝光眼罩、温度计、遮光尿裤、灭菌注射用水。

（3）操作要点

1）洗手，戴口罩，核对医嘱及患儿身份信息。

2）检查光疗箱有无损坏、漏电、松脱，蓝光灯有无破损、灯管有无损坏。

3）光疗箱加灭菌注射用水，接通电源，箱温预热至30～32℃（早产儿32～35℃），相对湿度55%～65%。

4）患儿剪短指甲，清洁皮肤，脱去衣物置于光疗箱，蓝光眼罩遮盖眼睛，遮光尿裤遮盖会阴部，双足外踝可用薄膜保护性粘贴。

5）记录光疗开始时间，按时巡回，单面光疗的患儿每2～4h翻身一次（俯卧位时应头偏向一侧，预防窒息）；每2h测量体温一次，体温超过38.5℃，应暂停光疗，待体温恢复正常后再进行光疗。

6）光疗结束后，脱下眼罩，检查并清洁患儿皮肤后穿衣，测量体温及胆红素并记录，再次核对患儿身份信息。

7）患儿取舒适卧位，光疗设备按要求进行终末消毒。

（4）注意事项

1）光疗过程中，加强巡视，避免眼罩、遮光尿裤脱落。患儿出现发热、皮疹，大便次数增多等情况，应密切观察，积极处理。

2）光疗时患儿皮肤禁涂粉剂、油剂，以免影响光疗效果、造成皮肤灼伤。

3）光疗过程中应持续监测患儿生命体征，密切监测血清胆红素值的变化及神经系统症状，观察大小便情况（若患儿排便为深绿色稀便，泡沫多，次数4～5次/日，尿色深黄，属正常现象）。

4）光疗过程中患儿不显性失水比正常情况高2～3倍，应注意观察患儿有无液体不足现象，及时汇报病情，遵医嘱补液。

5）喂奶时，应关闭蓝光，抱出患儿进行哺喂，不宜抱出者，应在箱内抬高患儿头部喂养，喂奶后头偏向一侧，以防吐奶窒息。

6）严格掌握禁忌证：①直接胆红素>68.4μmol/L。②心肺或肝功能损害。③胆汁淤积。④频繁呕吐或腹泻表现。⑤先天性卟啉病。⑥蓝光过敏。

7）保持光疗箱的清洁，一旦被污染应立即擦拭，保持通透度，以避免妨碍光线透过，影响治疗效果。

10.新生儿换血疗法

（1）目的：迅速减少体内抗体及致敏红细胞，阻止继续溶血；纠正溶血导致的贫血，防止缺氧与心功能不全；降低胆红素，防止胆红素脑病的发生。

（2）评估与准备

1）评估：患儿生命体征、有无胆红素脑病临床表现、各项检查结果及血管情况。

2）用物准备：基础治疗盘、生理盐水、肝素盐水、肝素、输血器、百特袋、注射器、留置针、三通、无菌治疗巾、无菌手套、无菌手术衣、延长管、注射泵、输液泵、吊瓶、体温表、电极片、监护仪、无创血压袖带、抢救车、废血瓶、治疗车。

（3）操作要点

1）核对医嘱及患儿身份信息，将患儿置于辐射台，身体暴露。

2）换血前、后患儿禁食3～4h。

3）穿无菌手术衣，戴无菌手套、口罩、帽子。

4）打开输血加温器，设置温度，连接输血加温器并连接抽血通路，将2个红色三通一端连接输液泵管后再连接空储血袋；另一端连接于患儿动脉血出口处，输液泵管安装竖泵，将储血袋放于称重秤上。

5）输血器末端连接蓝色三通，用来抽取储血袋内血液，静脉留置针连接另一蓝色三通，用于为患儿输血。

6）换血开始前监测生命体征；抽动脉血用于测血糖、血气分析、血清胆红素、肝肾功能、电解质、凝血全套、血常规等并记录抽血量。

7）双人再次核对储血袋、床头卡及腕带，确认无误后开始换血。

8）准确地调节出血与输血速度，并在注射泵上设置好换血总量。

9）每隔5min监测无创血压1次。换血5min后测量体温、SpO_2及心率。

10）保持抽血通路的通畅。每次抽出50mL血液即用1U/mL肝素盐水0.5mL间断正压冲洗动脉留置针，观察血袋、输血器和红色三通内有无凝血来调节肝素的浓度。

11）监测血糖：每换100mL血液测量1次血糖，维持血糖在正常范围。观察储血袋内的重量有无持续增加。

12）监测血气、电解质、血常规及血清胆红素。换血至总量的1/2时复查，记录抽血量，两袋血之间应以生理盐水冲洗输血器及输血通路。

13）换血结束后，抽血复查血气、血常规、电解质、血糖、凝血全套及血清胆红素，监测血压、心率、SpO_2及体温并记录。

14）储血袋称重以计算换出血量并记录。

15）换血结束后拔除动脉置管并记录。

（4）注意事项

1）严格掌握换血指征，做好充分的术前准备。换血过程中，密切监测患儿生命体征，及时安抚患儿，注意保暖。

2）严格执行查对制度及无菌技术。

3）Rh溶血血型要求：Rh同母亲、ABO同患儿。换血量为新生儿血容量的2倍。

4）建立周围静脉通道，以供换血中输液使用。

5）严密观察静脉通路是否有外渗或肿胀，防止液体外渗导致皮肤坏死。

6）遵医嘱给予肝素，肝素量不宜过大，以免引起出血和血小板减少。

11.新生儿经外周中心静脉置管术（PICC）

（1）目的：为长期输液患儿提供有效通路，避免药物对外周血管的刺激，减轻患儿反复穿刺的痛苦。

（2）评估与准备

1）评估：患儿是否耐受、皮肤情况、静脉情况、凝血功能、免疫机制，患儿家属是否签署知情同意书，医生开具医嘱。

2）用物准备：PICC导管、穿刺针、肝素帽、生理盐水、注射器（10mL、20mL数个）、生理盐水、肝素盐水、无菌治疗巾、纸尺、胶布、棉球、棉签、碘伏、无菌纱布数块、透明敷贴、无菌镊子、无菌剪刀、无菌手套、无菌手术衣、止血带、裁剪器。

3）环境宽敞明亮，安静整洁，避免人员走动。

（3）操作要点

1）查对医嘱，查看相关化验报告，确认已签署相关知情同意书，洗手，戴口罩、帽子，核查用物，推治疗车于患儿床旁。

2）全面评估患儿，取合适体位，注意安抚。

3）测量。①上肢：将患儿术侧上肢外展与躯体成直角，从穿刺点沿静脉走向至右胸锁关节，再反折向下至第三肋间隙，并测量双上肢臂围；②头部：从穿刺点沿大致的静脉走向经耳至颈部转向右胸锁关节，再到第三肋间；③下肢：患儿仰卧，下肢与躯干呈直线，从穿刺点沿静脉走行至腹股沟至脐至剑突，并测量双下肢股围。

4）操作者穿无菌手术衣，戴无菌手套，铺无菌操作台，合理摆放用物，按测量长度裁剪PICC管道，接肝素帽，选择≥10mL注射器用0.9%氯化钠溶液。

5）纱布包裹肢端，棉签蘸取碘伏以穿刺点为中心消毒穿刺肢体，直径≥20cm，消毒三遍。

6）操作者洗手，穿无菌手术衣，戴无菌手套，铺无菌治疗巾，建立最大化无菌屏障。

7）再次消毒穿刺肢体，待干，更换无菌手套。助手再次铺无菌巾于肢端。

8）用生理盐水预充导管，检查导管完整性。

9）扎止血带，使静脉充盈，穿刺针与皮肤呈15°～20°进针，见回血后送套管，确保套管在血管内后，松止血带，左手按压在套管尖端的血管上，右手退出针芯，助手用无菌镊夹住导管尖端，轻轻送入套管内（穿刺上肢，导管送至腋下时助手须将患儿头转向穿刺侧，下颌靠近胸部，直至导管进入目的位置，防止导管误入颈内静脉）。

10）导管送入至预测长度后抽回血，确定导管位于静脉内。

11）助手将套管退出血管并撕裂移除，按压穿刺点止血。

12）用棉签蘸取生理盐水擦净导管和周围皮肤上的血迹。

13）将导管适当做弧形弯曲，圆盘置于皮肤平整处，操作中避开骨突关节处。

14）将剪裁好的无菌纱布块放置于穿刺点上方，敷贴剪裁至适合大小，采取"无张力粘贴法"将穿刺部位包括导管和圆盘全覆盖。

15）移去治疗巾，用胶布妥善固定外露的导管。

16）X线拍片或B超定位，确定导管尖端位置，并记录。

17）垃圾分类处理。

（4）注意事项

1）置管前确认患儿家长签署知情同意书，根据医生开具的医嘱执行。

2）严格无菌操作。

3）每天按时测量上、下围，观察肢体循环，穿刺点有无渗血、有无静脉炎。

4）按照要求有效固定PICC导管，避免导管尖端位置发生变化。

5）禁用小于10mL的空针，选择脉冲式冲管、正压封管。

6）上肢首选贵要静脉，其次选肘正中静脉；下肢可选大隐静脉、小隐静脉、股静脉。

7）PICC拍片定位时，患儿置管处肢端姿势应为内收和屈曲的自然功能位。理想的导管尖端位置应在上腔静脉-右心房连接处，位于T4水平，不进入右心房；或在横膈水平的下腔静脉中，理想位置位于T9水平，不进入右心室。

12.新生儿经外周中心静脉置管（PICC）的维护

（1）目的：预防导管相关性感染，防止导管脱出。

（2）评估与准备

1）评估：患儿PICC穿刺点有无渗血，贴膜有无卷边或污染，导管有无反折。

2）用物准备：75%酒精、碘伏、无菌贴膜、无菌剪刀、无菌镊子、无菌治疗巾、无菌棉签、肝素帽、胶贴、生理盐水、1～10U/mL肝素封管液、纸尺。

（3）操作要点

1）确定患儿需要更换贴膜，合理安置患儿体位，铺无菌治疗巾于PICC肢体下，严格无菌操作。

2）洗手，戴口罩，用肝素盐水预充肝素帽，连接静脉管路。

3）抽回血通畅，生理盐水脉冲式冲管。

4）从导管的远心端向近心端轻轻撕去敷贴，防止导管脱出。

5）观察穿刺部位有无红肿、渗液及导管外露长度。

6）戴无菌手套，从中心向外来回摩擦消毒皮肤3次（酒精消毒皮肤，碘伏消毒导管及皮肤，酒精脱碘）。

7）待干后，再次确认导管外露长度，无菌贴膜无张力固定，贴膜外的导管妥善固定。测量穿刺侧肢体臂围或股围。

8）移去治疗巾，在无菌贴膜标签上注明更换的日期、时间、臂围或股围、导管外露长度并签名。

9）整理用物，垃圾分类处理。

（4）注意事项

1）撕拉贴膜时平行撕拉，从远端向近端，从下向上，避免PICC导管移位及患儿皮肤受损。

2）严格按照无菌操作。

3）贴膜塑形，粘贴有效，胶布固定妥当，避免导管移位。体外部分必须有效地固定。

13.新生儿复苏术

新生儿复苏（Neonatal Resuscitation）是一项基本的生命支持技术，主要包括支持恢复呼吸或者心跳呼吸停止的一系列有效通气和循环功能的技能。气道阻塞导致窒息是新生儿呼吸或心搏骤停常见的原因之一，如果窒息时间过长，很可能导致脑瘫等并发症。

因此，对气道状态进行快速评估和维护是新生儿复苏术的关键所在，紧接着进行吸引排除梗阻、通气和给氧，可靠评估及有效正压通气都可明显改善预后。

（1）评估与准备

1）复苏前评估：了解患儿的胎龄，评估其反应、呼吸、肤色、肌张力。要注意观察有无发绀、呼吸不规则或无呼吸、心动过缓、低血压、肌张力低下等表现。

2）复苏中评估：同时评估心率、呼吸和氧合状态等3项临床指征，要注意依据SpO_2数值评估氧合状态，而不是通过肤色评估确定。

3）复苏后评估：心电监护或听诊心率>100次/min，恢复自主呼吸，SpO_2数值>90%，面色、口唇和甲床由发绀转为红润。

（2）操作前准备

1）评估患儿是否足月，羊水状况、呼吸、哭声、肌张力等是否正常。

2）患儿准备：调整患儿体位，便于进行抢救。

3）用物准备

①环境准备：产房温度设置为足月儿25～28℃、早产儿26℃以上，辐射床预设温度为足月儿32～34℃、早产儿34℃，肤温设置为36.5℃。

②一般物品：打开辐射床，洗手（或戴手套），准备听诊器、预热包被、擦身热毛巾2块、肩垫、胃管、脉氧监测仪、帽子，早产儿需要准备保鲜膜。

③吸引物品：吸引球、吸引器、吸引导管和胎粪吸引管。

④给氧：配有流量表的气源，检查氧源并将氧气开到10L/min，检查气囊是否漏气，足月面罩和早产面罩。

⑤插管：检查喉镜、电池、导丝和光源是否完好，各种型号的气管导管（2.5、3.0、3.5、4.0mm，详见表4-11）、剪刀、胶带。

⑥药物：肾上腺素1∶10000、生理盐水、脐导管、一次性注射器（2、5、10、20、50mL）。

表4-11　不同体重患儿气管导管型号和插入深度的选择

体重(g)	导管内径(mm)	唇-端距离(cm)
≤1000	2.5	6～7
1000～2000	3.0	7～8
2000～3000	3.5	8～9
>3000	4.0	9～10

（3）操作要点

评估患儿胎龄、呼吸、肤色、心率、肌张力情况，助手协助迅速连接血氧饱和度仪或心电监护仪。

1）开放气道（Airway，A）

①保暖：将患儿放置在辐射暖台，温热干毛巾擦干患儿头部及全身。

②体位：肩部用布卷垫高2～2.5cm，置患儿头轻度仰伸位（鼻吸气位）。

③吸引：必要时清理呼吸道，先口后鼻，吸引时间不超过10s。

④评估：评估患儿呼吸、心率、SpO_2数值和肤色。

2）建立呼吸（Breath，B）

①刺激：用手拍打或者手指轻弹患儿足底2次，以诱发患儿自主呼吸，刺激后若出现正常呼吸、心率大于100次/min、肤色红润或者仅手足青紫者可予观察；全身皮肤青紫者予鼻导管给氧（手呈C形环绕口鼻，鼻导管距鼻1.25～2.5～5cm），如氧饱和度回升缓慢或无自主呼吸，需进行正压通气。

②正压通气：触觉刺激后仍未建立自主呼吸或心率<100次/min，需重新摆好体位保证气道开放，立即用复苏囊加压给氧，使面罩与患儿面部呈密闭状，以能够见到患儿胸廓起伏为标准。通气频率为40～60次/min，吸呼比1：2，30s后再次评估，若心率>100次/min或出现自主呼吸，则可停止正压通气；若心率<100次/min或无规律性呼吸，则需要继续用复苏器或进行气管插管正压通气，并检查和矫正通气操作；若心率<60次/min，予气管插管正压通气，同时开始胸外按压。

③评估：评估患儿呼吸、心率、SpO_2数值和肤色。

3）恢复循环（Cycle，C）：

①气管插管正压通气30s后，心率<60次/min或心率60～80次/min不再增加，正压通气同时须进行胸外按压。

②拇指法：双手拇指端压胸骨，双拇指重叠或并列，双手环抱胸廓支撑背部。

③按压部位：两乳头连线中点的下方，即胸骨体中下1/3交界处，避开剑突，按压深度约为胸廓前后径的1/3，产生可触及脉搏的效果。

④胸外按压和正压通气的比例为3：1，即90次/min按压和30次/min呼吸。每个动作约0.5s，2s内3次胸外按压和1次正压通气。

⑤按压60s后评估心率，若心率>60次/min，则停止按压，以40～60次/min的频次正压通气；若心率<60次/min，继续正压通气和胸外心脏按压，并考虑给予药物治疗。

⑥评估呼吸、心率、SpO_2数值和肤色。

4）药物治疗（Drug，D）：

①建立有效的静脉通路。

②保证药物的应用：胸外心脏按压60s后不能正常循环时，遵医嘱静脉给予1：10000肾上腺素0.1～0.3mL/kg，或气管内注入0.5～1mL/kg；如心率仍<100次/min，可根据病情酌情纠正酸中毒、扩容，有休克症状者可给多巴胺或多巴酚丁胺。

③评估：评估患儿呼吸、心率、SpO_2数值和肤色。

5）操作后处理

①整理用物，医疗垃圾和生活垃圾分类处理。

②复苏后做好体温管理、生命体征监测，及时对脑、心、肺、肾及胃肠等器官功能进行监测，发现异常并适当干预，以减少并发症。如合并中重度缺氧缺血性脑病，建议给予亚低温治疗。

③认真观察并做好相关记录。

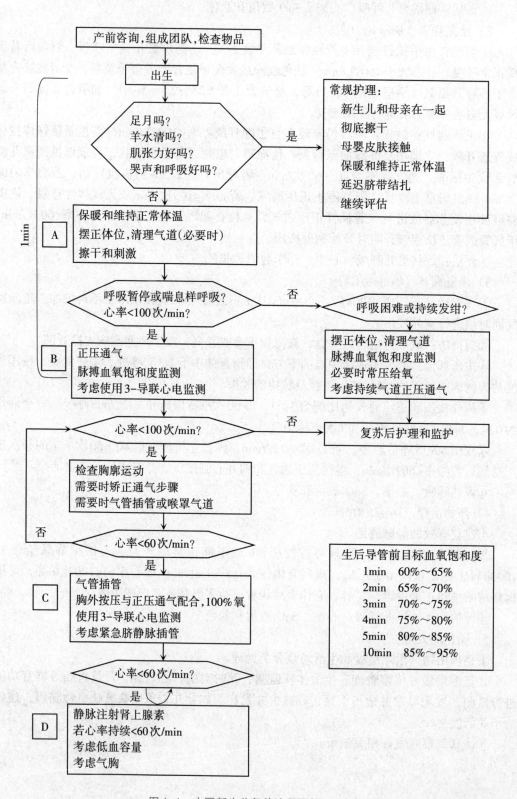

图4-1　中国新生儿复苏流程图(2021版)

（4）注意事项

1）复苏的基本程序：评估→决策→措施，在整个复苏过程中不断重复。

2）评估患儿后要先呼救再急救，整个复苏过程要在辐射床保暖下进行。

3）安全和适宜地触觉刺激患儿，方法包括：拍打或轻弹足底，轻轻地摩擦背部、躯干和四肢。不要有拍打背部、臀部或摇动新生儿等可能造成患儿损伤的动作。

4）正压通气时选择合适的面罩，以覆盖患儿的下巴和口鼻，但以不覆盖眼睛为宜。

5）胸外按压时首选拇指法。因为这能产生更高的收缩峰压和冠状动脉灌注压，这比双指法能更好地控制深度，并能更持久地给予压力。

6）无效通气通常与下列因素有关：如面罩与患儿面部密闭不够、患儿气道阻塞、压力不够等。防范措施，进行矫正通气步骤（MRSOPA）：M.调整面罩，确保与面部封闭良好；R.重新摆正体位，将头调到"鼻吸气"体位；S.检查并吸引口鼻分泌物；O.口腔轻微张开，下颌略向前抬；P.逐渐增加压力直到每次呼吸都能看到胸廓运动，听到呼吸音；A.改变气道，考虑气管插管。

7）无效按压与按压部位错误、按压力度不够、无效通气有关。防范措施如下：按压部位必须准确，力度适宜，保证有效，防止损伤，按压与放松时手指均不可离开胸腔，胸外按压与人工通气配合协调，避免同时进行，加强团队合作演练，分工明确。

8）复苏气囊在加压通气过程中，易造成胃扩张而影响膈肌运动，使肺扩张受限，胃内容物返流，导致吸入性肺炎。因此，通气过程中应尽早置入胃管，抽出胃内容物，并进行胃肠减压以减轻胃扩张。

（二）常用专科设备操作技术

1.新生儿暖箱操作技术

（1）目的

为患儿创造一个温度与湿度适宜的环境，以保持体温的恒定，促进患儿的发育。

（2）评估与准备

1）评估：患儿的胎龄、出生体重、日龄及体温等。

2）用物准备：经消毒处理后铺好包被的暖箱、灭菌注射用水、温度表、湿度表。

（3）操作要点

1）检查电线接头有无漏电、松脱。固定暖箱脚刹，接通电源，打开电源开关，检查各项显示是否正常。

2）暖箱水槽中加灭菌注射用水至水位指示线。

3）暖箱预热，暖箱温度及湿度根据患儿的孕周、胎龄、体重调节，根据需要选择肤温或箱温模式，详见表4-12和表4-13。

4）箱温达到所调温度后，核对患儿身份信息无误，将患儿置入暖箱中，安置舒适卧位。

5）若测得患儿体温不升，暖箱温度应设置为较患儿体温高1℃，每小时提高箱温1℃，直至体温上升到正常范围。在入箱最初2h，应每30～60min测量体温1次，体温稳定后，每4h测量体温1次，并记录箱温及患儿体温。

6）使用肤温控制模式时，应将温度传感器的探头妥善固定于患儿上腹部，避开肝脏区域，设定期望达到的温度值；也可将温度传感器探头置于患儿附近暖箱中央的位置，调节温度。此种方式箱温波动范围小，箱内温度保持稳定需2h左右，可预热暖箱使其保持备用状态。

7）患儿出箱后，应先切断电源，清除水槽内的水，彻底清洁消毒暖箱备用。

（4）注意事项

1）胎龄和出生体重越低，温箱相对湿度越高，超低出生体重儿，温箱湿度对维持体液平衡非常重要，但要注意预防感染。

2）患儿入室后立即放在预热的暖箱中，为保持暖箱温度恒定，各种护理操作尽量在暖箱中集中进行，开关箱门进行操作时要注意保暖，使患儿体温稳定在36.5～37.3℃，要避免箱温突然增高或降低，以免诱发早产儿呼吸暂停。接触患儿前后必须严格执行手卫生，避免交叉感染。

3）每4h测体温1次，观察患儿体温的变化，并根据体温的变化调节箱温。体温不升者，复温要逐渐进行，体温越低复温越要谨慎，每小时提高箱温1℃，并应每0.5～1h复测体温1次，至体温升至正常后改为每4h测量体温1次，并观察有无硬肿出现。体温超过38℃，应调低箱温，每次0.5～1℃，30min后复测体温。

4）在暖箱湿化装置中，高湿度有利于细菌的繁殖与生长。暖箱使用过程中，水槽内的水须每日更换，不可用加水法。

5）关暖箱门时应注意放好患儿肢体，避免被夹伤。治疗、护理应集中进行，如需抱出患儿，要注意保暖。

6）当暖箱报警指示灯亮并发出报警蜂鸣时，要及时检查报警原因，积极进行处理。

7）暖箱内早产儿需要进行蓝光治疗时，蓝光灯与暖箱上壁间距以5～8cm为宜，以防暖箱过热造成患儿发热的假象。

8）肤温控制模式时暖箱加热装置根据传感器所测得的皮肤温度与预定值的差值情况供热，传感器脱落，会引起箱温调节失控，应妥善固定探头，勤巡视观察传感器有无脱落。

9）暖箱暖气出风口避免东西遮挡，以免影响箱温调节。如停用暖箱，要先关电源开关，后拔插头，放于无太阳照射的地方，以防外壳破裂及影响箱温调节，不用时用布遮盖，防尘。移动暖箱时避免碰撞，以免外壳破裂而失去保暖功能。

10）患儿出箱后，按要求进行终末消毒。

表4-12　暖箱伺服模式时预调上腹部温度设定值

体重（kg）	温度（℃）
<1.0	36.9
1.1～1.5	36.7
1.6～2.0	36.5
2.1～2.5	36.3
>2.5	36.0

表4-13 超低出生体重早产儿暖箱的温度和湿度

日龄(d)	1～10	11～20	21～30	31～40
温度(℃)	35	34	33	32
湿度(%)	100	90	80	70

2.新生儿辐射台操作技术

（1）目的：为危重患儿的抢救、观察，提供适中的温度环境。

（2）评估与准备

1）评估患儿胎龄、出生体重、日龄及体温。

2）用物准备：辐射台、胶布、塑料薄膜。

（3）操作要点

1）辐射台置于避风温暖处，固定脚刹，检查床栏，调节床头高度。

2）打开电源开关，检查各项显示是否正常。设置温度，将被服治疗巾等预热。

3）置患儿于辐射台后，将皮肤传感器探头金属面紧贴患儿右上腹部皮肤，避开肝脏区域，用胶布妥善固定，必要时可用75%乙醇清洁患儿右上腹部皮肤。

4）模式调节。①手控模式：适用于为短时间的复苏抢救提供保暖措施，须密切监测体温，不建议长时间使用。②肤温控制模式：通过固定在患儿腹壁皮肤的测温探头调节加热器输出的热量，当出现皮肤实际温度与设定值不符时，调节加热器适当增加或减少输出的热量，以此达到理想的设置温度，详见表4-14。

5）整理床单元，安置患儿舒适体位。

（4）注意事项

1）新生儿病房室温应调节在24～26℃，病房室温过低，可导致升温慢。

2）患儿置于辐射台保暖时对流丧失热量较多，应避免将辐射台放在通风处。

3）用辐射台保暖时，不显性失水较暖箱增加50%以上，可使用塑料薄膜覆盖，以减少不显性失水、对流及辐射散热，并根据医嘱补充液体。

4）温度传感器探头金属面应紧贴皮肤，多观察传感器探头位置，严防探头脱落导致辐射台过度加热引起烫伤。探头金属面每日用75%乙醇擦拭，以保持灵敏度。

5）停止使用辐射台时先关闭电源开关，后拔电源插头，动作轻柔地取下固定皮肤传感器探头的胶布，移患儿于婴儿床上包裹被服。辐射台按要求进行终末消毒。

表4-14 新生儿辐射台伺服控制时预调上腹壁温度设定值

体重(kg)	温度(℃)
<1.0	37.0
1.1～1.5	36.8
1.6～2.0	36.6
2.1～2.5	36.4
>2.5	36.2

3. T组合复苏器操作技术

T组合复苏器是一种由气流控制和压力限制的机械装置。

（1）目的：提供恒定一致的呼气末正压和吸气峰压。

（2）用物准备：T组合复苏器，氧气装置一套，膜肺一个，吸痰装置一套。

（3）操作要点

1）预先检查T组合复苏器的性能是否完好。

2）调节氧气流量计控制进入复苏器的气体量，常用量为5～10L/min。

3）氧气入口的导管连接氧气装置，氧气出口导管末端连接膜肺。

4）用拇指堵住PEEP帽，检查最大气道压力（安全压），常用量为40cmH$_2$O，通过旋转吸气压力控制钮调节。

5）移开堵住PEEP帽的手指，观察吸气末正压，常用量为5cmH$_2$O，调节PEEP在所需设定值。

6）确定患儿是否需要正压通气。正压通气指征：无呼吸或喘息，有呼吸但心率<100次/min，吸入100%的氧气仍持续发绀。

7）选择正确的吸气峰压。起始：早产儿20～25cmH$_2$O，足月儿开始2～3次为30～40cmH$_2$O，以后在保障肺得到有效通气前提下，逐渐降至20cmH$_2$O。有效通气指征是心率、血氧饱和度、皮肤颜色、肌张力改善。

8）移开膜肺，操作者站在患儿侧面或头侧，置患儿的头为轻度仰伸位，确认气道通畅，清理口咽分泌物，通气时使患儿的口稍张开。

9）选择合适的面罩，连接面罩（面罩包裹住患儿口鼻，上不遮盖眼睛，下不超过下颌）或气管插管。

10）将面罩罩住口鼻并轻轻地下压，可以轻柔地将下颌向上推向面罩，以保证面罩的密闭性。

11）用拇指或食指间断堵塞PEEP帽控制呼吸频率及吸气时间：频率40～60次/min，呼吸比为1：2。

12）T组合与胸外按压：心肺复苏，胸外按压90次/min，与正压通气30次/min之比为3：1，即2s内3次胸外按压，1次正压通气，合计1min内120个动作。必要时遵医嘱插胃管，以避免正压通气引起的胃肠胀气甚至返流误吸。

13）复苏结束后T组合复苏器表面用500mg/L含氯消毒液擦拭，面罩用75%乙醇擦拭，导管送供应室消毒。

第三节　结局质量标准

一、护理敏感指标

依据中国医师协会新生儿专业委员会2011年制定的《中国新生儿病房分级建设与管理指南》，将新生儿病房分为3级6等，不同级别新生儿病房有不同的收治标准和技术要求，新生儿病房分级管理护理质量敏感指标包含重症监护病房和新生儿病房。通过检索国内外护理质量管理文献，参照我国其他省份护理质量敏感指标管理资料，广泛收集甘肃省各级医院新生儿科护理管理者的意见和建议，编制出甘肃省新生儿科护理质量敏感指标，以期通过改善新生儿科护理质量，提升新生儿科护理管理水平。

新生儿护理敏感指标除中心静脉导管相关血流感染率、呼吸机相关性肺炎发生率、非计划性拔管发生率、跌倒/坠床发生率已在第二章第三节描述外，还应该进行新生儿专科其他敏感指标监测。

（一）尿布性皮炎发生率

1.指标定义

（1）尿布性皮炎：指在包裹尿布的部位发生的一种皮肤炎性病变，也称为尿布疹或者婴儿红臀。表现为臀部与尿布接触区域的皮肤出现潮红、皮疹，甚至出现溃烂及感染。属于接触性皮炎，根据皮肤损害程度分为3级，详见表4-15。

表4-15　尿布性皮炎的分级及临床表现

分度	临床表现
轻度	局部皮肤潮红,伴有少量皮疹,范围小
中度	皮肤红,范围大,皮疹破溃并伴有脱皮
重度	皮肤红,范围广,伴皮疹,皮肤发生较大面积的糜烂和表皮剥脱及渗液

（2）尿布性皮炎发生率：统计周期内尿布性皮炎发生例数与统计周期内患儿总数的比例为尿布性皮炎发生率。

2.指标意义

尿布性皮炎发生率是反映基础护理工作的一项重要指标。

$$尿布性皮炎发生率 = \frac{期内住院新生儿尿布性皮炎发生例次数}{统计周期内住院新生儿实际占用床日数} \times 1000‰$$

3.计算公式

（1）分子说明：统计周期内尿布性皮炎的发生例数。

（2）分母说明：统计周期内住院患儿总数。

（3）变量特别说明：在统计周期内同一患儿多次发生尿布性皮炎，按实际发生例数计算。如同一患儿住院期间发生2次尿布性皮炎，记录为2次，院外带入尿布性皮炎，若分期加重或发生新的部位也计为1例。

4.数据采集

根据质量控制管理原则，需要对每月、每季度、每年尿布性皮炎发生率进行统计并记录。

5.案例解析

（1）案例：某新生儿科护士在进行基础护理相关工作时，发现患儿发生尿布性皮炎2例，当日住院患者共80人。督查是否具有记录和原因分析时，发现该科室基础护理工作的质控分析和尿布性皮炎发生率的登记和计算缺失，详见表4-16。

表4-16　尿布性皮炎相关信息收集表

日期	日龄	喂养方式		更换尿布频次		基础疾病					分级			来源		责任在岗护士人数	病区在院患儿人数
		母乳	配奶	随机	定时	光疗		腹泻		其他	轻度	中度	重度	在院	门诊		
						是	否	是	否								

计算：当日新生儿中度及以上院内尿布皮炎占比=1/4×100%=25%。

（2）解析：该科室没有基础护理工作质量评估，对于已发生尿布性皮炎的患儿转归也没有进行追踪和登记，因此无法有效地将相关数据收集，造成无法对本指标进行有效的分析和统计。

（二）新生儿中度及以上院内尿布皮炎占比

1.指标定义

新生儿中度及以上院内尿布皮炎占比：指统计周期内，住院新生儿中度及以上院内尿布皮炎的发生例次数与同期新生儿院内尿布皮炎发生例次数的百分比。

2.指标意义

$$\text{新生儿中度及以上院内尿布皮炎占比} = \frac{\text{期内新生儿中度及以上院内尿布皮炎发生例次数}}{\text{统计周期内新生儿院内尿布性皮炎发生例次数}} \times 100\%$$

3.计算公式

（1）分子说明：统计周期内新生儿中度及以上院内尿布皮炎发生例次数。

（2）分母说明：统计周期内新生儿院内尿布性皮炎发生例次数。

（3）变量特别说明：同一新生儿一次住院期间，若轻度尿布皮炎分期加重至中度或重度，应计为1例次新生儿中度及以上院内尿布皮炎。院外带入尿布皮炎，若分期加重至中度或重度，也计为1例次。新生儿中度及以上院内尿布皮炎发生例次数应小于或等于新生儿院内尿布皮炎发生例次数。

4.数据采集

根据质量控制管理原则，需要对每月、每季度、每年新生儿中度及以上院内尿布皮炎占比进行统计并记录。

5.案例解析

（1）案例：某新生儿科护士在进行晨间护理时，发现患儿发生尿布性皮炎4例，其中轻度3例，重度1例，当日住院患者共105人。督查是否具有记录和原因分析时，发现该科室尿布性皮炎发生率的登记和计算缺失，详见表4-16。

（2）解析：该科室没有对于已发生尿布性皮炎患儿的转归记录，也没有进行追踪和登记，因此无法有效地收集相关数据，造成无法对本指标进行有效的分析和统计。

（三）医源性皮肤损伤发生率

1.指标定义

（1）医源性皮肤损伤：指在医疗活动中由于操作不当或仪器故障所造成的与原发病无关的皮肤损伤，包括割伤、划伤、摩擦伤、压伤、烫伤、皮肤消毒剂灼伤、敷料粘贴方法不正确所致皮肤损伤等。

1）烫伤分期

烫伤的分级在我国通常分为四级，包括轻度烫伤、中度烫伤、重度烫伤以及特重度烫伤。我国进行烫伤分级的依据主要是烫伤的面积与深度。

①轻度烫伤：Ⅱ度烫伤面积小于10%。

②中度烫伤：Ⅱ度烫伤面积为10%～30%。

③重度烫伤：Ⅱ度烫伤面积为30%～50%或者Ⅲ度烫伤面积为10%。

④特重度烧伤：Ⅲ度烫伤面积在10%以上或者Ⅱ度烫伤面积在50%以上。

2）药物外渗的分级

①0级：没有症状。

②Ⅰ级：皮肤发白；皮肤发凉；水肿范围最大直径<2.5cm；伴有或不伴有疼痛。

③Ⅱ级：皮肤发白；皮肤发凉；水肿范围最大直径在2.5～15cm之间；伴有或不伴有疼痛。

④Ⅲ级：皮肤发白；皮肤发凉；水肿范围最小直径>15cm；轻到中等程度的疼痛；可能有麻木感。

⑤Ⅳ级：皮肤发白，半透明状；皮肤紧绷，有渗出；皮肤变色，有瘀斑、肿胀；水肿范围最小直径>15cm，呈凹陷性水肿；循环障碍；轻到中等程度的疼痛；可为任何容量的血液制品、发疱剂或刺激性的液体渗出。

2.指标意义

医源性皮肤损伤发生率与基础护理、护理操作和相关知识掌握相关。监测该指标能发现护理环节的薄弱点和相关知识的掌握程度。

$$医源性皮肤损伤发生率=\frac{同期住院患者医源性皮肤损伤新发病例数}{统计周期内住院患儿总数}\times100\%$$

3.计算公式

（1）分子说明：统计周期内住院患儿医源性皮肤损伤新发病例次数。

（2）分母说明：统计周期内住院患儿总数。

（3）变量特别说明：在统计周期内同一患儿多次发生医源性皮肤损伤按实际发生次数计算。如同一患儿住院期间出现2次医源性皮肤损伤，记录为2次。

4.数据采集

根据质量控制管理原则，需要对每周、每月、每季度、每年医源性皮肤损伤发生率进行统计并记录。

5.案例解析

（1）案例：某护士给患儿更换敷贴时，不慎损伤患儿皮肤，当日住院患者共80人。督查是否具有记录和原因分析时，发现该科室医源性皮肤损伤相关信息的分析和医源性皮肤损伤发生率的登记和计算缺失，详见表4-17。

表4-17　医源性皮肤损伤相关信息收集表

日期	胎龄	损伤部位	类型						分期					来源		责任护士在岗人数	病区在院患儿人数
			药物外渗	粘贴伤	摩擦伤	划割伤	烫伤	压伤	I	II	III	IV	不能分期	在院	门诊		

计算：当日医源性皮肤损伤发生率=1/80×100%=1.25%。

（2）解析：该科室对于已发生医源性皮肤损伤患儿没有进行追踪和登记，因此无法有效地收集相关收据，从而造成无法对本指标进行有效的分析和统计。

（四）患儿外周静脉输液渗出/外渗发生率及患儿外周静脉输液外渗占比

1.指标定义

（1）患儿外周静脉输液渗出/外渗发生率指统计周期内，住院患儿发生外周静脉渗出和外渗的例次数与同期住院患儿外周静脉通路留置总日数的千分比。

（2）患儿外周静脉输液外渗占比指统计周期内，住院患儿发生外周静脉输液外渗例次数占同期住院患儿外周静脉输液渗出和外渗发生总例次数的百分比。

2.指标意义

患儿外周静脉输液渗出/外渗发生率及患儿外周静脉输液外渗占比与基础护理、护理操作和相关知识掌握相关。监测该指标能发现护理环节的薄弱点和相关知识的掌握程度。

$$患儿外周静脉输液渗出/外渗发生率=\frac{患儿外周静脉输液渗出/外渗发生例次数}{患儿外周静脉通路留置总日数} \times 1000‰$$

$$患儿外周静脉输液外渗占比=\frac{患儿外周静脉输液外渗发生例次数}{统计周期内患儿外周静脉输液渗出/外渗发生例次数} \times 100\%$$

3.计算公式

（1）分子说明：患儿外周静脉输液渗出/外渗发生率的分子，指统计周期内患儿住院期间外周静脉输液过程中，发生药物渗出例次数和药物外渗例次数之和；患儿外周静脉输液外渗占比的分子，指统计周期内患儿住院期间外周静脉输液过程中，药物外渗发生的例次数。

（2）分母说明：患儿外周静脉输液渗出/外渗发生率的分母，指统计周期内，患儿在住院期间留置外周静脉通路的日数之和；患儿外周静脉输液外渗占比的分母，指统计周期内患儿住院期间外周静脉输液过程中，发生药物渗出例次数和药物外渗例次数之和。

（3）变量特别说明：药物渗出，指在外周静脉输液过程中，非腐蚀性药液进入静脉管腔以外的周围组织；药物外渗，指在外周静脉输液过程中，腐蚀性药液进入静脉管腔以外的周围组织。统计患儿外周静脉输液渗出/外渗发生例次数时，同一住院患儿在24h内发生多次外周静脉输液渗出/外渗，则累加计算相应的次数。住院患儿为接受辅助检查做准备而临时置入、检查后即拔除的留置针输液发生渗出及外渗的例次数也应计入。外周静脉留置针每跨越0点1次计作1日，当天置入并拔除也计作1日。若同一住院患儿留置多条外周静脉通路，则应计算每一条通路相应的留置日数。带管入科（包括新入院或从其他科室转入）患儿以入科当日开始，每跨越0点1次计作1日，带管转科患儿以转科日期为止。

4.数据采集

根据质量控制管理原则，需要对每月、每季度、每年患儿外周静脉输液渗出/外渗发生率及患儿外周静脉输液外渗占比进行统计并记录。

5.案例解析

（1）案例：新生儿科白天1位患儿外出检查临时置入的钢针发生了液体渗出，当天小夜班护士巡回病区时，发现1位患儿静脉留置针发生外渗，当天患儿外周静脉通路留置总日数为127日。督查是否具有记录和原因分析时，发现该科室患儿外周静脉输液渗出/外渗发生率的登记和计算缺失，详见表4-18。

表4-18 外周静脉输液外渗/渗出相关信息收集表

日期	日龄	分类		穿刺针类型		留置时长	部位	液体类型	液速	分期					来源		责任在岗护士人数	病区在院患儿人数
		外渗	渗出	钢针	留置针					0	I	II	III	IV	在院	门诊		

计算：当日患儿外周静脉输液渗出/外渗发生率=(1+1)/127×1000‰=15.75‰；

当日患儿外周静脉输液外渗占比=1/(1+1)×100%=50%。

（2）解析：该科室对已发生的外周静脉输液渗出/外渗信息没有进行追踪和登记，因此无法有效地收集相关数据，造成无法对本指标进行有效的分析和统计。

二、其他重点监测指标

（一）疼痛干预率

1.指标定义

（1）疼痛：是一种不愉快的感觉和情绪体验，伴有实际或潜在的组织损伤。

（2）疼痛干预率：是指护士经疼痛评估后，对患儿进行有效的护理措施以减轻疼痛。

2.指标意义

（1）疼痛干预率是对疼痛患儿治疗与护理的重要敏感指标之一，也是监测镇痛效果的关键。新生儿疼痛主要来源于各种侵袭性操作，新生儿疼痛管理中最重要的是尽可能减少疼痛性操作、预防疼痛的发生以及使用镇痛剂减轻疼痛。通过监测对疼痛患儿的干预率，能够了解临床护理工作中是否对患儿疼痛给予重视，并采取有效的干预措施并对未能达标情况进行积极改正，达到全程、优质、高效的护理目标。

（2）早产儿疼痛量表（premature infant pain profile，PIPP）：早产儿疼痛量表（详见表4-19）是一项多维评分工具，由加拿大多伦多大学和McGill大学制定，用于早产儿疼痛的行为评定。近期的研究证实，其测量可信度能够为专业的护理人员提供一个客观的新生儿疼痛评分。

表4-19 PIPP早产儿疼痛量表

指 标	0分	1分	2分	3分	得 分
胎龄（周）	≥36	32～35⁺⁶	28～31⁺⁶	<28	
行为状态	活动/觉醒	安静/觉醒	活动/睡眠	安静/睡眠	
	双眼睁开	双眼睁开	双眼闭合	双眼闭合	
	有面部活动	无面部活动	有面部活动	无面部活动	
心率最大值（次/min）	↑0～4	↑5～14	↑15～24	↑>25	
血氧饱和度（%）最低值	↓0～2.4	↓2.5～4.9	↓5.0～7.4	≥7.5	
皱眉动作	无（≤观察时间的9%）	最小值（观察时间的10%～39%）	中值（观察时间的40%～69%）	最大值（≥观察时间的70%）	
挤眼动作	无（≤观察时间的9%）	最小值（观察时间10%～39%）	中值（观察时间的40%～69%）	最大值（≥观察时间的70%）	
鼻唇沟加深	无（≤观察时间的9%）	最小值（观察时间10%～39%）	中值（观察时间的40%～69%）	最大值（≥观察时间的70%）	

注：PIPP评分为上述7项评分的总和，最低分为0分，最高分为21分，得分越高，疼痛越显著。

（3）新生儿疼痛评分（Neonatal Infant Pain Scale，NIPS）：新生儿疼痛评分（详见表4-20）由加拿大EASTERN ONTARIO儿童医院制定，是一种用于早产儿和足月儿疼痛评估的行为测量手段，通过观察新生儿行为的变化，评估正常情况下及某些特殊操作（如静脉穿刺前/穿刺中及穿刺后）时新生儿的疼痛状况。

表4-20 新生儿疼痛评分（NIPS）

项目	0分	1分	2分
面部表情	放松	面部扭曲	
哭闹	不哭	呜咽	大声哭闹
呼吸方式	自如	呼吸方式改变	
上肢动作	自然状态或放松	屈曲或伸展	
下肢动作	自然状态或放松	屈曲或伸展	
觉醒状态	睡眠或觉醒	烦躁	

注：如患儿病情太重以致反应太弱或接受麻醉（镇静）治疗时，可使评分偏低。

3.计算公式

$$疼痛干预率=\frac{同期重度疼痛患儿干预人数}{统计周期内重度疼痛患儿总人数}×100\%$$

4.数据采集

根据质量控制管理原则,需要对每月、每季度和每年重度疼痛患儿的干预率进行统计并记录。对不达标事件要进行根本原因分析,并进行持续质量改进。

5.案例解析

(1)案例:护理人员为患儿进行静脉穿刺时,患儿烦躁不能有效配合,护理人员随即对患儿进行疼痛评估,给予安抚(停止穿刺、镇痛、拥抱、抚摸、安抚奶嘴等)后评估患儿舒适度,患儿疼痛体验较前明显降低,并能配合完成静脉穿刺。

(2)解析:该案例中,为患儿穿刺前忽略了对患儿主观感受的关注,导致患儿烦躁,无法配合。护理人员后期对患儿进行疼痛评估后,采取了有效的干预措施,完成了静脉穿刺,减轻了患儿的痛苦,同时避免了后续治疗的延误。

(二)母乳喂养率

1.指标定义

(1)母乳喂养是指使用母亲的乳汁喂养婴儿的方式。

(2)母乳喂养率是指统计周期内住院患儿母乳喂养人数与统计周期内住院患儿总数的比例。

2.指标意义

母乳不仅为婴儿提供营养,而且提供抵御病原微生物侵入的能力。母乳喂养的好处:

(1)对子代的好处:满足婴儿生长发育的营养需求,母乳易于消化吸收,可促进胃肠道的发育;提供生命早期的免疫物质,减少婴儿疾病的发生,主要包括母亲体内已有的IgG及乳汁中特异的SIgA、铁蛋白、溶菌酶、白细胞及吞噬细胞、淋巴细胞等。免疫物质可以减少子代发生感染性疾病,特别是危及生命的呼吸系统及肠道系统疾病。喂养过程中还会产生许多良性神经系统刺激,促进中枢神经系统发育,可减少成年后代谢性疾病的发生,不仅能为他们当前的健康带来极大的益处,而且会给其整个生命周期带来积极的影响。

(2)对母亲的好处:频繁有效的吸吮是促进母亲乳汁分泌最有效的方法,也能有效预防母亲乳胀、乳腺炎等的发生,降低母亲乳腺癌、卵巢癌、子宫癌的发病风险;增强子宫收缩,减少母亲产后出血;具有生育调节的作用。

(3)对家庭及社会的好处:减少了人工喂养所需的人力,有助于母亲和其他家庭成员更好的休息;还可以减少婴幼儿生病的医疗开支及由此导致的父母误工而带来的经济损失;能促进家庭和谐,增加父母对家庭子女的社会责任感,有利于情绪稳定,提高工作效率。

3.计算公式

$$NICU母乳喂养率=\frac{期内住院患者母乳喂养人数}{统计期内住院患者总人数}×100\%$$

$$早产儿纯母乳喂养率=\frac{期内住院早产儿纯母乳喂养人数}{统计期内住院早产儿总人数}×100\%$$

4.数据采集

根据质量控制管理原则，需要对每月、每季度、每年支持性护理实施率进行统计并记录，详见表4-21。

表4-21　新生儿喂养情况相关信息收集表

日期	患儿总数	母乳喂养				人工喂养				
		母乳喂养人数	纯母乳喂养率	纯母乳喂养人数	纯母乳喂养率	人工喂养人数	人工喂养率	人工喂养原因		
								代谢性疾病	消化道疾病	其他

5.案例解析

（1）案例：某医院护士进行喂养指导工作，当日病区特殊奶粉喂养者4例，混合喂养者19例，纯母乳喂养者10例，禁食者7例，当日病区总人数为40人。

计算：当日母乳喂养率=(19+10)/40×100%＝72.5%，

当日纯母乳喂养率=10/40×100%＝25%。

（2）解析：对于未能进行母乳喂养的患儿应进行追踪和登记，收集相关数据。

（三）住院新生儿家庭参与率

1.指标定义

住院新生儿家庭参与率是指统计周期内新生儿家庭参与式护理人数与统计周期内住院新生儿总数的比例。

2.指标意义

通过一系列的方法制造机会，让家长感到自己能够参与到新生儿的照护中来，使家长能够掌握适当的育儿技巧，并建立有效的亲子关系，在救治过程中，不仅仅关注存活，更多地关注新生儿的情感感受和远期健康质量；鼓励家庭成员参与医疗护理方案的制定，尊重家庭对医疗护理方案的选择权利，将家庭的意见整合到护理计划中，进行个性化的诊疗，彰显人性化理念；给予患儿和正常新生儿一样完整的情感体验和最小的干扰，以提高其未来的生活质量，并以一个完整的家庭单元的形式出院，最终良好的回归社会。

3.计算公式

$$住院新生儿家庭参与率(\%)=\frac{期内住院新生儿家庭参与式护理人数}{统计期住院患儿总人数}×100\%$$

4.数据采集

根据质量控制管理原则，需要对每周、每月、每季度、每年住院新生儿家庭参与率进行统计并记录，详见表4-22。

表4-22　家庭参与式护理相关信息收集表

日期	患儿总数	项目							参与者		参与时长(h)	
		洗手	喂养	口腔护理	更换尿布	测量体温	擦浴抚触	袋鼠式护理	父母双方	其他亲属	全时段	间断

5.案例解析

（1）案例：某医院护士进行家庭参与式护理指导工作，当日病区家庭参与式护理的患儿13例，当日病区总人数为40人。

计算：当日住院新生儿家庭参与率=13/40×100%＝32.5%。

（2）解析：对于未能进行家庭参与式护理的患儿应进行追踪和登记，收集相关数据。

第四节　应急预案及流程

一、应急预案

（一）新生儿呛奶、返流、窒息应急预案

新生儿呛奶、返流、窒息应急预案及处理流程详见图4-2。

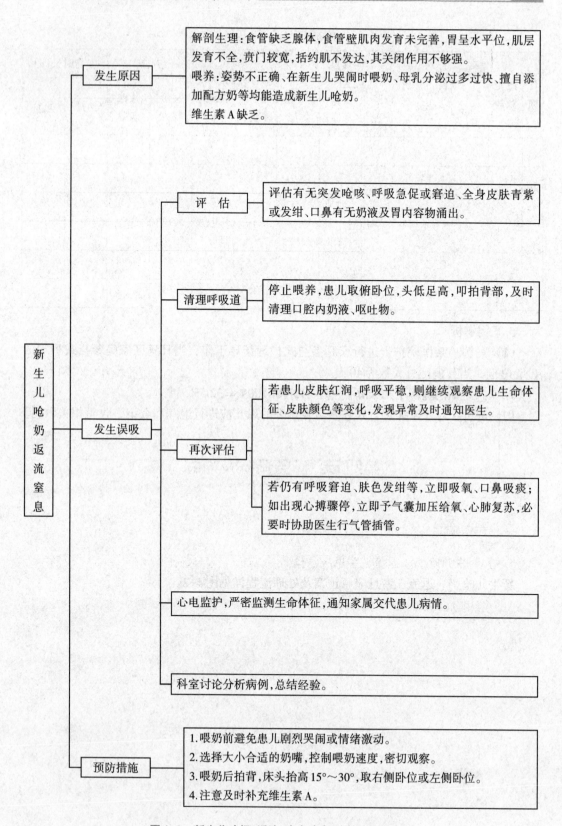

新生儿呛奶返流窒息

发生原因
- 解剖生理：食管缺乏腺体，食管壁肌肉发育未完善，胃呈水平位，肌层发育不全，贲门较宽，括约肌不发达，其关闭作用不够强。
- 喂养：姿势不正确、在新生儿哭闹时喂奶、母乳分泌过多过快、擅自添加配方奶等均能造成新生儿呛奶。
- 维生素A缺乏。

发生误吸
- 评估：评估有无突发呛咳、呼吸急促或窘迫、全身皮肤青紫或发绀、口鼻有无奶液及胃内容物涌出。
- 清理呼吸道：停止喂养，患儿取俯卧位，头低足高，叩拍背部，及时清理口腔内奶液、呕吐物。
- 再次评估：
  - 若患儿皮肤红润，呼吸平稳，则继续观察患儿生命体征、皮肤颜色等变化，发现异常及时通知医生。
  - 若仍有呼吸窘迫、肤色发绀等，立即吸氧、口鼻吸痰；如出现心搏骤停，立即予气囊加压给氧、心肺复苏，必要时协助医生行气管插管。

心电监护，严密监测生命体征，通知家属交代患儿病情。

科室讨论分析病例，总结经验。

预防措施
1. 喂奶前避免患儿剧烈哭闹或情绪激动。
2. 选择大小合适的奶嘴，控制喂奶速度，密切观察。
3. 喂奶后拍背，床头抬高15°～30°，取右侧卧位或左侧卧位。
4. 注意及时补充维生素A。

图4-2　新生儿呛奶、返流、窒息应急预案及处理流程

（二）新生儿坠床应急预案

新生儿坠床应急预案及处理流程详见图4-3。

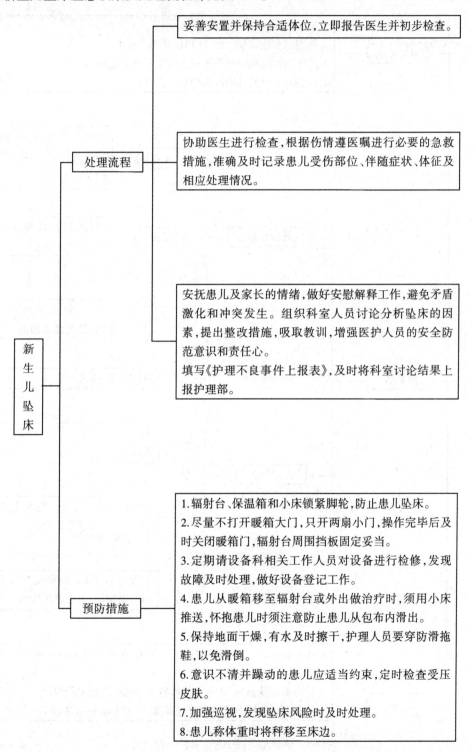

图4-3 新生儿坠床应急预案及处理流程

（三）新生儿烫伤应急预案

新生儿烫伤应急预案及处理流程详见图4-4。

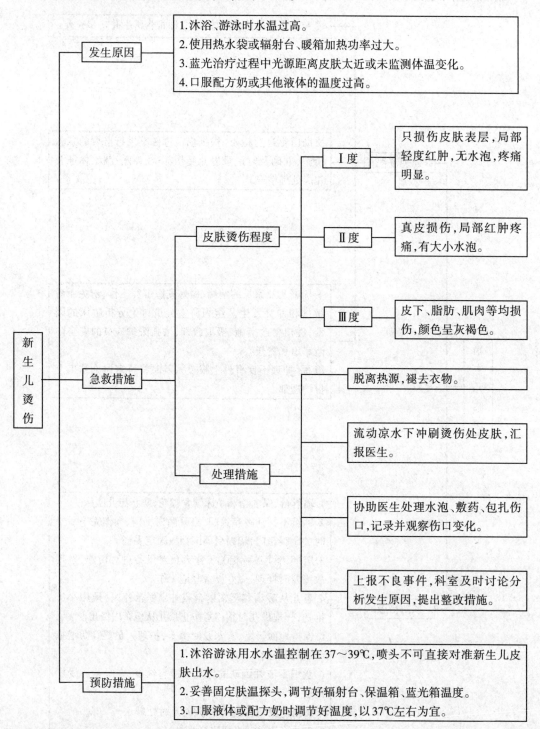

图4-4　新生儿烫伤应急预案及处理流程

二、特殊事件的处置流程

（一）新生儿失窃应急处置

新生儿失窃应急处置流程详见图4-5。

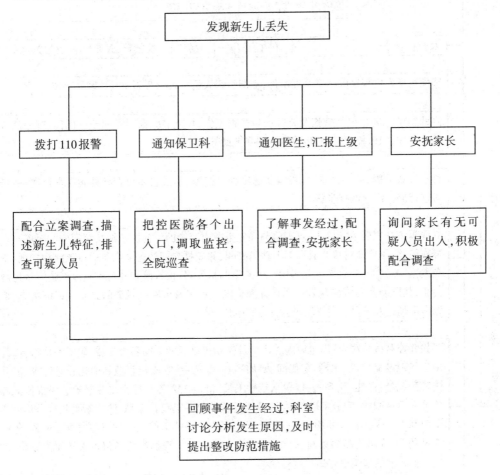

图4-5　新生儿失窃应急处置流程

（二）新生儿医院感染暴发流行处理

新生儿病房院内感染暴发流行复杂、高危、难预见、难控制，可能造成巨大损失，应引起高度警惕，提高对各种病原体院内感染的警觉性，一旦发生有院内感染的暴发，在及时采取有效控制措施的同时，还需要及时上报有关部门及时协助处理，具体处理流程详见图4-6。

医院感染暴发：指在机构或其科室的患者中，短时间内发生3例以上同种同源感染病例的现象。

疑似医院感染暴发：指在机构或其科室的患者中，短时间内出现5例以上临床症候群相似、怀疑有共同感染源病例；或5例以上怀疑有共同感染源或感染途径的感染病例现象。

医院感染暴发

及时报告　→　护士长　→　科主任　→　感染科、院领导、医务科/其他相关科室

感染科证实出现医院感染暴发事件，立即组织人员进行床旁隔离或区域性隔离。

协助感染科进行控制措施及流行病学调查工作，在人、物、财力方面予以保证，有序高效开展工作，积极控制感染，将感染范围降到最低。

科室查找原因，协助调查、积极落实感染控制措施；检验科室负责各种病原学检测；感染科进行流行病学调查步骤。

立即隔离并积极治疗患儿：对于监测到发生院内感染的患儿应立即按照相应的隔离要求隔离患儿，尽可能将患儿放置于单独隔离间，并安排专门的医务人员进行治疗和护理，避免发生交叉感染导致新生儿病房院内感染的暴发；暂停入院患儿直到院内感染完全控制为止，住院新生儿能离院者应尽早办理出院。对于发生院内感染的患儿应积极治疗，根据微生物检验学报告选择相应的抗生素治疗。

寻找并控制传染源：从固定设施受污染及流动传染源两方面积极寻找，包括医疗设备、医用空气源及氧气源、水槽、配奶间、奶加热器、配药室、呼吸机管道和湿化器水源等；流动传染源包括：患儿、医务人员（包括后勤人员、清洁工人等）、球囊复苏器等。寻找传染源应当采用拉网式、倒金字塔形方式，争取尽快确定并隔离传染源，防止新生儿病房院内感染的暴发。安排新生儿病房的院感专员对发生院内感染的病房进行各类医疗设备、医务人员的手、各类物品的表面、奶制品等进行细菌采样，根据细菌学报告来寻找传染源，以便采取有效的措施更好地控制院内感染的暴发。

切断传播途径：医务人员加强手卫生，洗手水龙头应当为感应式，采用擦手纸擦干双手。对于新生儿病房工作的医务人员应定期培训消毒隔离、院内感染及手卫生的相关知识，提高医务人员的洗手依从性。对于隔离患儿，在检查、治疗及护理时必须戴一次性手套、口罩、帽子，并且穿好隔离衣才能进行操作。对于患感染性疾病的医务人员即使症状轻微，也应立即调离新生儿室。对于发生院内感染的病房必须进行彻底病房环境、相关器械及呼吸机的消毒，并对相关器械进行细菌学监测，检查结果为阴性后方可再次使用。

分析调查资料，对病例在科室的分布、人群分布、时间分布进行比较分析，根据实验室结果和所采取控制感染措施的效果综合做出正确判断。

根据感染暴发或流行的调查和控制情况，科室进行讨论分析并总结，制定防范措施。

发生新生儿医院感染暴发

图4-6　新生儿医院感染暴发流行处理流程

第五节　常用评估工具

一、疼痛评分

新生儿疼痛主要来源于各种侵袭性操作，其次为外科手术及其他疾病因素，疼痛会对新生儿造成恐惧，影响睡眠或觉醒状态、氧耗增加。尤其对早产儿操作性疼痛所致的急性生理变化会引起再灌注损伤，诱发脑室内出血（IVH）和脑室周围白质软化（PVL），并有可能导致儿童期认知行为障碍和适应能力差等问题，因此在临床工作中应重视新生儿疼痛管理。

1.早产儿疼痛量表

早产儿疼痛量表（详见表4-19）是一种多维评分工具，由加拿大多伦多大学和McGill大学制定。

评分说明：

（1）检查婴儿前，先评估胎龄。

（2）疼痛刺激前观察婴儿15s，评价其行为状态。

（3）记录基础血氧饱和度和心率。

（4）疼痛刺激后迅速观察婴儿30s，并及时记录生理变化和面部表情改变。

（5）7项评分之和为PIPP得分，最低0分，最高21分。6分通常表示无疼痛，>12分表示中重度疼痛。得分越高，疼痛越显著。

2.新生儿疼痛评分

新生儿疼痛评分（详见表4-20）是由加拿大Eastern Ontario儿童医院制定，适用于评估早产儿及足月儿在正常情况下及某些操作（如静脉穿刺前、中、后）时的疼痛状况（若患儿病情太重以致反应太弱或接受镇静治疗，可使评分偏低）。

3.新生儿手术后疼痛评分（Neonatal Postoperative Pain Assessment Score，CRIES）

新生儿手术后疼痛评分（详见表4-23）是用于评估胎龄32～40周（纠正胎龄等于40周）的新生儿术后疼痛，也可用于监测患儿对治疗的反应或恢复情况。

表4-23　CRIES量表

项目	0分	1分	2分	得分
哭声	无或非高调哭	高调哭但可安抚	高调哭且不可安抚	
SpO_2>95%所需的氧浓度	无	≤30%	>30%	
生命体征改变	心率和平均血压小于等于术前值	心率或平均血压增高但幅度小于术前值的20%	心率或平均血压增高但幅度大于术前值的20%	
面部表情	无痛苦表情	痛苦表情	痛苦表情伴有呻吟	
睡眠障碍	无	频繁觉醒	不能入睡	
			总分：	

评分说明：大于3分应予以镇痛治疗；4～6分为中度疼痛；7～10分为重度疼痛。其中为避免惊醒患儿，生命体征最后测量，睡眠障碍必须观察1h后再评分。

4.疼痛量表（PAIN）

疼痛量表（详见表4-24）融合了PAIN和CRIES的特点，将行为表现和生理反应组合在一起，可用于胎龄小于28周早产儿的疼痛评估，分数越高，表示疼痛越严重。

表4-24 PAIN量表

指标	0分	1分	2分
面部表情	放松	面部扭曲	
哭闹	不哭	呜咽	大声哭闹
呼吸方式	自如	呼吸方式改变	
四肢动作	自然状态或放松	屈曲或伸展	
觉醒状态	睡眠或觉醒	烦躁	
SpO_2>95%所需的氧浓度	无	≤30%	>30%
心率上升	基线的10%以内	基线的11%～20%	>基线的20%
			总分：

二、呼吸窘迫评分

1.新生儿ARDS诊断标准

目前普遍引用的新生儿ARDS诊断标准为参照1994年欧美联席会议（NAECC）的ALI/ARDS诊断标准所制定的。

（1）急性起病，呼吸频繁和呼吸窘迫。

（2）PaO_2/FiO_2<200mmHg。

（3）胸片显示双肺浸润影伴肺水肿改变。

（4）超声心动图检查无左房高压表现。

（5）胎龄>34周，有败血症或MAS等明确病史并除外原发性PS缺乏者。

2.临床诊断标准

（1）基础疾病治疗过程中出现呼吸急促，进行性呼吸困难，缺氧经一般治疗难以改善者。

（2）FiO_2>50%，PaO_2<75mmHg或者FiO_2>60%，PaO_2<50mmHg；PaO_2/FiO_2≤300mmHg，吸纯氧A-aDO_2>200mmHg，总分流量/总心排血量（QS/QT）>10%。

（3）胸片显示双肺浸润影（早期间质、晚期肺泡变化者）。

（4）肺动脉楔压<12mmHg。

（5）每千克体重总的呼吸顺应性≤1mL/cmH_2O。

（6）排除流体静水压增高性肺水肿及肺部其他疾病，如肺不张、细菌性肺炎所致呼吸衰竭。根据以上（2）（3）（4）可诊断。

呼吸评分是判断呼吸窘迫的严重性而需要的经验和技巧。用呼吸评分进行评估，适用于自主呼吸包括使用CPAP的新生儿，但不适用于机械通气的新生儿，呼吸评分还可以用来跟踪自主呼吸的新生儿呼吸窘迫程度的变化，详见表4-25。

表4-25 呼吸评分表

分数	0分	1分	2分
呼吸频率	40～60次/min	60～80次/min	>80次/min
需氧	不吸氧	≤50%	>50%
吸气性凹陷	无	轻到中度	重度
呻吟	无	刺激后存在	安静时持续存在
呼吸音	呼吸音很容易听到	呼吸音下降	几乎听不到
早产	>34周	30～34周	<30周

三、休克评分表

休克评分是根据血压、脉搏、皮肤温度和颜色、皮肤指压转红5项体征评分，将新生儿休克分为轻、中、重3度。5分为轻度休克，6～8分为中度休克，9～10分为重度休克，详见表4-26。

表4-26 新生儿休克评分标准

评分	血压(mmHg)	股动脉搏动	四肢温度	皮肤颜色	前臂内侧皮肤再充盈时间(s)
0分	>60	正常	肢端温度	正常	<3
1分	40～60	弱	凉至膝肘关节以下	苍白	3～4
2分	<45	触不到	凉至膝肘关节以上	花纹	>4

四、危重症评分表

新生儿危重病例评分法（Neonatal Critical Illness Score，NCIS）：中华医学会急诊医学分会儿科学组，中华医学会儿科学分会急诊学组、新生儿学组于2001年共同制订发表了新生儿危重病例评分法（草案）。其中包括两个部分：一是新生儿危重病例单项指标；二是新生儿危重病例评分法（讨论稿），详见表4-27。

1.新生儿危重病例单项指标

凡符合下列指标一项或以上者可确诊为新生儿危重病例：

（1）需行气管插管机械辅助呼吸者或反复呼吸暂停对刺激无反应者。

（2）严重心律失常，如阵发性室上性心动过速合并心力衰竭、心房扑动和心房纤颤、阵发性室性心动过速、心室扑动和纤颤、房室传导阻滞（Ⅱ度Ⅱ型以上）、心室内传导阻滞（双束支以上）。

（3）弥漫性血管内凝血者。

（4）反复抽搐，经处理抽搐仍持续24h以上不能缓解者。

（5）昏迷患儿，弹足底5次无反应。

（6）体温≤30℃或>41℃。

（7）硬肿面积≥70%。

（8）血糖<1.1mol/L（20mg/dL）。

（9）有换血指征的高胆红素血症。

（10）出生体重≤1000g。

2.新生儿危重病例评分法

新生儿危重病例评分表详见表4-27。

表4-27　新生儿危重病例评分表

检查项目	测定值	入院分值	病情1	病情2	出院
心率(次/min)	<80或>180	4	4	4	4
	80～100或160～180	6	6	6	6
	其余	10	10	10	10
血压:收缩压(mmHg)	<40或>100	4	4	4	4
	40～50或90～100	6	6	6	6
	其余	10	10	10	10
呼吸(次/min)	<20或>100	4	4	4	4
	20～25或60～100	6	6	6	6
	其余	10	10	10	10
PaO_2(mmHg)	<50	4	4	4	4
	50～60	6	6	6	6
	其余	10	10	10	10
pH值	<7.25或>7.55	4	4	4	4
	7.25～7.3或7.5～7.55	6	6	6	6
	其余	10	10	10	10
Na^+(mmol/L)	<120或>160	4	4	4	4
	120～130或150～160	6	6	6	6
	其余	10	10	10	10
K^+(mmol/L)	>9或<2	4	4	4	4
	7.5～9或2～2.9	6	6	6	6
	其余	10	10	10	10
Cr(mmol/L)	>132.6	4	4	4	4
	114～132.6或<87	6	6	6	6

检查项目	测定值	入院分值	病情1	病情2	出院
	其余	10	10	10	10
BUN(mmol/L)	>14.3	4	4	4	4
	7.1～14.3	6	6	6	6
	其余	10	10	10	10
红细胞压积比	<0.2	4	4	4	4
	0.2～0.4	6	6	6	6
	其余	10	10	10	10
胃肠表现	腹胀并消化道出血	4	4	4	4
	腹胀或消化道出血	6	6	6	6
	其余	10	10	10	10

注：（1）分值>90分为非危重；70～90分为危重；<70分为极危重。（2）用镇静剂、麻醉剂及肌松剂后不宜进行评分。（3）选24h内最为异常检测值进行评分。（4）首次评分，若缺项（≤2分），可按上述标准折算评分。如缺两项，总分则为80分，分值>72分为非危重，56～72分为危重，<56分为极危重（需注明病情，何时填写）。（5）当某天测定值正常，临床考虑短期内变化不大，且取标本不方便时，可按照测定正常对待，进行评分（但需加注说明病情、时间）。（6）不吸氧条件下测PaO_2。（7）1mmHg=0.133kPa。

参考文献

［1］中华人民共和国卫生部.三级儿童医院评审标准实施细则［M］.北京:人民卫生出版社,2011:297.

［2］张玉侠.实用新生儿护理学［M］.北京:人民卫生出版社,2015:30-33,35-38,79-84,181-186,623-644.

［3］国家卫生计生委医院管理研究所.护理敏感质量指标实用手册［M］.北京:人民卫生出版社,2016.

［4］吴本清,李志光,林真珠.新生儿危重症监护诊疗与护理［M］.北京:人民卫生出版社,2009:14-15,316-320,411-449.

［5］么莉.护理敏感质量指标监测基本数据集实施指南［M］.北京:人民卫生出版社,2018:95-96,109-114.

［6］王惠珊,曹彬.母乳喂养培训教程［M］.北京:北京大学医学出版社,2014.

［7］武荣,封志纯,刘石.新生儿诊疗技术进展［M］.北京:人民卫生出版社,2016:382-383.

［8］中华护理学会专业委员会.婴幼儿护理操作指南［M］.北京:人民卫生出版社,2017.

［9］崔焱.儿科护理学［M］.5版,北京:人民卫生出版社,2014:129-144.

［10］陈朔晖,徐红贞.儿科护理技术操作及风险防范［M］.杭州:浙江大学出版社,2014:70-166.

［11］叶鸿瑁,虞人杰.新生儿复苏教程［M］.6版,北京:人民卫生出版社,2015.

［12］中华人民共和国卫生部,中国人民解放军后勤部.临床护理实践指南［M］.北京:人民军医出版社,2011:78-79,90-93,124-128.

［13］仰曙芬,崔焱.儿科护理学实践与学习指导［M］.北京:人民卫生出版社,2017.

［14］赵祥文,肖政辉.儿科急诊医学手册［M］.北京:人民卫生出版社,2015.

［15］赵春,孙正芸.临床儿科重症疾病诊断与治疗［M］.北京:北京大学医学出版社,2015.

［16］雷新云,金正江,郜朝霞.妇幼医疗机构医院感染防控指南［M］.武汉:武汉大学出版社,2017.

［17］孙献梅.实用新生儿危重症监护学［M］.济南:山东科学技术出版社,2011.

［18］肖昕,周晓光,农绍汉.新生儿重症监护治疗学［M］.南昌:江西科学技术出版社,2008.

［19］简伟研,周宇奇,吴志军,等.护理敏感质量指标的发展与应用［J］.中国护理管理,2016,17(7):865-869.

［20］史荣华.新生儿监护室护理安全管理［J］.医药前沿,2017,7(9):241-242.

［21］吴莎莉,石小毛,文辉,等.水胶体额标在新生儿无陪病房身份识别中的应用［J］.护理学杂志,2014,29(13):51-52.

［22］姚红梅,邢虹,王彬翀,等.失效模式和效果分析在患儿安全管理中的应用［J］.中国卫生质量管理,2015,22(6):33-35.

［23］韩剑童.护理不良事件管理的研究进展［J］.护理管理杂志,2014,14(5):341-343.

［24］刘玉芳.新生儿洗澡、抚触过程中存在的问题及措施［J］.中国民族民间医药杂志,2010,19(19):181.

［25］施建英,蒋慧玲.新生儿呕吐的病因分析及护理158例［J］.实用护理杂志,2003,19(6):31.

［26］李宗慧,杨云霞,范佳嘉,等.婴儿呛奶猝死的急救护理［J］.海南医学,2014,25(19):2963-2964.

［27］韦柳延.产后母婴同室病房发生新生儿呛奶的预防和护理［J］.实用妇科内分泌杂志:电子版,2017,4(5):125-126.

［28］何翠红.胫后动脉采血法在新生儿采血中的应用［J］.实用临床护理学电子杂志,2019,4(12):71-73.

［29］梁媛.经桡动脉与股动脉采血在新生儿临床应用的比较［J］.世界最新医学信息文摘,2017,17(73):60-61.

［30］鲍媛媛.新生儿脐部护理方式研究新进展［J］.实用临床护理学电子杂志,2019,4(21):180-181.

［31］朱友菊,李佳.新生儿红臀的防治与护理进展［J］.实用临床护理学电子杂志,2018,3(27):191-192.

［32］董传莉,徐家丽.动脉血乳酸对新生儿窒息病情严重程度及预后的评估价值［J］.

蚌埠医学院学报,2016,41(5):589-591.

[33] 杨凡,孟庆娟,姜红,等.早产儿PICC导管尖端定位的研究进展[J].护理研究,2014,28(36):4481-4484.

[34] 中华医学会急诊学分会儿科学组,中华医学会儿科学分会急诊学组、新生儿学组.新生儿危重病例评分法(草案)[J].中国实用儿科杂志,2001(11):694-695.

[35] 李秋平,封志纯.新生儿窒息复苏及并发症的防治[J].中国实用妇科与产科杂志,2010,26(11):875-877.

[36] 中国医师协会新生儿科医师分会.中国新生儿病房分级建设与管理指南(建议案)[J].发育医学电子杂志,2015,3(4):193-202.

[37] 李丽琼,王越秀,李彩云.外科重症监护病房仪器设备的管理[J].全科护理,2010,8(4):342-343.

[38] 吴健容,谷强.新生儿危重病例评分和第三代小儿死亡危险评分预测危重新生儿死亡风险比较[J].中国儿童保健杂志,2014,22(4):368-370.

[39] 娄益环,王新标,白容荣.新生儿病房院内感染因素分析与护理管理[J].护理实践与研究,2007(9):66-68.

[40] 王英.新生儿溶血病换血疗法的护理体会[J].解放军护理杂志,2006(1):59-60.

[41] 卫医政发[2009]12号,卫生部关于印发《新生儿病室建设与管理指南(试行)》的通知[Z].

[42] 中华人民共和国国家卫生和计划生育委员会.危重新生儿救治中心建设与管理指南[J].发育医学电子杂志,2018,6(1):7-14.

[43] 魏克伦,陈克正,孙眉月,等.新生儿危重病例评分法(草案)[J].中华儿科杂志,2001(1):45-46.

[44] 中国医师协会新生儿科医师分会.新生儿转运工作指南(2017版)[J].中国实用儿科临床杂志,2017,32(20):1543-1546.

[45] World Health Organization, UNICEF. Marketing of breast-milk substitutes: national implementation of the international code, status report 2018[M].[sn]:World Health Organization, 2018.

第五章　急诊护理质量标准

第一节　结构质量标准

一、制度与规范

（一）组织管理

急救医疗服务体系（Emergency Medical Service System，EMSS）包括院前急救（120）、院内救治、重症监护病房（EICU）救治和各专科的"生命绿色通道"。其中院前急救负责现场处置和转运途中救护，急诊科和EICU负责院内救护。该体系既适合于日常急诊医疗工作，也适合于灾害或意外事故的现场救治。

1.院前急救

（1）定义

院前急救（Prehospital Emergency Care）是指在院外对各种危及生命的急症、创伤、中毒以及灾害事故等进行现场救护、转运及监护的统称。及时、有效的院前急救，即有助于维持患者生命、减轻痛苦，同时也能够提高抢救成功率，减少致残率。其组织结构形式可以为独立医疗单位，也可设立在综合性医院。

国内外急救专家认为，有效的院前急救组织评价标准为：①能在最短反应时间里到达患者身边，并根据病情分级将其转送到合适医院；②能给患者最大可能的院前救护；③平时能够满足该地区院前急救需求，灾害事件发生时应急处置能力强；④合理配备和使用急救资源，达到最佳社会经济效益。

（2）院前急救任务

院前急救任务包括平时呼救患者的院前急救，突发公共卫生事件或灾害性事故发生时的紧急救援、特殊任务时的救护、值班通信网络中的枢纽任务以及急救知识和技能的普及等。

1）呼救患者的院前急救：属于基本任务。一般将呼救患者分为两种类型：①短时间内有生命危险的患者，约占呼救患者总数的10%～15%，如心肌梗死、窒息、休克等。抢救目的在于挽救患者生命或维持其生命体征。②短时间内尚无生命危险者，约占呼救患者的85%～90%，如骨折、哮喘等，称为急症患者。现场处理的目的在于稳定病情，减轻患者在运送过程中的痛苦，同时避免并发症的发生。

2）突发公共卫生事件或灾害性事故发生时的紧急救援：对遇难者除应做到平时急救的要求外，还应注意在现场与其他救灾专业队伍的密切配合以及自身的安全。

3）执行特殊任务的救护值班：特殊任务指当地的大型集会、重要会议、国际比赛等救护值班。执行该任务应加强责任心，严禁擅离职守。

4）通信网络中的枢纽任务：通信网络分为3个方面。①市民与急救中心的联络；②急救中心、救护车以及属地医院（即EMSS内部）的联络；③急救中心与上级部门、卫生行政部门以及其他救灾系统的联络。

5）普及急救知识和技能：急救知识和技能的普及教育可提高第一现场急救成功率。首先，可通过广播、电视、报刊等对公众进行普及。其次，可开展有关现场救护及心肺复苏的全民教育。再者，可针对特殊人群，如红十字会成员、司机、警察、导游等进行专项培训。有条件的急救中心也可承担一定的科研教学任务。

（3）院前急救的运转模式

由于目前全国城市院前急救模式不同，各地区具有一定的差异性，院前急救组织质量管理内容包括通信运输、急救技术、急救器材、急救装备、急救网络、调度管理等。而其中通讯、运输和医疗（急救技术）被认为是院前急救的三大要素。

国际院前急救主要有英美模式和法德模式，国内院前急救主要借鉴法德模式，即院前急救包括急救小组现场救治、转院治疗。医疗小组由专业的急救医生、护士、驾驶员等组成，急救内容以综合性生命支持为主。我国院前急救模式还可进一步分为独立型、指挥型、院前型和依托型等类型。

2.院内救治

（1）定义

医院急诊科（Emergency Room，ER）是EMSS中最重要的中间环节，也是院前急救医疗的继续以及院内救治的第一线。急诊科既对来自院前的各类患者按照病情轻、重、缓、急实施诊治，又要承担各种类型灾害事故的紧急救护任务。一般来讲，急诊科的建设能力及医疗质量是一家医院管理水平、医护人员素质和技术能力的综合体现。因此，急诊科应合理设置就诊区域，配备完善的硬件，建立科学的管理制度；加强专业培训，不断提高急诊医护人员的救护能力，提高急诊的工作效率和抢救成功率。

（2）急诊科的任务

1）急诊急救：凡是因疾病急性发作、创伤和异物进入人体内造成痛苦，甚至生命处于危险状态的患者，均属急诊科就诊范围，应予紧急处理。①急性疾病：外伤、急性过敏性疾病、各种急性疼痛、高热、大出血；②各类休克；③心肺脑功能衰竭或多脏器功能衰竭；④昏迷；⑤耳道、鼻道、咽部、眼内、气管或食管中有异物；⑥可疑烈性传染病；⑦中毒、中暑、自杀、淹溺、触电；⑧其他经预检分诊护士认为符合急诊抢救条件者。

2）教学培训：急诊医护人员的技能评价与再培训间隔时间原则上不超过2年。规范各级各类急诊人员的岗位职责、技术操作规程和抢救程序，在培训内容、形式、人员、时间等方面制订严密的计划。

3）科研：急诊科区别于其他专科的特色在于危重患者集中、疾病谱广、病情变化快、停留时间短、可提供的信息有限、容易误诊等。因此，应注重反馈、随访追踪、积累资料、寻找科研素材，通过科研不断提高急诊急救的能力和水平；开展有关急诊病因、病程、机制、诊断与治疗、急危重症管理和流程方面的研究工作，进一步寻找规律；研究、分析急诊工作质量中存在的问题，保证医疗安全和质量。研究重点及主攻方向，以生命器官救治为主要对象，主要内容有：心肺脑复苏，多器官功能障碍，严重休克，多发伤/复合伤，意外灾害疾病（中毒、溺水、中暑、电击伤等），急性心肌梗死，脑血管意外等。

4）接受上级部门指派的临时救治任务：急诊科是EMSS中的重要组成部分，应建立完善的突发事件应急预案，紧急扩容的临时急救组织、分流批量患者的方案，有与多家医院协同抢救的能力。当突发事件或自然灾害发生时，急诊医护人员应遵从上级部门安排，前往第一现场，尽最大努力参加有组织的救治活动；参与应急抢救预案制订、指挥、组织、协调大量伤员的院内急救工作。

（3）急诊科的运转模式

急诊科是医院内跨学科的一级临床科室，在医院内需有相对独立区域，布局合理、设备齐全，有对内、外通信设备及固定人员编制。目前国内外暂无统一的急诊科运转模式，大多数国家的模式是按照病情分级标准，逐层将患者送至相应级别的医院进行救治。急诊科的运转模式直接影响救治效果的质量，特别是在现有的医疗体系下更是如此。在我国急诊患者中，重危患者仅占5%以下，因此新的模式正在探索和实践之中。目前我国急诊科主要的运转模式有独立自主型、半独立型、轮转型。

1）独立自主型：独立自主型模式下的急诊科医护人员完全固定，急诊专科医生负责诊治全部急诊患者。该种模式集院前急救、院内急救、急诊手术、重症监护治疗为一体，有利于急救流程的管理，可提高危重病抢救成功率，同时也有利于急诊人才队伍的建设、培养和发展。

2）半独立型：半独立型模式下的急诊科有部分固定医护人员，急诊专科医生主要负责危重患者的抢救，并管理急诊ICU和急诊病房，其他医生定期轮换，主要负责急诊患者的接诊救治。这一模式的急诊专科医生较少，限制了急诊专科的发展。

3）轮转型：轮转型模式下的急诊科无固定医生，各种急诊患者均由各科在急诊科轮转的医生接诊，再交由各专科病房医生诊治。这种模式已经无法满足现代医疗服务体系的要求，趋于被淘汰，但在我国部分地区仍然存在。

3.急诊重症监护

急诊重症监护详见第六章第一节相关内容。

（二）管理制度

管理制度详见第十三章相关内容。

二、人力资源

（一）人员配置

1.人员资质

急诊科是医院的窗口，能集中反映医院的应急能力、护理人员的技术水平及其基本素质。急诊科的护士应具有3年以上临床护理工作经验，经规范化培训合格，掌握医学基本理论、基本知识和基本技能，急、危重症患者的急救护理技术、常见急救操作技术的配合及急诊护理工作内涵与流程。2018年发布的急诊预检专家共识要求："预检分诊护士要由有5年以上急诊工作经验、具有丰富临床知识及较高职业技术职称的护士担任，24h在岗接待来诊患者，具体岗位设置人数需依据所在地区及医院具体情况而定。"预检分诊护士资质达标率是指统计周期内预检分诊护士资质达标人数与预检分诊护士总人数比例，三级医院达到100%为合格，二级医院≥70%为合格。

$$预检分诊护士资质达标率=\frac{同期预检护士达标人数}{统计周期内预检护士总人数}×100\%$$

2.人员编制

急诊科工作特点决定了人员编制不可与病区一致，要充分考虑到其工作量和特殊性。急诊科护士应有固定、单独的编制，且不少于在岗护士的75%。人员编制要根据急诊科规模、就诊量、观察床位数、日平均抢救人数以及教学功能等按一定比例配备。

护患比反映临床护理需求与护理人力配备的匹配关系。通过计算护患比的数值，可以直观了解护理单元护士照护患者的情况，清晰地了解各病区当时的工作状况，是管理者掌握护理单元工作量情况的质量指标，能够形成一种以患者护理服务需求为主要导向的科学调配护理人力的管理模式。为了帮助管理者提高护理服务满意度，提升护理质量，稳定护士队伍，须做到每一个工作岗位物尽其用，人尽其职。护患比计算公式如下：

$$平均每天护患比=1：\frac{同期每天各班次患者数之和}{统计周期内每天各班次责任护士数之和}$$

说明："统计周期"为质量管理者关注的时间段，如某年、某月、某天或某个班次等。其中，每个班次或每天"收治患者（抢救室原有患者）总数"包含统计时间始收治在院患者（抢救室原有患者）总数与新转入患者（新入抢救室患者）数之和。

2009年卫生部医政司《医院急诊科设置与管理规范（征求意见稿）》中对急诊科医护人员的配置进行了说明，而且我国众多的急诊护理专家等也进行了相应的研究和建议，认为急诊科的人员需要根据患者就诊量、病情危重程度进行配置（详见表5-1）。比如抢救室护患比为1：（2.0～3.0），观察室为1：（0.5～0.8），EICU可参照ICU标准。不同医院可以按照患者收治的情况进行弹性排班。

表5-1　急诊科医护人员配置表

急诊量（日平均人次）	抢救量（日平均人次）	观察床位数	日观察人次	医生（人）	护士长（人）	护士（人）
≤100	4	10	12	12～14	1	25～30
101～200	8	15～20	0	18～21	2	40～50
201～300	12	21～30	25	24～26	2	50～60
301～400	16	31～40	30	27～28	3	60～70
401～500	20	31～40	30	29～30	3	70～80
≥500	20	31～40	30	31～40	3	80以上

（二）人员培训

《全国护理事业发展规划（2016—2020年）》中提出，需建立"以需求为导向，以岗位能力为核心"的护士培训制度，以此发展专科护士队伍，提升专科护士质量。因此，培养高业务能力的急诊专科护士队伍，同样也是加快医院建设的重要举措之一。

1.专科护士培训

（1）培训内容

1）理论培训。①建立继续教育手册：建立学习手册，登记学习内容，定期考核。②培训内容：讲授急诊常见病、多发病的病因、临床表现和治疗措施，重症监护、创伤、各种危象和危重患者的病情观察，应急处理等专科知识。③每月科内讲课：对急诊领域的新进展、新技术进行学习。④晨会提问：提问重点患者护理相关内容，以此提高业务水平。

2）实践培训。①培训内容为心肺复苏术、电除颤、气管插管术、洗胃、机械通气、止血、包扎、固定等以及各种抢救仪器的使用。②进修培训：有计划地选派护士到实力强的医院学习急诊相关的理论和技能。

3）综合能力。综合能力是各种能力最佳组合的表现方式，需对教育、科研、法律伦理、人际沟通等综合能力进行培养。与此同时，还须重视职业道德教育，通过培养护士正确的价值观，使其立足本职工作，从而使专科护士的发展能够迈上一个新台阶。

（2）培训方式

培训方式主要为情景模拟、专题讲座、操作示范、案例分析、视频教学、小组讨论以及幻灯片汇报等。应充分发挥学员的主观能动性，同时可探索实施跨省培训模式，以此缩小东西部护理水平的差距，实现护理水平的快速发展。

（3）考核方式

制定长期追踪考核的机制。不定期随机进行提问或组织集中考核，以此提高培训的长期效果。

2.分层级护士培训

（1）1年内护士培训

1）目标：①巩固专业思想，严格素质要求，加强护士素质培养；②熟悉各项基础护理操作；③掌握抢救仪器、设备的使用及保养；④熟悉急诊常见疾病的理论知识和技能。

2）培训内容：①急诊科环境及各项规章制度，各班工作流程及职责；②各类抢救及监测仪器的操作方法、临床应用及排除各种常见故障的方法；③各项技能、基本知识；④各种常见急危重症及其并发症；⑤急救护理专业理论；⑥晨会提问相关疾病护理要点。

3）培训方式：①参加护理部的基础培训；②参加科内及院内组织的各种业务学习；③有专门的带教老师负责理论和技能培训；④每周进行1次组内幻灯片汇报；⑤每月进行考核。

（2）2～3年护士培训

1）目标：①掌握各项基础护理操作；②掌握急诊常见疾病理论知识及操作技能；③掌握抢救仪器、设备的使用及保养；④掌握急诊常见急危重症抢救流程；⑤能总结护理工作经验，提升护理服务；⑥掌握常见急、危重患者病情观察。

2）培训内容：①各班工作流程及工作职责；②独立进行各类抢救的方法及抢救仪器的操作方法、临床应用和各种常见故障的排除方法；③巩固基础理论；④急救护理专业理论；⑤各种常见急危重症及其并发症的护理。

3）培训方式：①积极参加科内及院内组织的各种业务学习，还须完成每年继续教育学分，侧重于专科疾病护理知识与技能，定期参与、完成护理知识小讲课，提高理论水平；②每周进行1次组内幻灯片汇报；③每月进行操作技能考核。

（3）3～5年护士培训

1）目标：①掌握各项基础护理操作，掌握急诊常见疾病理论知识及操作技能；②掌握抢救设备与仪器的使用及保养；③要求具备专科护理知识，且对急危重症患者有较强的应急处理能力；④能总结护理工作经验，每年撰写护理论文；⑤能胜任护理业务学习的授课及操作示教；⑥能承担实习护生的临床带教工作。

2）培训内容：①各班工作流程及工作职责；②组织护理人员独立进行各类抢救及仪器的操作、临床应用及排除各种常见故障；③巩固基础理论、基本知识及基本技能；④各种常见急危重症及其并发症的护理；⑤急救护理专业理论；⑥进行各类常见急危重症及并发症的理论知识；⑦学习实习护士的带教工作；⑧学习科研设计方法及论文撰写方法。

3）培训方式：①参加不同形式的业务学习，侧重急、危重患者的护理，参与病区讲课和患者健康教育；②每月组织1次幻灯片交流；③参加实习护士的带教及评价；④参与科研工作，每年能完成科研论文的撰写。

（4）6～10年护士培训

1）目标：①能协助护士长做好病房安全管理；②掌握专科护理理论及技能；③对急、危重症患者有较强的应急处理能力；④承担低年资及进修护士的带教工作；⑤能应用护理程序对患者实施整体护理；⑥能独立组织科室的护理查房，并能处理突发事件。

2）培训内容：①组织技能培训，内容主要为各类急、危重症患者的抢救及团体配合；②组织不同形式的业务学习并参与讲解工作；③每周考核急诊科各种常见急、危重症及其并发症的护理；④每月组织1次幻灯片交流；⑤组织学习科研方法并参与科研工作。

3）培训方式：①参加不同形式的业务学习，参与病区讲课和患者健康教育；②对进修护士和低年资护士进行带教及评价；③参与科研工作，完成科研论文的撰写。

（5）10年以上护士培训

1）目标：①能协助护士长做好病房护理质量控制及安全管理；②能承担护理会诊、查房、危重疑难患者的护理评估；③对急、危重症患者及各类应急事件有较强的处理能力；④承担低年资护理人员的临床护理指导工作。

2）培训内容：①每年组织1次技能大赛，内容主要为各类急、危重症患者的抢救及团体配合；②每周考核急诊科各种常见急、危重症及其并发症的护理；③学习各种教学工作及管理工作；④学习急救护理科研内容。

3）培训方式：①每月组织幻灯片案例交流分享；②指导下级护理人员参与急、危重患者的抢救与护理；③参与院内教学及健康教育的组织和管理；④指导临床护理人员的各项工作并做出评价；⑤参与科研工作，发表科研论文。

三、环境

（一）环境布局

1.预检分诊

预检分诊应设在急诊入口处，预检分诊护士一般由急诊工作年限≥3年的护士担任，具体负责分诊和挂号工作。

（1）急救呼叫系统：在预检处设一部专用电话或呼叫系统，由预检分诊护士管理和运作。

（2）急诊预检处的电脑可与院内相关部门进行联网，如收费处、住院处等，既有助于快速、高效地工作运行，也方便患者就诊。

（3）备好各种常用检查物品，如手电筒、压舌板、体温计、血压计、血氧饱和度仪等。

（4）备好各种护理文件记录表格，如患者就诊登记本、接救护车登记本、死亡患者登记本、传染病登记本、常用化验单等。

（5）为就诊患者提供便民服务，需备有候诊椅、平推车、轮椅车、老花镜、笔、一次性茶杯、水等。

2.抢救室

抢救室为病情危重、复杂、需要立即抢救的患者设置，抢救室主要设置如下：

（1）足够的空间、充足的光线，墙壁上配有抢救常用的流程图，如心搏骤停的抢救流程、脑出血的抢救流程、脑外伤的抢救流程等；还应有相关的工作制度，如抢救室工作制度、消毒隔离制度等。

（2）抢救床及床旁设备：需配备多功能抢救转运床，床旁应设有心电监护仪、设备带（包括氧气、负压吸引装置等），房顶安装轨道式输液架及隔帘。

（3）抢救仪器设备：抢救室内备有心电图机、除颤仪、心脏按压机、洗胃机、呼吸机和抢救车，并备有开胸包、腰穿包、胸穿包、气管切开包、洗胃包、静脉切开包、导尿包、切割器、加压加温器、开口器、拉舌钳、牙垫等抢救器械。

（4）常用抢救药品。①心血管系统用药：肾上腺素、异丙肾上腺素、阿托品、胺碘酮、利多卡因、酚妥拉明、多巴酚丁胺、多巴胺、去乙酰毛花苷等；②呼吸系统用药：氨茶碱、尼可刹米、山梗菜碱等；③镇静、镇痛药：地西泮、苯巴比妥、盐酸哌替啶等；④其他类：呋塞米、氢化可的松、解磷定、贝美格、地塞米松、退热药等。

3.观察室

为短时间不能明确诊断、病情有危险的患者或抢救处置后需要等待住院的患者设置。急诊观察室按正规病房设置和管理，有单独的医生办公室、护士站、治疗室等。对每一位留观患者均应书写正规病历，建立医嘱本、病情交班本、各种护理记录单等。

4.缝合室

缝合室的位置要与外科诊室和抢救室邻近。设置参照病区换药室。

（二）环境管理标准

1.急诊科应设在医院内便于患者迅速到达的区域，并邻近各类辅助检查部门。

2.急诊科入口应通畅，设有无障碍通道，方便轮椅、平车出入，并设有救护车通道和专用停靠处；有条件的可分设急诊患者和救护车出入通道。

3.急诊科应设医疗区和支持区。医疗区包括预检分诊处、诊疗室、治疗室、处置室、抢救室和观察室，有条件的可设急诊手术室和急诊监护室；支持区包括挂号、各类辅助检查、药房、收费和安全保卫等部门。

4.医疗区和支持区应合理布局，有利于缩短急诊检查和抢救半径。

5.急诊科应有明显的路标和标识，以方便和引导患者就诊。院内紧急救治绿色通道标识应清楚明显，紧急救治相关科室的服务能够保持连续与畅通。

6.急诊科应明亮通风，候诊区宽敞，就诊流程便捷通畅，建筑格局和设施应符合医院感染管理的要求。

7.急诊科抢救室应邻近急诊入口，设置一定数量的抢救床，每床占地面积以12m²为宜。抢救室内应备有完好的急救药品、器械及处于备用状态的心肺复苏、监护等抢救设备，并应具有必要时施行紧急外科处理的功能。

8.急诊科应根据患者流量和专业特点设置观察床，收住需要留院观察的患者，观察床数量以医院床位数的2%~3%为宜。患者留观时间原则上不超过72h。

9.急诊科应设有专门传呼（电话、传呼、对讲机）装置。有条件的医院可建立急诊临床信息系统，为医疗、护理、感染控制、医技、保障等部门及时提供信息。

四、仪器与设备

（一）常用仪器设备管理要求

1.定位放置：各种仪器、设备和抢救物品等放在易取放的位置，定位放置，标识明显，不得随意挪动位置。

2.定人保管：各抢救仪器由专人负责保管，所有护理人员均应具备识别主要报警信息的基本知识。

3.定期检查：①每班专人清点记录，开机检查，保持性能良好呈备用状态；②护士长每周检查1次。

4.定期保养：①仪器管理者每日清洁保养1次；②每周清洁保养1次并记录；③设备科定期检修。

5.仪器与设备一般不允许外借。

6.定期消毒：详见第二章第四节相关内容。

（二）特殊设备管理要求

1.心电监护仪突然出现故障应立即更换，必要时用手动血压计测量血压，立即通知设备科维修并做好标记。

2.中心吸痰装置突然出现故障应立即更换电动吸痰器或改用注射器抽吸吸痰法，不得中断患者抢救，并立即通知设备科检修。

3.除颤仪、简易呼吸器、输液泵、心电图机等抢救设备出现故障应立即检查故障原因，并用备用设备。

4.封存抢救车管理：封存前护士长（或分管护士）和另一名护士按基数本清点药品、物品，核对无误后用封条封存，双人签名并填写封存时间。护士每班检查封条的完好情况并做好记录；每月由护士长和分管护士启封检查急救车内药品、物品1次，并做好记录。

5.非封存抢救车管理：每班按基数本清点药品、物品，并做好记录，分管护士每周检查1次，护士长每月检查1次，并做好记录，账物相符。

（三）特殊设备使用安全

1.心肺复苏机

（1）操作要点

①检查萨博是否完好，各开关均处于关闭状态。②将用物携至床边，与医生核对无误，准备上机。③患者取仰卧位，暴露胸部，将萨博机臂向外旋转90°，将垫板置于患者背部，上端与患者双肩平齐，机臂回旋90°。④按压垫对准患者两乳头连线中点放置，调节活塞刻度与0位平齐，连接气源。⑤打开气源总开关，依次打开压力开关、压力调节开关，调节按压度大于5cm。⑥打开气道开关、气道压力调节开关，连接模拟肺，调节送气压力为15～20cmH$_2$O。⑦撤去模拟肺，管道末端连接患者的人工气道。⑧使用萨博过程中，监测患者生命体征的变化，保证按压与送气的有效性。⑨记录，注意保护患者隐私和保暖。⑩遵医嘱停止使用萨博时，依次关闭气道压力调节开关、气道开关、压力调节开关、按压开关、气源开关，将按压板从患者背部取出，送气管道与患者的人工气道分离，妥善安置患者。

（2）常见故障及其处理措施，

常见故障及其处理措施详见表5-2。

表5-2　心肺复苏机的故障及处理

故障	常见原因	处理方法
仪器不工作	仪器与氧源连接不当	输氧管道与氧气瓶或中心供氧装置重新连接
仪器中断工作	氧源供氧中断	更换满的氧气瓶或换成中心供氧装置提供氧源
无有效按压波形出现	按压柱位置放置不对,按压压力不准	调整按压柱置于患者两乳头连线中点处
无有效通气	患者气道不通畅	及时吸引患者气道血痂、痰液,保持气道通畅

（3）注意事项

①萨博只能用于被定义为没有呼吸、没有脉搏的临床抢救患者。

②对于患者必须马上实施徒手心肺复苏，而不可因为等本机而推迟心肺复苏。

③使用前应检查机器各开关均处于关闭状态。

④使用时保证患者人工气道通畅，如有痰痂、血块及时吸引。

⑤工作过程中密切观察患者心脏按压波形和胸廓起伏，如有异常及时处理。

⑥在萨博使用过程中，不可随意开关任何键，以免干扰机器正常运行。

⑦严格按照开机、关机顺序操作。

（4）清洁消毒与维护

①处于备用状态时遮盖仪器，时刻保持仪器清洁。

②应存放在较干燥的环境中，远离腐蚀性气体。

③使用后用75%乙醇擦拭按压板、按压柱，呼吸管道预处理后送往消毒供应室消毒。如为一次性管道，应做到一人一用。

④使用过程中防止受震，否则会影响仪器正常工作。

⑤使用过程中防止液体流入仪器，导致仪器受损。

⑥每日试机10min，检查仪器是否完好，如有异常，及时维修。

2.除颤仪

（1）使用流程

使用流程详见本章第二节。

（2）常见故障及其处理措施

除颤仪的故障及处理详见表5-3。

表5-3　除颤仪的故障及处理

常见故障	处理措施
监视器黑屏，不能除颤，不能记录	①使用备用电池；②低压电源本身问题，由工程技术人员维修
监视器只显示一条直线，无 ECG 显示	需由工程技术人员维修
无法进行除颤，或充电—电击循环速度很慢	
按键不起作用，参数无法设置和改变	
电磁干扰问题：屏幕显示波形紊乱、字符抖动等	尽快判断干扰的来源并采取相应措施，以保证设备的正常使用

（3）注意事项

①保证操作安全，患者应去除假牙。

②避免局部皮肤灼伤。

③掌握好手柄压力。

④保持电极板清洁。

⑤为了能够准确计时，记录应以同一个钟表计时为准。

⑥避开溃烂或伤口部位。

⑦避开内置式起搏器部位。

⑧误充电须在除颤器上放电。

⑨尽量避免高氧环境。

⑩CPR过程中除颤时，应在患者呼气终时放电除颤，以减少跨胸动电阻抗。

（4）清洁消毒与维护

①保持仪器整洁，干燥完整，用物齐全，仪器上不能放置其他物品。

②检查仪器性能，保持导联线无创伤或磨损、打折，使用后用微湿软布和消毒液清洗导联线电极板。

③注意保护屏幕，严禁用粗糙的布擦拭屏幕。

④严禁将除颤仪的任何部分浸入液体中。

⑤每次使用除颤仪后对电极板清洁，以防积累的导电糊对心电监护信号有干扰或者使操作者遇到意外电击。

⑥每日自检并记录，使其处于备用状态。

3.呼吸球囊面罩

（1）操作要点

①判断患者意识，呼救，查看时间，遮挡患者。

②去枕平卧，解开衣领，松裤腰。判断患者呼吸及循环（5~10s）。

③检查气道有无异物、义齿等，及时清理气道，开放气道。

④将简易呼吸器连接于吸氧装置，连接储氧袋，调节氧流量（8~10L/min），新生儿5L/min。根据情况在床头留出站立位置，必要时去除床档。

⑤确认气道开放完好，一手EC手法固定面罩，一手挤压球囊，每分钟10~12次。

⑥观察患者胸廓有无起伏，判定辅助呼吸是否有效。

⑦通气有效，进一步进行生命支持，记录抢救成功时间。

（2）常见故障及其处理措施

呼吸球囊的故障及处理详见表5-4。

表5-4　呼吸球囊的故障及处理

故障	常见原因	处理方法
球囊挤压困难	①气道阻力过高；②肺或胸廓顺应性低；③自发性呼气末压力高；④进气阀阻塞；⑤氧气流速过高	①吸痰或给予支气管扩张剂；②改善病情；③降低每分通气量及治疗肺疾病；④排除阻塞或更换呼吸气囊；⑤增大流量
储氧袋塌陷	①氧流量小；②漏气	①增大流量；②更换球囊

（3）注意事项

①发现患者有自主呼吸时，应按患者呼吸加以辅助，以免影响患者自主呼吸。

②对清醒患者做好心理护理，解释使用简易呼吸器的目的及意义，缓解患者紧张情绪。

③定期对简易呼吸器进行检查、测试、维修和保养。长时间保存应至少每月检测1次。

④禁止去除简易呼吸器的安全阀装置，以免造成肺部压力伤害。

（4）清洁消毒与维护

①将简易呼吸器各配件依序拆开，送供应室进行消毒。

②特殊感染患者可使用环氧乙烷低温熏蒸消毒。

③消毒后的各部件应保持完全干燥，并检查是否有损坏，使用前正确连接。

4.抢救车

（1）常见药物和物品配置清单

常见抢救药物和抢救物品配置清单详见表5-5、表5-6。

表5-5　常见抢救药物清单

药品名称	规格	单位	数量	药品名称	规格	单位	数量
尼可刹米注射液	0.375×1.5mL	支	6	地西泮(安定)注射液	2mL×10mg	支	4
盐酸肾上腺素	1mL×1mg	支	20	地塞米松注射液	5mg×1mL	支	5

续表5-5

药品名称	规格	单位	数量	药品名称	规格	单位	数量
去甲肾上腺素	2mg×1mL	支	6	硫酸阿托品注射液	1mL×0.5mg	支	10
盐酸多巴胺	2mL×20mg	支	10	纳洛酮注射液	0.4mg×1mL	支	2
西地兰注射液	2mL×0.4mg	支	2	5%葡萄糖酸钙注射液	10%（10mL：1g）	支	2
利多卡因注射液	0.1g×5mL	支	3	5%碳酸氢钠注射液	10mL：0.5g	支	2
胺碘酮注射液	0.15g×3mL	支	2	5%碳酸氢钠注射液	250mL	瓶	1
硝酸甘油注射液	5mg×1mL	支	5	50%葡萄糖注射液	20mL：10g	支	5
硝酸甘油片	0.5mg/片	片	100	20%甘露醇注射液	250mL×50g	瓶	1
呋塞米注射液	2mL×20mg	支	3	0.9%氯化钠注射液	250mL	瓶	2
注射用硝普钠	50mg	支	2	氨茶碱注射液	2mL×0.25g	支	2

表5-6　常见抢救物品清单

物品名称	规格	单位	数量	物品名称	规格	单位	数量
一次性注射器	5mL	支	10	棉签		包	5
一次性注射器	20mL	支	5	输液贴		包	2
一次性输液器	7#	支	2	留置针	7#	支	2
一次性输液针	7#	支	5	止血带		根	1
一次性吸痰管		根	2	消毒剂		瓶	1
一次性吸氧管		根	2	砂轮		个	1
吸氧面罩		个	1	听诊器		个	1
开口器		把	1	血压计		个	1
舌钳		把	1	剪刀		把	1
压舌板		块	1	无菌手套		双	2
一次性输血器	9#	支	2	采血针	0.7	个	4
负压装置		套	1	试管		个	8
气管插管	7.5/8号	根	1	导丝		根	3
喉镜	大中小号	个	1	纱布块	5cm×7cm	包	2
口咽通气管		个	1	手电筒		把	1
简易呼吸器		个	1	治疗盘		个	1
丝绸胶布		卷	1	插线板	综合插孔	个	1
电极片		个	10				

（2）注意事项

①抢救必备物品性能良好，处于备用状态，完好率达到100%。无菌物品标识清晰，保存符合要求，确保在有效期内。

②抢救药品齐全，标签清晰，无变色、变质、过期失效、破损现象。每个药盒内只能放置一种药品，按药物失效期的先后放置和使用（右取左放）。

③各科室抢救车内的抢救药品按要求统一配备，抢救药品、物品使用后，24h内补充齐全，如因特殊原因无法补齐时，应及时交班，在交班登记本上注明并报告护士长协调解决，以保证抢救患者时能及时使用。

④抢救车检查内容。药品：贮存条件是否合适，数量、规格等是否与抢救药品登记本上所列的相符，是否过期、变质、标签脱落或模糊不清；物品：名称、数量、规格、有效期，是否属于完好备用状态。应急灯、除颤仪是否处于备用状态，并进行测试检查，使其处于性能完好状态。

5.洗胃机

（1）使用流程

使用流程详见本章第二节相关内容。

（2）常见故障及其处理措施

常见故障及其处理措施详见表5-7。

表5-7　洗胃机的故障及处理

故障	检查	处理
指示灯不亮 机器不工作	电源连接是否可靠	连接可靠
	电压是否正常	调节电压
	熔丝管是否损坏	换熔丝管
不吸液 （净水和胃液） 或吸液量少	管路连接有漏气	连接牢固
	进水口沉头滤网是否有异物或堵塞	清除干净
	胃管、管路、接头等管径过细，造成吸液不足或堵塞	更换、调整管路，选用标准胃管和接头
	容器内管路被污物堵塞	及时清洗，打开机壳和容器盖清除污物后封好，不得漏气
	泵工作不正常	由专业人员检修
不进胃或 不排液	机器内容器被污物堵塞	清理容器
	泵或电磁阀不工作	由专业人员检修
	换向缸不工作	
	光电开关不工作	
工作中死机	可能是磁场的干扰	关闭电源开关，稍后打开
液量平衡键不工作	检查电路及电磁阀	由专业人员检修
技术或压力 显示有误	检查数码管电路	由专业人员检修
强吸压力不够或 强吸压力不工作 （夹头严禁使用数码管）	瓶盖密封不严或接头连接不牢	盖紧或连接牢固
	卡管不到位	正确连接和安装
	管路连接错误	

（3）注意事项

①洗胃过程中，随时注意观察患者情况和注入净水量、温度、排出量等情况，发现异常，及时停机处理。

②工作过程中应尽量减少洗胃液、洗胃机和患者的高度差，以减小液位压力差，患者体位应高于药液桶液位60～100cm。

③洗胃机应放在通风干燥处，放置平稳，避免震动与磕碰，不得在机器潮湿时使用。

④洗胃机不用期间每隔一两天要开机运转2～3min，以保证机器处于良好状态。

⑤洗胃机应定期检查进出胃压力液量和控制状态等是否正常。如发生故障或不能正常工作，及时检修。

（3）清洁消毒与维护

①抢救患者后，洗胃机及液管等附近应及时、严格清洗、消毒。

②均使用一次性连接管路或消毒供应室提供的消毒管路。

③将连接于"接胃管"口上的液管另一端放入一容积大于3000mL盛有净水的容器内，其他管路不动，并保证净水桶内有充足的水源；打开工作开关，让机器工作4～5次以清除管内污物；然后将3根液管端同时浸入盛有2000mL有效消毒液和油污清洗剂的容器内，开机循环20次左右即可；随后用净水循环2～3次清洗管路。

④机器表面用500mg/L含氯消毒液擦拭消毒。

五、感染控制管理

（一）EICU的感控管理

EICU的感控管理详见第六章相关内容。

（二）传染病的消毒隔离

传染病能够通过空气等媒介传播，致使人们感染并不断扩大患病群体，可造成较大的危害。而急诊科是最早接触传染病患者的科室，其传染病首发率越来越高。因此，急诊科的消毒隔离管理是一道最先预防大范围传染的屏障，也是医院感染管理的重要组成部分。

1.发热患者接诊后的处置

接诊发热患者后应安排在发热门诊处置。具体要求如下：

（1）发热门诊独立设区，需远离其他门、急诊，有明显标识，并独立设置工作人员通道和患者通道。

（2）发热门诊设候诊区、诊室、治疗室、隔离观察室等。

（3）发热门诊配备足够的体温表、血压计、听诊器和相关一次性卫生材料等，做到一人一用一消毒。

（4）其余内容详见第二章第四节。

2.其他传染病患者的处置

疑似需要隔离的传染病患者，转至指定的有条件的传染病医院诊治，按隔离的分类做好具体的消毒隔离，并按要求上报。

第二节　过程质量标准

一、安全管理

（一）定义

1.患者安全

患者在接受诊疗的过程中，不发生医疗法律法规允许范围之外的对患者心理、机体构成损害、障碍、缺陷或死亡的情况，不发生医务人员在执业允许范围与限度之外的不良执业行为的损害和影响。

2.护士职业安全

护士职业安全是指以促进并维护护士的生活、心理及社交达到最佳状态为目的，防止护士受到健康因素的伤害及为护士安排适合他们生活、工作的环境。

（二）患者安全

1.预检分诊

周文华等研究表明，真正符合急诊的患者仅占20%～30%，非急诊患者不仅增加了就诊的时间，还严重影响了诊疗工作的正常运行，因此预检分诊工作显得尤为重要。

（1）危险因素

①患者因素：不同患者疾病症状相同，多学科症状交叉；患者医学知识缺乏，期望值过高，过度维权。

②环境因素：急诊科布局设置不合理，缺乏醒目标识。

③物质因素：分诊台物品欠缺。

④护理人员因素：分诊护士服务意识不够，风险意识不强，专业素质不高。

（2）干预措施

①采用急诊预检分诊评分标准量表，为护士提供快速、准确、科学的分诊依据。

②在明显的位置设置醒目的引导标识，使患者在最短时间内得到快速的诊治。

③监测仪器尽量自动化、便捷化，能够快速显示结果，为分诊提供依据。

④提高预检分诊护士的准入标准，预检分诊护士须通过理论知识、专业技术、执业素养等培训并考核合格后方可上岗，须具备丰富的临床经验，能够独立处理突发事件。此外，要提高护理人员的风险意识并学习相关法律知识，以减少医疗纠纷的发生。严格执行预检分诊程序，做到：

a.一看

患者外表：衣着情况，有无创伤；患者意识：神志、瞳孔，有无大小便失禁；患者皮肤：面部、口唇颜色，皮肤颜色、汗液等；患者体位：卧位、行走姿态、肢体活动情况。

b.二问

听主诉：患者或家属诉说主观感觉、发病情况；引导问诊：发病原因、诱发因素、过去病史、本次疾病发作时症状、院前用药及治疗效果。

c.三检查

引导问诊和分诊体检可同时进行；分诊体检仅限于病情有关部位重点检查，如高热患者测体温，休克患者测脉搏及血压，昏迷患者查看瞳孔及四肢活动状态，腹痛患者检查腹部体征、压痛、反跳痛及肌紧张，外伤患者查看受伤部位活动及压痛情况。

掌握常用的分诊技巧-SOAP公式（S-主诉：患者或家属提供的最主要资料，O-观察：观察患者的实际情况，A-估计：综合上述情况对患者进行分析，P-计划：组织抢救程序协调专科会诊）及-PQRST公式（P-诱因：疼痛的诱发因素、加重及缓解因素，Q-性质：患者自己描述疼痛的感觉，R-放射：疼痛部位及是否向其他部位放射，S-程度：疼痛的程度，用疼痛标尺进行评分，T-时间：疼痛开始时间、终止时间及持续时间）通过采取以上措施来提高预检分诊符合率。

（3）2018专家共识（部分选摘）

1）相关概念

①急诊预检分诊：指对急诊患者进行快速评估，根据其急危重程度进行优先顺序的分级与分流。

②急诊预检分诊分级标准：一种以患者病情急危重程度而制定的等级标准，亦是辅助预检分诊护士分诊的工具。此标准共分4级，级别是依据客观指标并结合人工评级指标共同确定的，每级均设定相应的响应时限和预警标识（颜色）。

③响应时限：指急诊患者可等待的医疗处置时间，即患者从分诊评估结束到医生接诊前的最长等候时间。

④候诊时间：急诊各级别患者实际等候就诊的时间，原则上此时间应小于所对应级别设定响应时限的上限。

2）急诊预检分诊原则

急诊预检分诊不仅要对众多急诊患者进行分流，同时还要依据患者急危重程度进行分级。急诊预检分诊要以分诊原则为主导，并贯穿于整个预检分诊过程。

①急危重症患者优先就诊原则。

②准确快速分级分区原则：急诊预检分诊不仅要依据科学的标准进行准确分级，还要安排有能力的分诊人员和借助敏感性高的分诊工具进行快速、准确分诊；要合理建设规划急诊患者的就诊区域，实现分区救治，以提高急诊患者就诊的安全性及高效性。

③动态评估、及时预警原则：急诊预检分诊要对患者的病情及潜在的危险有所预判，并须采取相应的医疗护理措施予以动态评估，如设定可控的最短响应时限、危重患者实时监测生命体征、设立巡回评估岗位等，以及时发现候诊患者的病情变化、识别影响临床结局的危急值和实现及时预警的效果。

④以人为本、有效沟通原则：急诊预检分诊要注重"以患者为中心"的优质服务理念和坚持"多方配合"的工作态度，重视沟通的有效性。

3）急诊预检分诊分级标准

本分级标准依据客观评估指标和人工评级指标而制定，并按患者病情的轻重缓急合理分级诊疗。

①预检分诊级别：本标准按病情危急程度分为四级，每位患者的分诊级别不是固定不变的，分诊人员需要密切观察患者的病情变化，尽早发现影响临床结局的指标，并有

权限及时调整患者的分诊级别和相应的诊疗流程。

Ⅰ级为急危患者，需要立即得到救治。是指正在或即将发生生命威胁或病情恶化，需要立即进行干预。标识为红色。响应时限为即刻。

Ⅱ级为急重患者，往往评估与救治同时进行。是指病情危重或迅速恶化，如不能进行即刻治疗则危及生命或造成严重的器官功能衰竭，或短时间内进行治疗可对预后产生重大影响。标识为橙色。响应时限为10min。

Ⅲ级为急症患者，需要在短时间内得到救治。是指存在潜在的生命威胁，如短时间内不进行干预，病情可能进展至威胁生命或产生十分不利的结局。标识为黄色。响应时限为30min。

Ⅳ级为亚急症或非急症患者。是指存在潜在的严重性，此级别患者到达急诊一段时间内如未给予治疗，患者情况可能会恶化或出现不利的结局，或症状加重及持续时间延长；非急症患者具有慢性或非常轻微的症状，即便等待较长时间再进行治疗也不会对结局产生大的影响。标识为绿色。响应时限亚急症患者为60min，非急症患者为2～4h。

2.身份识别安全

患者身份识别是医务人员在医疗活动中对患者的身份进行查对、核实，以确保正确的治疗、检查用于正确的患者。患者身份的准确辨认是保证医疗护理安全的前提，有效的患者身份识别是医疗安全的保障。

（1）危险因素

①环境因素：陪同人员多，人员流动性较大，无关人员随意出入。

②护理人员因素：护士的责任心不强，执行力度差。

（2）干预措施

能够正确识别患者身份是护理安全得以保证的前提条件。特别是抢救室的情况复杂，更容易引起识别错误。因此，抢救室要做到以下的措施：①患者入抢救室后立即佩戴信息腕带，并向患者及其家属做好宣教；②运用抢救标识，床号的设计应字体大、颜色醒目，以便查对；③对于不明身份的昏迷患者，为其佩戴腕带可临时编号、编名，严格执行查对制度。

（3）患者身份识别准确率

患者身份识别准确率是指护士对患者执行身份识别正确的人数占同期患者身份识别检查总人数的百分比。正确患者身份识别是保证患者接受高质量医疗服务的前提，是患者安全的重要保证。

1）指标意义

"患者安全"是评价医院质量的重要指标之一。医疗风险无处不在，发生医疗差错不仅影响患者的治疗效果，也成为当前医患关系紧张的焦点。进行各项诊疗操作前的第一步是患者身份识别，以保证各项诊疗护理措施精准地运用于患者。

作为医院的窗口，急诊科救治的患者具有发病急，病情变化快，患者流动性大，可控性小，危重或昏迷患者多等特点，患者身份识别准确率达100%显得尤为重要。

2）计算公式

$$患者身份识别准确率=\frac{同期就诊患者身份识别准确例次}{统计周期内就诊患者总例次}\times100\%$$

说明："统计周期"，可定为每季度和每年。

3）数据采集

根据质量控制管理原则，需要每季度和每年对患者身份识别准确率进行统计并记录。对患者身份识别准确率未能达到100%进行根本原因分析，并进行持续质量改进。

3.转运安全

（1）标准转运流程：转运前要对患者的病情充分评估，对转运过程中可能出现的危险因素进行分析与监测。如消化道出血患者转运过程中存在大出血、休克、窒息的危险，在转运前需要做好充分准备，预先通知收住科室，请科室备好床单元及用物，同时告知家属转运的必要性及不良后果。严重创伤患者转运时，避免多次搬动，通知电梯值班人员，转运途中监测患者生命体征、意识、创伤部位出血情况。如心肌梗死患者转运流程，详见图5-1。

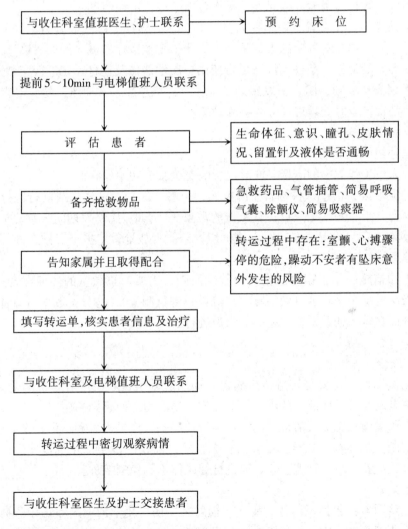

图5-1 心肌梗死患者转运流程

（2）健全转运制度：转运是为了使患者得到更好的救治，以改善预后，但是必须在有利于患者的情况下才可以转运，否则应重新评估转运的必要性。根据《中国重症患者转运指南（2010）》推荐危重患者（成人）转运前需准备转运设备、转运药物及合适的转运工具。

（3）严谨的交接工作：有效的交接是转运的关键节点。转运前，要详细填写转运交接单，记录管路、引流液、生命体征、皮肤、特殊用药等情况；转运后，由接收科室检查相关内容是否一致并填写转运交接单，存在疑问的必须当面确认，交接结束后签字确认。交接单详见附件一。

4.医院感染

急诊科具有病种复杂、患者流动性大和病死率较高等特点，且在治疗过程中有很多侵入性的检查或操作。有研究表明，急诊科是医院感染的高发区之一。

（1）危险因素。①管理因素：制度不完善，监控、执行力度不够。②物质因素：消毒隔离不彻底。③环境因素：通风差，操作台面未进行定期消毒。

（2）干预措施。①设置专职感控人员，对急诊科感控工作做全面的监督。同时定期进行培训及考核，提高对医院感染的重视。②严格把控医疗器械（例如喉镜、气管插管、呼吸机管路等）的消毒，条件允许下尽量使用一次性器械及耗材。在进行穿刺性操作时，严格执行无菌操作原则，防止引发感染。③注意环境卫生，常通风，每天对操作台面以及桌面进行消毒，及时处理患者分泌物和垃圾。

5.抢救室环境噪声

抢救室环境噪声管理是急诊科安全管理的重要指标之一，环境噪声管理效果的优劣影响着医护人员工作效率的高低，同时也影响着抢救成功率的高低。

（1）危险因素：指急诊科抢救室因家属、患者、医护人员沟通或进行医疗操作时产生的环境声音，干扰到医护人员正常工作的现象。（例如流感暴发期间，急诊抢救室送入大量肺部感染患者。患者家属就医心情急切，未能听从抢救室护士安排在外等候，纷纷在抢救室停留）

（2）干预措施：①根据抢救室安全管理原则，需要对抢救室的环境声音进行监测，测算出每班次的噪声平均值（使用噪声计等设备进行测量）。②分析数据与患者转入普通病房、得到成功救治的关系，对超标的噪声进行总结整改。

（三）护理人员安全

1.生物安全

（1）危险因素：主要是接触传染病媒介而引起的疾病状态或者是机体受到的影响，如接触到患者的血液、体液、分泌物、呕吐物、排泄物等而感染疾病。

（2）干预措施：①重视消毒隔离，加强职业防护安全的教育和培训，做好个人防护。②工作中切断传播途径，执行标准预防。③预防锐器伤的发生。④规范处理医疗废物及排泄物，分类放置，专人管理。⑤定期进行健康体检和免疫接种。

2.理化安全

（1）危险因素：包括锐器伤、噪声、辐射性损伤、化学消毒剂和化疗药物等。锐器伤是护士执业安全中最常见的危险之一，有80%～90%的传染病是由锐器伤所致。其次，长期暴露于90db以上的环境中，会引起头晕、头痛、耳鸣、失眠等症状；国内急诊室平均噪声是60～65db，但常接近90db，严重影响了护患之间的沟通，是潜在的安全隐患。

再者，因急诊科患者病情危重，影像学检查较多，护理人员陪同检查时接触射线的概率增大。经常接触射线，会对人体造成多种伤害，例如造血功能低下、精子生成障碍、诱发肿瘤等。

（2）干预措施：①严格按照安全注射相关规定执行，详见第二章第四节。②创造安全环境。使用具有安全装置的医疗器具，为不配合患者注射时，应有助手协助。护士定期体检并接种相应疫苗，建立损伤后及时处理并上报的流程。③噪声污染。首先，加强对噪声污染的认识，能自觉控制噪声污染；其次，加强科室仪器设备的维修和维护，淘汰陈旧设备，消除因仪器设备而产生的噪声；再者，护士各岗位需定期轮值。④放射损伤。首先，护士需操作熟练，尽量减少接触射线的时间；其次，做好自我防护，及时正确地穿戴防护衣；再者，护士各岗位定期轮值。

3.社会心理因素及安全

（1）危险因素：首先，因急诊科存在许多不确定性，既会影响患者，也会影响护理人员。如嘈杂的工作环境，患者及其家属焦虑、愤怒的情绪变化，护患矛盾，生死离别的场面等，均会造成护理人员承受巨大的心理压力。其次，长期的倒班模式加之女性特殊的生理变化、各种职责和责任感也致使护理人员常年承受高度紧张的心理状态、超负荷的工作状态，导致他们身体疲乏、精神疲惫，影响了身心健康，也会威胁到护理安全和质量。

（2）干预措施：①人员选拔。挑选责任心强、心理素质好、情绪稳定的护理人员。使其保持积极、乐观的心态，能够正确面对偏见，采用多种方法进行自我调整，例如回避、放松、转移等方法。②构建良好的工作环境、减少噪声，相关部门给予一定的支持，推广使用有效的医疗用具来减少工作量，减轻护理人员的工作压力。③护理人员必须规范护理行为，严格执行各项操作原则及制度，掌握一定的沟通技巧。这样既可以保证患者安全，也可以保证自身安全，避免护患矛盾产生。④管理部门做好教育培训工作，增强护理人员的法律意识。

二、技术标准

（一）急救技术

1.心肺复苏（Cardiopulmonary Resuscitation，CPR）

心肺复苏是针对呼吸、心跳停止的患者所采取的抢救措施，即用心脏按压或其他方式形成暂时的人工循环，恢复心脏自主搏动和血液循环，用人工通气代替自主呼吸，达到恢复苏醒和挽救生命的目的。复苏的最终目的是脑功能恢复。主要由基础生命支持、高级心血管生命支持和心搏骤停后的治疗三部分组成。

《2015AHA心肺复苏及心血管急救指南更新》分为院外心搏骤停和院内心搏骤停患者的"生存链"两部分。将患者进行院内外划分，可以明确患者救治途径，使患者尽快恢复自主呼吸循环（图5-2、图5-3）。

图5-2　院内患者心搏骤停生存链

图5-3　院外患者心搏骤停生存链

（1）成人心搏骤停流程图（摘自《2018AHA心肺复苏指南》），详见图5-4。

（2）心肺复苏的部位和方法

部位：胸外按压的部位为胸骨下端。按压时，患者仰卧于安全的地面或硬板床上，有条件的情况下放置复苏板，采取跪式或站式等体位进行按压。成人按压部位为胸部正中，两乳头连线中点的胸骨处或剑突上两横指处，婴儿按压部位为两乳头连线中点下一横指处。

方法：按压时，采用双手叠加法，双手手指交叉紧紧相扣，手指保持向上，一手的掌根部放置于胸骨按压部位，保持手掌根部用力在胸骨上。按压时深度至少5cm，力度适宜，防止发生骨折，按压频率100～120次/min，按压与放松比例为1：1，匀速按压计数，保持胸廓充分回弹。

2.除颤（Defibrillation）

除颤即心脏电复律，除颤是终止室颤最迅速、最有效的方法。

（1）目的：利用除颤仪电极板经胸壁或直接对心脏进行直流高电压电击，消除异位性快速心律，恢复窦性心律。

（2）评估与准备

①评估：根据患者心电监测，分析室颤或无脉性室性心动过速，确认是否需要除颤。

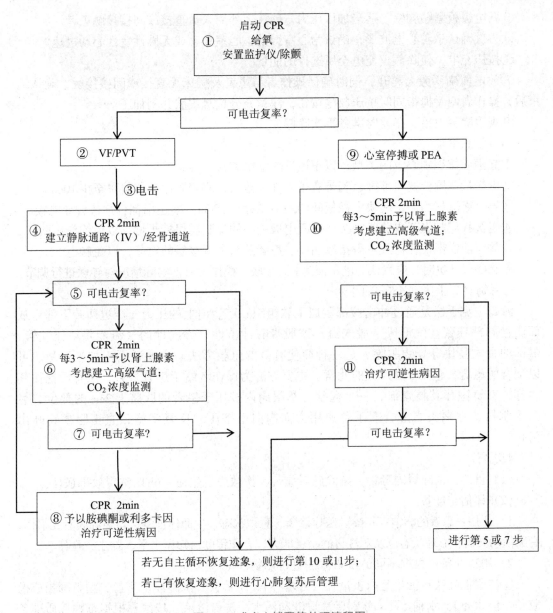

图 5-4　成人心搏骤停处理流程图

②用物准备：除颤仪、导电糊、纱布、急救药品、抢救物品。

③患者准备：去枕平卧于硬板床或平面上，除去身上所有金属与导电物品，松开患者衣扣，使胸壁充分暴露，清洁患者皮肤，除颤前询问患者有无安装起搏器。

（3）操作要点

①准备除颤仪，连接电源，开机，设置非同步状态。

②遵医嘱选择能量。

③将导电糊充分涂抹于电极板上。

④放置电极板：前-侧位：A（Apex）电极板放置于左侧乳头外下方，或左腋前线第5肋间，即心尖部，S（Sternum）电极板放置于右侧锁骨下方、胸骨外缘上部。

⑤两电极板紧贴胸壁，适当加以压力，确认无外周人员直接或间接接触患者。

⑥再次确认患者心电波形，确认为心室颤动、心室扑动或无脉性室性心动过速。

⑦按压充电，使除颤仪充电至所选择的能量。

⑧放电前确认旁人离开，同时确保操作者与患者及病床无直接或间接接触，确认结束后，操作者两手拇指同时按压放电按钮，注意充分接触皮肤并稍加压。

⑨观察除颤效果，必要时准备再次除颤。

（4）注意事项

①除颤前需识别心电图类型，以正确选择除颤方式。

②电极板放置位置要准确；若带有植入性起搏器，应避开起搏器位置至少10cm。

③导电糊涂抹均匀，两块电极板间的距离要超过10cm。禁止用耦合剂代替导电糊。

④电极板应与患者皮肤紧密接触，两电极板间的皮肤需保持干燥，以免灼伤皮肤。

⑤放电前需保证任何人不得接触病床、患者及与患者接触的物品，以免触电。

⑥除颤仪开机时，应默认心电示波为P波导联，操作者可据实际情况对导联进行调节。

3.海姆立克手法（Heimlich）

海姆立克手法是通过冲击腹部膈肌下软组织，产生向上的压力，压迫两肺下部，从而驱使肺部残留空气形成一股气流。这股带有冲击性、方向性的气流能将堵住气管、喉部的食物硬块等异物驱除，是一种简便有效的急救方法。主要适用于神志清楚、可以配合的患者，包括1岁以上的儿童。主要方法为操作者站于患者身后，从背后抱住其腹部，双臂围环其腰腹部，一手握拳，拳眼向内按压于患者的肚脐上2cm的部位，另一手掌捂按在拳头之上，双手急速用力向内向上挤压，反复实施，直至阻塞物吐出为止。

4.洗胃

（1）目的：消除胃内毒物，解除患者痛苦，挽救患者生命。6h内洗胃效果最佳。

（2）评估与准备

1）评估：患者的病情、年龄、医疗诊断、意识状态、生命体征等；口鼻黏膜有无损伤，有无活动义齿；心理状态以及对洗胃的耐受能力、合作程度、知识水平、既往经验等。

2）用物准备：根据不同的洗胃方法进行用物准备。

①口服催吐法：治疗盘内置量杯（或水杯）、压舌板、水温计、弯盘、塑料围裙或橡胶单（防水布）。水桶2只，分别盛洗胃液和污水。洗胃溶液：按医嘱根据毒物性质准备洗胃溶液。一般用量为10000～20000mL，将洗胃溶液温度调节到25～38℃为宜。为患者准备洗漱用物（可取自患者处）。

②胃管洗胃法：治疗盘内置无菌洗胃包（内有胃管、镊子、纱布或使用一次性胃管）、塑料围裙或橡胶单、治疗巾、检验标本容器或试管、量杯、水温计、压舌板、弯盘、棉签、50mL注射器、听诊器、手电筒、液状石蜡、胶布，必要时备开口器、牙垫、舌钳放于治疗盘内。水桶2个，分别盛洗胃液和污水。洗胃溶液：同口服催吐法。洗胃设备：电动吸引器洗胃法备电动吸引器（包括安全瓶及5000mL容量的贮液瓶）、Y形三通管、止血钳、输液架、输液器、输液导管。全自动洗胃机洗胃法另备全自动洗胃机。电动洗胃机操作流程详见图5-5。

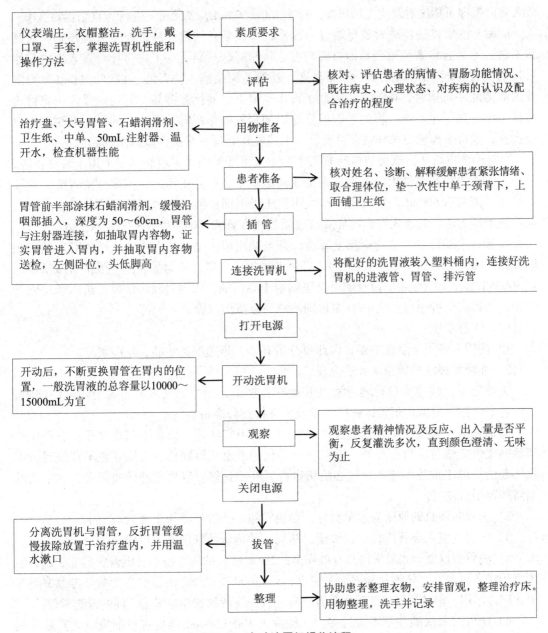

图5-5　电动洗胃机操作流程

（3）操作要点

1）口服催吐法：对于清醒患者，可让患者口服洗胃液（1000～1500mL），用压舌板刺激咽部或舌根部引起呕吐。如此反复进行，直至呕吐液与洗胃液颜色、澄清度相同为止。

2）胃管洗胃法：可分为胃管法、洗胃器法和电动洗胃机法等数种。

①患者左侧卧位靠近床边，头偏向一侧，将橡皮布治疗巾分别铺于颈肩后和颌下胸部。

②向胃内置入导管并灌洗。

a.胃管法：成人用大型号胃管，小儿可用导尿管，一般可经鼻插入45～55cm，确认导管入胃内后即可用注射器注入洗胃液，每次300～500mL，如此反复进行，直至毒物洗净。

b.漏斗洗胃器法：洗胃器尾端有一漏斗，中段装备一橡皮球，前段为胃导管，对意识不清、不易合作者可用开口器打开口腔，舌钳轻轻拉出舌头，再将导管置入胃内。然后提高洗胃器漏斗距口腔30～40cm高度，经漏斗缓缓灌入洗胃液，1次约500mL，当漏斗内液体灌注将毕时，再将漏斗放低于胃水平以下，并倒置漏斗，利用虹吸作用将胃内液体引出。如引流不畅，可用手捏橡皮球以加强虹吸作用向外引流，同样，灌注时如速度太慢，也可手捏橡皮球加快灌注速度。上述操作宜反复多次，以清洗彻底为止。

c.电动洗胃机法：该洗胃机装有两个有刻度可计量的大玻璃瓶（一个用于装洗胃液，另一个用于收集胃内抽出液）和一正负双向电动机，打开正压向胃内灌注洗胃液，达预订量（一般每次500mL）后关闭正压改用负压吸引即可抽出胃内液体。如此反复多次直至清洗干净为止。其插入胃内的导管宜选用较粗胃管或其他胶管，多需经口插入。

拔管：上述任一方法均应反复灌洗，直至抽出液清亮，与洗胃液色泽透亮度基本相同，无异味（如农药中毒的大蒜味），即可考虑停止洗胃，拔除导管。一般洗胃液量多需在5000mL甚至10000mL。拔管前可遵医嘱给予导泻剂，以通过腹泻清除已进入肠道内的毒物。洗胃完毕可用清水或0.9%氯化钠溶液反复清洁口腔。

（4）注意事项

1）洗胃术多用于急性中毒，因此要分秒必争，迅速准备物品，立即实施。

2）准确掌握洗胃禁忌证和适应证

①适应证：快速清除胃内毒素及其他有害物质；治疗完全或者不完全性幽门梗阻；治疗急、慢性胃潴留扩张者；一些手术或特殊检查前准备。

②禁忌证：强酸强碱等强腐蚀性毒物中毒者不宜洗胃，以免引起胃穿孔；有消化性溃疡病史者应慎重洗胃；此外，近期有上消化道出血或胃穿孔、胃癌者也不宜洗胃；中毒引起的惊厥未被控制前、严重心脏病患者、肝硬化伴食管胃底静脉曲张者、胸主动脉瘤者等都不宜洗胃。

3）洗胃时间总的原则为愈早愈好，尽快实施。一般原则为服毒后4～6h。

4）向胃内置入导管应轻柔、敏捷、熟练，并确认导管已进入胃内。

5）洗胃液以温开水最常用且有效安全；2%碳酸氢钠液常用于有机磷农药等中毒，但不宜用作敌百虫、水杨酸盐和强酸类中毒；1：5000高锰酸钾溶液对生物碱、毒蕈碱类有氧化解毒作用，但禁用于对硫磷中毒者洗胃。故洗胃液的选择应根据不同的毒物考虑。

6）洗胃时每次灌注量不宜过多，一般灌入300～500mL即应进行抽吸。尤其是应用电动机正压送入洗胃液时应严密观察，当达到500mL时改为负压吸引，切忌开机后操作者离开现场，以防灌注量过大引起急性胃扩张甚至胃穿孔。溃疡病合并幽门梗阻洗胃时，一次灌洗量应少，压力应低，防止出现穿孔或出血。

7）由于洗胃及其他各种原因会使体内水分过多引起水平衡失调而发生水中毒。洗胃时会导致钾离子及氯离子丢失，并且脱水治疗、应用激素及补液时输入过多的糖，会进一步加重钾离子的丢失。因此洗胃时应注意低钾血症和低氯性碱中毒。

8）凡呼吸停止、心脏停搏患者应先行心肺复苏，再行洗胃术。洗胃前应检查生命体征，如有缺氧或呼吸道分泌物过多，应先吸痰，保持呼吸道通畅，再行洗胃术。在洗胃过程中应随时观察患者生命体征的变化，如感觉腹痛、流出血性灌洗液或出现休克现象，应立即停止洗胃。

9）首次灌洗后抽出液应留取标本送检，以鉴定毒物种类，便于指导治疗。

5.环甲膜穿刺

环甲膜穿刺是针对呼吸道梗阻、严重呼吸困难患者采用的急救方法，目的是通过环甲膜穿刺开放气道或者通过气道注射药物，主要适用于现场急救。年龄未满8岁的儿童或者有出血倾向的患者禁用此方法。操作流程如下：

（1）准备7～9号注射针头或环甲膜穿刺针、注射器、2%利多卡因、无菌穿刺包、无菌手套、速干手消毒液。

（2）与患者及其家属沟通，取得配合。患者取仰卧位，肩部垫枕，保持颈部过伸，暴露颈前区。

（3）穿刺点位于喉结下方甲状软骨与环状软骨之间的凹陷处。操作者戴无菌手套，局部浸润麻醉，抢救患者或紧急情况下可不麻醉，以左手食指和中指固定环甲膜两侧皮肤，取环甲间隙的中心做穿刺点，右手持注射器垂直刺入环甲膜，当针头刺入环甲膜进入气道后，感到阻力消失回抽空气，患者出现咳嗽反射。固定注射器，注入2%利多卡因麻醉后拔除注射器。

（4）操作完毕后消毒穿刺点并压迫止血。

6.口咽通气管（图5-6）

口咽通气管指插入患者口腔的塑性软导管，用于保持上呼吸道通畅，吸引口腔及咽喉部分泌物，解除舌后坠引起的声门梗阻。

（1）操作前与患者及其家属沟通，解释其目的与意义，并取得他们的配合。

（2）协助患者取平卧位，充分吸引口腔分泌物，检查口腔黏膜破损情况，取下义齿。选择合适的口咽通气管型号，患者头部保持后仰，直接放置口咽通气管。保持口咽通气管弯曲度与咽部自然曲线一致，沿舌面送至咽部，将舌根与咽后壁分开。

（3）昏迷患者每2～3h调整口咽通气管的位置，定时清洁口腔，必要时给予患者湿化，保持呼吸道通畅。

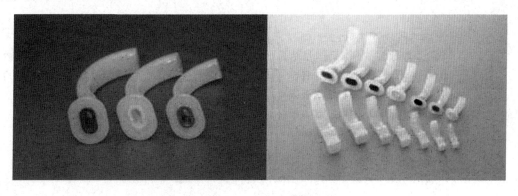

图5-6　口咽通气管

（二）常用急救药物指导原则

1.常用急救药物主要适应证及剂量

常用急救药物主要适应证及剂量详见表5-8。

表5-8 常用急救药物主要适应证及剂量

药物名称	常用剂量	适应证	禁忌证
肾上腺素	①过敏性休克：皮下或肌注0.3～0.5mg；②心搏骤停：静脉推注0.5～1mg；③支气管哮喘：皮下注射0.2～0.5mg，必要时可重复注射	①心搏骤停；②支气管哮喘；③过敏性休克	①对本品过敏、高血压、器质性心脏病、冠状动脉瘤、脑血管意外、闭角性青光眼及分娩患者；②禁与碱性药物配伍
去甲肾上腺素	①成人常用量：开始8～12μg/min速度滴注，调整滴速以使血压升到理想水平，维持量为2～4μg/min；②小儿常用量：根据体重以0.02～0.1μg/(kg·min)滴注，按需调节滴速	①急性心肌梗死、体外循环等引起的低血压；②对血容量不足所致的休克、低血压或嗜铬细胞瘤切除术后的低血压；③作为急救时补充血容量的辅助治疗	严重动脉硬化引起的心律失常、急性冠状动脉供血不足、近期有心肌梗死病史的患者
异丙肾上腺素	①救治心搏骤停时，心腔内注射0.5～1mg；②治疗Ⅲ度房室传导阻滞，心率<40次/min时，0.5～1mg加在5%葡萄糖注射液200～300mL内缓慢静脉滴注	①治疗支气管哮喘；②治疗心源性或感染性休克；③治疗完全性房室传导阻滞、心搏骤停	心绞痛、心肌梗死、甲亢、嗜铬细胞瘤、心房颤动的患者以及乳母、孕妇
间羟胺	①肌内或皮下注射：2～10mg/次；②静脉注射：初始剂量为0.5～5mg；③静脉滴注：15～100mg加入5%葡萄糖注射液或生理盐水500mL中滴注，成人极量为100mg/次(0.3～0.4mg/min)	①防治椎管内阻滞麻醉时发生的急性低血压；②用作因出血、药物过敏、手术并发症及脑外伤或脑肿瘤合并休克而发生的低血压；③治疗心源性休克或败血症所致的低血压	①严重冠心病、重症高血压、室性心动过速及闭角性青光眼患者；②禁止与碱性药物配伍
多巴胺	常用量为1～5μg/(kg·min)，10min内以1～4μg/(kg.min)速度递增，以达到最大疗效	①各种休克；②充血性心力衰竭；③急性肾功能不全	①嗜铬细胞瘤的患者；②禁与碳酸氢钠等碱性药物配伍

药物名称	常用剂量	适应证	禁忌证
多巴酚丁胺	2.5～10μg/(kg·min)滴注	①治疗器质性心脏病心肌收缩力下降引起的心力衰竭、心肌梗死所致的心源性休克及术后低血压；②心脏直视手术后所致的低心排血量综合征,作为短期支持治疗	肥厚性梗阻型心肌病、对本品过敏的患者
去乙酰毛花苷（西地兰）	根据医嘱0.2～0.4mg稀释后缓慢推注,剂量1～1.6mg/d	①心力衰竭；②急性心功能不全或慢性心功能不全急性加重；③心房颤动、心房扑动；④终止室上性心动过速	①对洋地黄过敏、洋地黄中毒、室性心动过速、室颤、急性心肌炎、心肌梗死、自发性肥大性主动脉狭窄的患者；②禁与水解蛋白质、钙注射剂合用
米力农	口服:2.5～7.5mg,每6h一次	对洋地黄、利尿剂、血管扩张剂治疗无效或效果欠佳的各种原因引起的急、慢性顽固性充血性心力衰竭	心肌梗死急性期、对本品过敏者
硝普钠	首剂0.5μg/(kg·min),根据治疗效果逐渐递增、调整剂量,常用剂量为3μg/(kg·min)	①高血压急症,如高血压危象、高血压脑病、恶性高血压、嗜铬细胞瘤手术前后阵发性高血压等的紧急降血压,也用于外科麻醉期间进行控制性降压；②急性心力衰竭,包括急性肺水肿。宜用于急性心肌梗死或瓣膜(二尖瓣或主动脉瓣)关闭不全时的急性心力衰竭	代偿性高血压的患者、孕妇
硝酸甘油	舌下含服:0.25～0.5mg/次,每5min可重复,直至疼痛缓解	①冠心病心绞痛的治疗及预防；②降低血压或治疗充血性心力衰竭	青光眼的患者

续表5-8

药物名称	常用剂量	适应证	禁忌证
胺碘酮	静脉滴注：负荷剂量通常为5mg/kg，加于5%葡萄糖注射液中，尽量使用注射泵，在20min～2h内滴注，24h内可重复2～3次	①房性心律失常伴快速室性心律；②预激综合征的心动过速；③严重的室性心律失常；④体外电除颤无效的室颤相关心脏停搏的心肺复苏	碘过敏、房室传导阻滞、病态窦房结综合征、甲状腺功能障碍患者
利多卡因	静脉注射：50～100mg/次，见效后改为100mg静脉滴注，8～12滴/min	①浸润麻醉、硬膜外麻醉、表面麻醉及神经传导阻滞；②急性心肌梗死后室性早搏和室性心动过速；③洋地黄类中毒、心脏外科手术及心导管引起的室性心律失常。本品对室上性心律失常通常无效	严重窦房结功能不全、房室传导阻滞、室内传导阻滞、癫痫大发作以及对本品过敏者
尼可刹米	皮下、肌内或静脉注射：①成人0.25～0.5g/次，必要时1～2h重复用药，极量为一次1.25g；②小儿6个月以下0.075g/次，1岁0.125g/次，4～7岁0.175g/次	①中枢性呼吸功能不全；②肺心病引起的呼吸衰竭；③阿片类药物中毒	①小儿高热而无呼吸衰竭者；②本品不可与碱性药物配伍，否则会发生沉淀

注：无特殊说明均为成人用量。

2.不良反应及护理要点

（1）肾上腺素

1）不良反应：心悸、头痛、血压升高、震颤、无力、眩晕、呕吐、四肢发凉；有时可有心律失常，严重者可由于心室颤动而致死；用药局部可有水肿、充血、炎症。

2）护理要点：①不可用于普鲁卡因引起的休克，否则易引起室颤；②皮下注射或肌注时，要更换注射部位，以免引起组织坏死；必须抽回血，以免误入静脉；③注射时严密观察血压和脉搏变化，以免引起血压骤升和心动过速；④本品可使血糖升高，与胰岛素合用可降低胰岛素效果；⑤可增加心肌和全身耗氧量，故应用时必须充分给氧，注意酸中毒的发生。

（2）去甲肾上腺素

1）不良反应：局部组织缺血性坏死；尿少、尿闭，急性肾功能不全，头痛，高血压，反射性心动过缓。大剂量可致心律失常、视力模糊、脑出血。长时间使用可有肠、肝、肾等内脏坏死。

2）护理要点：①注射时选用直、粗、弹性好的静脉，加强观察，如出现皮肤苍白和疼痛，应立即更换注射部位，并以酚妥拉明5～10mg加入0.9%氯化钠溶液做局部浸润注射，不可热敷；②本品能使小血管收缩，应严密观察休克症状及尿量的变化，用药期间尿量至少保持在25mL/h以上；③滴注时应从小剂量开始，根据患者的病情调整浓度和剂量；④本品遇光易氧化，宜避光保存；⑤本品静滴时，不宜用0.9%氯化钠溶液稀释，应用葡萄糖注射液稀释；⑥停药时应逐渐减慢滴速，骤然停药常可致血压突然下降。

（3）异丙肾上腺素

1）不良反应：常有口咽发干、心悸不安；少见的不良反应有头晕、目眩、面部潮红、恶心、心率增快、震颤、乏力、多汗等。

2）护理要点：①若心率大于110次/min、心电图异常或患者有胸痛时立即停药，及时报告医生；②教会患者如何使用气雾剂，使用后唾液及痰液可呈粉红色，用后漱口，以免刺激口腔及喉；③连续使用24～26h可出现耐药性，故应告知患者，症状不能缓解时不得滥用，否则可引起不良后果。

（4）间羟胺

1）不良反应：血容量不足者应先纠正后再用本品，升压反应过快过猛可致急性肺水肿、心律失常、心搏骤停。长期使用后骤然停药可能发生低血压。

2）护理要点：①注射过程中严密观察药物有无外渗，若有外渗，处理同去甲肾上腺素；②停药时应逐渐停药，若突然停药可出现低血压；③避开在血液循环不佳的部位注射；④密切观察病情变化，根据患者的病情调整浓度和剂量；⑤禁与碱性药物配伍使用。

（5）多巴胺

1）不良反应：恶心、呕吐、胸痛、心悸、呼吸困难、头痛。

2）护理要点：①避免药液漏出血管外，否则可导致血管坏死，发生以上情况时可用酚妥拉明5～10mg加入0.9%氯化钠溶液局部浸润注射。长期静脉注射的患者可能发生手足末梢坏死。②控制滴速，如出现头痛、呕吐、血压升高等症状应立即减慢滴速或停药。③用于休克患者时，若出现脉压减少，必须警惕，提示以血管收缩为主，预后不佳，应减慢滴速。④大剂量使用可出现循环衰竭现象，如尿量少于30mL/h，应立即报告医生。⑤对有周围血管病史（如动脉瘤、糖尿病、冻伤、动脉栓塞）者应用本品时，需密切观察肢体色泽、温度变化，以防肢体严重缺血性坏死。

（6）多巴酚丁胺

1）不良反应：恶心、呕吐、头痛、心绞痛、气促等。若剂量低于$10\mu g/(kg \cdot min)$，一般心率不增快。

2）护理要点：①抽取时，不可与碱性药、氧化剂配伍。②用药期间，随时检查心率、血压、尿量，调整用药速度和剂量；稀释后应于24h内使用。

（7）去乙酰毛花苷-西地兰

1）不良反应：恶心、呕吐、食欲不振；头痛，心动过缓，房室传导阻滞。

2）护理要点：①稀释后缓慢静注，时间大于5min；②其他监护同地高辛。

（8）米力农

1）不良反应：头痛、低血钾、低血压、失眠、心律失常。

2）护理要点：①滴注速度不宜过快，应控制在8～12滴/min，否则会引起心动过速和低血压。②不得与呋塞米混合注射，否则会产生沉淀。

（9）硝普钠

1）不良反应：恶心、呕吐、心悸、出汗、烦躁，长期使用可引起甲状腺功能减退。

2）护理要点：①严格控制滴速，严密观察血压，根据血压调整滴速与剂量。②本品遇光易分解，使用时输液瓶及输液管避光遮挡。③应用5%GS新鲜配制，每6～8h更换一次，超过时间或溶液变色应弃去。④本品不得与任何药物配伍。⑤用药期间注意观察有无氰化物或硫氰酸盐中毒症状，与维生素B_{12}合用，可预防本品所致的氰化物中毒及维生素B_{12}缺乏症。如已出现中毒征象，可吸入亚硝酸异酯或静滴亚硝酸钠、硫代硫酸钠，以助氰化物转为硫氰酸盐，降低氰化物血药浓度。

（10）硝酸甘油

1）不良反应：长期用药者突然停药可诱发心绞痛、心肌梗死乃至猝死，故须逐渐停药并合用其他药物。老年人含服时宜取坐位或卧位，以防直立性低血压。

诱发低血压时可合并反常性心动过缓和心绞痛加重，可使梗阻性肥厚型心肌病引起的心绞痛加剧。出现视力模糊或口干时应停药，剂量过大可引起剧烈头痛。

2）护理要点：①做好用药指导，观察用药后效果，例如告知患者可有头痛反应，以及面部潮红、灼烧感、恶心、眩晕、出汗甚至虚脱等反应。②可引起直立性低血压，反射性心动过速。③偶发生皮疹，甚至剥脱性皮炎，酒精常可增加其副作用。

（11）胺碘酮

1）不良反应：长期使用，角膜可出现黄棕色颗粒色素沉着，与该药自泪液排泄有关，停药后可消失，偶有皮疹和皮肤色素沉着、恶心、呕吐、甲状腺功能失调、血清肌酐升高、气短、胸闷及肺功能改变。

2）护理要点：①推注速度不宜过快，否则易引起低血压。②使用本品可出现过敏反应，用药后避免在太阳下暴晒，以免出现皮肤红斑，定期检测血压、心电图及脉搏，如脉率少于60次/min，应立即汇报医生。

（12）利多卡因

1）不良反应：头痛、头晕、定向力障碍，大剂量可引起惊厥、呼吸抑制、心搏骤停。

2）护理要点：尽量用最小剂量维持，无特殊医嘱，不可超过4mg/min。

（13）尼可刹米

1）不良反应：恶心、呕吐、烦躁，大剂量可致心动过速、血压上升、出汗、肌肉震颤甚至惊厥。

2）护理要点：①禁用于小儿高热而无呼吸衰竭者。②本品不可与碱性药物配伍，否则会发生沉淀。

3. 常用微量泵急救药物配置方法

常用微量泵急救药物配置方法详见表5-9。

表5-9 常用微量泵急救药物配置方法

药名	常用配置方法	常用速度	作用	常见不良反应
力月西 （10mg/2mL）	0.9%NaCl或NS 42mL+ 力月西40mg	3mL/h	镇静	心动过缓或低血压
丙泊酚 （0.2g/支）	丙泊酚0.6g	3mL/h	镇静	低血压或呼吸抑制
舒芬太尼 （50μg/支）	0.9%NaCl或NS 50mL+ 舒芬太尼200μg	2～5mL/h	止痛	呼吸抑制、低血压、心动过缓
地佐辛 （5mg/支）	0.9%NaCl或NS 45mL+ 地佐辛25mg	3mL/h	止痛	呼吸抑制、恶心、呕吐
硝普钠 （50mg/支）	0.9%NaCl或NS 50mL+ 硝普钠50mg	0.3～0.8mL/h	高血压、心 力衰竭	血压过低
多巴酚丁胺 （20mg/支）	0.9%NaCl或NS 36mL+ 多巴酚丁胺240mg	5mL/h	心力衰竭	心悸、恶心、胸闷、气短等
艾司洛尔 （0.1g/支）	艾司洛尔0.5g	2～5mL/h	房颤、房扑	低血压
多巴胺 （20mg/支）	0.9%NaCl或NS 32mL+ 多巴胺180mg	3～5mL/h	纠正低血压	胸痛、呼吸困难、心悸
10%氯化钾 （10mL/支）	0.9%NaCl或NS 20mL+ 10%氯化钾30mL	5～10mL/h	低钾血症	血钾升高
葡萄糖酸钙 （10mL/支）	5%GS 40mL+ 葡萄糖酸钙20mL	20mL/h	补钙、镁中 毒的拮抗	发热、心律失常、恶心、呕吐、血 钙升高
胰岛素 （400U/支）	0.9%NaCl或NS 50mL+ 胰岛素50U	1～2mL/h	降血糖	血糖过低
生长抑素 （3mg/支）	0.9%NaCl或NS 50mL+ 生长抑素3mg	4.1mL/h	止血、抑制 腺体分泌	恶心、眩晕、面部潮红，注意监 测血糖
奥曲肽 （0.2g/支）	0.9%NaCl或NS 47mL+ 奥曲肽0.6g	4.1mL/h	抑制腺体分 泌	消化道不良反应
垂体后叶激素 （6μg/支）	0.9%NaCl或NS 44mL+ 垂体后叶激素18μg	3～5mL/h	产后/肺出 血、尿崩症	血压升高、心悸、胸闷、心绞痛
去甲肾上腺素 （1mg/支）	0.9%NaCl或NS 41mL+ 去甲肾上腺素18mg	1～5mL/h	纠正低血压	心率增快

（三）常用急诊实验室检查配合

1.内容与目的

详见第二章第二节的相关内容。

2.配合原则

详见第二章第二节的相关内容。

3.血气分析

血气分析是危重症患者急救中必要的监测项目，不仅可以反映患者的氧合状况，还可以监测呼吸状态，监测机体酸碱平衡。

（1）标本采集

标本采集时，一般选取搏动比较明显及容易暴露的动脉，常选取桡动脉、股动脉、足背动脉。采集标本时，可以选用一次性动脉采血针，若条件不允许，可以选用一次性注射器，用肝素盐水充分湿润注射器，防止血液凝结。进针前，常规消毒穿刺处皮肤，操作者左手食指与中指消毒后触摸动脉搏动处，右手持针，针头斜面向上，逆血流方向与血管呈30°～45°进针，穿刺入血管后，不必抽吸，若穿刺成功，血液可自行进入针内，待标本2mL后拔针。

采集结束后迅速封闭针头，防止与空气接触，若已有空气，应快速排尽空气后再封闭，轻轻转动血标本，使血液与肝素充分混匀，防止发生凝血。

采集标本时，做好患者的解释沟通工作，消除患者的紧张情绪。若需要未吸氧状态下的血气分析，吸氧患者则需停氧30min后再采集血标本。血标本应及时送检，若条件不允许或暂时不送时应置于4℃以下冰箱保存。

（2）正常值及临床意义

① pH表示血液酸碱的实际状态，是反映H^+浓度的指标，以H^+浓度的负对数表示。

正常参考值：7.35～7.45。pH<7.35为酸血症，pH>7.45为碱血症。

②动脉血氧分压（PaO_2/PO_2）：指动脉血浆中物理溶解的O_2单独所产生的分压。

正常参考值：80～100mmHg。

临床意义：PO_2的高低与呼吸功能有关，同时直接影响O_2在组织中的释放。呼吸功能障碍时，PO_2下降，当PO_2低于60mmHg时，SO_2急剧下降，进入呼吸衰竭阶段；当PO_2低于55mmHg时，即有呼吸衰竭。如PO_2低于20mmHg时，组织细胞就失去了从血液中摄取氧气的能力。所以临床上常将PO_2作为给患者吸氧的指标之一。

③动脉血二氧化碳分压（$PaCO_2/PCO_2$）：指血浆中物理溶解的CO_2单独产生的分压。正常参考值：35～45mmHg。

临床意义：PCO_2>45mmHg为原发性呼酸或继发性代偿性代碱，也称为高碳酸血症。

PCO_2<35mmHg为原发性呼碱或继发性代偿性代酸，也称为低碳酸血症。

CO_2有较强的弥散能力，故动脉血PCO_2基本上反映了肺泡PCO_2的平均值，是反映肺呼吸功能的客观指标。

④动脉血氧饱和度（SaO_2/SO_2）：是指血红蛋白被氧饱和的百分比。

正常参考值：95%～99%。

临床意义：与PO_2密切相关，PO_2降低时SO_2也随之降低；当PO_2增高时SO_2也相应增高；PO_2与SO_2的关系可绘制成一条呈"S"形的曲线，称为氧解离曲线（P50）。

4."危急值"报告制度

通常指某一检验、检查结果与正常参考范围偏离较大时检验、检查人员需及时将结果报告临床医生，以便迅速给予患者有效的干预措施或治疗，为患者的抢救争取最佳时间。

危急值记录内容详见第二章第三节相关内容。

第三节　结局质量标准

一、敏感指标

(一) 预检分诊符合率

1.指标定义

(1) 预检分诊是指对急诊患者进行快速评估，根据其病情危重程度进行优先顺序的分级诊治和分流。

(2) 预检分诊分级标准：是一种以患者病情急危重程度而制定的等级标准，也是辅助分诊人员分诊的工具，该标准共分为4级，每级均设定相应的响应时间和分级预警标识（颜色）。

(3) 预检分诊符合率：统计周期内分诊结果与病情诊断的符合例数与统计周期内总分诊例数的比例为预检分诊符合率，大于或等于90%为合格。

2.指标意义

预检分诊符合率是急诊护理质量管理的核心指标之一，可认为是急诊综合护理能力的体现。预检分诊与急诊的整体管理、护理质量和培训等密切相关。预检分诊是患者到急诊就诊的第一道关口，采取科学的方法将患者进行分类，迅速识别急、危、重患者及所属科室，有助于充分利用急诊资源，维持急诊就诊秩序，使患者得到及时有效的救治，以确保安全。

采用预检分诊符合率对预检分诊进行度量，可以了解急诊预检分诊工作的落实情况。对该指标要进行定时督查，对不达标的情况要进行根本原因分析，及时识别预检分诊的相关影响因素，在相关人员的共同努力下，找到有效的干预措施，优化流程，提高预检分诊符合率，向100%的符合率进行努力。

3.计算公式

$$预检分诊符合率 = \frac{同期预检分诊结果与病情符合例数}{统计周期内预检总分诊例数} \times 100\%$$

(1) "分诊"的纳入标准：所有急诊就诊进行分诊的患者，包括同一患者24h内的多次就诊。

(2) "统计周期"为每月、每季度和每年。

4.数据采集

根据质量控制管理原则，需要对每月、每季度和每年预检分诊符合率进行统计并记录。对不达标或者是特殊分诊事件要进行根本原因分析，并进行持续质量改进。

5.案例解析

(1) 案例：某医院6月份急诊所有预检分诊就诊量为1530例，其中在预检分诊台分诊正确，且符合患者病情的例数为1480例。

根据公式得出：

$$6月份预检分诊符合率=\frac{1480}{1530}×100\%=96.7\%$$

（2）解析：该医院6月份急诊预检分诊符合率为96.7%>90%，因此6月份的预检分诊符合率合格。

（二）抢救设备完好率

1.指标定义

（1）抢救设备完好率是指完好的抢救设备占所有急诊全部抢救设备的比重，它是反映急诊科管理业务水平的一个重要指标，也是管理设备的重要基本依据。

2.指标意义

（1）抢救设备完好率在评估医院急诊科抢救设备管理水平上有重要作用，也是抢救设备管理的最有效依据。

（2）抢救设备的正常运行和使用与急诊抢救成功率密切相关。在日常工作中抢救设备管理和维护不到位，必将影响设备的正常使用，有可能延误对患者的抢救工作，甚至可能造成医疗事故。

（3）运用抢救设备完好率对抢救设备进行度量，以进一步提高患者抢救成功率，降低死亡率；同时对不达标因素进行分析，提高设备的管理水平，发挥其最佳效果，以达到设备完好率100%。

3.计算公式

$$抢救设备完好率=\frac{抢救设备完好数}{抢救设备基数}×100\%$$

"统计周期"为每天、每月、每季度和每年。

4.数据采集

根据质量控制管理原则，需要对每天、每月、每季度和每年抢救设备完好率进行统计并记录。对不达标者要进行根本原因分析，并进行持续设备管理方法改进。

5.案例解析

（1）案例：某日，由于工作繁忙，带教护士让实习生日常检查抢救室仪器设备运行情况，由于实习生对抢救设备不完全了解，没能全面检查并发现问题；120送入农药中毒患者，急需洗胃，带教护士用洗胃机操作时发现机器无法正常运转，家属十分恼怒，在医院大吵大闹。

（2）解析：带教护士未严格遵守抢救设备日常检查制度以及医院带教制度，导致仪器设备运行出现问题，以至于产生护患矛盾。

（三）转运不良事件发生率

1.指标定义

（1）转运：分为院前转运（Pre-hospital Transport）、院内转运（Intra-hospital Transport）、院际转运（Inter-hospital Transport）。指患者因诊断或治疗等需要进行的转移过程，而这种转移需要持续药物和生命体征的维持。

（2）转运不良事件：指在转运过程中，所有可能影响患者的诊疗结果、增加患者的痛苦和负担并可能引发医疗纠纷或事故，以及影响医疗工作的正常运行和医务人员人身安全的因素和事件。

（3）转运不良事件发生率：统计一定时期内转运患者发生不良事件例次数与同一时期有记录的转运患者总人数的百分比称为转运患者不良事件发生率。

（4）转运不良事件伤害率：统计一定时期转运患者发生的不良事件伤害例数与一定时期内转运患者发生的不良事件例数的百分比称为转运不良事件伤害率。

（5）某因素转运不良事件发生率：同期某因素转运不良事件病例数与同期内转运患者不良事件发生数的百分比称为某因素不良事件发生率。

2.指标意义

（1）危重患者转运过程中不良事件发生率可高达67.9%，进一步规范转运过程，减少脱管、坠床等不良事件的发生，降低转运风险，保障患者安全是亟待护理管理人员关注和解决的重要问题。而提高患者转运效率，对危重患者的成功救治和预后有着积极的作用。

（2）运用该指标监测转运危险因素，并进行统计与上报，管理部门通过对数据的分析，可得到相关的特异性因素，从而完善医院管理制度，优化转运流程，保障患者安全。

3.计算公式

（1）转运不良事件发生率 $= \dfrac{\text{同期患者转运不良事件发生例数}}{\text{统计周期内患者转运总例数}} \times 100\%$

1）转运不良事件的标准：急诊所有转运患者在转运过程中发生的符合敏感指标项目的事件；

2）"统计周期"为月、季度或年。

（2）转运不良事件伤害率 $= \dfrac{\text{同期转运患者发生不良事件伤害病例数}}{\text{统计周期内转运患者发生不良事件例数}} \times 100\%$

（3）某因素不良事件发生率 $= \dfrac{\text{同期某因素转运不良事件病例数}}{\text{统计周期内转运患者不良事件发生例数}} \times 100\%$

4.数据采集

根据质量控制管理原则，需要对每月、每季度和每年转运不良事件发生率进行统计并记录。对造成转运不良事件的因素进行根本原因分析，并进行持续质量改进。

5.案例解析

（1）案例：患者张某，男性，33岁，因车祸后腹痛伴右小腿活动受限20min送入急诊科，20min前患者在高速公路行驶时撞击护栏后出现左上腹痛，呈持续性，平躺后未见好转，伴有右小腿疼痛，活动受限，伴有恶心、头晕、头痛，无视物模糊、晕厥，无胸闷、胸痛，无腰酸、腰痛，无血尿、血便。T：36.8℃，P：111次/min，BP：90/60mmHg，神志模糊，面色苍白，左面部片状皮肤擦伤，左胸前可见皮肤擦伤。腹部略隆，腹肌紧张，左上腹压痛。

入院实验室及辅助检查结果：X线示右胫腓骨下端骨折，腹部穿刺为血性不凝固液体，胸部CT未见异常。腹部CT示：脾破裂可能、腹腔内出血。血常规：血红蛋白67g/L。急诊科医生评估患者并与患者家属沟通后决定转运，开出住院单。

（2）解析：本案例中，此患者符合转运标准，家属签字同意后即可转运，为防止发生转运不良事件，该患者转运应由主管医生与值班护士共同转运。

（四）Ⅰ、Ⅱ级患者静脉通路建立时间

1.指标定义

Ⅰ、Ⅱ级患者静脉通路建立时间是指Ⅰ、Ⅱ级患者送入抢救室，值班护士遵医嘱给予患者静脉穿刺置管的时间。Ⅰ、Ⅱ级患者静脉通路建立时间≤10min为合格。

2.指标意义

（1）静脉通道的建立是护理基本技能之一，也是临床用药治疗和急救的重要保障。但是在临床工作中所面临的问题不是具体的操作技术问题，而是方法的选择、思维方式和技巧问题，避免产生一些不必要的纠纷和失误，给护理工作带来不必要的麻烦。

（2）Ⅰ、Ⅱ级患者在10min之内建立有效的静脉通路是抢救成功的关键，可以快速扩充血容量，补充营养物质。静脉通路的建立原则是快捷、简单、实效、可靠，靠近心脏。

3.计算公式

$$\frac{\text{Ⅰ、Ⅱ级患者静脉通路}}{\text{建立时间≤10min合格率}} = \frac{\text{Ⅰ、Ⅱ级患者静脉通路建立时间≤10min例数}}{\text{统计周期内Ⅰ、Ⅱ级患者总数}} \times 100\%$$

（1）Ⅰ、Ⅱ级患者包括符合预检分诊Ⅰ、Ⅱ级的所有患者；

（2）"统计周期"为日、月或年。

4.数据采集

根据质量控制管理原则，需要对每日、每月和每年Ⅰ、Ⅱ级患者静脉通路建立时间进行统计并记录。对静脉通路建立时间进行根本原因分析，并进行持续质量改进。

5.案例解析

（1）案例：患者男性，43岁，主因"心悸1h余"由120送入急诊抢救室，患者心电监测示：心率170次/min。值班护士立即给予静脉通路建立，患者拒绝，自诉不适症状已较前缓解，值班护士遂告知患者建立静脉通路的重要性，经同意后给予患者静脉留置针穿刺固定，数分钟后，患者突发大汗淋漓，呼之不应，值班医护立即配合抢救，患者转危为安。

（2）解析：危重症患者病情较为隐匿，在临床抢救工作中，迅速建立静脉通路可以将一些抢救药物直接通过静脉通路推入血管内，以挽救患者的生命。

（五）首次洗胃时间中位数

1.指标定义

（1）首次洗胃时间中位数：是指抢救室接诊中毒患者后到医生为患者采取洗胃治疗的平均时间，≤30min为合格。

（2）首次洗胃时间中位数符合率：为同期洗胃时间中位数达标人数与统计周期内洗胃总人数的比例。

2.指标的意义

（1）首次洗胃时间中位数是对中毒患者治疗与护理的重要敏感指标之一，也成为后期检测患者毒素清除率的关键。

（2）对确诊中毒的患者，洗胃时间越早越好。国内传统观点认为，洗胃最好控制在中毒6h内进行，超过6h洗胃意义不大，但目前普遍观点认为不论中毒时间长短，中毒患者就诊都应给予洗胃。

（3）采取首次洗胃时间中位数对中毒患者的洗胃时间进行监测，能够了解急性中毒患者洗胃时间的把控情况，对未能达标的情况要进行根本原因分析，对影响洗胃时间的相关因素进行整改，找到有效的干预措施，从而提高中毒患者的抢救成功率。

3.计算公式

$$首次洗胃时间中位数符合率 = \frac{同期洗胃时间中位数达标例数}{统计周期内洗胃总例数} \times 100\%$$

（1）"洗胃"的纳入标准：所有中毒就诊进行洗胃的患者；

（2）"统计周期"为每月、每季度和每年。

4.数据采集

根据质量控制管理原则，需要对每月、每季度和每年首次洗胃时间中位数符合率进行统计并记录。对不达标或者是特殊不符合事件要进行根本原因分析，并进行持续质量改进。

5.案例解析

（1）案例：某医院急诊科统计了最近一周的洗胃人数总共为4人，按采取洗胃时间的长短顺序从小到大排列依次为15min，18min，32min，38min，则该医院这一周内的首次洗胃时间中位数为(18+32)/2=25min。

（2）解析：该医院一周内的首次洗胃时间中位数为25min≤30min，则该医院本周内的首次洗胃时间中位数合格。

二、其他重点监测指标

（一）危急值的即刻汇报率

1.指标定义

（1）危急值（Critical Values）：指辅助检查结果与正常预期偏离较大，表明患者可能处于生命危险的边缘状态，临床医生需要及时得到检验信息，迅速给予患者有效的干预措施或治疗。

（2）危急值的即刻汇报率：接到检验科的危急值报告，即刻汇报医生例数与接收危急值总数之比。

2.指标意义

当检验结果出现时，患者可能处于生命极度危险的边缘状态，临床医生应该及时得到这个结果，并迅速给予患者最有效的治疗，否则就有可能错过最佳的救治时机。因此，有效及时的危急值汇报，对及时发现患者危险情况、组织有效抢救至关重要，它已经成为各级医疗机构提高医疗质量的重要内容之一。

3.计算公式

$$危急值的即刻汇报率 = \frac{同期接收危急值即刻汇报例数}{统计周期内危急值接收总例数} \times 100\%$$

"统计周期"可定为每月和每年。

4.数据采集

根据质量控制管理原则，需要对每月和每年危急值的即刻汇报率进行统计并记录。对危急值的即刻汇报率未能达到100%进行根本原因分析，并进行持续质量改进。

5.案例解析

（1）案例：患者王某，男，39岁，主因肝破裂修补术后无尿三天急来我院抢救室就诊。入院时患者神志清楚，精神差，T：37.4℃，P：57次/min，R：23次/min，BP：94/61mmHg。遵医嘱给予患者心电监护及鼻导管吸氧2L/min，急查血常规、生化、出凝血、全腹部CT。抢救室护士李某接检验科电话，患者血清钾离子为7mmol/L，报危急值，李护士记录完毕后刚挂完电话，有一呼吸心搏骤停的患者张某送入抢救室，护士李某积极配合医生抢救。抢救20min时王某室颤，抢救无效死亡。医生查看所有检查检验结果，分析死亡原因，为与高血钾引起心律失常关系密切。

（2）解析：本案例中，护士在接到检验科电话时未能及时汇报值班医生，耽误了医生对危急值及时有效的处理，最终导致患者死亡。

（二）30min重度疼痛患者的干预率

1.指标定义

（1）疼痛：是指组织损伤或潜在损伤造成的不愉快感觉和情感体验。

（2）30min重度疼痛患者的干预率：是指护士经疼痛评估、明确诊断后，在30min内对患者实行治疗及护理措施，有效减轻疼痛的患者比例。

2.指标意义

（1）30min重度疼痛患者的干预率是对疼痛患者治疗与护理的重要敏感指标之一，也成为后期监测患者镇痛效果的关键。

（2）疼痛是患者的主观感受，疼痛程度因人而异，医学上较难评估与干预。疼痛极大可能对患者的躯体和心理造成创伤，并产生一系列的躯体应激反应，如生理、心理和行为异常。积极地对重度疼痛患者进行干预，能够在及时、有效地评估患者病情的同时掌握患者的疾病史。通过治疗护理措施的实施，快速减轻患者的痛苦，以防病情恶性发展。

（3）运用30min重度疼痛患者的干预率进行监测，能够了解临床护理工作中是否对患者疼痛给予重视，并采取有效的干预措施。对未能达标的情况进行积极改正，以实现患者全身心满意的治疗与护理。

3.计算公式

$$30min重度疼痛患者的干预率=\frac{同期重度疼痛患者干预人数}{统计周期内重度疼痛患者总人数}\times100\%$$

（1）"重度疼痛"的纳入标准：疼痛评估量表中大于或等于7分的疼痛患者。

（2）"统计周期"为每月、每季度和每年。

4.数据采集

根据质量控制管理原则，需要对每月、每季度和每年重度疼痛患者的干预率进行统计并记录。对不达标事件要进行根本原因分析，并进行持续质量改进。

5.案例解析

（1）案例：120送入一名醉酒后车祸伤患者，患者左下肢开放性损伤，医生为患者进行伤口处理后陪同患者行CT检查，因患者烦躁不能有效配合，无法完成CT检查。护士随即对患者进行疼痛评估，并报告医生，医生开具布桂嗪100mg肌肉注射后，患者较前配合，完成CT检查后，收住骨科进行治疗。

（2）解析：该案例中，患者下肢可见外伤，初步对伤口进行处理后，忽略了对患者主观感受的关注，导致患者烦躁，无法配合检查。护士后期对患者进行疼痛评估后，采取了有效的干预措施，完成了CT检查。减轻了患者的痛苦，同时避免了后续治疗的延误。

（三）严重创伤患者保温措施的实施率

1.指标定义

（1）创伤后自发性低体温：严重创伤后患者由于大量失血，暴露于寒冷环境或维持正常体温能力下降（休克、中毒或镇静麻醉）等原因常伴有低体温的发生。其传统定义为体内温度低于35℃，Gentilello等根据其轻重程度分为轻度低温：36～34℃；中度低温：34～32℃；重度低温：低于32℃。

（2）严重创伤患者的保温措施：指运用保温措施或保温设备防止严重创伤患者低体温并发症的发生。

（3）严重创伤患者保温措施实施率：统计周期内对创伤患者实施保温措施例数与统计周期内创伤患者人数的比例为严重创伤患者保温措施实施率，≥90%为合格。

2.指标意义

（1）严重创伤患者保温措施实施率作为急诊护理敏感指标之一，会提高医护人员对创伤患者低体温的关注，规范创伤后自发性低体温患者的护理，对改善患者愈后有着重要意义。

（2）创伤后自发性低体温在创伤患者中的发病率为10%，而在严重创伤患者中的发病率常高达30%～50%。创伤患者低温持续4h以上，死亡率可达40%，体温降至32℃以下，死亡率高达100%。制订创伤后自发性低体温患者复温的治疗和护理规范，提高创伤患者保温措施实施率，改善患者愈后，是亟待医护人员关注和解决的重要问题。

（3）采用严重创伤患者保温措施实施率对创伤患者护理质量进行度量，对不达标的情况要进行根本原因分析，及时识别创伤患者保温措施实施的相关影响因素，在相关人员的共同努力下，找到有效的干预措施，提高严重创伤患者保温措施实施率。

3.计算公式

$$严重创伤患者保温措施实施率=\frac{同期实施保温措施的创伤患者例数}{统计周期内ISS评分 > 16的创伤患者例数}×100\%$$

（1）"创伤患者"的纳入标准：ISS评分>16分的创伤患者。

（2）"统计周期"为每月、每季度和每年。

4.数据采集

根据质量控制管理原则，需要对每月、每季度和每年严重创伤患者保温措施实施率进行统计并记录。达不到标准时要对其进行根本原因进行分析，并持续质量改进。

5.案例解析

（1）案例：某三甲医院急诊科，2018年2月至10月共收治ISS评分>16分的创伤患者77人，其中给予保温措施的患者71人，则该医院急诊科严重创伤患者保温措施实施率为：$\frac{71}{77}×100\%=92.2\%$。

（2）解析：该三甲医院急诊严重创伤患者保温措施实施率为92.2%>90%，该医院急诊科严重创伤患者保温措施实施率为合格。

（四）寒冷地区液体温度的管理

1.指标定义

寒冷地区液体温度的管理是指针对寒冷地区的患者补液时对液体进行加温输注的一种方法，有利于人体恢复正常体温及组织灌注。

2.指标意义

寒冷地区因季节、气温的影响，导致抢救患者时输入大量室温下的液体，常常会引起患者不同程度的寒战、不适，会对患者的急救、手术及预后产生不利因素。如会直接刺激腹肌神经丛，引起体液循环和新陈代谢活动紊乱，导致寒战，血压升高，脉搏、呼吸加快等，但液体加热不可过高，一般不能超过39℃，否则输注后易引起溶血反应。因此为提高抢救成功率，应加强对寒冷地区液体温度的管理。

3.计算公式

$$寒冷地区液体温度管理达标率 = \frac{同期寒冷地区液体温度管理达标例数}{统计周期内总的输液例数} \times 100\%$$

4.数据采集

根据质量控制管理原则，需要对每日、每月、每季度寒冷地区液体温度管理的达标率进行统计并记录，对不达标或者是特殊不符合例数要进行根本原因分析，并进行持续质量改进。

5.案例解析

（1）案例：患者李某，2018年12月15日在北方地区某建筑工地施工时不慎从2m高的地方坠落，工友随即拨打120将患者送入某院就诊。来时患者烦躁，心率140次/min，血压82/45mmHg，呼吸42次/min，全身皮肤冰冷，无尿。遵医嘱即刻给予患者建立静脉通道，液体经适当加温处理后快速输注，经30min的抗休克等对症处理后患者烦躁症状逐步缓解，休克症状得到明显改善，皮温回暖，尿量500mL/h左右，后联系相关医技科室进一步明确病因后给予患者积极备术，送入手术室。

（2）解析：该案例中，李某在寒冷的室外发生高空坠落伤，且各项生命体征均显示患者已发生休克，若此时给予患者输注的是没有加温的常温液体，那么患者的血管会进一步收缩，从而加重休克；相反，给予患者输注适当加温后的液体，患者寒战症状得到改善，血管舒张，休克症状得到改善，为手术赢得了宝贵的时间。

第四节 应急预案及流程

一、常见急危重症抢救预案

(一)休克抢救预案及处理流程

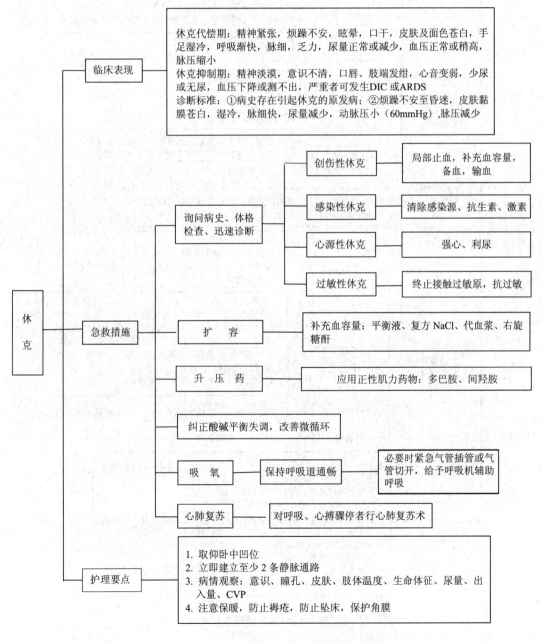

图5-7 休克抢救预案及处理流程图

（二）有机磷农药中毒抢救预案及处理流程

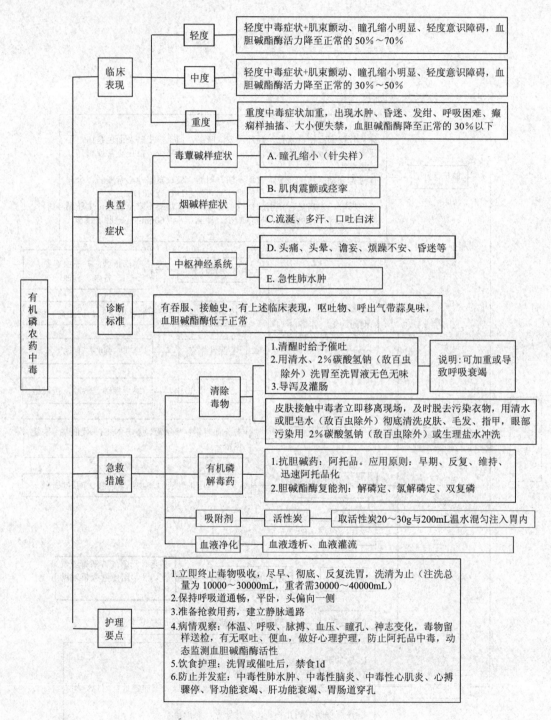

图5-8　有机磷农药中毒抢救预案及处理流程图

（三）中暑抢救预案及处理流程

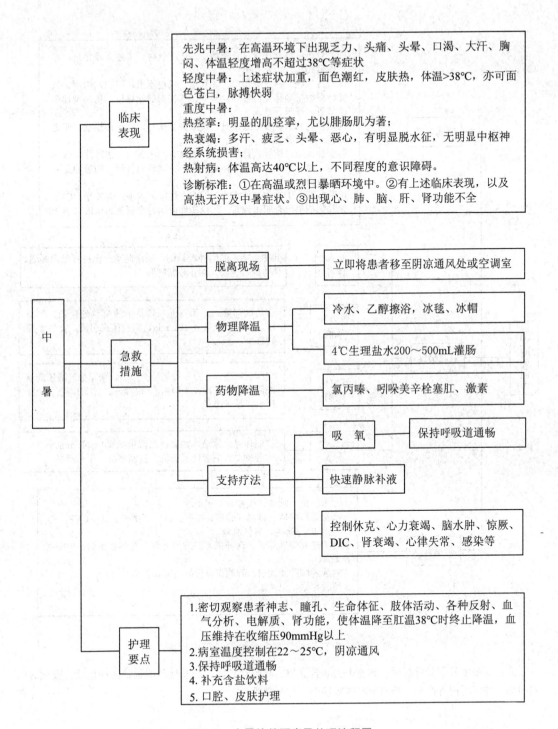

临床表现

先兆中暑：在高温环境下出现乏力、头痛、头晕、口渴、大汗、胸闷、体温轻度增高不超过38℃等症状

轻度中暑：上述症状加重，面色潮红，皮肤热，体温>38℃，亦可面色苍白，脉搏快弱

重度中暑：

热痉挛：明显的肌痉挛，尤以腓肠肌为著；

热衰竭：多汗、疲乏、头晕、恶心，有明显脱水征，无明显中枢神经系统损害；

热射病：体温高达40℃以上，不同程度的意识障碍。

诊断标准：①在高温或烈日暴晒环境中。②有上述临床表现，以及高热无汗及中暑症状。③出现心、肺、脑、肝、肾功能不全

中暑

急救措施

脱离现场 — 立即将患者移至阴凉通风处或空调室

物理降温 — 冷水、乙醇擦浴，冰毯、冰帽

4℃生理盐水200～500mL灌肠

药物降温 — 氯丙嗪、吲哚美辛栓塞肛、激素

支持疗法

吸氧 — 保持呼吸道通畅

快速静脉补液

控制休克、心力衰竭、脑水肿、惊厥、DIC、肾衰竭、心律失常、感染等

护理要点

1.密切观察患者神志、瞳孔、生命体征、肢体活动、各种反射、血气分析、电解质、肾功能，使体温降至肛温38℃时终止降温，血压维持在收缩压90mmHg以上

2.病室温度控制在22～25℃，阴凉通风

3.保持呼吸道通畅

4.补充含盐饮料

5.口腔、皮肤护理

图5-9　中暑抢救预案及处理流程图

（四）严重胸外伤抢救预案及处理流程

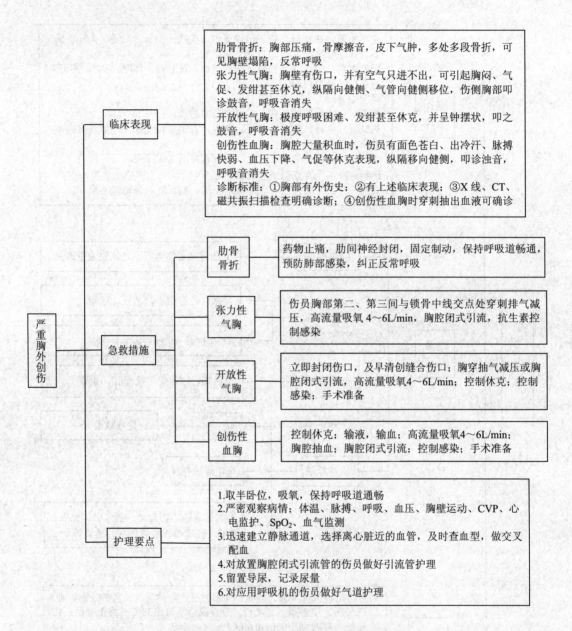

临床表现

肋骨骨折：胸部压痛，骨摩擦音，皮下气肿，多处多段骨折，可见胸壁塌陷，反常呼吸
张力性气胸：胸壁有伤口，并有空气只进不出，可引起胸闷、气促、发绀甚至休克，纵隔向健侧、气管向健侧移位，伤侧胸部叩诊鼓音，呼吸音消失
开放性气胸：极度呼吸困难、发绀甚至休克，并呈钟摆状，叩之鼓音，呼吸音消失
创伤性血胸：胸腔大量积血时，伤员有面色苍白、出冷汗、脉搏快弱、血压下降、气促等休克表现，纵隔移向健侧，叩诊浊音，呼吸音消失
诊断标准：①胸部有外伤史；②有上述临床表现；③X 线、CT、磁共振扫描检查明确诊断；④创伤性血胸时穿刺抽出血液可确诊

严重胸外创伤

急救措施

肋骨骨折：药物止痛，肋间神经封闭，固定制动，保持呼吸道畅通，预防肺部感染，纠正反常呼吸

张力性气胸：伤员胸部第二、第三间与锁骨中线交点处穿刺排气减压，高流量吸氧 4～6L/min，胸腔闭式引流，抗生素控制感染

开放性气胸：立即封闭伤口，及早清创缝合伤口；胸穿抽气减压或胸腔闭式引流，高流量吸氧4～6L/min；控制休克；控制感染；手术准备

创伤性血胸：控制休克；输液，输血；高流量吸氧4～6L/min；胸腔抽血；胸腔闭式引流；控制感染；手术准备

护理要点

1.取半卧位，吸氧，保持呼吸道通畅
2.严密观察病情：体温、脉搏、呼吸、血压、胸壁运动、CVP、心电监护、SpO$_2$、血气监测
3.迅速建立静脉通道，选择离心脏近的血管，及时查血型，做交叉配血
4.对放置胸腔闭式引流管的伤员做好引流管护理
5.留置导尿，记录尿量
6.对应用呼吸机的伤员做好气道护理

图 5-10　严重胸外伤抢救预案及处理流程图

注：多根多处肋骨骨折时，胸壁失去肋骨支撑，呼吸运动时，与其他部位胸壁活动相反，吸气时向内凹陷，呼气时向外凸出，严重影响呼吸功能，称反常呼吸。

（五）糖尿病酮症酸中毒抢救预案及处理流程

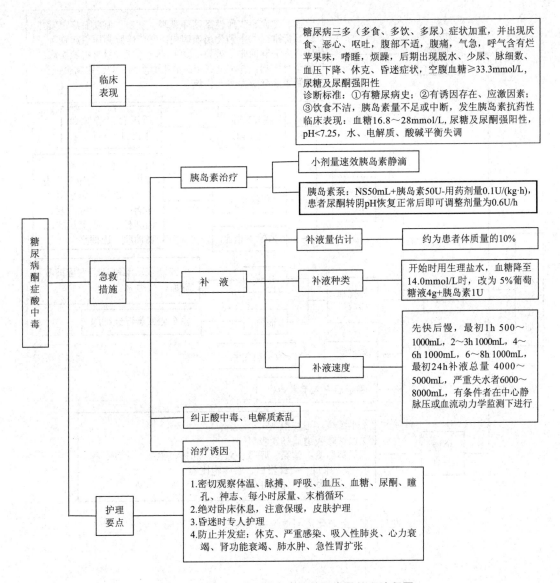

图5-11　糖尿病酮症酸中毒抢救预案及处理流程图

（六）上消化道出血抢救预案及处理流程

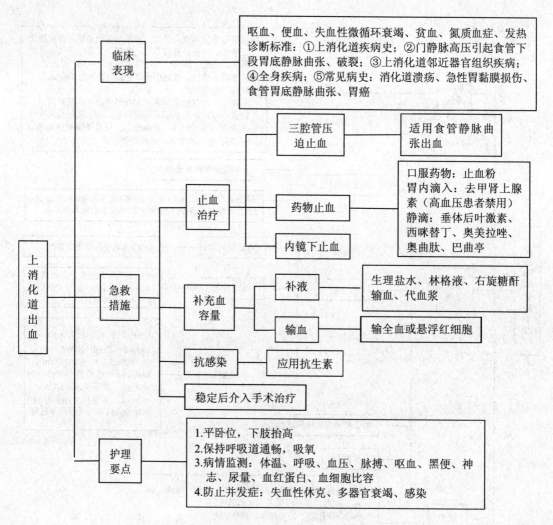

临床表现：呕血、便血、失血性微循环衰竭、贫血、氮质血症、发热
诊断标准：①上消化道疾病史；②门静脉高压引起食管下段胃底静脉曲张、破裂；③上消化道邻近器官组织疾病；④全身疾病；⑤常见病史：消化道溃疡、急性胃黏膜损伤、食管胃底静脉曲张、胃癌

三腔管压迫止血：适用食管静脉曲张出血

药物止血：口服药物：止血粉
胃内滴入：去甲肾上腺素（高血压患者禁用）
静滴：垂体后叶激素、西咪替丁、奥美拉唑、奥曲肽、巴曲亭

内镜下止血

补充血容量——补液：生理盐水、林格液、右旋糖酐输血、代血浆

输血：输全血或悬浮红细胞

抗感染——应用抗生素

稳定后介入手术治疗

护理要点：
1.平卧位，下肢抬高
2.保持呼吸道通畅，吸氧
3.病情监测：体温、呼吸、血压、脉搏、呕血、黑便、神志、尿量、血红蛋白、血细胞比容
4.防止并发症：失血性休克、多器官衰竭、感染

图5-12　上消化道出血抢救预案及处理流程图

（七）急性重症哮喘抢救预案及处理流程

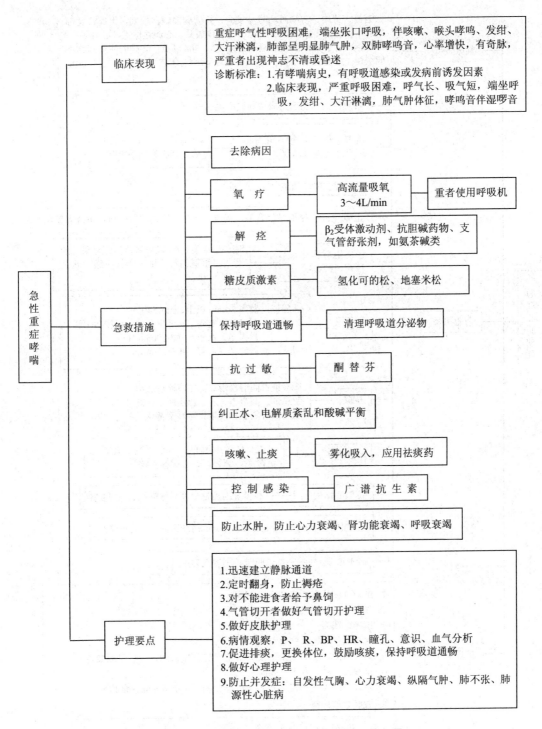

图5-13 急性重症哮喘抢救预案及处理流程图

（八）急性心肌梗死抢救预案及处理流程

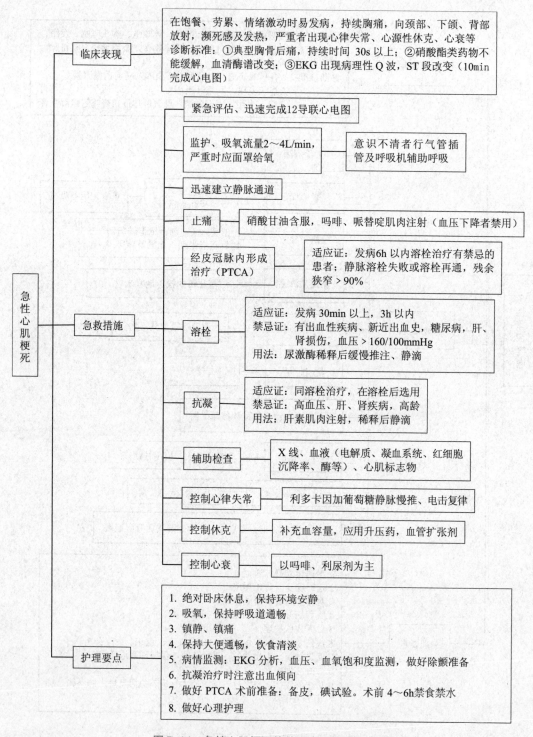

图5-14　急性心肌梗死抢救预案及处理流程图

注：病理性Q波，Q波>本导联R波1/4，宽≥0.04，有两个相关导联以上。

（九）急性脑出血抢救预案及处理流程

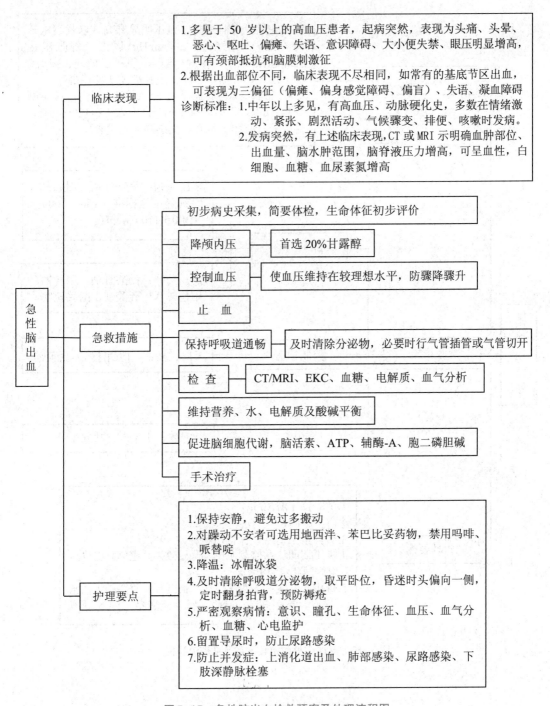

图5-15 急性脑出血抢救预案及处理流程图

（十）高血压危象抢救预案及处理流程

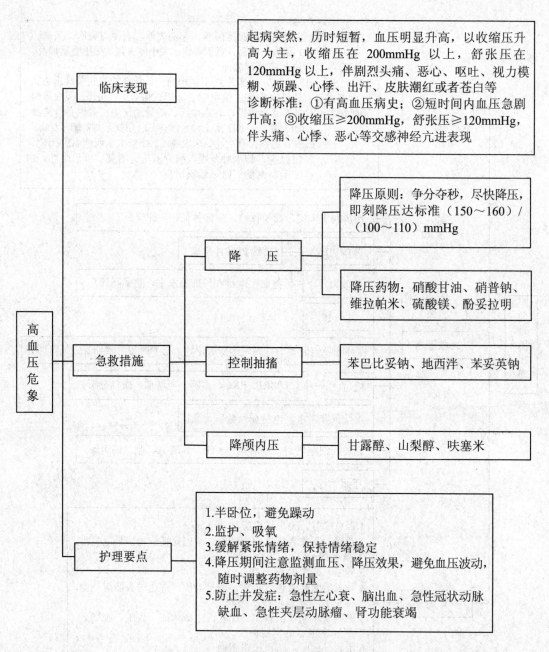

图5-16　高血压危象抢救预案及处理流程图

（十一）高热抢救预案及处理流程

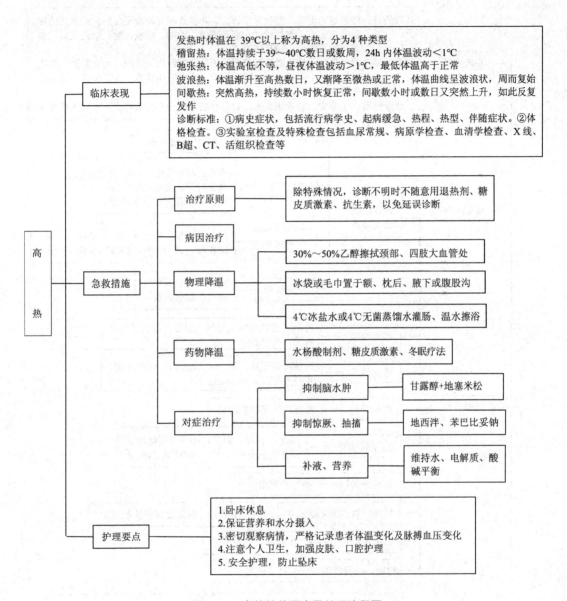

发热时体温在 39℃以上称为高热，分为4 种类型
稽留热：体温持续于39～40℃数日或数周，24h 内体温波动＜1℃
弛张热：体温高低不等，昼夜体温波动＞1℃，最低体温高于正常
波浪热：体温渐升至高热数日，又渐降至微热或正常，体温曲线呈波浪状，周而复始
间歇热：突然高热，持续数小时恢复正常，间歇数小时或数日又突然上升，如此反复发作
诊断标准：①病史症状，包括流行病学史、起病缓急、热程、热型、伴随症状。②体格检查。③实验室检查及特殊检查包括血尿常规、病原学检查、血清学检查、X 线、B超、CT、活组织检查等

临床表现

高热

治疗原则　除特殊情况，诊断不明时不随意用退热剂、糖皮质激素、抗生素，以免延误诊断

病因治疗

物理降温
30%～50%乙醇擦拭颈部、四肢大血管处
冰袋或毛巾置于额、枕后、腋下或腹股沟
4℃冰盐水或4℃无菌蒸馏水灌肠、温水擦浴

急救措施

药物降温　水杨酸制剂、糖皮质激素、冬眠疗法

对症治疗
抑制脑水肿　甘露醇+地塞米松
抑制惊厥、抽搐　地西泮、苯巴比妥钠
补液、营养　维持水、电解质、酸碱平衡

护理要点
1.卧床休息
2.保证营养和水分摄入
3.密切观察病情，严格记录患者体温变化及脉搏血压变化
4.注意个人卫生，加强皮肤、口腔护理
5. 安全护理，防止坠床

图 5-17　高热抢救预案及处理流程图

（十二）昏迷抢救预案及处理流程

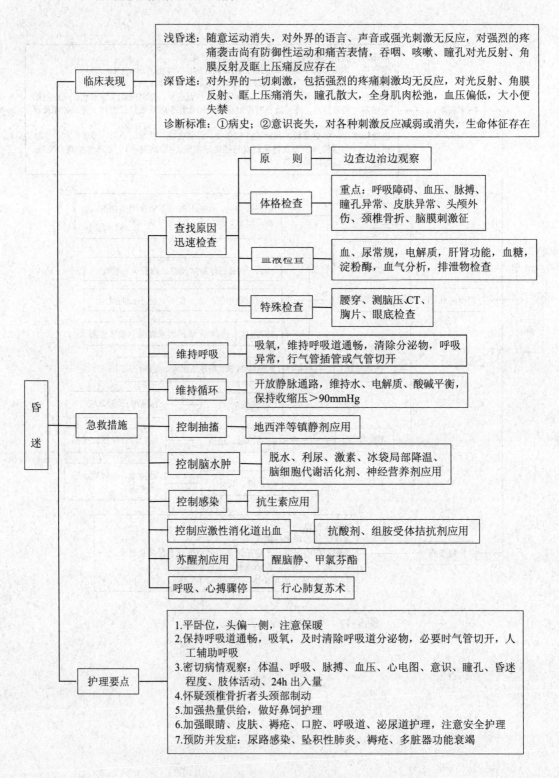

昏迷

临床表现
- 浅昏迷：随意运动消失，对外界的语言、声音或强光刺激无反应，对强烈的疼痛袭击尚有防御性运动和痛苦表情，吞咽、咳嗽、瞳孔对光反射、角膜反射及眶上压痛反应存在
- 深昏迷：对外界的一切刺激，包括强烈的疼痛刺激均无反应，对光反射、角膜反射、眶上压痛消失，瞳孔散大，全身肌肉松弛，血压偏低，大小便失禁
- 诊断标准：①病史；②意识丧失，对各种刺激反应减弱或消失，生命体征存在

查找原因迅速检查
- 原　　则 —— 边查边治边观察
- 体格检查 —— 重点：呼吸障碍、血压、脉搏、瞳孔异常、皮肤异常、头颅外伤、颈椎骨折、脑膜刺激征
- 血液检查 —— 血、尿常规，电解质，肝肾功能，血糖，淀粉酶，血气分析，排泄物检查
- 特殊检查 —— 腰穿、测脑压、CT、胸片、眼底检查

急救措施
- 维持呼吸 —— 吸氧，维持呼吸道通畅，清除分泌物，呼吸异常，行气管插管或气管切开
- 维持循环 —— 开放静脉通路，维持水、电解质、酸碱平衡，保持收缩压＞90mmHg
- 控制抽搐 —— 地西泮等镇静剂应用
- 控制脑水肿 —— 脱水、利尿、激素、冰袋局部降温、脑细胞代谢活化剂、神经营养剂应用
- 控制感染 —— 抗生素应用
- 控制应激性消化道出血 —— 抗酸剂、组胺受体拮抗剂应用
- 苏醒剂应用 —— 醒脑静、甲氯芬酯
- 呼吸、心搏骤停 —— 行心肺复苏术

护理要点
1. 平卧位，头偏一侧，注意保暖
2. 保持呼吸道通畅，吸氧，及时清除呼吸道分泌物，必要时气管切开，人工辅助呼吸
3. 密切病情观察：体温、呼吸、脉搏、血压、心电图、意识、瞳孔、昏迷程度、肢体活动、24h出入量
4. 怀疑颈椎骨折者头颈部制动
5. 加强热量供给，做好鼻饲护理
6. 加强眼睛、皮肤、褥疮、口腔、呼吸道、泌尿道护理，注意安全护理
7. 预防并发症：尿路感染、坠积性肺炎、褥疮、多脏器功能衰竭

图5-18　昏迷抢救预案及处理流程图

（十三）急性一氧化碳中毒抢救预案及处理流程

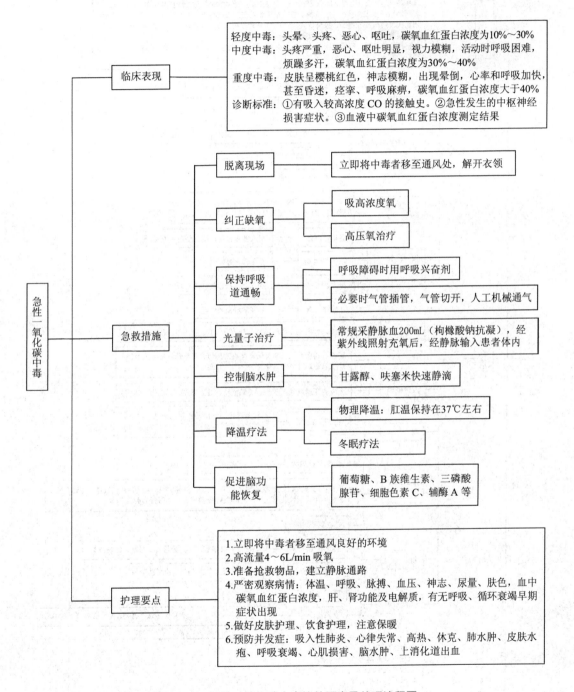

临床表现
　　轻度中毒：头晕、头疼、恶心、呕吐，碳氧血红蛋白浓度为10%～30%
　　中度中毒：头疼严重，恶心、呕吐明显，视力模糊，活动时呼吸困难，烦躁多汗，碳氧血红蛋白浓度为30%～40%
　　重度中毒：皮肤呈樱桃红色，神志模糊，出现晕倒，心率和呼吸加快，甚至昏迷，痉挛、呼吸麻痹，碳氧血红蛋白浓度大于40%
　　诊断标准：①有吸入较高浓度CO的接触史。②急性发生的中枢神经损害症状。③血液中碳氧血红蛋白浓度测定结果

急救措施
　　脱离现场——立即将中毒者移至通风处，解开衣领
　　纠正缺氧——吸高浓度氧／高压氧治疗
　　保持呼吸道通畅——呼吸障碍时用呼吸兴奋剂／必要时气管插管，气管切开，人工机械通气
　　光量子治疗——常规采静脉血200mL（枸橼酸钠抗凝），经紫外线照射充氧后，经静脉输入患者体内
　　控制脑水肿——甘露醇、呋塞米快速静滴
　　降温疗法——物理降温：肛温保持在37℃左右／冬眠疗法
　　促进脑功能恢复——葡萄糖、B族维生素、三磷酸腺苷、细胞色素C、辅酶A等

护理要点
1.立即将中毒者移至通风良好的环境
2.高流量4～6L/min吸氧
3.准备抢救物品，建立静脉通路
4.严密观察病情：体温、呼吸、脉搏、血压、神志、尿量、肤色，血中碳氧血红蛋白浓度，肝、肾功能及电解质，有无呼吸、循环衰竭早期症状出现
5.做好皮肤护理、饮食护理，注意保暖
6.预防并发症：吸入性肺炎、心律失常、高热、休克、肺水肿、皮肤水疱、呼吸衰竭、心肌损害、脑水肿、上消化道出血

图5-19　急性一氧化碳中毒抢救预案及处理流程图

　　注：碳氧血红蛋白饱和度表示CO吸入体内后，与血液中血红蛋白结合，形成碳氧血红蛋白的含量。高压氧治疗的氧浓度为20%～100%，压力为2～3atm，伴有恶性肿瘤，气胸者禁忌高压氧治疗。

（十四）多发性创伤抢救预案及处理流程

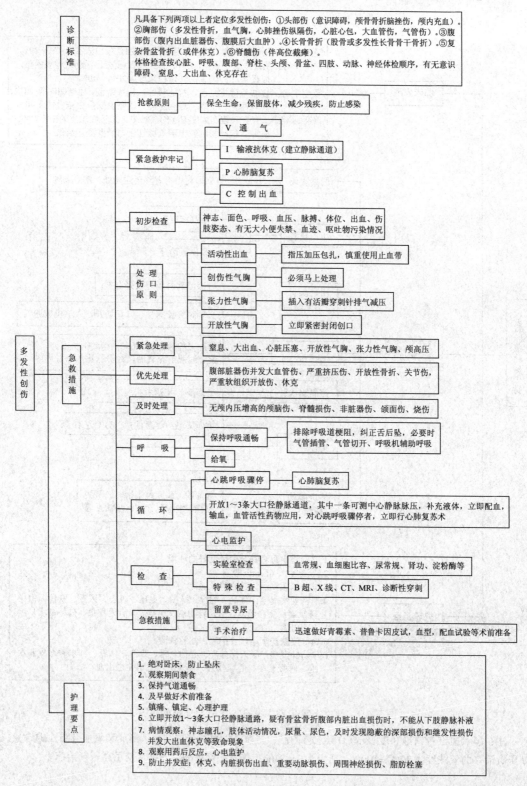

诊断标准
凡具备下列两项以上者定位多发性创伤：①头部伤（意识障碍，颅骨骨折脑挫伤，颅内充血）。②胸部伤（多发性骨折，血气胸，心肺挫伤纵隔伤，心脏心包，大血管伤，气管伤）。③腹部伤（腹内出血脏器伤、腹膜后大血肿）。④长骨骨折（股骨或多发性长骨骨干骨折）。⑤复杂骨盆骨折（或伴休克）。⑥脊髓伤（伴高位截瘫）。
体格检查按心脏、呼吸、腹部、脊柱、头颅、骨盆、四肢、动脉、神经体检顺序，有无意识障碍、窒息、大出血、休克存在

多发性创伤

急救措施

抢救原则 — 保全生命，保留肢体，减少残疾，防止感染

紧急救护牢记
- V 通 气
- I 输液抗休克（建立静脉通道）
- P 心肺脑复苏
- C 控 制 出 血

初步检查 — 神志、面色、呼吸、血压、脉搏、体位、出血、伤肢姿态、有无大小便失禁、血迹、呕吐物污染情况

处理伤口原则
- 活动性出血 — 指压加压包扎，慎重使用止血带
- 创伤性气胸 — 必须马上处理
- 张力性气胸 — 插入有活瓣穿刺针排气减压
- 开放性气胸 — 立即紧密封闭创口

紧急处理 — 窒息、大出血、心脏压塞、开放性气胸、张力性气胸、颅高压

优先处理 — 腹部脏器伤并发大血管伤、严重挤压伤、开放性骨折、关节伤，严重软组织开放伤、休克

及时处理 — 无颅内压增高的颅脑伤、脊髓损伤、非脏器伤、颌面伤、烧伤

呼吸
- 保持呼吸通畅 — 排除呼吸道梗阻，纠正舌后坠，必要时气管插管、气管切开、呼吸机辅助呼吸
- 给氧

循环
- 心跳呼吸骤停 — 心肺脑复苏
- 开放1～3条大口径静脉通道，其中一条可测中心静脉压，补充液体，立即配血，输血，血管活性药物应用，对心跳呼吸骤停者，立即行心肺复苏术
- 心电监护

检查
- 实验室检查 — 血常规、血细胞比容、尿常规、肾功、淀粉酶等
- 特 殊 检 查 — B超、X线、CT、MRI、诊断性穿刺

急救措施
- 留置导尿
- 手术治疗 — 迅速做好青霉素、普鲁卡因皮试，血型，配血试验等术前准备

护理要点
1. 绝对卧床，防止坠床
2. 观察期间禁食
3. 保持气道通畅
4. 及早做好术前准备
5. 镇痛、镇定、心理护理
6. 立即开放1～3条大口径静脉通路，疑有骨盆骨折腹部内脏出血损伤时，不能从下肢静脉补液
7. 病情观察：神志瞳孔，肢体活动情况，尿量、尿色，及时发现隐蔽的深部损伤和继发性损伤并发大出血休克等致命现象
8. 观察用药后反应，心电监护
9. 防止并发症：休克、内脏损伤出血、重要动脉损伤、周围神经损伤、脂肪栓塞

图5-20 多发性创伤抢救预案及处理流程图

（十五）低血糖危象抢救预案及处理流程

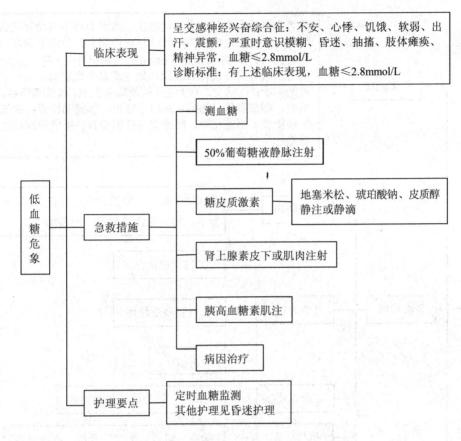

图 5-21 低血糖危象抢救预案及处理流程图

（十六）大咯血抢救预案及处理流程

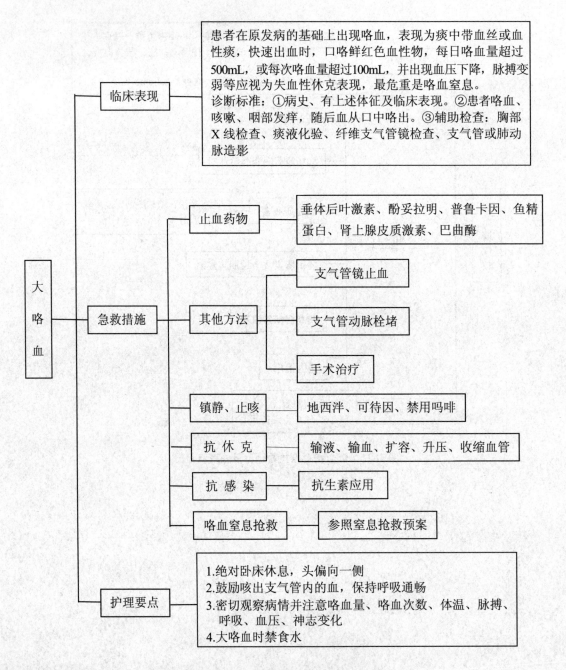

患者在原发病的基础上出现咯血，表现为痰中带血丝或血性痰，快速出血时，口咯鲜红色血性物，每日咯血量超过500mL，或每次咯血量超过100mL，并出现血压下降，脉搏变弱等应视为失血性休克表现，最危重是咯血窒息。
诊断标准：①病史、有上述体征及临床表现。②患者咯血、咳嗽、咽部发痒，随后血从口中咯出。③辅助检查：胸部X线检查、痰液化验、纤维支气管镜检查、支气管或肺动脉造影

临床表现

大咯血

急救措施

止血药物 —— 垂体后叶激素、酚妥拉明、普鲁卡因、鱼精蛋白、肾上腺皮质激素、巴曲酶

其他方法 —— 支气管镜止血
—— 支气管动脉栓堵
—— 手术治疗

镇静、止咳 —— 地西泮、可待因、禁用吗啡

抗休克 —— 输液、输血、扩容、升压、收缩血管

抗感染 —— 抗生素应用

咯血窒息抢救 —— 参照窒息抢救预案

护理要点
1.绝对卧床休息，头偏向一侧
2.鼓励咳出支气管内的血，保持呼吸通畅
3.密切观察病情并注意咯血量、咯血次数、体温、脉搏、呼吸、血压、神志变化
4.大咯血时禁食水

图5-22　大咯血抢救预案及处理流程图

（十七）窒息抢救预案及处理流程

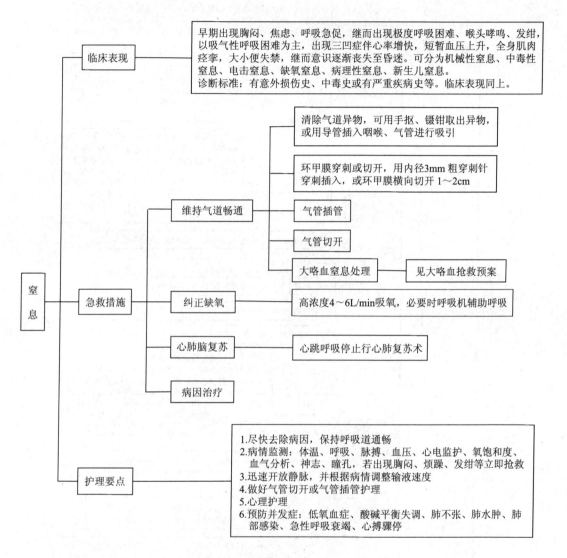

临床表现：早期出现胸闷、焦虑、呼吸急促，继而出现极度呼吸困难、喉头哮鸣、发绀，以吸气性呼吸困难为主，出现三凹症伴心率增快，短暂血压上升，全身肌肉痉挛，大小便失禁，继而意识逐渐丧失至昏迷。可分为机械性窒息、中毒性窒息、电击窒息、缺氧窒息、病理性窒息、新生儿窒息。
诊断标准：有意外损伤史、中毒史或有严重疾病史等。临床表现同上。

急救措施
维持气道畅通
- 清除气道异物，可用手抠、镊钳取出异物，或用导管插入咽喉、气管进行吸引
- 环甲膜穿刺或切开，用内径3mm粗穿刺针穿刺插入，或环甲膜横向切开 1～2cm
- 气管插管
- 气管切开
- 大咯血窒息处理 —— 见大咯血抢救预案

纠正缺氧 —— 高浓度4～6L/min吸氧，必要时呼吸机辅助呼吸

心肺脑复苏 —— 心跳呼吸停止行心肺复苏术

病因治疗

护理要点
1.尽快去除病因，保持呼吸道通畅
2.病情监测：体温、呼吸、脉搏、血压、心电监护、氧饱和度、血气分析、神志、瞳孔，若出现胸闷、烦躁、发绀等立即抢救
3.迅速开放静脉，并根据病情调整输液速度
4.做好气管切开或气管插管护理
5.心理护理
6.预防并发症：低氧血症、酸碱平衡失调、肺不张、肺水肿、肺部感染、急性呼吸衰竭、心搏骤停

图5-23 窒息抢救预案及处理流程图

（十八）心搏骤停抢救预案及处理流程

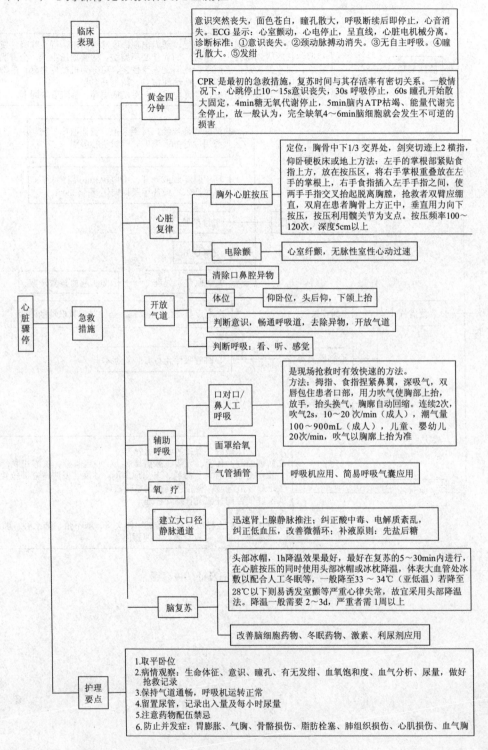

图5-24　心搏骤停抢救预案及处理流程图

注：心脏电机械分离，指心肌仍有生物电活动，而无有效的机械功能，心电图上有间断出现宽而畸形、振幅较低的QRS波群，频率为20～30min。

二、特殊事件的处置流程

（一）无主患者处置流程

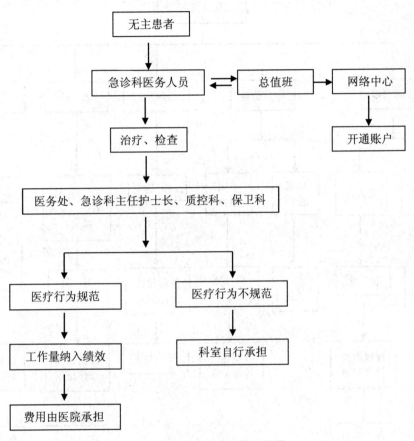

图5-25 无主患者处置流程图

（二）意外伤害患者处置流程

意外伤害是指因意外导致身体受到伤害的事件，指外来的、突发的、非本意的、非疾病的使身体受到伤害的客观事件。

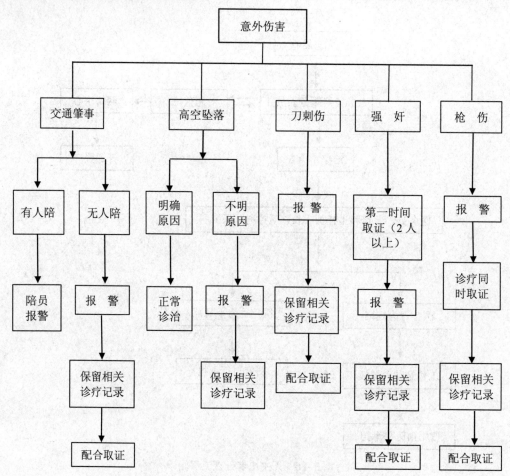

图5-26 意外伤害患者处置流程图

（三）批量伤的处置流程

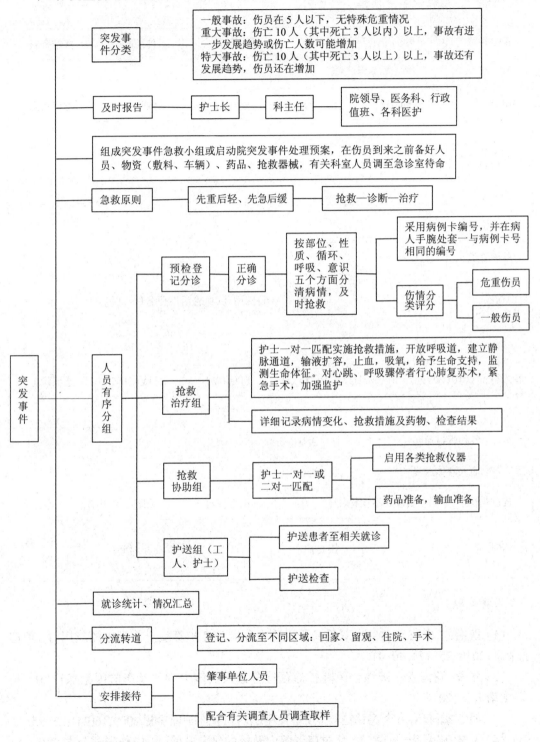

图 5-27　批量伤的处置流程图

注：创伤记分，<16分为一般伤员，>17分为危重伤员。

附件一：患者转运交接单

转出科室	姓名	年龄	性别	住院号	携带资料
HR（次/分）	BP（mmHg）	R（次/分）	SPO$_2$（%）	呼吸支持	意识状态

诊断	
手术名称	
皮肤情况	
各种管道	

目前输液	特殊用药（血管活性药名称、剂量）：

转入科室	HR（次/分）	BP（mmHg）	R（次/分）	SPO$_2$（%）	呼吸支持	意识状态

各种管道通畅	是　否（　　　　　　　　　　　　）
输入液体通畅	是　否（　　　　　　　　　　　　）

皮肤情况	相符　不相符（　　）	携带资料	相符　不相符（　　）
转送者	接受护士	交接时间	＿＿＿年＿月＿日＿时＿分

参考文献

[1]魏艳芳,邓喜红,黎艳.双重身份识别在住院患者护理安全管理中的应用[J].护理学杂志,2010,25(17):40-41.

[2]张莹.湖南省三级综合医院急诊预检分诊人员能力现状及影响因素探讨[D].长沙:中南大学,2014.

[3]胡冬梅,陈珺,王玲.急诊抢救室设备管理方法探讨[J].护理学报,2009,16(24):23-25.

[4]万林,施素华,孔悦,等.危重患者院内转运的研究进展[J].中华护理杂志,2016,51(8):975-978.

[5]陈莎萍.有机磷农药中毒洗胃方法及护理[J].当代医学,2009,15(25):117.

［6］刘力行,聂时南,刘云,等.创伤后自发性低体温急救处理现状与临床问题的研究进展［J］.中华护理杂志,2016,51(6):725-729.

［7］Gotberg M,Pals J V D,Olivecrona G K,et al. Mild hypothermia reduces acute mortality and improves hemodynamic outcome in a cardiogenic shock pig model［J］. Resuscitation, 2010,81(9): 1190-1196.

［8］Gentilello L M,Jurkovich F J.Is hypothermia in the victim of major trauma protective or harmful A randomized,prospective student ［J］. Ann Snrg.,1997,226 (4): 439-447.

［9］Rajagopalan S,Mascha E,Na J,et al. The effects of mild perioperative hypothermia on blood loss and transfusion requirement［J］. Anesthesiology,2008,8(1):71-77.

［10］高上婷,王宏,赵莉.失血性休克患者急救护理补液温度的临床观察［J］.中国老年保健医学,2011,9(4):84-84.

［11］郭粉枝.静脉输液不良反应的预防及护理［J］.护理研究,2005,19(7):1249.

第六章　重症护理质量标准

　　重症医学（Intensive Care Medicine）是研究危及生命的疾病状态的发生、发展规律及其诊治方法的临床医学学科，它的产生是现代医学发展到相当高度的必然产物，经过半个多世纪的实践与发展，已经成为现代医学的重要组成部分。

　　重症医学科病房（Intensive Care Unit，ICU）是重症医学科的临床实践场所，收治的患者均为重症患者，均存在一个或多个器官与系统功能障碍，或潜在高危因素危及生命安全。因此，作为医院集中救治和监护重症患者的专业科室，ICU既为患者提供高质量、系统化的救治技术和医学监护，也为患者提供高质量、规范化的生命支持，从而改善患者的生存质量。

第一节　结构质量标准

一、制度与规范

（一）组织管理

1.病房建设

　　床位数应为医院病床总数的2%～8%，床位使用率以65%～75%为宜。每天应保留一张空床，以备应急使用。病房最少配备一个单间病房，使用面积不少于18m²，用于收治隔离患者。

2.ICU的分类

　　由于我国各地区、各医院差别较大，因此存在不同运转模式的ICU。

　　（1）专科ICU：一般是临床二级科室所设立的ICU，是专门为收治某个专科危重病员而设立的，多为某个专业科室管理，对抢救本专业的急危重患者有较丰富的经验。收治病种单一，不能接收其他专科危重患者是其不足，如心内科监护病房（Cardiac Care Unit，CCU）。

　　（2）部分综合ICU：介于专科ICU与综合ICU之间，由医院内较大的一级临床科室为基础组成的ICU。如外科、内科、麻醉科ICU等。

　　（3）综合ICU：是一个独立的临床业务科室，受院部直接管辖，收治医院各科室的危重患者。这种体制有利于学科建设，便于充分发挥设备的效益。综合ICU抢救水平代表医院最高水平。国内ICU发展趋势仍以综合ICU和专科ICU为主。

3.患者收治及转出标准

（1）患者收治标准

1）急性、可逆、已经危及生命的器官功能不全，经过ICU的严密监护和加强治疗，短期内可能得到康复的患者；

2）存在各种高危因素，具有潜在生命危险，经过ICU严密的监护和有效治疗，可能减少死亡风险的患者；

3）在慢性器官功能不全的基础上，出现急性加重且危及生命，经过ICU的严密监护和治疗，可能恢复到原来状态的患者；

4）不属于ICU病房收治范围的，如急性传染病、恶性肿瘤晚期、无急性症状的慢性病患者、慢性消耗性疾病终末状态、老龄自然死亡过程、治疗无望或因某种原因放弃抢救者。

（2）患者转出标准

1）病情基本稳定，无需人工支持、循环、呼吸功能支持的患者。

2）病情无需ICU连续监护或ICU治疗。

3）患者病情无进展或恶性的因素存在。

4）原发疾病得到控制而稳定好转。

5）患者或其代理人拒绝继续在ICU进行监护及抢救。

4.护理人员要求

ICU护士的责任是确保所有的重症患者都能得到最佳的护理，并与医生以及其他成员共同合作。重症患者的特殊性及重症护理工作的高要求，对ICU护士提出了更高的标准。

（1）理论知识：熟悉重要脏器和系统的相关病理生理学知识、ICU相关的临床药理学知识和伦理学概念，熟悉重要器官、系统功能监测和支持的相关知识，掌握重要脏器和系统疾病的护理理论，专科考核合格。

（2）健康评估能力：危重患者的病情复杂且不稳定，除有严重的生理功能失调（如心力衰竭、呼吸衰竭等），也可能会出现心理障碍（如焦虑、恐惧等）。ICU护士要学习并掌握各种身体评估方法（如心血管系统的评估、呼吸系统的评估等）、各种临床参数的分析（如化验报告、心电图、X线胸片等），并具备敏锐的观察能力，及时发现危重患者的生理及心理问题，并给予其适当的干预。

（3）专业技术：掌握重症监护的专业技术，包括输液泵的临床应用和护理，外科各类导管的护理，给氧治疗，气道管理，人工呼吸机监护技术，循环系统血流动力学监测，心电监测及除颤技术，血液净化技术，水、电解质及酸碱平衡监测技术，胸部物理治疗技术，重症患者营养支持技术，重症患者抢救配合技术等。

（4）心理素质及沟通能力：ICU对病情相对危重的、随时都有生命危险的患者进行监护治疗，这就决定了ICU护士经常要处于连续紧张的抢救工作之中，因此要求护理人员必须具备强烈的事业心和责任感，具有良好的自我情绪调控能力，要用积极的心态感染和影响患者，以良好的心理素质为患者营造一个有利的健康治疗环境。ICU护理存在大量医护配合的工作，护士要与医生及科室内外其他工作人员进行有效的沟通。由于ICU患者家属不能陪同，只允许探视，因此要向家属耐心解释为什么规定探视时间，以及探视的注意事项，并介绍科内医生、护士对患者的治疗和护理等，让患者家属理解，放心地配合治疗，并增进医患关系。

（5）管理能力：ICU护士应具备基础的管理能力，如病室环境、仪器、物品、药品、工作顺序及工作时间、预防感染等的管理能力。熟悉所有重要的设备，会使用全部的设施，为患者提供及时的护理。

（6）其他：ICU护士应了解与危重病护理相关的伦理、法律等相关知识，并能运用于临床实践中。具备良好的职业素养，具备敏锐的观察能力和快速的反应能力，身体健康，能胜任ICU高强度的护理工作。

（二）管理制度

1.护理管理制度

（1）医护人员进入ICU，应换拖鞋或穿鞋套，戴口罩、帽子，穿专用工作服。非本室人员，未经同意不得入内。

（2）值班人员应坚守岗位，护士不得随意离开患者，禁止串岗、脱岗现象发生。

（3）ICU护士对患者实行24h连续动态监测，并详细记录生命体征及病情变化，治疗护理及时准确。

（4）严密观察病情变化，做好护理记录，病情变化时及时汇报医生进行相应处理。

（5）护理记录内容需客观、准确、及时、规范、完整，时间应具体到分钟，并使用医学术语，文字书写规范，无漏项，无涂改，患者资料妥善保管。

（6）熟练掌握仪器设备的基本知识和使用方法。各种抢救仪器设备、药品、物品定点放置，专人管理，定期维修保养，确保功能良好。

（7）熟练掌握抢救技术，根据病情做出相应的急救措施。

（8）严格无菌技术操作及消毒隔离制度，落实手卫生制度，病区每日常规擦拭消毒，做好质控监测和备案。

（9）治疗、用药、输血输液严格执行查对制度，做到用药及时准确，治疗护理落实到位，防止差错事故及并发症的发生，确保患者安全。

（10）遇有严重感染、传染病及免疫功能低下等患者，做好床旁隔离，有条件时安置单间病房专人护理。

（11）抢救仪器设备不得外借，遇有特殊情况应履行相关手续。

（12）病区财产及设备建立账目，定期清点；如有遗失，及时查明原因，按相关规定处理。

2.护理工作制度

（1）护士应严密观察患者病情及生命体征变化，随时做好各种应急准备工作，各种抢救仪器设备处于备用状态。

（2）保证患者有创监测数据测量准确，如有创动脉压、中心静脉压等。

（3）保持患者呼吸道通畅，及时评估患者呼吸道及人工气道状况，防止气道堵塞。

（4）准确记录24h出入量，每小时结算出入平衡。

（5）保持各种管路通畅，防止扭曲、打折或脱出。

（6）做好CVC、PICC等输液管路的护理，保证液体及时输入。

（7）做好基础护理及生活护理，保持患者清洁舒适，防止压力性损伤等并发症的发生。

（8）及时准确完整地记录患者的生命体征、病情变化、治疗、护理和化验检查等。

（9）严格执行交接班制度，对患者的病情、治疗、检查、目前最重要的护理问题和给予的护理措施仔细交接，保证患者安全。

（10）做好院内感染的预防控制。

3.消毒隔离制度

消毒隔离制度详见第二章第五节的相关内容。

4.患者转运制度

患者转运制度详见第五章第二节的相关内容。

二、人力资源

（一）人员配置

重症医学科必须配备足够数量，受过专门训练，掌握重症医学、重症护理基本理念、基本知识、基本操作技术及具备独立工作能力的医护人员。重症医学科的护士必须具备高度的责任心，具有良好的自我情绪调控能力和良好的身体素质，是受过专业训练、技术娴熟的职业护士，其责任是确保所有危重患者都能得到最佳的护理。

1.护理人员准入标准

（1）取得护士执业证书，经临床科室轮转2年以上，具有一定的临床护理工作经验。

（2）经过重症监护室3个月专科护士培训并考核合格，可独立负责危重患者的监护工作。

（3）掌握本专科相应的医学基础理论知识、病理生理学知识、临床药理学知识和伦理学概念。

（4）具有一定的病情综合分析能力。

（5）熟练掌握心肺脑复苏操作、人工气道护理、常用急救与监护仪器使用和管理，包括除颤仪、呼吸机、心电监护仪、血气分析仪、血液净化治疗设备、各种微量输液泵等。

（6）掌握常见急危重症患者的抢救与护理、器官移植术后监护、危重患者的营养支持等。

2.配置要求

（1）ICU专科护士固定人数与床位数之比为（2.5～3）：1以上。

（2）配以一定数量的轮转、进修、实习人员。

（二）人员培训

重症护理是临床专业护理领域的重点专科之一，应开展专业护士培训，培养一批临床专业化护理骨干，建立和完善以岗位需求为导向的护理人才培养模式，提高护理队伍专业化水平，优化护理人力配置，目前常见的培训方式为基础培训及专科培训。近年全国各地均开展了ICU专科护士的培训，但因条件所限，参加人数较少，因此，专科培训仍以院内培训为主。

1.基础培训

在临床科室轮转2年以上，进行相关专业基本理论及基本技能培训。

2.专科培训

（1）理论培训

1）重症医学的概念、工作范围、特征及其发展趋势。

2）重症监护领域护士的专业素质、知识和技术能力要求。

3）重症患者心肺脑复苏的基本知识、基本程序和技术要点。

4）循证医学在重症监护学中的应用。

5）各系统疾病重症患者的护理。

6）严重创伤患者的护理。

7）多脏器衰竭患者的护理。

8）重症监护病房的医院感染预防与控制。

9）重症患者的疼痛管理。

10）重症患者的心理护理。

（2）技能培训

1）各类导管的护理，如各类外科术后引流管的护理、各种肠内营养管的护理、中心静脉导管的护理、各类血流动力学导管的护理、各种气管插管的护理、动脉置管的护理、经由外周置入中心静脉导管（PICC）的护理等。

2）各种仪器设备的使用、维护及管理，如呼吸机、监护仪、血液净化设备、排痰仪、冰毯机、输液泵、注射泵、胃肠营养泵等各种临床仪器设备。

3）胸部物理治疗的应用，如体位引流、拍背、震肺、吸痰、有效咳嗽、呼吸锻炼等。

4）常用的临床急救技术，如人工气道的建立、简易呼吸器的使用、除颤仪的使用、心肺复苏、电复律等。

（3）综合能力培训

根据护理人员的资历、工作年限、能力水平，有计划、有目标、有针对性地安排不同内容的培训，通过每日晨会交班，每周业务讲座，每月护理查房、案例分析，每季度急救、应急演练及定期的人文关怀、沟通技巧的学习，培养提升护士的评判性思维能力、突发事件应急处置能力及团结协作的能力、临床护理和管理能力、教学及科研能力。

（三）人员职责

1.护士长工作职责

根据医院对护理工作的要求，建立健全科室规章制度、人员岗位职责及工作流程，安排实施各项护理工作，协助医生完成诊断和治疗，提升患者护理安全，确保护理质量持续改进。

（1）在医院、护理部和科主任的领导下负责病房行政管理和护理业务工作。

（2）根据护理部和科室工作计划，认真组织实施落实，并做好检查和记录工作。

（3）负责本病房护理人员思想素质教育，建设良好的护理团队。

（4）合理安排并认真检查病房护理工作，参与并指导重症患者的护理及抢救工作。

（5）督促护理人员严格执行各项规章制度和操作规程，严防差错事故的发生。

（6）参加科主任和主治医生查房，参加科内会诊及重症患者、疑难病例、死亡病例的讨论。

（7）组织护理人员业务学习及技术训练，组织护理查房及护理会诊，积极开展护理科研工作。

（8）指导做好病房各类人员的临床教学工作，定期检查带教情况。

（9）定期督查高值耗材、药品、一次性物品、仪器设备及被服是否账物相符，管理是否到位。

（10）监督保洁员的工作质量，及时与相关部门沟通。

（11）负责病房的安全工作，严格执行安全保卫和消防措施。

（12）按时完成护士长月工作计划，月底总结后上交护理部。

2.责任组长工作职责

（1）在护士长的领导下，安排及督察本组护理人员的工作。

（2）指导督察本组护理人员认真落实岗位职责及各项规章制度。

（3）认真交接班，了解所有患者的病情，按照护理层级合理分配本班责任护士分管患者及新入患者的床位安排。

（4）参加医生查房，了解所有患者的基本病情及治疗情况，同时提出患者在护理工作中难以解决的问题。

（5）负责仪器设备、应急物品及药品等管理。

（6）检查责任护士对分管患者病情、治疗护理情况和文书书写的质量，解决护理工作中出现的紧急情况。负责指导疑难危重症患者的护理，参与危重患者的抢救工作。

（7）安排督导新入科护士、进修护士及实习护生的带教工作。

（8）负责病房、治疗室及护士站的环境卫生及安全管理。

（9）做好医生和护理人员之间的协调及配合工作，保证治疗和抢救工作顺利进行。

（10）护士长不在岗时，负责科室的护理管理工作。

3.责任护士

（1）为患者提供全面、系统的治疗护理，参与危重患者的抢救工作。

（2）按要求客观、及时、准确地进行护理记录。

（3）为患者提供健康指导。

（4）参加医生查房，及时了解患者的治疗情况及护理重点，及时了解并反馈患者的治疗护理问题。参加晨晚间交班，明确患者目前主要诊断、存在的主要护理问题，并能够针对护理问题采取正确的措施。明确患者长期护理目标并积极给予预防措施。

（5）护理工作中有预见性，能积极采取各种措施，如有难点和疑问及时请教高层级的护士、护士长或责任组长。

（6）掌握ICU常规监测手段，熟练使用各种仪器设备。

（7）能够熟练配合医生进行各项抢救工作。

（8）严格执行消毒隔离制度。

（9）做好病房仪器、设备、药品、医用材料的保管、交接工作。

（10）参与本科室护理教学和科研工作。

（11）承担实习护生和进修护士的临床带教工作。

三、环境

（一）环境布局

1.重症医学科总体布局

ICU位于方便患者转运、检查和治疗的区域。

2.病室设置

（1）ICU每床使用面积不少于15m²，床间距离以方便患者治疗、检查和护理为宜，至少在1m以上。如果护理人员足够，应尽量多设单间病房，面积18～25m²。通常应设置1～2个负压病房，面积不小于18m²，用于收治隔离患者。

（2）ICU应配备足够空间的中央工作站，满足护士处理医嘱、医生书写病历等工作。

（3）ICU应设置一定数量的辅助用房，包括医护办公室、休息室、治疗室、更衣室、污物处置室等。辅助用房面积与病房面积之比应达到（1～1.5）：1以上。

（4）安装足够的感应式洗手设备和手部消毒装置，每床一套。

3.仪器设备设置

（1）每床配备功能完善的设备带，提供电、氧气、压缩空气和负压吸引等功能支持。每床设备带应装配电源插座至少12个，氧气、压缩空气和负压吸引接口各2个以上。医用电路与生活照明电路分开。最好备有不间断的电力供应系统（UPS），每个插座都有独立的电路断电器。

（2）每个床单元应配置多功能病床、中央及床旁监护系统、呼吸机及简易呼吸器、输液泵、肠内营养输注泵和总床数4～6倍的微量注射泵。

（3）ICU应至少配备1台便携式监护仪和1台便携式呼吸机，同时应至少配备1个便携式氧气瓶和1个储氧袋，方便患者安全转运。同时应配备1台可以移动的呼吸机，以防呼吸机故障。

（4）其他设备：心电图机、血气分析仪、血液净化治疗设备、纤维支气管镜、电子升温/降温仪、主动脉内球囊反搏仪、胸部震荡排痰机等。条件许可时可配备床旁X光机、B超机等设备。

（5）多功能治疗车：至少每床或两床配备1辆多功能治疗车。车内放置常用药品、物品、液体等，每日专人定时检查，用后及时补充，方便随时取用。

（6）抢救车：存放足够数量的抢救物品及药品，每日定时检查，用后及时补充封存。

（7）急救药物：详见第二章第一节的相关内容。

（二）环境管理标准

1.基本要求

（1）ICU整体布局应以洁污分开为原则，医疗区域、医疗辅助区域、污染处理区域应相对独立，以减少干扰和控制医院感染。

（2）条件许可的ICU应根据感染管理要求设置合理的人员流动和物流通道。

（3）对感染或传染病患者应根据其传染途径实施相应的隔离措施，经空气传播的传染病患者应当安置在负压病房隔离治疗。

2.空气

ICU病房的空气调节系统应独立控制。温度维持在23～25℃，湿度保持在55%～65%，有条件者最好配置气流方向从上向下的空气净化系统。

3.墙面和门窗

定期使用500mg/L含氯消毒液湿式擦拭。

4.物体表面

应2～3次/日使用500mg/L含氯消毒液对卫生间、污物处置间、洗手池等进行清洁消毒。

5.地面

所有地面应使用500mg/L含氯消毒剂湿式擦拭。有医院感染暴发或流行时，应每日1～2次使用1000～2000mg/L含氯消毒剂擦拭地面。

6.床单元

所有床单元使用500mg/L含氯消毒剂湿式擦拭，床单位使用臭氧消毒机消毒，加紫外线灯照射30min以上。

（三）环境监测标准

根据国家卫健委下发的《医院感染管理规范》规定，ICU为二级标准。

1.空气监测标准：空气平均菌落数≤4cfu/皿（15min·9cm皿）。

2.物体表面检测标准：物表平均菌落数≤5cfu/m²。

3.医护人员手检测标准：医护人员手≤5cfu/m²。

医院感染科每月对ICU进行感染监测，包括空气、物表、仪器设备、医护人员手等。

四、仪器与设备

（一）管理要求

1.管理制度

（1）建立仪器设备购入登记、工作记录、维护保养制度及突发事件应急预案等。

（2）定期检查核对仪器设备的编号和破损情况，做到账物相符。

（3）医护人员使用仪器设备前须经过培训，考核合格后方能操作。

（4）仪器设备由专人管理维护，保证其正常运行，出现故障及时维修。

（5）贵重、精密仪器设备发生较大的责任事故，应立即上报相关部门，查明原因，写出详细的事故报告，报请处理。

2.使用保养

（1）仪器设备管理做到五定：

1）定数量：同类仪器编号定数量，每日检查，如有损坏或故障及时补充，保证仪器设备够用。

2）定人管理：由专人管理仪器设备，包括仪器操作手册的整理保存，每日数量的清点、检查、维护、记录和联系维修等。

3）定点放置：所有仪器定点放置，使用后清洁保养，放归原位，方便抢救使用。

4）定期检查：每日检查仪器设备的性能，使其随时处于完好备用状态。监护仪使用前各项监测指示正常，呼吸机、血液净化设备使用前必须自检，除颤仪随时处于充电状态，注射泵、输液泵、转运监护仪、呼吸机、吸引器等备用电池充电完好。

5）定期保养：每周定期对仪器设备进行维护，每3个月请设备科工程师进行保养维护，以延长仪器使用寿命。

（2）健全设备安全检查制度，建立设备运行、保养和维护记录。记录仪器设备的型号、使用日期、运行时间、诊疗人次、累计使用时间、保养维修时间等。

（3）条件许可时设置仪器设备库房，房间应干燥通风。根据设备状态挂"备用""未消毒""待维修"等标识，使用频次较低的设备应加防尘罩。

3.清洁消毒

（1）仪器设备每日清洁消毒，患者外出检查、转出、出院、死亡后对其所用仪器设备进行终末消毒。

（2）体温计消毒，详见第二章第五节的相关内容。

（3）一次性使用吸氧面罩（260mL）和简易雾化面罩，一人一用，不得重复使用。

（4）舌钳、开口器、压舌板等高压蒸汽灭菌后备用。

（5）简易呼吸器每日使用500mg/L含氯消毒剂擦拭消毒，每周或疑似气囊内污染时应用流动水冲洗干净并及时送消毒供应中心低温消毒。

（6）便器每日使用1500mg/L含氯消毒剂浸泡、流动水冲洗，晾干备用。

（7）可重复使用的医疗器械送消毒供应中心消毒。感染患者使用后的器械应放入黄色双层袋内送消毒供应中心消毒灭菌。

（8）监护仪的各种线路每日使用500mg/L含氯消毒剂擦拭，感染患者使用的监护仪用1500mg/L含氯消毒剂擦拭。血压袖带每周使用500mg/L含氯消毒剂湿式擦拭并备用。

（9）注射泵、输液泵清洁消毒时，应使用75%乙醇仔细擦拭推进器、导轨摩擦处和管道槽，以免影响输注速度的准确性。

（10）呼吸机、外管路及配件

1）呼吸机、外管路及配件应一人一用一消毒。

2）长期使用呼吸机者，每日用500mg/L含氯消毒剂擦拭呼吸机表面，触摸屏用75%乙醇擦拭。每周更换管路及配件1次，如管路被分泌物污染，应随时更换。

3）传染病患者或感染患者应在管路呼气端安装过滤器，并尽量使用一次性管路及配件，如果使用可重复利用的管路及配件，用后应放入黄色双层袋内扎紧，送消毒供应中心消毒灭菌。呼吸机表面用1500mg/L含氯消毒剂擦拭，内管路按要求清洗消毒，干燥后备用。

4）如怀疑患者呼吸道感染与呼吸机相关时，应及时更换呼吸机、管路及配件。

5）呼吸机空气过滤网每周更换。

（11）纤维支气管镜使用后送内镜中心消毒。

（12）血液净化治疗设备清洁消毒参考第十章第一节的相关内容。

4.培训考核

（1）所有护理人员须经培训，掌握仪器设备的性能、使用流程、操作要点、注意事项，考核合格方可使用。

（2）根据各专科小组（如呼吸机治疗小组、血液净化治疗小组、ECMO治疗小组等），制定培训方案和考核标准，定期进行培训及考核。

（3）对护理人员的培训考核进行登记，记录培训考核时间、内容、结果等。

（4）由专人对仪器设备的说明书、操作手册、维修手册进行整理保存，便于定期组织护理人员学习。

5.应急预案

ICU是危重患者集中治疗监护的场所，也是医疗仪器设备密集的场所。一旦出现停电或故障，将会影响心电监护仪、呼吸机、血液净化治疗设备、主动脉球囊反搏器、微量注射泵等仪器设备的正常运转，直接威胁到危重患者的安危。因此，必须制定应急预案并定期演练，使所有的医护人员熟练掌握，以保障患者的安全。

（1）突然停电或仪器故障时的应急预案

停电的应急预案：

①立刻启动应急照明装置和备用电源，立即检查使用中的仪器设备，有蓄电池的检查其运转是否正常，无蓄电池的立即更换。

②立即与电工房联系，查明原因并尽快恢复用电。

③立即汇报值班医生和护士长，夜间必要时汇报总值班。立即组织全部在岗人员对患者进行紧急救治。每位患者身边安排一名医护人员，及时安抚患者。

（2）呼吸机使用故障的应急预案

1）呼吸机发生故障时：立即断开呼吸机与患者的连接管，用简易呼吸器进行辅助通气，更换备用呼吸机。

2）突然停电时：①应立即启动代替电源，检查呼吸机性能及参数，安装模肺试通气，确定各项指标无误后方可连接患者。②无替代电源时，用简易呼吸器进行辅助通气。

3）电源恢复或更换呼吸机后，应检查患者通气状况，必要时 X 线片确定插管位置，检查患者情况及生命体征变化，并详细记录。

（3）血液净化治疗设备使用故障的应急预案

1）血液净化机发生故障时，立即使用手摇柄回血下机，停机检查。

2）突然停电时，如无蓄电池的应立即用手柄转动血泵，保证正常的血液体外循环。

（4）微量注射泵使用时的应急预案

微量注射泵发生故障或停电时，立即关闭与延长管连接的患者静脉端三通，更换正常或有蓄电池的注射泵，设置各参数指标无误，延长管内液体减压后方可连接三通使用。

（二）ICU常用仪器设备的使用安全

1.无创呼吸机的安全使用

（1）使用流程

1）评估患者病情及有无通气指征。

2）准备无创呼吸机，选择合适的鼻/面罩及固定带。

3）开机自检，调整参数。

4）患者半坐卧位，佩戴鼻/面罩，调整好固定带松紧度。

5）开启呼吸机连接患者。

6）观察无创呼吸机运行情况，注意潮气量，有无漏气，管道有无积水，人机同步情况、湿化器情况。密切观察病情，如意识、血氧饱和度、生命体征、血气分析结果等。

（2）注意事项

1）使用前评估患者有无无创通气的禁忌证。使用前评估患者口鼻部周围皮肤情况，贴压力性损伤保护贴保护受压部位皮肤。

2）通气过程中保持上呼吸道通畅，仰卧位时枕头不要过高，以免气道狭窄影响气流通过。

3）鼻/面罩型号适宜，防止型号过大导致漏气，过小造成鼻面部压力性损伤。

4）使用无创呼吸机前教会患者用鼻腔吸气，以免大口吞咽气体造成胃肠胀气。

5）进食患者应在餐后1h使用无创呼吸机，避免胃内容物返流造成误吸。

6）不能堵塞呼吸机漏气口，压力监测管朝上放置，防止管道内冷凝水影响监测。

2.有创呼吸机的安全使用

（1）使用流程

1）连接呼吸机及管路。

2）接通电源、氧源、压缩空气，连接模肺，开机自检。

3）合理选择机械通气的模式及参数，调节呼吸机、湿化器参数及各参数报警限（详见第二节技术标准）。

4）再次确认呼吸机工作正常后连接患者。

5）听诊患者双肺呼吸音，观察患者呼吸状况及通气效果。胸部 X 线片显示导管位置位于隆突上的气管内。

6）监测呼吸机工作状况及患者生命体征。

（2）常见报警原因及处理措施

1）气道高压报警：①呼吸机管路受压打折。翻身时使患者头、颈、肩处于同一条直线，吸痰、翻身或搬运患者后，检查患者呼吸及管路并观察呼吸机参数。②呼吸道分泌物过多。及时吸痰。③湿化器温湿度调节不当。湿化罐温度调节在 37～41℃，罐内应及时添加灭菌注射用水。④管道内冷凝水过多。及时倾倒管道内积水。⑤患者烦躁。及时与医生沟通，使用镇静剂。

2）气道低压报警：①呼吸机管路破裂或连接不紧导致漏气。定期检查管路有无裂口及破损，如有老化及时更换。②气囊破裂漏气或充气不足。定时监测气囊内压力，发现气囊漏气，及时更换气管导管。③气源不足。定期观察调整气源压力。④气管导管脱出。根据患者病情更换导管。

3）窒息报警：常见呼吸微弱、呼吸节律紊乱的患者。根据患者病情及呼吸状况调整呼吸机通气模式及参数。

4）人机对抗：①呼吸机通气模式及参数设置不当。对有自主呼吸的患者应选择辅助通气模式。②患者烦躁。做好患者的心理护理，调整呼吸机参数，必要时给予镇静剂。

（3）注意事项

1）当患者病情发生变化时及时调整呼吸机模式及参数。

2）使用呼吸机时密切观察患者呼吸、生命体征及呼吸机运转状况。

3）吸痰时注意监测患者生命体征。吸痰前后患者纯氧吸入 2 分钟。

4）感染患者吸痰时尽量使用密闭式吸痰管。

5）每月请工程师对呼吸机进行保养及参数校对，以保证患者安全。

3.注射泵的安全使用

（1）使用流程

1）核对医嘱，确认药物名称、剂量、浓度及输注速度。

2）选择合适的注射器，正确配置药物并粘贴输液贴，连接注射器与专用延长管。

3）检查微量泵性能是否完好。

4）安装注射泵在合适位置，连接注射器与微量泵。

5）连接电源，开启微量泵，确认注射器型号与微量泵相匹配。遵医嘱调节注射速度，确认微量泵运行正常。

6）连接延长管与患者静脉通路。

7）密切观察患者用药情况及生命体征。

（2）常见报警原因及处理措施

1）NEARLY EMPTY（几乎空无）：提示注射器内药液剩余 1～2mL。如果需要连续用药，应按静音键后尽快配置药液更换。

2）EMPTY（空的）：提示注射器内药液用完，按停止键后更换药液。

3）OCCLUSION（堵塞）：提示管路堵塞，应尽快查明原因给予处置。①针头或管道堵塞：可以试抽回血，不能强行推注液体，防止血栓进入人体或管路破裂。②药液外渗或针头脱出：使用微量泵时密切观察患者穿刺部位皮肤情况，发现液体渗出或针头脱出，及时更换穿刺部位。③微量泵故障：使用过程中密切观察微量泵运转情况，发现异常及时更换。

（3）注意事项

1）使用过程中密切观察微量泵输注速度、有无报警等，发现异常，及时处置。

2）配置药液时应严格执行查对制度，尤其在抢救治疗时，避免泵入药液浓度或单位混乱，出现差错。

3）微量泵输注液体尽量建立单独静脉通路，避免多种液体在同一静脉通路输注，造成药液速度忽快忽慢、浓度忽高忽低。

4）使用血管活性药物（多巴胺、肾上腺素、去甲肾上腺素、硝普钠等）时应从中心静脉导管单独泵入。

5）交接班时注意交接药液浓度、输注速度、开始时间、用药效果等。

6）更改输注速度后及时记录。

7）做好患者健康教育，告知患者不得随意调节输注速度及按压报警开关。

8）注射器、延长管 24h 更换 1 次。泵入的药液 24h 内未输注完毕，必须重新配制药液更换。

9）定期请工程师对微量泵输注速度进行检测校准。

4.控温机的安全使用

（1）使用流程

1）评估患者病情、头部及皮肤状况。

2）携控温机及用物至患者床旁。

3）将控温帽戴在患者头部，用小毛巾保护患者双耳。控温毯平铺于患者背部，上缘与肩平齐。

4）连接电源，开启控温机，调节控温模式、目标温度等。

5）用塑料薄膜包裹温控器探头后插入患者肛门 4～6cm。

6）密切观察患者体温、末梢循环、皮肤、神志、瞳孔及生命体征变化。

（2）注意事项

1）根据患者病情及治疗目的设置控温机的上下报警限，保持稳定的降温或升温温度。

2）亚低温治疗时遵医嘱给予患者镇静剂或冬眠药物，同时盖被保暖四肢，以减轻患者寒战。

3）降温期间定时翻身，观察患者背部及耳部皮肤，防止冻伤。

4）降温期间患者肠蠕动减慢，进行肠内营养时注意灌注速度、温度，以免引起腹胀、腹泻等不良反应。

5）亚低温治疗时，温度控制在34℃左右。治疗结束后，复温速度每小时不超过0.1℃，时间不小于12h。

6）定时观察温控器探头，防止脱出肛门，影响温度监测。

7）控温机机箱内灭菌蒸馏水每周更换一次，防止细菌污染。

8）定期检测控温机。

五、感染控制管理

医院内患者的感染发生率占住院人数的2%～5%，约半数的死亡与院内感染有关。ICU的院内感染率更高，可达40%～80%，因此，ICU的医务人员应严格执行无菌技术操作、消毒隔离制度、手卫生制度和职业暴露防护制度。

（一）感染控制制度

1.严格控制出入人员，进入ICU的工作人员应衣帽整齐、戴口罩。ICU工作人员外出时，需更换工作衣、外出鞋。

2.严格执行手卫生制度，每日进行手卫生督导检查，每月定期进行手卫生监测。

3.严格执行院感病例上报制度。院感病例由主管医生24h内上报院感管理科；出现2例及2例以上疑似院内感染病例，不能除外病例之间的相关性，应立即报告科主任及院感管理科。

4.加强对医院感染控制重点目标的管理，如呼吸机相关性肺炎、导管相关性血流感染、多重耐药菌的监测与预防。

5.每月定期进行空气净化效果监测。

6.严格探视制度，集中探视时间，限制探视人数，探视者应更衣，戴帽子、口罩进入病区，接触患者前后进行手消毒。

7.一次性医疗卫生用品严禁重复使用。

8.医疗废弃物按感染管理规定进行分类，并做好交接登记手续。

（二）消毒隔离制度

1.医护人员进行无菌操作时应严格执行无菌技术操作规程，洗手，戴好帽子、口罩。

2.病室消毒隔离措施

（1）每日最少两次使用500mg/L含氯消毒剂进行床单元擦拭。一床一巾，用后统一消毒处理。感染患者的床单元使用1500mg/L含氯消毒剂。

（2）被服每周更换1～2次，污染时随时更换。感染患者使用后的被服应单独使用双层黄色垃圾袋包扎，并粘贴标识送洗衣房消毒处理。

（3）病区物表每日使用500mg/L含氯消毒剂擦拭。

（4）抹布、拖布固定区域使用，用后使用1000mg/L含氯消毒剂浸泡30min，再清洗晾干后备用。被传染性疾病患者污染的物表、地面使用1500mg/L含氯消毒剂擦拭消毒。

（5）患者转出、出院、死亡后对床单元等进行终末消毒。

（6）患者外出检查后所用物品、器械须及时消毒后备用。感染患者使用后的物品、器械，使用双层黄色垃圾袋包扎并粘贴标识，送消毒供应中心消毒处理。

（7）非层流病房每日至少进行空气消毒2次，层流病房应每周清洗层流滤网。

3.单位隔离措施

（1）隔离是指感染患者和非感染患者分开安置，特殊感染患者单独安置。根据患者感染病原体的传播途径进行单间隔离、同病种隔离或床边隔离；对经空气、飞沫传播的患者应安置在负压病房进行隔离；隔离病房门口或床头应有隔离标识。

（2）固定专人护理隔离患者。

（3）所有用物专人专用，防止交叉感染，用后按规定进行消毒。

（4）医护人员按规定穿隔离衣，戴帽子、口罩，必要时戴手套和护目镜，下班后洗澡。

（5）隔离单位须备一次性医用手套、速干手消毒剂、一次性隔离衣、口罩、帽子、洗手液等。

（6）鼓励密闭式吸痰。

（7）患者转院、出院或死亡后，病房及床单元进行终末消毒。

第二节　过程质量管理

一、安全管理

安全是指不受威胁，没有威胁、危害、损失。护理安全是指实施护理全过程中，患者不发生法律和法定规章制度允许范围内的心理、机体结构或功能上的损害、障碍、缺陷或死亡。ICU的护理安全管理包括护士职业安全及患者安全。

（一）护士职业安全

1.职业危害

（1）生理、心理的危害：ICU危重患者多，治疗抢救多，ICU护理人员工作量大，精神高度紧张，加之频繁倒班，甚至因护理人员严重缺编导致经常超负荷工作，因此面临巨大的精神压力。

（2）理化性危害

1）ICU因感染管理要求高、患者的频繁进出及相对封闭的工作环境，终末消毒频繁。护理人员经常超剂量接触紫外线、臭氧及化学消毒剂，会对皮肤、眼睛甚至肺部造成危害。

2）ICU护理人员长时间接触心电监护仪、床旁X线机等有辐射的仪器，可能致癌，导致胎儿畸形。

3）ICU仪器设备多，因此机器声、报警声、抢救患者时的说话声导致噪声大，长时间的噪声会引起护理人员紧张、焦虑、烦躁等不良反应。

4）ICU有创操作多，造成护理人员针刺伤的职业暴露概率增大。

5）ICU危重患者多，自理能力差，护理人员经常处于被动体位进行护理操作、翻身搬动、转运患者，容易造成慢性脊柱损伤。

（3）医源性危害：ICU护理人员经常接触传染病患者的血液、体液等，因此是经血源传播感染的高危人群。

2.职业安全防范措施

（1）生理、心理的危害防护：重视职业危害及护理人员的身心健康，合理配置人力资源，减轻劳动强度。

（2）理化性危害的防护

1）紫外线、臭氧消毒时，注意眼睛和皮肤的保护，人员离开现场。使用消毒剂时戴手套、口罩，注意双手及呼吸道的保护。

2）床旁拍片时，使用铅屏风遮挡。

3）加强对噪声危害的认识，强调"四轻"，仪器设备的报警音量应适当，地面、墙壁、天花板应使用隔音材料。

4）护理人员应规范操作行为，提高自我防护意识，使用安全留置针，避免徒手分离注射器和针头。

5）引进翻身床、过床板等先进仪器设备，培训护理人员操作中省时省力的技巧，减轻护理人员的劳动强度。

（3）医源性危害的防护

1）医务人员进行有可能接触患者血液、体液的诊疗和护理损伤性操作时必须戴手套，操作完毕，脱去手套后立即洗手，必要时进行手消毒。

2）在诊疗、护理操作过程中，有可能发生血液、体液飞溅到医务人员面部时，医务人员应戴口罩、防护眼镜；有可能发生血液、体液大面积飞溅或者有可能污染医务人员的身体时，还应穿戴具有防渗透性能的隔离衣或者围裙。

3）医务人员手部皮肤发生破损，在进行有可能接触患者血液、体液的诊疗和护理操作时必须戴双层手套。

4）医务人员在进行侵袭性诊疗、护理操作过程中，要保证光线充足，并特别注意防止被针头、缝合针、刀片等锐器刺伤或者划伤。

5）使用后的锐器应直接放入耐刺、防渗漏的利器盒，或者利用针头处理设备进行安全处置，也可以使用具有安全性能的注射器、输液器等医用锐器，以防刺伤。禁止将使用后的一次性针头重新套上针头套。禁止用手直接接触使用后的针头、刀片等锐器。

（二）患者安全

患者安全，指在医疗过程中采取必要措施，以避免或预防对患者造成不良的影响或伤害，包括预防错误、偏差与意外。2015年及2019年我国出台了《患者安全目标》，目的是使护理人员在工作中严格遵守护理制度和操作规范，保证患者安全。

1.患者身份识别：详见第五章第二节的相关内容。

2.患者用药安全：详见第五章第二节的相关内容。

3.患者转运安全：详见第五章第二节的相关内容。

4.感染管理：ICU危重患者因为病情复杂危重，侵入性治疗多，抵抗力低下，院内感染的发生率远远超过普通病房。研究发现，ICU的院内感染率高达40%～80%，由此导致患者的死亡率大大增加。ICU常见感染有：呼吸机相关性肺炎、导管相关性血流感染、导尿管相关性尿路感染、多重耐药菌感染等。加强感染管理及预防控制，可以降低ICU患者的感染发生率，保证患者安全。

（1）呼吸机相关性肺炎的预防

呼吸机相关性肺炎（Ventilator Associated Pneumonia，VAP）是指机械通气48h后发生的肺实质感染性疾病，撤机、拔管48h内出现的肺炎，仍属VAP，是一类严重的院内感染。研究发现：VAP的患病率为6%～52%，病死率高达30%左右。

VAP预防干预措施：

1）防止交叉感染。医护人员严格执行消毒隔离制度及手卫生制度，定期对病房空气、医护人员、医疗器械和各种装置进行感染监测。

2）保持患者口腔卫生。每4～6h进行1次口腔护理，必要时用含氯己定成分的西吡氯铵漱口液冲洗口腔，减少口咽部细菌定植。

3）遵医嘱使用祛痰药物，使患者痰液易于咳出。

4）使用密闭式吸痰系统按需清理气道及口鼻腔分泌物。

5）加强肺部物理治疗，使用振动排痰仪排痰。当患者痰液黏稠不易吸出时，使用纤维支气管镜吸出深部痰液。

6）声门下吸引。应用带有声门下吸引的人工气道，减少声门下内容物误吸。

7）加强呼吸机管路的管理。每周更换呼吸机管路1次，当管路有污物时随时更换；积水杯处于最低位，及时清除冷凝水。

8）湿化器内使用灭菌注射用水，每日更换。

9）卧位。无禁忌证的患者，应抬高床头30°～45°，尤其是在进行肠内营养时。

10）定时监测气囊压力。气囊压力维持在25～30cmH$_2$O。每班定时测量，吸痰前后及时测量。

11）不提倡常规气道内滴湿化液。

12）进行胃肠内营养时，4～6h检查胃残余量，防止胃过度充盈引起的呕吐、返流、误吸。

13）根据病情制定个性化的翻身措施。

14）遵医嘱使用抗生素。

15）做好镇静镇痛评分，进行每日唤醒，以避免机械通气患者由于持续镇静和深镇静而增加VAP的发生。

16）加强医护人员对VAP相关知识的学习和培训。

（2）导管相关性血流感染的预防

导管相关性血流感染（Central Line-Associated BloodStream Infection，CLABSI）是指留置血管内导管或拔除血管内导管48h内患者出现菌血症或真菌血症，并伴有发热（>38℃）、寒战或低血压等感染，除血管导管外没有其他明确感染源。

1）感染途径：①导管穿刺部位皮肤上的微生物移行至皮下导管，并沿导管表面移行至导管尖端。②污染的手、液体、器械直接接触导管或接口部位导致的污染。③病原体从其他感染灶经血行传播到导管。④污染液体导致的感染。

2）导管相关性血流感染标本采集：①在使用抗生素治疗前留取血培养标本。②经皮抽取血液标本前，严格消毒穿刺部位皮肤，消毒时间、范围达到要求，干燥时间要足够，减少血液标本污染机会。③如果经导管采取标本，严格消毒导管接口及肝素帽。④怀疑导管感染，拔除导管后建议对导管尖端进行培养。⑤必要时可同时采集不同部位的2份血标本，采集间隔时间≤5min，比如采集深静脉和外周静脉的血。⑥在寒战高热时进行标本采集。⑦血液标本建议每标本瓶≥10mL，采集后立即送检。

3）导管相关性血流感染的干预措施：①严格执行无菌操作规程及手卫生制度。②中心静脉穿刺过程中做到：a.最大化无菌屏障。b.医护人员穿隔离衣，戴帽子、口罩及无菌医用手套。c.第1次75%酒精纱球消毒穿刺点周围皮肤3遍，面积≥20cm×20cm，每次消毒后待干时间≥15s。d.第2次安尔碘纱球消毒穿刺点周围皮肤3遍，面积≥15cm×15cm，每次消毒后待干时间≥15s。③穿刺部位使用无菌纱布或无菌的透明、半透明敷料覆盖。置管部位有出血或渗出，应使用纱布敷料。④纱布敷料每2d更换1次，透明敷料至少每7d更换1次。当穿刺部位敷料潮湿、松弛或者有明显污染时应及时更换。⑤定时检查穿刺部位或者定时触诊完整的敷料以确定有无异常，如出现穿刺部位红、肿、热、痛，不明原因的发热等。⑥对于长期置管的患者，可采用预防性抗微生物药物溶液封管。⑦对于一般患者，禁止常规使用抗凝剂以减少导管相关感染的风险。⑧禁止为了预防导管相关感染而常规更换CVC、PICC导管，禁止由于发热即拔除CVC或PICC，应依据临床判断是否有其他部位的感染证据。⑨为减少感染应尽量选择锁骨下静脉作为穿刺部位，而非颈静脉和股静脉。⑩当因急诊置管不能保证无菌操作时，应48h内替换该导管。⑪为了降低感染率，应使用无针系统连接静脉输液管。无针连接系统接头的更换周期应大于等于72h。⑫静脉输液前、封管前均应严格消毒正压接头，每次使用安尔碘棉签由内向外擦拭消毒三通，待干时间≥15s。⑬严格执行手卫生，不定期监测检查。⑭尽量避免从中心静脉导管采血或输血。⑮导管脱出后禁止再次送入血管。⑯导管的置入长度、通畅与否应班班交接。

（3）尿管相关性尿路感染的预防

尿管相关性尿路感染（Catheter-Associated Urinary Tract Infection，CAUTI）是指患者留置尿管期间，或者拔除尿管48h内发生的尿路感染。

1）尿路感染的干预措施：①尽量避免不必要的留置尿管。留置导尿管的适应证：解除尿路阻塞；允许神经源性膀胱功能失调和尿潴留的患者导尿；泌尿道手术或生殖道手术的患者；危重患者需要准确记录尿量。不适宜留置导尿管的情况：患者能够自主排尿；仅为获得尿培养或某种诊断检查（如尿电解质）而采集尿标本；对尿失禁患者留置导尿管代替一般护理。急性尿道炎、急性前列腺炎、急性附睾炎为其禁忌证。②留置导尿时严格执行手卫生和无菌操作原则。操作时动作轻柔，防止尿路损伤。③采用密闭式无菌引流装置。④尽早进行膀胱功能训练与评估，促进尽早拔管。⑤保持管路的通畅，怀疑尿管阻塞时应及时更换。⑥保持会阴部的清洁干燥。⑦不宜常规进行膀胱冲洗来预防尿路感染。怀疑尿路感染要及时做尿培养，必要时拔除尿管。

2）尿培养标本送检的注意事项：①在用药前采集尿标本，不加防腐剂。②严格无菌操作，防止标本污染。③采集的尿标本应立即送检，室温下保存时间不能超过2h，4℃冷藏保存时间不能超过8h，检测淋病奈瑟球菌的尿标本不能冷藏保存。④送检标本应注明来源，不可从尿袋下端口留取尿标本。

（4）多重耐药菌感染的预防

在青霉素类、β内酰胺类、喹诺酮类、氨基糖苷类、碳青霉烯类等抗菌药物中，一类以上超过3种抗菌药物不敏感的细菌称多重耐药菌（MDRO），患者感染了这一类细菌被称作多重耐药菌感染。

1）感染的高危因素：①先前90d内接受过抗菌药物治疗。②住院超过5d。③社区或医院特殊病房中存在高发耐药细菌。④存在卫生保健相关性肺炎的（HCAP）危险因素。⑤存在免疫抑制性疾病或正在使用免疫抑制剂治疗。

2）多重耐药菌感染的干预措施：①首选单间隔离。如无单间隔离条件时考虑床边隔离，也可以同种病源同室隔离。②设置隔离病房或实施床边隔离时，应该在门上或床边悬挂或张贴明显的隔离标识，应先诊疗护理其他患者，MDRO感染患者安排在最后进行。③禁止无关人员进入，医护人员相对固定，专人诊疗护理。④严格遵循手卫生制度。⑤严格执行标准预防。诊疗护理患者时应戴好口罩、帽子，接触患者体液时戴手套；可能产生气溶胶时，应佩戴标准外科口罩（N95）、护目镜，穿防护服。⑥每班用1000mg/L含氯消毒剂进行床单元、物表、地面的擦拭。⑦标本要用防渗漏密闭容器运送。⑧患者转科前应通知接收科室做好相应的防护措施和消毒隔离。⑨如果采取以上措施，MDRO感染仍不能控制，应停止收治患者，对环境进行彻底消毒，检测合格后方可开诊。⑩加强医疗废物管理，使用双层的黄色垃圾袋并有明显标识，规范转运。⑪临床症状好转或治愈，连续3次培养阴性（每次间隔大于24h）方可解除隔离，患者出院后做好终末消毒处理。⑫凡多重耐药菌感染的患者手术，手术医生必须在手术通知单上注明，手术结束后按规定进行严格的终末处理。

（5）深静脉血栓的预防

深静脉血栓（Deep Venous Thrombosis，DVT）是指血液在深静脉系统内不正常的凝集，属静脉回流障碍性疾病，一般以下肢深静脉血栓多见。血栓形成的三要素为血管壁改变、血液性质改变以及血流的改变。

1）深静脉血栓形成的危险因素：包括任何可以导致静脉血液瘀滞、静脉系统内皮损伤和血液高凝状态的因素，有原发性和继发性两类。原发性危险因素由遗传变异引起，常以反复静脉血栓栓塞为主要临床表现。继发性危险因素是指后天获得的易发生DVT的多种病理生理异常，包括骨折、创伤、手术、恶性肿瘤、肥胖、口服避孕药、长期卧床及制动、肾病综合征、中心静脉插管、血液黏滞度增高等。上述危险因素可以单独或同时存在。

2）深静脉血栓的临床表现：DVT的症状和体征差异很大，由受累深静脉的部位、发生速度、阻塞程度、侧支循环的建立和血管壁及血管周围组织的炎症情况而定。发生在小腿及管腔没有完全阻塞的DVT，常缺乏临床症状而不易被发现，下肢近端DVT、上肢DVT或血管腔完全被阻塞时，常常因为患肢突发的肿胀、疼痛或压痛而就诊。下肢DVT的临床表现主要有：①疼痛和压痛。疼痛一般在下肢深静脉远端阻塞明显，久站或行走时加重，对有病变的深静脉周围触诊时常有局限性压痛，加压腓肠肌也有压痛。②肿胀。单侧小腿、踝部肿胀为小腿DVT常见的症状。当小腿DVT延伸到股静脉、髂静脉时，大腿也会肿胀。③静脉曲张。常发生在患肢病变深静脉周边。④低热。体温一般不会超过38.5℃，如出现高热提示合并感染。⑤患肢轻度发绀，皮温降低。

3）深静脉血栓的干预措施：①一般措施。卧床的患者应抬高患肢，术后鼓励患者多做踝关节、腓肠肌和股四头肌活动。不能活动的患者加强被动肢体活动和功能锻炼。②机械方法。包括穿医用分级长筒弹力袜、踏板运动装置、腓肠肌电刺激、气压泵治疗等。

③药物预防。根据医嘱执行。

（6）意外脱管的管理

意外脱管又称非计划性拔管（UEX），指患者身体上留置的各种管道，未经医护人员同意或者未到拔除时间，患者将管道拔除，也包括医护人员操作不当导致管道的拔除。

1）管路的种类

按危害程度分为三类。一类导管：胸腔闭式引流管、心包纵隔引流管、T型管、气管插管、动脉插管、小肠营养管、脑室引流管。二类导管：深静脉导管、三腔管。三类导管：尿管、套管针、胃管、氧气管。

临床意外脱管的概率排列为：胃管>气管插管>静脉插管>导尿管>引流管。

2）意外脱管的原因

医护方面：①管路评估能力不足，护理不到位，交接班不到位，约束不当。②专业知识缺乏，操作不熟练，镇静不到位。③宣教沟通不到位。

患者方面：①疼痛不适，不能耐受。②谵妄躁动，麻醉未清醒，无法有效沟通。③防范意识不强，活动翻身时不小心导致管道脱出。④文化水平低，对宣教不能理解和接受。

导管方面：①导管的理化性质。②导管的置入位置。③导管的固定及标识。

3）意外脱管的应急处理

①加强导管护理，妥善固定，确保患者安全。

②脱出的导管严禁回纳。

③发现导管脱出，应立即报告主管医生和护士长，采取相应的应急程序，并客观、准确、及时地记录。

④护士长及时上报护理部并组织科室进行讨论。

⑤做好患者和家属的解释安抚工作，取得其谅解和配合。

4）意外脱管的干预措施

①规范约束：评估患者对插管的耐受程度，对有潜在拔管的患者遵医嘱给予约束。约束方式：约束上肢，用约束手套或约束带固定患者腕部，松紧适宜，极度烦躁者，约束四肢。必要时使用肩带固定肩部，防止患者突然坐起。协助患者翻身时，将解除的约束带缠绕在护理人员手腕上，防止患者自行拔管。各项操作后及时检查约束情况。

②将患者双手置于护理人员视野可及范围。

③培训：定期对护理人员进行有效约束及预防UEX的规范化培训和考核。

④合理镇静：加强医护沟通，制定规范流程，护理人员定时运用Rass量表评估镇静效果，维持镇静评分在0～−2分之间。

⑤制定规范的留置管道评估及拔管流程，明确拔管适应证。

⑥健康宣教落实到位，采取有效的沟通方式，取得患者的配合。

二、技术标准

（一）血流动力学监测

1.血流动力学监测（Hemodynamic Monitoring，HDM）

血流动力学监测是依据物理学的定律，结合生理和病理生理学概念，对循环系统中血液运动的规律性进行连续的、动态的、定量的测量和分析，可反映心脏、血管、容量、组织的氧供氧耗等方面功能的指标，为临床治疗提供数字化的依据。

2.血流动力学监测概况

重症监护病房（Intensive Care Unit，ICU）收治的患者病情危重、复杂，且变化迅速，多合并内环境紊乱，多脏器功能衰竭以及血流动力学不稳定情况，需要实时监测并评估机体的整体状态，掌握内环境及血流动力学情况，才能采取恰当治疗措施，并进行治疗效果评估。

3.血流动力学监测手段

（1）无创血流动力学监测方法（Noninvasive Hemodynamic Monitoring）：是经皮肤或黏膜等途径间接取得有关心血管功能和血流动力学的各项参数，其特点是安全、无或很少发生并发症。

1）生物电阻抗法：是建立在胸电生物阻抗测量理论基础上，算出血流动力学参数来评估患者的血流动力学状况和功能，是目前唯一的无创血流动力学监测方法。

护理要点：①应使用专用的血压袖带，测量过程中袖带管路不应受到任何挤压，测量过程中，患者手臂应保持静止放松状态。②测量血压时患者应采取平卧位，以免造成测量结果误差。③严密观察患者的意识状态、胸痛情况、皮肤黏膜及各项监测参数的变化。

2）超声心动图：是应用超声测距原理，脉冲超声波透过胸壁、软组织测量其下各心壁、心室及瓣膜等结构的周期性波动，在显示器上显示为各结构相应的活动和时间之间的关系曲线，用记录仪记录这些曲线，即为超声心动图。探查顺序一般为从心底到心尖，必要时在剑突下或胸骨上窝探查。

3）无创动脉压：动脉血压是基本的生命体征之一，能较确切地反映患者的心血管功能，其与心排量及总外周血管阻力是初步估计循环血容量的基本指标，对指导术中输液及用药都有重要意义，详见表6-1。

护理要点：①规范洗手，戴口罩。②依据治疗卡核对患者姓名、床号及腕带，与患者进行交流，取得患者的配合。③检查血压计，嘱患者取舒适体位。④按血压监测流程测血压。⑤记录血压数值。⑥将用物带回治疗室，洗手。

（2）微创血流动力学监测方法：是通过动脉脉搏轮廓分析或者多普勒超声技术实现对心排血量的监测，主要特点就是通过监测心排血量来反映患者的循环状况。

1）经肺温度稀释法（Pulse Index Continuous Cardiac Output，PICCO）：PICCO技术是将经肺温度稀释法与动脉搏动曲线分析的技术相结合，采用成熟的温度稀释法测量单次心排出量，并通过分析动脉压力波形曲线下面积与心排出量的相关关系，获取连续心排出量。在中心静脉内注射冷（<8℃）生理盐水作为指示剂，动脉导管尖端的热敏电阻测量温度下降的变化曲线，使用Stewart-Homilton公式计算得出心排血量。

监测流程：①插入中心静脉导管及温度感知探头与PICCO模块相连接。②插入动脉导管，连接测压管路。③动脉导管与压力及PICCO模块相连接。④观察压力波形调整仪器，准备注射液测定心排血量。⑤校正PICCO需要3次温度稀释法进行心排量测定。⑥经右侧中心静脉导管通路，通过三通将注射器及心排血量模块、接口电缆的温度探头相连。⑦另外经股动脉处置动脉专用监测导管，分别于心排出量模块、接口导线，通过压力传感器与有创压力模块相连。⑧测量开始，从中心静脉端在4s内快速均匀地注入10mL温度为2～8℃的指示剂（冰盐水）。⑨经过上腔静脉、右心房、右心室、肺动脉、血管外肺水、肺静脉、左心房、左心室、升主动脉、腹主动脉、股动脉、PICCO导杆接收端，做3次温度稀释心排血量测定。

护理要点：①保持管道通畅。以肝素盐水（生理盐水1mL含肝素0～10U）应用加压袋（保持压力在300mmHg）持续给予冲洗管道。②观察穿刺侧肢体温度及颜色、足背动脉搏动情况，如发现肌肉痉挛、颜色苍白、变凉、足背动脉搏动消失等，说明有栓塞的危险，立即通知医生处理，必要时拔除导管。

2）经食道多普勒超声法（Transesophageal Echocardiography，TED）：通过测定红细胞移动的速度推算降主动脉的血流，其M型探头可直接测量降主动脉直径大小，从而提高了测量结果的准确性。

护理要点：①在检查前的6～12h应嘱患者禁食；②在超声检查中，嘱患者取左侧卧位，稍屈双腿；③操作前如患者有活动性义齿，应嘱其取出，配合开口器，避免超声探头损伤者义齿；④检查完毕后0.5h可进食，如患者操作后出现喉咙疼痛、声音嘶哑等不良反应，应告诉患者这是检查的不良反应，短时间内会消失，不用紧张。

3）锂稀释法：是一种新的指示剂稀释技术，从中心静脉注射氯化锂，然后在外周动脉处通过敏感锂感受器测量桡动脉导管端血液内锂水平，通过锂稀释曲线来测量心排血量。该方法一般需要测量3次取平均值。其主要的缺点在于价格昂贵且操作复杂，注射氯化锂不能频繁重复；优势在于可使用桡动脉置管，但是不能提供更多的血流动力学及容量参数。

护理要点：①将导管各处连接紧密，妥善固定，防止松脱。②防止空气进入测压系统，各个步骤严格无菌操作，防止进入空气。③保持导管通畅，动脉导管接2‰肝素生理盐水以3mL/h持续滴注，以防血液凝固堵管。④加强心电监护，当患者病情发生变化时及时做好记录，并通知医生做相应处理。

（3）有创血流动力学监测方法（Invasive Hemodynamic Monitoring，IHM）：通常指经体表插入各种导管或监测探头到心腔或血管腔内，利用各种监测仪或监测装置直接测定各项生理学参数。

1）中心静脉压监测：中心静脉压（Central Venous Pressure，CVP）是指右心房及上下腔静脉胸腔段的压力，是ICU常用的动态监测循环系统容量状况的指标，其反映的是患者的有效循环血容量、心功能及血管张力的综合情况。通过置入中心静脉连接测压传感器来监测CVP。CVP正常值为0.49～1.18kPa（6～12cmH$_2$O）。

护理要点：①保持管道通畅，输注不同药物之间需用生理盐水充分冲管，以防因药物间发生配伍禁忌导致产生沉淀物而堵塞管道。②预防感染，严格无菌操作并观察穿刺点及周围皮肤有无红肿、出血、渗液，按要求更换透明贴膜。③妥善固定，防止管道脱落。④防止空气栓塞。⑤测压时应避免影响结果的因素，如咳嗽、躁动、体位变化等。

2）有创动脉血压监测：是ICU常用的动脉血压监测方式，是指将导管置入外周动脉，连接换能器，通过监护仪连续监测动脉血压变化。置入导管的动脉多选择桡动脉、肱动脉、足背动脉、股动脉等，常首选桡动脉。

表6-1　血压与中心静脉压

CVP	血压	原因	处理
低	低	血容量不足	补充血容量
低	正常	心功能良好,血容量轻度不足	适当补充血容量
高	低	心功能差,心排血减少	强心,利尿,纠正酸中毒,适当控制补液或谨慎选择血管扩张药物
高	正常	容量血管过度收缩,肺循环压力增高	用血管扩张药物扩张容量血管及肺血管
正常	低	心排血量功能减低,容量血管过度收缩,血容量不足或已充足	强心,容量不足时适当补液

护理要点：①向患者解释操作的目的及意义，取得患者配合。②穿刺后妥善固定套管针、延长管，防止管道扭曲及打折，必要时用小夹板固定。将传感器位置固定于心脏位置水平，调节零点。传感器与大气相通，矫正零点，当屏幕上压力线与显示值为零时，使传感器与动脉测压管相通进行持续测压。③使冲洗压力始终保持在150～300mmHg。④管道内有回血时及时进行快速冲洗，但一次冲洗量不超过3mL，肝素盐水24h更换1次。⑤保证测压管三通开关位置正确，测压管的各个接头要衔接紧密，防止测压管的脱落和漏液。⑥患者平卧时零点与患者腋中线第四肋间在同一水平，体位改变时，应及时调整零点。⑦患者肢体位置固定要适当，以使波形处于最佳状态。⑧严格遵循无菌操作原则，动脉穿刺部位应每日消毒，更换敷料。⑨防止空气栓塞发生，抽血后及时快速冲洗时严防气泡进入动脉。

3）肺动脉气囊漂浮导管（Swan-Ganz导管）：通过前端带气囊的漂浮导管，经较大的外周静脉置入右心系统和肺动脉，测定心脏及肺血管压力和心排血量等参数。此外，通过体循环动脉和肺动脉采血标本，可测量动静脉氧差。

护理要点：①在插管过程中，密切观察患者的整体状况。②调零。压力传感器置于腋中线平第4肋间，每12～24h调整零点，改变体位后、断开连接等操作后应重新调零以保证测压值的准确。③每小时以0.5%肝素液3～5mL冲洗右房管，防止血液凝固，随时检查压力袋的压力保持在300mmHg，防止因动脉压力高而血液回流。④严密观察患者呼吸状况，包括呼吸深浅度、呼吸频率、潮气量、通气量、气道压力和阻力、肺顺应性、吸入氧深度，保持呼吸道通畅。

（二）氧疗技术

1.氧气治疗

氧气治疗（Oxygen Therapy）简称氧疗，是各种原因引起的低氧血症患者常规和必不可少的治疗，有着纠正缺氧、缓解呼吸困难、保护重要脏器功能、促进疾病康复的重要作用。经过不断改善，氧疗技术的临床意义得到确切证明，使得氧疗在临床应用得更加广泛。然而，氧气本身是一种药物，也有着药物的一切属性，既有其积极的治疗作用，又可能带来不良的效果乃至毒性，因此必须结合病情特点，选择合适的氧疗装置，根据病情变化严格地把握其使用剂量，合理地开展氧疗。

（1）急性加重期的短期氧疗

1）急性加重期的短期氧疗开始的指征：①心跳、呼吸骤停。②低氧血症（PaO_2<60mmHg，SaO_2<90%）。③低血压（收缩压<100mmHg）。④心排血量降低以及代谢性酸中毒（HCO_3^-<18mmol/L）。⑤呼吸窘迫（呼吸频率≥24次/min）。

2）急性加重期开始氧疗的浓度：①心跳、呼吸骤停，吸氧浓度100%。②低氧血症合并$PaCO_2$<45mmHg，吸氧浓度40%～60%。③低氧血症合并$PaCO_2$>45mmHg，吸氧浓度24%～28%。

（2）慢性病的长期氧疗

1）适应证：慢性呼吸衰竭经治疗后稳定3～4周，仍存在以下表现的：①休息状态下呼吸状况为PaO_2<55mmHg或SaO_2≤88%，有或无高碳酸血症。②PaO_2为55～60mmHg或SaO_2≤89%，但患者有肺动脉高压、充血性心力衰竭合并下肢水肿或血细胞比容>55%。

2）氧疗的剂量：能够将PaO_2提高到≥60mmHg或SaO_2≥90%的氧流量大小。

3）氧疗的时间：运动或睡眠时需要吸氧，并且每日氧疗时间至少15h。

4）治疗的目标：SaO_2≥90%和（或）PaO_2≥60mmHg，$PaCO_2$升高≤10mmHg，pH≥7.25，开始时应采取低浓度给氧（文丘里面罩24%，鼻导管1～2L/min），应规律地监测PaO_2或SaO_2，不断调整氧流量直至达到预期的治疗目标。

2.低流量给氧系统

低流量给氧系统详见表6-2。

表6-2　低流量给氧系统不同方式的比较

吸氧装置	适应证	储氧量（mL）	氧流量（L/min）	FiO_2	优点	缺点	注意事项
鼻导管	生命体征正常（如手术后，氧饱和度轻度下降，长期氧疗）	50	1～3	当氧流量≤8L/min时，FiO_2=0.21+0.04×氧流量	①使用方便；②耐受性好	①分钟通气量大的患者很难达到高的吸入氧浓度（<0.4）；②不能用于鼻道完全梗阻的患者；③可能引起黏膜干燥；④容易移位	①氧流量最大5～6L/min；②可能会引起皮肤刺激或破溃（避免固定过紧，检查鼻子或耳郭有无压迫）
普通面罩	需要较高浓度吸氧，无须可控氧疗（例如重症哮喘，急性左心衰竭，肺炎，创伤，或严重全身性感染的患者）	150～250	5～6	0.40	①FiO_2略高于鼻导管	①分钟通气量大的患者很难达到高FiO_2；②影响饮食和交谈；③不适于长期使用；	①氧流量至少6L/min，防止重复吸入CO_2
			6～7	0.50			
			7～8	0.60			
储氧面罩		750～1250	5～7	0.35～0.75	①能更好地控制$FiO_2$②短期应用	①需要密闭，会引起不适、刺激皮肤、影响进食及交谈、无法进行雾化治疗；②不应该长期使用	①储氧气囊必须保持充满状态；②防止气囊打折；③要确保气囊能与面部贴合良好，单向活瓣正常工作
			6	0.40～0.50			
			10～15	～0.60			
			>15	0.60～0.75			

3.高流量给氧系统

（1）文丘里面罩氧疗（Venturi Face Mask Oxygen Therapy）：该氧疗方式以文丘里（Venturi）效应为技术基础，即压力可使氧气经射流孔后形成速度较高的气流，并能使周围的环境形成负压，从而使周围的空气进入并与氧气混合，最终形成高流量的空氧混合气流，因此一般情况下能让输出的气流超过患者的最大吸气流量。

1）文丘里面罩的使用详见表6-3。

2）文丘里面罩高流量给氧的氧浓度与流量关系详见表6-4。

表6-3　文丘里面罩的使用

吸氧装置	适应证	氧流量（L/min）	FiO₂	优点	缺点	注意事项
文丘里面罩	慢性呼吸衰竭（如COPD）患者可控氧疗	3	0.24,0.26,0.31*	提供恒定的FiO₂，气道氧浓度不随患者的呼吸变化且没有重复呼吸	不能提供高的FiO₂	除需要调节输入氧气的流量大小外，还需改变射流孔或空气入口的口径
		6	0.35,0.40,0.50*			

注：*表示呼吸频率，潮气量和吸气流量不同时FiO₂不同。

表6-4　文丘里面罩高流量给氧的氧浓度与流量关系

文丘里给氧浓度	氧气流量（L/min）	空气流量（L/min）	混合气体流量（L/min）
24%	3	76	79
26%	3	45	48
28%	6	62	68
30%	6	47	53
35%	9	42	51
40%	12	38	50
50%	15	26	41

注：氧浓度=[（空气流量×21%）+（氧气流量×100%）]/总流量。

（2）经鼻高流量湿化氧疗（High-flow Nasal Cannula Oxygen Therapy，HFNC）：HFNC是指一种通过高流量鼻塞持续为患者提供可调控并相对恒定的吸氧浓度（21%～100%）、温度（31～37℃）和湿度的高流量（8～80L/min）吸入气体的治疗方式，该治疗设备主要包括空氧混合装置、湿化治疗仪、高流量鼻塞以及连接呼吸管路。对单纯低氧性呼吸衰竭（Ⅰ型呼吸衰竭）患者具有积极的治疗作用，对部分轻度低氧合并高碳酸血症（Ⅱ型呼吸衰竭）患者可能也具有一定的治疗作用。

1）HFNC临床应用适应证及禁忌证详见表6-5。

表6-5 HFNC临床应用适应证及禁忌证

适应/禁忌	类型
适应证	1.轻-中度Ⅰ型呼吸衰竭（100mmHg≤PaO_2/FiO_2<300mmHg） 2.轻度呼吸窘迫（呼吸频率>24次/min）/通气功能障碍（pH≥7.3） 3.对传统氧疗或无创正压通气不耐受或有禁忌证者
相对禁忌证	1.重度Ⅰ型呼吸衰竭（PaO_2/FiO_2<100mmHg） 2.通气功能障碍（pH<7.3） 3.误吸高危风险 4.血流动力学不稳定，需要应用相应的血管活性药物 5.鼻腔严重堵塞 6.面部或上呼吸道手术不能佩戴HFNC者/HFNC不耐受
绝对禁忌证	1.心脏、呼吸骤停，需紧急气管插管，有创机械通气 2.自主呼吸微弱，昏迷 3.极重度Ⅰ型呼吸衰竭（PaO_2/FiO_2<60mmHg）/严重通气功能障碍（pH<7.25）

注：HFNC表示经鼻高流量湿化氧疗；FiO_2表示吸入氧浓度；1mmHg=0.133kPa。

2）HFNC参数设置及撤离标准详见表6-6。

表6-6 HFNC参数设置及撤离标准

	疾病类型	气流	FiO_2和SpO_2	温度
参数设置	Ⅰ型呼吸衰竭	初始设置30～40L/min	①滴定FiO_2维持血氧饱和度（SpO_2）在92%～96%，并结合血气分析进行动态调整；②若没有达到氧合目标，可以逐渐增加吸气流量和提高FiO_2至100%	31～37℃，并依据患者的舒适性、耐受度和痰液黏稠度进行适当的调节
	Ⅱ型呼吸衰竭	初始设置20～30L/min，据耐受性和依从性调节	①二氧化碳潴留明显，流量可在45～55L/min甚至更高；②滴定FiO_2维持SpO_2在88%～92%，结合血气分析动态调整	
撤离标准	原发病控制后逐渐降低HFNC参数，吸气流量<20L/min，且FiO_2<30%，即可撤离			

注：HFNC表示经鼻高流量湿化氧疗；FiO_2表示吸入氧浓度；SpO_2表示血氧饱和度。

4.机械通气氧疗技术

（1）应用指征

1）经积极治疗后病情仍继续恶化。

2）意识障碍。

3）呼吸形态严重异常，如呼吸节律不正常，呼吸频率>40次/min或<6次/min，自主呼吸减弱或消失。

4）血气分析结果提示严重通气和/或氧合障碍的患者，即PaO_2<50mmHg，特别是充

分氧疗后PaO_2仍<50mmHg；$PaCO_2$进行性增高，pH动态下降。

（2）有创机械通气的操作技术

1）护理人员应向患者或家属讲述治疗的目的和方法，并准备合适型号的气管插管，同时准备胶布、牙垫等物品，妥善固定导管，防止导管滑脱。

2）根据患者病情选择舒适体位。

3）合理选择调节参数的方法及通气模式，同时设定合适的呼气末正压，以防止萎陷伤的发生，减少呼吸机相关性肺损伤。

4）护理人员应密切监测，判断其疗效。若在治疗时发现可能出现的不良反应和其他问题，要及时进行恰当的处理和调整。当患者病情达到必须吸高浓度氧来缓解的严重状况，要避免长时间吸入，氧浓度尽可能<60%。

5）应使患者尽可能保留自主呼吸，加强呼吸肌锻炼，以逐渐增加患者的肌肉强度与耐力，同时，要进一步加强营养支持以改善其呼吸肌功能。

（3）机械通气参数的调整详见表6-7。

表6-7 机械通气参数的调整

设定项目	设定注意事项
潮气量	要确保充足的气体交换及患者的舒适性，通常根据患者的体重5～12mL/kg选择，并结合呼吸系统的阻力和顺应性进行适当调整，避免气道平台压超过30～35cmH$_2$O
呼吸频率	根据分钟通气量及PCO_2的目标水平，成人通常设定为12～20次/min，急/慢性限制性肺疾病时也可根据分钟通气量和目标PCO_2水平，设定为>20次/min，同时要根据动脉血气分析的变化综合VT和f，以准确调节呼吸频率
流速	应满足患者吸气峰流速的需要，成人常用的流速范围设置在40～60L/min，根据分钟通气量、肺的顺应性、呼吸系统的阻力进行调整
吸气时间/I：E	通常吸气时间设置为0.8～1.2s或吸呼比为1：（1.5～2）；控制通气的患者，可通过适当延长吸气时间及吸呼比，以抬高平均气道压，改善氧合，但在此过程中须注意患者的舒适度，并密切监测$PEEP_i$和对心血管系统的影响
触发灵敏度	一般情况下，压力触发常为0.5～1.5cmH$_2$O，流速触发常为2～5L/min
吸入氧浓度（FiO_2）	根据目标PaO_2、PEEP水平、MAP水平和血流动力学的状态，尽可能维持SaO_2>90%；若适当的PEEP和MAP可以使SaO_2>90%，要保持最低的FiO_2
PEEP	依据$PEEP_i$指导调节PEEP，外源性PEEP的水平大约为$PEEP_i$的80%，以不提高总PEEP为原则

注：PCO_2表示二氧化碳分压；VT表示潮气量；f表示频率；I：E表示吸/呼比；$PEEP_i$表示内源性呼气末正压；FiO_2表示吸入氧浓度；PaO_2表示氧分压；PEEP表示呼气末正压；MAP表示平均气道压；SaO_2表示脉氧饱和度。

（4）无创正压机械通气氧疗：无创通气（NPPV）是指无须建立人工气道（如气管插管等）的机械通气方法，常通过鼻塞、鼻面罩等装置连接患者。

1）NPPV适应证：①患者出现较为严重的呼吸困难状况时，需使用辅助呼吸机进行呼吸，常规的氧疗方法（鼻导管和面罩）不能较好地维持氧合或氧合障碍有恶化趋势时，要及时使用NPPV。患者必须具备应用NPPV的基本条件，包括良好的意识状态、咳痰能力、自主呼吸能力、血流动力学稳定和良好的配合NPPV的能力。

2）NPPV禁忌证：意识障碍，呼吸较弱或停止，无力排痰，存在严重的脏器功能不全（如血流动力学不稳定和大出血等），未经引流的气胸或纵隔气肿，严重腹胀，上气道或颌面部损伤、畸形或进行过手术，不能配合NPPV或有佩戴面罩不适感等。

3）无创机械通气的操作技术：①上机前要和患者进行充分交流，并在说明治疗目的的同时取得患者的配合，建议取半卧位或头高位（>20°）。②选择合适型号的口罩、鼻罩、鼻塞等。③严密监测患者的生命体征、呼吸运动及血气分析的变化，及时做出针对性的调整。④应嘱张口呼吸的患者积极配合闭口呼吸，如不能配合且不伴有二氧化碳潴留的患者，可应用转接头将鼻塞转变为鼻/面罩方式进行氧疗。⑤舌后坠者应先给予口咽通气道打开上气道，如不能改善，考虑其他呼吸支持方式。⑥密切关注气道分泌物性状的变化，按需进行吸痰，避免湿化过度或湿化不足，防止痰堵窒息等紧急事件的发生。⑦注意管路积水现象并及时处理，警惕误入气道而引起呛咳和误吸。⑧若出现患者无法耐受的异常高温，应停机检测，避免灼伤气道。⑨注意调节鼻塞固定带松紧，避免固定带过紧引起颜面部皮肤损伤。⑩为避免交叉感染，每次使用完毕后应进行终末消毒。

（5）HFNC和NPPV的不同点

HFNC和NPPV的不同点详见表6-8。

表6-8 HFNC和NPPV的不同点

比较项目	HFNC	NPPV
连接方式	主要通过鼻导管进行治疗	主要通过口鼻面罩、鼻塞、全脸罩等进行治疗
压力支持	通过高流量气体提供不稳定的气道正压,辅助通气效果	可以设置不同水平的通气支持模式,如BiPAP、PCV及CPAP等,预设压力相对稳定
漏气	允许一定量漏气,漏气较多会影响治疗效果	允许一定量漏气,漏气较多会严重影响人机同步
人机配合	基本无须人机配合,无须呼吸切换	须人机配合,重症患者对呼吸机的要求很高,呼吸之间人机同步直接决定治疗成败
舒适度	舒适度较好	舒适感较差,有幽闭感
气道保护	有利于患者咳痰和气道保护	重症患者要注意气道保护和湿化问题
治疗目标	主要关注于恒温恒湿和提供相对精确的FiO_2	主要关注于改善患者通气与换气功能,解决低氧和高碳酸血症,缓解呼吸肌疲劳
适应患者	主要适用于轻中度Ⅰ型呼吸衰竭患者,对Ⅱ型呼吸衰竭患者应用要慎重	可以广泛应用于Ⅰ型和Ⅱ型急慢性呼吸衰竭患者

注：HFNC表示经鼻高流量湿化氧疗；NPPV表示无创正压通气；CPAP表示持续正压通气；BiPAP表示双水平正压通气；PCV表示压力控制通气；FiO_2表示吸入氧浓度。

（三）中枢神经系统功能监测

1.概述

中枢神经系统损伤可分为原发性损伤（Primary Insult）和继发性损伤（Secondary Insult）两类。原发性损伤主要包括颅脑创伤、脑血管意外（脑卒中或脑出血）以及全脑缺血缺氧性损害。无论哪种类型的原发损伤，都可能由于缺血和缺氧而引起机体在器官、组织、细胞和分子水平发生病理生理学改变，这些改变对机体的损伤即为继发性损伤。大量流行病学调查发现，继发性损伤是导致中枢神经系统损伤患者不良转归的主要因素。而神经系统功能监测的目标是及早发现缺血缺氧迹象，积极预防和治疗继发性损伤。最基本的神经功能监测是床旁体格检查，定时严密观察患者的意识状态、体动、语言和瞳孔情况，及时发现病情变化，及时给予处理。近年来临床引入了多种先进监测手段、脑氧和代谢监测以及神经电生理（脑电图）监测。

2.中枢神经系统功能监测

（1）意识（Consciousness）状态评估：意识是中枢神经对外界环境刺激应答的反应能力。该能力减退即出现不同程度的意识障碍。

1）意识障碍可分为以下5类：

①清醒：对自身及周围环境的认识能力良好，回答问题准确。

②嗜睡：患者处于较深睡眠，一般外界刺激不能被唤醒，不能对答，较强烈刺激可有短时意识清醒，醒后可简短回答提问，当刺激减弱后很快进入睡眠状态。

③意识模糊：意识障碍的程度比嗜睡深，是一种以意识内容改变为主的意识障碍，表现为注意力减退，情感反应淡漠，定向障碍，活动减少，语言缺乏连贯性，对周围环境的理解和判断低于正常水平，可有错觉、幻觉、躁动、精神错乱等。

④昏睡：呼喊或推动肢体不能引起反应，用手指压迫患者眶上缘内侧时，患者面部肌肉可以引起防御反射，深反射亢进，震颤及不自主运动，角膜反射减弱，但对光反射仍存在。

⑤昏迷：患者随意运动丧失，呼之不应，对一般刺激全无反应。

2）意识状态评估工具：格拉斯哥昏迷量表（Glasgow Coma Scale，GCS）是常用的意识状态评估工具，包括3部分内容，分别是对患者的睁眼、体动和语言功能进行判断，每部分内容分为不同等级。分值范围为3～15分，分值越高，表明神志越好。根据GCS评分，可将昏迷分为轻度、中度、重度。轻度：GCS评分14～15分，这类患者意识丧失的时间较短，仅需密切观察患者病情变化，通常不需要进入ICU。中度：GCS评分9～13分，这类患者临床转归存在较大差异。重度：GCS≤8分，这类患者几乎全部需要ICU收治，并应进行相应的神经系统特殊监测，详见表6-9。

表6-9　格拉斯哥昏迷量表

体动		语言		睁眼	
项目	评分	项目	评分	项目	评分
遵医嘱运动	6	回答切题	5	自主睁眼	4
疼痛定位	5	回答错误	4	呼唤睁眼	3

续表6-9

体动		语言		睁眼	
疼痛躲避	4	言语混乱	3	疼痛刺激睁眼	2
刺激后反常屈曲	3	仅能发声	2	无反应	1
刺激后四肢过伸	2	无反应	1	无法评价	C
无反应	1	无法评价	T		

（2）瞳孔变化的观察：正常人的瞳孔直径为2～5mm，边缘整齐，位于眼球中央，左右对称。若瞳孔直径<2mm，则为瞳孔缩小；若瞳孔直径>5mm，则为瞳孔扩大；若瞳孔直径>6mm，则为瞳孔散大。瞳孔变化同时受到交感神经和副交感神经的双重作用，其中任何一种神经遭到破坏，都会导致瞳孔变化。瞳孔变化与疾病的关系详见表6-10。

表6-10　疾病与瞳孔变化的关系

瞳孔变化	疾病类型
双侧瞳孔散大，对光反射迟钝或消失，伴有昏迷者	癫痫大发作，脑干脑炎晚期，脑血管病，各种脑炎及脑膜炎，颅脑损伤
双侧瞳孔散大，直接或间接对光反射消失，伴视力完全丧失，而神志清楚	双侧视神经炎，多发性硬化症
一侧瞳孔散大，直接对光反射消失或间接对光反射存在，常伴有视力障碍	原发性视神经炎或颅神经损伤
一侧瞳孔进行性散大，对光反射迟钝或消失，伴有意识障碍	脑炎，脑膜炎和脑血管病及占位性病变
一侧瞳孔散大，直接和间接对光反射迟钝或消失	神志清楚患者多伴有动眼神经损害；昏迷及对侧肢体瘫痪者表示中脑损害；会聚调节反应迟缓，表示中脑顶盖病变，见于动眼神经麻痹，脑干的炎症，脑血管病变引起的中脑顶盖综合征
双侧瞳孔缩小	药物中毒（如氯丙嗪，巴比妥类，抗精神病、抗癫痫病药），外伤引起的脑干受损，流脑，蛛网膜下腔出血，脑室或桥脑出血（伴有对光反射消失和意识障碍及去脑强直）
一侧瞳孔缩小，对光反射正常	脑干和上颈髓肿瘤，炎症、血管病、外伤
一侧瞳孔缩小，对光反射迟钝	外伤后颅内出血，各种疾病引起颞叶沟回疝的早期
双侧瞳孔不等大，时大时小，左右交替，形状不规则，伴有意识障碍和对光反射迟钝或消失	脑干出血，多发性硬化，神经梅毒及嗜睡性脑炎，毒性炎症水肿

（3）目标式神经系统检查（Hypothesis-driven Neurologic Examination）因其每项检查的明确针对性、顺序性，检查结果的直观简单性，而被人们所接受。其内容必须包括皮

层功能、脑干功能、脊髓功能等。

1）皮层功能检查：GCS反映的主要是皮层功能（觉醒、语言和注意力）和部分脑干功能（昏迷），虽然对运动有所体现，但不包括感觉功能。

2）脑干功能检查：脑干的功能是控制眼球的不随意运动、瞳孔变化、面部感觉以及基本生命功能。根据脑干损伤部位不同，机体表现为不同的临床表现：①中脑，表现为瞳孔中度大小、固定；眼肌麻痹、偏瘫、巴宾斯基征阳性。②高位脑桥，表现为针尖样瞳孔对光反射存在，核间性眼肌麻痹，面瘫，角膜反射减退。③低位脑桥，表现为水平凝视、偏瘫、巴宾斯基征阳性。④延髓，表现为呼吸紊乱、循环紊乱，如低血压、高血压、心律失常等。

3）颅神经检查：颅神经共有12对，脑干或颅底病变易导致颅神经损伤。①舌咽、迷走神经损伤时，会表现为声音嘶哑、呛咳消失和吞咽困难。常见于颈静脉孔区和桥小脑角部位的肿瘤、脑膜炎、蛛网膜下腔出血以及肿瘤转移。②副神经损伤时，会表现为胸锁乳突肌和斜方肌萎缩，影响耸肩和转颈动作。③舌下神经双侧损伤时，患者不能伸舌，单侧受损时，伸舌偏向患侧。

4）脑电图监测：是诊治癫痫的重要手段，能为癫痫的诊断分型、确定局部病灶和观察治疗反应性提供帮助。

5）脑功能的多元化监测：脑功能监测应采取多种手段、综合评估，逐渐形成多元化监测理念。脑灌注、血流、代谢及脑电活动之间相互联系、互为因果，监测指标也具有互补性。

6）脊髓功能检查：损伤时常导致双侧肢体对称性损害，但不引起面瘫。

7）肌力检查：肌力分为6级。

5级：患者对抗阻力的动作和力量正常。

4级：患者能做出对抗阻力的动作，但力量较弱。

3级：患者肢体能抬离床面，但不能对抗阻力。

2级：患者肢体能在床面平移，但不能抬离床面。

1级：患者肢体肌肉有收缩动作，但不能产生动作。

0级：完全瘫痪。

（4）颅内压监测：颅内压（Intracranial Pressure，ICP）是指颅内容物对颅腔所产生的压力，通常用脑脊液的压力来代表。成人的正常值为70～200mmH_2O，小儿为50～100mmH_2O。当颅内压>200mmH_2O时，并有相应的体征和症状，则称颅内压增高。多种类型的脑损伤可导致颅内压升高，而颅内压监测可能改善脑创伤、脑出血和蛛网膜下腔出血患者的转归。

1）实施指征：①所有开颅术后的患者。②CT显示有可以暂不必手术的损伤，但GCS评分<7分，该类患者有50%可发展为颅内高压。③虽然CT正常，但GCS<7分，并且有下列情况两项以上者：①年龄>40岁；②收缩压<11.0kPa；③有异常的肢体姿态。

2）颅内压力-容积曲线：及时发现颅内压升高的趋势，在进入失代偿期前及时采取措施。

3）颅内压监测技术特点，详见表6-11。

表6-11 颅内压监测技术特点

监测手段	优点	缺点
脑室内置管	ICP监测的"金标准" 可作为脑脊液引流和采样的途径 可作为局部给药途径 可校正零点	创伤性操作 感染发生率较其他高 并非所有患者均可穿刺到脑室 导管可被血块活组织堵塞 头部位置变化时,需要重新校正零点
蛛网膜下腔空腔注水螺栓或导管探头	感染发生率较低 操作简单快速 不损伤脑实质	准确性有限 管路堵塞,或肿胀的脑组织堵塞螺栓内表面,监测失效率较高 需要反复冲洗管路
硬膜外或硬膜下导管	创伤性较小 导管容易放置	准确性有限
光纤/电-张力探头	可放置到脑室、脑实质、硬膜外、硬膜下、蛛网膜下腔等部位 易于固定和患者转运 ICP波形显示良好 刺激性小,感染发生率较低 无须校正零点,便于患者体位改变	监测参数随时间漂移 探头置入后无法校正零点 有导管断裂的报道 价格昂贵

4）脑室内测压注意事项：①选择非注入式压力传感器，防止血液回流、血凝块堵塞管路。②不能将肝素加入测压管路预充液体中，否则将增加出血风险。常规使用生理盐水预冲液。③测压系统准确的零点位置应是外眼角与耳屏连线中点、外眼角后1cm、翼点上方2cm或外耳道连线中点。④水柱传导测压有赖于脑脊液的持续流出。⑤密切观察患者生命体征、意识、瞳孔及肢体活动变化，对躁动患者适当约束或给予镇静药，防止脱管或非计划性拔管，保证安全。⑥妥善固定脑室引流管和压力传感器，适当限制患者头部活动，勿使引流管弯曲、折叠、受压或传感器探头脱出，随时巡视，保证颅内压监护装置运行正常、安全可靠。⑦保持脑室引流管通畅，严密观察并准确记录引流液量、性状、颜色等，术后引流量以每小时不超过20mL为宜，每日不超过400mL，保持正常颅内压力。

（5）脑血流监测

1）经颅多普勒（Transcranial Droppler，TCD）脑血流监测具有无创、便于使用和可反复操作的特点。可用于诊断脑血管痉挛、间接评估脑血流量和评价脑血管自身调节功能。

2）激光多普勒血流测定（Laser Doppler Flowmetry，LDF）：具有连续和方便的特点。

3）其他监测技术：颈静脉热稀释血流测定，经脑双示踪剂稀释技术和对比增强超声技术。

护理要点：①正确安置监测仪器，使用前必须校正与检查。②监护过程中，注意患者瞳孔变化、伤口情况、消化道情况和尿量等。③监测中保证患者处于安静平稳的状态。④如需翻身拍背，应用手轻托患者头部，保证头部与监护探头之间不会产生移位。

（6）脑氧及脑代谢监测

1）颈静脉氧饱和度监测（$SjvO_2$）：该监测是最早出现的脑代谢相关监测手段，提示脑氧供给和消耗之间的平衡，并间接反映脑血流量的情况。

2）经颅脑氧饱和度监测：通过氧合血红蛋白与去氧血红蛋白的光吸收波长不同，计算出组织氧饱和度。

3）脑组织氧分压（Brain Tissue Oxygen Partial Pressure，PbtiO$_2$）监测：脑组织氧分压数值的高低与吸入氧浓度、脑灌注压、脑血流量和血红蛋白的值成正相关，与脑氧摄取率呈负相关。

4）脑组织微透析监测：脑组织微透析监测可以监测乳酸/丙酮酸的比值和葡萄糖浓度。这几个指标是反映脑缺血的敏感指标。其预警值是>30mmol/L，<0.8mmol/L。

（四）消化系统功能监测

1.概述

危重症患者系统检测是指利用先进的、紧密的医疗设备对危重患者进行心血管系统、呼吸系统、神经系统、消化系统、内分泌系统、肾功能系统、动脉血气分析、水电解质与酸碱平衡状况等的动态监测，并根据监测数据进行综合分析，从而有效地反映危重症患者脏器功能和内环境状况，为临床诊断、预防、治疗及护理提供科学依据。

2.胃功能紊乱的评估

在ICU中，重症患者进行胃肠动力动态监测对早期启动肠内营养有重要意义。从临床体征看，恶心、呕吐、腹胀通常提示患者存在肠动力紊乱。

（1）胃动力监测技术

1）胃闪烁成像技术：放射性同位素闪烁成像技术是评估胃排空能力的"金标准"，可测定固相和液相排空，是一种非侵入性的且行之有效的方法。

2）对乙酰氨基酚吸收试验：对乙酰氨基酚在胃不能被吸收，在小肠可被吸收，因此对血浆对乙酰氨基酚水平监测可评估胃排空能力，但此种方法的影响因素较多，比如小肠吸收功能、药物的首过效应、肝功能状态、多次的血液样本检查等均可影响胃排空能力。

3）呼吸试验：呼吸试验可用于液体和固体胃排空能力检测。ICU重症患者可尝试应用，但多器官功能衰竭患者，该试验准确性仍受到限制。

4）超声及磁共振成像：基于特定的算法，超声可根据其获得的图像数据计算出胃容量，用于胃排空能力评估。

5）胃电图：跨膜离子电流产生的慢波电位和峰电位是胃肠平滑肌的电活动形式，平滑肌通过兴奋-收缩耦联产生各种形式的活动，因此，监测异常胃电节律是临床上有价值的检查方法。正常胃电主频率为2～4W/min，餐前餐后电主功率比值大于1。

（2）小肠动力监测

1）氢呼气试验：目前广泛用于测定小肠动力，其原理是不可吸收的碳水化合物经过消化道，最后在结肠厌氧菌的作用下产生H$_2$，通过结肠黏膜扩散到血液中，最终从呼气中排出。测定不可吸收碳水化合物从摄入到呼出氢的时间就表示食物从口腔至盲肠的运动时间。通常使用的底物为乳果糖：受检者口服乳果糖10g，若小肠内有细菌存在，则通常在30min内会出现第一个H$_2$呼出峰值即小肠峰，之后在1h左右出现第二个H$_2$呼出峰值即盲肠峰，有时上述两波峰也会融合。其优点是：①无创、无痛、准确、及时。受检者只需按要求口服少量底物，再吹口气即可完成诊断。②解决了其他试验无法完成的检测

"盲区"。氢呼气试验的注意事项：①患者需刷牙漱口并空腹接受检查。②禁止吸烟。③服用底物后要再漱口，以防止口腔内少量细菌对试验的干扰。④试验过程中要静坐，不做剧烈运动。

2）小肠X线检查：使用硫酸钡、有机碘水造影剂等在X线透视下可充分观察小肠的运动状况，可通过观察造影剂的下行速度对小肠的蠕动进行评估，并判断空肠营养时，肠内营养液是否逆流到胃内。

（3）胃液监测

1）正常胃液为无色透明液体，正常的pH值为0.9～1.8。

2）正常胃液量：胃液分泌量受食物影响最大，正常空腹胃液量为30～50mL，在未进食的情况下胃液明显增多，提示胃液分泌量过高及胃蠕动能力降低。

（4）胃潴留监测：具有下列症状之一，可考虑有胃潴留。

1）饭后4h仍有300mL液体存储在胃内。

2）口服硫酸钡4h后仍有60%以上胃液在胃内潴留。

3）进食过夜后仍有200mL以上胃内容物残留。

（5）腹内压监测：腹腔是一个封闭的空间，腹腔容积增加和腹壁顺应性减退均可导致腹内压增高，临床常见的原因为出血、感染、肿瘤和液体过负荷等。目前腹内高压根据严重程度分为4级：Ⅰ级，12～15mmHg；Ⅱ级，16～20mmHg；Ⅲ级，21～25mmHg；Ⅳ级，>25mmHg。ICU重症患者腹内压一般为5～7mmHg。

3.消化系统功能障碍

（1）上消化道出血：急性非静脉曲张性上消化道出血是指十二指肠悬韧带以上的消化道疾患引起的出血，包括胰管或胆管的出血和胃空肠吻合术后吻合口附近疾患引起的出血。

1）体格检查：重视病史与体征在病因诊断中的作用，如慢性周期性节律性痛、NSAIDs服用史、恶性肿瘤、蜘蛛痣、肝掌、腹壁静脉曲张、腹水、巩膜黄染、类似胆绞痛的剧烈上腹痛。

2）内镜检查：内镜检查是明确急性上消化道出血病因的首选关键检查，在疾病危险分层及治疗中具有重要作用。危险性急性上消化道出血应在出血后24h内进行内镜检查；经积极复苏仍持续血流动力学不稳定时应行紧急内镜检查；如果血流动力学稳定，可在24h内进行内镜检查。疑似静脉曲张出血应在12h内进行内镜检查。若首次内镜检查未完全止血，必要时可考虑重复内镜检查治疗。患者病情危重或不适合转运时可在ICU严密监护下实施床边内镜检查。

（2）急性肝衰竭：是指各种原因引起肝细胞大面积坏死或严重肝功能损害，出现以黄疸、腹水、肝性脑病和凝血功能障碍等为主要表现的一种临床综合征。本病的主要临床特征是起病急，进展迅速，可在短时间内出现肝昏迷症状。近年来随着肝移植、人工肝等技术的发展，病死率有明显下降。

1）病原学监测：通过病原学监测患者的甲、乙、丙、丁、戊型肝炎病毒。

2）血清酶学监测：参看血清丙氨酸氨基转移酶（ALT）<40U/L，血清门冬氨酸氨基转移酶（AST）<40U/L，肝细胞损伤时转氨酶活性随之升高。

3）三大营养物质代谢监测。

4）黄疸监测：黄疸是肝功能障碍的主要表现之一，出现早，进展快。黄疸与血清总胆红素直接相关。血清总胆红素的正常值为3.4～17.1μmol/L。溶血性黄疸时总胆红素虽增高，但小于85μmol/L；肝细胞性黄疸时总胆红素增高一般也不超过170μmol/L；梗阻性黄疸时总胆红素可达510μmol/L以上。

（3）急性胰腺炎（Acute Pancreatitis，AP）：是一种以胰腺急性炎症和组织学上腺泡细胞破坏为特征的疾病。病情较重者可发生全身炎症反应综合征，甚至器官功能衰竭。急性重症胰腺炎（SAP）是由胰腺局部发展累及全身器官及系统，出现持续器官功能衰竭（48h以上）的一类AP。SAP起病凶险，病死率高，SAP占AP的20%，病死率可达13%～35%。下面3个标准中有2个存在即可确诊为急性胰腺炎：①急性上腹痛；②血清淀粉酶或脂肪酶水平大于3倍正常上限；③腹部影像学（CT、MRI或超声）特征。

1）依据改良Marshall评分系统（详见表6-12），任何器官评分≥2分可定义存在器官功能衰竭，当AP存在持续性（超过48h）的器官功能衰竭可诊断为SAP。

表6-12 Marshall评分系统

器官系统	评分				
	0	1	2	3	4
呼吸（PaO$_2$/FiO$_2$）	>400	301～400	201～300	101～200	≤100
血肌酐（μmol/L）	≤134	134～169	170～310	311～439	>439
心血管（收缩压mmHg）	>90	<90,输液有应答	<90,输液无应答	<90,pH<7.3	<90,pH<7.2
非机械通气的患者FiO$_2$的估算方式					
吸氧（L/min）	FiO$_2$（%）				
室内空气	21				
2	25				
4	30				
6～8	40				
9～10	50				

注：既往有慢性肾衰竭患者的评分，依据基线肾功能进一步恶化的程度而定；未使用正性肌力药物。

2）胰酶测定：血清淀粉酶测定是应用最广泛的AP的诊断方法。血清淀粉酶水平通常在6～12h内升高，在24～48h达到峰值，在随后的3～7d内降至正常或接近正常水平。脂肪酶在4～8h内上升，在24h达到峰值，在接下来的8～14d内下降到正常或接近正常水平。血清脂肪酶被认为是比血清淀粉酶更可靠的AP诊断生物学标记物。尿淀粉酶测定也是诊断AP的敏感指标。尿淀粉酶升高时间延迟于血清淀粉酶，但是持续时间长。淀粉酶的测量值与患者病情轻重程度并不一定成正比。

3）放射影像学诊断：①超声，以确定急性胰腺炎（胆道）的病因，超声下胰腺体积弥漫性增大，内部回声减低，周围界限不清等；②CT，从AP与其他急腹症鉴别来说，CT要优于超声，首次增强CT评估的最佳时间为发病后72～96h；③磁共振胰胆管造影（MRCP）或内窥镜超声，在胆源性胰腺炎早期腹部超声或CT检查对发现胆总管结石是不可靠的，MRCP或EUS用于筛查隐匿性胆总管结石；④腹盆增强CT和腹部MRI+MRCP，

AP症状不典型患者、SAP患者、4周以上的胰腺或胰周积液患者出现胃肠道梗阻症状可进行此项联合检查，MRI有助于判断胰腺坏死的状态（无菌性和感染性）。

4）动态膀胱压监测：一般无法直接监测腹内压的变化水平，临床多采用测量膀胱压来间接地反映腹内压。

测量膀胱压时应当注意：①注水时速度要快，要求25mL生理盐水应呈直线形输注，水温维持在37～40℃，以防止温度过低导致患者出现膀胱痉挛。②测量时嘱患者保持安静，避免咳嗽，应用机械通气患者应尽可能暂时脱离呼吸机，因病情无法脱机的患者应将呼气末正压（PEEP）值调零。③每次测量前均应校正零点，换能器固定时要严格无菌操作，防止污染。④预防泌尿感染，医护人员严格执行无菌操作。

5）病原学监测：①炎性标志物C反应蛋白（CRP）是疾病严重性评估的重要指标，第3天C反应蛋白水平≥150mg/L可作为重症急性胰腺炎的预后因素；②血尿素氮>20mg/dL（7.14mmol/L）是死亡的独立预测因子；③红细胞压积>44%是胰腺坏死的独立危险因素；④降钙素原是目前检测胰腺感染最敏感的标志物，可应用降钙素原检测胰腺感染。

（五）营养支持

1.营养支持

营养支持（Nutritional Support）是指在患者不能获取或摄入不足的情况下，通过肠内、肠外途径补充或提供维持人体必需的营养素。

2.营养支持概述

危重患者的营养支持在临床中越来越受到关注，也是营养支持的重点和难点。如何对危重患者进行合理、有效的营养支持，减少并发症的发生，促进患者尽快康复，已成为提高危重患者救治成功率的关键。通过早期营养支持，为患者提供合理的营养素，用有效管理患者糖代谢等手段减轻患者的应激代谢，防止细胞氧化损伤，调节机体的免疫反应。最新的肠内外营养指南针对18岁以上的ICU患者营养支持提供了最佳建议，也发现了精氨酸、谷氨酸钠、ω-3脂肪酸等特殊营养物质在危重患者治疗中的作用，指南指出，所有ICU住院患者，特别是住院时间超过48h的患者，均应考虑实施营养支持治疗。营养支持方式包括肠内营养（Enteral Nutrition，EN）、肠外营养（Parenteral Nutrient，PN）或两种共用。

3.肠外营养

肠外营养主要是指从静脉输注营养，为危重症患者提供营养支持的过程，营养供给途径主要包括中心静脉和周围静脉2种，肠外营养液是由葡萄糖、脂肪乳、氨基酸、维生素、电解质和微量元素等多种营养素混合配置而成。

（1）适应证

1）胃肠道功能障碍或衰竭的患者。

2）重症胰腺炎患者。

3）严重腹腔内或腹膜后感染、败血症者。

4）高代谢状态危重患者，如严重外伤、烧伤、复杂大手术后。

5）术前准备及术后支持的严重营养不良患者。

6）大剂量化疗、放疗或接受骨髓移植患者。

7）重要器官功能不全，如肝、肾、肺、心功能不全或衰竭等患者。

（2）禁忌证

1）胃肠道功能正常，能获得足够的营养。

2）估计应用时间不超过5d。

3）伴有严重水、电解质、酸碱平衡紊乱，凝血功能障碍或休克时应暂停使用，待内环境稳定后再重新评估使用胃肠外营养。

4）终末期、深昏迷等患者。

（3）肠外营养液规范化配制

1）规范的配置环境和无菌操作：①保证配置室周围环境干净整洁，墙壁符合防蚊、虫的要求，操作室面积>20m²，室温控制在20~25℃，湿度控制在50%~70%，工作人员每班检查并做好登记。②营养液配置前后，对操作室的操作台面擦拭消毒，物品消毒2次/周，细菌培养每月1次。③在操作前30min应打开层流净化装置，配置时关闭紫外线，打开日光灯，用75%乙醇擦拭台面。操作结束后，关闭层流台柜门，紫外线灯消毒30min。

2）规范化配制：①由于脂肪乳具有不稳定性，配置过程避免出现"破乳"现象。②避免沉淀。③混合配制，首先，按照医嘱要求将配置原液送至配置中心，打印配置单和输液标签，审核完成后送入配置间，核对无误后方可进行配置。其次，配置人员要严格执行无菌操作并进行"三查七对"，若有疑问应核对清楚再配置，否则禁止配液。最后，在氨基酸和葡萄糖中加入微量元素、胰岛素和电解质等，在脂肪乳中加入水溶性维生素等；轻轻摇晃3L袋，混合均匀，挤出袋内存留空气；在3L袋外部贴上输液标签。

（4）输注途径：通过外周静脉留置针、中心静脉（颈内静脉、锁骨下静脉、PICC）及输液港输注，详见表6-13。

表6-13　外周静脉和中心静脉途径喂养的特点

	外周静脉喂养	中心静脉喂养
适应证	短期肠外营养（<2周）、营养液渗透压低于1200mOsm/LH₂O者；中心静脉置管禁忌或不可行者；导管感染或有脓毒症者	肠外营养超过2周、营养液渗透压高于1200mOsm/LH₂O者。置管途径：经颈内静脉、锁骨下静脉、外周静脉至中心静脉以及输液港等
优缺点	该方法简便易行，可避免中心静脉置管相关并发症（机械、感染），可早期发现静脉炎。缺点是输液渗透压不能过高，需反复穿刺，易发生静脉炎	经锁骨下静脉置管便于患者活动和护理，主要并发症是气胸。经颈内静脉置管不便于更换敷料和患者活动，主要并发症是感染。经外周静脉至中心静脉置管（PICC）可避免气胸等严重并发症，但可能增加血栓性静脉炎和插管错位发生率及操作难度

（5）启动时机

对于营养风险较高的患者（NRS 2002≥5分，NUTRIC≥6分）（详见表6-14、表6-15），若48~72h内EN无法满足机体需要的能量及蛋白质的60%时，建议给予SPN；对于胃肠功能严重障碍且不能使用EN的重度营养不良患者，建议尽早启动PN）。

对于低营养风险的患者（3分≤NRS 2002<5分或NUTRIC<6分），EN支持治疗7d后仍未能达到60%目标喂养量时，应给予补充性肠外营养（Supplemental Parenteral Nutrition，SPN）。

表6-14 营养风险筛查NRS-2002评估表

患者资料

病区		床号		住院号	
姓名		性别		年龄	
身高(cm)		体重(kg)		体重指数	
血清白蛋白(g/L)		临床诊断			

一、疾病状态评分

疾病状态	分数	若"是"请打勾
骨盆骨折或者慢性病患者,合并有肝硬化、慢性阻塞性肺疾病、糖尿病、肿瘤等疾病以及长期血液透析者	1	
腹部重大手术、中风、重症肺炎、血液系统肿瘤	2	
颅脑损伤、骨髓抑制、加护病患(APACHE>10分)	3	
合计		

二、营养状态受损评分

营养状况指标(单选)	分数	若"是"请打勾
正常营养状态	0	
3个月内体重减轻>5%或最近1个星期食量(与需要量相比)减少20%~50%	1	
2个月内体重减轻>5%或BMI 18.5~20.5或最近1个星期进食量(与需要量相比)减少50%~75%	2	
1个月内体重减轻>5%(或3个月内体重减轻>15%)或BMI<18.5或最近1个星期进食量(与需要量相比)减少70%~100%	3	
合计		

三、年龄

年龄≥70岁加算1分	1	

四、营养风险筛查评估结果

营养风险筛查总分	
处理	
总分≥3.0:患者有营养不良的风险,需营养支持治疗	
总分<3.0:若患者将接受重大手术,则每周重新评估其营养状况	
执行者:	时间:

疾病状态评分说明:

1分：慢性疾病患者因出现并发症而住院治疗、患者虚弱但不需要卧床、蛋白质需要量略增加，但可以通过口服补充剂来弥补；2分：患者需要卧床，如腹部大手术后，蛋白质需要量相应增加，但大多数人仍可以通过肠外或肠内营养支持得到恢复；3分：患者在加强病房中靠机械通气支持，蛋白质需要量增加而且不能被肠外或肠内营养支持所弥补，但是通过肠外或肠内营养支持可使蛋白质分解或氮丢失明显减少。

筛查评估结果说明：

总评分≥3分（或胸腔积液、腹水、水肿且血清白蛋白<35g/L者）表明患者营养不良或有营养风险，即应该使用营养支持。总评分<3分：每周复查营养评定，以后复查的结果如果≥3分，即进入营养支持程序；如患者计划进行腹部大手术，就在首次评定时按照新的分值（2分）评分，并最终按新总评分决定是否需要营养支持（≥3分）。

表6-15　重症患者营养风险筛查量表（NUTRIC）

指标	范围	分数
年龄（岁）	<50	0
	50～75	1
	≥75	2
APACHE II评分（分）	<15	0
	15～20	1
	20～28	2
	≥28	3
SOFA评分（分）	<6	0
	6～10	1
	≥10	2
并发症（个）	0～1	0
	≥2	1
入ICU前住院时间（天）	0～1	0
	≥1	1
IL-6（ng/L）	0分<400ng/L	1分≥400ng/L
营养风险总评分	高营养风险	6～10分,存在营养风险,应接受营养支持
	低营养风险	0～5分,根据病情定期评估
营养状态分类	正常营养状态	无特殊营养需求
	轻度营养不良	1
	中度营养不良	2
	重度营养不良	3

6）输注速度

建议采用循环输注法实施PN，有条件者使用输液泵控制输注速度；与固定输液泵相比，便携式泵可提高家庭PN（HPN）者的生活质量。

（7）并发症的预防

1）感染

PN相关感染性并发症多由于静脉导管、肠源性和配置过程污染，规范选择导管途径和标准化维护、尽可能恢复肠内喂养是预防感染的重要举措；预防性应用抗生素对预防导管相关感染无益。

2）肝损害

较长时间PN治疗易发肠外营养相关肝损害（PNALD），尽早启动肠内喂养、优化PN处方、控制感染及合理使用保肝药物是防治的重要方法。

（8）护理要点

1）配制营养液和静脉穿刺过程中严格执行无菌操作。

2）配好的营养液若暂时不用，应储存于4℃的冰箱内，存放超过24h，则禁用。

3）输液管路应每12～24h更换1次；敷料应严格按照静脉输液指南要求更换，纱布类敷料应每48h更换1次，透明敷料应至少7d更换1次，有血渍、污染及时更换，更换时严格无菌操作并观察穿刺伤口及局部皮肤情况。

4）输液中加强巡视，注意输液管路是否通畅，遵医嘱调节输注速度并保持输液速度均匀。一般成人首日输液速度60mL/h，次日80mL/h，第3日100mL/h。输液浓度也由低浓度开始，逐渐增加。输液速度和浓度需根据患者年龄、液体性质、患者耐受情况遵医嘱调节。

5）输液中防止液体中断或导管拔出，防止发生空气栓塞。

6）静脉营养导管严禁输注其他液体、药物及血液，也不可在此处采集血标本或测中心静脉压。

7）在静脉营养治疗过程中进行实验室指标监测，记录出入量，观察血常规、血生化、尿糖、血糖、酮体及尿生化等情况，根据实验室指标及时调整营养治疗方案。

8）及时巡视并观察患者临床表现，发现异常情况应及时告知医生并配合处理。

9）停用肠外营养时应提前2～3d内逐渐减量。

4.肠内营养

肠内营养是采用口服或管饲喂养的方式经胃肠道提供能量及营养素的支持方式。管饲喂养方式包括鼻胃管、十二指肠管、鼻腔肠管以及胃空肠造瘘管等。肠内营养根据所提供营养食品的不同，可以分为要素饮食和非要素饮食，根据营养液输注时间分为早期肠内营养（入院48h以内）和晚期肠内营养（入院48h以后）。

（1）适应证

1）胃肠功能正常，但营养物质摄入不足或无法经口进食者（昏迷、烧伤、大手术后的危重患者）。

2）胃肠道部分功能不良者，如消化道瘘、短肠综合征、炎性肠道疾病、胰脏疾病、结肠手术与诊断准备。

3）胃肠功能基本正常但合并其他脏器功能不良者，如糖尿病和肝肾功能衰竭。

（2）禁忌证：肠梗阻、上消化道出血、严重吸收不良综合征、腹腔内感染等肠道需要休息的情况。

（3）启动时机

1）对无法维持自主进食的重症患者，在血流动力学稳定的情况下，应在入住ICU的48 h内开始进行EN支持治疗。

2）需延迟启动EN支持治疗的重症患者：①休克未得到有效控制，血流动力学及组织灌注未达到目标时；②存在危及生命的低氧血症、高碳酸血症或酸中毒时；③活动性上消化道出血；④肠道缺血；⑤肠瘘引流量大，且无法建立达到瘘口远端的营养途径时；⑥肠梗阻；⑦腹腔间隔室综合征；⑧GRV>500ml/6h。

3）需给予低剂量（滋养性）EN支持治疗：①接受低温治疗；②存在腹腔高压但无腹腔间隔室综合征；EN治疗过程中出现腹内压持续增高时需暂停EN；③合并急性肝功能衰竭；④使用液体复苏或小剂量血管活性药物后循环稳定的患者。

4）高营养风险或中重度营养不良的患者应接受术前营养支持治疗，治疗时间为7～14d。

（4）输注途径

1）鼻饲：鼻胃管适用于接受EN时间<4周的患者；管饲时患者床头抬高30°～45°，可减少吸入性肺炎的发生。

2）空肠营养管：接受腹部手术且术后需较长时间EN的患者，建议术中放置空肠营养管。

3）经皮内镜下胃造口术（PEG）途径：需要接受>4周的管饲EN的患者，如重度颅脑外伤、卒中或严重吞咽困难等。

（5）输注速度

1）间歇输注

重症患者和大手术后的患者实施（Early Enteral Nutrition，EEN），建议使用EN输注泵连续输注；病情稳定、耐受良好且接受长期EN的患者，建议使用间歇输注法，以恢复正常的饮食节律；若出现不耐受，建议暂停或降低输注速度至原先耐受的水平后，再逐渐增加输注速度，或将间歇输注改为连续输注。

2）连续输注

对于有高误吸风险的患者，建议使用EN输注泵连续输注，并调控适宜的输注速度，但应避免24h持续输注。

（6）早期肠内营养和晚期肠内营养的适应证：对于可进食的危重症患者，经口进食优于肠外营养或肠内营养，若患者不能经口进食，则给予成年危重症患者早期肠内营养（48h内）要优于晚期肠内营养；对于存在经口进食或肠内营养禁忌证的患者，需要在3～7d内启动肠内营养；对于存在肠内营养禁忌证的严重营养不良患者，早期相对积极的肠外营养治疗优于无任何营养治疗。

（7）并发症的预防

1）误吸

接受EN治疗的患者应进行误吸风险评估；对高危患者，可采取以下干预措施：①由胃内喂养改为幽门后喂养；②由间歇性改为持续喂养；③定期口腔护理；④使用促胃肠动力药物。

2）腹泻

在EN治疗期间发生的腹泻应首先排除疾病或非营养药物性原因，而非停止EN。

（8）标准化喂养管给药

1）将所有药物分开研碎，溶解或稀释。

2）分别给予不同药物时，每次给药前后用50mL水冲洗管道。

3）不要将药物与肠内营养液混合。

（9）护理要点

1）查对：两人核对医嘱，确定肠内营养的途径（胃管、鼻肠管），严格执行无菌操作原则和查对制度。

2）检查：如为胃管，一定要检查并确定其在胃内方可给予［①在胃管末端连接注射器抽吸，能抽出胃液。②置听诊器于患者胃部，向胃内快速注入50mL空气，听到气过水声。③将胃管末端置于盛水的治疗碗中，无气泡逸出；如为鼻肠管，检查其是否通畅（50mL温水冲管）］。

3）体位：如无禁忌，抬高床头30°～45°。

4）喂养方式：采用泵动力输注，连续鼻饲。

5）速度：根据医嘱，从25mL/h开始，喂养速度应缓慢增加，每天增加25mL/h，最大速度<125mL/h。

6）温度：营养液温度38～40℃，加温器夹持在距离鼻孔50～60cm处，进行持续加温。温度过热会损伤患者黏膜，温度过低容易诱发腹泻、腹痛等问题。

7）浓度：开始时选用等渗液或稀释营养液，逐渐加大浓度。

8）更换：每24h更换输液管、输液袋。

9）记录：制剂名称、体积、浓度、输注速度。

10）固定：妥善固定管道，尤其在变换体位时注意保护，防止管道滑脱，定时检查管道外漏刻度。

11）冲洗：连续输注营养液时，应每4～6h用50mL温开水冲洗管道1次。每日输注完毕后，均应冲洗管道，预防堵塞和污染。

（六）血糖监测

1.血糖监测

血糖监测即对血糖值的定期检查。实施血糖监测能更好地掌握患者血糖的变化，对生活、运动、饮食及用药都有重要指导意义，有助于患者及时发现问题，及时就医。ICU血糖控制欠佳可导致应激性高血糖、低血糖和血糖波动。

（1）应激性高血糖：应激性高血糖（Stress-induced Hyperglycemia，SHG或Stress Hyperglycemia，SH）通常是指先前无糖尿病证据但在严重疾病期间出现的短暂性高血糖。世界卫生组织将存在糖尿病病史的患者，其空腹血糖浓度定为6.1～7.0mmol/L或餐后8.1～11.1mmol/L，超过此上限者定义为糖尿病性高血糖；此前无糖尿病病史的患者在入院后随机2次以上的测量，其空腹血糖≥6.9mmol/L或随机血糖≥11.1mmol/L，即可诊断为应激性高血糖。应激性高血糖在ICU患者中发病率较高，主要与应激后神经内分泌系统激活有关，高血糖会诱发全身炎症反应，与患者的死亡风险存在线性关系。

（2）低血糖：与未发生过低血糖的患者相比，住院期间至少发生一次低血糖（<4.5mmol/L）的患者死亡风险明显增加，并且低血糖还会延长住院时间，增加院内感染风险。

（3）血糖波动：血糖波动（Glucose Fluctuation）也称为血糖变异性（Glycemic Variability），是指血糖水平在其高峰和低谷之间变化的不稳定状态，包括短期血糖波动（即日间血糖波动和日内血糖波动）和长期血糖波动（即HbA1c变异性）。影响血糖波动的因素主要有胰岛β细胞功能、饮食和药物。研究表明，血糖波动与糖尿病大血管并发症、微血管并发症有关。

2.血糖监测的时间和频率

《中国血糖监测临床应用指南（2015版）》指出，对于胰岛素治疗的患者，当血糖未达标或治疗开始时，推荐每天监测≥5次，达标后改为2～4次/d。对于非胰岛素治疗的患者，当血糖未达标或治疗开始时，推荐每周监测3d，每天监测5～7次，达标后仍每周监测3d，但次数减少为每天2次。对于接受胰岛素强化治疗（多次胰岛素注射或胰岛素泵注射）的患者，在治疗开始阶段应每天监测血糖5～7次，建议涵盖空腹、三餐前后和睡前（午餐前和晚餐前可省去）。如有低血糖表现，需随时测血糖，如出现不可解释的空腹高血糖或夜间低血糖，应监测夜间血糖，达到治疗目标后每天监测血糖2～4次。

3.血糖监测常用方法及技术

（1）血糖监测：目前临床上血糖监测包括自我血糖监测（SMBG）、连续监测3d的动态血糖监测（CGM）、糖化人血白蛋白（GA）和糖化血红蛋白（HbA1c）的测定（详见表6-16）。其中SMBG是血糖监测的基本形式，HbA1c是反映长期血糖控制水平的金标准，而CGM和GA是上述监测方法的有效补充。ICU患者病情危重，变化迅速，病情复杂，常伴有贫血、血氧分压异常等情况。患者静脉注射人免疫球蛋白和维生素C等药物，会影响血糖仪监测的准确性，错误的血糖值很可能误导治疗，降低治疗的安全性和有效性。最新国际标准ISO15197规定，当血糖浓度<5.6mmol/L时，至少95%的检测结果误差在±0.83mmol/L的范围内；当血糖浓度≥5.6mmol/L时，至少95%的检测结果误差在15%的范围内。

表6-16　常用血糖监测方式的特点及临床应用

血糖监测方式	临床意义	临床应用
HbA1c	反映既往2～3个月血糖水平	糖尿病患者降糖方案是慢性并发症发生风险的重要依据。HbA1c≥6.5%是糖尿病的补充诊断标准
GA	反映既往2～3周血糖水平	评价短期血糖情况,可以辅助鉴别应激性高血糖
CGM	反映连续、全面的血糖信息	了解血糖波动的趋势和特点,发现不易被传统监测方法探测到的隐匿性高血糖和低血糖,尤其是餐后高血糖和夜间无症状性高血糖。

（2）五点测血糖法：若血糖还处于调整阶段，开始使用胰岛素进行治疗或血糖控制较差的患者，应每日监测血糖4～7次。"五点测血糖法"是指分别在5个时间点进行血糖

监测，包括空腹、餐后30min、餐后1h、餐后2h、餐后3h。正常人这5点血糖浓度连线是持续升高的，而糖尿病患者的连线则显示不规则。若血糖控制达标，病情稳定，每周可监测2～3次。

（3）血糖监测注意事项

1）科学应用器材：血糖仪监测血糖的浓度上限为33mmol/L，血糖值过高时应静脉抽血化验，以免造成误诊。

2）采血部位准确：通常抽取未输液侧无名指尖两侧指甲角皮肤薄处。

3）消毒措施准确：使用75%乙醇对指腹进行消毒需待干后再采血。

4）采血方法合理：采血时进针深度以针尖刺到皮肤乳头层毛细血管为宜，一般进针深度为2～3mm，自然流出血液呈豆粒大小即可，采血过程中避免用力挤压和按摩，避免组织液混入，采血不足时会导致血糖值偏低，过多时会导致血糖值有偏差。

4. 血糖控制

（1）正确使用胰岛素

1）胰岛素的保存：未开封胰岛素可放置于2～8℃冰箱保存3个月，室温下最长保存1个月。已开封的胰岛素放入冰箱会使其水分蒸发，同时胰岛素是一种蛋白质激素，如果反复置于冷暖环境中，会导致胰岛素变性，因此已开封的胰岛素不宜再放入冰箱保存。

2）准确用药：熟悉胰岛素的名称、剂型及作用特点，准确执行医嘱，按时注射。

3）现配现用：在室温10℃情况下，在0.9%氯化钠液体中胰岛素稳定性可维持6h，在5%葡萄糖液体中仅可维持2h。

4）吸药顺序：当需要长、短效或中、短效胰岛素混合使用时，应先抽取短效胰岛素，再抽取长效胰岛素，然后混匀。切勿反向操作，以免将长效胰岛素混入短效胰岛素，影响其速效性。

5）注射部位的选择与更换：胰岛素采用皮下注射时，应选择皮肤松弛的部位，如上臂三角肌、臀大肌、大腿前侧、腹部等。腹部吸收最快，其次是上臂、大腿和臀部。注射部位应经常更换，以免导致皮下脂肪萎缩或增生；若在同一部位注射，2次注射部位应相距1cm以上，并选择无硬结的部位。若皮肤出现硬结，可进行热敷。注射胰岛素时应严格执行无菌技术操作，防止感染发生。

（2）血糖监测目标：胰岛素治疗一旦启动，危重症患者的血糖应控制在7.8～10mmol/L，个别严重的患者需更加严格地控制血糖，在能实现且无低血糖的前提下，将血糖控制在6.1～7.8mmol/L。

（3）静脉泵入胰岛素的剂量和速率：通常要求在12～24h使血糖达到控制目标，当血糖连续3次测定在正常范围时，可改为每4h测定一次。胰岛素的起始注射剂量通常为4～6U/h，并以4～6mmol/L速度下降，若2h血糖仍不能降至目标要求，提示患者对胰岛素的敏感性下降，胰岛素的剂量应加倍至10～12U/h。若血糖下降速度过快，则根据情况减少胰岛素的泵入。若初始血糖值>30mmol/L，应先皮下注射5U胰岛素再静脉泵入，详见表6-17。

表6-17　静脉泵入胰岛素的剂量和速率

| ICU患者常规进行血糖测量,目标血糖:7.8~10mmol/L(140 to 180 mg per deciliter)
连续3次平均血糖>10mmol/L(心胸外科手术的患者仅需1次)或1次>13.3mmol/L,开始胰岛素治疗。 |

表Ⅰ　初次血糖处理			
血糖值(mmol/L)	初始静推负荷量(U)	初始持续静脉泵入剂量(U/h)	
		无糖尿病史 □	有糖尿病史 □
10~13.3	0	1	2
13.4~16.7	0	2	4
16.8~20	3	3	6
>20	6	5	8

表Ⅱ　在原有处理基础上调整方案			
血糖值 (mmol/L)	较前变化值 (mmol/L)	调整方案	改变监测血糖频次
<3.9		(1)停止胰岛素泵入,予50%葡萄糖20mL静推	Q30min 血糖<4.0mmol/L, 通知医生
4.0~6.1		(2)停止胰岛素泵入 如果前次血糖<6.7mmol/L,予50%葡萄糖20mL静推	
6.2~7.8	≥前次血糖	(3)维持原来胰岛素剂量	
	降低<0.6	(4)胰岛素减至原来剂量的50%	
	降低>0.6	(5)停止胰岛素泵入	
7.9~10	升高>1.1	(6)胰岛素增加1U/h泵入	Q2h 连续3次血糖在此区间,调整为Q4~6h
	升高<1.1 或降低<0.6	(7)维持原来胰岛素剂量	
	降低>0.6	(8)胰岛素减少1U/h泵入	
10.1~13.3	升高>1.1	(9)胰岛素增加1U/h泵入	Q1h
	升高<1.1 或降低<2.8	(10)维持原来胰岛素剂量	
	降低>2.8	(11)胰岛素剂量减少2U/h泵入	
13.4~16.7	降低>2.8	(12)维持原来胰岛素剂量	
	降低<2.8 或较前升高	(13)增加2U/h泵入	
>16.7	降低>4.4	(14)胰岛素剂量减少2U/h泵入	Q30min 血糖连续3次>16.7mmol/L,或(16)连续执行2次通知医生
	降低<4.4	(15)维持原来胰岛素剂量	
	较前升高	(16)按表Ⅰ给予负荷量静推,增加胰岛素剂量4U/h泵入	

注:如给予肠内营养或肠外营养,根据患者营养遵医嘱调整速度。

（4）胰岛素治疗的不良反应及处理

1）低血糖反应：当患者发生低血糖时会出现寒战、全身大汗、心悸、心率>120次/min、饥饿感、头痛、易怒等症状，须立即停止胰岛素泵入并使用50%葡萄糖注射液20mL进行静脉推注，待10min后重测血糖。老年人反应差，对胰岛素敏感，易发生低血糖，因此对老年人的血糖不应控制过严。

2）胰岛素性水肿：糖尿病患者在使用胰岛素过程中可引起水肿，水肿多见于面部、下肢，同时可延及上肢，严重者体重会增加10kg左右，尤其多见于清瘦型患者。

3）眼部并发症：糖尿病眼部并发症有糖尿病性视网膜病变、与糖尿病相关的葡萄膜炎和糖尿病性白内障。

4）皮下脂肪萎缩或肥大：因长期对同一部位进行注射，会导致皮下脂肪萎缩或肥大，采用多点、多部位皮下注射和及时更换针头可预防其发生。

5）胰岛素过敏：胰岛素过敏可分为局部过敏反应和全身过敏反应。注意事项：①加大进针角度，使针尖到达皮下组织。②经常变换注射部位。③对注射部位用热手巾、电煲等进行热敷。④更换纯度高的胰岛素或人胰岛素类似物。⑤服用药物进行脱敏治疗。

6）胰岛素耐药：胰岛素治疗过程中容易产生胰岛素耐药性，又称为胰岛素抗药性。指在无酮症酸中毒或严重感染等情况下，由于血循环中胰岛素抗体水平很高，为使血糖得到控制，胰岛素剂量必须增加到每日200U以上，并须维持超过48h，出现胰岛素耐药性时，可以使用大剂量的胰岛素，也可改用高纯度低免疫原性胰岛素。

（七）镇静镇痛

1.概述

在ICU环境、各种器官功能监测与支持措施及疾病本身所导致的严重的机体病理生理改变等因素作用下，绝大多数意识清醒的患者可能经历疼痛、焦虑、紧张不安和恐惧，即使那些存在意识障碍的患者，也会因为机体内某些病理性改变而出现躁动，并引起一系列神经内分泌反应，导致循环、呼吸功能不稳定，加重机体负担。因此，使患者处于良好的镇痛、镇静水平不仅有利于降低重症患者的心理与生理应激，而且在一定程度上能保持内环境相对稳定，有助于疾病恢复。可见，镇痛、镇静是重症医疗中一项重要的辅助治疗措施。作为护理人员，应配合医生做好患者镇痛、镇静水平的监测，以及时调整用药。

2.镇痛与镇静的作用

（1）减轻焦虑：多种因素均可引起重症患者焦虑、恐惧等心理状态，常见的包括意识清醒患者进入ICU病房时的复杂心理状态、特殊刺激、担心疾病变化及预后和有创的检查操作等。

（2）缓解疼痛：基础疾病、手术伤口及其换药、监测和治疗装置、ICU日常护理工作是引起危重症患者疼痛的主要原因。

（3）提高对操作的耐受性：系统、有计划的镇痛与镇静可以有效减少有创操作对患者的刺激，提高患者的耐受性，也可以保证各项治疗措施的有效性。

（4）降低基础代谢：深度镇静控制患者的基础代谢可在一定程度上缓解供氧需求矛盾，减轻组织器官缺氧性损害，同时可避免一些意外事件。

（5）其他作用：镇静健忘治疗可减少患者的痛苦记忆。

3.镇痛与镇静的疗效评价

（1）镇静评估系统：目前共有4种评分系统用于ICU成人患者镇静状态评估，分别是：Ramsay镇静深度评分、镇静-躁动评分（Sedation-Agitation Scale，SAS）、运动反应估价评分（Motor Activity Assement Scale，MAAS）和里士满躁动-镇静评分（Richmond Agitation-Sedation Scale，RASS）。其中，SAS评分和RASS评分是目前针对ICU患者最可靠、有效的评估工具。

1）SAS评分详见表6-18。

表6-18　镇静-躁动评分（SAS）

分值	描述	定义
7	危险躁动	拉拽气管插管,试图拔除各种导管,攻击医护人员,在床上挣扎
6	非常躁动	需要保护性约束并反复劝阻,咬或者吐气管导管
5	躁动	焦虑或身体躁动,经言语提示劝阻可配合治疗
4	安静合作	安静,容易唤醒,服从指令
3	镇静	嗜睡,语言刺激或轻摇可唤醒并能服从简单指令,但又立即入睡
2	非常镇静	对躯体刺激有反应,不能交流及遵嘱运动,有自主运动
1	不能唤醒	对恶性刺激无或仅有轻微反应,不能交流及遵嘱运动

恶性刺激：指吸痰或用力按压眼眶、胸骨或甲床5s。

2）RASS评分详见表6-19。

表6-19　躁动-镇静评分（RASS）表

分值	状态	临床症状
+4	有攻击行为	有暴力行为
+3	非常躁动	试着拔除气管插管、胃管、输液管路等
+2	躁动焦虑	身体频繁扭转,对抗呼吸机
+1	不安焦虑	焦虑紧张,身体轻微移动
0	清醒平静	清醒自然状态
−1	昏昏欲睡	可保持清醒超过10s
−2	轻度镇静	清醒时间小于10s
−3	中度镇静	对声音有反应
−4	重度镇静	对身体刺激有反应
−5	昏迷	对声音及身体刺激都无反应

（2）镇痛评估：疼痛程度包括主观疼痛评估和客观疼痛评估。

1）数字评分（Numeric Rating Scale，NRS）：多用于意识清楚能理解数字并能表达疼痛的患者，疼痛程度用0～10共11个数字表示。0表示无疼痛，10表示最剧烈的疼痛，数字越大，表示疼痛程度越严重，由患者根据其疼痛程度选择相应的数字。

2）口述分级（Verbal Rating Scale，NRS）：用于理解文字并能表达疼痛的患者，根据患者对疼痛的表达，将疼痛程度分为无痛、轻度疼痛、中度疼痛、重度疼痛。轻度疼痛为有疼痛但可忍受，不影响睡眠；中度疼痛为疼痛明显，不能忍受，要求使用镇痛药物，影响睡眠；重度疼痛为疼痛剧烈，无法忍受，必须用镇痛药物，严重影响睡眠。

3）改良面部表情疼痛评估工具（Faces Pain Scale-Revised，FPS-R）：用于不能理解数字和文字的患者，由患者自主选择一张最能表达其疼痛程度的面部表情。

4）行为疼痛量表（Behavioral Pain Seale，BPS）：评估项目包括面部表情、休息状态、肌张力、安抚效果、发声（非气管插管患者）或通气依从性（气管插管患者）。每一项按0~2评分，总分为10分。数值越高，说明疼痛程度越重（见表6-20）。

表6-20　行为疼痛量表（BPS）

项目	1	2	3	4
面部表情	放松	部分紧张	完全紧张	扭曲
上肢运动	无活动	部分弯曲	手指、上肢完全弯曲	完全回缩
通气依从性（插管）	完全能耐受	呛咳，大部分时间能耐受	对抗呼吸机	不能控制通气
发声（非插管）	无疼痛相关发声	呻吟<3次/min且每次持续时间<3s	呻吟>3次/min或每次持续时间>3s	咆哮或使用"哦""哎哟"等言语抱怨，或屏住呼吸

重症疼痛观察工具（Critical-Pain Observation Tool，CPOT）详见表6-21。

表6-21　重症疼痛观察工具（CPOT）

指标	描述	评分	
面部表情	未观察到肌肉紧张	自然、放松	0
	表现出皱眉、眉毛放低、眼眶紧绷和提肌收缩	紧张	1
	以上所有的面部变化加上眼睑轻度闭合	扮怪相	2
体动	不动（并不代表不存在疼痛）	无体动	0
	缓慢、谨慎的运动，触碰或抚摸疼痛部位，通过运动寻求关注	保护性体动	1
	拉拽管道，试图坐起来，运动肢体/猛烈摆动，不遵从指令，攻击工作人员，试图从床上爬出来	烦躁不安	2
肌肉紧张 通过被动的弯曲和伸展来评估	对被动的运动不抵抗	放松	0
	对被动的运动抵抗	紧张和肌肉僵硬	1
	对被动的运动剧烈抵抗，无法将其完成	非常紧张或僵硬	2

指标	描述		评分
对呼吸机的顺应性 (气管插管患者)	无警报发生,舒适地接受机械通气	耐受呼吸机或机械通气	0
	警报自动停止	咳嗽但是能耐受	1
	不同步:机械通气阻断,频繁报警	对抗呼吸机	2
发声 (拔管后的患者)	用正常腔调讲话或不发声	正常腔调讲话或不发声	0
	叹息,呻吟	叹息,呻吟	1
	喊叫,啜泣	喊叫,啜泣	2
总分范围			0~8

使用说明:①患者必须在休息1min后再进行观察,以获得CPOT基线值。②患者疼痛时观察其反应(如翻身拍背、吸痰、更换伤口敷料等)。③镇痛效果应在镇静剂和镇痛剂达到峰值效应时进行评估。④对患者观察期间,CPOT的等级评定应选择对应的最高分值。⑤应最后评估肌紧张。

4.镇静与镇痛的药物选择与方法

(1)镇痛药物:《成人ICU镇痛和镇静指南(2018年)》认为,阿片类药物为强效中枢镇痛剂之一,是ICU患者疼痛管理中的基本药物。ICU常用的阿片类药物包括吗啡、芬太尼、瑞芬太尼、舒芬太尼、氢吗啡酮、美沙酮、酒石酸布托啡诺和地佐辛等。

1)阿片类药物(Opioids):常用的阿片类镇痛药物有吗啡、哌替啶、芬太尼类、羟考同、曲马朵、可待因等。阿片类药物主要的副作用有:①抑制呼吸中枢,降低呼吸中枢对二氧化碳的敏感性,但阿片类药物对呼吸中枢的抑制程度与药物剂量相关。②作用于咳嗽中枢,产生镇咳作用,抑制痰液排出。③兴奋平滑肌,使肠道平滑肌张力增加,导致便秘,增加前庭神经系统的敏感性,使呕吐中枢兴奋性增加,导致患者恶心、呕吐。④促进内源性组胺释放而导致外周血管扩张、血压下降、脑血管扩张、颅内压增高。

2)非甾体消炎药(NSAIDS):主要有阿司匹林、对乙酰氨基酚、吲哚美辛、布洛芬等。主要副作用包括外周血管扩张、过敏反应、胃肠道反应和消化道出血等。

3)其他镇痛药物:有卡马西平、加巴芬丁等。

(2)镇静药物:目前临床上常用的镇静药物有苯二氮䓬类、丙泊酚和右美托咪定。苯二氮䓬类和丙泊酚是目前镇静治疗的基本药物,右美托咪定通过拮抗中枢及外周儿茶酚胺的作用,兼具轻度镇静和镇痛效果,与其他镇痛、镇静药物具有协同作用,可以减少机械通气时间和ICU住院时间。

1)丙泊酚:是一种广泛使用的静脉镇静药物,用于全身麻醉的诱导和维持,常与硬膜外或脊髓麻醉同时应用,也常与镇痛药、肌松药及吸入性麻醉药同用。具有起效快、作用时间短、撤药后患者很快清醒、镇静深度有剂量依赖性、镇静深度容易控制等特点。但是丙泊酚诱导麻醉时有时可出现轻度兴奋现象,静脉注射局部可产生疼痛,心脏病、呼吸系统疾病、肝肾疾病及衰弱患者应慎用,大于55岁的患者用量宜减少20%,脂肪代谢紊乱者慎用。

2)右美托咪定:是目前唯一兼具良好镇痛和镇静作用的药物,且没有明显心血管抑制及停药后反跳,可单独应用,也可与阿片类或苯二氮䓬类药物合用。

3）苯二氮䓬类药物：本身无镇痛作用，但与阿片类镇痛药有协同作用，可明显减少阿片类药物的用量。大剂量使用超过1周，可产生药物依赖性和戒断症状，因此停药时应有计划地逐渐减量，避免快速中断。

4）镇静药物给药方式：应以持续微量泵静脉泵入为主。一般应首先给予负荷剂量以尽快达到镇静目标。经肠道（口服、胃管、肠造管等）、肌内注射，多用于辅助改善患者的睡眠。间断静脉注射一般用于负荷剂量的给予，以及短时间镇静且无须频繁用药的患者。

5）药物使用剂量详见表6-22。

表6-22 常用镇静药物的负荷剂量与维持剂量

药物名称	负荷剂量(mg/kg)	维持剂量
咪达唑仑	0.03～0.3	0.04～0.2mg/(kg·h)
安定	0.02～0.1	—
丙泊酚	1～3	0.5～4mg/(kg·h)
右美托咪定	0	1.0μg/(kg·h)

5.镇痛与镇静监护

（1）镇静监护

1）呼吸功能的监护。①呼吸功能监测：密切观察患者的呼吸频率、节律及吸呼比，记录动脉血氧饱和度、动脉血气分析结果；对机械通气患者观察自主呼吸、潮气量、每分钟通气量等。②避免呼吸抑制：苯二氮䓬类药物、丙泊酚可导致呼吸抑制，潮气量降低，呼吸频率增加，严重者可出现呼吸暂停。因此，未建立人工气道通路的患者须慎用苯二氮䓬类药物；丙泊酚在给予负荷剂量时应缓慢静脉推注，并从小剂量开始逐渐增加剂量。③预防肺部并发症：尽可能实施每日唤醒计划，并在患者清醒期间鼓励并帮助其进行肢体运动与咳痰；缩短翻身、拍背的间隔时间，酌情给予背部叩击治疗和肺部理疗，结合体位引流，促进呼吸道分泌物排出，必要时应用纤维支气管镜协助治疗。

2）循环功能的监护。①循环功能监测：严密监测血压、中心静脉压、心率和心律变化。②根据患者的血流动力学变化调整镇静药物的给药速度，必要时给予液体复苏和血管活性药物治疗，维持血流动力学平稳。

3）神经肌肉功能的监护。①严密监测患者的神志情况，苯二氮䓬类镇静剂可能引起躁动、谵妄等反常兴奋反应。②每日唤醒：长时间深度镇静治疗可能影响患者的神经功能的观察和评估，应实施每日唤醒计划，以评估神经肌肉系统功能。③预防深静脉血栓。

4）代谢功能的监护。①血脂：丙泊酚以脂乳剂为载体，长时间或大剂量应用时应严密监测血甘油三酯水平，并根据丙泊酚用量调整营养治疗中的脂肪乳剂供给量。②丙泊酚输注综合征：长时间大剂量［>5mg/(kg·h)］应用丙泊酚患者，观察患者有无进展性心力衰竭临床表现，如心动过速、横纹肌溶解、代谢性酸中毒、高钾血症等。若发生丙泊酚输注综合征，立即停药并进行血液净化和对症治疗。

5）以患者为中心的舒适化浅镇静策路（Early Comfort Using Analgesia，Minimal Sedatives and Maximal Humane Care，eCASH）。①ICU镇痛镇静目标是患者最理想的状态，

即3C法则：calm（平静）、comfortable（舒适）、cooperative（合作）。②完善疼痛管理：以阿片类药物为核心，联合使用镇痛药物，并结合非药物干预的多模式组合，进行镇痛治疗。③最小化使用镇静药物：是浅镇静策略，将患者维持在3C状态。理想状态下，患者处于清醒状态，能够配合医务人员进行物理治疗或眼神交流，在不受打扰时可逐渐入睡，即RASS评分为1~0分。④核心环节：重视并改善患者的睡眠和早期活动策略，注重多模式合作，有效的患者/家属—医务人员交流，医护人员、患者、家属共同协助，达到3C状态。

（2）镇痛监护

1）应用镇痛药前，了解药物的基本作用、使用剂量、给药途径、副作用和注意事项。

2）在患者诊断未明确前，不能随意使用镇痛药，以免延误病情。

3）遵医嘱按时、准确给药。根据患者病情估计患者疼痛程度较重时，应预防性使用镇痛药物，从而以较小剂量的药物达到良好的镇痛效果。

4）给药方法。①常用的给药途径：口服、皮下注射、肌内注射、静脉注射、椎管内给药。②患者自控式镇痛法（Patient Controlled Analgesia，PCA）：对于使用PCA的患者，应指导其学会正确的使用方法。

5）镇痛药物副作用的观察与处理。①呼吸抑制：密切观察患者的呼吸频率、节律、幅度，监测脉搏及血氧饱和度的变化，保持呼吸道通畅。②恶心、呕吐：一般发生在用药初期，4~7d内可缓解，可根据治疗情况预防使用甲氧氯普胺等止吐药，严重者应按时给予止吐药物。③便秘：在病情允许的情况下鼓励患者多饮水，进食高纤维素的食物，必要时使用缓泻剂或予以灌肠。④应用非甾体类抗炎药物者，观察患者有无胃肠道及其他部位出血，应用阿片类镇痛药物时，需警惕"阿片类药物诱导的呼吸抑制或非计划性深镇静"。呼吸抑制是由阿片类药物引起的最严重的不良反应。⑤应用镇痛药物后，及时观察评价镇痛效果并根据镇痛效果调整用药剂量。⑥向患者及其家属进行药物知识、镇痛治疗措施和重要性的知识宣教，使患者正确认识药物成瘾、用药不良反应，使患者和家属能够正确对待疼痛，配合治疗。指导患者如何表达自己的疼痛性质、程度、持续时间和部位。

6）非药物镇痛。①解除焦虑：尽量陪伴患者，鼓励患者倾诉，让患者明确忍受疼痛是不必要的。指导患者掌握预防及减轻疼痛的技巧，进行可能引起疼痛的操作时需提前告知患者。②转移注意力：采用交谈、阅读、听收音机或看电视等方法转移患者的注意力。当进行可能产生疼痛的操作时，采取转移患者注意力的相应措施，既要让患者知道在进行什么活动，又要将患者的注意力放在其他事上。③物理治疗：可采用电疗、光疗、磁疗、石蜡疗法达到消肿镇痛，改善局部血液循环，提高组织新陈代谢，兴奋局部神经肌肉等作用。④其他方法：采用针灸、按摩、冷热、取适当体位、调整引流管位置等方法缓解疼痛。

（八）亚低温治疗

1.概述

亚低温治疗（Mild Hypothermia，MHT）在临床上又称冬眠疗法或人工冬眠，它是应用对中枢神经系统具有抑制作用的镇静药物，使患者进入睡眠状态，再配合物理降温方法使患者体温处于一种可控性的低温状态，从而使中枢神经系统处于抑制状态，对外界及各种病理性刺激的反应减弱，降低氧耗量，保护机体。国际上亚低温定义是从20世纪80年代后期开始的，根据患者的体温，分为轻度低温：33～35℃；中度低温：28～32℃；深度低温：17～27℃；超深低温：16℃以下。前两者定义为MHT。目前临床上应用亚低温的温度管理范围在国内外是一致的，即将体温控制在32～35℃范围内，既有可能减少临床并发症，又有可能最大限度地达到亚低温的脑保护作用。

2. 亚低温治疗仪工作原理及作用机制

（1）利用制冷系统对防冻流体进行降温，循环系统驱动防冻流体在毯、帽中循环，将人体产生的热量带走，从而达到降温的目的。

（2）复温系统对循环流体进行加热，可给人体提供一定的热能，起到恢复体温的功能。

（3）作用机制：1）降低大脑能量代谢，减少脑组织氧耗量。2）保护血脑屏障，减轻脑水肿，从而降低颅内压。3）抑制兴奋性氨基酸、自由基及氧化亚氮等有害物质的释放，减少对脑组织的损害。4）减少脑细胞蛋白破坏，促进神经细胞结构。

3. 适应证与禁忌证

（1）适应证：亚低温辅助治疗常应用于重型颅脑损伤、蛛网膜下腔出血、大面积脑梗死、心肺复苏后患者，高热惊厥或超高热患者，低温麻醉患者，感染、中毒性休克早期者等。由于低温辅助治疗可诱发电解质紊乱、感染、肢体血栓、房室节律异常等并发症，所以使用时应全面评估。

（2）禁忌证：1）既往有较重心、肺并发症者。2）老年体弱者。3）严重复合伤。4）怀疑或未处理的颅内血肿患者。

4. 治疗过程

使用物理降温和冬眠合剂相结合的方法使机体处于亚低温状态，其分为三个时期：

（1）诱导阶段：迅速地将体温降至目标温度。此阶段应该注意体温是否有大的波动（>1℃），因为目标温度应该保持在30℃以上。

（2）维持阶段：严格控制核心温度，极小或无波动（最大波动值为0.2～0.5℃），维持时间现无统一定论。

（3）复温阶段：应该缓慢升温（速率在0.2～0.5℃/h）直到正常温度。

5. 降温方式

截至目前，亚低温实施降温的方式按身体部位分为2种：全身降温和局部降温。全身降温主要有全身体表降温、体外血液循环降温、血管内热交换技术；局部降温主要指选择性头部亚低温治疗。

6. 体温控制、持续时间及药物选择

（1）体温控制：在诱导降温期，目前临床上主张早期诱导，但未统一时间；复温时，由于复温过程常伴随患者颅内压力升高，多数学者主张在亚低温已基本显效后进行控制性缓慢复温，即0.2～0.5℃/h至正常温度。

（2）持续时间：亚低温治疗实施的持续时间国内外还没有达成一致意见，也没有相关的共识或指南：欧美国家医生实施时间一般为24～48h；日本亚低温的治疗实施时间长达7～14d，国内相关领域的专家认为，应该根据患者的病情以及脑损伤的程度来决定亚低温治疗的实施时间，一般情况下，患者病情越严重的需要治疗的时间越长，反之则实施时间需要缩短，因此，国内亚低温治疗实施时间为2～14d。

（3）药物选择：目前国内外最常使用的亚低温治疗方法是降温毯联合冬眠合剂，冬眠合剂（0.9%氯化钠溶液+异丙嗪+氯丙嗪）通过持续静脉滴注或者微量泵静脉泵入，根据患者生命体征及肌力、反应情况调节滴速。降温速度维持在0.5～1.0℃/h，达到目标体温32～34℃并维持。使用冬眠肌松合剂注意事项：1）根据患者体征及肌力、反应情况选择合适的滴注速度。2）冬眠肌松合剂抑制自主呼吸，限制自主咳嗽能力，从而导致肺炎等并发症概率增加，因此应及时使用呼吸机辅助呼吸、气道内吸痰，甚至行气管切开术。3）孕妇、婴幼儿、老年人及严重心功能异常者须谨慎选用。

7. 亚低温治疗的重症监护

（1）基础护理：①患者所处室温以20～24℃为宜，湿度为50%～60%。②建立静脉通路，遵医嘱给予冬眠药物，并调节药物剂量，待患者自主神经被阻滞、御寒反应消失、进入昏睡状态时使用冰毯降温。③使用冰毯降温时，应让患者尽量采取平卧位，使患者背部充分接触冰毯以达到降温效果。④在治疗前、治疗中、治疗后严密监测患者生命体征、体温、意识状态以及瞳孔等，一旦发生异常情况，应及时告知医生，并配合医生做相应处理。

（2）皮肤护理：使用冰帽时应在患者耳郭加盖一层方纱，避免冻伤皮肤。每隔2h翻身查看骶尾部皮肤有无冻伤，及时给予翻身、按摩、疏通血运。

（3）体温的观察：①治疗期间患者体温应维持在目标温度范围内，避免体温波动幅度过大。②亚低温诱导期体温的波动幅度最大不超过1℃，在亚低温维持治疗期间应控制温度波动极小或无波动，特别注意在复温期间要先停物理降温，再逐渐减少药物直至停止冬眠。③复温过程提倡自然复温，不宜复温过快，严密观察患者的病情变化，避免出现颅内压"反跳"等并发症。④必要时为患者加用热水袋，且须在热水袋外包裹毛巾以防烫伤。

（4）其他

1）呼吸系统的护理：①保持呼吸道通畅，加强翻身、拍背。②按需及时吸痰，且吸痰时动作轻柔，以免损伤呼吸道。③加强气道湿化，定时进行口腔护理，预防口腔溃疡的出现。

2）消化系统的护理：①亚低温治疗的患者应尽早开始营养支持治疗，且以高蛋白、高热量、高维生素、低钠、低脂肪、无糖且容易消化的流质饮食为主。②亚低温治疗期间，须严密观察患者有无消化道出血的表现，观察胃液的颜色和性质，大便的颜色及性状，必要时行潜血试验检查。③有出血先兆的患者，其头应偏向一侧，禁食并进行胃肠减压；并且遵医嘱采集标本送检，并对症治疗。

3）泌尿系统的护理：①应严格遵循无菌操作原则留置尿管。②加强尿道口及会阴部护理，定时更换导尿管及集尿袋，记录每日出入量，观察患者尿量和尿液颜色、性质，监测肾功能及电解质，预防并发症的发生。

（九）出凝血监测及止血

1. 概述

正常人体内既有凝血系统，又有抗凝血系统。两者处于不断相互对抗、相互依存的动态平衡之中，从而使血液在血管内不断地循环流动，既不发生出血，又不发生凝血形成血栓。一旦这种平衡失调，就会导致异常的出血或血管内血栓形成，如抗凝系统占优势则发生出血倾向，反之，凝血系统占优势则导致血栓形成。因此，对重症患者进行临床和实验室监测是十分必要的，这有助于及时了解病情的演变和采取有效的治疗措施。

2. 出凝血及止血的机制

（1）抗凝系统：是机体内重要的防御系统之一，它与纤溶系统共同构成机体内既对立又统一的两个重要的防御系统。正常情况下，血管内的血液能保持流体状态不发生凝固以及在生理止血时凝血只局限于受损的局部，而不会影响到全身血液循环，说明血浆中存在抗凝系统。

1）血管内皮细胞的抗凝作用：正常情况下，血管内皮细胞可阻止凝血因子、血小板与内皮下的成分接触，避免凝血系统的激活和血小板活化起到屏障保护作用，血管内皮细胞能合成分泌多种物质参与机体生理止血过程。

2）纤维蛋白的吸附、血流稀释及单核巨噬细胞的吞噬作用：纤维蛋白与凝血酶有高度亲和力，在凝血过程中形成的凝血酶85%～90%可被纤维蛋白吸附，不但可以促进局部血液凝固，而且能够避免凝血酶向其他部位扩散。

3）生理性抗凝物质：包括丝氨酸蛋白酶抑制物、组织因子途径抑制物、肝素和蛋白质C系统。

（2）凝血系统：血液凝固简称凝血，是指血液由液体状态转为凝胶状态，由多种物质组成的一系列复杂的化学连锁反应过程，称为凝血系统。凝血因子中除钙离子外，其余成分绝大多数为蛋白质，正常情况下，都以无活性的形式存在于血浆中，只有因子Ⅲ来自血管以外的组织。血液凝固大致可分为三个阶段：

1）第一阶段，凝血酶原激活物的形成，依其形成途径，分为内源性凝血系统和外源性凝血系统。

2）第二阶段，在Ca的参与下，凝血酶原激活物催化凝血酶原（因子Ⅱ）转化为具有活性的凝血酶（Ⅱa）。

3）第三阶段，在凝血酶、Ca和因子ⅩⅢ的催化下，血浆中可溶性的纤维蛋白原转变为不溶性的纤维蛋白。

（3）止血机制：生理情况下，人体有着完善的止血机制，正常止血是一种防御机制，是保护外伤后血管完整性的一种修复反应。

1）血管及内皮的止血功能：血管受损时，小动脉立即发生交感神经轴突反射性收缩，可明显减慢或阻断血流，受损的内皮细胞引发血小板的黏附，形成血小板血栓，暴露的内皮组织可启动内源性凝血系统，损伤的内皮细胞释放组织因子，启动外源性凝血系统，进一步维持和加强血管的止血作用。

2）血小板的止血作用：血小板的主要生理功能是参与止血与血栓形成，血小板在这些生理或病理过程中所起的作用，与血小板黏附、聚集、释放、促凝等功能相关。

3. 出凝血的监测

（1）临床监测：了解患者病史、家族史、既往史及观察患者症状和体征。1）密切观察患者的皮肤、黏膜、伤口等部位的出血，详见表6-23。2）密切观察消化道、泌尿道、鼻咽部等部位的出血情况。3）密切注意患者生命体征的变化。4）注意有无并发症的出现。

表6-23 出血患者的临床检查

项目	具体内容
出血情况	出血点、瘀斑、咯血、呕血、便血、血尿
出血部位	皮肤、黏膜、肌肉、消化道、泌尿道、关节
出血状况	自发性、外伤或手术后
用药史	止血药、抗凝药、抗血小板药、血浆代用品
家族史	有、无
既往史	既往出血情况,出血的频率及严重性,是否伴有其他严重疾病

(2)出血原因判断:判断出血是不是由出凝血机制异常引起的,排除外伤、皮肤或黏膜的糜烂,手术中止血不全等局部因素引起的出血。患者出现下列情况之一者应考虑出凝血机制异常的可能:1)不能用单纯局部因素解释的出血。2)同时出现多部位出血。3)自发性出血或轻微创伤仍出血不止者。4)有引起异常出血的全身性疾病,如严重的肝病、尿毒症等。

(3)出凝血异常的环节判断。根据出血的临床特征进行以下几个环节的判断:1)血管因素,表现为皮肤瘀斑、瘀点、黏膜出血。2)血小板因素,对于血小板减少的患者,皮肤瘀斑、瘀点最为常见,黏膜出血次之,女性患者会有月经过多,详见表6-24。3)凝血因子因素,凝血因子减少或缺乏会引起凝血功能障碍并导致出血,先天性凝血因子缺乏,以血友病最为常见,主要表现为关节腔出血、肌肉与内脏出血、手术或外伤后出血不止等。获得性凝血因子缺乏以弥散性血管内凝血(DIC)最为常见,主要表现为突发的广泛性出血,伴有血尿、便血、呕血、休克、贫血、少尿、发绀、黄疸、发热及原发病的表现。

表6-24 血小板变化的常见原因

血小板情况	疾病与病因
减少	骨髓巨细胞减少(药物、感染、中毒等引起)
破坏增多	脾功能亢进、自身免疫性疾病、血小板减少性紫癜、DIC、血栓性血小板减少性紫癜、血管炎、尿毒症
增多	原发性血小板增多症、继发性血小板增多(外伤)。
血小板功能性障碍	尿毒症、药物因素(阿司匹林)

(4)实验室监测

1)检查血管壁和血小板相互作用的实验。①出血时间(BT),正常值Duck法：< 4min；IVY法：0.5~6.0min。BT延长,表明有血管壁的严重缺陷和(或)血小板数量或质量存在缺陷。②毛细血管脆性试验:用血压计袖带对上臂加压充气,根据受压部位新出现出血点的数量,判断毛细血管脆性。正常值:男性0~5个,女性0~10个。

2)检查血小板的实验。①血小板计数(BPC):正常值为(100~300)×10^9/L。低于正常值则表示血小板减少；BPC≤50×10^9/L,表示大量输血或合并DIC的可能。②血块收缩时间(CRT):正常值开始收缩为0.5~1h,完全收缩时间为18~24h。CRT延长表明血小板减少和（或）血小板功能障碍。③血浆β-血小板球蛋白（β-TG）：正常值为11.8～50.2ng/mL。当β-TG大于正常值时，常提示血栓形成前期或血栓形成。

3）检查血液凝固机制的实验。①全血凝固时间（CT）又称凝血时间：正常值为5～10min。②激活全血凝固时间（ACT）：正常值为90～130s。③白陶土部分凝血活酶时间（KPTT）：正常值为32～42s。KPTT较正常对照延长10s以上有诊断意义。④凝血酶原时间（PT）：正常值为（12±1）s。PT较正常对照延长3s以上有诊断意义。

4）检查纤维蛋白溶解的实验。①凝血酶时间（TT）：正常值为16～18s。较正常对照延长3s以上有诊断意义。②血浆鱼精蛋白副凝固实验（3P test）：正常人3P实验阴性，3P实验阳性常见于DIC早期。③优球蛋白溶解时间（ELT）：正常值为90～120min。ELT≤70min，见于DIC继发纤溶活性亢进、原发性纤溶症。ELT延长见于纤溶活性降低。④血清FDP测定：正常值为1～6mg/L，当FDP≥20mg/L有诊断意义。FDP增高见于原发性和继发性纤溶、溶栓疗法、尿毒症等疾病。

5）血栓弹力图。快速、动态、完整地监测凝血和纤溶整个过程，包括血小板功能、凝血功能、纤维蛋白功能，提供血栓形成速度、强度和稳定性等信息。用以检测血小板和凝血系统的功能。

6）潜血试验。①尿潜血：通过尿常规检查每高倍镜视野中的红细胞数目，当尿中红细胞大于3个/Hp时，即为血尿；②便潜血：便潜血检测（FOB）是指在消化道少量出血时，肉眼无法观察粪便中是否带血，并且粪便中有少量红细胞被破坏，只能通过化学或免疫学方法检测的试验。

4.止血

（1）初始复苏和预防进一步出血

1）建议将严重受伤的患者直接运送至合适的创伤救治机构，尽量减少受伤至控制出血之间的时间。

2）处理局部出血：局部压迫以控制危及生命的出血。在手术前使用辅助止血带阻止肢体开放性损伤所致危及生命的出血，对可疑骨盆骨折患者在手术前使用骨盆黏合剂来控制危及生命的出血。

3）通气：创伤患者避免低氧血症，对即将发生脑疝的患者行过度通气。

（2）出血和凝血功能障碍的初步处理

1）抗纤维蛋白溶解剂：对出血或有明显出血风险的创伤患者尽快给予氨甲环酸（TXA）。

2）凝血功能支持：在入院时立即对凝血功能给予监测和支持处理。

3）初始凝血复苏：预期大出血患者的初始治疗中，建议采用以下两种策略之一。①新鲜冰冻血浆（FFP）或病原体灭活的FFP（根据需要，FFP：RBC至少为1∶2）；②纤维蛋白原浓缩液和红细胞。

（3）止血的方法

1）物理止血方法

外伤止血：①手指压迫止血法，用手指、手掌或拳头压迫伤口近心端动脉，通过骨骼表面的部位阻断血流达到止血的目的，适用于中等或较大动脉的出血，以及较大范围的静脉和毛细血管出血。头颈、颜面、肩部和下肢的出血，针对不同部位进行按压。②加压包扎止血法，首先在伤口覆盖无菌敷料，然后用纱布、棉球、毛巾等垫于无菌敷料上面，最后再用绷带或者三角巾等紧紧包扎，达到止血的目的。多用于小的动静脉或毛细血管的出血。如果伤口内有碎骨片时禁止用此方法止血。③填塞止血法，先用无菌的棉垫、油纱等填塞在伤口内，再用绷带或三角巾等进行加压包扎止血。④止血带止血法，是四肢较大动脉出血时紧急止血的重要方法，其缺点是使用不当可出现肢体缺血、坏死，以及急性肾功能不全等。

三腔两囊管压迫止血：适用于门静脉高压症合并食管胃底静脉曲张静脉破裂出血。其止血率约80%，并发症发生率10%～20%，再出血率25%～45%。注意事项包括：①行充气试验检查气囊是否完好，检查管腔是否通畅。②判断置管是否到位。置管深度应超过60cm，胃管内可以抽出胃液或血液，或经胃管注入空气在剑突下听诊确定。③经胃囊开口注入空气200mL，囊内压力达到50～70mmHg，向外牵引有弹性阻力感，表明胃囊已经填压于胃底和贲门部。可以通过滑轮装置以0.5kg重物牵引，或者用0.5kg力牵引后直接用宽胶带固定在鼻孔侧下方。在三腔管引出患者体外处设标记。④通过胃管冲洗胃腔后观察止血效果。如果出血不再继续则食道囊不需充气，否则食道囊需要充气以压迫食道下段。食道囊充气100～150mL，囊内压力维持在35～45mmHg。经过上述处理如果胃管内仍然能抽出血液，则可能合并胃黏膜病变出血，可经胃管用去甲肾上腺素冰盐水洗胃，局部应用止血药和胃黏膜保护药。⑤三腔两囊管一般放置24h，如果出血已经停止，可先排空食道囊，观察无出血迹象后解除牵拉，再排空胃囊。再观察12～24h，如确已止血，嘱患者吞咽20mL液状石蜡后，将三腔管缓慢拉出。⑥三腔两囊管一般放置不超过3～5d，否则食管和胃黏膜可因受压过久而发生缺血、溃烂、坏死和穿孔。每隔12h应将气囊放空10～20min，如果出血继续，可以再充气压迫。放空胃囊前切记先解除牵引。

2）药物止血：①促凝血因子活性药，常用药物有巴曲酶、去氨加压素、维生素K₁等。②降低毛细血管通透性药，常用药物有卡巴克洛、卡络磺钠。③抗纤维蛋白溶解药，常用药物有氨基己酸、氨甲苯酸、氨甲环酸等。④作用于血管的止血药，常用药物有垂体后叶激素、去甲肾上腺素、生长抑素、酚磺乙胺（止血敏）等。

（十）抢救配合

1.概述

抢救患者的重要原则之一就是争取时间。抢救器械有多种，如心脏电起搏器、呼吸机、心电图机等。抢救可以分为大抢救、中抢救和小抢救。大抢救：必须快速成立专门抢救小组，主管医生不离开现场，严密观察、记录病情变化，抢救涉及2个以上科室，及时组织院内、院外会诊，专人护理并配合抢救。中抢救：成立专门抢救小组，医生不离开现场，严密观察、记录病情变化，抢救涉及2个以上科室，及时组织院内会诊，专人护理并配合抢救。小抢救：专科医生现场抢救患者，严密观察、记录病情变化，抢救涉及2个以上科室，及时请院内会诊，专科护士配合抢救。

2.医护抢救共识

（1）医护掌握抢救流程和抢救制度，各司其职。

（2）医生为核心指导，护士为主动工作者。

（3）掌握抢救原则

1）就地、就近抢救原则：经过现场急救能存活的伤病员优先抢救，尽可能快地将患者送至最近的医院进行急救处置。时间就是生命，在最短时间里给予生命支持措施。

2）搬动原则：在搬动患者过程中，不会因此使病情急剧恶化或危及患者生命。

3）专科抢救原则：相应专业人员实施相应专科技术，有针对性地快速救治患者。

4）先救命后治病原则：处理疾病或创伤的急性阶段，而不是治疗疾病的全过程。

（4）抢救理念：危及患者生命的是什么就先做什么，什么事不马上做患者立即会死亡，就先做什么。

（5）抢救路径：恢复全身循环动力→保持气道通畅→建立补液通路。

3.抢救流程

（1）病情识别与判断。意识丧失和大动脉搏动消失，或心电监护显示心室颤动、电机械分离、心室停顿等心搏骤停表现，应立即启动抢救流程。

（2）判断环境是否安全，保证抢救环境安全，呼叫抢救的同时通知医生。

（3）初级生命支持

1）人工循环（心胸外按压）：①操作时根据患者所处环境，选择站立或跪在患者身体的任何一侧，以保证按压时两臂伸直，下压力量垂直，这样的姿势能很好地施救，合理地利用身体的重力有利于节约自己的体力。②按压部位，按压部位是胸骨中下 1/3 处，两乳头连线与胸骨交叉点处。③按压姿势，两肩正对患者胸骨上方，两臂伸直，肘关节不能弯曲，肩、肘、腕关节需成一垂直轴面；以髋关节为支撑点，利用上半身的体重及肩、臂部的力量垂直向下按压胸骨。④按压深度，成人要求按压深度达到让胸骨下陷 5～6cm，儿童婴儿约为胸廓厚度的 1/3，儿童大约 5cm，婴儿大约 4cm，可根据患者体型等情况灵活掌握，按压时可触到颈动脉搏动，效果最为理想。⑤按压频率：100～120 次/min。⑥口对口吹气或者球囊辅助通气与胸外心脏按压的比例为 2∶30，即每做 2 次通气后，立即做 30 次胸外心脏按压。⑦再次判断患者意识是否恢复，颈动脉搏动是否可以触及，心电监护波形是否恢复窦性心律，患者颜面、口唇、甲床颜色是否转为红润，若未达到以上指标，则进行下一轮胸外按压。

2）气道抢救：①清理气道。头偏向一侧，用负压（电动/中心）吸引，成人压力 0.03～0.04MPa，小儿 0.01～0.02MPa；清理口、鼻、咽分泌物和异物，必要时在纤维支气管镜下清理气道分泌物和异物。②打开气道。打开气道的常用方法有 2 种，一是仰头抬颌（颏）法，是临床最常用的方法。急救者一手放在患者额上，手掌向后施力使头后仰，一手将颌（颏）部抬起，注意手指不要压向颌下软组织深处，以免阻塞气道。二是双手托颌法，对怀疑有颈部损伤患者首选此法。急救者双肘部放在患者仰卧的地面或床上，用双手托起下颌使头后仰，使下颌前移，注意勿用力过度。③建立气道。在给予充足的氧气、充分人工通气后辅助麻醉师或医生气管插管或气管切开，并给予呼吸机辅助通气。

（4）迅速建立 2 条以上有效的静脉通路：遵医嘱抽血，静脉用药，必要时配合医生行深静脉穿刺。

（5）多功能监护。

4.危重患者抢救流程和抢救站位（详见图 6-1、图 6-2）

5.注意事项

（1）对急、危、重症患者严格执行首诊负责制，不得以任何借口推迟抢救，必须全力以赴，分秒必争，各种记录及时全面。有其他科室病情时，由主诊科室负责邀请有关科室参加抢救。

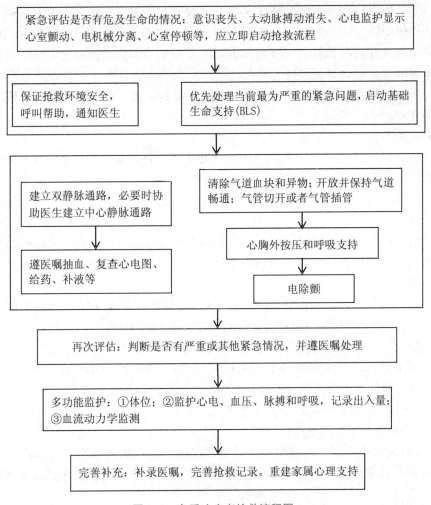

紧急评估是否有危及生命的情况：意识丧失、大动脉搏动消失、心电监护显示心室颤动、电机械分离、心室停顿等，应立即启动抢救流程

保证抢救环境安全，呼叫帮助，通知医生

优先处理当前最为严重的紧急问题，启动基础生命支持(BLS)

建立双静脉通路，必要时协助医生建立中心静脉通路

清除气道血块和异物；开放并保持气道畅通；气管切开或者气管插管

遵医嘱抽血、复查心电图、给药、补液等

心胸外按压和呼吸支持

电除颤

再次评估：判断是否有严重或其他紧急情况，并遵医嘱处理

多功能监护：①体位；②监护心电、血压、脉搏和呼吸，记录出入量；③血流动力学监测

完善补充：补录医嘱，完善抢救记录。重建家属心理支持

图6-1　危重症患者抢救流程图

（2）参加危重症患者抢救的医护人员必须明确分工，紧密合作，各司其职，坚守岗位，要服从指挥及医嘱，对抢救患者有益的建议，可提请主持抢救人员认定后应用于抢救患者。

（3）参加抢救工作的护理人员执行主持抢救人员的医嘱，并严密观察病情变化，随时将医嘱执行情况和病情变化报告主持抢救者；执行口头医嘱时应复述一遍，并与医生核对无误后执行，所用药品的空安瓿经两人核对后方可弃去，防止发生差错事故。

（4）需多学科协作抢救的危重症患者，必要时由医务处（科）或主管医疗的副院长等组织抢救，并指定主持抢救人员。参加多学科抢救患者的各科医生应运用本科专业特长，团结协作致力于患者抢救。

（5）对于病情危重的患者要填写病危（病重）通知单，及时、认真向患者家属讲明病情及预后，取得家属的配合并签字。病危通知单要一式两份，一份放入病历中，一份交与患者家属。

（6）各级人员必须掌握相关抢救技术和抢救用药，熟悉各种抢救仪器的性能及使用方法。科室应确保本科室抢救设备和药品可用，做到"四定"（定种类、定位放置、定量保管、定期消毒）、"三无"（无过期、无变质、无失效）、"二及时"（及时检查、及时补充）、

"一专"（专人管理）。抢救物品一般不外借，以保证应急使用。抢救工作中，药房、检验、影像或其他辅助科室及后勤部门，应满足临床抢救工作需要，要给予充分支持和保证。

（7）抢救工作进行的同时，要通知患者家属并做好安抚工作。如家属不在，应及时与患者家属联系或通知有关部门。

（8）抢救完毕，及时清理用物，补充药品、器材，进行终末消毒处理，使抢救仪器处于备用状态。

（9）心胸外按压注意事项

1）按压部位正确，是保证按压效果的重要条件，还可避免和减少肋骨骨折的发生以及心、肺、肝脏等重要脏器的损伤。

2）按压应稳定地、有规律地进行。不能忽快忽慢、忽轻忽重，不可中断按压，以影响心排血量。

3）放松时要完全，下压与放松的时间要相等，以使心脏能够充分排血和充分充盈。要使胸部充分回弹扩张，否则会使回心血量减少；但手掌根部不要离开胸壁，以保证按压位置准确。

4）最初做口对口吹气与胸外心脏按压5个循环后，检查一次生命体征；以后每隔4～5min检查一次生命体征，每次检查时间不得超过10s。

5）最新的心胸外按压指南指出，单人心肺复苏时先胸外按压，再开放气道。但是对于气道梗阻或异物导致呼吸停止者，应先开放气道，再进行胸外按压。对于多人配合抢救者，应尽可能同时进行开放气道和胸外按压，以保证复苏成功率。

6）复苏成功后选择合适卧位，避免误吸。

7）人工呼吸或机械通气避免过快。

（10）护理病历书写：对病情变化、抢救经过、各种用药等记录应准确、及时、完整；因抢救患者未能及时书写记录的，有关医务人员应当在抢救结束后6h内据实补记，并加以注明。

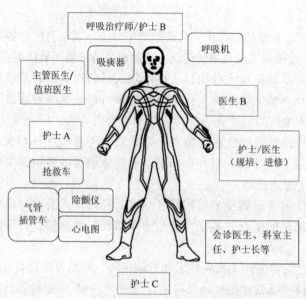

图6-2　危重症患者抢救站位图

（十一）早期康复

1.概述

目前国内外对于早期康复（Early Rehabilitation）尚无统一定义，有研究将其定义为：作为一种ICU患者的治疗方式，理想的状态是患者进入ICU后，在保证其安全的前提下，尽早选择恰当的康复运动方式来达到最佳的治疗效果和强度，从而维持患者肌肉、骨骼和神经等一系列机体的生理功能，最终延缓或避免相关并发症的发生。

2.早期康复的目标

ICU患者病情危重，住院时间长，医疗花费高，突发各类危及生命的事件较常见。因此对于ICU患者来说开展早期康复的主要目的就是减少并发症，促进患者康复，如降低谵妄发生率，减少ICU获得性衰弱，缩短呼吸机辅助呼吸时间，提高日常生活自理能力，缩短住院时间，减少住院费用等。

3.早期康复的安全标准

"红绿灯"共识是2014年由23位多学科ICU专家通过参加面对面会议形成的"机械通气重症患者主动活动专家共识"，该共识指出，早期康复的安全标准主要考虑以下四个方面：呼吸系统方面、心血管疾病方面、神经系统方面以及其他常见疾病。并用红、黄、绿3种颜色表示发生不良事件的安全等级，因此也称为"红绿灯"共识。绿色表示患者完成某一活动发生不良事件的风险低，按照常规ICU指南以及流程进行；黄色表示中等风险，潜在风险及不良事件的发生率较低风险类高，但其进行活动可能利大于弊，进行活动前应全面评估活动的注意事项及禁忌证；红色表示高风险，有明确的潜在风险或不良事件的后果，应暂时禁止患者进行该活动，除非ICU医务人员与物理治疗师及专科护士共同讨论后允许患者活动。

通过对文献的系统评价，可将早期康复的安全标准总结为以下5个方面：

1）心血管系统：40次/min<心率（HR）<130次/min，无血管活性药物，90mmHg<收缩压（SBP）<200mmHg（1mmHg=0.133kPa），65mmHg≤平均动脉压（MAP）≤110mmHg，无心肺复苏（CPR）史。

2）呼吸系统：5次/min<呼吸频率（RR）<40次/min，吸入氧浓度（FiO_2）≤0.60，呼气末正压（PEEP）≤10cmH_2O（1cmH_2O=0.098 kPa），FiO_2<0.60或PEEP<10cmH_2O，脉搏血氧饱和度（SpO_2）>0.88。

3）神经系统：无神经肌肉疾病，无颅内压增高，无昏迷，理解并做出正确动作。

4）骨科系统：无骨折，无不稳定性骨折。

5）其他因素：无腹部开放性伤口，无姑息治疗。

4.早期康复的实施

（1）实施者：多学科康复护理小组应包括责任医生、康复理疗师、呼吸治疗师、责任护士、营养师及心理治疗师等。在整个过程中沟通治疗，其学科合作包括运用各自专业，明确分工，互相协作，根据每位患者病情的不同提出最适宜的早期康复护理方案。人员比例及组成应根据ICU的规模及患者的病情决定。

（2）干预流程

1）患者评估：①是否具有早期主动活动的指征。②评估内容应至少包含急性生理与慢性健康评分、Barthel指数评分、肌力、疾病诊断、格拉斯哥昏迷评分。③每次进行活动前均应对患者进行神经系统、心血管系统及呼吸系统的评估。

2）制订活动计划：针对每例患者制订个性化早期主动活动计划。

3）时机选择：早期主动活动应在患者血流动力学稳定后再进行。

4）活动前准备：①医务人员与家属签订早期主动活动知情同意书。②向患者讲解早期主动活动的优点、活动过程中的注意事项，建立非语言沟通策略。③对医务人员进行早期主动活动知识培训。④准备便携式呼吸机、监护仪，所有治疗设备处于备用状态。

5）活动方式的选择：①肌力分级。肌力0～2级的患者，床头抬高>45°，坐卧位锻炼2次/d，每次30min；肌力3级的患者，肩、肘、腕关节的屈曲、伸展，膝关节、踝关节的屈曲、外展，每侧肢体各关节重复10次；肌力4级的患者，患者双腿悬空坐在床边，2次/d，每次30min；床边站立，2次/d，每次15min；肌力5级的患者，医务人员协助下或借助器械步行锻炼，1次/d，每次15min。②四级早期康复活动。一级活动分级标准，患者意识昏迷、RASS评分≤-3分、无配合，活动要求为每2h翻身拍背和每日3次四肢关节被动活动；二级活动分级标准，患者RASS评分>-3分、能配合完成指令，活动要求为一级活动+每日3次床上坐位，每次20min+抗阻力关节运动；三级活动分级标准，患者意识清醒、上肢肌力3级以上，活动要求为二级活动+每日床边坐位；四级活动分级标准，患者意识清醒、下肢肌力3级以上，活动要求为三级活动+协助转移至座椅，每日20min，患者耐受情况下协助步行。

6）活动方式：①正式活动前，指导患者进行床上被动四肢活动，并观察患者能否耐受。②床上仰卧位四肢主动活动。③床上坐位或双腿悬空坐在床边。④医务人员协助下床边站立。⑤医务人员协助下步行锻炼。

7）活动时间：①床上主动活动、床边站立不宜超过30 min，以患者能耐受为宜。②逐渐延长活动时间，1次活动不超过60min，以患者能耐受为宜。

8）人员分工：①至少1名护士负责患者呼吸机管路、动静脉导管等的固定，以防脱管发生，必要时在常规固定的基础上，距离固定点位置5cm处贴导管固定装置加固。②应有呼吸治疗师一起参与活动，随时关注患者呼吸情况。③1名护士负责与患者进行非语言沟通，确保患者安全。

9）注意事项：①《2003危重患者运动指南》建议，ICU患者活动时心率的安全范围是患者最大心率（最大心率=220－患者年龄）的50%～60%；ICU患者进行肢体的主动或者被动运动时，血压波动幅度不超过患者在安静状态时血压的20%，如果超过20%则建议患者暂时停止运动并调整活动方案。②患者适合活动的氧合指数>300，氧合指数200～300，表明呼吸储备处于临界值，应该在严密监控下进行活动，如果氧合指数<200表明没有任何呼吸储备能力，不建议患者离床活动。③SpO_2=90%是允许患者离床活动的安全底线。患者运动治疗时所需氧耗量增加，运动时不能停止患者的机械通气，甚至要暂时提高机械通气支持的力度，以保证患者活动时不易疲劳。如果患者运动时SpO_2<90%，应适当降低活动强度，同时调整氧气的供给。氧含量与血红蛋白水平成正比，血小板计数降低容易出现运动后微血管损伤和出血，运动前要加以评估。④运动还会增加患者发生高血糖和低血糖的风险，血糖紊乱会诱发患者意识水平的改变，因此，患者离床活动前要评估血糖水平。

5.早期康复功能锻炼的方法

（1）肢体保持良好的功能位

1）卧位：侧卧位和仰卧位交替，每1～2h翻身1次，如果有损伤的皮肤，应尽量避免受压，同时做好相应的护理。

2）肢体的摆放：①平卧位。肩关节屈45°，外展60°，无内外旋；肘关节伸展位；腕关节背伸位，手心向上；手指及各关节稍屈曲，可手握软毛巾等，注意保持拇指的对指中间位；髋关节伸直，防止内旋和外旋；膝关节屈曲20°～30°（约1个直立位拳头高），垫以软毛巾或软枕；踝关节于中间位，摆放时顺手托起足跟，防止足后跟韧带萎缩而引起足下垂，不掖被子或在床尾双足部堆放物品压下双足，足底垫软枕。②健侧卧位。健手屈曲外展，健肢屈曲，背部垫软枕，患手置于胸前并垫软枕，手心向下，肘关节和腕关节伸直位；患肢应置于软枕上，伸直位或膝关节稍屈位（20°～30°）。③患侧卧位。患者背部垫软枕，60°～80°倾斜为宜，不应过度侧卧，以免引起窒息；患手可置屈曲90°，放于枕边，健手可放在胸前或身上；健肢屈曲，患肢伸直呈迈步或屈曲状，两下肢间最好垫软枕，以免压迫患肢，影响血液循环。

（2）肢体的被动活动：目的是防止肢体关节僵硬、肌肉萎缩和发生压力性损伤，促进末梢循环畅通。

1）按摩：按摩手法有推法、按法、拿法、揉法、捻法、抹法、拍打法等。顺序应由远心端至近心端，先轻后重，由浅及深，由慢到快，每日2次，每次15～20min。

2）早期活动四肢：病情稳定后要及早活动四肢，预防关节强直，由护理人员或康复治疗师来帮助完成，做大小关节的屈伸活动，臂关节和髋关节的内旋和外展等被动活动。

（3）主动运动：当患者神志清楚、生命体征平稳后，即可开展床上的主动训练，以利于肢体功能的恢复。

1）Bobarth握手法：将患者五指分开，健侧拇指压在患侧拇指下面，其余四指交叉，尽量向前伸展肘关节，以健手带动患手上举，可根据患者恢复情况逐渐上举到与身体呈30°、60°、90°、120°。视病情每次锻炼5～15min，在锻炼期间，要求患者手不晃动、不憋气或用力过度。

2）桥式运动：患者取平卧位并将双手平放于身体两侧，双足抵于床边，医务人员压住患者的双膝关节，嘱患者尽量使臀部抬离床面，两膝关节尽量并拢并保持稳定。做此动作时，抬离床面高度以患者最大能力为限，嘱其不要过分用力、憋气等，应保持平稳呼吸，渐进性地训练。

3）床上移行：嘱患者以健手为着力点、健肢为支点在床上进行上下移动。健手握紧床头栏杆，健肢帮助患肢直立于床面，如桥式运动状，臀部抬离床面时顺势往上或往下移动，即可自行完成床上移动。若患者健侧手力量达到5级，可教其以手抓住床边护栏，健足插入患肢膝关节下向健侧或患侧翻身。

4）床边活动：由健侧起，嘱患者以Bobarth握手法将上身尽量移近床边，双脚伸向床边，带动躯体侧身；健足插入患侧膝关节下，带动患肢移出床平面并紧靠床边放下，以健手肘关节撑住床面，护士可从正面扶住患肩以帮助其起床。

5）站立：帮助患者双足放平置于地面，两腿分开与肩同宽，双手以Bobarth握手法尽量向前伸直，低头，弯腰，收腹，重心逐渐移向双下肢，医务人员双手拉患者肩关节帮助其起立。

（4）神经肌肉电刺激（Neuromuscular Electrics Stimulation，NMES）：是一种ICU获得性衰弱干预的新手段。通过低频脉冲电流刺激神经或骨骼肌，引起肌肉的被动收缩，以减少肌肉挛缩、提高肌肉功能或治疗神经肌肉疾病，在恢复患者躯体功能以及延缓ICU获得性衰弱病程进展方面具有良好作用。

（5）肺康复训练：肺康复是综合了多学科知识，以全面评估患者为基础，针对性地对患者进行运动训练、呼吸训练、教育、心理支持等，以减轻呼吸困难、提高心肺耐力和日常活动能力，帮助患者尽早撤机康复的锻炼方法。

（6）其他方法：互动视频游戏、床上脚踏车训练、作业疗法和日常生活活动训练等。

6.早期活动评估量表

（1）FSS-ICU量表：包含的项目有床上翻身、从卧位过渡为坐位、床边坐位、再由坐位过渡为站位以及行走等5项条目，它的评分标准源于FIM量表，各项评分相加，总分值越高，表明患者的机体功能状态越好。该量表对患者出院后的转归也具有一定的预测性。

（2）IMS量表：根据患者没有进行活动（卧床）、在床上活动、从床上卧位过渡至坐位、床边活动、行走等，把患者的活动能力分为11个等级，分值范围为0～10分，分值越高，则说明他的活动能力越好。该量表适用于物理治疗师以及护理人员对ICU患者活动能力进行评估，优点：量表条目简单，易于理解，所用的评估时间短，信效度良好。

（3）Perme-ICU活动评分量表：评估ICU患者是否能够完成医务人员指定活动的能力，尤其是患者在2min内的行走能力，其中主要包含患者的精神状况、潜在的活动障碍、力量、床上活动、移动、步态和耐力等7个方面15个条目，每个项目的最大分值范围是2～4分，总分为32分，评估之后分值相加，总分越高，说明患者存在的潜在活动障碍越少，据此就可以减少在患者活动时医务人员对其提供的帮助。

（4）SOMS量表：评估外科ICU患者的康复水平，运用5级（0～4级）数字评定法对患者的康复水平进行评估，最终评估总分分值越高，表明患者的活动能力越好，病死率越低，并且其住院时间和入住ICU的时间越短，SOMS量表还具有良好的预测性，即SOMS分值的提高与患者住院病死率降低有关。

7.早期康复结局评价

（1）ICU获得性衰弱：是神经肌肉功能紊乱导致的ICU获得性衰弱，是重症患者常见的并发症。目前对ICU获得性衰弱的评估尚无"金标准"，临床多应用医学研究委员会评分（Medical Research Council score，MRC-score）诊断ICU获得性衰弱，MRC-score评分也是目前国内外专家推荐的、最常用的评价方法。MRC-score将患者肌力分为5级，0级是无任何肌肉收缩现象，5级为正常肌力。分别对双侧肩关节、肘关节、腕关节、髋关节、膝关节、踝关节共12个部位的肌力进行评估。总分60分，小于等于48分即可诊断为ICU获得性衰弱。

（2）ICU谵妄：是一种以兴奋性增高或降低为主的高级神经中枢急性活动紊乱的状态，常表现为患者意识清晰度降低、定向力障碍（时间、地点、人物定向力）、自身认识障碍等，并且还会产生大量的幻觉、错觉等。ICU患者意识模糊评估法（CAM-ICU）是专门针对ICU气管插管不能说话的患者进行谵妄评估的工具，具有快速、方便、准确的特点。

（3）其他结局指标：有机械通气时间、ICU住院和住院总时间、ICU死亡率、住院费用等。

（十二）血液净化技术

详见第十章的相关内容。

第三节　结局质量标准

一、敏感指标

（一）非计划拔管发生率

非计划拔管发生率详见第二章第三节的相关内容。

（二）呼吸机相关性肺炎发生率

呼吸机相关性肺炎发生率详见第二章第三节的相关内容。

（三）尿管相关尿路感染发生率

尿管相关尿路感染发生率详见第二章第三节的相关内容。

（四）住院患者身体的约束率

住院患者身体的约束率详见第二章第三节的相关内容。

第四节　甘肃省护理质控中心
重症护理质量评价标准（2023版）

甘肃省护理质控中心重症护理质量评价标准（2023版）见表6-25。

表6-25　甘肃省护理质控中心重症护理质量评价标准（2023版）

医院：　　　　　　　检查日期：　　　　　　　检查人员：　　　　　　　得分：

质量管理	项目内容	标准要求	分值	评价方法	备注
结构质量标准（30分）	护理管理（15分）	病房建设符合重症医学科建设指南	3	1.三级综合医院重症医学科的ICU病床数不少于医院病床总数的5%。二级综合医院重症医学科的ICU病床数不少于医院病床总数的2%。二级以上(含二级)专科医院应根据实际工作需要确定重症医学科的病床数。不符合扣1分 2.护士人数与床位数之比不低于(2.5～3):1。不符合扣1分 3.护士长应当具有中级以上专业技术职务任职资格,在重症监护领域工作3年以上,具备一定管理能力。不符合扣1分	现场查看
		环境布局符合重症医学科建设指南	2	1.病区布局合理、床间距1～1.5m、设有单间病房,使用面积不少于18m²。不符合扣0.5分 2.合理分区:包括洁污分开、人员流动和物流在内的医疗流向,有条件的医院可以设置不同的进出通道。不符合扣1分 3.有温湿度监测手段,温度应维持在(24±1.5)℃。不符合扣0.5分	

续表6-25

质量管理	项目内容	标准要求	分值	评价方法	备注
结构质量标准（30分）	护理管理（15分）	护理管理制度健全并落实执行	4	1.各项规章制度、岗位职责和相关技术规范、操作规程健全,并严格遵守执行,保证护理服务质量。1项不符扣1分 2.病区有护理质量与安全管理制度及小组,职责明确。1项不符合扣1分 3.医院及科室有专科护理质量控制标准,人人知晓并落实。1项不符合扣1分 4.根据情况开展质控检查,每月进行月质量分析,并持续改进。1项不符合扣1分	查看资料
		人员管理与培训符合标准	5	1.有ICU护士准入制度及标准。不符合扣0.5分 2.护士需经过严格的专业理论和技术培训并考核合格后上岗。1项不符合扣1分 3.护士掌握重症监护的专业技术,正确执行各项急救流程,并具备床旁综合能力,现场考核合格。不符合扣2分 4.护士熟练掌握所管辖患者的病情,能正确评估病情,提出护理问题(护理诊断)并给予恰当的护理措施。1项不符合扣0.5分 5..护士熟知各项应急预案,并有应急处置能力。不符合扣1分	现场考核
		重点监测指标	1	重症医学科开放床位数占医院开放床位数的比例、重症医学科护士人数与重症医学科开放床位数比、不同级别护士配置占比	
	急救药品仪器管理（5分）	仪器设备管理规范	2	1.配置必要的监测和治疗设备,以保证危重症患者的救治需要。不符合扣0.5分 2.有仪器设备相关管理制度、抢救仪器和设备,保持随时启用状态,遵守"六定"管理原则:定点放置、定人保管、定期保养和维修、定时检查、定量供应(有基数管理)、定期消毒,班班交接,做到账物相符,定期对仪器设备使用情况进行安全分析。不符合扣1分 3.抢救车定点放置,布局图、各层标识清晰,表面清洁,专人负责,车内物品及药品数使用后及时补充并记录。不符合扣0.5分	现场查看
		药品、耗材安全管理	2	1.一次性医用高值耗材的管理和使用应当规范,有记录。不符合扣0.5分 2.高警示药品与毒、麻、精神类药品管理规范,账物相符。不符合扣1分。 3.护士熟练掌握各类急救药品的作用、使用方法、注意事项等。不符合扣0.5分	
		重点监测指标	1	设备完好率100%	

质量管理	项目内容	标准要求	分值	评价方法	备注
结构质量标准(30分)	院感管理(10分)	手卫生管理符合标准	2	1.严格执行手卫生规范,具备足够的非接触性洗手设施和手部消毒装置,单间每床1套、开放式病床至少每2床1套。不符合扣1分 2.落实手卫生"五个时刻"、病区手卫生依从性、正确性有监测。不符合扣1分	
		医院内感染控制制度健全并落实	5	1.对感染患者应当依据其传染途径实施相应的隔离措施,对经空气感染的患者应安置在负压病房进行隔离治疗。不符合扣0.5分 2.每1~3个月开展空气、物体表面检测,不合格时有分析与整改。不符合扣0.5分 3.消毒隔离制度健全并落实。不符合扣1分 4.制定并落实预防与控制呼吸机相关性肺炎、血管导管相关感染、尿路相关性感染的工作规范和操作规程,明确人员职责。不符合扣1分 5.病区开展三管目标性监测,持续改进质量,降低感染发生率。不符合扣1分	
		多重耐药菌的管理符合标准	2	1.多重耐药菌感染患者的管理应符合医院感染科质控标准要求。不符合扣1分 2.多重耐药菌感染患者的管理有完整、规范记录。不符合扣1分	
		相关指标	1	手卫生依从率、正确率均大于90%	
过程质量管理(40分)	基础护理(10分)	"三短六洁"落实到位	2	1.有危重患者压力性损伤评估及预防护理措施。不符合扣0.5分 2.床单位、病员服清洁干燥、无污渍。1项不符合扣0.1分 3.三短(头发、胡须、指/趾甲)六洁(皮肤、手、足、口腔、头发、会阴)符合要求。不符合扣0.1分	
		管道护理符合要求	2	1.危重患者各导管标识清晰,位置固定妥当,引流通畅。1处不符合扣0.5分 2.有各类管道风险评估及护理措施,记录准确。1处不符合扣0.5分	
		饮食管理	2	1.开展危重患者营养评估,给予患者合理的饮食护理。不符合扣1分 2.有肠内营养并发症的预防护理计划及落实措施。不符合扣1分	现场查看

续表6-25

质量管理	项目内容	标准要求	分值	评价方法	备注
过程质量管理（40分）	基础护理（10分）	体位管理舒适	2	1.体位管理:按照患者病情评估,给予相应的体位管理。不符合扣1分 2.舒适护理:落实疼痛评估,采取疼痛干预措施,并进行评价。不符合扣1分	
		开展健康教育与心理护理	2	1.有落实专科疾病健康教育与心理护理相关资料。不符合扣1分 2.患者或家属知晓医院相关制度、安全风险等注意事项。不符合扣1分	
		病情观察与处置全面及时	6	1.病情观察做到"观察及时、汇报及时、处置及时"。不符合扣2分 2.责任护士熟练掌握各专科疾病护理常规。1项不符合扣2分 3.正确执行医嘱,抗生素输注严格执行输注时限,各类培养标本采集规范。一项不符合扣1分	现场查看
	专科护理（20分）	呼吸机相关性肺炎的评估与预防措施到位	3	机械通气患者是否落实相关护理措施,1项不合格扣0.3分: 1.每日落实呼吸机相关肺炎的日常监测 2.执行每日唤醒,评估脱机/拔管指征,尽早拔管 3.严格执行手卫生,吸痰时注意无菌操作 4.无禁忌证患者,落实床头抬高30°～45° 5.口腔护理6～8h/次,评估患者口腔状况,选择合适的口腔护理溶液 6.气囊压力监测6～8h/次。成人:25～30cmH$_2$O;小儿:15～20cmH$_2$O 7.呼吸机管路出现明显污渍或故障时及时更换 8.建议采用带声门下吸引的气管导管 9.胃部进食不耐受、误吸风险高的患者,实施幽门后喂养 10.鼓励并协助机械通气患者早期活动,尽早开展康复训练	现场查看

质量管理	项目内容	标准要求	分值	评价方法	备注
过程质量管理(40分)	专科护理(20分)	血管内导管相关性感染的评估与预防措施到位	3	中心静脉置管落实相关护理措施,1项不合格扣0.3分: 1.落实血管内导管相关感染的日常监测 2.每日评估导管留置的必要性,尽早拔管 3.由经过相应技术培训的护士执行导管留置、维护与使用 4.严格执行手卫生,在穿刺置管、日常维护、拔管等各类操作时执行无菌操作 5.紧急置管,若不能保证有效的无菌原则,应在48h内尽快拔出导管 6.每班评估导管的刻度、穿刺点周围皮肤、导管是否通畅、有无疼痛和感觉异常等 7.尽量减少三通等附加装置的使用,并按要求及时更换 8.规范落实脉冲式冲管和封管技术 9.使用无菌透明敷料或无菌纱布覆盖导管出口处。透明敷料7天更换1次,纱布2天更换1次;如果敷料出现潮湿、松散或污染,即时消毒更换	现场查看
		留置导尿管感染的评估与预防措施到位	3	留置导尿管患者落实相关护理措施,1项不合格扣0.3分: 1.落实留置导尿管相关感染的日常监测 2.每日评估导管留置的必要性,尽早拔管 3.严格执行手卫生,按照要求佩戴清洁或无菌手套 4.置管时严格无菌技术,选择合适型号的导尿管 5.保持引流装置的无菌和密闭性,建议使用防逆流的引流装置 6.妥善固定导尿管及引流装置,减少尿管脱出、皮肤压痕、尿道损伤、非计划性拔管等并发症的发生 7.保持尿液引流通畅,避免导尿管及引流管扭曲,集尿袋应始终低于膀胱水平,避免接触地面,距地面大于15cm 8.不需要常规进行膀胱冲洗。因治疗需要进行膀胱冲洗时,应严格无菌操作 9.不建议频繁更换集尿袋,具体更换频率可参照产品说明书	现场查看
		深静脉血栓预防措施到位	3	1.实施深静脉血栓的风险评估(入院24h内、术后24h内、出院、转科前24h、病情变化后)。不符合扣1分 2.每班评估患者双下肢情况,发现肿胀、疼痛、皮肤温度和色泽变化及感觉异常等,及时通知医生并处理。1处不符合扣0.5分 3.基础预防:指导和协助患者早期活动;避免在膝下垫硬枕和过度屈髋;尽量避免下肢静脉穿刺。1处不符合扣0.2分 4.物理预防:无禁忌证采用间歇充气加压装置或梯度压力弹力袜。1处不符合扣0.5分 5.药物预防:正确选择注射部位;掌握抗凝药物使用的注意事项。1处不符合扣0.2分	现场查看
		实施早期康复护理	2	1.建立系统康复评估指标与实施计划。不符合扣1分 2.落实呼吸康复训练、运动训练、神经肌肉刺激等治疗。不符合扣1分	现场查看

续表6-25

质量管理	项目内容	标准要求	分值	评价方法	备注
过程质量管理（40分）	护理风险管理（10分）	正确识别患者身份	2	1.医院建立患者身份识别制度。不符合扣1分 2.现场查看患者身份核对采用不少于2种独立的核对方式，床号不得用于核对。不符合扣1分	现场查看
		患者转运安全	3	1.有患者转运的工作制度和流程。不符合扣1分 2.做好转运患者的风险评估及防范措施，确保患者安全。不符合扣1分 3.有转运交接流程、交接清单，交接过程有记录，可追溯。不符合扣1分	
		仪器设备安全管理	3	1.对新入设备有培训及考核记录。不符合扣1分 2.现场查看护士，正确熟练使用各种仪器设备。时间设置、模式及参数设置正确，报警启动且范围设置符合要求，并及时处理报警。不符合扣2分	
		护理风险评估正确	2	1.自理能力评估及时准确，护理级别与病情符合。不符合扣0.5分 2.跌倒/坠床、烫伤、误吸等风险评估准确、客观，采取有效的预防措施。不符合扣0.5分 3.躁动或不配合治疗的患者，加强巡视与宣教，必要时签署相关告知协议书。不符合扣0.5分	
结局质量管理（30分）	敏感指标（20分）	呼吸机相关性肺炎发生率	2	1.护士能落实呼吸机相关性肺炎预防措施。不符合扣1分 2.呼吸机相关性肺炎发生率有监测、数据汇总及分析，并逐年下降。不符合扣1分	查看资料
		中心静脉导管相关血流感染发生率	2	1.护士能落实中心静脉导管相关血流感染预防措施。不符合扣1分 2.中心静脉导管相关血流感染发生率有监测、数据汇总及分析，并逐年下降。不符合扣1分	
		导尿管相关尿路感染发生率	2	1.护士能落实导尿管相关尿路感染预防措施。不符合扣1分 2.导尿管相关尿路感染发生率有监测、数据汇总及分析，并逐年下降。不符合扣1分	
		导管非计划拔管发生率	2	1.科室有相关规章制度、风险评估及管理核查表。不符合扣1分 2.有发生率的监测、数据汇总及分析。不符合扣0.5分 3.导管非计划拔管发生率可控，并逐年下降。不符合扣0.5分	
		气管插管非计划拔管发生率	2	1.科室有相关规章制度、风险管理核查表。不符合扣1分 2.有发生率的监测、数据汇总及分析。不符合扣0.5分 3.气管插管非计划发生率可控，逐年下降。不符合扣0.5分	

质量管理	项目内容	标准要求	分值	评价方法	备注
结局质量管理（30分）	敏感指标（20分）	压力性损伤/2期以上压力性损伤发生率	2	1.医院有压力性损伤组织管理体系、处理流程。不符合扣1分 2.有发生率的监测、数据汇总及分析。不符合扣0.5分 3.压力性损伤发生率/2期以上压力性损伤发生率逐年下降。不符合扣0.5分	查看资料
		24/48h ICU重返率	2	1.科室有转入/转出标准及流程。不符合扣1分 2.有发生率的监测、数据汇总及分析。不符合扣1分 3.24/48h ICU重返率可控。不符合扣1分	
		ICU24/48h内气管插管再插管率	2	1.科室有再插管应急流程。不符合扣1分 2.有发生率的监测、数据汇总及分析。不符合扣0.5分 3.ICU24/48h内气管插管再插管率可控。不符合扣0.5分	
		ICU深静脉血栓（VTE）发生率/预防率	2	1.科室有VTE管理相关制度及工作流程及处理流程、应急预案。不符合扣1分 2.VTE风险评估率100%，发生率低于30%，预防率达100%。不符合扣0.5分 3.落实相关措施到位。不符合扣0.5分	
		住院患者身体约束率	2	1.科室有相关管理制度、操作流程、应急处理规范。不符合扣1分 2.有约束医嘱、约束期间观察记录措施表。不符合扣0.5分 3.有身体约束率的监测、数据汇总及分析。不符合扣0.5分	
	其他重点监测指标（5分）	危急值的即刻汇报率	2	1.护士熟知危急值的处理流程、处理原则及管理制度。不符合扣1分 2.查看记录，危急值的即刻汇报率100%为合格。不符合扣1分	查看资料
		护理文书书写合格率	2	1.有护理文书书写规范。不符合扣1分 2.危重患者护理文书书写合格率不低于95%。不符合扣1分	
		导管风险评估率	1	查看相关记录，导管风险评估率100%。不符合扣1分	

续表6-25

质量管理	项目内容	标准要求	分值	评价方法	备注
结局质量管理（30分）	不良事件管理（5分）	有不良事件发生处理流程、紧急预案、上报记录单	2	查看记录，提问护士上报流程及紧急预案。不符合扣2分	查看资料
		科室有各类不良事件的讨论记录和改进措施	2	查看讨论记录和改进措施。不符合扣2分	
		科室有不良事件数据统计分析与改进	1	查看相关记录。不符合扣1分	

参考文献

[1] Mathieu J, Xavier M, Jean-ouis T . Less or more hemodynamic monitoring in critically ill patients[J]. Current Opinion in Critical Care, 2018, 24(4):309-315.

[2] Laher A E, Watermeyer M J, Buchanan S K, et al. A review of hemodynamic monitoring techniques, methods and devices for the emergency physician. [J]. American Journal of Emergency Medicine, 2017, 35(9):1335.

[3] 侯建.血流动力学有创监测方法在重症监护病房中的应用[J].中国医药指南,2018(10):29-30.

[4] 胥婷婷.25例ICU应用FloTrac/Vigileo系统血流动力学监测的护理体会[J].中国实用医药,2013,8(14):213-214.

[5] 陈晓清,郑丽华,詹陈菊,等.肺动脉漂浮导管的护理[J].全科护理,2008,6(29):2689-2689.

[6] 苏伟,杨智,傅永鸿,等.经肺热稀释法与胸腔阻抗法测定血流动力学参数的相关性研究[J].实用医学杂志,2016,32(5):781-783.

[7] 陈玉英.经食道超声心动图检查的护理配合[J].中外医疗,2013(8):155-156.

[8] 徐似瑜,孙向东.血流动力学监测技术在ICU的应用进展[J].包头医学院学报,2018,34(3):130-132.

[9] 叶雅君,吕小林.联合生物电阻抗分析法在调整血透患者干体重中的护理观察[J].中国社区医师,2017(26):144-145.

[10] 庄燕,陈明祺,戴林峰.危重症微创/无创血流动力学监测技术[J].东南大学学报:医学版,2017(5):872-876.

［11］王辰.呼吸治疗教程［M］.北京:人民卫生出版社,2010:93-94.

［12］中华医学会呼吸病学分会呼吸危重症医学学组,中国医师协会呼吸医师分会危重症医学工作委员会.成人经鼻高流量湿化氧疗临床规范应用专家共识［J］.中华结核与呼吸杂志,2019,42(2):83-91.

［13］Nishimura M. High-low nasal cannula oxygen therapy in adults［J］. J.Intensive Care, 2015, 3(1): 15.

［14］中华医学会重症医学分会.慢性阻塞性肺疾病急性加重患者的机械通气指南(2007)［J］.中国危重病急救医学,2007,19(9):513-518.

［15］王忠诚.神经科学［M］.武汉:湖北科学技术出版社,1998:67-82.

［16］Steiner L A, Andrews P J. Monitoring the injured brain: ICP and CBF［J］. Br. J. Anaesth,2006,97(1):26-38.

［17］Slavin K V, Misra M. Infratentorial pressure monitoring in neurosurgical intensive care unit［J］. Neurol. Res.,2003,25(8):880-884.

［18］Mauritz W, Janciak I, Wilbacher I, et al. Severe Traumatic Brain Injury in Austria IV: Intensive care managerment［J］. Wien Klin Wochenschr, 2007,119(1-2):46-55.

［19］Stiner T, Kaste M, Forsting M, et al. Recommendations for the management of intracranial haemorrhage-part I: spontaneous intracerebral haemorrage. The European Stroke Initiative Writing Committe and the writing Committee for the EUSI Executive Committee［J］. Cerebrovasc Dis,2006,22(4):294-316.

［20］The Brain Trauma Foundation. The American Association of Neurological Surgeons. The Joint Section on Neuro-trauma and Critical Care ［J］. Intracranial pressure treatment threshold. J. Neurotrauma,2000,17(6-7):493-495.

［21］Balestreri M, Czosnyka M, Hutchinson P, et al. Impact of intracranial pressure and cerebral perfusion pressure on severe disability and mortality after head injury［J］. Neurocrit Care,2006,4(1):8-13.

［22］Kirkness C J. Cerebral blood flow monitoring in clinical practice［J］. AACN Clin Issues,2005,16(4):476-487.

［23］Gupta A K. Mornitoring the injured brain in the intensive care unit［J］.J. Postgrad Med.,2002,48(3):218-225.

［24］Rim S J, Leong-Poi H, Lindner J R, et al. Quantification of cerebral perfusion with "Real-time" contrast-enhanced ultrasound［J］. Circulation,2001,104(21):2582-2587.

［25］Rose J C, Neill T A, Hemphill J C, et al. Continuous monitoring of the microcirculation in neurocritical care: an update on brain tissue oxygenation［J］. Curr Opin Crit Care,2006,12(2):97-102.

［26］Lang E W, Mulvey J M, Mudaliar Y, et al. Direct cerebral oxygenation mobitoringa systematic review of recent publications［J］. Neurosurg,2007,30(2):99-107.

［27］张凤霞,徐晓兰,钟秋莉.观察瞳孔改变在神经内、外科护理中的意义［J］.中国基层医药,2004(3):119.

［28］孙艳丽,于海港.神经外科患者瞳孔改变的观察与护理［J］.中国药物经济学,

2014,9(S2):351-352.

[29]张卉泳.脑室外引流加脑室储液囊埋置术治疗脑室内出血患者的护理[J].护理学杂志,2008,23(10):27-28.

[30]中华医学会感染病学分会肝衰竭与人工肝学组,中华医学会肝病学分会重型肝病与人工肝学组.肝衰竭诊治指南(2018年版)[J].西南医科大学学报,2019,42(2):99-106.

[31]付杰,刘强,刘国兴,等.重症急性胰腺炎诊疗现状及主要问题[J].世界华人消化杂志,2017,25(32):2851-2857.

[32]傅小云.重症患者胃肠动力紊乱:发病机制、临床评估及治疗[J].世界华人消化杂志,2017,25(29):2583-2590.

[33]汪翊,张宇,黄子星,等.重症急性胰腺炎腹腔高压的临床诊疗与影像学研究现状[J].放射学实践,2017,32(3):292-297.

[34]王银娥,周丙梅.重症急性胰腺炎并发腹腔室隔综合征的监测与护理[J].当代护士,2016(8):120-122.

[35]魏星,李文星.急性胰腺炎诊疗新进展及营养支持研究[J].中华临床医师杂志,2016,10(7):1037-1041.

[36]崔云峰,屈振亮,齐清会,等.重症急性胰腺炎中西医结合诊治指南(2014年,天津)[J].临床肝胆病杂志,2015,31(3):327-331.

[37]李兆申,杜奕奇.重症急性胰腺炎的诊疗现状和思考[J].临床肝胆病杂志,2014,30(8):709-711.

[38]郝建宇,郭子皓.重症急性胰腺炎诊疗研究进展[J].创伤与急危重病医学,2013,1(1):42-48.

[39]郭怡萍.重症监护对上消化出血治疗结果的影响研究[J].当代医学,2012,18(11):100-101.

[40]李子建,陈伟.危重症病人营养支持治疗要点[J].中国实用外科杂志,2018,38(3):289-292.

[41]Singer P, Blaser A R, Berger M M, et al. ESPEN guideline on clinical nutrition in the intensive care unit[J]. Clin. Nutr., 2019,38(1):48-79.

[42]李蓉,叶晓云,王喜丹.对肠外营养液规范化配置和稳定性的探讨[J].临床医药文献电子杂志,2017,4(71):13918.

[43]扎克叶·艾米都力.危重症患者营养支持治疗的临床研究[D].北京:北京中医药大学,2016.

[44]刘蓉,王健叶.肠内营养液营养支持治疗在危重症患者中的应用[J].当代护士,2017(2):105-106.

[45]陈晓杰.ICU内应激性高血糖患者胰岛素治疗及护理的研究进展[J].解放军护理杂志,2014,31(3):23-26.

[46]田秀平,张海萍,王子琴.重症患者并发应激性高血糖的护理管理[J].中国民间疗法,2017,25(9):93-94.

[47]母义明.血糖波动:新共识,再认识[J].药品评价,2018,15(1):5-8.

[48] James K, Marcus J S, Peter E S, et al. Mild hypoglycemia is strongly associated with increased intensive care unit length of stay[J].Annals of Intensive Care,2011,1:49.

[49] 中华医学会糖尿病学分会.中国血糖监测临床应用指南[J].中华糖尿病杂志,2015,7(10):603-613.

[50] Timothy S B.American Association of Clinical Endocrinologists and American College of Endocrinology 2016 Outpatient Glucose Monitoring Consensus Statement[J].Endocrine Practice,2016,22(2):231-261.

[51] 吕庆国,童南伟.《中国成人住院患者高血糖管理目标》专家共识解读[J].中国实用内科杂志,2013,33(12):939-942.

[52] 尤黎明.内科护理学[M].5版.北京:人民卫生出版社,2012:595-596.

[53] 蒋国平,田昕.中国成人ICU镇痛和镇静治疗2018指南解读[J].浙江医学,2018,40(16):1769-1778.

[54] 张山,吴瑛.ABCDEF集束化策略应用于防治ICU谵妄的研究进展[J].中国护理管理,2018,18(12):1724-1726.

[55] Tanios M, Nguyen H M, Park H, et al. Analgesia-first sedation in critically ill adults: A U.S. pilot, randomized controlled trial[J]. J. Crit. Care., 2019,53:107-113.

[56] Arias-Rivera S C,López-López, Frade-Mera M J, et al. Assessment of analgesia, sedation, physical restraint and delirium in patients admitted to Spanish intensive care units. Proyecto ASCyD[J]. Enfermería Intensiva, 2020, 31(1):3-18.

[57] 赵以林,罗爱林.2018版美国麻醉医师协会适度镇静和镇痛指南解读[J].临床外科杂志,2019,27(1):24-28.

[58] 郭晓夏,安友仲.ICU后综合征在镇痛镇静谵妄指南、镇痛镇静集束化措施及eCASH中的干预建议[J].中华重症医学电子杂志,2017,3(4):250-253.

[59] Mancuso A, Derugin N, Hara K, et al, Mild hypothermia decreases the incidence of transient ADC reduction detected with diffusion MRI and expression of c-fos and hsp70mRNA during acute focal ischemia in rats[J]. Brain. Res., 2000, 887(1): 34-45.

[60] Corbo E T, Bartnik-Olson B L, Machado S, et al. The effect of wholebody colling on brain metabolism following perinatal hypoxicischemic injury[J]. Pediatr. Res., 2012, 71(1): 85-92.

[61] 何丹丹,童孜蓉.亚低温治疗及相关护理技术新进展[J].全科护理,2015,13(33):3334-3336.

[62] Polderman K H, Callaghan J. Equipment review: cooling catheters to induce therapeutic hypothermia?[J].Critical Care, 2006,10(6):1-4.

[63] Jordan J D, Carhuapoma J R. Hypothermia: comparing technology[J]. J. Neurol. Sci., 2007, 261(1/2):35-38.

[64] 江基尧,方乃成,张建平,等.亚低温治疗重型颅脑损伤前瞻性临床多中心对照研究[J].上海第二医科大学学报,2005,25(3):270-272.

[65] Jiang J Y, Xu W, Li W P, et al. Effect of long-term mild hypothermia or short-term mild hypothermia on outcome of patients with severe traumatic brain injury [J]. J. Cereb. Blood.

Flow. Metab., 2006, 26(6): 771-776.

［66］冯金周,钱骏,刘发健,等.动态亚低温治疗重型颅脑损伤[J].中华神经医学杂志,2010(2):187-189.

［67］Daniel I S.Complications and Treatment of Mild Hypother-mia [J]. Anesthesiology, 2001, 95:531-543.

［68］Roman G, Ivan C, Iveta Z, et al. Mild hypoth -ermiatherapy for patients with severe brain injury[J].Clinical Neurology and Neurosurgery, 2002, 104:318-321.

［69］赵素平.亚低温治疗重型颅脑损伤60例临床观察及护理[J].实用医技杂志,2007,14(12):1634-1635.

［70］Bernard S A, Buist M.Induced hypothermia in critical care medicine: A review[J]. Crit. Care Med., 2003, 31:2041-2051.

［71］Clifton G L, Miller E R, Choi S C, et al. Lack of effect of induction of hypothermia after acute brain injury.[J]. N. Engl. J. Med., 2001, 344(1):556-563.

［72］马平叶.亚低温疗法治疗31例重型脑损伤患者的护理[J].山东医药,2004,44(11):41-42.

［73］逄燕,白云杰.脑低温治疗法[J].哈尔滨医学,2006,26(3):76-77.

［74］刘淑玲,徐鹏,李兰翠,等.32例血管内低温治疗重型颅脑损伤病人的护理[J].护理研究,2011,25(4):332-333.

［75］黄强,陈雄辉,唐梅峰,等.脑外伤后亚低温治疗的研究进展[J].南通大学学报:医学版,2017,37(2):128-131.

［76］吴小利,李健,向代军,等.血栓弹力图异常图形分析及临床意义[J].中华检验医学杂志,2013,36(5):400-404.

［77］丁慧慧,单桂秋,李艳辉.机采血小板献血者采集前后血常规相关指标的变化分析[J].中国输血杂志,2014,27(3):284-285.

［78］Spahn D R, Bouillon B, Cerny V. The European guideline on management of major bleeding and coagulopathy following trauma: fifth[J]. Crit. Care,2019,23(1): 19.

［79］Charles L,Sprung J K.Chapter 5. Essential equipment, pharmaceuticals and supplies [J]. Intensive Care Medicine, 2010,4:36,38-44.

［80］李志芹,毕淑娟,吴颖.标准化抢救护理流程配合创伤救治原则在严重多发性创伤患者救护中的应用[J].齐鲁护理杂志,2019,25(2):120-122.

［81］王立祥.《2016中国心肺复苏专家共识》解读——中国CPR共识与美国CPR指南[C]//中国毒理学会.2018全国中毒救治首都论坛暨第十届全国中毒及危重症救治学术研讨会论文集.北京:中国毒理学会,2018:3.

［82］朱丽莎,张绕成.分工定位抢救配合在急诊急救中的护理应用效果观察[J].实用临床护理学电子杂志,2018,3(34):122.

［83］Bonafide C P, Roberts K E, Priestley M A,et al.Development of a pragmatic measure for evaluating and optimizing rapid response systems[J]. Pediatrics,2012, 129(4):74-81.

［84］Green M, Marzano V, Leditschke I A,et al. Mobilization of intensive care patients: a multidisciplinary practical guide for clinicians [J]. J. Multidiscip Healthc, 2016,9:247-256.

[85] Mendez-Tellez P A，Nusr R，Feldman D，et al. Early physical rehabilitation in the ICU：a review for the neurohospitalist[J]. Neurohospitalist. 2012, 2(3)：96-105.

[86] Jolley S E，Regan-Baggs J，Dickson R P，et al. Medical intensive care unit clinician attitudes and perceived barriers[J]. Anesthesiology，2014(14)：1-9.

[87] Hodgson C L，Stiller K，Needham D M，et al. Expert consensus and recommendations on safety criteria for active mobilization of mechanically ventilated critically ill adults[J]. Critical Care，2014, 18(6)：658.

[88] 王宇娇,高岚,王永红.ICU机械通气患者早期主动活动最佳证据的应用研究[J].中华护理杂志,2018,53(11):1285-1291.

[89] 柯卉,黄海燕.四级早期活动与康复锻炼疗法预防病人ICU获得性衰弱的效果观察[J].护理研究,2016,30(18):2202-2205.

[90] 杨富,方芳,陈兰,等.重症监护室患者康复评估工具的研究进展[J].解放军护理杂志,2018,35(7):37-40.

[91] Giangregorio L，Craven C，Richards K，et al.A randomized trial of functional electrical stimulation for walking in incomplete spinal cord injury：Effects on body composition[J].The Journal of Spinal Cord Medicine,2012,35(5):351-360

[92] Spruit M A，Singh S J，Garvey C，et al. An Official American Thoracic Society/European Respiratory Society Statement：Key Concepts and Advances in Pulmonary Rehabilitation[J]. American Journal of Respiratory and Critical Care Medicine，2013, 188(8):13-64.

[93] Connolly B A，Jones G D，Curtis A A，et al. Clinical predictive value of manual muscle strength testing during critical illness：an observational cohort study[J]. Critical Care，2013, 17(5):229.

[94] 徐雪影,李玉燕.ICU的组织与管理[J].国际护理学杂志,2007,26(12):1260-1261.

[95] 丁新波,邓澜,胡芬,等.参与式培训在ICU新入职护士培训中的应用效果[J].中国当代医药,2019,26(8):177-179.

[96] 张馨心,尹世辉,杜丽,等.ICU的医院感染管理与消毒[J].中国卫生标准管理,2016,7(5):192-193.

[97] 卫办医政发〔2009〕23号[Z],重症医学科建设与管理指南(试行).

[98] 中华医学会重症医学分会.中国重症加强治疗病房(ICU)建设与管理指南[Z],2006.

[99] 刘大为,邱海波,郭凤梅,等.ICU主治医师手册[M].南京:江苏科学技术出版社,2013,25:867-889.

[100] 管向东,于凯江,陈德昌,等.中国医学发展系列研究报告——重症医学[M].北京:中华医学电子音像出版社,2019.

[101] 李秀华,李庆印,陈永强.重症专科护理[M].北京:人民卫生出版社,2018.

[102] 于凯江,管向东,严静.中国重症医学专科资质培训教材[M].北京:人民卫生出版社,2013.

[103] Lake E T.Development of the practice environment scale of the Nursing Work Index

[J].Res. Nues. Health,2002,25(3):176-168.

　　[104]左金英.工作环境对护士生活质量影响的研究进展[J].中国城乡企业卫生,2006 (6):64-65.

　　[105]Zelauskas B,Howes D G.The effects of implementing a professional practice model [J].Nurs. Adm.,1992,7(22):18-23.

　　[106]David M D,Mark G W,Robert J V,etal.Assessing the impact of health work organization intervention[J].Journal of Occupational and Organization Psychology,2010(83):139-165.

　　[107]American Association of Critical-Care Nurses. AACN standards for establishing and sustaining healthy work environments: a journey to excellence[J]. American journal of critical care : an official publication, American Association of Critical-Care Nurses, 2005, 14(3):87-97.

　　[108]毕红梅,范艳敏,杨辉.护理工作环境评价模型构建的指标筛选的研究[J].护理研究,2008,22(15):1378-1379.

　　[109]中华医学会重症医学分会.呼吸机相关性肺炎诊断、预防和治疗指南(2013)[J].中华内科杂志,2013,52(6):524-543.

第七章　肿瘤护理质量标准

第一节　结构质量标准

一、制度与规范

（一）组织管理

1.组织体系的构建——三级护理管理组织体系

（1）肿瘤护理专业小组在护理部领导下开展工作，专业组可下设继续教育小组、质量控制小组、科研管理小组等，各小组内设置组长、副组长、组员，各司其职。

（2）组织管理架构，详见图7-1。

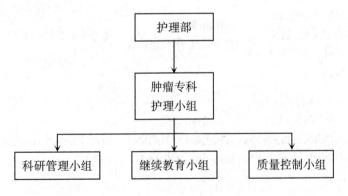

图7-1　肿瘤专科组织管理架构

2.工作职责

在护理部指导下开展门诊及住院部肿瘤患者的专科护理工作。具体岗位说明详见表7-1。

表7-1　肿瘤护理专业组岗位说明

岗位名称	岗位职数	任职资格	工作权限	岗位职责
专科组长	1	学历：本科及以上 职称：副主任护师及以上 工作年限：相关科室20年以上，专科8年及以上	工作范围：医院 直接上级：护理部 直接下级：专科副组长	1.对患者进行全面、准确评估；启动有效决策；负责指导专科急危重症患者的护理计划实施；承担患者健康教育；为患者提供专业的信息和建议 2.承担全院新入护士、专科护士、进修护士、实习护生的相关培训；举办相关的专科培训、继续教育等学术活动 3.承担专科领域科研任务 4.修订专科护理质量评价标准；开展专科质量控制和持续质量改进工作；组织开展专科护理不良事件讨论与分析
专科副组长	1	学历：本科及以上 职称：主管护师及以上 工作年限：相关科室15年以上，专科5年及以上	工作范围：医院 直接上级：专科组长 直接下级：各分组组长	协助专科组长开展工作
秘书	1	学历：本科及以上 职称：护师及以上 工作年限：相关科室5年以上，专科3年及以上	工作范围：医院 直接上级：专科副组长	协助专科组长、副组长开展工作
治疗组组长	1	学历：本科及以上 职称：护师及以上 工作年限：相关科室5年以上，专科3年及以上	工作范围：医院 直接上级：专科副组长 直接下级：治疗护士	协助专科组长、副组长开展工作
联络组组长	1	各临床科室护士长	工作范围：本科室 直接上级：护理部 直接下级：联络护士	协助专科组长、副组长开展工作

（二）病房管理制度

按照一般病房管理制度执行，遵守一般病房管理制度的探视及陪护制度，做好交叉感染防护工作。

（三）肿瘤患者健康教育制度

1.向患者讲解肿瘤手术、放化疗的基本知识，提高患者的自护能力，减轻其对治疗的焦虑、恐惧和压力。

2.及时评估患者的心理状况，建立相互信任的护患关系，鼓励患者说出自身想法，明确其所处的心理状态，给予心理支持与疏导，预防患者因不能接受患肿瘤的现实，发生轻生、出走等不良事件。

3.根据患者疾病特点和治疗方式制定健康教育处方，选择不同的宣教方法。利用移动电视、手机、宣教栏、图片等形式进行宣教，做到标题醒目，内容通俗易懂。

4.指导患者完善手术和放化疗前相关检查，保证治疗的安全性。

5.教会患者观察及应对放化疗的不良反应，如脱发、恶心、呕吐、腹泻、便秘、骨髓抑制、放射性皮炎、放射性食管炎、放射性肺炎、放射性肠炎等。

6.向患者介绍相关检查的准备及注意事项。

7.根据患者的病情和饮食习惯，指导患者养成良好的饮食习惯，避免食辛辣刺激食物，宜食高营养、易消化、清淡的食物。

8.告知患者康复锻炼的知识，指导其术后、放化疗后的康复锻炼。

9.向患者讲解化疗药物、靶向药物、止痛药物及其他特殊药物的注意事项和不良反应，指导患者遵医嘱按时、按量服药，定期复查血常规和肝、肾功能。

10.指导患者在保证充足的睡眠及休息的同时，要选择适宜的有氧运动，活动量从小到大，适量散步，游泳，进行腹式呼吸运动，进行抬臂、抬肩或拉床带活动等。

11.告知患者尽量不要去人员聚集的地方，必要时佩戴口罩，防止感染。

12.指导患者定期进行复查，当病情变化时及时就医。

（四）肿瘤患者安全管理制度

1.加强组织管理，合理配备护理人力，科室成立护理质量控制小组，建立并落实安全管理制度，抓好关键环节及关键人员的管理。

2.加强细节管理，防止患者自杀，护理人员要经常深入病房，主动与患者沟通，了解患者的心理状况，及时发现患者的情绪变化，对有自杀倾向者，要求家属陪伴，让患者感受亲人的温暖。

3.加强基础护理，预防压力性损伤的发生。

4.预防药物渗漏及静脉炎，加强化疗过程管理。

5.认真执行消毒隔离制度，严格遵守无菌技术操作规程，防止院内感染。

6.了解患者对疾病的接受程度，采取保护性医疗制度。

7.加强护理人员培训，提高安全防范能力。

8.完善不良事件非惩罚性上报制度，营造安全护理环境。

（五）职业防护制度

1.护理人员在进行护理操作或进行清洁、消毒工作时，应严格执行护理操作规程和护理工作制度，避免发生职业暴露。

2.正确处理化疗过期药，科室要有专门的化学垃圾处理方式，设置专用化疗过期药品存放盒，定期将过期药品移交药剂科。

3.加强化疗药物的学习与知识更新，做好自我防护。在进行化疗操作时，戴好口罩、帽子、护目镜，穿防护衣，以免直接接触化疗药物。配制化疗药物的护理人员要定期进行体检。

4.规范化疗废物的管理。根据《医疗废物分类目录》对化疗废物进行专门管理，做到分类正确，不得与其他医疗垃圾混放，化疗垃圾随时封闭，包装外贴化疗医用垃圾标志，详见图7-2。

图7-2 化疗垃圾标识

5.其他职业防护制度，详见第二章第一节的相关内容。

（六）放射治疗的职业防护制度

1.医疗机构的辐射安全和防护管理应由专人负责，负责全院的辐射安全防护工作。

2.辐射装置在使用前必须取得环保部门和卫生监督部门的评价报告。

3.放射相关工作人员在上岗前要取得放射人员资格证。

4.放射工作人员在工作时，必须正确佩戴个人剂量监测仪；进入放射工作场所时，必须正确佩戴个人剂量报警仪；直接接触射线时，必须戴标准防护用品。

5.放射工作人员在操作过程中，必须严格遵守操作规程，避免因辐射装置失控导致人员受到异常照射事件发生。

6.放射工作场所应有醒目的警示标识。

7.发生辐射事故，应按照《医院辐射事故应急处理预案》及时报告医务处和相关院领导。

（七）化疗药物输注管理制度

1.化疗药物配置时双人核对。

2.输注时须严格执行床边双人查对制度。

3.单人值班时值班护理人员与患者或家属共同核对。护理人员在执行单上签名，患者或家属在执行单上签名或摁手印。

4.配置靶向外购药物时需签署外购用药审批单，严格双人核对配置，保证剂量准确性，尤其贵重药物输注时，要与家属核对并签字。

5.化疗静脉通路的选择

（1）细胞毒性药物原则上选择中心静脉导管输注，发疱性药物必须选择中心静脉导管输注。

（2）特殊情况化疗选择外周留置针输注，应告知患者（家属）外渗风险及注意事项，尽量选择上肢大血管输注（除外上腔静脉堵塞），确保回血良好的情况下输注化疗药物。浅静脉留置针输注化疗药物后应在24h内拔除。

（3）化疗药物不能使用头皮钢针输注，也不能在下肢部位输注。

（4）上腔静脉堵塞者选择股静脉置管，下腔静脉堵塞者选择颈内或颈外静脉置管，并做好血栓预防宣教，出院时拔管。

（5）部分患者由于经济、病情及其他原因拒绝留置PICC时，可留置颈外静脉置管和颈内及股静脉置管。

（6）化疗超过3次及以上的患者应留置PICC，超过半年的留置输液港或PICC。

（八）医疗废弃物管理制度

1.严格执行医疗废弃物管理制度，规范科室医疗废物处置工作流程。

2.化疗药物废弃物如有剩余药液，不可直接丢弃，应放入密闭容器后丢弃。

3.配置化疗药物后的垃圾应按有毒垃圾处理，装入黄色垃圾袋，盛放容器应加盖并及时清理，防止化疗药物蒸发而导致环境污染。

4.放射性废弃物的处理，应严格执行国家有关法律规定，禁止造成放射性污染。

5.其他医疗废弃物管理制度详见第二章第一节的相关内容。

二、人力资源

（一）人员配置

1.素质要求建议

从事肿瘤护理专业护理人员要热爱护理工作；有较强的责任心、心理承受能力、组织及有效沟通能力，具备良好的职业道德素养；学历为本科及以上；具备一定的外语水平，有一定的听、说、读及书写能力；承担过临床教学和科研任务的护理人员优先。

2.人员编配原则

（1）功能需要：按照我国医院分级管理标准规定，三级甲等医院应满足病房床位与护理人员之比为1：0.5。

（2）以人为本：工作中应结合科室情况和护理工作的科学性、社会性、连续性和女性个体生理特点等，在满足患者对护理服务需求的前提下，进行全面安排。

（3）能级对应：护士按级别特异性能力被赋予不同岗位职能后达到人尽其才、才尽其用，这样才有利于护理人才的培养、患者满意度的提升，为提高临床护理工作的安全性及实效性提供保障。

（4）结构合理：对于不同层次结构的护理人员，要进行结构优化，合理配置，充分发挥个人潜能，做到优势互补。

（5）动态调整：随着专业发展，人员编制也要适应发展的需要，不断进行动态调整，护理管理者要有预见能力，重视和落实护理人员的继续教育，使护理人员素质适应社会需要。

（二）专业人员准入制度

1.具有护士执业资格证书。

2.肿瘤专业护士长应当具备中级及中级以上专业技术职务任职资格，2年以上肿瘤专业临床护理经验，并具有一定的管理能力。

3.化疗专业科室的护士长除须达到上述2条要求外，每2年必须参加不少于1次的省级及省级以上专业组织举办的肿瘤化疗相关护理培训或学术活动，并取得相应的继续教育类学分5分以上。

4.肿瘤专业护士必须为接受过严格的专业理论和技术培训并考核合格的注册护士；定期接受肿瘤专业相关知识、技能的再培训与考核，再培训间隔时间原则上不超过2年。

5.肿瘤专业护士在化疗专科或医院指定的肿瘤化疗的培训基地，连续从事肿瘤护理工作或进修学习3个月及以上。

6.具有较强的专业知识和化疗专科护理技能；有较好的静脉穿刺技术；对化疗药物外渗和静脉炎有一定的处理能力；对心电监护仪显示的异常心电图有一定的识别能力；

熟悉各种常用化疗药物的配药方法及配药禁忌；重视肿瘤患者的基础护理及心理护理。

（三）人员培训

重点介绍在职护理人员专科护理相关培训内容。

1.培训对象

科室所有护理人员。

2.培训时间和目标

通过2年的培训，使全科护理人员掌握肿瘤专业基础知识、基本技能及常用的急救技术，具备肿瘤专科护理要求，为患者提供高质量的护理服务。

3.培训方法

（1）科室选派具有一定临床经验的技术骨干参加全国及省级肿瘤专科护士培训。

（2）制定科室肿瘤专科理论和操作技能分层培训方案并落实。

（3）通过科室业务学习、业务查房、情景模拟实地培训、即时的小讲课等方式开展理论与技能培训。

4.培训内容

（1）肿瘤专业理论知识：常见肿瘤部位的解剖、生理；常见肿瘤疾病的病因、辅助检查的指征；各种治疗的方法、原理及常见肿瘤疾病的护理常规；肿瘤内外科患者的护理；介入治疗的护理；放射治疗的护理；肿瘤患者的营养支持、心理护理、康复运动和健康教育指导；癌症患者临终关怀；肿瘤科常用化疗药物和辅助用药的作用、用法及不良反应等。

（2）专科操作技能：浅静脉安全留置针经外周中心静脉置管术；化疗药物外渗时的处理；锁骨下静脉穿刺置管术；股静脉、股动脉穿刺术；腰椎、骨髓、胸腔及腹腔穿刺术的配合；动脉插管药物注入时与医生的配合；各种穿刺术的术前准备及患者的健康宣教，术后患者的病情观察和护理。

（3）专科急救知识：肿瘤科危重症患者护理常规和心肺复苏等急救技能；肿瘤护理人员职业防护相关知识。

（4）工作程序：熟悉肿瘤科各项规章制度、各班工作职责及工作流程。

（5）自身素质：加强护理人员的责任心和职业道德素养，强化法律意识，提高自身人文修养；掌握良好的沟通技巧，能有效地与处于不同心理阶段的肿瘤患者及家属进行沟通交流；掌握护患纠纷发生的原因及防范对策。

（四）肿瘤专科护士培训

1.培养对象

具备2年以上临床护理工作经验的临床护理人员。

2.培训目标

（1）掌握肿瘤患者常见症状的护理，肿瘤临床治疗方法及原则。

（2）熟练掌握肿瘤化学治疗患者的护理，肿瘤患者静脉化学治疗的管理。

（3）熟练掌握肿瘤放射治疗患者的护理。.

（4）掌握肿瘤患者的康复护理、姑息护理。

（5）掌握肿瘤患者的心理需求及护理要点。

（6）掌握肿瘤患者的营养支持。

（7）掌握肿瘤护理人员的沟通技巧及职业压力调适，医务人员职业安全防护的原则。

3.培训时间及培训方式

集中培训2～3个月，可采取全脱产或半脱产学习方式。其中1个月进行理论、业务知识的集中学习，1～2个月在具有示教能力和带教条件的肿瘤专科医院或者三级综合医院肿瘤科进行临床实践技能学习。

4.培训内容

（1）理论学习内容：培训不少于160学时。主要包括：肿瘤护理概论，肿瘤临床治疗的方法、原则，肿瘤化学治疗，肿瘤化学治疗的毒副反应及护理，化学治疗静脉的管理；放射治疗，放射治疗的毒副反应及护理，肿瘤患者常见症状的护理，肿瘤患者的康复护理，肿瘤患者的营养支持，肿瘤患者的姑息护理，肿瘤患者的心理护理及社会支持，护理人员的沟通技能及职业压力调适，肿瘤治疗中的职业安全防护等。

（2）临床实践学习内容：培训不少于160学时。主要是在具有示教能力、带教条件的肿瘤专科医院或者三级医院进行1个月的临床实践技能学习。

三、环境

（一）肿瘤治疗的医疗环境

医疗场所的环境是指医疗机构用于诊疗、护理、教学、科研、预防和技术指导工作的一切外部条件，其中既有自然环境、物质环境，也有医疗机构的社会人文环境。化学药物、电离辐射等是肿瘤治疗环境中危害工作人员的主要危险因素。

（二）肿瘤治疗环境中的主要危险因素

1.化学性因素

抗肿瘤药物具有细胞毒性，长期接触会造成药物蓄积，导致危害。

2.物理性因素

放疗利用电离辐射效应达到治疗目的，肿瘤的放射性治疗产生的电离辐射会伤及工作人员，长期接触者要注意职业防护，针刺伤、噪声等也会危及健康。

3.社会心理性因素

肿瘤患者的痛苦、高负荷的工作强度、紧张的护患关系给护理人员造成了极大的工作压力，成为影响护士健康的危险因素。

（三）肿瘤治疗的安全环境管理

医疗机构要根据临床需要进行建筑设计，装备安全有效的防护设施，提供有利于操作者健康的工作环境，肿瘤治疗过程中的安全防护主要包括化疗时抗肿瘤药物的防护和放疗时电离辐射的防护。

1.化疗安全环境要求

（1）化疗药物的配置最好在静脉配置中心集中进行，配制中心内设有符合标准的Ⅱ级或Ⅲ级垂直层流生物安全柜，配置室空气的洁净达万级标准（环境监测微生物数<100cfu/m³），维持5～10Pa的正压，垂直层流生物安全柜内空气洁净达百级标准（环境监测微生物数<5cfu/m³），维持70～160Pa的柜内正压。

（2）办公室和化疗配置间应有明确的分区，配备淋浴房。

（3）配制间为限制区，配备单独的洗手设施。

（4）在配置间入口设置醒目的标记，说明只有授权人员才能进入。

（5）在配置区域内应张贴皮肤及眼睛不慎接触化疗药物后处理过程的标识。

（6）在药物配置区域配有水池，配备冲洗眼睛的喷头，也可准备生理盐水以备紧急冲洗眼睛。

（7）操作中不要在工作区内外走动，尽量避免频繁的物流及人员进出。

（8）避免将生物安全柜中的药物带入周围环境。

（9）储存药物的区域设置适当的警告标签，提醒操作者应注意的防护措施。如在药物配置区域不允许进食、喝水、吸烟、嚼口香糖、处理隐形眼镜、化妆、储存食物和佩戴各种首饰。

（10）操作人员不得将个人防护器材穿戴出配制间。

2.放疗安全环境要求

（1）放疗安全环境管理的关键是合理的机房布局和屏蔽设施。

（2）远距离放疗时，放射治疗机尽可能远离非放射工作场所，治疗室、控制室和候诊区分开，治疗室的面积不应小于30m²，四壁应有足够厚度的屏蔽防护，根据射线的种类选择屏蔽材料，X射线、γ射线用铝铁、混凝土等材料，β射线用有机玻璃、塑料等材料。

（3）治疗室的入口处采用迷路方式，以有效地降低辐射水平。

（4）治疗室外醒目处安装辐射危险标志，门外设指示灯，安装连锁装置，只有关门后才能进行放射治疗。

（5）治疗室内必须有通风设备，每日通风3～4次，室内应有监视和对讲设备，以尽量减少对工作人员的辐射剂量。

（6）内照射时，开放型放射性场所必须采取严密而有效的密闭隔离装置，如设置屏障等，以防止其向周围环境扩散。

（7）在工作人员经常停留和工作的地点要安装辐射监测仪，必要时安装预定剂量率阈值的自控报警装置。

四、常见仪器设备

（一）生物安全柜

生物安全柜的主要功能是在创造一个百级洁净层流环境的同时，防护操作者和环境免于受到生物或毒素的危害。根据《医疗机构药事管理规定》规定：医疗机构根据临床需要建立静脉用药调配中心（室），实行集中调配供应。静脉用药调配中心（室）应当符合静脉用药集中调配质量管理规范。因此，生物安全柜要正确选择和操作，并很好地维护和保养。

1.正确选择使用Ⅱ级或Ⅲ级垂直层流生物安全柜

根据我国卫生行业标准WS233—2002，生物安全柜分3级：Ⅰ级生物安全柜气流从前方进，从后方流经顶部高效空气过滤器HEA滤片出，只保证工作人员不受侵害，但不能保证实验对象不受污染；Ⅱ级生物安全柜为垂直层流，进出气体均经HEPA片滤过，工作状态下对人员、环境、产品均提供保护；Ⅲ级生物安全柜四面封闭，有手套箱式操作口，其供应空气流经一层HEPA滤片，排气流经两层HEPA滤片，对人员、环境、产品提供最高防范效能。Ⅱ级生物安全柜详见图7-3。

图7-3　Ⅱ级生物安全柜

2.操作要点

（1）环境要求：生物安全柜应摆放在远离门、风扇、空调、窗户和人员活动频繁等可能干扰气流的地方。应尽量在安全柜的后侧及两侧留下30cm的空间，便于维护作业。柜子上方则留下30～35cm的高度，以便对排风过滤器的风速进行精确测量，并为排风过滤器的更换留下足够空间。

（2）个人防护要求：在使用生物安全柜时必须穿戴好个人防护用品，手套应套在隔离衣的外面。

（3）生物安全柜的启动：应遵循开机→擦拭内表面→净化10min的使用程序；其关闭应遵循擦拭→净化10min→关机的程序。

（4）柜内物品的摆放要求

1）按照从洁净区到污染区的方向摆放。

2）所有物品尽可能放在工作台后部。

3）将废弃物袋、锐器收集盒等体积较大的物品放在柜内某一侧。

4）柜内物品不可太多，避免把不必要的物品放入柜内。

5）前进气格栅不能被纸、仪器设备或者其他物品阻挡。

（5）对柜内紫外线灯的要求

1）每周进行清洁，除去可能影响杀菌效果的灰尘和污垢。

2）每次生物安全柜的认证，要检查紫外线强度，以确保有适当的光发射量。

3）房间中有人时一定要关闭紫外线灯，以防护眼睛和皮肤，避免因不慎暴露而造成伤害。

（6）柜内避免使用明火

1）明火可造成生物安全柜的气流紊乱，干扰气流模式。

2）可损坏高效空气过滤器。

3）配置具有挥发性和（或）易燃性的抗肿瘤化疗药物时易造成火灾。

（7）工作前准备

1）紫外线灯照射30min。

2）关紫外线灯，打开安全柜的日光灯和风机，用70%乙醇或其他消毒剂喷雾、擦拭进行生物安全柜的内表面消毒。

3）一次性将配药用物集中用消毒剂擦拭后放在台面相应位置上（切记勿阻挡风口）。

4）等待10min，以净化工作区的空气污染物。

（8）操作规范（仅适用于Ⅱ级生物安全柜）

1）双臂垂直缓慢进入前面的开口，在生物安全柜中等待大约1min，安全柜调整完毕后才可对物品进行处理。

2）所有操作应在离前窗10cm以外的工作区进行。

3）锐器类化疗废弃物丢入生物安全柜内的锐器收集盒，其他化疗废弃物丢入黄色化疗垃圾袋。

3.注意事项

（1）使用Ⅱ级生物安全柜时，避免胳膊在前开口处快速移动和频繁进出。

（2）尽量避免污染的物品进入柜内。

（3）盛装或运送成品药的袋子绝不能放入Ⅱ级生物安全柜或Ⅲ级生物安全柜的主操作箱内，以免受污染。

（4）在生物安全柜内进行操作时，不能进行文字工作。

（5）尽量减少操作者身后的人员活动。

4.清洁消毒与维护

（1）将柜内物品移出前，应使用有效的消毒剂擦拭物品外表面。

（2）配药完毕，盖好化疗锐器收集盒并擦拭其外表面，扎紧化疗垃圾袋并移置柜外。

（3）将安全柜继续运行至少10min来完成"净化"过程。

（4）根据工作流程，每天、每班或每批药配制结束后，对生物安全柜的内壁和台面进行擦拭，连续24h使用的生物安全柜每天要清洁和去污2～3次。

（5）等待10min后，关闭前窗，关灯，关风机，紫外线灯照射30min。

（6）每天至少用洗涤剂、含氯消毒剂和中和剂擦拭Ⅱ级生物安全柜前窗外面，及生物安全柜前的地面1次。

5.生物安全柜的维护与保养

（1）根据生物安全柜的说明书要求，选用合适的消毒剂擦拭其内壁和工作台面，常用的有75%乙醇；但Ⅲ级生物安全柜的丙烯酸面板部分只能用软布和温和的清洁剂或其他专用清洁剂清洁，不可使用有腐蚀作用的清洁剂或有机溶剂，不可用浓度大于50%的乙醛和70%异丙醇，也不可用含氨水的玻璃清洁剂。

（2）如果使用漂白剂等腐蚀性消毒剂后，需要用无菌水再次进行擦拭，除去残余的消毒剂。

（3）定期抬起工作台面对其下面的区域进行清洁。

（4）消毒后，用玻璃清洁器对前窗玻璃和紫外线灯进行清洁。

（5）Ⅲ级生物安全柜，即手套箱或隔离箱，绝不可打开前窗进行清洁。

（6）每年按需更换紫外线灯和日光灯。

（7）每年至少认证检测1次。

6.生物安全柜的污染清除

应由有资质的专业人员按照要求用甲醛、过氧化氢熏蒸等方法清除污染。

需要熏蒸的情况包括：①在检查和维修之前；②在更换 HEPA 之前；③在移动安全柜之前；④安全柜被严重污染；⑤变换使用目的；⑥长时间未用；⑦需要熏蒸的其他时间。

（二）医用电子直线加速器

医用电子直线加速器是产生高能射线，用于肿瘤远距离外照射放射治疗的大型医疗设备，它能产生高能 X 射线和电子线，具有剂量率高，照射时间短，照射视野大，剂量均匀性和稳定性好，以及半影区小等特点。广泛应用于各种肿瘤的治疗，特别是对深部肿瘤的治疗。

1.基本结构

医用电子直线加速器由微波系统、电子加速系统、辐射系统、剂量检测系统、机架、治疗床及辐射头运动系统、控制系统、温控系统组成。电子直线加速器详见图7-4。

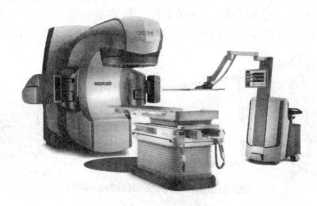

图7-4　电子直线加速器

2.性能与特点

医用电子直线加速器常规用于肿瘤治疗的 X 射线能量为 4～15MeV，电子束能量为 6～21MeV。直线加速器的注入和引出效率都很高，束流强度取决于注入器的入射强度和高频电源的荷载能力。

3.操作要点

（1）环境要求：医用电子直线加速器安装在提前设计好的加速器机房，机房设计必须符合国家辐射防护要求，机房使用面积及通风、温度、湿度等要满足所安装加速器的要求。

（2）防护要求

1）工作人员防护：操作时必须佩戴个人剂量仪。

2）患者防护：用铅衣、铅皮、铅帽和铅眼镜遮挡患者需要保护的部位。

（3）操作规范：操作人员必须经过岗前培训并取得相关资质，要熟悉加速器的各项性能和操作要点及注意事项，因该设备能一次性产生令人致死剂量，因此非相关人员不得操作设备。

4.维护与保养

医用直线加速器是一种大型的精密、复杂设备，发生故障也会较为频繁，因此必须加强日常维护和保养。维修工程师要定期对设备进行检修，定期对机器的性能进行必要的测试和检查。

（三）后装治疗机

后装治疗机即近距离后装治疗机，是使用放射源产生的射束治疗肿瘤的设备，是新一代肿瘤治疗设备，可进行后装放射治疗。治疗时先将不带放射源的治疗容器（施源器）置于治疗部位，然后在安全防护条件下用遥控装置将放射源通过导管送到已安装在患者体腔内的施源器内进行放射治疗，由于放射源是后来装上去的，故称为"后装"。近距离后装治疗在放射治疗中居重要地位。由于放置位置准确，距病体组织近等优点，在治疗妇科、鼻咽、食道、支气管、直肠、膀胱、乳腺及胰腺等肿瘤中，取得了明显的临床治疗效果。

1.组成结构

施源主机、放射源、控制系统、监视系统、附属安全设备、施源器、治疗床，部分一体化后装治疗主机配有定位用X射线C形臂。后装治疗机结构组成详见图7-5。

施源主机　　　　　　　操作系统　　　　　　　控制面板

图7-5　后装治疗机结构组成

2.操作要点

（1）环境：仪器工作时产生的是γ射线，会对工作人员及周围环境产生影响，须置在具有良好屏蔽性能的专门后装机房使用，且辐射防护必须满足国家相关辐射防护标准要求。

（2）防护要求：

1）工作人员防护：工作人员穿铅衣，戴铅眼镜和手套，围铅围脖，佩戴个人剂量仪。

2）患者防护：用铅衣、铅皮、铅帽和铅眼镜遮挡患者需要保护的部位。

（3）操作规范

1）根据医学影像信息确定治疗体积和危及器官。

2）应用治疗计划系统，在二维或三维医学图像的基础上设计、优化和制订治疗计划。

3）由放疗医生检查签署治疗计划，物理师将治疗参数传输至治疗机工作站。

4）根据治疗计划结果，将所需施源管和布源装置连接于施源器的环状接口，注意实际安装次序和编号必须与治疗计划相符。

5）治疗结束后，工作人员确认放射源已顺利回到治疗机贮源室，患者体内无放射源滞留。

3.维护与保养

必须由专门维修工程师定期对设备进行检修，定期对机器的性能进行必要的测试和检查。

（四）射频肿瘤热疗机

射频肿瘤热疗机采用微波加热的方法，在计算机控制下，使肿瘤区域温度高于正常温度5～10℃，从而对肿瘤细胞造成热损伤，使其生长受阻，甚至凋亡。射频肿瘤热疗机既可独立应用于治疗，也可在放疗和化疗中发挥增敏作用。

1.组成结构

由计算机控制系统和微波源主机两部分构成。计算机控制系统置于屏蔽室（治疗室）外，微波源主机置于屏蔽室（治疗室）内，两者通过线缆连接。射频肿瘤热疗机详见图7-6。

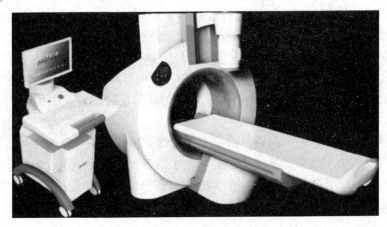

图7-6　射频肿瘤热疗机

2.操作要点

（1）环境要求：因仪器工作时产生的是一种高频电磁波，会对其他设备产生影响。须置于具有良好屏蔽性能的屏蔽室内使用。

（2）防护要求

1）工作人员防护：佩戴个人剂量仪，患者治疗时工作人员应在屏蔽室外。

2）患者防护：用金属纤维网罩遮挡患者的眼睛和性腺。

（3）操作规范

1）开机前首先检查各种连接线缆，确信连接可靠、无误后方可打开控制主机前面板上的电源开关，将其置于I档。

2）患者在治疗床上固定好合适的体位，将微波发射器对准所要治疗的部位，在治疗中心位置放好温度检测探头。

3）打开计算机控制系统下部计算机，双击桌面上的"微波治疗"按钮可进入治疗程序。设定治疗时间及温度限值，调整微波输出功率，开始治疗。

4）治疗结束后，关闭微波功率，放下患者。关闭治疗系统，等待5min后再关闭整个机器电源。

3.维护与保养

射频肿瘤热疗机是一种精密、复杂设备，必须由专门维修工程师定期对设备进行检修，定期对机器的性能进行测试和检查。

五、感染控制管理

1.病房环境保持清洁安静，定时开窗通风，保持空气新鲜，每日使用500mg/L含氯消毒液擦拭地面及病房设施1次，空气消毒机或紫外线消毒2次，保持床单元干净整洁。

2.按患者基础疾病病情、病种分室管理。患者之间不相互传阅书籍及共餐。为患者提供手部消毒液。

3.肿瘤科工作人员应接受医院感染管理的专业培训。按照无菌技术原则进行侵入性操作。对已留置PICC或中心静脉置管的患者，要定期换药，严格执行无菌技术操作。

4.严格掌握进入肿瘤科各区的患者入室标准，对特殊感染或高度耐药菌感染患者，必须采取严格的消毒隔离措施，所有物品必须专人专用，用后严格消毒并无害化处理。加强患者的感染管理及监测，特别是对各种留置管路、口腔、皮肤、肠道，抗生素使用情况以及细菌耐药情况，用药后不良反应的监测。

5.对进出肿瘤科的人员要严格管理，有感染性疾病者禁止入内。严格探视制度，治疗及查房时谢绝探视。一次探视人员不可过多，对处于疾病感染状态的患者，谢绝家属探视。

6.抗肿瘤治疗前做好各项检查，给予支持治疗，密切监测血常规变化，注意感染的先兆，重视降钙素原等感染指标的动态监测。生活自理患者定期洗澡，卧床患者温水擦浴，及时更换宽松内衣裤。鼓励患者适当运动，保持良好情绪，注意个人卫生。

7.加强危重症患者的局部护理与清洁消毒，预防并及早发现菌群失调而引发的医院感染。

8.肿瘤患者放化疗期间容易导致骨髓抑制，应定期监测白细胞和血小板计数。白细胞计数$<3\times10^9$/L或血小板$<50\times10^9$/L的患者，要采取保护性隔离措施，向患者和家属做好解释工作，限制探视；白细胞计数低于1×10^9/L的患者入住单人间，房间内以紫外线或空气消毒机每日消毒2次，每次1h；1000mg/L含氯消毒剂消毒擦拭地面和病房设施，遵循一物一用一消毒。注意体温变化，口腔护理每日2次，根据白细胞计数下降程度遵医嘱给予不同剂量的粒细胞集落刺激因子，短期预防用广谱抗菌药物，少量多次输入新鲜血或输入成分血。

9.患者离室后，要进行床单元消毒处理，必要时进行病室及物品的终末消毒。按要求进行卫生学监测，合格后方可收治患者。

10.加强医院感染监测，发现医院感染病例或医院感染病例有异常增加时，应及时报感染管理科，尽快调查处理。

11.其余相关管理详见第二章护理管理质量标准。

第二节　过程质量标准

一、安全管理

（一）肿瘤患者常见症状的安全管理

1.癌痛的预防

（1）癌痛：癌痛是指与癌症、癌症相关性病变和抗癌治疗所引起的疼痛，为慢性疼痛，是癌症患者常见的症状。

（2）原因

1）癌症直接引起的疼痛：是由癌组织压迫或侵蚀神经而引起的。

2）癌症治疗引起的疼痛：①放射性神经炎、口腔炎、皮肤炎、骨坏死、放疗、化疗后出现带状疱疹产生疼痛。②化疗药物渗漏出血管外引起组织坏死。③化疗引起的栓塞性静脉炎。④中毒性周围神经炎（长春碱）。⑤乳腺癌根治术中损伤腋淋巴系统，可引起手臂肿胀疼痛。⑥手术后出现切口瘢痕、神经损伤、幻肢痛。

3）癌症间接引起的疼痛：①肺癌患者因同时患有椎间盘突出症而引起腰腿痛。②衰竭患者的压力性损伤，因机体免疫力低下引起局部感染而产生疼痛。③前列腺癌、肺癌、乳腺癌、甲状腺癌等出现骨转移而引起的疼痛。

（3）评估

1）疼痛评估原则：由于疼痛是一种个人的主观感受，因此疼痛评估应以患者的主诉为依据。行为观察可为评估患者是否正在经历疼痛提供线索，但是观察到的行为表现并不一定等同于患者真实的疼痛强度。根据患者生命体征的改变来评估疼痛强度也是不恰当的，一方面癌性疼痛属于慢性病程，患者通常不伴有生命体征的改变；另一方面，这些指标的改变也可能是压力、恐惧及焦虑造成的，而不是疼痛所特有的。

2）疼痛评估的内容：当患者汇报了疼痛或不适，对疼痛的评估应常规进行，评估的频率和内容根据患者疾病阶段和临床治疗需求决定。当疼痛发生变化时或疼痛治疗计划发生变化时都应进行全面评估。全面评估包括以下方面：①疼痛病史包括疼痛的部位、疼痛的强度、疼痛的性质、疼痛的持续时间及有无伴随症状，患者目前的治疗情况以及使疼痛加重或缓解的因素；患者应用止痛药物或PCA治疗的时间、药名、剂量和途径，以及应用药物后的镇静反应程度；评估患者是否接受过相关的健康宣教。②评估患者由于疼痛引起的心理改变，由于复杂的癌痛会让患者产生焦虑绝望，甚至产生自杀念头，评估患者因疼痛引起的焦虑和抑郁情绪。③医疗史包括肿瘤治疗史、其他疾病、既往有无慢性疼痛、体格检查、实验室和影像学检查。

3）疼痛评估工具：目前临床应用的疼痛评估工具有很多，大致可分为两类——单维度评估工具和多维度评估工具。单维度评估工具用于量化疼痛强度，为临床选择止痛药和调整剂量提供依据。多维度评估工具用于测量疼痛体验的多个方面，用于对疼痛患者进行全面评估。常用的疼痛评估量表有：

①数字疼痛强度评估量表（NRS），是临床最为常用的疼痛强度评估工具，由0～10

数字等份标出的线性标尺表示。"0"表示无痛，随着数字增加，疼痛强度随之增加，"10"表示最痛，请患者指出最能代表他当前感受疼痛强度的数字（详见图7-7）。该量表简单易懂，容易理解和使用。

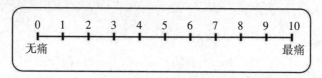

图7-7　数字疼痛评估量表

②目测模拟疼痛评估量表（VAS），将一条100mm的水平或垂直线模拟分成100个点，两端分别代表无痛和最痛，请患者根据自己的感受对疼痛强度做出标记（详见图7-8）。该量表敏感性高，信效度佳，使用方便，评估快速，能准确反映疼痛强度变化。但需要患者视觉好且需要用笔准确标记，在一些终末期虚弱患者中应用有困难。

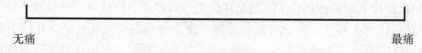

图7-8　目测模拟疼痛评估量表

③面部表情疼痛评估量表（Faces Pain Scale-Revised，FPS-R），在临床应用中较为普遍。该量表用脸谱的形式将面部表情由高兴到极其痛苦分成不同等级，最左端微笑的表情对应无痛强度为"0"，从左到右表情逐渐痛苦，最右端的痛苦表情对应患者无法忍受的最痛"10"。这一评估工具排除了语言障碍和文化差异带来的影响，简单，直观形象，适用于对儿童、老年人及学习或语言表达能力差者、有轻度认知障碍者及使用VAS或NRS困难的患者（详见图7-9）。

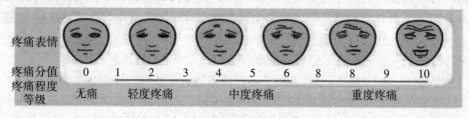

图7-9　面部表情疼痛评估量表

④主诉疼痛程度分级法（VRS），根据疼痛对患者生活质量的影响程度将疼痛强度分为4个等级：0级为无痛；Ⅰ级为轻度疼痛，有疼痛但可以忍受，能正常生活，睡眠不受干扰；Ⅱ级为中度疼痛，疼痛明显，需用止痛剂治疗，睡眠受干扰；Ⅲ级为重度疼痛，疼痛剧烈，不能忍受，睡眠受到严重干扰，可伴有自主神经紊乱或被动体位。

⑤简明疼痛评估量表（the Brief Pain Inventory，BPI），是多维度疼痛评估工具，可评估疼痛的病因、病史、强度、性质、部位、对日常生活的影响。应用0～10数字评估对日常活动的影响，包括行走、一般活动、情绪、工作、娱乐、睡眠、与他人关系，还可以画出疼痛部位，是一种相对简明实用的疼痛评估工具（详见图7-10）。

1.大多数人一生中都有过疼痛经历(如轻微疼痛、扭伤后痛、牙痛)。除这些常见的疼痛外,现在您是否感到有别的类型的疼痛?

2.请您在下图中标出您的疼痛部位,并在疼痛最剧烈的部位以"×"标出。

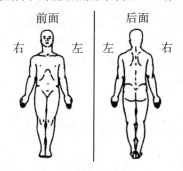

3.请选择下面的一个数字,以表示过去24小时内您疼痛最剧烈的程度。

(不痛)0 1 2 3 4 5 6 7 8 9 10(最剧烈)

4.请选择下面的一个数字,以表示过去24小时内您疼痛最轻微的程度。

(不痛)0 1 2 3 4 5 6 7 8 9 10(最剧烈)

5.请选择下面的一个数字,以表示过去24小时内您疼痛的平均程度。

(不痛)0 1 2 3 4 5 6 7 8 9 10(最剧烈)

6.请选择下面的一个数字,以表示您目前的疼痛程度。

(不痛)0 1 2 3 4 5 6 7 8 9 10(最剧烈)

7.您希望接受何种药物或治疗控制您的疼痛?

8.在过去的24小时内,由于药物或治疗的作用,您的疼痛缓解了多少? 请选择下面的一个百分数以表示疼痛缓解的程度。

(无缓解)0 10% 20% 30% 40% 50% 60% 70% 80% 90% 100%(完全缓解)

9.请选择下面的一个数字,以表示过去24小时内疼痛对您的影响。

(1)对日常生活的影响

(无影响)0 1 2 3 4 5 6 7 8 9 10(完全影响)

(2)对情绪的影响

(无影响)0 1 2 3 4 5 6 7 8 9 10(完全影响)

(3)对行走能力的影响

(无影响)0 1 2 3 4 5 6 7 8 9 10(完全影响)

(4)对日常工作的影响(包括外出工作和家务劳动)

(无影响)0 1 2 3 4 5 6 7 8 9 10(完全影响)

(5)对与他人关系的影响

(无影响)0 1 2 3 4 5 6 7 8 9 10(完全影响)

(6)对睡眠的影响

(无影响)0 1 2 3 4 5 6 7 8 9 10(完全影响)

(7)对生活兴趣的影响

(无影响)0 1 2 3 4 5 6 7 8 9 10(完全影响)

图 7-10 简明疼痛评估量表

4）沟通和认知障碍患者的疼痛评估

①尽量获得患者的主诉。②寻找引起疼痛的潜在原因和其他病因。③观察患者提示其疼痛存在的行为。④获得主要照顾者关于疼痛和行为改变的汇报。⑤用镇痛试验缓解因疼痛引起的行为改变。

恰当应用评估工具可及时准确发现和评价患者的疼痛。目前常用于评估重症监护疼痛观察工具（Critical Care Pain Observation Tool，CPOT）和危重、有或无插管的成年患者疼痛的量表有行为疼痛量表（Behavioral Pain Scale，BPS）。此外，Edmonton症状评估系统（ESAS）也是临床非常有效的评估工具。各种评估工具各有优缺点，医护人员应根据评估对象的特点进行合理选择。

5）疼痛评估单：详见第二章第四节的相关内容。

6）癌痛筛查表详见附录1。

7）癌痛滴定表详见附录2。

8）癌痛评估表详见附录3。

9）癌痛护理记录单详见附录4。

10）书写要求

①评估时机：患者入院后8h内完成筛查评估，并且在24h内进行全面评估，在治疗过程中，应实施及时、动态评估。②当患者疼痛≥4分时需通知医生进行癌痛滴定，给予药物处理并将疼痛的起始时间、部位、性质、程度、影响因素、治疗效果等信息记录于癌痛记录单。③疼痛控制稳定者，应每日至少进行1次常规评估，每2周进行1次全面评估。④疼痛控制不稳定者，如出现爆发痛、疼痛加重或剂量滴定过程中应及时评估，如出现新发疼痛、疼痛性质或镇痛方案改变时，应进行全面评估。⑤应用镇痛药后，应依据给药途径及药物达峰时间评估疼痛程度。

（4）癌痛治疗

1）药物镇痛：三阶梯镇痛方法（详见表7-2）。

表7-2 三阶梯镇痛方法

第一步	非阿片类	布洛芬(芬必得)、双氯芬酸钠(诺福丁)、丙氧氨酚(达宁)
第二步	弱阿片类	曲马朵、可待因、布桂嗪(强痛定)
第三步	强阿片类	芬太尼、吗啡

2）非药物镇痛：①创伤性非药物疗法，包括姑息性手术方法、神经外科方法。②物理镇痛，包括皮肤刺激、锻炼、固定术、经皮神经电刺激疗法（TENS）及针灸疗法等。③社会心理干预，采用认知和行为技术帮助患者得到疼痛被控制的感觉。

3）患者自控镇痛术（Patient-Controlled Analgesia，PCA）的使用：①有效控制患者的突发疼痛。②为疼痛入院的患者迅速解除疼痛。③有助于由静脉到口服药物剂量转换。④禁用于过度镇静及精神恍惚的患者。

（5）干预措施

1）所有患者入院时进行疼痛筛查和评估，选择适合的评估工具，鼓励患者表达疼痛和对疼痛的感受，教会患者自我评估的方法，对患者的疑虑要耐心解答，消除患者的担忧。

2）运用非药物镇痛方法，为患者建立温馨整洁的病房环境；有效地健康指导，帮助患者卧床休息和选择舒适的体位，进行合理和适度的放松训练，慢节律地呼吸；运用冷敷、按摩、热敷、针灸、经皮电刺激等物理疗法。

3）指导患者及其家属学会自我评估和使用疼痛评估工具，将疼痛感受及正在服用的药物效果告诉医生和护理人员，不要强忍。

①当疼痛开始，告诉护理人员。

②如果疼痛不能缓解，告诉护理人员。

③任何疼痛干预措施的疑似副作用告诉护理人员。

④希望患者问任何有关疼痛管理的问题。

4）运用心理疗法安慰患者，解释病情。指导患者进行呼吸训练和松弛训练，转移患者的注意力，从而减少疼痛强度，降低其对疼痛的关注度，以减轻因疼痛造成的焦虑。

5）阿片类药物的不良反应干预

①恶心、呕吐：初用阿片类药物的同时给予甲氧氯普胺（胃复安）等镇吐药预防，一般3～7d症状可减轻和缓解。

②过度镇静、嗜睡：减少阿片类药用药剂量，或减低分次剂量，或换用其他镇痛药，或改变用药途径。必要时给予兴奋剂：咖啡因100～200mg口服，每6h一次；并给予准确评估和相应的解释指导。

③尿潴留：发生率低于5%，避免同时使用镇静药，定时排尿（如4h排尿一次），诱导患者自行排尿，让患者听流水声，热水冲洗会阴部，膀胱区按摩等。

④呼吸抑制：长期应用阿片类药物一般会对呼吸产生抑制。当呼吸次数≤8次/min时，立即使用纳洛酮解救（纳洛酮0.4mg+10mL生理盐水，缓慢静脉推注），并不断呼喊患者，直到其完全清醒，不宜吸氧。

⑤便秘：使用吗啡类药物的患者几乎都会发生便秘，却常常被忽视。指导患者在服用吗啡类药物期间服用缓泻剂预防便秘，鼓励患者多饮水，进食粗纤维素的食物，养成规律的排便习惯，增加活动量。

2.恶心、呕吐的预防

（1）恶心呕吐：恶心常是呕吐的前驱症状，是一种反胃的感觉和（或）伴有呕吐的冲动，可伴有迷走神经兴奋的表现，如皮肤苍白、出汗、血压下降或心动过缓；呕吐是指胃内容物逆流出口腔的一种反射性动作。

（2）原因

1）与治疗相关的因素：如肿瘤的治疗及其伴随疾病的治疗。

2）与疾病相关的因素：癌症及癌症并发症。

3）心理因素：焦虑、压力、疼痛。

（3）评估

1）了解患者的病史，包括既往史、疾病诊断、前期治疗、转移部位、检查和诊断结果等。

2）评估引起恶心、呕吐的相关因素。

3）症状的评估，包括恶心、呕吐的发生时间、频率、症状持续时间，呕吐的方式及特点，呕吐物的量、颜色、性质、气味及有无混合物（如胆汁、血液和粪便等），伴随症状、生命体征及可能引起呕吐的相关因素。

4）常用评估工具有罗德恶心呕吐指标（INV），主要分为五个指数，包括恶心持续的时间、恶心造成的窘迫程度、恶心发生的频率、呕吐发生的频率、呕吐量的多少。每一项目为5分，分数越高，则说明情况越严重。

5）评估恶心、呕吐程度，WHO规定的恶心、呕吐的诊断标准，将恶心、呕吐分为5个等级（详见表7-3）。

表7-3　恶心、呕吐分级表

0级	无恶心、呕吐
Ⅰ级	只有恶心
Ⅱ级	为一过性呕吐伴恶心
Ⅲ级	呕吐需要治疗
Ⅳ级	顽固性呕吐,难以控制

（4）治疗

1）原发病的治疗。

2）药物治疗：①多巴胺受体阻滞剂，代表药物甲氧氯普胺。②5-HT$_3$受体阻滞剂，代表药物昂丹司琼、帕洛诺司琼。③H$_1$受体阻滞剂，代表药物苯海拉明、异丙嗪。④糖皮质激素，代表药物地塞米松。⑤神经激肽-1（NK-1）受体阻滞剂，代表药物阿瑞匹坦、福沙匹坦。

3）非药物治疗：①营养支持。②行为放松疗法。③中医治疗。

（5）干预措施

1）心理干预：关心患者，耐心倾听患者诉说，及时提供知识信息，包括化疗的目的、方法以及治疗可能出现的副作用，帮助患者了解和正确应对恶心、呕吐，激发患者和家属管理症状的潜力。

2）饮食干预：根据患者的饮食习惯和疾病特点，调整饮食结构。饮食清淡、易消化，少量多餐，禁食辛辣刺激性、粗糙食物；多吃蔬菜和水果，限制含5-HT3丰富的水果、蔬菜，如香蕉、核桃、茄子等。避免在患者呕吐期间进食，经口进食困难者，通过肠内或肠外给予营养支持。对于重度呕吐的患者，详细记录出入液量，评估脱水的程度，给予静脉补液治疗。

3）创造良好环境：病室整洁、安静、舒适、轻松，开窗通风，消除臭气和异味。

4）呕吐时的干预：患者呕吐时侧卧，头偏向一侧，避免误吸；观察呕吐物的性质、颜色及呕吐量，呕吐后用温水漱口，及时清理呕吐物以减少不良刺激。鼓励患者深呼吸；严重呕吐患者要记录出入液量，抽血检查各电解质的浓度，调整补液计划。胃肠减压患者发现血性排泄物时，要及时报告医生并记录。

5）用药干预：在睡眠前给药可预防化疗所导致的恶心、呕吐，因为睡眠时患者的胃肠蠕动减慢，不易发生恶心、呕吐；在餐后3～4h给药，因为此时胃充盈度小，胃酸分泌少，发生呕吐的概率相对较小。昂丹司琼和格雷司琼在化疗前遵医嘱15min静脉推入；呕吐严重者，预防性口服地塞米松，双侧足三里穴位注射维生素B$_6$与甲氧氯普胺联合用药止吐，也可以利用针灸、指压、音乐疗法和穴位按摩来减轻症状。患者用药期间会出现不同程度的副反应，如嗜睡、头痛、头晕眼花、心跳加速、极度口渴、尿色暗黄和肌肉强直等，严密观察并详细记录，症状严重者报告医生对症治疗。

3.癌因性疲乏的预防

（1）癌因性疲乏（cancer related fatigue，CRF）：是一种令人痛苦的、持续的、与癌症和癌症治疗有关的、躯体的、情感的和（或）认知的劳累，或筋疲力尽的主观感受，这种感受与活动不成比例，并且伴有功能障碍。CRF不同于一般疲乏，它的程度更重、更令人痛苦，通常不能通过休息来缓解。

（2）原因

1）癌症或肿瘤的直接影响，癌症放化疗、手术等治疗。

2）癌症及癌症治疗合并症如贫血、感染、甲状腺功能紊乱和营养不良等。

3）心理社会因素，焦虑、恐惧及应对方式。

（3）评估：进行及时有效干预CRF的前提是对CRF的评估。可用单维评估表和多维评估表进行测评。首先，应对所有的肿瘤患者进行CRF筛查，如存在疲乏，应进一步评估疲乏的严重程度。如果患者为中重度疲乏，应使用多维疲乏量表进一步评估，包括疲乏史、体格检查、评估与CRF同时存在的可治疗因素。此外，应动态持续地连续评估，即使在肿瘤治疗结束后。

（4）治疗：对CRF的治疗分两步进行。首先，识别可治疗的影响因素并进行治疗，如疼痛、抑郁、贫血和睡眠障碍等；其次，针对诱因治疗后仍存在的CRF，以及无明显诱因的CRF进行治疗，包括非药物和药物治疗。

1）非药物治疗：①运动疗法，包括有氧运动（例如快走、骑自行车和游泳）和居家自行运动，每周4d以上，30min/次以上中等强度运动。每周进行3次渐进性抗阻力训练（例如举重），能缓解肿瘤患者接受激素治疗的癌因性疲乏。此外，推荐在温度、湿度适宜的环境下，每天进行30～60min的瑜伽练习。②心理治疗，采取多种联合方式，如想象性放松、冥想放松、渐进性肌肉放松、腹式呼吸训练、自我暗示疗法。③营养治疗，补充营养、足够的水分和电解质，预防和治疗CRF。④睡眠疗法，通过睡眠限制、刺激控制和睡眠卫生来提高睡眠质量。⑤白光疗法，作用原理是人体的生物节律受光的影响，光线通过刺激下丘脑的视神经交叉上核来调节生物节律，可以提高患者的睡眠效率，减少夜间唤醒时间，并增加夜间睡眠时间。

2）药物治疗：①精神兴奋药，如莫达非尼和哌醋甲酯（利他林）。②营养补充剂，如人参、辅酶Q10和左旋肉碱等。

（5）干预措施

1）健康宣教：向患者讲述疲乏的有关信息，包括疲乏的发生原因，常见方式和持续时间、观察和预防，帮助患者建立对疲乏正确的理解，告知控制疲乏的重要性。加强患者对健康照护的调节能力，解除患者的恐惧心理，保持应对信心。

2）良好生物节律的建立：指导患者在治疗期间保持良好的作息习惯，临睡前听舒缓音乐，喝热牛奶，热水泡脚，指导患者自我放松和催眠；充足的睡眠和舒适安静的环境，对于生物节律的建立非常重要。

3）鼓励适当的有氧运动：有氧运动可缓解疲劳，过度的卧床休息反而使人疲劳，鼓励患者循序渐进地锻炼，制定个体化的运动方案；鼓励患者参加娱乐活动，从而提高社会活动能力，减少焦虑及恐惧情绪。

4）饮食指导：指导患者补充营养，提高免疫力，从而消除疲劳恢复体力；鼓励患者少量多餐，进食易消化、高维生素、高热量、营养价值高、易咀嚼和吞咽的食物，给予肠内、肠外营养，维持营养状态。

5）提供心理社会支持：与患者多沟通和交流，鼓励患者表达感受，了解患者心理状态和个性心理特征，指导患者进行冥想、放松等心理行为干预疗法，使患者调整心态，树立对抗疲劳的信心。告知家属家庭支持的重要性，多陪伴和给予情感支持。

4.便秘的预防

（1）便秘：是指正常的排便形态改变，排便次数减少，每2～3d或更长时间排便1次，粪便干硬，无规律性且排便不畅，排便困难。

（2）原因

1）心理因素：患者由于疾病本身的折磨及化疗带来的各种不适，常出现焦虑、紧张、消极、恐惧等心理，而紧张焦虑的情绪可增加盆底肌紧张度，从而引起排便的肛门耻骨直肠肌不协调运动，从而导致便秘。

2）饮食因素：放化疗后，过于精细、高蛋白、低纤维素饮食，容易导致粪便在肠道内移动缓慢。大便干燥，硬结成块，以致便秘。

3）活动量减少：癌症患者进行放化疗后常常疲乏无力，不愿下床活动，卧床时间延长，活动量减少导致胃肠蠕动减慢，引起便秘。

4）进食量少：放化疗后，容易发生胃肠道反应，出现食欲减退、进食量减少，食物残渣相对减少，故大便量也减少。

5）忽视排便信号：由于治疗或环境等因素，当天出现便意时，患者有时会克制或忍受，久之引起排便反射逐渐消失，继而导致便秘。

6）药物影响：在进行放化疗期间，大多数患者会同时应用止痛药、止吐药、化疗药等。止痛药在镇痛的同时，会减弱胃肠道功能，止吐药会导致胃肠道功能紊乱，部分化疗药具有自主神经毒性，会引起便秘。

7）肿瘤本身的影响：腹腔、盆腔的肿瘤会压迫肠道，肿瘤侵犯腰椎的时候也会影响排便相关的肌肉和神经，影响排便。

8）化疗后，患者可能会改变饮食习惯，卧床时间变多，活动减少，精神紧张，这些都是间接让肠道蠕动减少的原因。

（3）评估

1）评估排便时的情况，包括次数、性状、时间、有无肛裂和出血等。

2）评估年龄、性别、情绪、压力、运动量、生活习惯及方式、其他环境因素等。

3）评估排便不畅的原因，如缺少纤维素摄入、水分不足等。

4）评估是否因活动量不足引起便秘，如患者缺乏活动、长期卧床、肌肉张力减退等。

5）了解便秘发生的原因，直肠或肛门有无阻塞性病变，是否有腹部手术史，大肠、直肠的运动有无异常，有无长期用药史、内分泌性疾病及其他慢性疾病。了解是否使用灌肠剂和缓泻剂，及使用后效果如何。

（4）治疗

1）积极预防：多饮水，合理膳食，适度运动，建立良好的排便习惯。

2）合理用药：根据便秘的类型选择不同的缓泻剂。

3）非药物治疗：①精神心理治疗。对合并精神心理障碍、睡眠障碍轻度患者，给予心理指导和认知疗法，中度患者给予抗抑郁焦虑药物治疗，重度患者请精神心理科会诊专科治疗。②生物反馈治疗。③其他治疗方法，如益生菌和针灸等。

（5）干预措施

1）健康教育：帮助患者及其家属正确认识维持正常排便习惯的意义，解释便秘对人体的危害，预防便秘的重要性和方法。告知患者及其家属长期应用泻药，会造成对泻药的依赖。

2）帮助患者重建正常的排便习惯：每天按时排便，多活动，减少缓泻剂的使用。

3）合理安排膳食：晨起空腹喝温开水500mL，每日饮水量不少于2000mL。多吃香蕉、韭菜、芹菜和红薯等含高纤维素的食物，以促进排便。

4）便器使用训练：对于长期卧床患者和手术后患者，要指导其在床上使用便器。同时教会患者加强腹肌和盆底部肌肉运动的方法，有利于肠蠕动和肌张力增加，促进排便。

5）腹部按摩：腹部自左向右环形按摩（沿结肠解剖位置），可增加腹内压，使降结肠的内容物向下移动，促进排便。

6）穴位按压：按压足三里穴位30～50次（2～3min），可改善症状。

7）支持患者在私密的厕所排便，而不是在床边或床上排便，患者只有在行动不便时才使用床旁便椅，患者只有在严格卧床休息时才使用便盆，应尽可能提供私密和舒适的排便环境。采用"正确"的如厕姿势（即半蹲式，膝盖高于臀部，身体略微前倾）可促进排便，建议使用脚凳帮助排便。

8）使用阿片类药物的肿瘤患者可预防性使用渗透性或刺激性缓泻剂。

5.腹泻的预防

（1）腹泻：是一种常见症状，正常排便形态发生改变，大便呈水样（含水量超过85%）及大便次数增多，次数超过每日3次，排便量超过200g/d，含脓血或黏液及未消化食物。

（2）原因

1）化疗：化疗药物可对肠黏膜细胞产生直接毒副作用，使其坏死或产生炎症，造成吸收和分泌失衡，引起腹泻。另外，化疗多采用大剂量联合用药的方法，常导致肠道功能异常，引起腹泻。

2）肠道感染：因患者免疫功能低下，营养不良及侵袭性操作等均可影响肠道正常菌群而并发肠道感染。

3）肠道菌群失调：肿瘤患者由于疾病本身及放疗、化疗引起骨髓抑制，易发生感染，因此临床上需要应用抗生素类药物，但抗生素类药物过度使用易导致肠道菌群失调，使致病性微生物增生而引起腹泻，抗生素也可直接引起肠黏膜损害导致腹泻。

4）肠内营养不当：肠内营养液浓度过高，输注速度过快，温度过低，被细菌或真菌污染，灌注食物脂肪含量过高等。

5）放射治疗：常可直接引起肠道黏膜的损害，发生放射性肠炎，引起急性渗出性腹泻。

6）胃肠动力药物相关的腹泻：肿瘤患者因胃肠自主神经功能紊乱，常常使用胃肠动力药。

（3）评估

1）病史评估：既往排泄形态，肿瘤类型，部位和范围，药物的应用，饮食和其他因素。

2）体格检查评估：临床症状和体征，腹部及直肠的状况，脱水程度。

3）实验室检查的评估：血电解质的平衡状态，全面细胞分析，判断是否有传染发生，粪便病原学检查。

4）评估腹泻程度：选用国家癌症研究（National Cancer Institute，NCL-CTCAE V4.03）关于腹泻的毒性分级标准，将腹泻分为5个等级（详见表7-4）。

表7-4　腹泻毒性分级表

分级	1	2	3	4	5
腹泻	大便次数增加<4次/d	大便次数增加4～6次/d，排出物中度增加，不影响日常生活	大便次数增加≥7次/d，大便失禁，需要24h静脉补液，需住院治疗，排出物中度增加，影响日常生活	危及生命（如血流动力学衰竭）	死亡

（4）治疗

1）纠正水、电解质和酸碱平衡失调，补充营养物质。

2）止泻药：轻度给予蒙脱石散剂，中重度给予地芬诺酯或洛哌丁胺等缓解症状。

3）肠道微生态制剂：益生菌治疗。

4）生长抑素：可抑制肠蠕动、抑制内分泌肿瘤细胞分泌激素和抗肠分泌的作用。

（5）干预措施

1）心理干预：安慰患者，鼓励患者面对疾病，帮助患者了解与疾病有关的知识和治疗方法，从而减轻患者的心理负担，调动内在动力，增强战胜疾病的信心。

2）环境：保持病房安静，整洁，无异味，温度、湿度适宜。

3）保持皮肤完整性：观察患者的皮肤情况，保持皮肤清洁干燥，每次便后用清水擦洗肛周皮肤。

4）病情观察：严密观察患者的生命体征，注意排便情况，如大便的次数、颜色及性状等；遵医嘱及时采集血标本；频繁腹泻者应卧床休息。

5）饮食指导：观察患者的进食情况，定期测量体重。食用少纤维素的流质和半流质饮食，避免刺激性的食物，如辣椒、多纤维素的蔬菜、冷饮、水果，忌食牛乳和乳制品；病情许可时可增加液体摄入，约3000mL/d。腹泻伴进食困难时可给予肠外营养支持。

6.口腔黏膜炎的预防

（1）口腔黏膜炎：是指口腔黏膜的炎症性和溃疡性反应，常表现为口腔黏膜变红、肿胀和出血，是血液病及肿瘤患者放化疗中的常见并发症。

（2）原因

1）与化疗药物使用有关：化疗药物引起的口腔黏膜炎的风险与药物种类、剂量、给药途径有关。

2）与放疗有关：放疗引起口干和口腔炎程度与照射剂量、累计照射剂量、照射频率、放疗的深度以及受照射的面积有关。

3）某些药物：大量使用肾上腺皮质激素及抗生素，可破坏口腔正常菌群，使某些致病菌异常。

4）肿瘤本身：血液肿瘤患者（如白血病）和干细胞移植的患者容易发生口腔黏膜炎。

5）其他不良反应的影响：如患者年龄、使用激素、厌食导致营养不良、蛋白质摄入不足等容易合并口腔黏膜炎。

（3）评估

1）评估口腔黏膜情况：检查口腔黏膜的颜色、完整性，牙龈有无疼痛感，是否有口干、味觉改变和咽痛。

2）评估口腔黏膜炎程度：选用美国国立癌症研究所发布的常见化疗药物常见毒性反应标准（Common Terminology Criteria for Adverse Events，CTCAE4.0），将口腔黏膜炎分为5个等级（详见表7-5）。

表7-5 口腔黏膜炎分级表

1级	无症状或轻微症状,不需要干预
2级	中度疼痛,不影响经口进食,但提示需改变饮食结构
3级	中度疼痛,影响经口进食
4级	威胁生命的后果,需要紧急干预处理
5级	死亡

（4）治疗

1）口腔处理：包括刷牙、漱口和口腔冲洗，保持口腔清洁、湿润，减少疼痛、出血和牙周并发症。

2）冷疗：也称口腔含冰疗法，通过含冰或含漱冷水，使口腔黏膜血管收缩，减少与细胞毒性药物暴露的时间，预防口腔黏膜的损害。

3）重组人角质细胞生长因子：可刺激表皮细胞生长，减轻口腔黏膜炎的持续时间和程度。

4）其他药物治疗：遵医嘱给予如多黏菌素、两性霉素B、生长因子和细胞因子等药物。

5）治疗口腔黏膜炎的相关问题：如疼痛、出血、感染、口干和味觉异常等。

（5）干预措施

1）密切观察：每日常规观察口腔黏膜的情况，如黏膜发红、白斑，牙龈肿胀和溃疡等。询问有无口干、疼痛、味觉改变等不适，教会患者自我观察的方法，如有不适及早治疗。

2）加强口腔卫生：保持良好的口腔卫生习惯，经常用清水漱口，保持口腔黏膜湿润，早晚及饭后用软毛牙刷刷牙；加强功能锻炼，鼓励患者张口做叩齿和鼓腮运动，预防发生口腔感染。

3）指导患者正确的局部用药方法：为了让药物与口腔黏膜更好地接触，充分发挥药物的治疗作用，告知患者应先用生理盐水或清水漱口，用药后30min内禁止饮水和进食。漱口液在口腔内保留5min以上，片剂药在口腔内含服直至溶化。

4）口腔黏膜反应的处理：指导患者正确刷牙和漱口，每日用含有麻醉药物成分的漱口液或复方硼砂含漱液，局部涂抹凝胶或溃疡散；遵医嘱给予20mL生理盐水＋地塞米松、庆大霉素和维生素B_{12}雾化吸入，每日2次；疼痛剧烈可用2%利多卡因喷雾。如出现真菌感染，改用制霉菌素和3%苏打水含漱；口干患者可用麦冬或金银花泡茶饮。根据患者并发口腔黏膜炎的危险程度，每1~3d检查1次口腔状况，若发现口腔内、嘴唇出现任何红肿炎症、触痛时，及时报告医生并遵医嘱处理。

5）心理干预：评估影响患者身心的因素，并针对患者的心理问题给予相应的辅导。鼓励患者表达感受，提供有效的社会支持，从而减低患者的焦虑情绪，提高生活质量。

6）饮食干预：指导患者正确饮食，增加高蛋白食物的摄入量，如豆浆、牛奶、鱼汤等，可促进口腔黏膜的新陈代谢。避免进食过冷、过热、刺激性强的食物，避免喝碳酸饮料刺激口腔黏膜，多补充新鲜蔬菜和水果，宜少食多餐，禁忌烟酒。

7）可以使用激光照射口腔黏膜，加速口腔黏膜愈合，并且口腔黏膜的疼痛程度会明显降低，疼痛持续时间也会缩短。

7.发热的预防

（1）发热：是指病理性体温升高，由于体温调节中枢调定点上移而引起的高水平的体温调节活动。正常人体温受体温调节中枢控制，并通过神经、体液因素调节产热与散热两个过程，使其保持动态平衡。一般而言，当腋下、口腔或直肠内温度分别超过37℃、37.3℃和37.6℃，一昼夜体温波动在1℃以上，称为发热。

（2）原因

1）感染发热：①肿瘤患者免疫机能受抑制。肿瘤细胞本身所产生的免疫抑制，抗肿瘤药物可抑制机体免疫功能，放射治疗引起的骨髓功能抑制。②中性粒细胞减少。肿瘤患者中性粒细胞减少会导致细菌和真菌感染，化疗会导致中性粒细胞功能缺陷。③营养不良。肿瘤是一个消耗性疾病，尤其是晚期患者营养不良更为严重，患者因发热、不思饮食、腹水和出血等均可使血清白蛋白低下，从而加重营养不良。④神经心理因素。肿瘤的诊断是一种恶性刺激，一旦诊断明确，患者会产生强烈的负性情绪，表现出恐惧、否认、悲观的心理过程。患者情绪恶劣，可使交感神经抑制，免疫功能下降。

2）非感染性发热：①血液和造血系统恶性肿瘤，侵犯或影响体温调节中枢引起的发热。②肿瘤患者的骨转移引起的发热。③药源性发热，如生物治疗应用的干扰素、白细胞介素、细胞因子等使用后常出现发热。

（3）评估

1）评估患者发热原因及相关因素。

2）评估发热患者身体状况。

3）评估患者心理状况。

4）评估实验室检查。

（4）治疗

1）抗感染治疗。

2）肾上腺皮质激素治疗。

3）支持治疗。

4）对症治疗。

5）退热药的使用。

（5）干预措施

1）严密观察病情的变化：①严密观察生命体征的变化。观察体温、脉搏、呼吸、血压、疼痛异常情况，高热者应每隔4h测量1次体温。②观察皮肤的变化。观察皮肤弹性，有无皮疹及大小便异常情况，并做好详细记录。③观察检验指标的变化。定期进行血常规检查，必要时可做尿便常规、痰培养等检查，特别是白细胞计数与分类的变化，红细胞沉降率、C反应蛋白、电解质的变化等。

2）降温干预：①物理降温。临床上常用局部冷敷和全身疗法。②药物降温。退热药物使用后应观察不良反应，尤其要加强对小儿及老年患者的监护，以防因大量出汗丢失液体而出现虚脱或休克现象。

3）基础护理干预：①休息。高热患者需要卧床休息，可减少能量消耗，有利于机体康复。②口腔护理。高热患者唾液分泌减少，口腔黏膜干燥，容易发生感染，应保持口腔卫生，在晨起、饮食后和睡前漱口。③饮食。癌性发热患者应以清淡饮食为主，避免滋腻之品郁积加重癌热，可配合百合、银耳、莲子等性凉之品做汤羹为辅食或泡水代茶饮，以缓解病情。在体温降至正常后，鼓励患者进食高热量、高维生素、高蛋白流质或者半流质饮食。④皮肤护理。退热期患者出汗多，及时擦干汗液以保持皮肤干燥，必要时更换衣裤及被服。对于持续高热者要勤翻身，预防压力性损伤发生。

4）健康教育：演示并解释正确测量体温的方法。教会患者如何早期识别体温异常，解释其发热的过程，使其掌握及时应对的方法。

8.凝血功能障碍的预防

（1）凝血功能障碍：是恶性肿瘤的常见并发症，也是导致肿瘤患者死亡的常见原因之一。约50%的患者在其患病的过程中产生凝血功能异常，包括弥漫性血管内凝血、血栓、出血等。

（2）原因

1）血小板数量异常：血小板减少症、血小板增多症。

2）血小板功能异常：部分肿瘤患者的血小板计数虽然正常，但其功能不正常，常表现在促凝血活性下降，胶原反应的血清素释放下降，凝聚能力下降，从而影响凝血机制的正常运行。如白血病等血液系统疾病会抑制血小板的凝血功能。

3）凝血功能异常：肝癌等恶性肿瘤可使凝血因子缺乏及凝血因子消耗增多而导致出血。

（3）评估

1）相关因素的评估：①详细了解家族成员中有无血液系统功能异常者。②询问患者的用药史，了解患者是否使用过影响血液系统功能的药物。③检查患者皮肤颜色，大小便颜色和性质，有无黏膜出血征及眼底和关节疼痛，以诊断有无出血倾向。④观察患者外观及活动耐力，评估患者有无隐性慢性出血。⑤评估患者饮食习惯和营养状况，以便判断患者贫血性质和原因。⑥对有治疗的患者应注意观察输血、用药的治疗效果。

2）身体评估：①观察创伤性操作后伤口有无渗血，皮肤及肢端颜色有无异常。②询问患者有无耳痛、头痛、视觉下降等，必要时可进行眼底观察。③评估患者鼻出血、牙龈出血及口腔黏膜的完整性情况。④观察患者呼吸频率、节律、呼吸音性质、口唇颜色、四肢末梢温度、有无咯血情况。⑤了解大小便颜色、量、性质，询问有无腹痛；出现呕吐时应评估呕吐物颜色、量、性质，判断是否有消化道出血情况。⑥询问月经量是否增多，持续时间是否出现明显延长。⑦评估活动时是否有关节疼痛，关节腔是否有出血。⑧评估患者意识状况、血压变化情况、恶心呕吐症状，判断有无颅内出血或组织灌注不足等。

（4）治疗

1）出血的治疗：①一般治疗。当患者发生出血征象时，应根据出血的部位和形式采取及时有效的止血措施。对危及生命的大出血，如肺癌大出血、鼻咽癌大出血、上消化道出血等，应进行紧急抢救，及时给予止血、补液，保证有效血容量；保持呼吸道通畅，预防窒息。②药物治疗。常用止血药物包括酚磺乙胺、促进血小板生成的细胞因子、血凝片、辅酶A等。常用抗血小板凝集药物包括阿司匹林肠溶缓释片、硫酸氢氯吡格雷片等。轻度或慢性DIC，或DIC已被控制而肝素减量时可用抗血小板药物。③遵医嘱给予全血输注或血小板输注。

2）弥散性血管内凝血（DIC）的治疗：①一般治疗。有效治疗DIC的根本措施是积极治疗原发病，及时去除DIC的病因，同时加强基础生命支持，保暖，吸氧，维持电解质和酸碱平衡。②肝素抗凝治疗。肝素6000IU/d，根据凝血时间调整药量，以保持凝血时间在正常值的1.5～2.5倍为宜。③适时补充凝血因子和血小板。在DIC消耗性低凝血期，应及时补充凝血因子和抑制物。血小板生成障碍、血小板计数较低或有明显的出血时可输注血小板。④抗纤溶治疗。当确定DIC发展为继发性纤溶亢进期，可遵医嘱给予抗纤溶药物如纤维蛋白原。

（5）干预措施

1）预防出血：病室环境安全，湿度适宜，一般湿度为50%～60%，防止空气干燥引起鼻黏膜出血。防止黏膜损伤，尽量避免能引起出血的侵入性操作；有防止摔倒、磕碰的安全措施，如桌角用软布包裹，地板应防滑，病床设护栏等；避免使用非甾体消炎药。早期发现DIC的症状和体征，如发热、寒战、肌肉触痛、皮肤瘀点瘀斑等。

2）控制出血：①患者应严格绝对卧床休息，必要时遵医嘱给予镇静剂，尽可能陪伴患者，给予其心理安慰和支持。②协助患者采取舒适体位，大咯血的患者应患侧卧位，呕血的患者应头偏向一侧以免误吸。③严密监测患者生命体征及意识，注意生命体征的变化及患者的不适主诉。④如是表浅部位出血，应给予加压止血并立即冰敷，冰敷时应防止冻伤发生。⑤鼻腔出血时，可局部使用肾上腺素收缩血管，局部冰敷，也可使用明胶海绵填塞。患者可根据情况采取坐位、半卧位或患侧卧位。⑥每次更换中心静脉导管的敷料后至少要按压5～10min以减少渗血，也可以在穿刺点处使用明胶海绵以止血。⑦正确采集各种标本，及时送检。

3）密切观察生命体征变化，保持呼吸道通畅，防止窒息、失血性休克及心脏压塞等并发症发生。

4）为减轻组织缺氧，保证重要脏器的氧供，应给予较高浓度湿化氧气吸入。

5）基础护理干预：保持床铺整洁，做好口腔护理、皮肤护理，防止压力性损伤和感染的发生。

6）准备好各种抢救物品及药品，出现严重并发症时，应配合医生立即抢救。

7）心理干预：出血时易引起患者焦虑、恐惧、紧张不安，应安慰患者，向患者及其家属讲解出血原因及预防方法，指导患者及其家属养成良好的自我保护习惯。

8）饮食干预：指导患者进食流食或软食，避免刺激性粗糙食物，保持大便通畅，防止因用力排便导致颅内出血。

9.恶性积液的预防

（1）恶性积液：是恶性肿瘤或转移瘤所引起的并发症，进展迅速，对生活质量影响很大，可导致病情恶化及死亡，主要包括胸腔积液、腹水或心包腔积液。以胸腔积液为例，胸腔积液量<500mL时，症状不明显；当积液量>500mL时，可能会出现呼吸困难、胸痛、咳嗽等症状。

（2）原因

肿瘤细胞直接侵犯胸膜，淋巴转移及扩散，肿瘤压迫及侵犯血管，肿瘤自行分泌的体液介质，低蛋白血症，炎症，放射治疗等。

（3）评估

1）症状评估：如心慌、气急、咳嗽、咯血、全身水肿、发热、乏力、食欲减退、全身不适、疼痛和蛋白尿等。

2）腹围评估：①腹腔化疗前后测腹围及体重并记录。②复查血、尿常规，B超和肝肾功能。③评估腹腔化疗效果。

（4）治疗

1）全身治疗：补充蛋白质以加速蛋白质合成，限制水钠的摄入，给予高糖、高蛋白质、高维生素、低脂饮食，每日进食盐不超过2g。

2）局部治疗：包括腹水治疗、腹腔内化疗及手术治疗。

（5）干预措施

1）心理干预：操作前告知患者及其家属穿刺的目的和方法、注意事项及配合要点，给予心理安抚，鼓励患者树立战胜疾病的信心，积极配合治疗。

2）病情观察：严密观察生命体征和胸痛的反应，有无呼吸急促、咯血、气胸、皮下气肿、呼吸困难等，并观察引流液的颜色、性质及量，做好详细记录。

3）胸内用药治疗的患者嘱术后卧床2~3h，根据用药部位变换卧位，使药物在胸腔内分布均匀，用药后观察用药反应。

4）饮食干预：补充足够的蛋白质，适量的高糖与脂肪。根据腹水量适当限制钠盐及水分的摄入。

5）穿刺部位的干预：观察穿刺部位情况，有无出血、积液外渗或皮下瘀血，如积液外渗，应更换敷料，同时局部加压包扎。

6）为患者提供安静、舒适的休养环境。

7）引流管干预：携带胸腔引流管者，翻身时注意勿牵拉、扭曲、打折、压迫引流管，下床活动时宜慢，引流袋低于穿刺点位置，避免液体反流造成感染，引流不畅时，可适当变换体位或下床活动，促进充分引流，当引流管不慎脱出时，立即用手捏紧穿刺点皮肤，并呼叫医务人员。

10.上腔静脉综合征的预防

（1）上腔静脉综合征（Superior Vena Cava Syndrome，SVCS）

上腔静脉综合征是上腔静脉或其周围病变引起的不完全或完全性阻塞，导致经上腔静脉血液回流到右心房的血液部分或完全受阻，使上肢、颈和颜面部瘀血、水肿以及上半身浅表静脉曲张的一组临床综合征。

（2）原因

上腔静脉梗阻的原因有血栓形成、外来压迫、肿瘤侵犯等，而肿瘤或增大的淋巴结压迫血管是上腔静脉梗阻最常见的原因，其中恶性肿瘤如支气管肺癌（尤其是小细胞未分化癌）所致占97%。

（3）评估

1）患者面部、颈部水肿情况。

2）颈静脉充盈和皮肤情况。

3）有无咳嗽、呼吸困难、声嘶喘鸣等。

4）皮肤颜色、温湿度和末梢循环，出入量。

（4）治疗

1）一般治疗：吸氧，抬高患者头部和上肢，低盐饮食；限制输液量和输液速度；给予利尿剂和大剂量皮质激素的应用，可消除水肿，减轻体液潴留，改善阻塞症状。

2）放射治疗：70%～90%的患者通过放疗能缓解症状，但不推荐经验性放疗。

3）化学治疗：如小细胞肺癌、生殖细胞肿瘤和恶性淋巴瘤对化疗敏感，可首选化疗，对病变范围大的患者，可先化疗，化疗原则是选用敏感、作用快的周期非特异性药物，剂量偏大，同时给予激素。

4）放疗和化疗联合应用：是目前小细胞肺癌和恶性淋巴瘤所致的SVCS的标准治疗。

5）手术治疗：根据手术的方式分为姑息性分流术、单纯病变切除术、上腔静脉血栓摘除术、血管旁路移植术等，手术后的患者要特别注意预防上腔静脉血栓形成。

6）血管腔内治疗：支架植入术是一种较为成熟的技术，具有创伤小、并发症少的特点。

（5）干预措施

1）心理干预：向患者解释引起疾病的原因、临床表现及治疗措施；关心患者，给予心理支持与疏导；教会患者自我放松的方法，鼓励患者表达感受，给予关心和支持；给予止痛剂或镇静剂，以减轻疼痛和焦虑。

2）病情观察：严密观察病情变化，定期监测生命体征，观察颜面、颈部及上肢水肿情况，并做好出入量记录。注意意识、生命体征变化及有无缺氧症状，并做好记录。

3）保持呼吸道通畅，防止窒息：观察有无咳嗽、咳痰、咯血及胸痛症状，清除呼吸道分泌物；给予持续低流量吸氧；抬高床头30°～45°，当病情允许时，取半卧位或坐位，缓解呼吸困难；坚持翻身叩背，勤更换体位，指导患者进行有效咳嗽及排痰，促进体位引流；必要时雾化吸入，避免过度活动。

4）静脉穿刺部位选择：禁止上肢静脉、颈外静脉及锁骨下静脉输液，应选择下肢静脉，以免加重上肢水肿。如需静脉输注化疗药物时，特别是发疱剂和刺激性较强的药物，推荐选择中心静脉导管进行股静脉置管术给药。同时要记录24h出入量，控制输液速度，维持体液平衡。

5）皮肤护理干预：卧床休息，抬高床头30°～45°，协助患者定时变换体位，检查皮肤完好情况，班班交接。同时保持床铺平整清洁，减轻局部皮肤压迫，防止压力性损伤发生，指导患者穿棉质宽大舒服内衣，并勤更换。

6）放化疗时的护理干预：持续低流量吸氧，保持呼吸道通畅；白细胞总数低的患者，遵医嘱给予升白细胞治疗。减少或避免到公共场所，以免发生交叉感染。化疗患者出现恶心、呕吐时要将头偏向一侧，以防误吸引起呛咳和窒息。协助患者漱口，做好口腔护理。保护放射野皮肤和黏膜，严禁用手抓挠，用刺激性皂液清洗，避免阳光直射，如出现干性脱皮，不可用手抓，可涂皮肤防护液，如出现水疱、渗出等皮肤湿性反应时，停止放疗。穿宽松棉质内衣，暴露皮肤并保持清洁干燥，观察照射部位皮肤有无红斑、疼痛，照射野标记清晰。

7）做好饮食护理及营养指导：指导患者进食清淡、低盐和无渣饮食，忌食过热、粗糙、刺激性食物，少量多餐，多食新鲜水果和蔬菜，并尽量煮软。

8）提供安静舒适的环境：为患者提供安静、整洁、空气新鲜、湿润、舒适的病室内环境，有利于患者休息。

9）血压测量的干预：由于患者右肱动脉压力增高（右肱动脉是头臂干动脉的分支，头臂血液淤积，回流受阻，因此头臂干动脉压力高），右上肢血压随之增高，因此不宜采用右上肢测量血压，应采用左上肢测量血压，必要时测量双上肢血压对照。

11.肿瘤生存者伴心血管疾病的预防

肿瘤患者并发心血管疾病是较常见的，心血管疾病也是肿瘤患者死亡的主要因素，主要包括心律不齐、血压升高、血栓事件、心包异常、心肌病变、心脏功能减退，以及血管和代谢等方面的问题。

（1）原因

1）机体本身存在基础疾病。

2）肿瘤本身的进展及抗癌采取的治疗措施所造成的影响，比如使用顺铂、紫杉醇类等药物可致心脏损伤。

（2）评估

1）患者年龄，心脏病既往病史，是否有高血压、糖尿病、血脂异常等。

2）患者心脏功能状态。

（3）治疗

1）化疗：使用特定药物来杀死快速生长的癌细胞，其中包括心脏部位的恶性肿瘤。

2）靶向治疗：针对特定分子异常的癌症提供精准打击，并减少传统化疗带来的选择毒性。

3）免疫疗法：旨在激活机体自身免疫系统识别并攻击癌细胞，如PD-1/PDL1抑制剂用于肺癌等部分实体瘤并发心衰的治疗。

4）心脏康复训练：包括一系列运动计划及生活方式干预。

（4）干预措施

1）心理干预：关注患者的情绪变化，提供心理支持和安慰，帮助患者积极面对疾病，增强信心。

2）饮食干预：给予低盐低脂、易消化的饮食，每日食盐量控制在5g左右，增加膳食纤维的摄入，避免食用辛辣、油腻、腌制食品以及碱或小苏打制作的食品。

3）用药干预：护士应了解各种药物的作用机制、用药剂量、给药途径及不良反应。

4）活动指导：适当锻炼，如慢跑或打太极拳，改善心脏功能。

12.淋巴水肿的预防

癌栓及肿瘤对淋巴系统的侵袭，加之手术、放疗等抗肿瘤治疗对淋巴循环造成损伤，这些因素共同作用，致使淋巴液回流障碍，进而引发肢体（涵盖颈部、躯干及生殖区域）出现肿胀，称为淋巴水肿。

（1）原因

1）全身性原因：药物因素、低蛋白血症、恶性腹水、贫血、慢性心力衰竭、终末期肾功能衰竭。

2）局部性原因：静脉功能不全、静脉梗阻、淋巴管静脉瘀滞、静脉管闭塞/梗阻。

（2）评估

1）了解患者的病史：包括既往史、疾病诊断、前期治疗、转移部位、检查和诊断结果等。

2）心理健康评估。

3）身体功能评估。

4）淋巴水肿程度评估：WHO规定的淋巴水肿的分期标准，将淋巴水肿分为7期，（详见表7-6）。

表7-6　淋巴水肿分期表

I期	呈现凹陷性水肿,经夜间休息后水肿一般会自行消退,极少并发急性的细菌感染或有难闻的气味
II期	一般经夜间休息后不能自行消退,偶尔有急性的细菌感染或难闻的气味,可进行体位引流及生活饮食习惯调理等一般性的治疗处理
III期	经过夜间休息后肿胀一般不能消退,会出现皮肤褶皱,偶尔有急性的细菌感染,可出现皮肤破损和明显的臭味,病变肢体运动功能也会有明显的障碍,比如关节灵活性减退、精细运动受损等
IV期	休息后不能改善肿胀,伴有肿瘤状的突出物形成,偶尔有急性的细菌感染,常有皮肤破损和难闻的臭味,病变肢体运动功能也会有明显的障碍
V期	休息后不能改善肿胀,皮肤褶皱比较深,肿胀范围也较大,偶然或经常出现急性的细菌感染,皮肤破损和臭味也较明显
VI期	肿胀范围及程度都较严重,有急性细菌感染、明显的皮肤破损和臭味,伴有皮肤裂口形成
VII期	肿胀非常严重,伴有生活自理能力障碍,经常发生细菌性感染,皮肤可有持续性的破损和臭味,皮肤裂口也较多、较深,还可出现苔藓足等苔藓样表现

（3）治疗

1）对因治疗：积极治疗原发病，减少或控制引起患者水肿的各种病因。

2）对症治疗：①物理治疗，水肿局限于四肢者，可抬高四肢，配合使用弹力绷带或弹力袜进行适当压迫治疗，做好皮肤护理，注意弹力袜末端肢体肿胀情况，减少形成淤滞和压迫性溃疡的风险。抬高患肢时，可适当配合手法按摩，但重度水肿或癌症累及皮损区域等特殊情况除外。②药物治疗，使用小剂量噻嗪类利尿药或呋塞米。患者需定期监测血清电解质，根据具体情况补钾或加用小剂量保钾利尿药物（如螺内酯），同时密切关注电解质和液体消耗的风险。继发性低蛋白血症水肿患者，可输注白蛋白结合利尿治疗，利尿药治疗无效且症状严重的顽固性水肿患者，输注少量高渗盐水加大剂量呋塞米，可显著改善下肢无力症状和沉重感。

（4）干预措施

1）心理干预：患者由于疾病严重影响外貌，或者对疾病过度担忧，容易产生焦虑、烦躁、不安、自卑等消极心理，要多关注患者，及时给予其安慰，以消除其不良情绪，及时提供疾病的相关知识和治疗措施，使其树立治疗信心，积极配合治疗。

2）饮食干预：①限制钠盐的摄入，每天以2～3g为宜。告诉患者及其家属低盐饮食的重要性，并监督执行；告知其限制摄入含钠量高的食物，如腌制或熏制品、香肠、罐头、海产品、苏打饼干等；告知其家属注意烹饪技巧，可用糖、代糖、醋等调味品烹饪食物，以增进食欲。②控制液体入量，包括各种途径的液体输入，如饮食、饮水、服药、输液等。液体入量视水肿程度及尿量而定，结合患者病情，遵医嘱进行液体管理。③补充足够热量、各种微量元素和维生素，每天摄入的热量不应低于126kJ/kg。

3）皮肤干预：保护皮肤，保持床褥清洁、柔软、平整、干燥，做好全身皮肤清洁及护理，注意衣着柔软、宽松，必要时使用气垫床；对于卧床时间较长的患者，定时协助患者变换体位，膝部及踝部、足跟处可垫软枕以减轻局部压力，预防压疮；水肿部位皮肤菲薄，易发生破损，清洗时勿过分用力，使用便盆时动作轻巧，勿强行推、拉，防止擦伤皮肤；用热水袋保暖时，水温不宜太高，防止烫伤，避免穿紧身的衣物，防止衣物太紧影响淋巴液回流，注意自我保护，避免皮肤损伤。

4）用药干预：输注白蛋白，遵医嘱正确使用利尿剂，注意观察药物疗效及不良反应。

5）活动指导：依据患者身体综合情况，指导患者进行运动训练，鼓励患者在床上或地面进行适量体力活动，督促患者坚持动静结合，循序渐进地增加活动量。

13.性功能障碍的预防

肿瘤对男性性功能的影响通常包括勃起功能障碍、排精射精障碍以及阳痿和逆行射精等。研究发现，在男性肿瘤幸存者中，40.72%的患者有勃起功能障碍，手术后射精功能障碍的患病率，从结肠癌的14.9%上升到膀胱癌的53.0%。

（1）原因

1）与盆腔手术、放疗以及内分泌治疗有关。

2）与化学治疗有关。

3）与心理情感、经济状况、文化程度以及婚姻状态有关。

（2）评估

1）了解患者的病史：包括既往史、疾病诊断、前期治疗、转移部位、检查和诊断结果等。

2）性功能状况、性行为活动评估。

3）心理社会因素及精神健康评估。

4）对性功能产生作用的处方药物与非处方药物（特别是激素、麻醉剂、β受体阻滞剂及5-羟色胺选择性摄取抑制剂）评估。

5）身体功能评估，检查乳腺、神经系统、睾丸及外生殖器。

（3）治疗

1）心理治疗：寻求医生的帮助，进行心理咨询，有助于解决与性有关的焦虑、抑郁、性自尊心等，进而提高性功能。

2）药物治疗：患者可遵医嘱服用金匮肾气丸、枸橼酸西地那非片、他达拉非片等药物进行治疗，可以温补肾阳、促进血液循环等。

3）低能量冲击波治疗：是一种用低强度冲击波刺激阴茎的治疗方法，可以治疗性功能障碍，比如勃起功能障碍。

4）玻尿酸注射：这种方法可以延长性生活的时间，能够治疗早泄，而早泄是一种常见的性功能障碍。

（4）干预措施

1）心理干预：进行心理疏导，缓解患者的焦虑情绪，使患者保持乐观心态。

2）饮食干预：多吃壮阳的食物，如韭菜、羊肾、河虾、海参，多吃含有锌元素的食物，如牛肉、鸡蛋、花生米，避免喝酒。

3）睡眠管理：充分休息，创造一个安静、舒适且温度适宜的睡眠环境，通过深呼吸、冥想或温和伸展等方式，在睡前放松身心。

4）用药干预：慎重使用药物，有很多药物都会影响人们的性欲和性表现，比如各种抗抑郁药、利尿剂、降胆固醇药和消炎药等。

5）坚持运动：如慢跑、散步等，避免骑自行车。

14.焦虑抑郁的预防

研究发现，20%～45%的肿瘤患者在病程中会出现短暂或持久的焦虑和抑郁，对其躯体、社会功能、家庭生活以及职业和经济状况会造成严重的影响，还会降低患者治疗的依从性，影响最终的健康结局。

（1）原因

1）文化程度：学历比较高的人群对肿瘤及其治疗有较高的认知，能更坦然地面对患病这一现实情况。

2）肿瘤类型及分期：确诊肿瘤为分期较早、病情较轻的患者，通过手术进行根治或获得缓解的患者，其焦虑、抑郁的发生率要低。

3）医保类型和经济情况：医保类型影响患者的经济承受能力。自费、治疗费用增加、无费用承担能力等，会加重患者的经济负担，患者担心疾病得不到诊治、拖累家庭而产生焦虑、抑郁情绪。

4）生活自理能力和睡眠情况：患者生活自理能力下降、睡眠不佳、体力及精神状况较差。

5）疼痛：相比未经历癌性疼痛的患者群体，伴有癌痛的患者显示出更高的焦虑及抑郁发生率。

6）家庭社会支持：缺乏家庭社会支持，可加重或导致患者焦虑、抑郁的发生。

（2）评估

1）抑郁症的评估可借助焦虑抑郁情绪量表（即"PHQ-9量表"）。该量表划分为以下4个等级：①得分为5～9分，则视为轻度抑郁状态；②得分为10～14分，则归类为中度抑郁；③得分为15～19分，则为中重度抑郁范畴；④得分为20～27分，表明存在重度抑郁症状。

2）运用焦虑及抑郁的自我评估工具（即SAS与SDS量表）来评估受试者的心理状态。其中，SAS量表的标准得分设定为50分基准，为50～59分，表明存在轻度抑郁倾向；60～69分，则指向中度抑郁状态；而达到或超过70分，则被视为重度抑郁状态。SDS量表其标准分界线设于53分，53～62分反映轻度焦虑状况；63～72分则对应中度焦虑；若超过72分，则标志着重度焦虑状态的存在。

（3）治疗

1）非药物治疗：轻度患者推荐采用非药物的治疗方法，如放松训练、生物反馈治疗、认知行为治疗等。

2）药物治疗：中到重度的焦虑抑郁症患者，采用药物干预，如赛乐特（盐酸帕罗西汀片）、左洛复（盐酸舍曲林片）、怡诺斯（盐酸文拉法辛缓释胶囊）等。

（4）干预措施

1）心理干预：多陪伴、安慰及劝导，鼓励病友之间分享与互助，接受心理援助疗法，如正念冥想训练和认知行为疗法。

2）饮食干预：每天摄入足够的蛋白质、维生素、碳水化合物、脂肪和矿物质。

3）运动干预：焦虑抑郁症状的肿瘤患者，每天都应适当地参加一些体育活动，如瑜伽、快走、慢跑、散步和太极拳等，每次坚持1～2h。

15.认知功能障碍的预防

研究发现，20%～30%的肿瘤患者在治疗过程中会出现程度不同的认知功能障碍，主要体现在记忆力、专注性、协调性及判断能力下降。绝大多数为长期生存的乳腺癌、卵巢癌、前列腺癌、淋巴瘤等需接受较高强度的化疗或者内分泌治疗的肿瘤患者。

（1）原因

1）肿瘤本身的原因，常见于曾患有中枢神经系统肿瘤或脑转移瘤的肿瘤生存者。

2）抗肿瘤治疗造成的影响，如与化疗、靶向治疗、免疫治疗、内分泌治疗有关。

（2）评估

在肿瘤患者群体中，轻度认知功能障碍常用的评估工具包括简易智能状态检查量表（MMSE）及蒙特利尔认知评估量表（MoCA）。此外，实施影像学检查措施，以排除中枢神经系统中可能存在的结构异常原因。

（3）治疗

1）非药物干预：如认知行为疗法及体育活动。

2）药物疗法：促红细胞生成素（EPO）疗效显著，能够有效减轻认知功能的损害。

（4）干预措施

1）健康教育：提升患者自我管理的认知与能力培养，包括辅助工具的应用指导、挑选并限制可能对认知产生负面影响的食物及药物摄入。

2）饮食管理：营造愉悦的餐饮氛围，并设计均衡营养的餐食计划，兼顾患者的个人口味偏好，鼓励其以口腔进食为主。存在吞咽困难或需鼻饲的患者，必须采取措施防止误吸及窒息风险。

3）生活照护：积极鼓励患者自主穿衣及脱衣，对操作中遇到困难的个体给予适时辅助，向患者说明穿衣流程并确保患者个人隐私得到妥善保护；鼓励并引导患者自行完成梳理头发、洁齿、修面及修剪指甲等日常清洁活动。无法独立进行口腔清洁的患者，为其提供必要的口腔卫生护理援助。

16.睡眠障碍的预防

研究发现，肿瘤住院患者睡眠障碍发生率为34%～78%，表现为难以入睡、睡眠浅易醒、日间疲乏、躯体状态不佳，严重时甚至出现认知功能障碍、精神与性格异常变化等，睡眠障碍在肿瘤症状群中位列第二位，仅低于癌因性疲乏，是影响患者生活质量的重要因素之一。

（1）原因

1）肿瘤本身的原因：患者存在癌性疼痛，肿瘤在原发病灶生长，侵蚀骨质或压迫周围神经，患者出现呼吸困难、腹痛、腹胀、呕血、恶病质等症状的影响。

2）心理原因：肿瘤的高死亡率、谈癌色变、焦虑、抑郁、恐惧和绝望等负面情绪的影响。

3）治疗原因：肿瘤患者在化疗中使用激素药物、手术和放疗等治疗引起的不适等的影响。

4）不良的睡眠环境：强光线、高噪声、过低或过高室温、陌生环境等都会影响肿瘤患者的睡眠。

5）不良的睡眠习惯：过度饮酒、吸烟、饮用含咖啡因的饮料、睡前剧烈活动、听激烈的音乐等都会使中枢神经系统兴奋，从而影响睡眠。

（2）评估

1）症状评估：睡眠障碍的常见症状，包括失眠、睡眠呼吸暂停、打鼾、日间过度思睡、睡眠幻觉、睡眠瘫痪、磨牙、睡眠呻吟、夜惊、梦语等。

2）量表评估：常用的量表包括失眠严重程度评估表、匹兹堡睡眠质量评估量表、昼夜睡眠倾向量表、睡眠观念与态度调查表及Epworth嗜睡评估量表。

（3）治疗

1）非药物治疗：包括养成良好的睡眠习惯，营造安全舒适的睡眠环境，进行睡眠卫生教育，睡前放松训练、听冥想性音乐、适度锻炼及行为治疗和认知行为治疗。短期和轻度失眠的人群可以使用这些方法有效改善睡眠质量。

2）药物治疗：药物治疗是在上述非药物治疗效果不佳时选用的，二者可以结合使用。常用的失眠治疗药物包括非苯二氮䓬类药物、苯二氮䓬类化合物、褪黑激素及其受体激动剂，以及抗抑郁药物等。

（4）干预措施

1）环境干预：确保睡眠空间安静无扰，卫生清洁，空气新鲜流通，温度适中，光线调至柔和昏暗，以及选用舒适的寝具，有利于提升睡眠质量。

2）心理干预：与患者多沟通交流，及时缓解患者的紧张、焦虑、过度兴奋、激动、抑郁及过度思虑等负面情绪与精神压力，确保个体心理状态的平稳与和谐。

3）健康宣教：向患者阐述睡眠对于维护身心健康的至关重要性，让患者规律作息，避免过度劳累。

4）饮食干预：鼓励患者少食多餐，多食牛奶、蜂蜜、黑木耳、龙眼茶、酸枣仁粥和百合莲子粥，限制浓茶、咖啡，戒烟忌酒。

17.血小板减少症的预防

在抗肿瘤治疗进程中出现血小板生成不足或（乃至）破坏加剧状况，其临床症状体现在外周血液循环中血小板计数跌至$100×10^9$/L以下。一般而言，当血小板计数降至$50×10^9$/L，患者面临皮肤及黏膜出血的风险；降至$20×10^9$/L，则高度警惕自发性出血的可能性；而计数进一步减少至$10×10^9$/L，则意味着极高的出血危险性。

（1）原因

1）药物因素：如使用抗凝血药物引起。

2）免疫系统异常：如风湿免疫性疾病。

3）感染：如病毒感染，像常见的肝炎病毒、EB病毒。

4）抗肿瘤治疗。

（2）评估

1）了解患者的病史：包括既往史、疾病诊断、前期治疗、转移部位、检查和诊断结果等。

2）心理健康评估。

3）身体功能评估。

4）肿瘤治疗诱发的血小板减少症分级规范依据：采用美国国家癌症研究所制定的常见不良事件术语标准（CTCAE）第5.0版进行层次划分（具体见表7-7）。

表7-7　肿瘤治疗相关血小板减少症分级标准

级别	血小板计数/$10^9 \cdot L^{-1}$
1级	75～100
2级	50～75
3级	25～50
4级	<25

（3）治疗

1）一般治疗：出现药源性血小板减少症时，患者需要及时停药，减少活动，多卧床休息，以缓解症状。

2）药物治疗：血小板减少症是由病毒、细菌等感染引起的，患者需要使用抗感染的药物进行治疗。急性白血病、血小板减少性紫癜等引起的，一般可采取糖皮质激素类药物进行治疗。

3）手术治疗：肝脾大引起的血小板减少，可进行脾切除术。药物治疗无效的患者可选择造血干细胞移植等。

（4）干预措施

1）防止出血：由于患者体内血小板数量较少，患者应根据病情卧床休息，尽量避免磕碰、创伤，减少活动。

2）合理安排膳食：应注意在日常饮食中摄入维生素、蛋白质含量高的食物。禁止食用辛辣、生冷等刺激性较强的食物，避免给身体健康带来损害。可以选择一些半流质以及流质类的食物，有利于消化和吸收，同时也可以避免消化道出血。

3）预防感染：注意自身卫生，经常洗澡和换衣，定期消毒卧室，保持室内空气流通，预防感染，避免前往公共场所。防止引起某些细菌感染。

4）心理干预：血小板低易引发紫癜，会使患者产生紧张或者忧郁的心理，患者要正确了解血小板减少的问题，积极配合医生接受治疗，保持平稳的心态。

（二）化学药物治疗的安全管理

1.概述

化疗是肿瘤治疗的重要手段。对控制肿瘤生长、延长肿瘤患者的生存期、提高生存质量至关重要。但是，大多数抗肿瘤药物是细胞毒剂，具有致突变、致癌和致畸性，化疗药物在抑制、杀伤肿瘤细胞的同时，对正常的组织细胞也存在不同程度的危害。接触抗肿瘤药物的时间越长，产生的毒性作用也越高。而且大部分抗癌药物的治疗剂量和中毒剂量非常接近。许多发达国家通过环境监测和生物监测手段对化疗药物调配环境及工作人员职业暴露危险进行评估，结果显示，不管是化疗药物使用区域还是准备调配区域均存在很大程度的污染。而长期接触危险药品的护士或药师也被检测到了某些生物学效应指标的改变，导致职业危害。

2.职业危害

（1）近期毒性

1）骨髓抑制：化疗药物对人体最严重的毒性反应就是骨髓抑制，主要表现为白细胞下降，随着剂量的增加，血小板和红细胞也会受到不同程度的影响。

2）致疱作用：直接接触化疗药物，导致不同程度的局部组织坏死，刺激皮肤黏膜及引起蜂窝织炎，尤其是眼睛。

3）黏膜刺激性症状，如眼睛不适、咳嗽、恶心、腹泻、舌炎和口腔炎等。在没有通风的区域，工作人员在配制和给予抗肿瘤药物后发生头痛、头晕和过敏性反应。

（2）远期毒性

1）遗传毒性：外周血淋巴细胞染色体和DNA损伤，化疗药物可增加外周血淋巴细胞微核细胞率及染色体畸变率。

2）生殖系统危害：可引起原发性卵巢功能衰竭和闭经。

3）致癌作用：化疗药物可抑制人体免疫功能，也是致癌物质。

3.职业防护

护理人员在接触化疗药物时应遵循三大原则：一是工作人员尽量减少不必要的化疗药物接触，防止药物由任何途径进入人体；二是尽量减少化疗药物对环境的污染；三是加强化疗职业防护的教育培训，提高医务人员个人防护意识。为减少医务人员职业接触危险药物的危害，必须在操作过程中采取行之有效的防护措施。这些措施包括采用合适的保护设备和保护材料，以及适宜的制剂和包装。

（1）化疗安全环境要求（详见本章第一节）。

（2）保护用具：包括一次性口罩、帽子、保护眼睛和脸部的用具、一次性防渗漏隔离衣、聚氯乙烯手套、乳胶手套、一次性注射器、防护垫污物专用袋及封闭式污物桶等。

1）手套：使用无粉乳胶手套，每操作60min或遇到手套有破损、刺破和被药物污染时更换手套；如果操作者对乳胶过敏，可以戴双层手套，即在乳胶手套内戴一副PVC手套；同时，在戴手套前和脱手套后都必须洗手。

2）工作服：配置药物过程中及给药时必须穿工作服。工作服由非通透性、无絮状物的材料制成，前面完全封闭，袖口加长，可以卷入手套之中，一次性，可丢弃。

3）眼睛和脸部的保护：在配置药物及给药时应佩戴面罩，以预防药物喷溅到眼睛和面部。在使用气雾剂或喷雾剂时也应有保护，普通眼镜不能提供足够的保护。

（3）制剂的要求：化疗药物的制剂尽量用瓶装，药品标签要详细注明药物的性质及注意事项、警示等。包装应安全可靠，运送时应采用无渗透密封装置并注明特殊的要求。

（4）药物集中处理：由经过培训的专业人员在防护设备齐全的化疗配液室负责所有化疗药物的配置及供应。

（5）加强化疗废弃物的处理：化疗药物废弃物必须与其他物品分开放置并密闭存放在有特殊标记的特制防渗漏的污物袋中，统一处理，以达到细胞毒性药物灭活及废弃物处理中心化。

（6）加强化疗患者排泄物处理：做好个人防护，在化疗后48h内，指导或协助患者及时处理排泄物，及时、反复冲洗马桶，避免对人体造成不同程度的伤害。

（7）规范化操作

1）配制药物前的准备：在生物安全柜内配制化疗药，为保持洁净的配制环境，首先应启动紫外线灯进行柜内空气消毒。配制前用流动水洗手，戴防护眼镜、有效口罩和双层手套，内层为PVC手套，外层为乳胶手套，为防止药液溢出后的收集处理，操作台应清洁消毒后覆盖一次性防渗透性防护垫。每天都用消毒液彻底清洗生物安全柜的内表面，定期检测高效过滤器，每月用采点法对生物安全柜内和配制间的空气进行细菌培养，检测细菌及微粒并存档。送药箱、送药车车身每日送药后用含氯制剂擦拭后方可放回配制中心。

2）配药中的操作规程

①割安瓿前应轻弹其颈部，使附着的药粉降至瓶底。打开安瓿时垫以方纱，以防划破手套。

②瓶装药物稀释及抽取药液时，应插入双针头，以排除瓶内压力，防止针栓脱出造成污染。

③抽取药液用一次性注射器，并应注意抽出药液以不超过注射器容积的3/4为宜。抽取药液后放置于垫有聚氯乙烯薄膜的无菌盘内备用。每次用后按污物处理。

④完成全部药物配制后，需用75%乙醇或含氯消毒剂擦拭操作柜内和操作台表面。

⑤配药后所用一切污染物应放置于污染专用垃圾袋集中封闭处理。药瓶及注射器放在密封袋内，按医疗垃圾处理。

⑥操作完毕后脱手套，用洗手液及流动水彻底洗手，脱去防护服，沐浴，漱口。

3）给药操作规程

①配置工作在专门的配药室和层流操作台上生物安全柜中进行。配置间有单独的洗手设施。配备专用化疗药品储存柜及冰箱。办公室和配置间有明确分区，配备淋浴房。配置区域不允许进食、喝水、嚼口香糖、处理隐形眼镜和储存食物，不佩戴各种首饰等。

②给药护士操作前戴一次性口罩、圆帽、防护眼镜，工作服外套一次性防渗透防护衣，聚氯乙烯手套外戴乳胶手套。生物安全柜内操作台面覆一次性防渗透防护垫，一旦被污染或配药完毕立即更换。

③打开安瓿前轻弹其颈部，使附着药液降至瓶底。瓶装药稀释后立即抽出瓶内气体，抽取药液后在瓶内排气，撤出针头前将针头内药液回抽并用无菌纱布裹盖住针孔，防止药液外溢。用大针头注射器抽取药液，抽出药液不超过注射器的3/4，防针栓脱出。配置过程中确保输液袋外包装不被化疗药污染。配置好的药液放在铺有防渗透无菌巾专用无菌盘备用。

④如不慎溅入皮肤和眼睛内，立即用大量清水或生理盐水冲洗5min，如药物溢出，用纱布垫吸附；若为粉剂，用湿的纱布垫覆盖在药物上，将药物去除。外溢区域用清洁剂擦拭3次，如为长春新碱等，可用碳酸氢钠解毒剂清洗，再用清水冲洗干净。

⑤静脉滴注药液时采用密闭式静脉输液法，将化疗药液加入软包装输液袋中滴入，袋内压力不能太大，避免有毒气体从针眼处逸出。

⑥静脉输液时，用生理盐水排管，更换输液时，将输液袋口朝上，防止拔针时药液外漏。操作时要确保注射器与针头、输液器各接头衔接紧密。

⑦所用废弃物统一存放于防渗透的密闭专用容器中集中处理，操作完毕脱去防护具后用洗手液及流动水按六部洗手法认真洗手并行沐浴。

⑧发放口服化疗药物时勿徒手拿药。

⑨局部用药如腔隙注药，患者保持健侧卧位，腰椎穿刺后，用局部纺纱无菌薄膜压迫穿刺口，以防化疗药物渗漏。

（8）化疗药物的转运

1）运送化疗药物前须完善化疗药物包装，并放在无渗透性的密闭装置中，标明警示标志进行转运。

2）运送人员须了解药物的危险性及药物外溅的处理方法，一旦遇到药物外泄，立即按程序予以处理。

3）不要使用容易造成药物渗出的输送方式。

（9）工作人员的管理

1）对经常接触化疗药物的护士建立健康档案，定期进行健康检查，每隔6个月抽血检查血常规、肝功能及免疫功能等，并可通过生物学方法定期检查尿样，如出现抗肿瘤药物的毒副作用症状及体征，应及时调离。

2）护士怀孕应避免接触化疗药物，以防胎儿畸形。

3）合理排班，避免护士长期接触化疗药品。

4）加强饮食调养，摄入高蛋白或完全蛋白食品及B族维生素和维生素C等以提高机体的耐受力与防御力。

5）加强体育锻炼，增强体质。

6）在操作区内禁止进餐、吸烟和化妆。

7）定期监测环境中药物微粒或气溶胶。

（三）放射治疗的安全管理

1.概述

据统计，约有70%的恶性肿瘤患者在治疗的不同阶段需要放疗，因此放疗是恶性肿瘤的主要治疗手段之一。在医学诊断、治疗和研究的设施中，X线机和其他机器与放射性核素的电离辐射得到广泛的应用，在职业病防治草案中明确指出，放射线是三大类重点职业危害之一，随着从事放射工作人员的逐年增加，为减少辐射对工作人员的潜在职业危害，对放射工作人员进行有关放射防护知识的培训，已成为当务之急。

2.职业危害

（1）电离辐射的生物效应

放疗射线作用于组织后，组织内细胞群会发生一系列物理、化学和生物反应，造成一系列后果，最终表现为生物性损伤。包括早期效应和迟发效应、躯体效应和遗传效应、确定效应和随机效应及电离辐射的旁效应。

（2）电离辐射对机体组织的损伤

机体不同组织放疗敏感性不同。依据B-T（Bergonie Tribondeau）法则，人体组织的放射敏感性与其细胞分裂能力成正比，与分化程度成反比。

1）造血系统的电离辐射损伤：血液系统的辐射损伤主要是造血细胞增殖能力的抑制或丧失，使血细胞的来源减少，引起外周血细胞数量下降。较大剂量的照射则能引起血细胞寿命缩短。因此，造血组织的辐射损伤可以通过外周血细胞的变化来反映，易于观测。其中，白细胞及淋巴细胞绝对数最敏感，是早期检测指标。

2）消化系统的电离辐射损伤：消化道黏膜（尤其是小肠绒毛上皮细胞）是更新快、增殖活跃的组织，对射线的敏感性很高。受射线照射后，上皮细胞的分裂会很快受到抑制，肠淋巴组织被破坏。由于消化道内食物残渣的刺激，易于继发感染。消化系统受照射后，早期即可出现恶心、呕吐、食欲缺乏，继而出现腹泻、血便等症状。

3）皮肤的电离辐射损伤：皮肤是辐射敏感性较高的组织之一。皮肤的电离辐射损伤包括急性放射性皮肤损伤和慢性放射性皮肤损伤。急性放射性皮肤损伤，指身体局部受到一次或短时间（数日）内多次大剂量（X、γ及β射线等）外照射所引起的急性放射性皮炎及放射性皮肤溃疡。慢性放射性皮肤损伤，指由急性放射性皮肤损伤迁延而来或由小剂量射线长期照射（职业性或医源性）后引起的慢性放射性皮炎及慢性放射性皮肤溃疡。皮肤受到照射后，常见的症状包括毛发脱落、指甲发育不良、局部红斑和溃疡等。国家标准GBZ 106—2020《职业性放射性皮肤疾病诊断》对其有详细说明。

4）中枢神经系统的电离辐射损伤：中枢神经系统一旦发生损伤，往往是不可逆的。1Gy的照射就可出现脑电图异常。10Gy以上的照射可引起脑组织水肿、出血，严重者发生神经细胞坏死等形态学改变。50Gy以上的一次大剂量照射，可引起受照射者全身痉挛乃至死亡。

5）生殖系统的辐射损伤：放射线会抑制男性精原干细胞和精原细胞的分裂，从而影响男性的生育功能。女性的所有卵原细胞在胚胎时期就已经发育到卵母细胞的阶段，所以与男性相比，女性性腺的放射敏感性较低。

　　3.职业防护

　　（1）电离辐射的防护原则：电离辐射的防护原则是防止有害的非随机效应，限制随机效应的发生率，使之达到可以接受的水平。国家 GB 18871—2002《电离辐射防护与辐射源安全基本标准》对电离辐射防护的要求是：放射实践的正当化，辐射防护的最优化和个人剂量限值。这三项基本原则是相互联系的一个有机整体，是放射防护工作的指导思想。

　　（2）外照射的防护措施：外照射是指电离辐射源发出的射线从体外对人体的照射。外照射的防护措施包括：

　　1）时间防护：尽可能减少在辐射场的停留时间，应采取轮换或快去快回的办法。

　　2）距离防护：辐射剂量率与辐射源的距离平方成反比。因此尽可能远离辐射源，这样能减少辐射。

　　3）屏蔽防护：在人体与放射源之间设置屏蔽，使射线逐步衰减和被吸收。屏蔽防护是一种安全而有效的措施，根据不同的情况，应采用不同的材料对射线进行有效的阻隔。

　　（3）内照射的防护措施：内照射是指进入人体的放射性核素作为辐射源发出的射线从体内对人体产生的照射。内照射的防护关键是预防。内照射的防护措施包括：

　　1）环境控制：①隔离污染源，尽量减少污染物的扩散。②保持工作场所的通风，降低放射性污染的浓度。③保持工作环境、工作台面的清洁。④做好经常性的环境监测，及时处理污染。

　　2）个人防护：①进入工作场所，应佩戴防护用品、用具。②离开工作场所，应更衣、洗手、淋浴。③禁止在工作场所吸烟、饮水、存放食品。④保护好伤口。⑤保持个人良好的卫生习惯。

　　（3）源的管理：许可证持有者应对其所负责源的运行操作的安全负全部责任。许可证持有者应通过与源的供方、设计者和建（制）造者以合同等法律上有效的方式，保证源符合有关防护与安全要求及相应质量标准，并经过检查，确认其符合相应技术规格要求。放射源的更换必须由合格的专业技术人员，在放射防护人员的监督下进行。换源后，必须对防护情况、参考点空气比释动能率等进行全面检测后方可投入使用。退役放射源必须妥善包装，请主管部门检测并出具报告后，退还给供源单位或送到指定的放射性废物存放点。

　　（4）患者及其陪护人员的管理：患者管理应包括对在辐照过程中可能出现的突发现象的应急处理，及对治疗或治疗后可能出现的正常组织放射损伤的防治。所有放疗装置如出现故障或有性能指标达不到有关规定时必须停机，待问题解决并经物理工程人员许可后，方可开机治疗患者。对陪护人员的放射防护主要是避免因陪伴患者而接受不必要的辐射，以最大限度地保护患者及其陪护者。

　　（5）放射性废物的管理：在可行的条件下，应使废物的生产最小化；排放不得超过批准限值，包括总量和浓度；应有流量和浓度监控设备，排放是受控的；废液排放应是槽式排放；不得将放射性废液排入普通下水管道。

　　（6）工作人员的管理

　　1）加强防护教育，放疗科应按合理的比例配备医生、物理师、剂量师、技师和维修工程师，人员上岗前必须经过专门的辐射防护培训及考核，并取得放射工作人员证，还要按规定通过国家组织的全国医用加速器上岗考试。

2）加强健康监护，放射工作人员应注意营养和休息，提高自身免疫力，定期休假，远离放射源。

3）在工作中应正确佩戴个人剂量仪，并定期接受个人剂量监测机构监测和职业健康监护，使之不超过以下限值：由审管部门决定的连续5年的年平均有效剂量（但不可做任何追溯性平均）20mSv；任何一年中的有效剂量50mSv；眼晶体的年当剂量150mSv；四肢（手和足）或皮肤的年当剂量500mSv。

4）应用个人防护用品：个人防护用品是辐射防护的一种重要手段。应根据实际情况配备各类个人防护用品（防护围裙、防护手套和防护面罩等），并应有适当的备份。所有的防护用品都应该妥善保管，定期检查防护性能。

5）科室制订和完善突发放射卫生事件应急处理预案，开展应急演练，建立健全安全和防护管理规章制度、辐射事故应急措施等。工作人员严格遵守放射防护法规、规章制度和操作规程，一旦突发放射卫生事件，应立即启动应急预案，按规定时间报告卫生及相关管理部门。

6）工作场所保持整洁。严禁在工作区域进食、饮水、吸烟和存放食物，避免放射性污染；严禁手部有伤口的人员从事有可能受到放射性污染的工作；严禁将防护用品和清洁用具带出工作场所。

7）为了确保放射诊疗工作的质量和安全，医院应配备专（兼）职的管理人员，建立并终身保存职业健康档案，进行定期职业健康检查，两次检查时间间隔在2年之内，随时增加临时性检查，离开工作岗位时也要进行离岗前职业健康检查。哺乳期的妇女避免接受职业性内照射，职业健康体检中发现不宜从事放射工作的人员，要调离放射工作岗位。在参加应急处理或者受到事故照射的放射工作人员应及时组织检查或医疗救治，并按照国家有关标准进行医学随访观察。

（四）康复的安全管理

1.概述

康复是指综合协调地应用各种措施，消除或减轻病、伤、残对个体身心、社会功能的影响，使个体在生理、心理和社会功能方面达到和保持最佳状态，从而改变病、伤、残者的生活，增强其自理能力，使其重返社会，提高生存质量。

由于早期诊断和治疗方法的改善，肿瘤患者的生存期逐渐延长，对生存质量的要求也不断提高。手术、放疗、化疗等治疗手段的应用，导致患者出现各种功能障碍。做好肿瘤患者的康复护理，可以最大限度地帮助患者回归家庭、回归社会。肿瘤患者康复是指调动医、患两方面的积极性，并采取综合的治疗方法，调整患者心理状态，改善生理功能，延长生存期，提高生存质量，促进肿瘤患者最大限度的功能恢复。

2.影响因素

（1）心理因素：同样病例诊断，同样的疾病，同样的身体条件，甚至同样的性别，心理素质好的生存治疗效果远远高于心理素质差的，心理状态对肿瘤患者的康复以及远期预防复发都非常重要。

（2）良好的家庭环境和氛围：创造一个幽雅、安静、舒适、和谐的家庭环境，家庭成员要重视与患者的情感交流。

（3）饮食：饮食宜高热量、高维生素、高蛋白，避免摄入刺激性食物。

（4）功能锻炼：功能锻炼对患者的康复至关重要，如乳腺癌患者术后功能锻炼、头颈部患者放疗后的功能锻炼、肺癌患者术后的功能锻炼、结直肠癌患者术后的功能锻炼等。

（5）休息：注意休息，保证充足的睡眠，预防感冒。

3.范畴

（1）医学康复或称为医疗康复（Medical Rehabilitation），是指通过医学或医疗的手段来解决肿瘤患者的功能障碍。

（2）康复工程（Rehabilitation Engineering），利用工程学的原理和手段，使现代科技的产品和技术转化为有助于改善肿瘤患者功能的具体服务。

（3）社会康复（Social Rehabilitation），是从宏观或社会学角度对肿瘤患者实施康复，如肿瘤患者俱乐部的成立。

4.目的

个体在生理、心理和社会功能方面达到或保持最佳状态。

5.护理

（1）康复护理特点

1）预防继发性功能障碍：继发性功能障碍是指肿瘤患者治疗后由于没有得到康复治疗或康复护理所导致的功能障碍。

2）协助实施相关的康复治疗：协助患者完成适宜技术，如正确体位摆放、体位转移和肢体的主动训练、患者的言语交流、膀胱功能再训练、盆底肌功能训练等。

3）给予心理支持：康复期患者容易出现紧张、抑郁、焦虑和恐惧，严重影响患者生活质量，要及时给予患者心理支持，关心和爱护患者，鼓励患者主动正视现实，参与康复治疗，参与社交，充实精神生活。

（2）康复护理原则

1）预防功能障碍是首要原则，贯穿于康复护理的始终。

2）掌握自我护理方法是核心要素，体现康复护理特色。

3）康复护理发挥作用的保障是重视心理支持。

4）康复护理正常运作的必要环节是团队协作。

（3）康复护理干预措施

1）心理康复：肿瘤患者因病情及对疾病的认知程度、文化背景、心理特征不同，会产生不同的心理反应。分析患者不同时期的心理变化，针对性进行心理疏导，增强患者战胜疾病的信心。

2）物理治疗康复：肌力下降、肌肉萎缩、关节纤维挛缩的患者可用运动疗法和手法治疗康复手段，癌症疼痛患者可用高热疗法、冷疗法、毫米波疗法、针灸、经皮电神经刺激疗法等。

3）肿瘤治疗后功能障碍康复：指导鼓励患者尽早进行功能锻炼，恢复基本的自理能力和劳动能力，发挥社会支持系统的力量，给予患者更多的关心和照顾，增加爱和归属感。

4）对行盆腔廓清术和盆腔热灌注化疗的患者进行快速康复理念指导。

（五）心理危机的安全管理

1.概述

心理危机（Psychological Crisis）是指个体在遇到了突发事件或面临重大的挫折和困难，当事人自己既不能回避又无法用自己的资源和应激方式来解决时所出现的心理反应。

恶性肿瘤是危害人类健康的最主要疾病之一，给患者造成极大的心理危机。当个体面对危机时会产生一系列身心反应，一般危机反应会维持6～8周。危机反应主要表现在生理上、情绪上、认知上和行为上。尽管20多年来在手术治疗、放射治疗、化学治疗等领域取得了很大进展，患者的寿命得到了延长，但患者的情绪和心理问题并未解决。有一些肿瘤患者死于心理因素，对这些患者的处理，要用"整体论"的医学观来综合治疗干预。因此，如何帮助肿瘤患者摆脱情绪困扰、改善心理危机、提高生活质量及社会适应能力，已成为医学家、肿瘤学家、精神病学家和心理学家迫切需要解决的问题。

2.心理分期

肿瘤患者会经过几个特定的心理反应期，临床上常采用以下分期：

（1）否认期：对于这个时期的患者，最好不要强迫患者接受现实，采取合适的方式，视情况分阶段逐渐告知患者病情。加强肿瘤科普知识的宣传，让患者了解肿瘤的形成和治疗现状。

（2）愤怒期：此期患者常会出现强烈的愤怒和怨恨情绪，抱怨自己和别人，感觉被生活遗弃，被命运捉弄。常常内疚和悔恨，拒绝治疗，在一些小事上发火，与亲人、医护人员发生争吵，怨天尤人。

（3）协议期：此期患者心态平和，沉默不语，能顺从地接受治疗，希望能延缓死亡的时间。

（4）忧郁期：经过一段时间的手术、放疗、化疗，症状未见改善，病情逐步加重，自觉生命已将终结，产生悲观沮丧的情绪，对一切都不寄希望，等待生命的终结，甚至轻生。

（5）接受期：此期患者认识到现实是无法改变的，最终能以平静的心态面对现实，身体状态也会随心理状态的改变逐渐变好。

3.评估

临床主要采用访谈法、观察法和量表法收集患者的信息。

（1）评估患者的一般资料，包括年龄、性别、职业、医保类型、经济条件、文化程度、信仰、婚姻状况、嗜好等情况。

（2）使用NCCN心理痛苦温度计（Distress Thermometer，DT）和NCCN心理痛苦问题清单（Problem List，PL）对患者进行心理痛苦的筛查。

（3）使用癌症患者精神痛苦测评工具（Faith，Importanceand Influence，CommunityandAddress Spiritual History Tool，5b B FICA）对患者进行精神痛苦程度评估，并了解其精神关注内容。

（4）使用癌症患者失志综合征量表Ⅱ（Demoralization Scale-Ⅱ，DS-Ⅱ）对患者的自杀意愿进行评估。

（5）使用医院焦虑抑郁量表（Hospital Anxietyand Depression Scale，HADS）、抑郁-

焦虑-压力自评量表（Depression 2a A AnxietyStressScale，DASS）对患者进行心理痛苦具体临床症状的深入筛查。

（6）使用死亡和濒死痛苦量表（Deathand Dying Distress Scale，DADDS）衡量患者面对死亡事件的心理痛苦程度。

4.干预措施及效果评价

（1）多与患者交流，倾听患者诉说和察觉患者的感受，耐心解答患者提出的所有问题，以同理心赢得患者的信任，对患者进行适时的心理支持和疏导，满足他们合理的需求。

（2）根据患者心理反应选择不同干预措施：①焦虑患者的心理护理。护士态度和蔼，理解和接纳患者，为患者提供安全舒适的病室，减少对患者的感官刺激。同时，对患者的亲属做好宣教，以防家人的焦虑情绪传给患者。②恐惧患者的心理护理。护士应多与患者交谈，了解患者的恐惧，分析引起患者恐惧的原因，向患者提供应对恐惧情绪的适宜方法和场所。③否认期患者的心理护理。此期患者对诊断结果极力否认，切忌急于让患者接受现实，应采取适合患者的方式使其逐渐了解事实真相，鼓励患者逐渐面对或者表达对某个问题的关心，并给予心理支持和关心。④抑郁患者的心理护理。抑郁可导致患者食欲下降及睡眠障碍，是恶性肿瘤患者常见的心理反应。护士应了解患者的个性心理特征，找出引起抑郁的原因，听患者的诉说，使用认知行为治疗技术，让患者意识到负性情绪是可以消除的，指导患者用适宜方法宣泄负性情绪。⑤孤独患者的心理护理。帮助患者认识到自身在孤独情绪的发生和缓解中所起的作用，改变其对于人际交往的不合理信念。护士要鼓励患者主动加强与家人的联系，帮助患者发展适合自己的兴趣爱好，找到新的生活目标和精神寄托，增加社会交往范围。

（3）提供科学药物干预，避免药物不良反应：有指南指出，苯二氮䓬类药物用于治疗焦虑症时，会导致患者认知功能下降，故临床中应避免老年晚期癌症患者或认知障碍患者使用。使用氟西汀进行抗抑郁治疗前，医护人员应首先排除患者是否存在原发性精神障碍。氟哌啶醇会导致患者产生运动障碍、直立性低血压、虚弱等不良反应，医护人员在对谵妄患者用药时需注意剂量，尤其关注老年晚期癌症患者的用药反应，以降低药物相关死亡风险。

（4）心理危机效果评价：在实施心理危机干预的过程中和结束后，要对患者的认知、行为改变以及健康状态的恢复情况进行评价。

5.自杀患者的干预

（1）密切观察满足存在心理痛苦、持续疼痛、抑郁状态、年龄较大中一个或几个条件的肿瘤患者是否有自杀倾向。

（2）及时对患者进行自杀筛查和评估。

（3）医务人员要准确识别床单等可能被用作自杀工具的设备物品，指导家属认识危险物品，如药物、锐利物品、锋利餐具、长围巾等，并将之妥善保管或及时移走，以保证患者所处环境安全。

（4）加强巡视。

（5）积极缓解患者的疼痛、心理痛苦等症状，加强社会支持，及时给予心理治疗及精神药物干预，评估疗效并记录，做好交接班。

（6）共同防范患者自杀。

（六）营养不良的安全管理

1.概述

营养不良是不适当或不足饮食所造成的。2006年欧洲临床营养和代谢学会将营养不良定义为：能量、蛋白质及其他营养素不足或过多（或不平衡）引起的，可以检测到的组织或身体组成（体型、体态及成分）变化、功能下降及不良临床结局的一种营养状态，包括营养不足和营养过剩。肿瘤患者的营养不良指的是营养不足。

营养不良是肿瘤患者常见的首要健康问题，40%～80%的肿瘤患者会遇到营养不良的问题，以消化系统和头颈部肿瘤常见，约有40%的肿瘤患者死亡原因为营养不良。常见原因有疾病对营养代谢的影响、摄入不足、手术创伤的应激反应和术后禁食等，临床常表现为体重下降、切口愈合、肌肉减少，器官功能恢复及住院时间延长等。了解饥饿（尤其是长时间禁食）、感染、创伤状态下机体代谢的变化，对制订合理有效的营养治疗计划及对疾病转归的预测等都有指导意义。

2.评估

有下列情况的，营养医生根据评分结合患者营养状况进行综合营养专业评估、治疗与健康指导。

（1）近3个月体重下降超过5%。

（2）不能进食时间长于7d。

（3）口服摄入不足大于10d（摄入少于预计能量消耗的60%）。

（4）有引起营养缺乏的疾病。

3.筛查

营养不良的正确筛查与评估是营养支持的关键环节，可早期发现患者是否存在营养不良的风险，从而制定合理的治疗方案。常用的有营养风险筛查2002（NRS2002）和患者主观整体评估（PG-SGA）。目前中华医学会肠外肠内营养学分会（CSPEN）推荐住院患者使用欧洲肠内肠外学会（The European Society for Clinical Nutrition and Metabolism, ESPEN）于2002年推出的住院患者的营养风险筛查PG-SGA，这是专门为肿瘤患者设计的营养状况评估方法，具有易行、简便和特异性高的特点。

（1）NRS2002营养风险筛查：NRS2002营养风险筛查快速、简便，临床使用广泛。筛查工具一般包括四个问题：近期的体重变化、近期的体重指数（BMI）、近期的膳食摄入情况、近期的疾病状况或其他导致营养不良的危险因素（NRS2002营养风险筛查量表详见第二章第三节）。

（2）PG-SGA营养评估：PG-SGA是专门为肿瘤患者设计的营养状况评估方法，是在主观整体评估（SGA）的基础上发展起来的，由医务人员评估和患者自我评估两部分组成，总体评估包括定量评估及定性评估两种。

4.营养评定

营养评定是指临床营养专业人员通过多项综合营养评定方法，对患者的身体功能和营养代谢进行全面检查和评估，确定患者营养不良的程度和类型，评估营养不良所致后果的危险性，监测营养支持的疗效。

（1）疾病与病史：询问患者病史，明确可能导致患者营养问题的因素，包括食欲减退、胃肠道症状、用药史、体格检查、发热、外伤造成的营养需求、膳食调查等。

（2）人体测量指标

1）体重：体重的评定指标有以下几项。

①标准体重。标准体重常用公式为 Broca 改良公式，标准体重(kg)=身高(cm)-105；平田公式：标准体重(kg)=［身高(cm)-100］×0.9。

②体重比。a.实际体重与标准体重比，主要反映肌蛋白的消耗情况。实际体重与标准体重比（%）=实际体重÷标准体重×100%。评价标准：测量值介于±10%为营养正常；介于10%～20%为过重；大于20%为肥胖；介于10%～20%为消瘦；小于20%为严重消瘦。b.实际体重与平时体重比，可提示能量营养状况的改变。实际体重与平时体重比（%）=实际体重÷平时体重×100%。评价标准：轻度营养不良测量值介于85%～95%；中度营养不良测量值介于75%～85%；小于75%为严重营养不良。

③体重改变。反映能量与蛋白质代谢情况，计算公式：体重改变（%）=［平时体重(kg)-实际体重(kg)］×100%。

2）体重指数（Body Mass Index，BMI）：BMI=体重(kg)/身高^2(m^2)。BMI<18.5kg/m^{2}为营养不良，18.5～24.0kg/m^{2}为正常，24.0～28.0kg/m^{2}为超重，>28.0kg/m^{2}为肥胖。

3）三头肌皮褶厚度（TSF）：用皮褶计测量尺骨鹰嘴到肩胛骨喙突连线的中点处皮褶厚度，连续测量3次，取平均值。正常男性 TSF 为 11.3～13.7mm，女性为 14.9～18.1mm，若低于标准值的90%，提示营养不良。

4）上臂围（MAC）、上臂肌肉周径（MAMC）

①上臂围（MAC）：反映肌肉的发育状况，通过测定上臂紧张围与上臂松弛围计算二者的差值。我国男性上臂围平均值为27.5cm，女性为25.8cm。

②上臂肌肉周径（MAMC）：是肌蛋白量变化的良好指标。计算公式：MAMC(cm)=MAC(cm)-3.14XTSF(cm)。我国男性上臂肌肉周径平均值为24.8cm，女性为23.2cm。

（3）实验室检查

1）蛋白测定：包括人血清白蛋白、前白蛋白和转铁蛋白。营养不良时该测定值有不同程度的降低。人血清白蛋白降低是营养不良最明显的特征，半衰期较长，约18d，反映的是长时间摄入不足和营养状态差。前白蛋白和转铁蛋白半衰期短，分别为8d和2d，提示短期内的营养变化。

2）肌酐指数：肌酐是肌肉蛋白代谢的产物，从尿中排出的肌酐是衡量机体蛋白质水平的敏感指标。CHI（%）=（实测24h尿肌酐量/标准尿肌酐量）×100%，如果减少5%～15%属于轻微虚弱，15%～30%属于中度虚弱，30%以上属于重度虚弱。

3）氮平衡：是评价机体蛋白质情况最可靠、最常用的指标。氮平衡=入氮量-出氮量，当入氮量大于出氮量为正氮平衡，反之为负氮平衡。

4）淋巴计数：周围血淋巴细胞计数可反映机体免疫状态。正常值为2000/mm^3，小于1500/mm^{3}常提示营养不良。

5）其他检测项：常规检测肌酐活性、尿素、肌酐、电解质水平（钙、磷、镁离子浓度）及C反应蛋白等。

（4）功能测量

1）肌力测量：握力反映肌肉功能、肌肉增长与减少状况，间接反映机体营养状况及术后恢复情况。

2）直接肌肉刺激：对肌肉进行电刺激后测量肌肉收缩、舒张和力量频率曲线，与营养状况有一定关联。

3）呼吸功能：与机体蛋白质营养状况相关，机体蛋白质减少，呼吸功能会急剧下降，最大呼气量的峰值随营养状况变化而变化。

5.恶病质

（1）恶病质的概念：恶病质亦称恶液质。表现为极度消瘦（皮包骨头，形如骷髅）、贫血、无力、完全卧床、生活不能自理、全身衰竭等综合征，多由癌症和其他严重慢性病引起。

（2）临床表现：厌食、进行性体重下降（不可解释的体重下降）、低蛋白血症、贫血、肌肉严重萎缩、皮下脂肪显著减少等，有时水肿可能掩盖这一体征。

（3）恶病质发生率：恶性肿瘤患者中有30%～60%发生恶病质，70%肿瘤患者在疾病终末期出现恶病质，终末肿瘤患者中5%～23%的直接死因是恶病质，其中消化道肿瘤多见。

（4）恶病质发病机制

1）厌食：厌食的患者机体的消耗量大于摄入量，是肿瘤患者营养不良和恶病质的主要因素之一。

2）营养物质代谢改变：①机体能量代谢改变。恶性肿瘤患者能量代谢率比正常人高10%。有资料表明，TNF-a、IL-1、IL-6和白细胞抑制因子（LIF）在肿瘤恶病质中起重要作用。②蛋白质代谢变化。肿瘤患者在恶病质时蛋白质代谢变化很复杂，机体蛋白质分解代谢增加超过合成增加。③脂肪代谢变化。肿瘤患者脂肪代谢呈明显异常，其中血浆三酰甘油酯水平增高，脂肪分解作用增加，脂肪存储分解代谢增加。④水、电解质代谢变化。晚期肿瘤患者约10%可发生此并发症，多发性骨髓瘤、肺癌、乳腺癌较多见，如不采用有效药物治疗，可导致患者死亡。⑤碳水化合物代谢异常。主要是宿主外周细胞葡萄糖的利用下降和外周组织利用葡萄糖障碍、机体组织对胰岛素耐受。⑥激素与神经递质变化。正常状态下，神经递质如5-羟色胺、阿片制剂和去甲肾上腺素等影响摄食和饮食的选择。

（5）恶病质治疗

1）营养治疗：给予ω-3脂肪酸、左旋肉碱、β-羟基-β-甲基丁酸等营养物质。

2）运动治疗：进行渐进式阻力训练等。

3）药物治疗：醋酸甲地孕酮、司美替尼、非甾体类选择性雄性激素受体调节剂、生长激素释放肽类似物阿那莫林等。

6.摄入营养素的原则

（1）低碳水化合物。

（2）高蛋白。

（3）高脂肪。

（4）高能量的营养制剂。

7.营养配方应用时机

（1）发生营养不良或有营养风险的患者

1）已发生体重下降者。

2）当饮食摄取量少于原来摄取量的60%，持续时间超过10d。

3）不能进食时间超过7d。

4）化疗不能中止，或即使中止后在较长时间内仍不能恢复足够饮食者。

（2）围手术期存在营养不良或者营养风险的患者

1）术前因营养不良曾予以营养支持者，术后需继续给予营养支持直到恢复正常饮食。

2）术前存在营养不良，但因某些原因未进行营养支持，术后短期内又不能获得足够营养的患者。

3）术前无营养不良，但手术创伤大，术后短期内不能恢复饮食提供足够营养者。

4）术后发生并发症，如肠瘘、胃肠功能障碍、严重感染等的患者。

5）围手术期化疗、放疗导致的恶心、呕吐、厌食，不能摄取足够营养的患者。

6）对于较大的颈部手术或腹部手术的肿瘤患者，推荐给予含免疫调节剂的肠内营养。

（3）需要进行肠外营养的患者

1）存在进食不足以及肠内营养小于60%目标量的情况超过10d的患者。

2）无法给予肠内营养，而且发生营养不良的围手术期患者。

3）伴有严重黏膜炎及放射性肠炎的患者。

4）伴有顽固呕吐、严重黏膜炎及肠梗阻的造血干细胞移植患者。

5）对于不可治愈的肠功能障碍者，长期给予肠外营养。

8.治疗方法对营养不良的影响

（1）围手术期肿瘤患者：一般手术患者营养素供应方式是由肠内营养逐渐到肠外营养，再由肠外营养过渡到肠内营养。肠内营养相比肠外营养更符合机体生理状态，应用预消化型短肽配方及应用游离氨基酸、双脂分子、微量元素等配方制剂的肠内营养能够改善患者营养状况。肠外营养仅限于肠内营养不能实施的特殊情况下使用，长期使用对肝、肾功能有损伤。

（2）化疗患者：化疗可直接或间接在很大程度上改变机体的营养状态。对化疗敏感的患者，易发生吸收能力下降和消化道黏膜炎症溃疡，化疗药物也可刺激化学感受器的触发区，引起患者恶心和呕吐，导致患者营养吸收不良。

（3）放疗患者：患者营养状况与放疗损伤的严重程度、放射性类型与放射剂量、照射野尺寸及组织被照射量、患者症状、治疗持续时间有关。

（4）营养底物在治疗中的作用：营养底物（Nutritional Substrate）包括谷氨酰胺、精氨酸与脂肪酸等。临床数据证明，谷氨酰胺对骨髓移植患者及危重症患者有效。精氨酸适用于肝性脑病和禁钠患者，以及其他原因引起的血氨过高的精神症状患者。人体缺乏脂肪酸，会使新陈代谢下降，造成营养不良。

9.营养支持小组

营养支持小组是由临床医生、营养师、药剂师和护士等多学科人员组成，通过对患者进行及时的营养评估、营养支持、饮食管理，加强或改善患者的营养状况。

10.护士在营养支持小组中的主要职责

（1）及时的营养风险评估。

（2）协助营养师全面准确地收集患者营养的相关资料。

（3）负责患者营养支持的实施。

（4）及时准确评估患者营养状况的变化以及在营养支持中发生的不良反应。

（5）对患者及其家属进行营养的宣教。

（七）安宁疗护的安全管理

1.概述

安宁疗护是通过由医生、护士、志愿者、社工、理疗师及心理师等人员组成的团队服务，为患者及其家庭提供帮助，主要内容包括疼痛及其他症状控制，舒适照护，心理、精神及社会支持。

安宁疗护发展史就是临终关怀的发展史，它是由一组专业人员对临终患者与家属提供生理、心理、情感、精神及财务上的合法帮助，尽可能提升患者与家属的生活品质。临终关怀在台湾称为"安宁疗护"，在香港称为"善终服务"。20世纪70年代中期临终关怀进入美国，护理先驱佛罗伦萨·沃尔德（Florence Wald）带领多学科团队建立了美国第一家临终关怀机构。此后，全世界范围内开始进行临终关怀运动。1982年，中国台湾和香港设立了专业的临终关怀机构，1988年天津医学院建立了第一所临终关怀研究机构。国家卫健委近年把舒缓医疗、临终关怀、姑息治疗、善终服务都统一命名为安宁疗护。

2.意义

（1）对于肿瘤患者而言，当医学的方向由生存的数量转向生存质量，治疗由积极的抗肿瘤治疗转向以姑息治疗为主的阶段时，症状控制和提高生存质量成为临床的首要工作。

（2）积极意义在于树立尊重生命、强调"舒缓照护"的观念。

（3）安宁疗护符合辩证唯物主义生死观，强调死亡价值。

（4）安宁疗护能够节约卫生资源，减轻家庭的经济负担。

（5）重视家属照顾，帮助患者及其家属理性地度过将要分离的时刻，减轻家属的悲伤情绪。

（6）提高我国护理人员的业务素质。

3.目标

（1）减轻患者的痛苦：安宁疗护的目的不再是积极治愈疾病，而是通过控制各种症状，缓解患者的不适，减轻患者的痛苦，提高其生活质量。

（2）维护患者尊严：尊重患者对生命末期治疗的自主权利，尊重患者的文化和习俗需求，采取患者自愿接受的治疗方法，在照护过程中，将患者当成完整的个人，而不是疾病的代号，提升患者的尊严感。

（3）帮助患者平静离世：通过与患者及其家属沟通交流，了解患者未被满足的需要、人际关系网络及在生命末期想要实现的愿望，并帮助其实现，以使其达到内心平和、精神健康的状态，从而平静地离开人世。

（4）减轻丧亲者的负担：通过安宁疗护多学科队伍的照护，减轻家属的照护负担，并给丧亲者提供居丧期的帮助和支持，帮助丧亲者度过哀伤阶段。

4.安宁疗护的服务对象

安宁疗护并非放弃对患者的积极救治，而是给予临终患者积极而整体的照顾。安宁疗护所照顾的是生命，不是死亡。它不限于服务肿瘤患者，而是服务于所有终末期患者。

2017年国家卫计委颁发的《安宁疗护实践指南（试行）》明确指出，安宁疗护以终末期患者和家属为中心。其中患者符合以下条件就可获得安宁疗护服务：疾病终末期，出现症状；拒绝原发疾病的检查、诊断和治疗；接受安宁疗护的理念，具有安宁疗护的需求和意愿。

5.安宁疗护的两个条件

（1）临床医生诊断患者已经处于临终期，现有的医疗水平无法帮助其得到改善。

（2）尊重患者本人的意愿，只有患者不再具有意识时，家属才有权利代为解决。

6.安宁疗护的模式

根据患者接受安宁疗护的地点，安宁疗护通常可分为医院安宁疗护、社区安宁疗护和居家照护3种模式。

（1）医院安宁疗护适用于有难治性、复杂性的临床症状，而在其他照护场所如社区、居家无法满足其全方位照护需求的终末期患者。医院安宁疗护为终末期患者提供跨区域、专业的、不以治愈为目标的综合医疗服务，解决危急重症和疑难复杂症状，满足患者和家属心理、社会以及精神方面的需求。接受社区医院转诊，对下级医院进行业务技术指导，为患者转至社区医院创造条件。

（2）社区安宁疗护为终末期患者提供住院机构、门诊及居家模式相结合的安宁疗护服务。应用早期识别、积极评估、控制疼痛和治疗其他痛苦症状的适宜技术，改善终末期患者的生活质量，维护患者尊严，缓解家属痛苦。

（3）居家安宁疗护在家庭环境下，由家属提供基本的生活照顾，由医疗机构工作人员定期巡诊并提供帮助。巡诊小组由经过专业培训的医生、护士、药剂师、营养师、理疗师、心理咨询师等多学科人员组成，为患者提供注射药物、伤口换药、疼痛控制、生活护理、心理支持等。志愿者可参与陪伴和提供支持。居家照护模式满足患者在家中接受照护的愿望，使其能够有尊严、安详地度过人生的最后阶段。同时帮助家属减缓失去亲人的痛苦，积极地面对生活，最终提高患者及其家属在各个阶段的生活质量。

7.安宁疗护的服务内涵

安宁疗护服务内涵主要体现在五个方面，即全人、全家、全程、全队、全社会照顾。

（1）全人照顾：就是身体、心理、社会、精神的整体化关怀照顾，不仅解决患者的身体症状与痛楚，更从心理状况、社会关系、精神追求等各方面对临终患者给予更深入的关心与帮助，从整体上维护患者的尊严。

（2）全家照顾：是指死亡牵涉到患者自身及其整个家庭、社会关系网络，应引导全家携手，一起面对生死，得到精神的启悟，各自获得内心的宁静。

（3）全程照顾：是从患者接受常规治疗就加以早期关注与介入，在患者正式开始安宁疗护后直至获得最后的安息的整个过程，进行全方位的关怀，包括家属的后续哀伤辅导。

（4）全队照顾：是指安宁疗护是一个团队的工作，除了医生、护士，还需要社会工作者、药剂师、心理师、康复师、营养师、灵性工作者以及社会志愿者等的参与，医护专业人员与其他团队成员协助合作，让病人获得最好的照顾。

（5）全社会照顾：安宁疗护照护不仅是医疗机构、护理院的责任，也是全社会的职责。作为安宁疗护工作者，应积极寻找和连结社会资源，动员全社会的力量，为贫困的终末期患者和家属提供实际救助，奉献爱心。

8.具体内容

（1）症状改善，疼痛减轻，提高患者的生活质量。

1）准确评估：应用循证医学和循证护理学，对患者的生理及病理问题及产生的原因和程度进行评估，同时评估患者的生理、社会、精神和文化需要，拟订护理计划，既支持患者，又支持家属。

2）解释和交流：明确解释病情和诊断结果，个体化的治疗和护理计划，可能出现的治疗效果，可能出现的症状和处理措施，陪护支持的种类和范围，申请及获得途径，再监测和评价的目的，消除患者的焦虑和不安，使患者获得安全感和自控能力。

3）有效控制症状，解除不适：晚期肿瘤患者的症状有疼痛、恶心呕吐、咳喘、食欲减退或厌食、口干或口渴、吞咽困难、意识不清、便秘和压疮等。应给予常规的药物及处理，以缓解疼痛、呼吸急促、便秘及胸腔积液等症状。

4）提供舒适、温馨的病房环境：保持病室安静，无异味，播放患者喜欢的音乐，转移其注意力，放松身心。

5）心理护理：晚期肿瘤患者和家属会产生一系列心理、情感和生理等方面的问题。护理人员鼓励患者及其家属充分表达消极情绪，并满足其合理要求。

6）利用社会支持系统支持患者：良好的社会支持有减轻应激反应的作用，能明显改善肿瘤患者的负性心理状况，提高其生活质量。

（2）指导家属参与患者护理

1）家属应积极参与护理从而减轻患者悲伤无望的悲观情绪。指导家属学会最基础的护理方法，比如喂饭、翻身拍背、擦浴、协助排便等。

2）家属提出的合理要求要尽量予以满足，以满足其心理需求。

3）事先向家属说明临终阶段患者的临床表现、症状及家属力所能及的事情，比如亲人陪伴在身边，保持周围环境整洁，帮患者清洁等，家属要陪伴患者度过最后一刻，使其减少害怕与担忧。如果家属能够参与尸体料理，应相应进行尸体料理的指导，如着装与仪容，并安排遗体告别。

（3）死亡教育

帮助临终患者树立正确的死亡观念，改变对死亡的不良认知及行为，突破对死亡的恐惧，鼓励患者正确、勇敢地面对死亡这一人生必经之路。

（4）支持家属

家属由于要时刻照顾临终患者，不仅要承受巨大的心理压力，同时要付出很多的精力来照护患者，他们正常的需求往往难以得到满足。多关心和帮助家属，指导他们保存体力和保持身体健康，减少无谓的体力与精力消耗。

（5）居丧照护

1）悲伤心理发展过程：美国社会学家帕克斯认为，悲伤的过程可分为4个阶段，且每个阶段是循序渐进的，阶段的转换是逐层推进的，中间并没有明显的界限。①麻木阶段：失去亲人的最初反应就是麻木，居丧者在这一阶段可能还没有完全意识到心爱的人已故而表现出麻木与震惊。出现这种反应的人，会发呆几小时或者几天，而无法缓解悲伤。②渴望阶段：麻木之后的反应是思念已逝去的亲人，渴望死去的亲人能够回来。③丧失阶段：居丧者寻求死者复生的想法失败，开始接受这个现实，痛苦的程度和次数随着时间渐渐减弱，变得颓丧，感到人生的空虚，对一切事物提不起兴趣。④复原阶段：居丧者的悲恸程度逐渐减弱，逐渐恢复正常生活。

2）居丧悲伤心理护理：死亡对患者是痛苦的结束，对家属则是悲伤的开始。专业丧亲支持培训对提高医务人员丧亲支持专业水平，为丧亲家属提供高质量的丧亲支持服务具有重要意义。要制订安抚计划，对居丧者进行身心照护，疏导悲痛，尽力帮助居丧者认识其生存的社会价值，从而以积极的态度去面对生活、面对现实，并向他们提供必要的信息及更多的服务（如经济、法律、福利等方面的支持），面对某些家属言语过激，要给予理解。

二、技术标准

（一）化疗药物的配置及给药技术

1.化疗药物的静脉给药技术

静脉化疗给药是通过静脉途径将化疗药物输入人体。下面将以中心静脉导管及外周静脉留置针为例，介绍静脉化疗给药的操作。

（1）目的

1）为提高肿瘤的局部控制率和治愈率。

2）肿瘤急症的治疗。

（2）评估与准备

1）核对医嘱，检查有无药物配伍禁忌。确认化疗前用药已执行（止吐药物、抗过敏药物）。

2）了解药物、高危既往史及消毒剂的过敏史，肝肾功能检验结果及一周内的血常规指标，并确认《化疗知情同意书》已签署。

3）评估患者病情、年龄、合作程度、自理能力，了解以往化疗药的用药情况，查看患者静脉状况或血管通路状况。

4）物品准备，备齐用物，放置合理。

①已配制完毕的药液，备用状态的治疗盘（止血带、棉签、棉球、消毒剂、胶布、小污物杯），无菌盘内备有≥10mL生理盐水的注射器若干，合适的输液器，如采用外周静脉给药，应备静脉留置针、无菌透明敷料（6cm×7cm）；②清洁手套若干（如PVC、乳胶手套），手消毒液，利器盒，污物桶。

5）查对药液并检查相关物品。

6）根据需要正确消毒瓶口，连接输液器。

7）患者准备，核对患者身份。询问/协助患者排尿，取舒适体位，暴露输注部位。

（3）操作要点

1）洗手，戴手套。

2）排出输液器内空气，并检查有无渗漏，如采用静脉留置针给药，按无菌要求连接静脉留置针和生理盐水注射器/输液器。

3）根据不同的输注途径

①经外周静脉给药，需生理盐水建立静脉通路，选择合适的穿刺血管，扎止血带，

消毒皮肤，留置针与皮肤成15°～30°进行穿刺，见回血后再进针少许，松止血带，生理盐水推注时无局部肿胀疼痛，回血通畅，将输液器连接，用透明敷料妥善固定，注明穿刺时间及操作者姓名；②经中心静脉导管给药，用乙醇棉球消毒输液接头至少15s，抽回血以确定导管在静脉内，再用10mL及以上的生理盐水脉冲式冲管，连接输液器。

4）根据药物性质、患者病情和年龄调节滴速。

5）核对患者身份、药名并记录。

（4）注意事项

1）化疗给药建议选择中心静脉给药，如PORT、PICC。

2）化疗药物建议在静脉配制中心集中配制，病区护理人员接收后严格检查药品，核对无误后根据医嘱准确给药。

3）按输注药品说明书要求合理选择输液器。

4）经外周静脉化疗给药注意事项

①应尽量避开手腕、手指、肘窝和下肢静脉，以及施行过广泛切除性外科手术的肢体末端，乳腺癌根治术后避免患肢注射。②不宜选择穿刺点远端的静脉及24h内有穿刺史的静脉进行穿刺给药。为避免发生化疗药物外渗，同一部位不可重复穿刺。③化疗前必须先用生理盐水建立静脉通路，化疗结束后应用兼容性溶液10～20mL冲管。④不宜用于发疱性药物、刺激性药物静脉输注。使用静脉留置针进行化疗给药，当天输液结束后应拔除。

5）严格按照化疗顺序规范给药。

6）做好化疗药物的职业防护，如发生化疗药渗出和化疗药溢出。

7）应根据化疗药物的性质、化疗方案、患者血管条件等选择血管通路及工具（引起外渗的常见化疗药物分类见表7-8、表7-9）。

表7-8　引起外渗的常见发疱性药物

类别	药物名称
烷化剂	氮芥、苯达莫司汀等
抗生素类	柔红霉素、多柔比星、表柔比星、丝裂霉素、放线菌素D等
植物碱类	长春碱、长春新碱、长春地辛、长春瑞滨等
紫杉烷类	多西他赛、紫杉醇、白蛋白结合型紫杉醇等

表7-9　引起外渗的常见刺激性药物

类别	药物名称
烷化剂	卡莫司汀、环磷酰胺、美法仑、达卡巴嗪、苯达莫司汀等
抗生素类	博来霉素、米托蒽醌、脂质体-阿霉素等
植物碱类	依托泊苷、伊立替康、托泊替康等
抗代谢类	阿糖胞苷、氟达拉滨、氟尿嘧啶、吉西他滨、氨甲蝶呤等
铂类	卡铂、顺铂、奥沙利铂等

8）化疗药物输注过程中应定时评估血管通路装置是否通畅，并观察有无发生外渗的症状和体征。

9）应告知患者出现疼痛、发红、肿胀、烧灼感、输液不畅等异常情况时，需及时报告医务人员。

2.便携式输注泵的配制和使用技术

便携式输注泵（化疗泵）即随身携带的持续化疗输液装置，能维持化疗药物的血药浓度，持续杀灭肿瘤细胞，适用于需持续化疗的患者。常用的化疗泵包括一次性便携式化疗泵、电子便携式化疗泵。

（1）目的

1）保证化疗药物的顺利输注。

2）提高肿瘤患者的局部控制率和治愈率。

（2）评估与准备

1）了解消毒剂、药物的过敏史，肝肾功能检验结果，一周内的血常规指标，并签署《化疗知情同意书》。

2）了解用药方案，根据医嘱双人核对配制药液量，即医嘱要求的剂量，包括化疗药物剂量（mL）+溶媒稀释量（mL）。

3）评估患者意识、病情、自理能力、合作程度，了解既往用化疗泵情况，评估患者血管通路及接头状况。

4）备齐用物，包括合适型号的化疗泵、药液、50mL注射器若干、乙醇棉球罐、砂轮、弯盘、清洁手套适量（PVC手套、乳胶手套）、速干手消剂、利器盒、污物桶。

5）检查相关物品并查对药液。

6）检查并核对化疗泵，化疗泵上贴瓶贴。

（3）操作要点

1）洗手，戴双层手套（内层PVC手套，外层乳胶手套），铺治疗巾，妥善放置所需用物。

2）打开所有的安瓿，放置在治疗巾的左边待用，避免跨越无菌区。

3）将加药口保护帽旋下放于治疗巾左上角待用，避免跨越无菌区。

4）再次核对药名、剂量，按要求逐一抽吸药液，注入化疗泵。

5）空气排尽后取下针头。

6）一手持注射器，另一手将化疗泵倒置，使填充口向下，将注射器乳头直接插入化疗泵加药口，然后顺时针旋转锁紧。

7）化疗泵用上面的手稳住，下面的手持注射器垂直向下用稳定的压力，将药液注入化疗泵内。逆时针旋转从化疗泵上取下注射器。

8）依次注入至所需药量后，将加药口的保护帽盖上。

9）排气，取下延长管末端保护帽，将化疗泵及延长管内空气排净，再将保护帽盖上，检查管路无渗漏，瓶贴注明操作者及配制时间。

10）将化疗泵放入治疗盘备用，处理用物，脱手套，洗手。

11）携用物至床边，核对患者身份，核对药物，核对化疗泵型号。

12）置患者舒适体位，暴露输注部位，天冷注意保暖。

13）洗手，戴双层手套（内层PVC手套，外层乳胶手套），去除已结束的输液器，乙醇棉球多方位消毒接口的横切面及外围、输液接头15s以上。首次使用导管者，应抽回血以确定导管在静脉内，并用10mL及以上的生理盐水脉冲式冲管。

14）再次核对患者身份，取下化疗泵翼状保护帽，再次排尽空气，连接输液接头并旋紧，将流量限速器贴紧皮肤，妥善固定，活动时避免导管打折。

15）输液单记录。化疗泵使用登记表上记录用药的日期、时间以及预计结束时间，并签名。

16）核对患者身份，核对药物以及化疗泵的型号。

17）协助患者妥善放置化疗泵（化疗泵内弹力储液囊和鲁尔锁定接头保持在同一水平），恢复舒适体位。

18）告知患者携带化疗泵的注意事项。

（4）注意事项

1）严格无菌操作，在生物安全柜内配制化疗药。抽取药液时，注意排尽注射器内空气。

2）告知患者携带化疗泵期间的自我管理：①化疗泵内鲁尔锁定接头和弹力储液囊尽量保持在同一水平。②保持流量限速器紧贴皮肤。③保持输注管路不折叠，外露导管勿过度牵拉，防止接头脱落。④局部肢体不可热敷，输注侧手臂不可剧烈活动或提重物。⑤观察化疗泵储液囊的变化，如有异常，应告知护士。

（二）化疗废弃物的处理操作技术

1.目的

（1）有利于医院环境保护。

（2）有利于人员保护。

2.评估与准备

（1）评估化学治疗废弃物的种类。主要分为两类：损伤性和感染性化疗药物废弃物。损伤性化疗药物废弃物指能够刺伤或者割伤人体的医用锐器；感染性化疗废弃物指携带病原微生物，具有引发感染性疾病传播危险的医疗废物。

（2）分开放置化学治疗废弃物与其他物品。

（3）物品准备：防漏双层黄色密封袋，坚固密闭的防漏容器，"化疗废弃物"的标识，清洁纸巾或吸湿纸巾，防护服，双层防护手套等。检查密封袋及防漏容器，无破损、渗漏和其他缺陷。并贴上写有"化疗废弃物"的标识。

3.操作要点

（1）操作人员穿戴好防护服、口罩及双层防护手套。

（2）分开收集化疗药物与其他医疗废弃物。

（3）明确化疗废弃物的种类，区分处理感染性化疗药物废弃物及损伤性化疗药物废弃物。

（4）感染性化疗药物废弃物，应用双层黄色防漏的密封袋包裹后置入密闭、坚固、防漏的容器内，同时标明"化疗废弃物"。

（5）损伤性化疗药物废弃物，如为未用完的化疗药物，应放入坚固、密闭、防漏容器中，返还给供应商，由供应商进行专门处理。如为使用过的锐器物，则直接置于坚固、密闭、防漏容器中。

（6）对盛放化疗药物废弃物的容器进行加盖，使封口紧实、严密。

（7）确认在盛放化疗药物废弃物的容器及包装上有"化疗废弃物"的警示标识。贴上标签注明废弃物产生单位、产生日期及类别，并签名。

（8）化疗废弃物进行转运，统一处理。

4.注意事项

（1）若发生泄漏，须用吸湿纸或清洁纸巾进行处理，此过程产生的污物也应按化疗废弃物处理。

（2）医护人员使用防护服，避免交叉污染。

（3）病房内化疗药物废弃物存放不能超过24h。

（4）禁止取出放入包装和容器内的化疗药物废弃物，不可与其他废弃物一起运送。

（三）化疗溢出物的处理操作技术

化疗药物溢出会造成人员及周围环境的污染，根据溢出物的体积或剂量，可分为三个类型：少量溢出、大量溢出及生物柜内超大量溢出。少量溢出是指溢出物的体积≤5mL或剂量≤5mg；大量溢出是指溢出物体积>5mL或剂量>5mg；生物安全柜内超大量溢出是指药物外溢≥150mL。

1.目的

（1）有利于医院环境保护。

（2）有利于人员保护。

2.评估与准备

（1）化疗药物溢出的地点。

（2）化疗药物溢出的体积或剂量。

（3）化疗药物溢出的种类。

（4）环境中溢出暴露的人员。

（5）物品准备

1）化疗药物溢出包，是化疗药物溢出处理必不可少的一项物品，包括防水隔离衣，一次性口罩，面罩，乳胶手套，防护目镜，鞋套，纱布，棉球，吸水垫，两个垃圾袋，小铲子，小扫帚。

2）锐器盒标识"化疗废弃物"，PVC手套，清洁剂，去污粉。

（6）护士准备

1）戴护目镜，着隔离防护衣，着鞋套。

2）洗手，戴口罩，戴双层防护手套。

3.操作要点

（1）少量溢出时

1）将化疗溢出包打开，将溢出物用纱布擦去，如有玻璃碴，应放入锐器盒中。

2）药物溢出地面用清洁剂清洗3遍，再用清水洗干净，纱布等其他被污染的物品应弃于放置细胞毒性的垃圾袋中并封口。

3）反复使用的物品，如砂轮、印章、乙醇喷壶等，用清洁剂洗2遍，再用清水洗干净。

4）将上述已封口的垃圾袋装入第二层垃圾袋，封口后置于细胞毒性废物专用一次性容器中，并标记"化疗废弃物"。

5）弃去手套，用肥皂水和清水刷洗手和暴露的皮肤。

6）记录药物名称，溢出量，外溢如何发生，处理外溢的过程，暴露人员。

7）上报相关部门并登记。

8）用物按化疗废弃物处理流程处理。

（2）大量溢出时

1）关闭空调，立即标明污染范围，污染区隔离，严禁其他人接触。

2）穿好一次性隔离服，戴双层手套，如果空气中暴露有液体或粉末，还需佩戴呼吸面罩、防护眼罩。

3）打开化疗溢出包。

4）用纱布或棉球吸附液体药液，若为药粉，要用湿布或棉球轻轻擦拭，防止药物粉尘扬起，如有玻璃碎片，用小铲子铲起并放入锐器盒中。

5）污染表面用大量水加去污粉冲洗3次，最后用75%乙醇擦拭3次。

6）用纱布、棉球、湿布擦抹溅出的药物，所有参加清除溢出物人员的防护工作服和防刺容器置入专门的塑料袋中封口，并套入第2层垃圾袋，标明"化疗废弃物"。

7）弃去手套，用清水和肥皂水刷洗手和暴露的皮肤。

8）记录药物名称，溢出量，外溢如何发生，处理外溢的过程，暴露人员。

9）向相关部门上报并登记。

10）用物按化疗废弃物处理流程处理。

（3）安全柜内溢出时：除了按照上述大量溢出处理流程清洗完药物溢出的地方后，对整个生物安全柜内面进行另外的清洁。

1）用清洁剂彻底清洗干净柜内表面，包括凹槽处，清洁剂清洗3遍后再用清水清洗干净。

2）如果高效过滤器被溢出物污染，则将整个高效过滤器封存。

4.注意事项

（1）化疗药物溢出处理前，应先明确化疗药物溢出的类型。

（2）如有人员暴露，应先处理暴露人员。如果皮肤接触化疗药物，应立即脱去被污染的手套和外套，用大量清水冲洗，然后用肥皂清洁被污染处，避免引起任何皮肤刺激。若眼睛被污染，则用洗眼剂或等渗溶液或大量生理盐水冲洗受污染眼睛15min，尽快到眼科接受治疗，有条件的医院也可配备洗眼器。

（3）将化疗溢出包配备在所有细胞毒性药物准备、配发、使用、运输和丢置的地方。

（4）如果溢出物产生汽化，工作人员处理时则须戴上面罩。

（5）操作过程中注意做好个人防护。

（6）从污染边界开始清理，逐渐向污染中心进行反复冲洗、擦拭等处理。

（四）放射性废弃物的处理操作技术

医用放射性废物是指在核医学临床诊疗工作中产生的放射性比活度或放射性浓度超过国家规定值的液体、固体和气载废物。应根据废物的性状、体积以及所含核素的种类、半衰期、比活度选择相应的处理方法，使之不致在工作场所造成不必要的电离辐射危害，不致造成环境污染。

1.目的

（1）避免电离辐射危害。

（2）避免环境污染。

2.评估与准备

（1）评估放射性废弃物的来源与分类，主要分为三类。

1）放射性固体废物：包括放射性核素发生器；用放射性核素治疗的住院患者使用过的各类物品；遮盖用的纸、手套、空的药水瓶和注射器；用放射性核素治疗患者的废弃组织等。

2）放射性液体废物：包括放射性核素的残液；实验与诊断使用过的液体闪烁液；患者的分泌物、排泄物；其他放射性核素与药物操作或实践中产生的放射性液体。

3）放射性气体废物：包括使用 ^{133}Xe 做通气试验的患者呼出的气体；放射性药物生产转运和使用过程中产生的放射性气溶胶；^{14}C 呼气实验受试者呼出的气体等。

（2）确定其他物品是否已与放射性废弃物分开放置。

（3）物品准备

1）备齐用物。一次性备齐全部用品，按实际情况准备：放射性废物处理专用容器，长柄镊子，纱布，棉球，一次性乳胶手套，密封袋，75%乙醇，写有"放射性废弃物"的标识等。操作者应做好个人卫生防护：戴铅帽、口罩、铅眼镜、手套，穿铅衣等防护用品；包扎处理皮肤暴露部位伤口；操作时佩戴个人剂量器。操作人员必须有熟练的放射性废物操作技术，操作要细心，注意力要集中，防止放射性废弃物洒落，尽量缩短操作时间。

2）检查密封袋、铅盒、放射性废物处理专用容器，无破损、渗漏和其他缺陷。并贴上写有"放射性废弃物"的标识。

3.操作要点

操作人员应做好个人卫生防护准备，将其他医疗废弃物与放射性废弃物分开收集，明确放射性废弃物的种类，不同性质的放射性废弃物处理方式不同。疑有放射性污染的用品也应按放射性废物处理。

（1）放射性液体的处理

1）放射性废液：利用放射性废水专用处理装置或分隔污水池轮流存放和排放放射性废液。放射性浓度小于或等于"公众导出食入浓度"DIC（公众）的废液可做非放射性废液处理，排入下水道系统。此外，也可将废液注入容器存放10个半衰期后，排入下水道系统。如废液中含有长半衰期核素，先固化，然后做固体废物处理。

2）患者的排泄物：使用有辐射防护标志的专用卫生间，对患者排泄物实施统一收集和管理。

（2）放射性固体废物的处理

1）废物收集：按有无病原体毒性、可燃与不可燃收集废物。收集废物的污物桶应具有电离辐射标志和外防护层。应避开工作人员作业和经常出入的地方放置污物桶。在污物桶内放置专用塑料袋直接收纳废物，污物桶装满后及时转送贮存室。

2）废物存放：放射性固体贮存应符合放射卫生防护要求，在放射性贮存间安装通风设备，出入口有电离辐射标志。在显著位置存放废物袋、废物桶及其他存放容器，标注废物类型、核素种类、比活度范围和存放日期等。在放注射器及碎玻璃等物品的废物袋外附加外套。

3）废物处理：按半衰期长短分类收集放射性固体废物，放置于放射性贮存室内自然衰变。固体废物被病原体污染，必须先消毒、灭菌，然后按固体放射性废物处理。短半衰期核素（半衰期<15d）存放10个半衰期，放射性比活度低于$7.4×10^4$Bq/kg后，作为非放射性废物处理；长半衰期放射性废物暂存放于衰变室，交由专门机构回收处理。G Bq量级以下废弃密封放射源必须存放在有足够外照射屏蔽能力的设施里待处理。放射性废物存放须标明名称、放置日期以及处理日期，并进行登记。外送前须测定放射性活度，达到排放规定水平后用红色胶袋密封包装；交接时须登记交接日期、重量、废物名称、生产科室、经手人、交接单位。由专人放置于医院废物存放点。

（3）放射性气态废物的处理

1）凡使用^{133}Xe诊断检查患者的场所，应配备回收患者呼出气中^{133}Xe的装置，不可直接排入大气。

2）可以直接排放放射性浓度小于或等于"公众导出空气浓度"DAC（公众）的气载废物。

3）淋洗、分装放射性药品的通风橱设有专用排风系统，风速应不小于0.5 m/s，且排气口应高于本建筑屋顶并安装专用过滤装置，排出空气浓度应达到环境主管部门的要求。

4.注意事项

（1）放疗废弃物处理前应先明确废弃物的来源和类型。

（2）如有人员暴露，应先对暴露人员进行处理。

（3）操作过程中注意做好个人防护。

（五）肿瘤患者康复保健技术

1.头颈部肿瘤患者的康复保健操，详见附录5。

2.乳腺癌患者的康复保健操，详见附录6。

3.肺癌患者的康复保健操，详见附录7。

第三节 结局质量标准

一、敏感指标

（一）抗肿瘤药物外渗发生率

1.指标定义

（1）抗肿瘤药物外渗是指在肿瘤患者抗肿瘤期间，肿瘤药物经静脉血管渗出至皮下组织中。由于肿瘤药物对组织具有腐蚀性，极易使局部组织产生化学性炎症。

（2）抗肿瘤药物外渗发生率是指统计周期内抗肿瘤药物外渗发生例次数占统计周期内抗肿瘤药物人日数的千分比。

2.指标意义

抗肿瘤药物外渗是化疗输注过程中最严重的安全问题之一，其发生率也是药物安全管理的评价指标之一。通过抗肿瘤药物外渗发生率的监测，一方面可以分析抗肿瘤药物外渗发生的现状、趋势、特征及相关因素，为有效预防和控制药物外渗的发生提供科学依据；另一方面又可以在持续监测过程中反映质量改进措施的落实情况，及时发现不足之处，并给予针对性的防治措施，改进护理质量，提高患者满意度。

3.计算公式

$$抗肿瘤药物外渗发生率=\frac{同期抗肿瘤药物外渗的发生例次数}{统计周期内抗肿瘤药物人日数}×1000‰$$

（1）分子说明：抗肿瘤药物外渗纳入标准为统计周期内所监测患者发生药物外渗的例数总和，如果患者在监测期间发生2次以上药物外渗，则计算相应次数。

（2）分母说明：统计周期内抗肿瘤药物人日数。

4.数据采集

（1）建立全院范围的抗肿瘤药物外渗监测制度，逐步开展基于信息化的具有风险识别、判断与预警功能的抗肿瘤药物外渗监测工作。

（2）尚未开展或信息系统不完善的机构应建立抗肿瘤药物外渗患者日志，每日、每月、每季度和每年进行统计并记录。

5.案例解析

（1）案例：患者张某，诊断为直肠癌，在输注奥沙利铂甘露醇注射液的过程中，患者自诉手部穿刺点疼痛，护士查看穿刺点皮肤，发现穿刺点有红斑、肿胀、皮下硬结。患者自诉输液过程中去卫生间自解小便1次，输液的肢体用力时不慎将针头脱出，发生了药物外渗。经查未及时上报不良事件，记录和原因分析缺失，整改措施缺失，住院患者抗肿瘤药物外渗记录缺失。

（2）解析：该科室忽视抗肿瘤药物外渗发生的严重性，对于抗肿瘤药物输注的宣教和护理措施不到位，对输注刺激性发疱类药物的患者，未告知严重不良后果，未使用中心静脉导管，因此导致药物外渗的发生，且发生后未正确记录结果和进行原因分析，未及时上报不良事件。

（二）疼痛评估正确率

1.指标定义

（1）疼痛（Pain）：国际疼痛学会（International Association for the Study of Pain, IASP）将疼痛定义为一种与实际或潜在组织损伤相关的，包括了感觉、情感、认知和社会成分的痛苦体验。

（2）疼痛评估正确率：统计周期内疼痛评分3分以上的癌痛患者疼痛评估正确的例数与同期住院癌痛患者总例数的百分比。

2.指标意义

（1）疼痛评估是采用恰当的评估工具对患者疼痛的程度、部位、性质等相关内容进行评价的过程。是一个长期动态的评估趋势过程，而非某个时间点的即时疼痛评估。患者的主诉是疼痛评估的"金标准"。疼痛评估是控制疼痛的基础，必须在疼痛干预前进行详尽、全面的评估，医护人员有责任寻找有效的方法和策略，正确评估肿瘤患者的疼痛。

（2）癌性疼痛是肿瘤患者最常见的症状之一，疼痛评估与患者感受密切相关，它关系到患者症状的改善，因此把疼痛评估正确率作为肿瘤护理质量的敏感指标，可以了解患者的疼痛是否得到有效控制，从而提高患者的生存质量。

（3）疼痛评估的主体是护士，疼痛评估正确率是能通过护士主导来改善的指标，因此监测肿瘤病房护理人员疼痛评估的正确率，可以了解患者疼痛的改善情况，以利于与其他医务人员一起制订有效的干预计划和措施，更好地控制疼痛。

（4）护理管理者可以了解特定时期内住院患者疼痛评估正确率的情况，在监测数据的基础上，纵向分析疼痛控制各环节要素所占的比率以及之间的关联，追踪和解剖问题的根源，有针对性地进行培训和改进，促使疼痛护理管理不断完善。

3.计算公式

$$疼痛评估正确率=\frac{同期内癌痛正确评估例数}{统计周期内住院癌痛患者总例数}\times100\%$$

（1）分子说明：疼痛评估纳入标准为同周期内评分3分以上的癌痛患者疼痛评估正确的例数，其中包括疼痛评分分值正确、疼痛部位性质描述正确、疼痛评估频次正确、给药后再评估记录正确，选定的评分工具正确。同时做到以上几点的例数为癌痛正确评估例数。

（2）分母说明：为统计周期内疼痛强度记录单上住院癌痛患者总例数。

（3）统计周期为某年、某季度或某月。

4.数据采集

（1）建立全院范围疼痛评估正确率监测制度，逐步开展基于信息化的具有风险识别、判断与预警功能的疼痛评估监测工作。

（2）尚未开展或信息系统不完善的机构应建立疼痛评估患者日志，每日、每月、每季度和每年进行统计并记录。

5.案例解析

（1）案例：某科室护士长在床头交接班时发现某患者面容痛苦，询问患者哪儿不舒服，患者诉说腹部疼痛，但患者不能准确说出自己的疼痛分值和疼痛性质，询问患者服药情况，患者诉说害怕药物成瘾，只吃了早上的一次药，晚上的药未吃，在督查疼痛记录时，发现该患者的疼痛评估表记录不完善，疼痛处理之后未进行及时评估和记录。

（2）解析：该科室责任护士未对疼痛患者的疼痛评估进行指导和宣教，对出现疼痛时的护理措施落实不到位，未予以重视。因此无法有效地收集相关数据，造成无法对本指标进行有效的统计和分析。

（三）肿瘤护士职业安全防护率

1.指标定义

（1）肿瘤护士职业安全防护：在开展医疗护理活动时可能存在许多不安全因素，例如物理、化学、生物、心理因素等，故要加强自我防护能力，积极采取应对措施和提高自身综合素质，确保职业健康安全。

（2）肿瘤护士职业安全防护率：统计周期内肿瘤护理人员实际安全防护次数与统计

周期内需要化疗防护总次数的比例。

2.指标意义

提高安全防护意识，建立相应的监督机制，组织和制定更加严格的防护应对方案，每年定期为长期接触细胞毒性药物的护理人员提供体检，进而提高肿瘤护士职业安全防护率。

3.计算公式

$$肿瘤护士职业安全防护率=\frac{肿瘤护士实际安全防护次数}{统计周期内需要化疗防护的总次数}×100\%$$

（1）分子说明：为同周期内肿瘤护士实际安全防护次数。

（2）分母说明：为统计周期内需要化疗防护的总次数。

（3）统计周期为某年、某季度或某月。

4.数据采集

（1）建立全院范围肿瘤护士职业安全防护率监测制度，逐步开展基于信息化的具有风险识别、判断与预警功能的肿瘤护士职业安全防护率监测工作。

（2）尚未开展或信息系统不完善的机构应建立肿瘤护士职业安全防护率日志，每日、每月、每季度和每年进行统计并记录。

5.案例解析

（1）案例：某院在检查肿瘤科质量控制工作时，对抗肿瘤药物的配置进行督查时发现，肿瘤护士配置抗肿瘤药物时未佩戴专用防护口罩和护目镜，在检查肿瘤护士职业安全防护率是否具有记录和原因分析时，发现该科室的质控分析不完善。

（2）解析：该科室护士不重视安全防护，未正确使用安全防护用具。

（四）抗肿瘤治疗健康宣教知晓率

1.指标定义

（1）抗肿瘤治疗健康宣教：抗肿瘤治疗时患者会出现一些不良反应，当出现不良反应时患者及其家属出现焦虑、紧张等心理问题，对治疗产生怀疑。因此要加强抗肿瘤治疗患者的健康宣教，使其了解和掌握预防及应对措施。

（2）患者对抗肿瘤治疗健康宣教知晓率：单位时间内患者对健康宣教知晓的人数与同期内经过健康宣教患者的总人数的比例。

2.指标意义

通过监测了解患者对抗肿瘤治疗健康宣教知晓率，发现不足，及时加强宣教指导。

3.计算公式

$$患者对抗肿瘤治疗健康指导知晓率=\frac{同一统计期内对健康宣教知识知晓的患者人数}{同期内经过健康宣教患者的总人数}×100\%$$

（1）分子说明：为同一统计期内对健康宣教知识知晓的患者人数。

（2）分母说明：为统计周期内接受健康宣教患者的总人数。

（3）统计周期为某一时段（如某年、某季度、某月）。

4.数据采集

（1）建立全院范围抗肿瘤治疗健康宣教知晓率监测制度，逐步开展基于信息化的具有风险识别、判断与预警功能的抗肿瘤治疗健康宣教知晓率监测工作。

（2）尚未开展或信息系统不完善的机构应建立抗肿瘤治疗健康宣教知晓率日志，每日、每月、每季度和每年进行统计并记录。

5.案例解析

（1）案例：某科室某患者，在输注化疗药物时出现恶心呕吐，患者及其家属都十分担心，不知道恶心呕吐是化疗的常见副反应，在督查是否具有记录和原因分析时，该科室的质控分析不完善，记录缺失。

（2）解析：该科室对抗肿瘤治疗健康宣教不重视，健康宣教力度不够。

二、其他重点监测指标

便携式化疗泵安全使用率

1.指标定义

便携式化疗泵安全使用率是指统计期内便携式化疗泵安全使用次数占同期内使用便携式化疗泵执行抗肿瘤药物治疗总人次数的比例。

2.指标意义

便携式化疗泵即随身携带的持续化疗输液装置，能维持化疗药的血药浓度，持续杀灭肿瘤细胞。适用于需持续化疗的患者。及时发现便携式化疗泵护理中因使用不当出现的误差，如针尖滑脱、漏液、静脉导管阻塞、堵管报警、气泡报警、输注时间缩短或延长、药液配制中计算错误等问题，分析原因并进行及时处理。

3.计算公式

$$便携式化疗泵安全使用率=\frac{同一统计期内便携式化疗泵安全使用次数}{同期内使用便携式化疗泵执行抗肿瘤药物治疗总人次数}×100\%$$

（1）分子说明：为同一统计期内便携式化疗泵安全使用次数。

（2）分母说明：为统计周期内使用便携式化疗泵执行抗肿瘤药物治疗总人次数。

（3）统计周期为某一时段（如某年、某季度、某月）。

4.数据采集

（1）建立全院范围便携式化疗泵安全使用监测制度，逐步开展基于信息化的具有风险识别、判断与预警功能的便携式化疗泵安全使用监测工作。

（2）尚未开展或信息系统不完善的机构应建立便携式化疗泵安全使用日志，每日、每月、每季度和每年进行统计并记录。

5.案例解析

（1）案例：某科室护士在床头交接班时，发现某患者使用的便携式化疗泵实际剩余剂量与应该剩余剂量不相符，在督查运行泵的定期查检表时，发现缺失。

（2）解析：对便携式化疗泵未进行定期的检修，输液管受压时间过长，导管打折，化疗泵导液管拇指夹未打开等各种因素致堵管报警；固定不佳致使针尖滑脱及漏液；护士未按时冲洗PICC导管，以至于导管堵塞；护士操作不当导致输注停止，最终输注时间延长；化疗泵故障未及时发现，连接泵管前未将泵接口垂直向上，排气时药液从高压球囊内快速冲出，而不是先排出空气，影响了药液的流出，产生药液计算错误等。因此，无法有效地收集相关数据，从而无法对本指标进行有效的统计和分析。

第四节　应急处理流程

一、常见处理流程

（一）肺癌大咯血处理流程

肺癌大咯血处理流程详见图7-11。

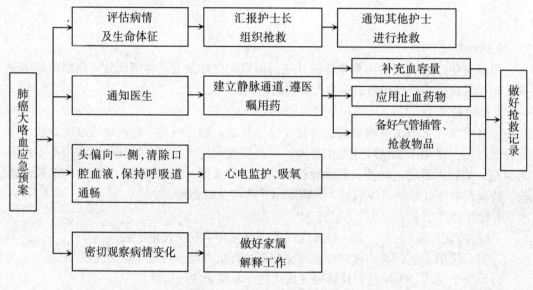

图7-11　肺癌大咯血处理流程

（二）颅内转移瘤合并脑疝处理流程

颅内转移瘤合并脑疝处理流程详见图7-12。

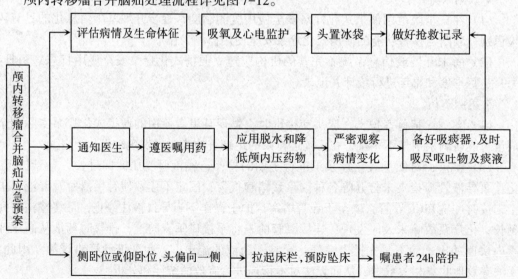

图7-12　颅内转移瘤合并脑疝处理流程

（三）鼻咽癌患者鼻出血处理流程

鼻咽癌患者鼻出血处理流程详见图7-13。

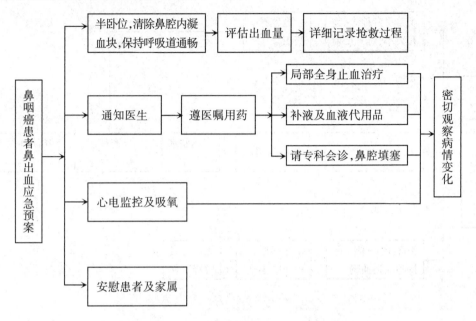

图7-13 鼻咽癌患者鼻出血处理流程

（四）喉头水肿窒息处理流程

喉头水肿窒息处理流程详见图7-14。

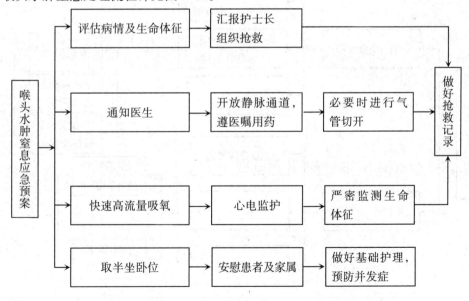

图7-14 喉头水肿窒息处理流程

（五）颅内高压性昏迷处理流程

颅内高压性昏迷处理流程详见图7-15。

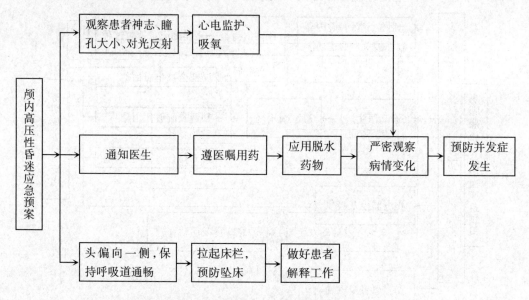

图7-15　颅内高压性昏迷处理流程

（六）肿瘤患者窒息处理流程

肿瘤患者窒息处理流程详见图7-16。

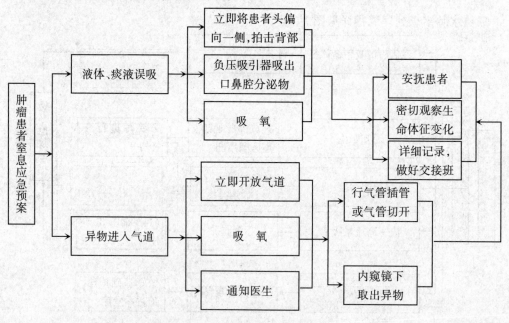

图7-16　肿瘤患者窒息处理流程

（七）肿瘤患者放化疗后合并严重骨髓抑制处理流程

肿瘤患者放化疗后合并严重骨髓抑制处理流程详见图7-17。

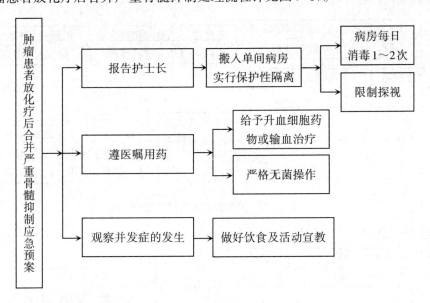

图7-17 肿瘤患者放化疗后合并严重骨髓抑制处理流程

二、特殊事件处理流程

（一）肿瘤破裂处理流程

肿瘤破裂处理流程详见图7-18。

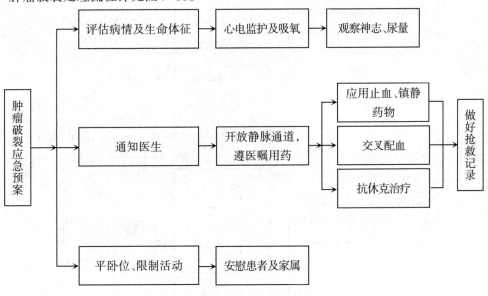

图7-18 肿瘤破裂处理流程

（二）肿瘤患者走失处理流程

肿瘤患者走失处理流程详见图7-19。

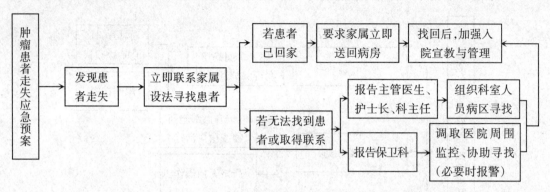

图7-19　肿瘤患者走失处理流程

（三）肿瘤患者自杀处理流程

肿瘤患者自杀处理流程详见图7-20。

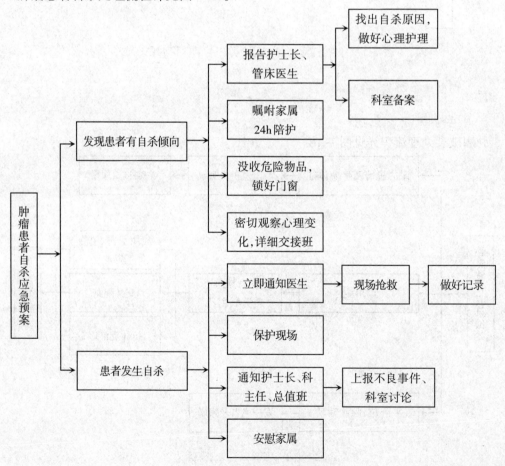

图7-20　肿瘤患者自杀处理流程

肿瘤专科护理附录

附录1　癌痛筛查表

癌痛筛查表

科室：　　　床号：　　　姓名：　　　性别：　　　年龄：　　　住院号：

诊断：　　　　　　　　　　　　日期：　年　　月　　日

1.患者现在有疼痛吗：有　　无

2.患者疼痛的部位（请在图中画出疼痛部位，最多不超过3处）

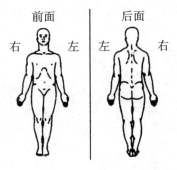

前面　　　后面

右　　左　｜　左　　右

3.现在的疼痛程度大多数时是：无　0　1　2　3　4　5　6　7　8　9　10　最痛

4.过去24h疼痛程度大多数时是：无　0　1　2　3　4　5　6　7　8　9　10　最痛

5.疼痛的性质：酸痛　刺痛　跳痛　钝痛　绞痛　胀痛　针刺样痛　压榨样痛　撕裂样痛　牵拉样痛　放电样痛　烧灼样痛　麻木样痛　刀割样痛　束带样痛　接触痛

6.疼痛加重时程度是：无　0　1　2　3　4　5　6　7　8　9　10　最痛

7.患者现在服用止痛药物的情况：

　　药物名称_____　用法用量_____　使用频次_____

8.服药后疼痛程度：无　0　1　2　3　4　5　6　7　8　9　10　最痛

9.服药后是否有以下情况：便秘　头晕　嗜睡　谵妄　恶心　呕吐　尿潴留　皮肤瘙痒　无

10.是否由于疼痛而出现以上情况：担心　焦虑　恐惧　无

11.患者对止痛治疗的期望：达到完全无痛　不影响一般生活　不影响睡眠　无期望

12.瞳孔：

13.大便：

14.出现便秘的处理：

15.辅助治疗：_____

16.疼痛诊断：癌症相关　癌症治疗相关　临床操作相关　非癌痛或伴发病

评估者：_____　　　　　　医生签名：_____

附录2 癌痛滴定表

癌 痛 滴 定 表

科室：　　　　　床号：　　　　姓名：　　　　　性别：　　年龄：　　　　住院号：

| 患者目前诊断＿＿＿＿＿＿＿　导致疼痛的原因＿＿＿＿＿＿＿（由管床医生填写） |

疼痛部位：请在图中用阴影标明疼痛部位，并在最痛的部位打×　　疼痛性质：（选择其他需要具体描述疼痛性质）
注：在选项前打√，可多选

疼痛部位：

前　　　　　　后

A＿＿＿＿＿
B＿＿＿＿＿
C＿＿＿＿＿
D＿＿＿＿＿

1.酸痛	7.坠痛	13.烧灼样痛
2.刺痛	8.针刺样痛	14.麻木样痛
3.跳痛	9.压榨样痛	15.刀割样痛
4.钝痛	10.撕裂样痛	16.束带样痛
5.绞痛	11.牵拉样痛	17.接触痛
6.胀痛	12.放电样痛	18.其他

滴定	时间
月　日	0 1 2 3 4 5 6 7 8 9 10 11 12 13 14 15 16 17 18 19 20 21 22 23

疼痛评分 10 9 8 7 6 5 4 3 2 1 0

药物、途径
剂量(mg)
药物：1=口服盐酸吗啡片　2=皮下盐酸吗啡针　3=静脉盐酸吗啡针　4=盐酸羟考酮缓释片　5=其他
疼痛滴定开始时间：　　　　　截止时间：　　　　　　　前24小时吗啡滴定总量：　　　mg

滴定	时间
月　日	0 1 2 3 4 5 6 7 8 9 10 11 12 13 14 15 16 17 18 19 20 21 22 23

疼痛评分 10 9 8 7 6 5 4 3 2 1 0

药物、途径
剂量(mg)
药物：1=口服盐酸吗啡片　2=皮下盐酸吗啡针　3=静脉盐酸吗啡针　4=盐酸羟考酮缓释片　5=其他
疼痛滴定开始时间：　　　　　截止时间：　　　　　　　前24小时吗啡滴定总量：　　　mg

药名：0-无　1-盐酸吗啡片　2-吗啡注射液　3-硫酸吗啡缓释片　4-盐酸羟考酮缓释片
　　　5-芬太尼透皮帖　6-＿＿＿＿＿＿＿＿＿＿

时间	
备注	
不良反应	1.便秘　2.恶心　3.呕吐　4.嗜睡　5.眩晕　6.尿潴留　7.肠梗阻　8.呼吸抑制　9.谵妄　10.其他
	措施：

评估医生：　　　　　　　　　　　　　　评估护士：

附录3 癌痛评估表

癌痛评估表

科室_____ 床号_____ 姓名_____ 性别_____ 年龄_____ 住院号_____
患者目前诊断_____ 导致疼痛的原因_____ （由管床医生填写）

请在图中标明疼痛部位，并在疼痛最剧烈的部位以"×"标出	患者疼痛性质：(选择其他需要额外注明疼痛性质) 注：在选项前打√，可多选_____

前面　　　后面
右　　左　│　左　　右

1.酸痛	8.钻顶样痛	14.电击样痛
2.刺痛	9.爆裂样痛	15.烧灼样痛
3.跳痛	10.撕裂样痛	16.麻木样痛
4.钝痛	11.牵拉样痛	17.刀割样痛
5.绞痛	12.压榨样痛	18.束带样痛
6.胀痛	13.放电样痛	19.轻触痛
7.坠痛		

其他_____

日期									
天数									

疼痛评分

	10								
	9								
	8								
	7								
	6								
	5								
	4								
	3								
	2								
	1								
时间	0								

药名									
剂量									
评估护士									
评估医生									

药名：0-无　1-盐酸吗啡片　2-吗啡注射液　3-盐酸羟考酮缓释片　4-硫酸吗啡缓释片
5-芬太尼透皮帖剂　6-_____　（剂量单位为mg）

备注：

（　　）

附录4　癌痛护理记录单

癌痛护理记录单

科室：_____　床号：_____　姓名：_____　住院号：_____

日／月	时间	不良反应								护理措施及效果评价	签名
		便秘	恶心	呕吐	嗜睡	眩晕	尿潴留	肠梗阻	呼吸抑制	谵妄	

附录5　头颈部肿瘤患者的康复保健操

1.心平气和—放松式

此法可以减轻压力，放松心灵，肩颈部放松可利气血运行。

（1）患者自由站立或坐在椅子上，目视前方，肩膀放松，两臂自然下垂。

（2）用鼻子吸气（有鼻塞患者可用嘴吸气），扩张肺部，然后慢慢用嘴呼气，呼气时默念"松"字。

（3）重复此动作1～5min。

2.运转乾坤—头颈式

每个运动做20～50下/次，3～5次/天；如开始颈部活动受限，则增加到50～200下/次。

（1）低头、仰伸运动

1）患者端坐在椅子上，肩膀自然放松，目视前方。

2）低头，尽量将下颌骨靠近胸骨，还原。

3）头部尽量仰伸，目视天花板，还原。

（2）头部钟摆上仰运动

1）患者端坐在椅子上，肩膀自然放松，目视前方。

2）目视前方，左耳向左肩部靠拢，头后仰，目视天花板，头部从左肩向右肩环绕，还原。

3）目视前方，右耳向右肩部靠拢，头后仰，目视天花板，头部从右肩向左肩环绕，还原。

（3）转颈运动

1）患者端坐在椅子上，肩膀放松，目视前方。

2）肩膀不动，头部尽量向左转，目视左前方，还原。

3）肩膀不动，头部尽量向右转，目视右前方，还原。

4）重复以上动作。

（4）张口运动

1）端坐在椅子上，肩膀放松。

2）尽量将口张开，慢慢还原。

3）重复此动作20～50次；如患者张口受限，可增加锻炼次数，每次重复100～200次，并用软木塞做加强训练。

（5）叩齿运动：此法对牙齿有保健功能，能生津，有按摩牙龈及固齿的作用，并可以锻炼咀嚼肌。

1）自由地坐在椅子上，肩膀放松。

2）唇微开，上下齿轻轻叩击36次。

3.鹤舞翩翩—肩颈式

（1）耸肩运动

1）患者站立，脚同肩宽（或端坐在椅子上），目视前方，放松肩颈部肌肉。

2）左肩膀抬高接近耳部后还原，右肩膀抬高接近耳部后还原，双肩抬高接近耳部后还原。

3）右肩膀抬高接近耳部后还原，左肩膀抬高接近耳部后还原，双肩抬高接近耳部后还原。

4）重复以上动作4～10次。

（2）肩部旋转运动

1）患者站立，脚同肩宽（或端坐在椅子上），目视前方，放松肩颈部肌肉。

2）双肩关节向前做旋肩运动2次。

3）向后做旋肩运动1次。

4）重复以上动作4～10次。

（3）肩部内收、外展运动

1）患者站立或端坐在椅子上，目视前方。

2）左手空拳（或握矿泉水瓶）由肩部向上举，还原。

3）左手前臂以肘关节为轴心，握空拳（或握矿泉水瓶）向下转180°，垂直地面，还原。

4）左手空拳由胸前至右肩部，由上向下划圆至身体左侧部。

5）两手小腹前交叉，左手向左方向向上划圆、右手向右方向向上划圆，两手至头顶上方交叉，还原。

6）换另侧手进行上举、外展运动。

7）重复以上动作4～10次。

（4）肩关节放松运动

1）患者站立，脚同肩宽（或端坐在椅子上），目视前方，放松肩颈部肌肉。

2）双臂在身体两侧前、后平甩。

3）重复以上动作4～10次。

4.顺水推舟—腰腹式

此法可以调理胃肠功能，促进胃肠蠕动，减轻腹胀，改善便秘，增加食欲；坚持按摩肾俞穴，增加肾脏的血流量，改善肾功能；温暖后腰部可以促进睡眠。

（1）患者站立，脚同肩宽，目视前方。

（2）用右手大鱼际从剑突向下摩至肚脐上方8～10次。

（3）以中脘穴为中心，用右手掌顺时针方向摩腹20～100次，逆时针方向摩腹20～100次。

（4）轻敲腹部大横穴20～100次。大横穴定位：位于人体的腹中部，距脐中4寸。

（5）将两手搓热，放至后腰肾俞穴按摩20～100次，还原。肾俞穴定位：位于腰部，第2腰椎棘突旁开1.5寸。

5.心平气和—放松结束式。

附录6　乳腺癌患者的康复保健操

第一套

1.适用对象：适用于术后康复的第一阶段，麻醉清醒2～4h后至拔除引流管2～3d者。

2.运动时间：5～20min/次，每天1～2次。

3.运动处方

（1）第一节呼吸运动

1）取卧位或坐位，全身放松。

2）健侧手置于患侧肋弓下缘感受胸廓起伏。

3）口呼气，鼻吸气。吸气时，胸廓扩展，呼气时，胸廓恢复正常。

（2）第二节上肢运动：第一组

1）拳掌练习，取坐位或卧位，两手握紧拳，拇指在外，稍停，五指充分用力张开，掌心向上。

2）绕指，从小拇指开始依次屈曲，绕腕翻掌，从小拇指开始依次伸展。

3）扣十指，自然屈曲两手，掌心相对，两手十指尖互相叩击。

4）拔指，交叉相握两手，十指尽力夹紧，沿手指两侧相互按摩，用力拔开。

5）振掌根，交叉相握两手，手腕用力振掌根，感觉前臂肌肉颤动。

6）搓手，重叠两手，将健侧手掌指关节置于术侧手心，交替按摩手背、手心。

（3）上肢运动：第二组

1）取坐位或站位，自然下垂两臂。

2）术侧上肢握拳，用力屈曲肘关节，健侧上肢体侧伸展，术侧上肢、健侧上肢交替。

3）双臂体侧伸展、握拳，肘关节同时用力屈曲，稍停，体侧伸展。

4）双臂握拳，屈肘90°，胸前内收交叉，稍停，五指分开，外展。

5）两手自然置于胸前，拍手，放松。

（4）第三节颈部运动

1）取坐位或站位，术侧手臂用健侧手托住。

2）低头，下颌触胸骨，稍停，还原。

3）头部尽量后伸，仰望天，稍停，还原。

4）头部转向左侧，眼看左后方，稍停，还原。

5）头部转向右侧，眼看右后方，稍停，还原。

（5）第四节肩、胸、背部运动

1）取坐位或站位，术侧上肢手臂用健侧手托住。

2）向上提左肩，右肩向下沉，稍停，还原。

3）向上提右肩，左肩向下沉，稍停，还原。

4）同时上提双肩，感觉要去碰耳朵，头颈保持正直，稍停，重复做上下提压。

5）自然下垂两臂，双肩以肩关节为轴，由前向后做环绕动作。

（6）第五节辅助按摩

1）取卧位或站位，术侧上肢屈肘抱胸前。

2）健侧手依次按摩术侧上肢上臂外侧、内侧。

3）自然下垂术侧上肢，用健侧手依次按摩术侧上肢外侧、内侧。

4）健侧拇指指腹点压、揉按合谷穴2～3min。

5）健侧拇指指腹点压、揉按内关穴2～3min。

6）健侧手食指、中指点压、揉按肩井穴3～5min。

（7）第六节放松运动

1）取坐位或站位，术侧上肢用健侧手由下向上揉捏，放松术侧手臂肌肉。

2）肩关节不动，屈肘置胸前，手指向上，腕关节旋转、抖动，手部放松。

第二套

1.适用对象：适用于拔除引流管2～3d后者。

2.运动时间：10～30min/次，3～5次/周（或1次/日）。

3.运动强度：最大心率的60%～70%为运动适宜心率。男性最大心率=200-年龄，女性最大心率=210-年龄。

4.运动处方

（1）第一节　准备运动：摆臂散步

1）站立，自然下垂两臂，抬头挺胸，全身放松，自然呼吸。

2）迈步，脚跟先着地，依次脚掌、脚尖落地，两臂用力前后摆动，加大步伐，逐渐用力，坚持步行5～10min。

3）迈步，脚跟先着地，依次脚掌、脚尖落地，双臂共同用力，胸前左右摆动。

（2）第二节　健肢助力运动：术侧上肢用健侧手协助训练

（第一组）

1）开立两腿，腹前用健侧手握住术侧手，缓慢抬起至最大幅度，稍停（根据疼痛感控制用力程度）。

2）屈前臂，靠拢两肘，尽力上提，同时提起脚跟，逐步加大幅度，重复3次，还原。

3）开立两腿，两手背腹前相靠，上抬提腕，至最大幅度，同时提起脚跟，逐步加大幅度，重复3次，还原。

（第二组）

1）开立两腿，在腹前交叉相握两手，缓慢抬起至最大幅度。

2）外展肘关节，胸前双手交叉相握，掌心向内。翻掌上体前屈，向前推掌，重复2次。

3）术侧手用健侧手带动，逐渐向前上方伸展。

4）术侧手腕关节用健侧手握住，向上缓慢牵拉，停留（根据疼痛感控制程度和时间），还原。

（第三组）

1）两手抱肘，术侧肘关节用健侧手抱住，缓慢抬起，至最大幅度。

2）术侧肘部用健侧手牵拉，依次摸耳、头顶，停留，还原至胸前。

3）术侧肘关节用健侧手牵拉，弓步，低头，含胸，以脊柱为轴心，顺时针环绕一周，逆时针环绕一周，重复4次，还原。

（第四组）

1）开立两腿，两臂外展屈膝，逐步加大幅度，犹如小鸡展翅飞翔。

2）外展上肢，身体左侧屈，尽量利用身体倾斜度抬起右侧上肢，还原；身体右侧屈，抬左臂，还原。

3）开立两腿，两手背后交叉相握，上体前屈，臂后伸，还原。

（3）第三节　颈部助力

1）开立两腿，双手枕后抱头，低头含胸，两肘抱头内收停留，抬头，肘关节用力外展，停留，还原。

2）开立两腿，双手枕后抱头。

3）左侧转头，挺胸，外展左肘，停留，还原。

4）右侧转头，挺胸，外展右肘，停留，还原。

（4）第四节　胸背运动

1）开立两腿，两臂肩侧屈。

2）合掌胸前，肘关节内夹，含胸，稍停，尽量外展肘关节，扩胸，还原。

3）自然站立两腿，双手叉腰。

4）胸部左侧移，胸部右侧移。

5）上体前屈，自体侧尽量向前伸展双臂，背部拉伸，停留，还原，重复3次。

（5）第五节　联合运动

1）术侧弓步，体侧握拳，两臂屈肘。

2）前伸两臂，上体前屈，从上向下用力做划船动作，重复3次，还原。

3）由下向上，做划船动作，重复3次，还原。

4）术侧弓步，术侧手用健侧手握住，顺时针做体前大环绕，重复4次，还原。

5）术侧弓步，术侧手用健侧手握住，逆时针做体前大环绕，重复4次，还原。

（6）第六节　放松训练

1）原地踏步，双手依次自胸前、平肩、平耳至头顶。

2）甩手抖动放松，重复2次，还原。

附录7　肺癌患者的康复保健操

1.腹式呼吸训练　患者取坐位，卧位或侧卧位，集中精神。姿态自然，放松全身肌肉，缓慢深吸气到最大肺容量后屏住呼吸，时间为2～5s，逐渐增加到10s，然后缓慢呼出，连续进行10～20次，每天早、晚各进行1次训练。

2.缩唇呼吸法　以鼻吸气，缩唇呼气，呼气时将口唇缩成吹口哨状，使气体通过缩窄的口型缓缓呼出，缩唇程度以不感到费力为适度，一般吸气时间为2s，呼气时间逐渐延长或保持到10s以上。以上2种呼吸训练方法连续训练6个月为1个疗程。

3.吹气球锻炼　深吸气后用力将气球吹大，每天3次或4次，每次1～15min。

4.肩关节与手臂的运动　以预防手术侧胸壁肌肉粘连，肩关节强直以及失用性萎缩，预防肩下垂。从被动运动逐步过渡到主动运动。

1）患者麻醉清醒后，可协助进行四肢和背部躯干轻微活动。

2）术后第1天开始肩、臂的主动运动。如抬高肩膀，肩膀向前向后运动。

3）肘部抬举，使肘部尽量靠近耳朵，然后固定肩关节将手臂伸直。

4）手臂高举到肩膀高度，将手肘弯成90°，然后旋转肩膀而将手臂向前、向后划弧线。患者可先躺着进行，然后改为坐姿、站姿。在患者进行锻炼前，给予适量镇痛药，协助患者咳出痰液，以便患者能更好地配合运动。运动量以患者不感到疼痛和疲乏为宜。逐渐适应肺切除后余肺的呼吸容量。逐渐练习术侧手扶墙抬高和拉绳动作等上举与外展活动，使肩部活动尽快恢复到术前水平。

参考文献

[1]罗云建,赵文婕,刘雪莲.肿瘤内科护理全过程质量控制手册[M].北京:人民卫生出版社,2017.

[2]严孟奇,陈晓欢.肿瘤专科护士实践手册[M].北京:化学工业出版社,2013.

[3]徐波.肿瘤护理学[M].北京:人民卫生出版社,2008.

[4]李乐之,路潜.外科护理学[M].6版.北京:人民卫生出版社,2017.

[5]闻曲,刘义兰,喻姣花.新编肿瘤护理学[M].北京:人民卫生出版社,2011.

[6]刘义兰,赵光红.护理法律与患者安全[M].北京:人民卫生出版社,2009:109.

[7]张莉,多运莲,张爱军.护理干预预防化疗药物外渗的措施[J].中国煤炭工业医学杂志,2013,16(1):123-124.

[8]王云惠.循证护理在防治化疗药物外渗中的应用[J].中国当代医药,2012,19(35):130-132.

[9]武桂芳.化疗药物外渗的预防及护理[J].成都医学院学报,2012,7(22):148.

[10]言克莉,顾则娟,李金花,等.应用护理质量指标提高静脉化疗护理质量的实践[J].中华护理杂志,2013,3(48):232-234.

[11]徐波.化学治疗所致恶心呕吐的护理指导[M].北京:人民卫生出版社,2015.

[12]李秀华,徐波,陆宇晗.肿瘤专科护理[M].北京:人民卫生出版社,2019.

[13]邹艳辉,周硕艳,李艳群.实用肿瘤疾病护士手册[M].北京:人民卫生出版社,2018.

[14]缪景霞,蔡姣芝,张甫婷.肿瘤内科护理健康教育[M].北京:人民卫生出版社,2018.

[15]邱玉梅,杨碎胜,罗健.肿瘤专科护士必读[M].兰州:甘肃科学技术出版社,2011.

[16]齐海燕,邱玉梅.肿瘤专科护理[M].兰州:甘肃科学技术出版社,2014.

[17]陆宇晗,张红.肿瘤科护士一本通[M].北京:中国医药科技出版社,2018.

[18]徐薇薇,王关芬,杨薇,等.成年肿瘤患者癌因性疲乏非药物管理的最佳证据总结[J].护士进修杂志,2023,38(3):247-251,279.

[19]马晓晓,陆宇晗,杨红,等.肿瘤患者便秘预防的证据总结[J].中国护理管理,2022,22(10):1540-1545.

[20]张兴瑜,李永红,陈菊,等.肿瘤患者放化疗致口腔黏膜炎非药物预防与管理的最佳证据总结[J].临床护理杂志,2022,21(6):61-66.

[21]郑秀梅,李涛.肿瘤患者营养不良与放疗[J].中国肿瘤外科杂志,2024,16(1):8-12.

[22]张璐,伍晓琴,黄月霖,等.晚期癌症患者心理痛苦的安宁疗护管理最佳证据总结[J].护理学杂志,2023,38(7):75-81.

[23]沈云霞,庄一渝,王莉,等.医务人员对丧亲家属丧亲支持的最佳证据总结[J].护理学杂志,2024,39(10):20-25.

第八章　静脉治疗护理质量标准

第一节　结构质量标准

一、制度与规范

(一) 组织管理

组织体系构建具备三级护理管理组织体系。

（1）静脉治疗护理专业组在护理部的管理和指导下开展工作，下设质量控制小组、PICC技能小组、技能培训小组、科研管理小组等，各小组内设置组长、副组长、组员，各司其职。

（2）组织管理架构详见图8-1。

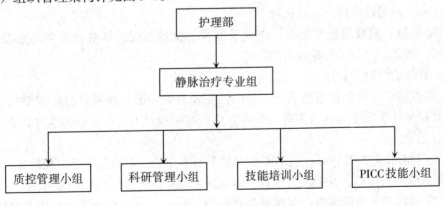

图8-1　静脉治疗护理专业组管理架构

(二) 静脉治疗管理制度

制定健全的静脉治疗管理制度，减少静脉治疗并发症，保障静脉治疗质量和患者安全。

1.静脉输液安全管理制度

（1）配药管理

1）静脉治疗药物配置有条件的医院应在静脉用药调配中心（以下简称"静配中心"）

配置，无静配中心者也可在治疗室配置。环境应清洁，配药前应行空气消毒，避免人员走动。

2）配药护士应严格执行无菌操作技术，洗手，戴口罩，一次性注射器只限使用一次。

3）抗生素应现用现配，其余液体提前配药时间<2h，配药后必须注明配药时间并签名。皮试液需现配现用，只供一个患者使用1次。

4）若抽吸好药液因特殊原因未能及时执行时，应注明药名、时间，放置在无菌盘内，有效期不超过2h。

5）化疗药物需在生物安全柜内配置，配药护士需做好个人防护，穿防护服，戴帽子、防护口罩、护目镜、双层手套。

6）肠外营养需在静配中心或超净台内配置，护士戴口罩、帽子、无菌手套，穿隔离衣。

（2）查对管理

1）摆药查对：①长期液体摆药后，需经双人查对；②临时液体由一人摆药，另一人查对。

2）输液卡查对：①输液卡与瓶贴必须打印，长期医嘱输液卡前1日与电子医嘱大查对后方可使用。②临时医嘱输液卡由另一名护理人员再次查对方可执行。③新增长期医嘱输液卡由责任护士打印，双人核对后方可执行。

3）输液查对：①输液前采取反向查对方法，由患者或家属自报姓名，查对患者床号、姓名、住院号或腕带，严格执行"三查八对"制度。

4）皮试查对：凡做皮试患者，护理人员需在输液卡上注明抗生素批号及皮试结果；若输液卡上有抗生素类液体但无皮试结果时，护理人员需要先认真仔细核对，严禁未做皮试输注抗生素。

5）拔针查对：液体输完后，需要再次准确核对输液卡及临时医嘱，检查治疗台上有无新增液体或遗漏液体后，方可拔针。

6）微量泵、输液泵使用查对：更换及巡视、交接班时应认真查对泵药速度是否准确、通畅，药名、剂量是否标示清楚。

（3）静脉治疗过程管理

1）输液前应先评估患者的病情、药物性质及血管情况，在满足治疗需要的前提下，选择导管最小的输液工具；若患者病情需要或药物刺激性大，可报告医生并请PICC专科护士进行置管。

2）穿刺前及更换敷料时，用碘伏或安尔碘消毒皮肤，自然待干后方能进针，如穿刺失败2次，应换人操作，并向患者致歉，每次穿刺都必须更换一次性输液针头。

3）穿刺后或更换液体时，应根据患者病情、年龄、药物性质等因素调节输液滴数，并告知患者及其家属勿擅自调节滴数。在输液卡上注明给药时间、输液滴速，护士签名。输液卡不可随意涂改。

4）输液过程中主动巡视患者，观察液体滴数、余量，输液管内有无气泡，穿刺局部有无红肿、患者有无不适和需求，如有液体渗漏等异常，及时处理。

5）静脉置管透明贴膜可一周更换1次，使用纱布敷料需48h更换1次；若敷料有污染、浸湿、松散，应及时更换，并注意无菌操作，注明穿刺时间及更换贴膜时间。

6）冲管和封管：①经PVC输注药物前应通过输入生理盐水确定导管在静脉管腔内；

经PICC、CVC、PORT输注药物前宜通过回抽血液来确定导管在静脉管腔内。②PICC、CVC、PORT的冲管和封管应使用10mL及以上注射器或一次性专用冲洗装置。给药前后宜用生理盐水脉冲式冲洗导管，如遇到阻力或者抽吸无回血，应进一步确定导管的通畅性，不应强行冲洗导管。③输液完毕应用导管容积加延长管容积1.2倍的生理盐水或肝素盐水正压封管。肝素盐水的浓度：PORT可为100U/mL，PICC及CVC可为0或10U/mL。

7）CVC和PICC的三通及输液通路连接处须用无菌纱布或治疗巾包裹，以减少污染。

8）连续输液的患者，应每24h更换输液器及延长管；每4h更换输血器。

9）特殊用药需要严格控制滴速者，应采用输液泵或注射泵输注，如无条件，应悬挂"严格控制滴速"提示牌，以提醒患者、家属及护理人员，并做好健康教育，严格交接班。

10）静脉置管患者，若出现不明原因发热，应警惕导管相关血流感染，需报告医生，及时采取处理措施，并暂时保留液体及输液器，以便进一步寻找原因。

11）根据配伍禁忌及用药原则，对患者输注液体进行排序，同时应根据医嘱时间、按抗菌素的血药浓度及时正确给药。

（4）输液卡管理

1）按照输液卡各项内容认真执行、填写。

2）输液卡须准确记录，不得提前填写；无证护理人员、实习生更换液体，必须在带教老师的指导下操作并共同签名。

3）收回的输液卡由拔针护士检查有无漏填，总务护士每日再次查对后粘贴，出院后随病历存档。

（5）护士输液应执行电子医嘱，包括输液瓶贴和输液卡，严禁手抄输液卡和输液瓶贴，以免转抄错误，发生差错。

2.会诊制度

（1）会诊申请：科室遇有需要会诊的静脉治疗相关并发症，由科室向静脉治疗小组申请会诊。申请会诊科室认真填写会诊记录单，填写患者的主要病史、护理问题、会诊要求等。

（2）会诊范围：疑难的外周静脉穿刺及小儿静脉穿刺、PICC导管置管及维护；静脉治疗并发症处理。

（3）会诊要求：急会诊半小时到，普通会诊24h内处理，紧急情况电话邀请会诊。会诊结束，及时填写会诊记录。

3.宣教制度

（1）宣教内容

1）静脉治疗前宣教：①年老体弱患者、年幼哭闹的患儿及生活自理能力欠缺者，给予安慰鼓励，消除恐惧心理；输液治疗时需有监护人在旁，以便病情变化时能够及时与家属沟通。②热情为患者介绍输液前患者准备工作，如酌情进食、排空大小便、取舒适体位、做好心理准备等。③穿衣指导：衣袖不可过紧，穿衣时应先穿患侧，脱衣时应先脱健侧。④询问患者有无过敏史，向患者或家属讲解输液的目的，输入药物的名称、作用及不良反应等。

2）静脉治疗中宣教：①穿刺时，指导患者配合方法，如握拳、穿刺肢体制动等。②减少输液中污染的注意事项：保持输液室的清洁。③输液过程中如出现不适、局部肿胀、皮肤过敏等情况，应先关闭调节器，立即请医生与护士处理。④留意输液瓶中的液体，输液完毕后及时呼叫护士，不要自行将输液瓶内的针头拔除。⑤输液滴速一般成人为40～60滴/min，年老体弱或心血管疾病者，根据医嘱及病情调节滴速；某些特殊用药需快速静滴或缓慢静滴，患者及其家属不可自行调节滴速。⑥在保证输液针头不滑出的同时，可以适当活动肢体，改变体位，解大小便等。⑦为预防烫伤，严禁使用热水袋，如病情需要使用保暖物品时，请在医护人员指导下使用。

3）静脉治疗后宣教：①输液完毕，拔针后，请患者及其家属务必按压针眼3～5min，以防拔针后出血或形成瘀斑。②输液结束后，不要突然起身或变换体位，以防意外（直立性低血压）发生。静脉输液结束必须观察30min方可离去。③输入头孢类药物治疗者，治疗前、后半月内禁止饮酒。④告知患者要保持局部清洁干燥，穿刺部位不能浸泡在水中，贴膜有卷曲、松动，贴膜下有汗液时，及时告诉护理人员更换，以免引起感染。⑤留置针所在肢体不宜提取重物及用力活动，避免长时间下垂。⑥告知患者静脉留置针适用于所有外周静脉，留置时间一般为72～96h，如有穿刺部位发红、疼痛、回血等情况，及时告知护理人员处理。

（2）宣教形式：语言通俗易懂，通过知识传播和行为干预结合不同形式进行宣教指导，如讲座、座谈、图画、实物、电视、投影等。

（3）宣教后及时评价：了解患者掌握的情况，可以通过效果评价表对患者进行评价，使患者接受静脉治疗相关知识后对今后的治疗、护理起到主动配合的作用。

4.PICC维护制度

（1）PICC置管患者应做好详细的信息记录，置管后24h需更换敷料，一般透明敷料，至少7d更换1次；无菌纱布敷料48h更换1次；敷料潮湿、松动，出现渗液、渗血，应及时更换。

（2）维护PICC导管之前应评估，包括测量臂围、导管外露长度、穿刺处皮肤情况、置管时间和留置时间等，做好记录。

（3）如果患者带管出院，做好导管维护宣教，并记录。

（4）做好导管并发症的护理记录，如出现并发症，及时处理，防止症状进一步加重。及时处理穿刺部位渗血、渗液，每次封管时做好观察，如遇液体输注不畅，排除机械性堵管，确定有无血栓堵塞，避免强行推注液体，以免发生导管破裂或将栓子推入体内引起栓塞。

5.静脉治疗并发症管理制度

（1）科室出现静脉治疗并发症应根据并发症处理原则及时、妥善处理，并分析、讨论，总结经验教训，避免类似事件再次发生，同时上报不良事件。

（2）建立静脉治疗并发症信息库，每季度静脉治疗专业组进行总结、分析与讨论，制定改进措施，为今后减少并发症做好预防工作。

6.PICC带管患者健康教育

（1）置管前

1）告知患者操作过程及术中的配合要点。

2）更换清洁、宽松的衣服。

3）清洁双上肢，有条件、病情允许的患者应沐浴后置管，多饮水，使血管充盈。

4）嘱患者排便。

（2）置管中

1）指导患者放松，如采取深呼吸、听音乐等措施。

2）告知患者操作过程中如有心慌、胸闷、呼吸困难、肢体麻木等不适，应立即告知操作者，不可随意活动肢体，不可触摸无菌区域及无菌物品。

（3）置管后

1）注意事项：PICC置管后嘱患者及其家属穿刺点局部按压20～30min，置管日手臂严禁过度活动，避免穿刺点出血，可做适当松握拳活动、手指活动；保持穿刺处皮肤清洁干燥；治疗间歇期每周进行一次冲封管、更换贴膜及输液接头等护理，局部渗血、渗液或出汗较多、沐浴等因素导致贴膜褶皱、松动、进水、滑落等异常情况，及时请护理人员处理。

2）活动：置管侧肢体可以进行一般性日常工作、家务活动，如写字、使用电脑、吃饭、穿衣、漱口、洗脸、扫地等。置管侧手臂可以做屈曲活动，但动作不宜过猛，不可做引体向上、托举哑铃等体育锻炼。置管侧手臂活动时观察导管与圆盘连接处有无打折或折痕、有无渗血及渗液现象，有异常及时请护士维护。

3）饮食：进食均衡饮食，多食蔬菜、水果及粗纤维食物，保持大便通畅，避免便秘而增加腹压，导致导管回血。每日饮水量在2500mL以上，保证尿量在2000～3000mL。

4）睡眠：睡眠时注意更换体位，避免长时间压迫置管侧肢体，导致导管堵塞或形成血栓。

5）沐浴：可以沐浴，但应避免盆浴、泡浴。沐浴前用保鲜膜在肘弯处缠绕2～3圈。沐浴后观察穿刺处有无发红、疼痛、肿胀，有无渗出，贴膜有无卷边、潮湿等，如有异常，请及时至医院维护，以确保穿刺处干燥。

（4）治疗间歇期：PICC带管出院患者健康教育详见表8-1。

表8-1　PICC带管出院患者健康教育

科室：　　　　　床号：　　　　　姓名：　　　　　性别：　　　　　年龄：				
住院号：　　　　诊断：　　　　　入院日期：　　　年　　月　　日				

经外周静脉置入中心静脉导管(PICC)是长期静脉输液患者理想的静脉通路选择,具有安全、易管理的特点。治疗间歇期或长期在社区进行治疗的患者,出院时可携带该导管回家,建议出院后在县级及以上医院血管通路门诊进行导管维护。

1.置管信息　　　　　　　　　　　　　　置管日期：

置管医院：　　　　　导管尖端位置：　　　　置入长度：　　　cm;外露：　　　cm;

臂围：　　　cm;　　　置入血管：　　　　　置入部位：

2.患者/家属需要注意

(1)活动:置管侧手臂可从事一般的日常工作,如使用电脑、家务劳动及部分轻微的体育锻炼。

(2)可以淋浴,避免泡浴。沐浴前宜戴PICC专用沐浴袖套,沐浴后检查贴膜下是否进水,如果贴膜浸湿、松动,应及时更换。

(3)避免负重3kg以上的物品,禁忌引体向上、托举哑铃等持重锻炼。

(4)置管侧手臂避免测血压,穿刺点上禁止扎压脉带做静脉穿刺,非耐高压导管禁用高压注射泵推注造影剂。

(5)如出现以下症状及体征,请及时到PICC门诊处理,联系电话:×××××××。

□穿刺点出血、渗液、红肿、化脓。　　　□置管手臂麻木、疼痛、烧灼感。

□置管手臂肿胀,臂围超过2cm。 □贴膜污染、卷边、潮湿。

□冲管有阻力,不通畅,导管有漏液。 □体温升高>38℃。

□导管内有血液返流,外露导管打折、脱落、漏水等异常情况。

(6)如果PICC导管断裂或破损,请在导管断裂上方或靠近穿刺点处将导管反折,并用胶布固定。如果导管不可见,请立即在置管侧腋窝部位用压脉带加压固定,与医院专业人员联系并到医院做进一步处理。

3.患者在外院做维护,需要护理人员注意:

(1)冲封管注意事项:该操作可防止血液或药物堵塞导管。

1)冲管液体:生理盐水10mL或预冲式注射器。

2)封管液体:肝素盐水3~5mL;常用浓度:①成人,宜0或10U/mL。②小儿,可用0.5或10U/mL。③新生儿,PICC使用无防腐剂的生理盐水,每8h冲管1次。

3)冲管方法:脉冲式冲管(推一下,停一下),正压封管。

4)封管方法:针头退至肝素帽内,先脉冲式冲管,余0.5~1mL,用力推注的同时拔针,即正压封管。

5)非耐高压导管禁止用小于10mL的注射器冲管、给药。不可暴力冲管,以免造成导管破裂。

(2)更换贴膜注意事项。

1)评估导管及贴膜。

2)自外围向中央自下而上去除原有贴膜,保护好导管,严防导管脱出。

3)常规每周更换贴膜1~2次,如贴膜松脱、卷曲或潮湿,及时更换。

4)换药过程严格执行无菌技术,贴膜应在消毒液自然待干后粘贴。

5)以穿刺点为中心,无张力U形固定,保持局部清洁干燥,贴膜下无气泡。

6)对透明贴膜过敏者,应缩短更换时间,并使用纱布敷料。

7)禁止将胶带直接贴于导管上。

8)严禁将PICC导管外露部分再次送入体内。

(3)输液接头:每周更换,推荐使用无针输液接头。

宣教护士签名: 年 月 日

7.PICC知情同意书

详见表8-2。

表8-2 经外周静脉穿刺中心静脉(PICC)置管操作知情同意书

科室:	床号:	姓名:	性别:	年龄:
住院号:	诊断:	置管日期: 年 月 日		

根据患者的病情、诊断、治疗方案,经主治医生建议,需要进行PICC置管,但在实施操作过程中和术后可能发生下列意外和并发症特告知如下:

1.穿刺过程中因静脉解剖的个体差异导致局部神经、动脉损伤可能,也可能出现送管困难、拔导丝困难、置管失败等情况。

2.穿刺处疼痛、渗血。

3.带管期间发生出血、感染、水肿、血栓形成可能。

4.带管期间,刺激神经导致心律失常可能。

5.带管期间,发生各种静脉炎可能。

6.带管期间,发生导管断裂、导管移位、导管阻塞可能。

7.其他情况说明

(1)PICC导管按现行医疗收费规定属于医疗报销范围。

(2)出院带管患者需每周到县级以上医院血管通路门诊维护导管一次。

医患双方共识：

1.医疗机构及其医务人员在医疗活动中,必须严格遵守医疗卫生管理法律,行政法规,部门规章和诊疗护理规范、常规,恪守医疗服务职业道德。

2.患者(或委托人)已充分了解PICC导管的性质、合理的预期目的、危险性、必要性和出现医疗风险情况的后果及可供选择的其他治疗方法及其利弊;对其中的疑问,已得到了经治医生和护士的解答。经自主选择愿意接受PICC置管术及承担各项相关风险,同意操作并在记录单上签字为证。

患者(或委托人)签字：	与患者的关系：	日期及时间：
护士长谈话签名：	操作护士签名：	日期及时间：

8.经外周静脉穿刺中心静脉置管（PICC）置管护理记录单

详见表8-3。

表8-3　经外周静脉穿刺中心静脉置管(PICC)置管护理记录单

科室：	床号：	姓名：	性别：	年龄：
住院号：	诊断：	入院日期：　　年　　月　　日		

使用原因：　　　　　　　　导管类型：　　　　导管型号：　　　Fr　　批号：

穿刺部位：□左臂　　　　　□贵要静脉　　　　□肱静脉　　　　□头静脉
　　　　　□右臂　　　　　□贵要静脉　　　　□肱静脉　　　　□头静脉

臂周长(肘关节上10cm)：左臂　　　cm；右臂　　　cm

插入长度：　　　cm；外露长度：　　　cm；剪去长度　　　cm

X线显示导管尖端放置位置：

置管后患者教育：□已做　□未做　　　　　　PICC置入患者应掌握的知识：□已掌握　□未掌握

患者(或家属)：□已掌握　□未掌握

是否加压：□有加压　　□无加压

置管日期及时间：　　　年　　　月　　　日　　　时　　　分

穿刺者：　　　　　　　助手：　　　　　　　　记录者签字：

PICC患者出院记录

□带管出院已做PICC出院教育

□接受PICC出院教育　　　　　　　　　出院时PICC情况：

PICC修复记录

导管再退出：　　　cm；实际：　　　cm；新的尖端位置：

操作者：　　　　　　　　　　　日期：

PICC出现的问题：

PICC拔管记录

拔管日期：　　　　　　　　　　原因：

拔出长度：　　　cm；是否完整：□是　　　　　□否

导管细菌培养：　　　□阴性　　　□阳性

操作者：　　　　　　　　　　记录者签字：

9.输入腐蚀性药物患者/家属拒绝置入PICC/CVC/PORT告知同意书

详见表8-4。

表8-4　输入腐蚀性药物患者/家属拒绝置入PICC/CVC/PORT告知同意书

科室：		床号：		姓名：		性别：		年龄：	
住院号：		诊断：		入院日期：	年	月	日		

　　×××患者/家属：由于您的疾病需要输入腐蚀性药物，医生已经下达医嘱。该类腐蚀性药物在治疗疾病的同时对静脉血管也有损伤，如果在四肢采用留置针、一次性静脉输液钢针输入腐蚀性药物，则很可能会发生药物外渗至血管周围组织，导致机体局部血管、皮肤及组织损伤等，甚至局部组织坏死。尤其是化疗药物、多巴胺、去甲肾上腺素、肠外营养液、甘露醇等。所以，为了有效预防这类药物引起的并发症，使您的静脉治疗能够顺利完成，需要通过置入/植入PICC（经外周静脉置入中心静脉的导管）、CVC（中心静脉导管）或PORT（输液港）来建立静脉通道。

　　1.在静脉输液治疗过程中采用留置针或一次性输液钢针可能发生以下并发症：

　　（1）静脉炎：局部红、肿、热、痛甚至脓肿，有时可触及静脉条索样改变。

　　（2）药物外渗。

　　1）轻度：局部红肿、酸麻。

　　2）中度：感到烧灼感、刺痛，局部红肿或皮肤水泡。

　　3）重度：皮肤青紫、变硬，局部皮下组织溃疡或坏死，可深至肌腱及关节，瘢痕挛缩，关节僵硬，甚至功能障碍，有时可能还需要通过植皮来治疗。

　　2.如您/家属拒绝置入/植入PICC/CVC/PORT，请您签字，您签字后表示：

　　（1）您已阅读并理解前面所述内容。

　　（2）护士已经告诉您/家属以上的内容。

　　您授权并同意穿刺者为您实施留置针、一次性静脉输液钢针输液并承担全部后果。

患者或家属签字：		与患者的关系：		日期：	年	月	日	时	分
谈话者签字：				日期：	年	月	日	时	分

10. PICC拔管告知同意书

详见表8-5。

表8-5　PICC拔管告知同意书

科室：		床号：		姓名：		性别：		年龄：	
住院号：		诊断：		入院日期：	年	月	日		

　　患者于　　　年　　月　　　日置入PICC导管，现已完成静脉输液治疗计划，经主管医生同意拔除PICC导管。现将拔管可能发生的情况向患者/家属告知，请您认真阅读后签字表示同意。

　　医护人员已向我详细说明了拔除PICC导管前需要做血管超声的重要性及拔管时潜在的风险，如：

　　1.拔管困难，通过多种方法处理仍不能够拔除的，必要时须进一步做血管超声、X线、介入等检查确认原因，严重者须手术取管。

　　2.在拔除PICC的过程中可能出现导管断裂，须手术取管。

　　3.拔管过程中可能发生PICC导管外附的血栓脱落，造成重要脏器栓塞，如肺栓塞等，从而危及患者生命。

　　4.其他难以预料的并发症。

　　经过我们认真、慎重地考虑后，决定配合护士拔除PICC导管，并愿意承担拔管过程中发生的各种风险及费用。

患者或家属签字：		与患者的关系：		日期：	年	月	日	时	分
谈话者签字：				日期：	年	月	日	时	分

11.PICC导管移位/异位调整告知同意书

详见表8-6。

表8-6　PICC导管移位/异位调整告知同意书

科室：　　　　床号：　　　　　姓名：　　　　　性别：　　　　　年龄：
住院号：　　　诊断：　　　　　入院日期：　　　年　　月　　日
患者于　　年　　月　　日置入PICC导管,术后经X线检查,确认导管出现移位/异位,原则上外露的导管不能够再送回,但为了今后的静脉输液治疗顺利完成,对于新置入的PICC导管且无污染,可行PICC导管调整。调整PICC导管的方法:在严格的无菌技术操作下,将PICC导管退出10～20cm后重新将PICC导管送入预定位置。如果采用此方法调整位置失败,应采取放射介入下调整PICC导管,但在调整导管的过程中,有可能出现如下危险: 　　1.调整过程中PICC导管断裂、血栓脱落、异位栓塞等,导致器官组织的缺血、坏死。 　　2.调整过程中穿刺点出血,穿刺部位水肿等。 　　3.调整后出现局部或全身感染。 　　4.术后血栓形成。 　　5.原有基础疾病加重。 　　6.PICC导管由于各种原因无法放置到理想的位置。 　　7.难以预料的其他可能。 　　上述情况已知晓。经过我们认真、慎重地考虑后,决定配合医生、护士进行PICC导管调整术,对术中、术后可能出现的问题能够谅解,并愿意承担PICC导管调整过程中出现的各种风险及费用,现以签字表示认可同意。
患者或家属签字：　　　　　　与患者的关系：　　　　日期：　　年　　月　　日　　时　　分
谈话者签字：　　　　　　　　　　　　　　　　　　　日期：　　年　　月　　日　　时　　分

12. PICC置管操作记录

详见表8-7。

表8-7　PICC置管操作记录

科室：　　　　床号：　　　　　姓名：　　　　　性别：　　　　　年龄：
住院号：　　　诊断：　　　　　入院日期：　　　年　　月　　日
1.患者体位:□平卧位　　□半卧位 　2.评估穿刺部位: 　3.测量:(1)置入长度:　　　　cm;(2)臂围:　　　　cm 　4.消毒方法 (1)消毒液:□2%葡萄糖酸氯己定　□0.5%碘伏　□2.5%碘酒+75%酒精 (2)消毒范围:□符合标准 (3)消毒方法:□符合标准 　5.穿刺过程 (1)护士操作:□符合规范 (2)用物准备:□符合规范 (3)穿刺过程:□穿刺1针　□穿刺2针　□穿刺3针以上 (4)送管:□顺利　□较顺利(送管稍有阻力)　□不顺利(送管困难,反复调管) (5)导管材料:类型:　　　　　厂家:　　　　　批号: 　　　　　　　规格:　　　　　原导管长度:

(6)穿刺部位:上肢:□左肘上　□右肘上　□左肘下　□右肘下

下肢:□左　□右　头部:□　其他:

9.穿刺血管:□贵要静脉　□肱静脉　□头静脉　□肘正中静脉　□其他静脉

10.实际置入:　置入:　cm;外露:　cm

11.导管尖端位置(X线结果):

操作者:　　　　助手:　　　　置管日期:　　年　　月　　日　　时　　分

13.PICC维护记录单

详见表8-8。

表8-8　PICC维护记录单

科室:　　　　床号:　　　　姓名:　　　　性别:　　　　年龄:

住院号:　　　　诊断:　　　　入院日期:　　年　　月　　日

PICC置管日期:　　　　导管型号:　　　　导管尖端位置:

导管插入长度:　　　　cm;导管外露长度:　　　　cm;手臂周长:　　　　cm

日期	时间	冲管液	更换输液接头	更换贴膜	外露长度（cm）	上臂周长（cm）	状况描述	签名

注:(1)当换药、更换贴膜和肝素帽时,须填写记录单。

(2)本次操作执行的项目,在相应栏打"√";没有操作的项目,在相应栏打"×"。

(3)冲管液体要注明液体名称;每次换药时,须测量导管外露长度和手臂周长。

(4)"状况描述"栏,写明评估出血、血肿、渗血、穿刺点感染情况、静脉炎等。

二、人力资源

（一）静脉治疗护理专业组人员配置

1.人员配置

静脉治疗护理专业组人员配置静脉治疗专科组长1名、副组长1名、质控组长1名、技能培训组组长1名、PICC技能组组长1名、科研组组长1名。

2.岗位管理

静脉治疗护理专业组岗位说明详见表8-9。

表8-9　静脉治疗护理专业组岗位说明

岗位名称	岗位职数	任职资格	工作权限	岗位职责
专科组长	1	学历:本科及以上 职称:副主任护师及以上 工作年限:相关科室20年以上、专科8年及以上	工作范围:医院 直接上级:护理部 直接下级:专科副组长	1.在护理部主任领导下,完成IV-Team的发展阶段工作。 2.根据工作计划制定各小组工作职责。 3.定期召开各小组进行工作情况汇总、学习经验交流及下一阶段的工作布置。 4.协调开展静脉治疗相关课程培训、质量监控、科研创新等方面的工作。 5.做好全院静脉治疗与维护的规范操作的监控工作,促进静脉治疗向专业化、程序化、规范化方向发展,提高护理质量。 6.督促计划实施,做好年终总结工作
专科副组长	1	学历:本科及以上 职称:主管护师及以上 工作年限:相关科室15年以上、专科5年及以上	工作范围:医院 直接上级:专科组长 直接下级:各分组组长	1.协助专科组长开展工作。 2.根据IV-Team工作计划,制订及安排培训组工作计划。 3.负责安排培训组成员的各项工作。 4.配合IV-Team科研组、质控组开展工作,推动静脉治疗专业发展。 5.根据《静脉输液实践指南》对各级护理人员进行理论培训、操作示范。 6.指导临床护理人员正确使用、维护各类静脉治疗工具(PICC、CVC、静脉留置针等)
质控组组长	1	学历:本科及以上 职称:副主任护师及以上 工作年限:相关科室5年以上、专科3年及以上	工作范围:医院 直接上级:专科副组长	1.协助专科组长、副组长开展工作。 2.根据IV-Team工作计划,制订及安排质控组工作计划。 3.负责安排质控组成员的各项工作。 4.建立小组成员工作考核标准,制定质量管理目标,及时跟踪培训结果并进行考核。 5.建立医院静脉输液治疗质量监控体系,跟踪并考核。 6.统计并整理质控组收集的各项数据、文件,每季度做好工作总结

续表8-9

岗位名称	岗位职数	任职资格	工作权限	岗位职责
技能培训组组长	1	学历：本科及以上 职称：护师及以上 工作年限：相关科室5年以上、专科3年及以上	工作范围：医院 直接上级：专科副组长 直接下级：治疗护士	1.协助专科组长、副组长开展工作。 2.根据IV-Team工作计划，制订及安排培训组工作计划。 3.使用相关专业知识和技能对各科室静脉输液疑难穿刺进行指导，静脉留置针的正确穿刺及导管维护进行相关教学。 4.解决临床静脉输液治疗过程中存在的问题，在全院开展护理会诊工作。 5.对静脉输液治疗过程中的相关知识及技能进行系统培训。 6.将静脉治疗先进理念、技术能够灵活运用到临床护理实践中，组织其他科室的护理人员进行学习，促进全院静脉输液质量的提高
科研组组长	1	学历：硕士及以上 职称：主管护师及以上 工作年限：相关科室5年以上、专科3年及以上	工作范围：医院 直接上级：专科副组长 直接下级：科研护士	1.协助专科组长、副组长开展工作。 2.根据IV-Team工作计划，制订及安排科研组工作计划。 3.负责安排科研组成员的各项工作。 4.建立小组成员工作考核标准，制定质量管理目标，及时跟踪培训结果并进行考核。 5.配合IV-Team培训、质控组开展工作，并将IV-Team培训组、质控组搜集的各项数据资料，整理统计，撰写静脉输液治疗经验性论文。 6.负责有关IV-Team所有文件资料的审核和修改工作。 7.申报相关科研项目并监督整个科研实施过程，及时发现问题予以方案调整，并负责数据收集和统计
PICC技能组组长	1	学历：本科及以上 职称：主管护师及以上 工作年限：相关科室5年以上、专科3年及以上	工作范围：本科室 直接上级：专科副组长 直接下级：联络护士	1.协助专科组长、副组长开展工作。 2.根据IV-Team工作计划，制订及安排PICC技能组工作计划。 3.负责安排PICC技能组成员的各项工作。 4.负责制定、完善PICC的操作及维护流程，对全院PICC置管患者的操作进行严密监督，对置管后的患者进行随访，对其进行指导，督促临床各科室护士做好PICC的维护及记录
联络组组长	1	各临床科室护士长	工作范围：本科室 直接上级：护理部 直接下级：联络护士	1.协助专科组长、副组长开展工作。 2.根据IV-Team工作计划，制订及安排联络组工作计划。 3.负责安排联络组成员的各项工作。 4.负责本科室静脉输液的质量控制管理
联络组组员	1	各临床科室1名护士	工作范围：本科室 直接上级：科室护士长 直接下级：科室护士	1.参加静脉治疗小组组织的各种培训安排，按照小组要求做好本科室护理人员的理论、操作培训并督促落实。 2.负责解决本科室患者的静脉输液治疗中存在的问题，确保患者安全。 3.对于在静脉输液中出现疑难问题及时请求IV-Team操作组进行会诊。 4.配合静脉治疗质控组进行督导工作

3.专业人员管理制度

（1）静脉输液治疗护士

1）准入制度：静脉治疗护士应为具有执业护士资格的护理人员。

2）继续教育：每年参加由静脉治疗专科小组或院内组织的有关静脉治疗护理的理论与技能培训。

（2）PICC置管、维护护士

1）准入制度：PICC置管护士应由经过PICC专业知识和技能培训，并考核合格，具有5年及以上工作经验的专科护士完成；PICC维护护士须经过PICC专业知识和维护技能培训并考核合格，具有2年及以上工作经验的临床护士完成。

2）继续教育：根据控制风险、降低并发症、安全使用的原则，定期接受静脉治疗新技术、导管使用及维护、并发症防治等相关知识和技能培训，提高PICC置管、维护护士的理论和专科技术水平以及解决疑难问题的能力。

（二）PICC专科培训

1.培训对象

工作5年以上的临床静脉治疗护理骨干。

2.培训主要内容

（1）肢体血管解剖基础。

（2）《静脉治疗规范化操作》和INS输液治疗实践标准。

（3）静脉输液质量管理与风险防范。

（4）PICC置管前系统评估及定位方法。

（5）PICC盲穿置管法。

（6）血管超声检查诊断技能及应用。

（7）超声引导下改良塞丁格技术PICC置管的标准流程及常见问题应对策略。

（8）PICC导管的标准化维护及并发症的处理。

（9）导管相关性血流感染的预防与处理。

（10）超声引导下改良塞丁格PICC置管技术仿真演示及实操演示。

（11）超声引导下改良塞丁格技术PICC置管练习工作坊（一对一指导，疑难问题解答）。

（12）PICC腔内心电图定位技术。

3.培训形式

理论授课、小组讨论、仿真技能演示、模拟操作、临床实操观摩及培训、一对一指导等形式。

（三）静疗专科护士培训

1.培训对象

具有护士执业证书和护理大专以上学历，从事护理工作5年以上，护理骨干。

2.培训主要内容

（1）静脉治疗专科护理理论培训

1）《静脉治疗护理技术操作规范》行业标准。

2）INS《静脉治疗实践标准》。

3）静脉输液治疗的发展历史及展望。

4）主动静脉治疗理念。

5）特殊患者静脉输液评估。

6）血管通路器材的种类与选择。

7）预防导管相关感染的集束化策略。

8）肠内、肠外营养概述。

9）静脉治疗常见并发症的处理。

10）输血治疗及护理。

11）血标本的正确采集。

12）肿瘤患者化疗护理。

13）抗肿瘤药物配置及防护。

14）植入式输液港临床应用。

15）PICC置管规范化操作流程。

16）PICC常见并发症处理。

17）中长导管临床应用实践经验分享。

18）静脉高危药品的临床管理。

19）静脉输液治疗涉及的法律法规。

（2）相关素质与能力培训

1）临床常见静脉治疗不良事件防范。

2）输液不良反应的应急预案。

3）IV-Team的建立与实践。

4）临床科研思维与论文写作。

（3）技能培训

1）留置针SOP操作。

2）PICC、CVC、Port导管规范维护。

3）ACL技术。

4）PICC、中长导管置管技术。超声引导下改良塞丁格PICC及中长导管置管技术。

5）PICC腔内心电图定位技术。

三、环境

（一）静脉输液配制环境管理

1.静脉药物的配制和使用应在洁净的环境中完成。配制与使用静脉治疗药物的环境，空气中的细菌菌落总数≤500cfu/m³。

2.无菌操作前30min须完成湿式擦拭地面及台面，空气消毒每日2次，每日工作前和工作结束后，须清洁和整理工作台面，保持整洁。非工作人员禁止入内。

3.静脉药物配制室地点要远离各种污染源。

4.配备防止昆虫和其他动物进入的有效设施。

5.食物、饮料及私人衣物和物品不得带入配制室。

6.配制好的液体须及时转移至指定的储存区域，保证静配液体的有效性。

7.在静脉药物配制室内严禁存放可能导致溢漏或破碎的危险物。

（二）静脉药物配制中心管理

静脉药物配制中心（PIVAS）是指在符合国际标准、依据药物特性设计的操作环境下，经过药师审核的处方由受过专门培训的药剂人员严格按照标准操作程序进行全肠外营养、细胞毒性药物和抗生素等静脉药物的配制，为临床提供优质的产品和药学服务的机构。

1.PIVAS布局遵循的基本原则

为了保证静脉药物配制质量，PIVAS的总体区域设计布局要合理，保证合理的工作流程，各功能区域不得相互妨碍，其中药物配制间可根据需要分为静脉营养药物、细胞毒性药物和抗生素等药物及其他药物配制间。

（1）布局、功能室的设置应与工作量相适应。

（2）保证洁净区、非洁净控制区的划分；不同区域之间的人流和物流出入按照规定合理走向。

（3）不同洁净级别区域间应有防止交叉污染的相应设施，严格避免流程布局上存在的交叉污染风险。

（4）不得在PIVAS内设置卫生间和淋浴室。

（5）洁净区：包括普通药物、肠外营养液、抗生素类及危害药品调配间和其相对应的一更、二更、洗衣洁具间。

（6）非洁净控制区：包括普通更衣区（间）、摆药准备区（间）、耗材存放区（间）、审方打印区（间）、普通清洗区（间）、成品核对区（间）、推车存放区（间）、净化空调机房、药品库房、脱包区（间）等。

（7）应当根据药物性质分别建立不同的送、排（回）风系统。排风口应当处于采风口下风方向，其距离不得小于3m或者设置于建筑物的不同侧面，不得有地漏等。

（8）设置（有条件的）工作人员休息室、办公室、会议室、培训室等。

2.布局与要求

（1）PIVAS管理应遵循现有的法规及相关规定，如《静脉用药集中调配质量管理规范》。

（2）消防要求：PIVAS内非洁净控制区，应设置烟感探头及喷淋系统，洁净区内仅安装烟感探头。如果在PIVAS区域内有消防楼梯，应设置单向常闭门，一旦发生火灾可逃生。

（3）PIVAS洁净区各功能的压差要求

1）普通药物及肠外营养液洁净区空调系统压差梯度：非洁净控制区<一更<二更<普通药物及肠外营养液调配间。

2）抗生素类及危害药品洁净区空调系统压差梯度：非洁净控制区<一更<二更<抗生素类及危害药品调配间。

3）PIVAS的洁净级别控制标准：按照《静脉用药集中调配质量管理规范》要求控制，该规范采用《GB 50457—2008医药工业洁净厂房设计规范》中的洁净级别标准一百级、万级、十万级进行分级。

3.PIVAS洁净区域环境管理

（1）洁净区域的清洁卫生工作全程采用湿式清扫，每日调配操作结束后，按常规进行生物安全柜、层流操作台、辅助用具、房间、地面的清洁、消毒处理。

（2）严格按清洁、消毒程序，即首先用常规的清洁纱布擦拭，再用干燥的清洁纱布擦干水，最后用75%乙醇喷湿清洁的纱布进行生物安全柜和层流操作台的消毒。清洁与消毒的顺序是先上后下，先内后外，即生物安全柜、层流台内的安全门、顶部、两侧、对面、操作台面。

（3）地面消毒剂用500mg/L含氯消毒液，应当在使用前新鲜配制。各操作室不得存放与该室工作性质无关的物品。每日工作结束后应当及时清场，各种废弃物必须每天及时处理。墙壁、顶棚每月进行1次清洁、消毒。

（4）每月应当定时检测洁净区空气中的菌落数，并有记录。

四、仪器与设备

输液用辅助器械的管理：常用的输液仪器有输液泵、微量泵、超声仪、生物安全柜、超净台、输液滴速控制器、输液加温仪等。

1.定人管理：输液用辅助器械应设有专人管理。

2.定期检查：每班专人清点并记录，器械呈备用状态。

3.定点放置：输液用辅助器械定位放置，标识明显。

4.定期消毒：各仪器表面进行定期消毒。

5.定期保养：固定班次每日清洁保养1次，保养人每周清洁保养1次并记录，设备科定期检修。

6.班班交接班，做到账物相符，定期检查消毒保养，保证物品正常使用。

五、静脉输液的感控管理

1.静脉输液一般原则

（1）静脉输液过程中严格执行无菌操作原则，做好感染防控。

（2）操作者操作前后必须严格进行手卫生。

（3）根据患者情况、药物性质选择合适的器具，确保器具的完整性和安全性。

（4）一次性物品一人一用一废弃，非一次性物品严格按照相关说明和要求进行重新消毒和灭菌。

（5）所有被血液、体液污染的锐器应及时丢弃于锐器盒内。

（6）配备充足的人力资源，排班与工作量要与感染控制工作要求相符。

（7）确保输液管路以及各通路接口处保持无菌状态。

（8）定期评估操作者对静脉治疗知识的掌握情况。

（9）由上级老师或者接受过专业培训的老师指导新手进行操作。

2.无菌器具的应用

（1）无菌器具必须保证完整性和安全性，确保在有效期内。

（2）评估患者血管情况，选择适宜的导管，进行熟练的置管操作和选择正确的部位进行穿刺。

（3）感染性患者选用防针刺伤的穿刺器具，以防针刺伤和院内感染的发生。

3.手卫生

手卫生详细内容请参看第二章第四节相关内容。

4.无菌药液的配制

（1）所有常规液体的配制环境均应符合要求。

（2）严格遵守无菌技术操作原则和配制规范进行药液配制。

（3）严格按药液配伍禁忌进行配制和使用。

（4）在配制药液之前，要明确药物的性质、浓度和配制环境要求，采取相关有效的感控措施，如肠外营养液要求在水平层流台内配制。

5.效期管理

（1）使用前，仔细查对药液和输液器具的有效期；操作前，再次查对。

（2）使用输液附加装置时，应严格查看有效期。

（3）对长期留置的输液工具，应认真记录留置时间，必要时及时更换。

6.危险性废弃物的处理

危险性废弃物的处理具体内容请参看第二章第四节相关内容。

7.输液辅助器具的清洁与消毒

（1）同一个患者长期使用输液辅助器具时，应严格执行消毒制度，预防交叉感染。

（2）仪器设备在重复使用的过程中，应严格进行清洁、消毒或灭菌。

（3）保证使用的消毒剂对设备的完整性及功能不造成破坏。

（4）正确执行治疗设备风险等级，严格执行消毒、清洁、消毒处理流程。

（5）所有仪器设备均处于有效期之内，并保持清洁干燥。

（6）使用输液工具的附加装置时做好查对，进行输液治疗前认真检查有效期、装置是否有破损。

（7）使用长期留置的输液工具应记录留置时间，及时更换。

（8）静脉输液管路以及各通路连接装置应保持无菌状态。

8.皮肤消毒

（1）选择合适的穿刺部位，并在穿刺前进行规范消毒。

（2）以穿刺点为中心进行由内向外旋转式环形消毒，消毒范围及消毒液的选择应遵循静脉治疗行业标准。

（3）穿刺时要等待消毒剂自然干燥，不要进行人为风干，严格执行无菌操作原则。

（4）穿刺部位进行消毒后，不可再进行触摸，如果再次触摸消毒部位后，须进行再次消毒。

（5）根据新生儿和婴儿皮肤特点选择合适的消毒剂，避免发生皮肤损伤，根据患儿特点，选择正确的穿刺部位，做好固定，及时观察。

第二节　静脉治疗过程质量标准

一、安全管理

（一）发热反应的预防

1.发热反应

发热反应（ExothermicReaction）是指静脉输入含有致热原、杂质、污染的液体/药物或输入温度过低/浓度过高的液体/药物及输液速度过快等因素引起患者发热的不良反应。

2.原因

（1）输入微粒：液体/药物生产或输液操作过程中的微粒，如橡胶屑、纤维屑、玻璃屑以及药物的结晶等异物颗粒。

（2）液体/药物变质：瓶盖松动、瓶身破裂、液体被空气污染、药物制剂不纯、配制后放置时间过久而污染。

（3）输液用具的污染：输液用具过期或外包装简单，造成运输、储存过程中的污染。

（4）多种药物联合应用：配药时反复穿刺瓶塞，导致药物污染；药物配伍剂量大、种类多时所含热原质增加，热源反应的概率增加。

（5）药物配制过程中造成的污染：操作台面洁净程度不达标；药物瓶口消毒不严格，安瓿的切割及消毒不规范；加药时将橡胶塞碎屑带入药物中污染药物；手持注射器方法不规范，抽吸药物时注射器污染。

（6）配药前未洗手或洗手不规范造成的污染。

（7）皮肤消毒不彻底，穿刺时针头污染；重新穿刺时未更换针头。

3.临床表现

（1）轻度表现：患者表现为发冷、寒战、发热，体温在38℃左右。

（2）重度表现：患者突然发冷、寒战，面色苍白，口唇及四肢发绀，随之体温升高，最高可达40℃以上，并伴有头痛、脉速、心悸、呼吸困难、烦躁不安，严重者出现谵妄、抽搐等神经系统症状，甚至危及患者的生命。

4.预防

（1）加强药品质量管理：严格检查药品的质量及有效期，是否过期、变质。

（2）配液环境管理：操作者衣帽整洁，戴口罩，严格执行手卫生；治疗室每天定时空气消毒两次，操作前30min停止打扫；操作台面及物表用消毒抹布擦拭后再使用；有条件者在净化台或静脉调配中心配制药液。

（3）药物应现用、现配，配制好的液体应在2h内输注。

（4）注意配伍禁忌，减少联合用药，多种药物联用应分类输入，配药后观察药物是否有变色、混浊等反应。

（5）粉剂药品稀释后要充分混匀完全溶解，无微粒后方可加入液体中。

（6）输液用具管理：检查包装袋的完整性及有效期，注意有无破损、漏气及过期现象。

（7）静脉输液装置的各连接部位应采用螺旋接口紧密连接并保持无菌，防止脱开及污染。

（8）连续输液患者输液器每日更换1次，严格规范消毒各种接头，如输液器具和附加装置怀疑污染或损坏时应立即更换。输血器、输液附加装置按静脉输液行业标准更换和管理。

（9）提高护士的穿刺技术水平，再次穿刺时应更换针头；严格消毒穿刺部位皮肤，落实无触摸技术。注射器及输液器针头保持无菌状态，避免污染。

（10）输液时及时巡视观察，调节输液速度，观察有无发热反应发生。

（11）告知患者及其家属有关事宜，严禁随意调节滴速，出现不适时，及时告知护理人员处理。

5.处理

（1）心电监护，严密观察体温、血压及病情变化；查看输入液体的质量。

（2）反应较轻者，应减慢输液速度或停止输液，更换输液器和液体，并通知医生处理。反应较重者，应立即更换液体和输液器，并保留剩余药液。对发热畏寒或寒战者，用热水袋保暖；高热者，头置冰袋、冷敷，必要时遵医嘱给予药物降温，气短者给予吸氧。

（3）药物治疗：遵医嘱给予异丙嗪25mg肌肉注射或地塞米松5mg静脉推注。

（4）如出现抽搐、昏迷甚至危及生命时，应积极配合医生抢救，并上报药剂科、护理部及院感科等相关部门。

（5）做好护理记录、不良事件上报及讨论。

（二）急性肺水肿的预防

1.急性肺水肿

急性肺水肿（Acute Pulmonary Edema）是指由于某种原因引起大量液体从肺毛细血管急剧渗入肺间质乃至肺泡内，短时间内使肺循环血量增多，严重影响气体交换而引起的一种临床综合病症。

2.原因

（1）急性循环负荷过重，短时间内输入过多液体，输血、输液过快，使循环血量急剧增加，心脏负荷过重，导致急性肺水肿发生。

（2）心肌的急性弥漫性损害导致心肌收缩力减弱，急性机械性阻塞致心脏压力负荷过重，以及排血受阻、急性心室舒张受限如急性大量心包积液所致的急性心脏压塞，导致心排血量减低和体循环瘀血等。

3.临床表现

患者起病急骤，突然出现严重的呼吸困难，张口呼吸，强迫卧位，端坐呼吸，咳嗽，咳出大量的粉红色泡沫样痰，烦躁不安，口唇及四肢严重发绀，大汗淋漓，心悸，胸闷，脉速，血压低，严重者可引起晕厥及心搏骤停。

4.预防

（1）输液前了解患者的诊断、病情、既往史等，查看患者是否存在水肿，水肿的原因、部位及程度。

（2）合理安排输液顺序：护士应评估患者的治疗方案、输注药液性质、每日输液总量、输液要求，选择适宜的输液工具，合理安排输液顺序。

（3）护士应根据患者病情、年龄，所输药物的性质、副作用及输注速度要求，合理控制输液速度。对于需要精确控制输液量的药物，宜采用输液泵或注射泵严格控制输液滴速，避免发生肺水肿。

（4）加强巡视

1）护士应定时巡视病房，询问患者有无不适，观察药物治疗效果及副作用。若患者出现原因不明的烦躁，呼吸急促，心率增快至120次/min以上，应警惕患者心功能降低，及时请医生处理。

2）特殊药物：使用血管活性药物时要用微量泵控制输注速度，给予心电监护，密切观察血压、脉搏的变化，及时调整药物的用量；某些抗肿瘤药物可引起明显心肌损伤，如蒽环类药物，可使用某些心肌保护药物降低发生心衰的风险。

3）心功能不全患者，应限制液体摄入量，严重心功能不全患者液体量限制在1.5～2.0L/d；监测体重，若患者体重短时间（1～2d）增加>2kg，应考虑患者已有水钠潴留，应及时纠正。

4）严格交接班，尤其是婴幼儿、年老及危重症患者，输液期间严格床旁交接。

5）健康教育：于输液前、中、后向患者及其家属进行健康宣教，向患者强调切勿自行调节滴速，应用输液泵或注射泵的患者切勿自行更改输液泵的参数设置，以免造成不良后果，仪器报警时及时请护理人员处理。

5.处理

（1）评估患者输入体内的液体量及生命体征、病情及精神状况。

（2）减少静脉回流：立即减轻或停止正在输注的液体，保留静脉通路，协助患者采取端坐位或半卧位；心电监护，监测T、P、R、BP、血氧饱和度等，严密观察病情变化。

（3）给予高流量吸氧（6～8L/min），不建议湿化瓶内加入酒精，以免损伤支气管黏膜和肺泡壁。严重者可给予无创呼吸机辅助呼吸。

（4）镇静：使用阿片类的药物皮下或肌内注射，如吗啡，用药后注意观察呼吸情况，警惕呼吸抑制和意识的改变；神志不清、呼吸抑制，休克患者禁用。保持床单元的安全、舒适，安慰患者，做好心理支持。

（5）利尿：遵医嘱静脉给予利尿剂如呋塞米20～40mg静脉滴注利尿，以减少血容量和心脏负荷。

（6）遵医嘱给予扩血管药物如硝普钠或酚妥拉明静脉滴注，以降低肺循环压力，但须严密观察血压。

（7）遵医嘱缓慢静脉注射强心药物，如去乙酰毛花苷注射液等，增强心肌收缩力、心排血量，减轻肺水肿。

（8）对呼吸困难严重伴有喘息者，遵医嘱可选用氨茶碱0.5g加入10%葡萄糖液250mL液体中缓慢滴注。地塞米松5～10mg静注，可以减轻肺水肿症状。

（9）积极治疗原发疾病，消除诱发因素。

（三）空气栓塞的预防

1.空气栓塞

空气栓塞（Air Embolism）是指空气进入血液循环后，随血液循环进入到右心房、右心室、肺动脉。大量空气快速进入血液以后，到达右心房和右心室阻塞肺动脉入口，发生急性右心衰，导致患者死亡。

2.原因

（1）护理操作不当：输液时未排尽输液器管内空气或输液器各部位衔接不紧密；加压输液、输血时气体未排尽，进入体内导致空气栓塞。

（2）腹腔镜手术建立气腹后，术中组织器官切开同时也伴有静脉切开，气体易经静脉破口直接进入血循环。

（3）深静脉穿刺时导管断裂、连接处断开等因素，也容易出现空气栓塞。

3.临床表现

（1）循环系统：少量空气栓塞时，患者感到胸闷不适、胸痛。大量空气栓塞时，患者出现心动过速或心动过缓甚至心搏骤停。心电图提示ST-T改变以及右心室劳损的变化。

（2）呼吸系统：少量空气栓塞时，患者仅有轻微气短；大量空气栓塞时，患者出现严重的呼吸困难、呼吸急促，动脉血CO_2分压增加和氧分压迅速下降。

4.预防

（1）术中使用医用气体时，如疑有静脉破损时，应慎用医用气体或停止使用，立即缝合破裂的静脉，夹闭可能开放的中心静脉导管。

（2）进行中心静脉置管时，患者取头低脚高位；更换输液器时关闭输液调节夹远端；拔除中心静脉导管时嘱患者屏住呼吸；拔管后，穿刺部位纱布按压30min，贴膜密闭24h。

（3）静脉输液前排尽空气，使用无针输液接头与输液器应紧密连接，为CVC或PICC患者更换导管附加装置时，如导管无调节器，可先将导管反折，消毒后进行更换；附加装置更换前须进行预冲，以排尽装置内的空气。

（4）告诉患者和家属在治疗间歇期进行导管的保养和维护时，识别空气栓塞的征兆，有异常及时请医护人员处理。

5.处理

（1）当怀疑有空气栓塞时，护士应立即协助患者采取头低足高左侧卧位，使空气避开肺动脉入口，减轻肺动脉栓塞的症状。

（2）高流量吸氧（6～8L/min），必要时采取高压氧治疗，可以减少气体栓子。

（3）找出空气栓塞的原因，应立即夹闭静脉管道，阻止空气继续进入；若导管装置已拔除，则封闭穿刺点。

（4）立即通知医生，心电监护，观察患者的神志、心率、血压、呼吸、血氧饱和度等变化，根据医嘱进行干预和治疗，减轻空气栓塞后的并发症。

（5）对症治疗：遵医嘱给予镇静、改善呼吸、抗休克、抗心律失常等药物及补液，避免血压降低；输液不应过量，以免导致或加重肺水肿。

（6）严密观察病情变化，有异常及时协助医生处理，并做好记录及不良事件上报与讨论。

（四）药物过敏反应的预防

1.药物过敏反应

药物过敏反应又称药物变态反应（Drug Aanaphylaxis），是指某种药物作用于人体后产生的异常免疫反应。

2.原因

药物过敏反应属于异常的免疫反应，药物作为一种抗原进入人体后，部分个体体内会产生特异性抗体（IgE、IgG及IgM），使T淋巴细胞致敏，当同类药物再次应用时，抗原抗体相互作用，引起过敏反应。

3.临床表现

药物过敏反应主要有两种形式：一种是速发反应；另一种是潜伏半小时甚至几天后才发生，称为迟发反应。

（1）轻度表现：皮肤瘙痒、皮疹等。

（2）重度表现：气短、胸闷、哮喘、呼吸困难、心悸、脉速、面色苍白、大汗淋漓、烦躁不安、血压下降、意识丧失、抽搐等过敏性休克的表现。

4.预防

（1）用药前询问过敏史，对有过敏史者禁用同类药物，高敏体质者慎用易过敏药物。

（2）易过敏药物遵医嘱做药敏试验，药物过敏试验阴性使用药物后，停药超过1d，应重新做药敏试验；如遇到批号更新，也须重新进行药敏试验。不应空腹进行药敏试验。

（3）输液过程中定时巡回病房，询问患者有无不适，观察用药后的反应，以防发生迟发型过敏反应。

（4）药物现配现用，避免久置药物变性、变质而增加过敏的概率。

5.处理

（1）一旦发生药物过敏反应，应立即停药，保留输液通路，更换输液器及液体，报告医生，遵医嘱对症处理。安慰患者，妥善保存剩余药物。

（2）如患者只是皮肤表现，如皮肤潮红、瘙痒、皮疹、荨麻疹等，遵医嘱给予抗过敏药物治疗，如果皮肤损伤严重，出现严重的药疹，遵医嘱给予地塞米松5～10mg静滴治疗，并注意皮肤损伤的护理。

（3）检测患者的生命体征、意识、有无喉头水肿及临床表现，一旦出现过敏性休克，立即采取抢救措施，详见第五章第二节相关内容。

（五）静脉炎的预防

1.静脉炎

静脉炎（phlebitis）是指由物理、化学、感染等因素对血管内壁的刺激而导致血管内壁的炎症表现。

2.原因

静脉炎是临床输液常见并发症，输液导管机械牵拉、摩擦，药物的pH值、渗透压或消毒剂刺激、感染和血栓形成等因素均可导致静脉壁的炎症。根据发生原因，静脉炎分为机械性、化学性、感染性、血栓性静脉炎四种类型。

3.临床表现

发生静脉炎后输液滴速减慢，伴有或不伴有发热等全身症状。穿刺部位红肿、红斑、触痛、烧灼感、皮温升高，注射部位的血管呈现条索状改变，无弹性。美国静脉输注协会（INS）将静脉炎按严重程度分为5级，为判断静脉炎严重程度的有效标准，详见表8-10。

表8-10　静脉炎分级量表

分级	症状
0	穿刺部位无症状
1	以下一项症状表现明显:穿刺部位轻微疼痛或轻微发红
2	以下两项症状表现明显:穿刺部位疼痛、红斑、肿胀
3	以下所有症状表现明显:疼痛沿导管路径延伸、硬化
4	以下所有症状表现明显且广泛:疼痛沿导管路径延伸、红斑、硬化可触及的条索状静脉
5	以下所有症状表现明显且广泛:疼痛沿导管路径延伸、红斑、硬化,可触及的条索状静脉,发热

4.预防

静脉炎发生的可干预因素包括输注溶液的pH值和渗透压、置入导管材料、穿刺部位、液体输注量和输注速度。针对可干预因素采用如下措施:

(1)选择上肢较大的静脉血管输液和置管,避免在关节附近、感染部位置入导管;外周静脉输液时应注意保护血管,有计划地更换输液部位;根据医嘱和药物的性质,合理安排输液顺序。

(2)静脉治疗前评估病情、治疗方案、疗程及血管,选择合适的输液工具,置入导管,其管径比应≤45%血管内径。一周内的静脉输液应选择留置针,一周以上应选择中长导管或中心静脉导管;疗程结束要及时拔除导管。

(3)药物的pH<4或>9,连续性输注腐蚀性、刺激性药物,肠外营养或输液渗透压>900mOsm/L的药物,应选择中心静脉导管。

(4)配液时应待药液完全溶解,使用带侧孔针头的一次性注射器,并使用终端有过滤器的输液器,严格控制玻璃碎屑、橡胶塞、药物等各种微粒通过静脉输液进入血液循环。

(5)局部皮肤有效消毒,消毒剂应完全自然待干,75%乙醇消毒时应距离穿刺点0.5cm,以免刺激血管壁,引起化学性静脉炎。

(6)PICC带管的患者,应向患者及其家属讲解静脉输液治疗相关并发症预防知识,避免关节过度活动牵拉,引起机械性静脉炎。

(7)护士应严格执行技术操作规范和手卫生原则,及时巡回输液患者,评估穿刺部位,询问患者有无不适,及时发现静脉炎并处理。

5.处理

(1)短导管引发的静脉炎

1)立即拔管,更换输液部位,抬高患肢,遵医嘱局部皮肤外涂复方皂矾丸凝胶或喜疗妥。

2)遵医嘱用50%硫酸镁局部湿敷(24h内冷湿敷,24h后热湿敷),每次20min,每日3～4次(细菌性静脉炎禁热敷);湿敷间歇期局部外涂复方皂矾丸凝胶或喜疗妥软膏。

3)水胶体敷料覆盖红肿区域,待自然脱落或2～3d更换。

4)将土豆削成薄片贴敷于静脉炎处。土豆片脱落后及时更换。

5)如意金黄散与香油混合外涂在患处,2次/d。

6)观察治疗后静脉炎改善情况,如红斑、水肿及渗出,触诊局部皮肤温度、硬结或条索症状改善情况。

7）记录静脉炎症状、程度、原因及处理。

（2）PICC、中长导管引发的静脉炎

1）评估导管功能，抬高患肢并制动，明确引起静脉炎的原因。

2）依据静脉炎的严重程度遵医嘱处理，如有脓性分泌物，应做分泌物细菌培养，针眼局部采用3%过氧化氢消毒处理，清除化脓性分泌物；局部皮肤外涂复方皂矾丸凝胶或喜疗妥软膏，也可以交替使用；使用冷热敷同短导管引发的静脉炎处理方法。

3）血管超声评估是否有静脉血栓形成。

4）抬高患肢，观察治疗后静脉炎改善情况。

5）重新评估留置导管，必要时在对侧肢体重新留置导管。

6）记录静脉炎症状、程度、原因及处理。

（六）药物外渗与渗出的预防

1.药物渗出

药物渗出（Drug Exudation）是指在静脉治疗过程中非腐蚀性药液进入静脉管腔以外的周围组织。药物外渗（Drug Extravasation）是指在静脉治疗过程中腐蚀性药液进入静脉管腔以外的周围组织。

2.原因

正常血浆渗透压为280～310mmol/L。渗透压>600mmol/L的药物可在较短的时间内造成药物外渗或渗出。主要危险因素包括：

（1）静脉穿刺及留置过程中对静脉壁的破坏或机械性刺激，也可继发于血栓性静脉炎及导管相关感染。

（2）pH<5或>9，渗透压≥600mmol/L的药物易刺激、损伤血管壁，引起药物外渗与渗出，也是最常见的原因。

（3）某些慢性疾病如糖尿病、肿瘤患者，以及老年人、婴幼儿和血管脆性差、免疫能力低下者均可导致渗出和外渗。

3.临床表现

（1）局部症状：高渗性药物外渗损害严重，超过24h一般不能恢复，局部皮肤由苍白转暗红。碱性药液渗漏后累及深部，可能范围不大，不易被发现。细胞毒性药物外渗后，局部出现红斑，甚至小水疱，4～5d后损伤边缘逐渐变硬，形成焦痂和溃疡；溃疡边缘有炎症浸润，皮下组织坏死范围较大。

（2）输液不通畅，无回血。

（3）临床判断分级：根据美国静疗专科护士协会指南，药物渗出与外渗分级详见表8-11；药物损伤分期（WHO）详见表8-12。

表8-11　药物渗出与外渗分级

级别	临床标准
0	没有症状
1	皮肤发白,水肿范围的最大直径<2.5cm,伴有(无)疼痛
2	皮肤发白,水肿范围的最大直径2.5～15cm,皮肤发冷,有(无)疼痛
3	皮肤发白,半透明状,水肿范围的最大处直径>15cm,皮肤发冷,轻到中度疼痛,可能有麻木感

级别	临床标准
4	皮肤发白、变色,有瘀斑、渗出、肿胀、发硬,水肿范围的最大处直径>15cm,呈凹陷性水肿,中重度疼痛

表8-12 药物损伤分期(WHO)

分期	临床表现
Ⅰ期(局部组织炎性期)	局部皮肤发红、肿胀、发热、刺痛,无水泡和坏死
Ⅱ期(静脉炎性期)	局部皮下组织出血或皮肤水泡形成、水泡破溃,组织苍白或浅表溃疡
Ⅲ期(组织坏死期)	局部皮肤变性坏死、深部溃疡,肌腱、血管、神经外露或伴感染

4.预防

(1)静脉治疗前主动评估,选择合适的输液工具,输注液体的pH<5或>9,渗透压≥600mmol/L,应采用PICC、CVC或PORT输注。

(2)避免下肢静脉输液和留置导管,减少反复穿刺,提高穿刺置管成功率。

(3)妥善固定导管,加强对输液患者的观察及护理。根据输注药物的性质巡视患者,外周静脉输注腐蚀性药物时0.5~1h至少评估1次,输注非腐蚀性药物时1~2h至少评估1次,评估穿刺部位有无疼痛、发热、肿胀等现象,警惕有无药液渗出或外溢。

(4)输液速度要适当,穿刺部位上衣勿过紧,避免置管肢体过度活动和静脉内压力过高,对躁动不安者可适当约束肢体。

(5)严格交接班,双方共同评估输液是否通畅,穿刺部位有无红、肿、滴速减慢现象,发现药物外渗,及时处理,并报告医生和护士长。

(6)输液前告知患者或家属注意观察穿刺部位,如果局部出现疼痛、肿胀应及时告诉医务人员。

5.处理

(1)应立即停止在原部位输液,拔除留置针和头皮针,更换部位重新输液,抬高患肢,给予对症处理,必要时通知医生协助处理。

(2)24h内50%硫酸镁间断冷敷,20~30min/次,4~6次/d,冷敷温度4~6℃,以防冻伤;24h后采用50%硫酸镁湿热敷,温度适宜,预防烫伤。

(3)遵医嘱外涂复方皂矾丸凝胶与喜疗妥软膏,4~6次/d。也可用清热凉血的中药制剂外涂。

(4)药物外渗严重者,停止输液后保留针头,回抽外渗的药液;遵医嘱局部封闭,减轻患者的疼痛感和外渗药物对组织的损伤;根据外渗药物选择对抗的解毒药物。

(5)药物外渗严重,皮肤有水泡、溃烂时,请医生清创处理或伤口小组会诊处理,使用紫草油或银离子敷料换药效果较好。

(七)静脉导管相关性血栓的预防

1.静脉导管相关性血栓

静脉导管相关性血栓(Venous Catheter-Associated Thrombosis)是指由于静脉导管的

置入导致血液在血管内不正常凝结引起的血栓。

2.原因

（1）导管因素

1）置管期间对血管反复、持续的机械性刺激，导致血管内膜损伤和增生。导管的大小及在血管腔内所占空间影响血流的速度。

2）导管的材质：聚氯乙烯、聚乙烯材料较聚氨酯和硅胶材料导致血管损伤和继发感染的比例高。

3）导管尖端的位置：导管尖端位于上腔静脉下1/3时，由于血流量大，不易发生血栓；而尖端位于腋静脉、锁骨下静脉或无名静脉时，血流量较小，易发生血栓。

4）导管相关性感染：化疗患者白细胞计数减少及免疫力低下，穿刺处感染可导致静脉血栓形成。

（2）患者因素：大手术、肿瘤、长期卧床的患者，活动减少，出汗多，进食水较少，容易发生血栓。如果患者置管侧肢体活动减少，易导致血栓形成。

（3）腐蚀性、刺激性药物对血管壁刺激导致血管内膜损伤、血栓形成；导管植入时的机械性损伤如静脉多次穿刺、送管不顺利或粗暴送管、送导丝，增加对血管内膜的损伤。

3.临床表现

（1）局部症状：局部皮肤发红，穿刺侧肢体肿胀、疼痛，肢端皮肤感觉异常、同侧胸壁和颈部的浅静脉充盈、扩张。

（2）输液不畅，流速减慢。

（3）肺栓塞：血栓脱落后可经血液回流到右心房、右心室，堵塞肺动脉导致肺栓塞，表现为严重的呼吸困难、胸痛，血氧饱和度和氧分压急速下降、二氧化碳分压升高，血流动力学紊乱等，严重者出现休克症状。

（4）实验室及血管超声检查：D-二聚体升高；血管超声可以确诊，必要时静脉造影。

4.预防

（1）评估和选择输液工具：对血栓高危患者如糖尿病、肿瘤等疾病及D-二聚体高者进行评估，选择适当的输注途径；尽可能选取管径较细的硅胶或聚氨酯材质的导管。

（2）避免反复穿刺，建议在超声引导下肘上置管，避免在下肢及瘫痪侧肢体输液和置管。选择较大流量的静脉。

（3）正确维护及冲、封管，注意肢体保暖。使用终端有过滤器的输液器，控制各种微粒进入血液循环。

（4）导管位置：中心静脉导管置入后应立即行拍片检查确定导管位置，发现导管异位或打折，及时调整。

（5）按时巡回病房，严格交接班，尽早发现血栓的症状，汇报医生及时处理。

（6）健康教育：指导患者置管侧手臂每天做松握拳运动，每次松握拳持续2s，200～300次/d，可以分3次完成；补充水分，在病情允许的情况下每天饮水2000～3000mL；指导患者自我观察；对高危患者，抬高患肢，必要时遵医嘱使用抗凝药物预防性治疗，如阿司匹林肠溶片、华法林口服等。

5.处理

（1）抬高患肢并制动，禁热敷、按摩，以防血栓脱落引起肺梗。

（2）遵医嘱抗凝治疗：给予低分子量肝素钠4100U/mL或低分子量肝素钙5000U/mL，皮下注射，Q12H；利伐沙班片口服200mg，每天一次，连服3个月，用药期间应监测凝血功能。

（3）溶栓治疗：血栓形成5d内溶栓效果最好。目前临床上常用的溶栓药有尿激酶，尿激酶每日15万～25万U溶于5% GS 250mL，24h持续泵入，一般用药5～7d。注意监测凝血功能，观察患者有无出血倾向，如出现牙龈、消化道等出血，应立即停药。

（八）静脉导管相关性血流感染的预防

1.静脉导管相关性血流感染

静脉导管相关性血流感染（Catheter Related Blood Stream Infection，CRBSI）是指带有血管内导管或者拔除血管内导管48h内的患者出现菌血症或真菌血症，并伴有发热（T>38℃）、寒战或低血压等感染表现，除血管导管外没有其他明确的感染源。

2.原因

静脉导管相关性血流感染发生与微生物因素、患者因素、导管材质类型、穿刺部位、留置时间及无菌操作不严格等相关。

（1）穿刺部位皮肤消毒不严格，微生物自穿刺部位移行至皮下及导管尖端；输液导管接头、延长管、导管表面被微生物污染。

（2）患者因素：肿瘤化疗、昏迷、糖尿病等患者，免疫功能低下，易发生CRBSI。

（3）CRBSI与血管内的医疗材料有关，聚氯乙烯、聚乙烯导管细菌易附着；双腔和三腔导管更易引起CRBSI。

（4）穿刺部位皮肤细菌密度：股静脉和颈内静脉置管部位皮肤定植细菌密度大，CRBSI发生率较锁骨下静脉高。

（5）导管留置时间延长，各种原因导致血行感染的机会增多。

（6）操作者因素：皮肤消毒不严格、穿刺技术不熟练、维护不当、未执行手卫生，导致输液接口、穿刺部位、注入液体污染等都可发生血流感染。

3.临床表现

（1）局部表现：穿刺点周围出现压痛、红肿、硬结或有脓性分泌物流出。输液港植入患者可出现皮下囊袋脓性分泌物流出，植入口皮肤坏死等。

（2）全身表现：突然发冷、寒战，随之高热、头痛、气短、脉速、低血压，除导管外无其他明显感染源，严重者出现神经系统与休克等症状。

（3）实验室检查：白细胞和中性粒细胞均升高，血培养阳性。

4.预防

（1）教育和培训

1）护理人员应接受规范的静脉导管置管、维护相关的理论和技能培训并定期考核；加强静脉导管置管与维护质量过程管理。

2）患者或家属熟悉手卫生、无菌技术操作和无针输液接头消毒常识，做好相关配合工作。

（2）严格执行手卫生原则、无菌技术操作原则及静脉导管置管与维护技术操作规范。紧急情况下置入的静脉导管，应尽早更换。

（3）尽可能选择硅胶、聚氨酯材质导管。

（4）皮肤消毒：以穿刺点为中心，向外顺时针–逆时针–顺时针交替、螺旋、用力摩擦消毒至少30s/次；连接无针输液接头之前充分消毒，至少摩擦消毒5～15s。采用符合国家标准的消毒剂（不低于0.5%碘伏或2%葡萄糖酸氯己定溶液、2%碘酊+75%乙醇）进行皮肤消毒，待干。皮肤消毒范围详见表8–13。

表8–13　皮肤消毒范围

输液工具	消毒直径
一次性静脉输液钢针穿刺	≥5cm
外周静脉留置针	≥8cm
MC	≥20cm
CVC	≥20cm
PICC	≥20cm
MC、CVC、PICC、输液港维护	以穿刺点为中心，直径>15cm（大于贴膜的面积）

（5）穿刺部位的选择

1）成人宜选择上肢作为静脉穿刺置管部位。

2）中心静脉置管应首选锁骨下静脉穿刺置管，避免选择股静脉穿刺。

（6）敷料选择：应选择无菌、透明、透气敷料。穿刺点渗血或渗液者，宜选用带敷料芯的透明贴膜。透明敷料应每周至少更换一次，带敷料芯的透明贴膜更换时间不超过48h。敷料渗血、渗液、松动或者有污染时应立即更换。不应在穿刺局部涂抹抗菌药膏来预防感染。

（7）导管维护

1）按照静脉治疗行业标准推荐的时间间隔更换输液装置和附加装置，应尽量减少使用附加装置。

2）观察输液接头有无松动、脱落。用药前输液接头至少摩擦消毒5～15s，输液接头取下后必须更换；导管在使用过程中，须保持密闭状态。

3）输液接头、附加装置、输液器内有可见血液或血凝块，随时更换，血制品和营养液输入完毕及时更换。

4）按时冲封管，治疗间歇期中长导管、CVC、PICC导管，应每周至少维护一次。

5）保持局部清洁干燥，使用透明贴膜全封闭、无张力固定，延长管采用高举平台法固定，不需要治疗时尽早拔除导管。

（8）每日评估穿刺点，留置静脉导管严格交接班，注意观察局部有无感染迹象，发现局部红肿等异常及时处理。

5.处理

（1）密切观察患者的生命体征、临床表现、导管情况及各项检查结果，及时通知医生处理。

（2）可疑CRBSI，排除其他感染源，应立即停止输液，拔除PVC，暂时保留中长导管、PICC、CVC及PORT。

（3）如果存在药物污染的可能，须做药物细菌培养。

（4）遵医嘱抽取血培养标本：应抽两套血培养标本，一套外周静脉血，另一套中心静脉导管无菌采血，血培养标本采集后应在1h之内送检。

（5）一旦确诊静脉导管相关血流感染，原则上应拔除导管；但如果治疗的需要、体内中心血管通路装置的不可替代性以及细菌感染的复杂程度等，与医生共同商讨决定暂时保留还是拔除导管。

（6）抗感染治疗，遵医嘱局部或全身抗感染治疗。

（7）需要拔除导管的患者取出导管后，在无菌状态下取导管尖端5cm或近心端进行血培养。

（8）完成不良事件或预警事件的报告。

（九）静脉导管置管后渗血及血肿的预防

1.静脉导管置管后渗血及血肿

静脉导管置管后渗血及血肿（Ooze Blood and Hematoma）是指置管后血液通过血管破口直接渗入到血管周围组织，甚至血液沿导管自穿刺点渗出。

2.原因

（1）穿刺造成局部组织创伤出血；患者的肝功能异常、凝血功能障碍、血小板低下等易引起出血。应用某些药物如肝素、阿司匹林的患者也会出现止血困难。另外，躁动、剧烈咳嗽、便秘等导致静脉压升高，易造成穿刺点渗血。

（2）肘下、盲穿置管，穿刺针较粗，针头直刺血管易渗血。频繁换药也会影响穿刺点愈合而出血；多次反复穿刺、破皮创面较深、较大，推送插管鞘时动作粗暴导致血管和组织损伤严重出血。穿刺后局部按压部位和力度不够、置管后活动过度，均可造成伤口的渗血。

3.临床表现

（1）根据穿刺点渗血的时间分级，分为4级，详见表8-14。

表8-14 穿刺点渗血的分级

分级	渗血程度
0级	有少许渗血,渗血时间<24h,属正常现象
1级	有少量渗血,持续2～3d
2级	渗血持续4～5d
3级	渗血时间≥6d

（2）穿刺点渗血的程度。透过贴膜观察穿刺点上纱布或止血敷料渗血发生情况，根据渗血面积分为轻、中、重度，详见表8-15。

表8-15 穿刺点渗血的程度

分级	渗血程度
轻度	直径<1cm
中度	1cm≤直径≤2cm
重度	直径≥2cm

4.预防

（1）选择合适的置管方式如超声引导穿刺，熟练掌握置管技术。

（2）穿刺后在穿刺点局部加压固定24～48h，局部按压30min，观察穿刺点渗血情况。

（3）向患者及其家属讲解预防术后出血的方法，有效缓解紧张焦虑，避免患肢过度活动。

5.处理

（1）评估穿刺点渗血的程度、穿刺部位有无肿胀、出凝血时间及基础疾病。

（2）重新更换贴膜，穿刺点局部加压固定并压迫止血。

（3）穿刺点局部使用藻酸盐敷料或小纱布，贴上贴膜。在透明敷料外垫纱布敷料后用弹力绷带加压包扎，局部按压30min，力度适中，观察肢体血运。

（4）减少穿刺侧手臂活动，严重者请静脉治疗专科小组会诊处理。

（5）严格交接班，观察出血情况及肢体血运异常情况，有异常及时处理并记录。

（十）静脉导管堵塞的预防

1.静脉导管堵塞

静脉导管堵塞（Venous Catheter Blockage）是指静脉置入导管部分或完全堵塞，表现为给药时感觉有阻力，液体输注受阻或受限，无法冲封管或抽回血。

2.原因

导管堵塞按原因可分为3类：机械性、血栓性和非血栓性导管堵塞，血栓性导管堵塞最常见。

（1）机械性导管堵塞：导管夹闭、扭曲、无针输液接头堵塞等；导管夹闭综合征、继发性中心血管通路装置异位和导管相关性静脉血栓等。

（2）血栓性导管堵塞：血液黏稠度高，如老年患者及创伤、烧伤、脱水、恶性肿瘤和服用促进血液凝固药物等患者，血液呈高凝状态，更易堵管。

（3）胸膜腔内压增高，血液反流：常见于呕吐、咳嗽、便秘、排尿困难、小儿哭闹等原因；更换液体不及时，导管维护不当，冲、封管方法不规范，止水夹未关闭，患肢负重等都可能造成血液反流而引起血栓性堵塞。

（4）药物性导管堵塞：多见于药物结晶沉积，异物颗粒堵塞等，如药物配伍禁忌、产生结晶或输注黏稠度高的药物如脂肪乳、白蛋白、氨基酸等，易黏附或沉积在管壁上，冲管方法不当等均可造成导管堵塞。

3.临床表现

（1）静脉输液速度减慢，经导管输液或冲管时有阻力，无法抽回血或血液回流缓慢。

（2）电子输液设备出现堵塞报警，无法经导管输液或冲管，表明完全堵塞。

4.预防

（1）降低堵管的方法

1）正确冲、封管。对双腔导管，须同时冲、封管，手法正确，带液拔针。

2）多种药物输注时，应注意配伍禁忌。有配伍禁忌应在前一种药物输注后用生理盐水冲管。

3）输注全肠外营养液时可能发生微粒堵管，必要时输注6～8h后用生理盐水脉冲式冲管1次。

（2）预防导管堵塞的措施

1）置管后须常规拍胸片确认导管尖端的位置。置管侧手臂禁止打球、游泳等甩手臂的活动；导管滑出后严禁消毒后送回，以免导管打折堵管。

2）输注过程中防止液体滴空，血液回流堵管；减少导致胸腔内压力增加因素，避免血液回流；自静脉导管采血后及时用10mL生理盐水脉冲式冲管后正压封管。

3）合理安排输液顺序，先输乳剂后输非乳剂，输注血制品或脂肪乳等黏稠度较高的药物后，必须立即用生理盐水冲管，保持管道通畅。

5.处理

（1）评估导管堵塞的原因、使用药物的性质及配伍禁忌，冲管液量、性质和方法，有无胸腔内压增高的因素。

（2）留置针和钢针堵管应拔除后重新穿刺置管，对PICC血栓性堵管应与医生合作进行导管内溶栓处理，遵医嘱采取尿激酶溶栓，取尿激酶10万U+生理盐水20mL备用。

1）直接负压溶栓法：使用20mL注射器抽吸盛有尿激酶稀释液10mL（取下导管接头）与导管相连接，往外抽吸。每隔30~60min抽吸一次，直到抽出回血后继续抽3~5mL血液弃去，用10mL生理盐水脉冲式冲管后正压封管。

2）三通负压溶栓法：取下PICC、MC、CVC导管输液接头后，用消毒棉片用力摩擦消毒导管接口横断面和周围2遍，将三通管的前端连接PICC、MC、CVC导管，侧端连接盛有尿激酶稀释液的1mL注射器，后端连接10~20mL空注射器或盛有3~5mL生理盐水的注射器。先关闭侧阀，抽吸后端注射器，使PICC、MC、CVC导管内处于负压状态，快速打开侧阀，尿激酶稀释液因负压进入PICC、MC、CVC导管，30~60min抽吸一次，再次关闭侧阀，抽吸后端注射器，使PICC、MC、CW导管内呈负压，打开侧阀，尿激酶稀释液缓慢溶栓。如此反复直到抽出回血后继抽3~5mL血液弃去，用10mL生理盐水脉冲式冲管，连接输液接头后用0或10U/ml肝素盐水3~5mL正压封管。

（3）溶栓的注意事项

1）请医生协助溶栓，对患者和导管进行评估，选用合适种类和适当浓度的溶栓剂，评估患者是否有禁忌证。

2）溶栓操作应由经过PICC、MC、CVC专科技术培训的护士完成。

3）了解溶栓药物剂量、毒副作用及潜在并发症等，并做好健康教育。

（4）如果溶栓失败，遵医嘱拔除导管。

（十一）导管相关皮肤损伤的预防

1.导管相关皮肤损伤

导管相关皮肤损伤（Catheter-associated skin injury，CASI）是因血管内置入导管后局部皮肤反复接触消毒剂、医用黏胶剂以及患者体质、化疗药物使用等原因导致的皮肤损伤。

2.原因

（1）外源性因素：夏天患者出汗较多，汗渍刺激皮肤导致局部皮肤过敏；使用酒精或含酒精的消毒剂；反复粘贴粘胶剂，使皮肤透气性降低导致过敏；反复使用化疗药物，皮肤敏感性增加；维护人员操作不规范，消毒剂未干粘贴敷料等均能导致患者损伤。

（2）内源性因素：儿童皮肤发育未成熟，容易发生过敏；女性由于自身生理条件和生活习惯的原因，皮肤更易发生过敏；具有过敏体质的人；糖尿病、感染、免疫抑制者等易发生皮肤过敏。

3.临床表现

根据发生原因分为机械性、皮炎型和其他型，根据皮肤损伤程度分为轻、中、重度。

（1）轻度：表现为轻微的皮肤瘙痒及红斑（面积为5cm×5cm以内）。

（2）中度：表现为皮肤瘙痒感明显，皮肤过敏处出现散在红斑、丘疹、潮湿，部分散在粟粒状皮疹（面积≥5cm×5cm）。

（3）重度：表现为局部出现水疱、糜烂甚至渗液，患者瘙痒难忍，抓挠后可使渗液蔓延导致过敏的面积增大，甚至出现感染，影响患者的睡眠质量。

4.预防

（1）PICC、MC、CVC置管及维护须由有资质的护理人员进行。

（2）根据患者情况选择适合的消毒剂及透明贴膜；夏季潮湿、汗多，宜增加换药次数，应待消毒液完全待干后贴贴膜。

（3）PICC、MC、CVC患者带管期间勿进食易过敏及刺激性食物。

（4）严格交接班，观察置管处皮肤情况，发现异常及时处理。

（5）贴贴膜前剪去或剃除局部毛发，去除贴膜时应顺着毛发的方向0°或180°撕膜。边撕边压皮肤，缓慢去除；贴膜粘贴时应无张力固定。

5.处理

（1）去除诱因，如导管、消毒剂、胶布、透明贴膜、思乐扣等导致的损伤，需及时更换。

（2）轻度损伤：用生理盐水清洗局部皮肤，用碘伏消毒后涂抹皮肤保护剂并粘贴透明贴膜。

（3）中度损伤：用生理盐水湿敷后用碘伏溶液消毒待干，用无菌纱布敷料或水胶体敷料固定，增加换药次数。

（4）重度损伤：消毒方法与中度损伤一致，使用无菌纱布敷料覆盖，弹力绷带固定，至少每2d更换1次。按以上措施护理后过敏反应继续加重或患者对导管材质过敏，应立即拔管。

（5）观察记录：密切观察患者局部皮肤情况并记录，严格进行交接班。

（十二）PICC导管破裂/断裂的预防

1.PICC导管破裂/断裂

PICC导管破裂/断裂（Catheter Rupture/Rupture）是指各种因素引起的PICC导管完整性受损，出现导管部分破裂或完全断裂的状态。

2.原因

（1）PICC导管多采用硅胶材质，壁薄，柔软，PICC导管的连接器为金属材质，坚硬，如果肘下置管，肘关节活动时反复弯折导管与连接器结合部位，磨损硅胶导管导致破裂/断裂。

（2）患者频繁活动置管侧肢体、提重物时过度牵拉导管、导管固定不牢等，均容易造成导管破裂/断裂。

（3）置管部位不当：肘关节以下穿刺置管，易出现导管打折，损伤；护理人员操作不熟练、去除贴膜的手法以及体外导管的摆放不正确、胶布粘贴在 PICC 硅胶导管上、贴膜固定不当；冲、封管注射器选择或操作不当，用普通 PICC 导管加压推注液体或造影剂。

（4）其他因素：导管留置时间过长，拔管困难时强行拔管，均易导致导管破裂/断裂的发生。

3.临床表现

（1）体外导管破裂/断裂

1）体外导管破裂：输注时液体外漏，出现导管堵塞或抽不出回血。

2）导管完全断裂：患者多无自觉症状，可见 PICC 导管与连接器脱落或导管断裂，穿刺点外看不到断裂的 PICC 导管，应警惕导管滑入血管内。

（2）体内导管破裂/断裂

1）导管破裂：近心端导管破裂，临床表现不明显或输液时针眼漏液，一般在使用导管造影或导管拔除时可见；远心端导管破裂后输入刺激性强的药物时，易引发静脉炎。

2）导管断裂：导管完全断裂后随血流进入右心房，患者多无明显症状，如果 PICC 导管进入肺动脉，可致肺动脉栓塞或诱发心律失常，患者有心慌、严重的呼吸困难、气短、张口呼吸、强迫端坐卧位等临床表现，若不及时抢救，将危及患者生命。

4.预防

（1）推荐超声引导下肘上置管，置管前严格检查导管质量。

（2）加强健康教育，告知患者 PICC 置管后可能发生导管破裂/断裂，掌握正确的置管侧手臂活动方法，避免过度活动。禁止甩手臂、手臂高举、举哑铃及游泳等，避免导管折叠、摩擦导致导管破裂/断裂。每天观察穿刺点有无感染及贴膜和导管固定情况，有异常及时请护理人员处理。

（3）告知患者随时观察导管外露的长度及穿刺点有无渗血、渗液，避免手臂过度活动导致导管打折、磨损断裂，发现异常情况应及时就诊。

（4）沐浴时使用 PICC 沐浴专用袖套或保鲜膜包裹置管侧手臂 2～3 圈，防止水进入，避免导管打折。

（5）睡觉或卧位时严禁长时间压迫穿刺侧手臂，受压时间一般不超过 30～60min。

（6）严格规范 PICC 置管和维护护士的准入资质，PICC 置管和维护应由有资质、技术操作熟练的护理人员完成。

（7）避免高压注射（耐高压 PICC 导管除外）；PICC 冲封管禁止使用 10mL 以下的注射器，冲管时若遇阻力，不可强行推注，应查明原因，调整导管的位置后再冲管，如确定堵管，应按静脉导管堵管的方法处理。

（8）正确固定导管：体外导管部分应呈"U"型、"L"型或"C"型全封闭，无张力固定。体外留置长度以 3～5cm 最为适宜，外漏过长不易固定，外漏过短易形成锐角而损伤导管。

（9）规范拔管，拔管过程中如遇阻力，应查找原因缓慢拔管，切忌强行操作，拔管后要检查导管的完整性，以防导管断端残留在体内。

5.处理

（1）评估导管破裂/断裂的部位、程度及临床表现。

（2）PICC 导管断裂处理

1）应急处理：告诉患者或家属每天查看 PICC 导管，一旦发现导管断裂，或只见连接器，不见导管，应立即采取左侧头低脚高卧位，置管侧肢体制动，绝对卧床休息，并在置管侧肩部肢体下扎压脉带，每隔15～30min松开止血带1次，严密观察患肢末梢循环情况；急诊行X线拍片确定导管断端的位置。

2）PICC断裂的处理：如果PICC断裂部分在皮肤外可见，没有堵管，使用规格相同的连接器，在严格的无菌操作下修复。如果堵管，按照拔管操作流程拔管。如果皮肤外只见连接器，不见导管，拍胸片确定导管滑入血管或右心房，立即请介入科医生会诊，必要时静脉切开或在放射介入下取出导管。

（3）PICC体外破裂的处理：在导管没有被回血堵塞的情况下，可采用修复导管的方法，修复导管后继续使用。如导管被回血堵塞，则拔管。

（4）PICC体内破裂/断裂的处理：一旦怀疑PICC体内破裂/断裂，应立即汇报护士长，请医生协助处理，具体方法如下：

1）若静脉造影检查提示PICC体内破裂，使患者肢体与躯干成90°，沿血管平行方向缓慢拔管，如遇阻力切勿强行拔管，可调整置管侧手臂位置缓慢拔管，拔除后观察导管是否完整，以防导管断裂端留在体内。

2）PICC导管体内断裂，导管部分、全部滑入血管或右心房，请血管外科或介入科医生采用介入法进行血管内异物抓捕或静脉切开法取出（仅限于X线显示导管断裂段于手臂的准确位置）。

（十三）PICC导管异位或移位的预防

1. PICC导管异位或移位

PICC导管移位（Catheter Displacement）是指血管通路装置留置期间，导管尖端在上腔静脉以外的静脉，如头臂静脉、颈内静脉、颈外静脉、锁骨下静脉等。

2. 原因

肘下穿刺导管移位概率高；胸腔压力变化，如呕吐、咳嗽、便秘等因素使胸腔容积、压力剧烈变化，血流反复改变导致导管漂浮移位；PICC导管材质轻软，如尖端位于上腔静脉入口时血液冲击导管尖端，容易导致导管移位。

3. 临床表现

导管外露刻度无变化，部分患者手臂肿胀、输液速度变慢或无法抽出回血。行胸部X线检查可发现导管打折异位。

4. 预防

（1）正确选择穿刺部位，推荐B超引导下上臂中段选择贵要静脉、肱静脉及头臂静脉穿刺置管。

（2）预防胸膜腔内压增高的因素，及时处理化疗药物引起的恶心、呕吐等症状。

（3）确保导管尖端位于上腔静脉与右心房交界处。置管后行腔内心电图或X线摄片确定位置，有异位及时调整。

（4）术后健康教育：观察导管内有无回血、外露长度、置管侧手臂有无肿胀，如置管侧手臂肿胀超过2cm，须行血管超声检查确定有无血栓发生，同时行X线检查确定导管有无移位；指导患者避免置管侧手臂负重和剧烈活动。

5. 处理

（1）查看PICC导管内有无可见的回血、肢体有无肿胀和静脉炎及拍片的结果。

（2）根据患者病情及治疗计划，选择拔管或重置导管，也可在介入导丝辅助下，调整导管位置（仅限于新置导管）。

（3）如果PICC导管异位在颈内静脉，可鼓励患者咳嗽、爬楼梯或跳高等，以使导管随着重力的作用降至上腔静脉内。

（十四）PICC导管滑出的预防

1. PICC导管滑出

PICC导管滑出（Catheter Sliding Out）是指血管通路装置在留置期间，导管部分甚至整个导管完全滑出所置血管外。

2. 原因

（1）PICC导管的穿刺针及穿刺鞘较粗，置管后导管与皮肤组织及血管之间的间隙未愈合，置管后7d内较易脱出。

（2）神志不清、精神异常的患者，护理人员未及时采取约束措施或约束不当，易导致患者自行拔管；更换贴膜时操作不规范，可导致导管被牵拉脱出；消毒剂未干贴贴膜，导致贴膜松动脱管。贴膜受潮、卷边、松动未及时更换，固定方法不正确等原因，也会造成导管脱出。

（3）消耗性疾病患者皮下脂肪减少，导管固定不牢；出汗较多导致贴膜松动；覆盖贴膜处皮肤过敏、瘙痒，抓挠时易将贴膜抓脱，导致导管脱出。

（4）置管后患者肢体活动过于频繁，也易将导管带出。患者依从性差，不遵守护理人员交代的注意事项及维护导管的要点等，都会造成导管滑出。

3. 临床表现

导管部分甚至整个导管完全滑出所置血管以外。多表现为导管滑出穿刺点外几厘米至几十厘米，偶尔可见贴膜下盘曲或伴有穿刺点少量渗血。根据导管滑出程度可分为：

（1）轻度脱出：导管脱出，其尖端位于上腔静脉。

（2）中度脱出：导管脱出，其尖端位于锁骨下静脉或头臂静脉。

（3）重度脱出：导管脱出，其尖端在外周静脉或完全脱出。

4. 预防

（1）指导患者穿宽松易吸汗的衣服；置管肢体勿剧烈活动，避免用力负重或提3kg以上物品。

（2）沐浴前应用专业PICC沐浴袖套或干毛巾包裹于贴膜外，再使用保鲜膜包裹干毛巾，上下扎紧，以防浸湿贴膜。

（3）穿衣服时先穿患侧肢体，脱衣服时后脱患侧肢体，动作应轻柔，防止牵拉意外脱管；发放PICC维护手册，使患者掌握自我维护和观察的方法。

（4）规范护理人员操作行为：置管及维护的护理人员须通过培训且获证后方可操作。

（5）对神志不清、躁动不安易拔管的患者，应使用约束带约束。

（6）严格交接班，严密观察导管外露长度及穿刺部位局部情况，及时更换松动或被污染的贴膜，并判断有无导管脱出风险因素及导管脱出。

5. 处理

PICC导管滑出后行X线检查，判断导管滑出的程度。

（1）轻度滑出：导管尖端仍在上腔静脉内，静脉回血很好。应在严格的无菌技术下，裁去多余导管，安装连接器后继续使用；对前端开口的导管，应将滑出部分盘曲在贴膜下固定。

（2）中度滑出：导管尖端位于锁骨下静脉，普通药物可以经导管正常使用。处理方法同轻度脱出。

（3）重度滑出：导管尖端位于外周静脉，易引起穿刺侧肢体疼痛、肿胀，穿刺部位渗液，静脉炎等，因此，不能输注刺激性较大的药物。

（4）完全滑出：拔管后用无菌纱布压迫穿刺点30min，预防出血，局部封闭24h，有出血时用弹力绷带加压包扎，局部压迫。

（十五）输液港常见并发症的预防

输液港（Implantable Venous Access Port）又称植入式中央静脉导管系统，是一种埋置在皮下的输液装置，包括位于中心静脉的导管部分及埋置于皮下的注射座。维护或管理不当会引起导管相关并发症。

1.输液港港体翻转

（1）静脉输液港港体翻转（The Port Body of the Intravenous Infusion Port is Flipped）又称旋转综合征，是指输液港港体偏离了原来的位置。

（2）原因：术中医生分离囊袋过大，输液港港体与周围组织固定不牢固，或者患者皮下组织松弛，输液港港体易偏离原来位置甚至发生旋转。

（3）临床表现：原静脉输液港港体部分触诊圆滑处变得平坦，周边界线清晰，无法将无损伤穿刺针刺入港体或输液滴速减慢。

（4）预防

1）手术安装时应根据注射针座的型号和大小分离皮下组织，如果囊袋过大，可以将输液港港体与胸肌筋膜固定；护士穿刺前应评估局部皮肤有无感染及输液座的形状有无异常，如发现触诊异常或穿刺困难，应进一步评估、检查。

2）告知患者患侧颈、胸部及上肢勿做剧烈运动，洗澡时不可用力擦洗局部皮肤，选择宽松衣服，注意保护好囊袋上方的皮肤。

3）指导患者如发现输液港港体变薄或周围皮肤有异常，应及时告知医护人员，并停止使用输液港，及时查清原因并处理。

（5）处理

1）立即停止经输液港输液，通知医生处理。

2）可通过轻柔旋转向阻力小的方向复位输液港港体，必要时手术复位，二次缝合或更换港体安置部位。

2.导管夹闭综合征

（1）导管夹闭综合征（Pinch-Off综合征）是指导管植入时经锁骨下静脉进入第1肋骨和锁骨之间的狭小间隙，使导管受挤压后狭窄或夹闭而影响输液速度。

（2）原因：由于导管植入后受挤压变性、狭窄或夹闭而影响输液流速。严重者可致导管破损或断裂。

（3）临床表现：输液速度逐渐减慢、锁骨下不适及输液时局部肿胀。患肢或肩部抬高或取某种体位输液正常，症状减轻。行胸部X线摄片检查可发现导管内腔受压变窄，导管一旦断裂，末端导管脱落至右心房、右心室导致肺梗死，患者突发胸痛、呼吸困难。

（4）预防

1）输液港使用期间观察患者是否有胸闷、胸痛及呼吸困难等症状，特别是输液港输液时速度减慢、局部肿胀不适，体位改变后输液速度恢复者，可能发生了导管夹闭综合征，应及时通知医生处理。

2）指导患者输液时取仰卧位或者垫高肩臂，可缓解导管压迫症状。

（5）处理

1）停止使用输液港，行胸部X线摄片检查。

2）确诊发生较轻的导管夹闭综合征，可以通过垫高肩臂、改变体位继续输液治疗；导管严重受压、狭窄和损伤时，应手术取出或重新安置输液港。

二、静脉输液技术

（一）一次性静脉钢针输液技术

1.目的

（1）建立静脉通路，满足患者短时间的静脉输液治疗需求。

（2）单次采取血标本，推注无刺激性的药物。

2.评估与准备

（1）评估

1）患者评估：评估患者的病情、年龄、治疗方案及合作程度等，是否是短期或单次给药（刺激性、腐蚀性药物禁用）。

2）评估穿刺部位及血管：应选用上肢静脉输液，穿刺点自手背静脉开始，逐渐向近心端选择，避开炎症、硬结、关节部位，禁用下肢静脉穿刺输液。

3）评估心理状态及合作程度，消除紧张情绪。

4）评估穿刺工具：在满足患者治疗需要的情况下尽量选择型号较小的一次性静脉输液钢针，一次性静脉输液钢针的临床使用型号详见表8-16。

表8-16 一次性静脉输液钢针的临床使用型号

患者	一次性静脉输液钢针的型号(内径,mm)
新生儿	0.45
婴幼儿	0.5
成人	0.65~0.7
老年人	0.55~0.7

（2）准备

1）用物准备：输液器一套、基础治疗盘（皮肤消毒液、棉签、弯盘等）、压脉带、胶布或输液贴、输液卡及输液架、速干手消毒液等；必要时准备瓶套、小夹板及弹力绷带，按医嘱备好药液。

2）环境准备：环境宽敞明亮，空气清新，温度适宜，陪员少。

3）药液准备：遵医嘱准备药液，核对医嘱和输液瓶贴。检查药液质量和有效期，注意药物有无配伍禁忌。

3.操作要点

（1）向患者及其家属解释操作目的及配合方法。

（2）核对床号、姓名，反向查对，核对输液卡与药液瓶贴。

（3）询问患者需求，嘱患者排便，必要时协助，取合适的卧位，暴露穿刺侧前臂，准备输液架、输液贴。

（4）护士洗手，戴口罩，选择穿刺静脉，在穿刺下方放置压脉带。

（5）检查棉签的质量，自一侧撕开棉签包装，取出两根（无污染）蘸1/2～2/3的消毒液消毒瓶口至瓶颈两次。

（6）检查输液器有无破损、漏气和过期，打开输液器后将输液管和通气管针头插入输液瓶内并挂在输液架上，抬高莫非氏滴管下端的输液管，液面流至1/2～2/3满时迅速放低，使液体继续下流至头皮针软管起始处排尽输液器内的空气，关闭调节器。

（7）检查棉签的质量及取棉签蘸消毒液的量同前，以穿刺点为中心，消毒皮肤2遍，消毒直径>5cm。

（8）在穿刺点上方5～10cm扎压脉带，嘱患者握拳。

（9）再次查对，取下护针套，再次排气（勿排出过多液体）后关闭调节器。

（10）操作者左手绷紧患者皮肤，右手持针柄穿刺，进针角度30°～45°，见回血后再进针少许，露出针梗。

（11）松开压脉带，嘱患者松拳，打开调节器，如果输液流速通畅，局部无肿胀，患者无不适，调慢滴速，用胶布固定针头及软管。

（12）再次查对，根据病情、年龄及药物性质调节至合适的输液滴速。

（13）取出压脉带，整理盖被，询问患者需求，协助患者取舒适卧位。

（14）洗手，输液卡上记录给药时间、滴速并签名。

（15）告知患者避免输液时肢体剧烈活动，胶布松开及局部有疼痛不适时及时请护士处理，呼叫仪置于可取处。

（16）操作后用物按要求分类处理，洗手。

4.注意事项

（1）严格执行查对制度和给药制度，防止给药错误。

（2）多组输液时，根据药液的性质和医嘱安排顺序，并注意配伍禁忌。

（3）输液前排尽空气，及时更换液体，防止发生空气栓塞。

（4）胶布固定针柄及软管，进针处用贴膜覆盖，必要时用夹板固定。

（5）一般成人40～60滴/min，儿童20～40滴/min。年老及心肺肾功能不良者输液速度宜慢；脱水、血容量不足者，输液速度适当加快。

（6）严禁在静脉输液一侧肢体抽取血液化验或测量血压。

（7）输液过程中密切观察局部症状和全身反应，及时处理异常情况。

（8）输液完毕及时拔针，用棉签或棉球沿血管走行轻压穿刺点，预防出血。

（9）禁用于不合作、昏迷患者以及输注刺激性、腐蚀性药物。

（二）静脉留置针输液技术

1.目的

（1）避免连续输液患者反复穿刺损伤血管，而增加患者的痛苦，预防药物渗出或外渗。

（2）保证输液计划顺利完成，满足抢救和治疗需要。

2.评估与准备

（1）评估

1）患者评估：评估同一次性静脉钢针输液技术，适用于输液时间在一周内、输液量较多以及婴幼儿、老年人、躁动不安及输血或血液制品的患者。

2）评估穿刺部位及血管：同一次性静脉钢针输液技术，从远端静脉开始，选择弹性好、流量较大、易固定的静脉。

3）评估患者心理状态及合作程度：同一次性静脉钢针输液技术。解释留置针的优势及配合方法，消除患者紧张情绪。

4）评估穿刺工具：同一次性静脉钢针输液技术。通常成人输液选择20～22G的留置针，婴幼儿选择24G的留置针；输血一般选择20G的留置针。传染病患者应使用安全型留置针。

（2）准备

1）用物准备：基础治疗盘（皮肤消毒液、棉签、弯盘等）、输液器一套、外周静脉留置针、无菌透明贴膜、压脉带、胶布或输液贴、输液卡及输液架、速干手消毒等；按医嘱备好药液，必要时准备瓶套、小夹板及弹力绷带。

2）环境准备：同一次性静脉钢针输液技术。

3）药液准备：同一次性静脉钢针输液技术。

3.操作要点

（1）查对信息同一次性静脉钢针输液技术。

（2）选择血管，暴露穿刺侧手臂及操作区域。

（3）嘱患者排便，必要时协助，取舒适的卧位。

（4）查对输液卡与药液同一次性静脉钢针输液技术，洗手，戴口罩。

（5）取棉签及消毒瓶口同一次性静脉钢针输液技术。

（6）再次查对输液卡与药液同一次性静脉钢针输液技术，检查输液器的包装是否完好及有效期，取出输液器，将输液管和排气管的针头全部插入输液瓶内。

（7）挂输液瓶于输液架或杆上，莫非氏管倒置并挤压，液体流至1/2～2/3时直立，排尽输液管与过滤器的空气至头皮针起始处，挂针头合适。

（8）检查留置针和贴膜的质量和有效期，取出留置针并旋转松动外套管（注意保护留置针肝素帽无污染），连接输液器头皮针与留置针，将头皮针全部插入肝素帽内后再次排气，关闭调节器。

（9）扎压脉带、握拳、取棉签、蘸消毒液同一次性静脉钢针输液技术，以穿刺点为中心消毒皮肤2遍（反向消毒），直径≥8cm。

（10）再次查对信息同一次性静脉钢针输液技术，取出留置针并去除针套后再次排气。

（11）左手绷紧皮肤固定穿刺静脉，右手持留置针，针头斜面向上与皮肤成30°～50°进针穿刺，见回血后，降低角度再进针稍许，一手固定针柄，另一手将套管全部送入静脉内，撤出针芯放入锐器盒。

（12）固定留置套管，松压脉带，松拳。以穿刺点为中心，用无菌透明贴膜全密闭竖型无张力固定（覆盖隔离塞后1～2cm），延长管自贴膜侧面U形固定，肝素帽位置高于针眼，标注置管日期的胶布无张力贴在隔离塞的贴膜上。妥善固定头皮针。

（13）其余操作同一次性静脉钢针输液技术。

（14）输液完毕，消毒肝素帽2遍后用5mL注射器抽取生理盐水先脉冲式冲管2～2.5mL后正压封管，余0.5～1mL，先夹止水夹后拔针，止水夹夹在距贴膜1～2cm处。

4.注意事项

（1）同一血管穿刺次数不超过2次，以免引起疼痛，增加并发症的风险。

（2）未带肝素帽的留置针退针芯之前，先松开止血带，按压套管尖端阻断血流后再撤出针芯。

（3）嘱患者勿提重物，穿刺部位应注意防水，保护患侧肢体，避免肢体下垂，不可剧烈活动；正确冲、封管，预防回血堵管。

（4）按静脉治疗行业标准要求更换贴膜及留置针。

（5）严格交接班，评估穿刺局部皮肤、静脉及导管有无回血，如有异常及时处理。

5.拔管

（1）拔管指征

1）患者主诉静脉留置针置管处不适或疼痛，应拔除导管。

2）液体渗出或外渗应拔除导管。

3）成人静脉留置针一般72～96h拔除重新置管。

4）在紧急情况下放置的留置针应在24～48h内拔除重新置管。

5）如果怀疑有导管相关性血流感染、堵管及静脉炎应立即拔除导管。

（2）拔针方法

1）准备用物。

2）关闭调节器。

3）去除胶布及透明贴膜。

4）用无菌棉签轻放于穿刺点，拔除外周静脉留置针。

5）拔针后按压穿刺点向心方向1～2cm处，一般按压时间2～3min至不出血为止；有出血倾向的患者可适当增加按压时间，不宜按揉穿刺点。

（三）中长度导管置管技术

中长度长导管（MidlineCatheter，MC）是指在无菌操作下经外周静脉（贵要、肘正中、肱静脉、头静脉）将导管送入腋静脉或锁骨下静脉。

1.目的

（1）建立静脉通路，保证患者中长期的静脉治疗。

（2）避免中长期输液患者反复静脉穿刺，减轻患者痛苦，保护外周静脉。

2.评估与准备

（1）评估

1）患者评估：评估患者的病情、年龄、治疗方案及合作程度等，是否需要中长期静脉输液治疗［慎用于pH<5或pH>9的液体或药物、渗透压>600mmol/L的液体、肠外营养液（TPN）、腐蚀性药液及严重的凝血功能障碍的患者］。

2）评估穿刺部位及血管：成人MC穿刺部位以肘关节上下2～3cm为最佳，选择血管腔较大、静脉瓣较少、血流速度较快的血管穿刺。静脉选择依次为贵要静脉、肘正中静脉、头静脉。

3）评估患者的心理状态及合作程度，解释操作目的、方法，消除患者紧张情绪。

4）评估导管型号，在满足患者静脉条件及输液方案的前提下，尽量选择型号较小的导管。

（2）准备

1）环境准备：有条件的医院应在静脉导管置管室置管，环境宽敞、明亮，整洁、安静，温度适宜，空气消毒30min。如无置管室，在普通病房置管，应无陪员；空气消毒30min，环境整洁，床铺干净。

2）患者准备：向患者解释操作过程及配合方法，消除紧张、焦虑情绪；签署知情同意书；嘱患者排便，必要时协助；戴一次性口罩及帽子，脱去置管侧肢体衣袖，清洗置管侧上肢及腋窝，去枕平卧，注意保暖。

3）用物准备：压脉带，测量尺，手消毒液，中长导管一套，中长导管穿刺包（1mL、10mL、20mL注射器各1副，无菌手套2副，透明贴膜>10cm×10cm，输液接头等），盐酸利多卡因注射液1支，NS 100mL，0.5%碘伏，75%乙醇，纱布敷料，弹力绷带；治疗车，基础治疗盘；医用垃圾小桶、生活垃圾小桶，锐器盒。

4）药液准备：核对生理盐水、盐酸利多卡因注射液的质量和有效期。

3.操作要点

（1）核对患者的信息、医嘱、知情同意书；做好解释工作及体位配合指导。

（2）查看血管，在非习惯用手侧选择穿刺静脉，打起对侧床档，患者靠近床档去枕平卧。

（3）打开穿刺包一角，取出测量尺，穿刺侧上肢外展90°，测量导管到达长度，肘关节上10cm测量臂围，记录；标记穿刺点。

（4）洗手，戴口罩、帽子，穿刺包夹层取出手套戴好，全部打开无菌包，助手抬高患者穿刺侧手臂，铺无菌防水垫，以穿刺点为中心，用含75%乙醇的消毒刷或大棉球整臂消毒3遍，待干；再用含有0.5%碘伏的消毒刷、大棉签或大棉球消毒3遍。

（5）脱手套，再次洗手。穿无菌手术衣，戴无菌手套。建立最大无菌屏障，患者手臂下铺无菌治疗巾、压脉带，无菌大单覆盖全身，铺平近侧床上无菌大单，建立床上无菌操作空间，铺洞巾。

（6）打开中长导管内套件包，将穿刺所需物品按顺序放置，用10mL、20mL空针各一支抽无菌生理盐水，预冲中长导管，输液接头，检查导管的完整性并激活瓣膜，再次用生理盐水冲洗导管，浸润导管，使其浸泡于生理盐水中。

（7）准备穿刺鞘，扎压脉带、握拳同留置针技术。必要时在穿刺部位注射少量局麻药（根据置管者的技术熟练程度及患者血管的情况）。

（8）去除穿刺鞘保护套，转动针芯，左手绷紧皮肤，右手持穿刺针，针尖斜面向上与皮肤成30°～40°穿刺，见回血降低角度进针稍许，右手固定针芯，左手将穿刺鞘送入静脉内。

（9）固定穿刺鞘，松压脉带，嘱患者松拳。穿刺鞘下垫一块无菌纱布，左手按压导管尖端处血管阻断血流，撤出针芯，右手将导管尖端送入插管鞘后均匀缓慢送管（约15cm）至肘，告知患者下颌贴近近侧锁骨处，以便关闭颈内静脉，送管速度不宜过快，以每次1cm为宜，将导管送至预定长度，外漏2～3cm。

（10）用抽有生理盐水的10mL或20mL注射器抽回血，确定导管通畅后脉冲式冲管，撤出导丝，连接正压接头，再用10mL或20mL生理盐水注射器脉冲式冲管，余4～5mL生理盐水时正压封管。

（11）退出可撕裂鞘，边退边撕，将可撕裂鞘撕裂后再次确定导管长度，防止导管脱出，按压穿刺点，预防出血。撤孔巾，用生理盐水或碘伏纱布清洁穿刺点及周围皮肤，更换无菌纱布，按压穿刺点。

（12）安装导管固定装置，涂抹皮肤保护剂，导管固定装置箭头指向穿刺点摆放，锁定纽扣，逆血管方向摆放弧形（"L"或"U"形），撕除背胶纸后粘贴在皮肤上。

（13）穿刺点处按压折叠无菌纱布，用10cm×12cm透明贴膜全封闭、无张力固定（覆盖导管，固定装置），用胶带横向固定贴膜下缘延长管，再蝶形交叉固定，最后一条胶带横向固定胶带蝶形交叉，弹力绷带外垫纱布块加压包扎。

（14）消毒正压接头后连接液体，观察重力滴速，无异常后正压封管，必要时拍片确定导管尖端位置。输液接头用纱布包裹。

（15）整理用物，脱手套；注明置管者姓名，置管日期、时间及导管外漏长度。根据治疗需求协助患者取合适的卧位，向患者和家属交代注意事项。

（16）医疗废物分类处理，洗手。

（17）填写维护手册，按要求记录穿刺过程是否顺利，置入导管的长度，导管的型号、规格、批号，所穿刺的静脉名称、臂围等；向患者或家属解释日常护理要点。

（四）外周静脉植入中心静脉导管（PICC盲穿）技术

PICC是指经外周静脉置入中心静脉的导管（Pepherally Inserted Central Catheter, PICC），即通过外周静脉穿刺置入中心静脉的导管，导管尖端位于上腔静脉与右心房之间。

1.目的

（1）为中长期静脉治疗的患者建立静脉通路，保证中长期治疗顺利进行。

（2）避免中长期静脉治疗的患者反复穿刺造成的痛苦，保护外周静脉，避免刺激性、腐蚀性药物损伤血管及周围组织。

2.评估与准备

（1）评估

1）患者评估：同中长度导管置管技术；是否需要中长期静脉输注治疗，输注高渗性、腐蚀性、刺激性药物以及难穿刺的患者。

2）评估穿刺部位及血管：同中长度导管置管技术。

3）评估心理状态和合作程度：同中长度导管置管技术。

4）导管型号的评估：同中长度导管置管技术；植入导管的内径宜小于等于植入血管内径的2/3。应选择有三相瓣膜的导管，预防回血堵管。

（2）准备

1）环境准备：同中长度导管置管技术。

2）患者准备：同中长度导管置管技术。

3）用物准备：PICC导管包、穿刺包1个（包含无菌手套2副、压脉带、测量尺、透明贴膜>10cm×10cm、输液接头)，1mL、10mL、20mL注射器各1副，盐酸利多卡因注射液1支，NS 250mL；0.5%碘伏、75%乙醇，肝素注射液，纱布敷料；手消毒液，治疗车，基础治疗盘；医用垃圾小桶、生活垃圾小桶，锐器盒。

4）药液准备：同中长度导管置管技术。

3.操作要点

（1）核对患者的信息、医嘱、签署知情同意书，解释操作目的及配合方法，指导同中长度导管置管技术。

（2）在非惯用上肢选择穿刺静脉，打起对侧床档。协助患者靠近对侧床档，去枕平卧。

（3）洗手，戴口罩、帽子；打开穿刺包一角，取出测量尺，上肢外展90°，测量置管长度（自预穿刺点至右侧胸锁关节再向下至第3肋间隙，减去2cm即可），测量双侧上臂周长（肘关节上4横指处），并记录。

（4）再次洗手，穿刺包夹层处取出手套，按无菌操作戴好，助手抬起置管侧手臂，铺无菌防水垫。

（5）消毒方法同中长度导管置管技术，整臂消毒。

（6）建立最大无菌屏障，患者手臂下铺治疗巾、压脉带，用无菌大单覆盖患者全身、铺平近侧床上无菌大单，建立床上无菌操作区，铺洞巾。

（7）准备导管及其他用物，打开PICC导管包，将穿刺所需物品按顺序放置，用10mL、20mL空针抽无菌生理盐水，预冲导管及输液接头，检查导管的完整性，激活瓣膜，浸润导管外部。前端开口导管，撤导丝至预减去刻度后1cm裁管，再次预冲导管。准备穿刺鞘、利多卡因1mL。

（8）将用物按顺序放在床上无菌操作区，穿刺及送管同中长度导管置管技术。

（9）用抽有10mL或20mL生理盐水的注射器，先回抽血，后脉冲式冲管，分离金属柄撤出导丝。清洁导管，修剪导管长度，体外至少保留导管5cm，用无菌剪或裁管器垂直剪断导管。

（10）安装连接器：将减压套筒安装到导管上，再将导管连接到延长管的金属柄上并推到底，锁定锁扣。

（11）连接正压接头，冲管及封管、安装导管固定装置、包扎及其他操作同中长度导管置管技术。

（12）胸部正位拍片检查，确定导管尖端位置，如有异位，应在严格的无菌操作下调整。

（13）填写《PICC护理手册》，填写PICC导管记录单。

（14）向患者或家属交代日常护理要点。

4.注意事项

（1）做好解释及心理疏导工作，消除患者紧张情绪，以便更好地配合操作。

（2）穿刺次数不超过2次，以免引起疼痛，增加并发症的风险。

（3）防止穿刺入动脉，避免损伤神经。

（4）退出针芯之前，先松开止血带，松拳，按压套管尖端后再撤针芯，以防出血。

（5）置管后妥善固定，穿刺后注意加压止血，松紧适宜。注意观察穿刺点有无出血，严格交接班，预防回血堵管。

（五）超声引导下改良塞丁格 PICC 置管技术

改良塞丁格技术（Modified Seldinger Technique，MST）是指将不带针芯的穿刺针以30°～40°穿刺进针（穿刺针斜面向上），直接经皮穿刺血管前壁，不穿透血管后壁，见血液从针尾涌出时，即停止进针，插入导丝、导管鞘。改良塞丁格技术（MST）操作方法简便易行，穿刺针细，对组织损伤小，患者痛苦轻，置管成功率高。超声引导下 MST 使用血管超声技术，置管成功率高，并发症少。

1.目的

（1）为中长期静脉治疗的患者建立静脉通路，保证中长期静脉治疗顺利进行。

（2）保护外周静脉，避免刺激性、腐蚀性药物损伤血管及周围组织。

（3）减轻患者痛苦，提高置管成功率高，减少并发症的发生率。

2.评估与准备

（1）评估

1）患者评估：同 PICC 盲穿技术。

2）穿刺部位及血管评估：超声引导下改良塞丁格 PICC 置管穿刺部位以上臂中段为最佳。采用超声技术评估血管，双侧上肢均须评估，一般选择非惯用上肢置管；选择血管腔较大、静脉瓣较少、血流速度较快的血管穿刺。静脉选择依次为贵要静脉、肱静脉、头静脉；肱静脉有两条，分为内侧支和外侧支，肉眼看不见，为超声引导下穿刺置管的常用血管。

3）评估心理状态和合作程度：同 PICC 盲穿技术。

4）导管型号的评估：同 PICC 盲穿技术。

（2）准备

1）患者准备：同 PICC 盲穿技术。

2）环境准备：同 PICC 盲穿技术。

3）用物准备：同 PICC 盲穿技术，增加塞丁格套件、血管超声仪、无菌超声探头保护套、耦合剂。

3.操作要点

（1）核对患者的信息、医嘱、知情同意书；做好解释工作及配合体位指导，同 PICC盲穿技术。

（2）洗手，患者卧位准备同 PICC 盲穿技术。

（3）超声仪置于对侧床边，接通电源，检查性能，打开开关。

（4）选择静脉及穿刺点，扎压脉带、握拳同 PICC 盲穿技术，涂耦合剂，用超声探头查看双侧上臂血管，用左手拇指和食指握紧探头，探头垂直紧贴目标血管，按压力度以血管成圆形为宜。依次选择贵要静脉、肱静脉、头静脉。选择合适的穿刺血管及穿刺点，标记，松开压脉带。

（5）测量定位、消毒方法等同 PICC 盲穿技术。

（6）助手检查并打开 PICC 导管、导针器套件及赛丁格套件，按无菌操作原则预冲PICC 导管及套件，检查导管的完整性，激活瓣膜，最后将导管浸泡于生理盐水中；将用物移至床上无菌区，按使用顺序摆放，去除导丝保护帽，并拉出一定长度导丝。

（7）超声探头涂抹无菌耦合剂，将探头套入无菌罩内，探头与无菌罩紧密贴合，用橡皮筋固定，根据中垂线上穿刺目标血管中心的深度选择导针器（若血管中心不在标准刻度上，则宁浅勿深），将导针器安装在导针架上。

（8）扎压脉带、握拳同PICC盲穿技术；将针尖斜面向探头装入导针架，针头不超过导针架平面。探头外涂耦合剂，将探头垂直放在手臂的目标血管上，使探头贴紧皮肤，再次评估血管。

（9）操作者左手持探头，将探头垂直放于目标血管上，并使其显像于超声仪屏幕上，右手持穿刺针，用探头将血管图像移至屏幕中心标记线上，目视超声屏幕，右手小拇指绷紧皮肤穿刺，当针触及目标血管时，屏幕上看到针尖挤压血管上壁的凹槽，再缓慢进针，一旦针尖刺破血管，血管壁的凹槽消失，回血一滴滴均匀往外冒，表明穿刺成功。

（10）固定穿刺针及导丝前端，将导丝送进穿刺针并匀速递送，导丝送至血管后使探头向穿刺者倾倒，分离穿刺针与导针架。适当降低穿刺针的角度，松开压脉带，均匀送入导丝，体外保留10～15cm，缓慢撤出穿刺针，留导丝在血管内，顺血管缓慢滑行导丝2～3次，确保导丝在血管内。

（11）以2%利多卡因0.1～0.2mL穿刺点处局部麻醉。

（12）用解剖刀沿导丝上切开皮肤0.5cm破口，固定导丝，沿导丝送入插管鞘套件，再沿血管走向旋转向前推进插管鞘，使其完全进入血管，左手小鱼肌按压插管鞘尖端处阻断血流防止出血，右手拧开插管鞘套件上的锁扣，分离扩张器、插管鞘，拔除扩张器和导丝，检查导丝的完整性。

（13）插管鞘下垫无菌纱布块，右手将导管尖端自插管鞘内缓慢、匀速送入，每次送入长度不超过1cm，导管进入15～20cm时，嘱患者下颌贴近侧肩部锁住颈内静脉，以防导管异位。送导管至预定长度，用20mL无菌生理盐水空针抽回血，确定导管位置并冲封管。无菌纱布按压穿刺点预防出血。

（14）分离金属柄，撤导丝，校对、修剪导管长度，安装连接器、正压接头、冲封管及导管固定装置，贴膜固定包扎方法及其他操作同盲穿PICC法。

4.注意事项

（1）穿刺角度：如果血管表浅，穿刺角度缩小，如果血管较深，穿刺角度增大。禁止10mL以下空针冲管，胶布不可直接贴于导管上，透明胶贴应完全覆盖导管，预防脱管和感染。

（2）修剪导管时切割器应与导管垂直，不可剪切到导丝。

（3）上臂穿刺位置通常选择上臂中段。

（4）确保探头与保护套之间无气泡。

（5）导丝避免过深，不超过腋静脉或<20cm。送导丝时应轻柔缓慢，严禁反向送导丝，如送管困难，不可强行送管，撤导丝时应缓慢平行撤出。

（6）检查PICC导管是否异位于颈内静脉的方法：将超声探头置于喉结与胸锁关节窝连线中点，如果是左侧手臂穿刺，则在连线中点左侧旁开2～5cm区域探测PICC导管是否进入颈内静脉，如果是右侧手臂穿刺，则在连线中点右侧旁开2～5cm区域探测PICC导管是否进入颈内静脉。

（7）胸片确定PICC导管尖端位置正确后方可治疗，严禁在穿刺点上方扎压脉带和测血压。

5.治疗间歇期PICC带管出院患者健康教育

（1）PICC每周至少维护一次。

（2）如发现以下情况及时到医院就诊：

1）穿刺点有渗血、渗液等异常情况。

2）输液接头、贴膜的注意事项详见PICC维护。

3）不明原因发热，置管侧肢体肿胀。

4）每天观察导管情况，如发现导管破损，立即在导管上扎压脉带或加压，手臂制动，防止断裂导管滑入体内。

（3）提重物不能超过3.0kg。

（4）沐浴：戴PICC专用沐浴袖套或用保鲜膜在穿刺部位缠绕2~3圈，沐浴后及时换药。

（5）穿脱衣服时预防拔除导管，先穿置管侧手臂、后脱置管侧手臂衣服，袖口不宜过紧。

（6）睡觉时避免长时间压迫置管侧肢体，以免回血堵塞导管；避免置管侧手臂剧烈活动，不可抓捏置管侧手臂，以免导管移位。

（7）足量饮水：在病情允许的情况下，每天饮水2000mL以上，以减少血栓发生。

（8）避免剧烈咳嗽、用力排便等使胸、腹压增高的行为，导致PICC堵塞。

（9）患肢活动，嘱患者每日松握拳活动200~300次，预防血栓，不能活动时抬高患肢，家属协助做被动活动。

6.冲、封管的注意事项

（1）封管液肝素盐水浓度为0或10U/mL，建议使用单包装生理盐水封管。

（2）冲管和封管手法

1）正压封管：使用10mL及以上空针抽生理盐水或肝素盐水封管。

2）先脉冲式冲管，余4~5mL时正压封管，边推边退，余0.5~1mL时拔除针头。

（3）勿使用暴力冲管，禁用10mL以下的注射器（耐高压的导管例外），以防导管破裂。

（六）PICC维护技术

1.目的

（1）保持导管通畅。

（2）保持皮肤的完整性。

（3）保持导管牢固固定。

（4）预防导管相关性感染；延长PICC使用寿命，增加患者的舒适感。

2.评估与准备

（1）评估

1）基本信息：姓名、性别、年龄、病情、过敏史等。

2）穿刺部位：穿刺点有无渗血、渗液及湿疹、水泡等。

3）敷料有无卷边、松脱，导管是否在位，导管内有无回血及可见微粒。

4）手臂有无肿胀，如果肿胀超过2cm，需要测量臂围。

5）评估心理状态和合作程度。

6）维护工具评估与选择：透明贴膜>10cm×10cm，透气性能好，宜使用正压接头及专用维护包。

（2）准备

1）环境准备：符合无菌操作要求。

2）患者准备：排便，取坐位或平卧位，注意保暖。

3）用物准备：PICC维护专用换药包（无菌治疗巾2条、洞巾1张、75%乙醇棉棒或大棉球、碘伏棉棒或大棉球各3枚或2%葡萄糖酸氯已定大棉签3根、无菌手套2副、酒精棉片2～3片、纱布2块）、测量尺、肝素帽/无针输液接头、预充式导管冲洗器10mL或生理盐水10mL、手消毒液、透明贴膜>10cm×10cm、固定器、胶布、锐器盒、垃圾桶、医用垃圾桶。如果是双腔PICC，还需要增加相应的维护物品；75%乙醇棉片或棉签。

4）药液准备：核对生理盐水、肝素注射液的有效期及质量。

3.操作要点

（1）核对床号、姓名，洗手，戴口罩。

（2）打开维护包，铺无菌治疗巾，戴无菌手套，患肢下铺无菌治疗巾。

（3）打开无菌贴膜、固定器、输液接头及10mL预充式导管冲洗器的外包装或备生理盐水10mL放入无菌治疗巾内，10mL空针抽取肝素盐水5mL。

（4）去除包裹输液接头的纱布，取下原有输液接头，如果是前端开口的PICC导管，需夹闭延长管。妥善固定导管。

（5）消毒：洗手，戴手套，准备酒精棉片/棉签、消毒液（2%葡萄糖酸氯已定/0.5%碘伏），释放预充式导管冲洗器的压力或准备生理盐水、肝素盐水；预冲肝素帽/无针输液接头，用酒精棉片/棉签摩擦消毒导管横截面及侧面，用力多方位摩擦消毒至少5～15s。

（6）冲、封管：用10mL生理盐水注射器或预充式导管冲洗器连接导管，抽回血，见回血脉冲式冲管，如果是双腔PICC导管需要双管同时脉冲式冲、封管，与导管接口紧密连接，余4mL生理盐水正压封管。

（7）去除原有贴膜，"0"角度手法由外周向中心自下而上去除贴膜，去除固定器，脱手套。

（8）洗手，戴手套。

（9）消毒：用2%葡萄糖酸氯已定/75%乙醇和0.5%碘伏大棉签或大棉球，由内向外螺旋式消毒皮肤至少2次（针眼处用含消毒液的大棉签或大棉球按压30s），直径>15cm（或大于贴膜面积），摩擦消毒至少30s/次，消毒液自然待干。

（10）固定导管摆放：以穿刺点为中心，导管摆放"L"形、"U"形或"C"形。有固定器，固定器固定导管翼；透明贴膜>10cm×10cm无张力粘贴；脱手套，洗手，准备胶布。无固定器，透明贴膜>10cm×10cm无张力粘贴；脱手套，洗手；准备胶布；三条胶布横向、交叉、再横向固定导管翼用纱布或用肝素帽盖保护肝素帽，标注操作者姓名、置管日期、更换日期及外漏长度。

（11）取舒适体位，整理床单元。

（12）医疗废物分类处置，洗手，记录，再次核对。

4.维护注意事项

（1）严禁使用10mL以下注射器冲封管、给药；消毒液自然待干，避免皮肤过敏或湿疹。

（2）抽回血不可抽至输液接头及注射器内；采用脉冲式冲管、正压封管，以防回血堵管。

（3）去除贴膜时要由外周向中心自下而上"0"角度撕贴膜，保持贴膜下皮肤及导管无污染，切忌将导管带出体外。

（4）勿用酒精棉签消毒穿刺点（酒精消毒时离穿刺点0.5～1cm）及导管。

（5）严格执行无菌技术操作，贴膜要完全覆盖外露导管，以免感染。

（七）PICC导管拔除技术

PICC留置时间遵循静脉输液行业标准，一般为1年或遵照产品使用说明书。

1.拔管指征

（1）可疑PICC感染，血培养阳性，无其他感染源。

（2）静脉炎经处理后症状无改善或出现导管相关性感染体征时。

（3）治疗完毕应立即拔除；如果出现导管断裂、沙眼样漏液不能修复、导管堵塞溶栓处理不能再通，均应立即拔除导管。

2.用物准备

基础治疗盘、消毒液、棉签、手套及无菌贴膜或PICC换药包。

3.操作要点

（1）核对医嘱，患者床号、姓名及住院号（或ID号），查看置管手臂血管超声结果。取坐位或平卧位。

（2）洗手，戴口罩，去除贴膜；洗手，戴手套。

（3）消毒局部皮肤，缓慢拔除导管，拔管时如遇阻力，嘱患者放松、深呼吸。

（4）拔除导管后再用无菌纱布加压止血，穿刺点按压30min至不出血为止。检查导管是否完整，观察导管外有无附壁血栓，拔管后患者休息30min，观察有无不适。

（5）嘱患者24h后去除无菌贴膜，记录患者病历或手册。

4.注意事项

（1）了解置管期间的情况，如有无血栓史，如果有血栓史，建议做血管彩超后再根据情况决定是否拔管。

（2）拔管时务必轻柔、缓慢，没有外在压力情况下拔管。

（八）输液港输液及维护技术

1.目的

（1）保持导管通畅。

（2）预防导管相关性感染。

（3）延长输液港的使用寿命，增加患者的舒适感。

2.评估与准备

（1）评估

1）基本信息：核对患者床号、姓名、维护手册，询问消毒液过敏史。

2）评估治疗方案、疗程。

3）评估局部皮肤：有无红、肿、热、痛等反应。

4）评估心理状况：消除患者紧张、焦虑情绪。

（2）准备

1）环境要求：符合无菌操作要求。

2）患者准备：平卧位，双手放置在躯体两侧，暴露输液港植入部位皮肤。

3）用物准备：维护专用包，包括皮肤消毒液、洞巾、无菌手套1副、预充式导管冲洗器1副或生理盐水10mL、肝素帽/无针输液接头1个、无菌开口纱布1～2张、胶布、透明贴膜1张、10mL注射器1～2副、10mL肝素盐水（100U/mL）、适宜型号的无损伤针1枚，查看有效期。

4）药物准备：检查肝素注射液、生理盐水的有效期及质量。

3.操作要点

（1）核对患者信息，告知患者配合方法及注意事项。

（2）准备胶布，注明维护日期及操作者姓名；洗手，戴口罩。

（3）打开换药包（盘），将准备的所有用物打开外包装后放入无菌换药盘。

（4）将消毒液倒入小药杯或碗内浸湿棉球。

（5）洗手，戴手套。

（6）预充式冲洗器或生理盐水10mL注射器连接无损伤针并排气，抽5mL肝素盐水（100U/mL）排气后放在治疗盘内。

（7）局部皮肤消毒：用2%葡萄糖酸氯己定/0.5%碘伏大棉签或大棉球以港体部位为中心消毒，直径>15cm，由内向外，顺、逆时针消毒至少2次，用力摩擦皮肤至少30s/次，自然待干，铺无菌洞巾。

（8）用左手固定注射针座，将输液港拱起；右手持无损伤针，自针座中心垂直刺入输液港针座（不要过度紧绷皮肤），直达储液槽基座底部。

（9）穿刺后抽回血确认针头位置无误，用10mL生理盐水脉冲式冲管，夹闭延长管，移去注射器。更换肝素盐水注射器，连接输液接头，打开开关，用10mL注射器抽肝素盐水3～5mL正压封管。

（10）固定无损伤针，无损伤针下方垫开叉小纱布，再用一条无菌胶布固定无损伤针的针翼，用透明贴膜固定无损伤针，胶布交叉固定外露延长管，贴日期标识。

（11）静脉输液，用酒精棉片摩擦消毒肝素帽/无针输液接头5～15s，待干，用抽有10mL生理盐水注射器连接无针输液接头，抽回血并脉冲式冲管。

（12）连接并打开输液器，妥善固定一次性静脉输液钢针/输液管，按治疗要求调节输液速度。

（13）洗手，输液卡签字。

（14）医疗废物分类处置，维护手册记录。

4.拔除无损伤针

（1）取下穿刺点上的透明贴膜及无损伤针下的开衩小纱布，检查皮肤情况。

（2）洗手，戴无菌手套，消毒，用抽取10mL生理盐水的注射器脉冲式冲管后再用肝素盐水3～5mL正压封管；以拇指与示指、中指呈三角形固定泵体，嘱患者深呼吸，在屏气的同时快速拔除无损伤针，用无菌纱布压迫止血5～10min。

（3）检查拔除无损伤针的完整性，观察患者的生命体征。

（4）用无菌贴膜贴于穿刺处24h。

（5）医疗废物分类处置。

（6）洗手，记录治疗的相关信息，再次核对。

（7）健康教育。

5.注意事项

（1）评估患者皮肤，若有红、肿、热、痛等炎性反应，应暂停使用。

（2）平卧位，双手自然放置在躯体两侧，避免输液港港体竖起以影响无损伤针的插入。

（3）注意无菌技术操作，排尽连接管内空气。

（4）输液期间每周由专人负责更换无损伤针，穿刺时手法轻柔，不可强行进针，以免损伤输液港的硅胶隔膜，导致液体渗漏。

（5）无损伤针、透明贴膜按要求7d更换一次，贴膜卷边或潮湿及时更换。妥善固定无损伤针，以防脱出。

（6）使用10mL以上注射器进行注射、注药，禁用高压推注造影剂（耐高压输液港除外）。

（7）输液港用药时注意抽回血，确认位置后，脉冲式推入10mL生理盐水。注射完毕，再用10mL注射器抽肝素盐水3～5mL正压封管。

6.输液港冲管和封管

（1）每次静脉输注前应抽回血，用10mL生理盐水脉冲式冲管，评估输液港功能。

（2）输注血制品和高黏稠液体后应用20mL生理盐水脉冲式冲洗。

（3）输液结束后，拔除无损伤针前用生理盐水10mL以脉冲式冲洗输液港，再用肝素盐水5～10mL正压封管，防止血液反流进入注射座。

（4）输液港治疗间歇期，正常情况下每4周冲洗输液港1次。

第三节　结局质量标准

一、敏感指标

静脉炎发生率

1.指标定义

统计周期内发生静脉炎例次数占静脉导管留置总日数或总例数的比例。

2.指标意义

通过指标监测，反映静脉导管工具评估及管理能力；研究静脉炎发生率与护理工作投入和护理过程的关系；依据监测结果分析相关因素，制定干预策略，降低静脉炎发生率。

3.计算公式

$$静脉炎发生率 = \frac{同期内静脉导管静脉炎例次数}{统计周期内静脉导管留置总日数/总例次数} \times 100\%$$

（1）分子说明：统计周期内静脉导管发生静脉炎的例次数。

（2）分母说明：统计周期内静脉导管留置总日数或总例次数。

（3）变量特别说明：在统计周期内，同一患者留置多个静脉导管，多次发生的静脉炎按实际发生次数计算。如同一患者发生2次静脉炎，记录为2次；同一患者带有≥2个静脉留置导管均发生静脉炎，记录为2次。

4.数据采集

通过现场查看或计算机数据提取方式，采集统计周期内医疗机构、部门住院患者静脉导管留置总日数（住院患者留置静脉导管长期医嘱跨越凌晨0点的次数）或总例数及发生静脉炎的例次数。

5.案例解析

（1）案例：患者张某，男，34岁，已婚，因"反复胸闷、气促2年，加重10d"，于2012年3月7日入院，诊断为扩张性心脏病（心功能3级）。医嘱给予0.9%氯化钠32mL+多巴酚丁胺180mg以2mL/h持续泵入。3月8日穿刺处血管发红，喜疗妥涂抹；后未重视，宣教不到位，3月15日穿刺处血管发红并可触及条索样静脉，疼痛不明显，改用硫酸镁+地塞米松+利多卡因湿敷，3月16日穿刺处红肿面积扩大，上报静脉治疗小组后改为喜疗妥及肝素软膏涂抹，患肢停止输液。3月18日症状明显好转。

（2）解析：患者输入高渗药物，当发现血管发红时应该尽早拔除针头，另选血管进行输液。穿刺点利用喜疗妥或者土豆片进行湿敷。尽早保护血管。

二、其他重点监测指标

（一）药物渗出/外渗发生率

1.指标定义

统计周期内，患者静脉输液治疗过程中发生非腐蚀性或腐蚀性药液进入静脉管腔以外周围组织的次数与静脉导管留置总日数/总例数的比例。

2.指标意义

通过指标监测，反映静脉导管工具评估及管理能力；研究渗出/外渗发生率与护理工作的投入和护理过程的关系；依据监测结果分析相关因素，制定干预策略，降低药物渗出/外渗发生率。

3.计算公式

$$药物渗出/外渗发生率 = \frac{同期内静脉导管发生药物渗出/外渗的例数}{统计周期内静脉导管留置总日数/总例数} \times 100\%$$

（1）分子说明：统计周期内静脉导管发生药物渗出/外渗的例数。

（2）分母说明：统计周期内静脉导管留置的总日数/总例数。

（3）变量特别说明：在统计周期内同一患者留置多个静脉导管，多次发生渗出/外渗按实际发生次数计算。如同一患者发生2次渗出/外渗，记录为2次；同一患者带有≥2个静脉留置导管均发生渗出/外渗，记录为2次。

4.数据采集

通过现场查看或计算机数据提取方式，采集统计周期内医疗机构、部门住院患者静脉导管留置总日数（住院患者留置静脉导管长期医嘱跨越凌晨0点的次数）及发生药物渗出/外渗的次数。

5.案例解析

（1）案例：患者魏某，女性，59岁，因雪天骑自行车不慎摔倒，伤到头部，及时拍摄头颅CT，影像学显示头颅枕部有血肿，在输注甘露醇的过程中，患者自诉手部穿刺点有疼痛，护士及时查看穿刺点皮肤，发现穿刺点有红斑、肿胀、皮下硬结。护士立即重置穿刺点。

（2）解析：甘露醇是一种脱水药物，渗透压为1098mosm/L，在输注过程中应该加强巡视。

（二）静脉导管堵管发生率

1.指标定义

统计周期内发生静脉导管堵管的例次数占静脉导管留置总例次数的比例。

2.指标意义

通过指标监测，反映静脉导管维护及管理能力；研究静脉导管堵管发生率与护理工作的投入和护理过程的关系；依据监测结果分析相关因素，制定干预策略，降低静脉导管堵管发生率。

3.计算公式

$$静脉导管堵管发生率=\frac{同期内静脉导管堵管例次数}{统计周期内静脉导管的留置总例次数}×100\%$$

（1）分子说明：统计周期内静脉导管（PVC、MC、CVC、PICC、PORT）发生堵管的例次数。

（2）分母说明：统计周期内静脉导管留置总例次数。

（3）变量特别说明：在统计周期内同一患者留置多个静脉导管发生堵管，则按频次计算例数。如同一患者有2次导管堵管，记录为2次；同一患者带有≥2个静脉留置导管，发生2个导管堵管，记录为2次。

4.数据采集

通过现场查看或计算机数据提取方式，采集统计周期内医疗机构、部门住院患者静脉导管留置总例数及发生堵管的例数。

5.案例解析

（1）案例：患者杜某，79岁，3年前体检查出肺部肿瘤，患者积极配合检查，确诊肺癌后，积极进行化疗。化疗药物都是一些高危以及高渗药物，非常担心浅静脉药物发生外渗。综合患者的自身情况以及静脉情况，与家属交流之后，患者家属愿意给患者留置PICC导管进行化疗。在某三甲医院进行PICC置管后，经过一个周期的化疗患者回家。1个月后患者再次进行化疗时，护士抽回血时发现抽不到回血，B超下显示该深静脉发生了堵管，已经不能再用了。询问患者家属，得知患者并没有每周去社区医院进行PICC维护。

（2）解析：患者高龄，案例中并没有提到患者的凝血指标，高龄以及卧床、身体虚弱都是发生深静脉血栓的高危因素，且患者家属并不知道PICC导管维护的一些维护知识。

（三）导管相关性静脉血栓发生率

1.指标定义

统计周期内，导管相关性静脉血栓发生例次数与静脉导管输液总人数的比例。

2.指标意义

通过指标监测，反映静脉导管维护及管理能力；研究导管相关性静脉血栓发生率与护理工作投入和护理过程的关系，依据监测结果分析相关因素，制定干预策略，降低导管相关性静脉血栓的发生率。

3.计算公式

$$导管相关性静脉血栓发生率 = \frac{同期内导管相关性静脉血栓发生例次数}{统计周期内静脉导管留置总例次数} \times 100\%$$

（1）分子说明：统计周期内，发生导管相关性静脉血栓例次数。

（2）分母说明：统计周期内，静脉导管留置的总例数。

（3）变量特别说明：在统计周期内，同一患者每发生1次导管相关性静脉血栓，记录为1次。

4.数据采集

通过现场查看或计算机数据提取方式，采集统计周期内医疗机构、部门住院患者中心静脉导管留置总例数及发生导管相关性血栓的例数。

5.案例解析

（1）案例：患者孙某，男性，98岁，肾癌术后，留置PICC，护士在输液过程中，发现患者突然出现胸闷、胸痛，不明原因呼吸困难，晕厥，烦躁不安甚至濒死感。查体：呼吸急促，发绀，可闻及哮鸣音及湿啰音，考虑可能发生了肺栓塞。

（2）解析：患者高龄以及癌症术后身体虚弱，加上长期卧床，是血栓发生的高危人群。

（四）神经损伤发生率

1.指标定义

统计周期内，静脉输液中神经损伤发生例数与静脉输液总数的比例。

2.指标意义

通过指标监测，反映穿刺部位的情况；研究静脉神经损伤与护理工作的投入和护理过程的关系；依据监测结果分析相关因素，制定干预策略，降低静脉输液神经损伤发生率。

3.计算公式

$$神经损伤发生率 = \frac{同期内神经损伤发生例次数}{统计周期内静脉输液总例次数} \times 1000‰$$

（1）分子说明：统计周期内神经损伤发生例次数。

（2）分母说明：统计周期内静脉输液的总例次数

（3）变量特别说明：在统计周期内，同一患者每一次发生神经损伤，记录为1次。

4.数据采集

通过现场查看或计算机数据提取方式，采集统计周期内医疗机构、部门住院患者静脉输液总例次数及神经损伤发生的例数。

5.案例解析

（1）案例：患者周某，女性，54岁，因车祸造成软组织挫伤，立即送往当地医院急诊就诊，因需连续输液，在左腕部头静脉进行留置针穿刺，常规消毒后，即行穿刺，穿刺过程中，患者即感疼痛剧烈，见回血后，患者仍诉突感电击样疼痛，向拇指、食指放射，即刻拔除，按压穿刺点止血后，又选右腕部头静脉穿刺成功。第二天患者左腕部穿刺部位无红肿，有压痛，食指、中指麻木，腕部不能上抬。经肌电图检查诊断为桡神经损伤。

（2）解析：解剖关系中桡神经浅支在前臂上部行于桡动脉外侧，两者有距离，但在前臂上部两者逐渐接近，并在桡骨茎突上7cm浅出。桡静脉浅支浅出后与头静脉紧密伴行。所以护士在进行穿刺时易损伤桡神经。

第四节　应急预案及特殊事件处理流程

一、应急预案

1.过敏性休克应急预案

过敏性休克应急预案详见图8-2。

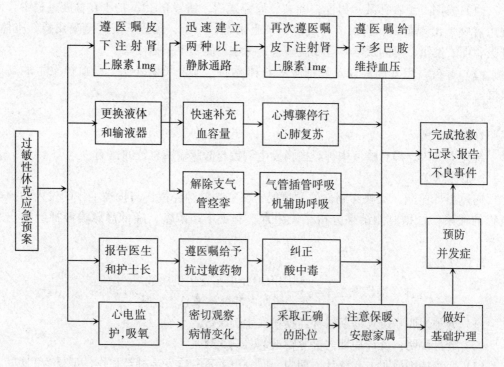

图8-2　过敏性休克应急预案

2.空气栓塞应急预案

空气栓塞应急预案详见图8-3。

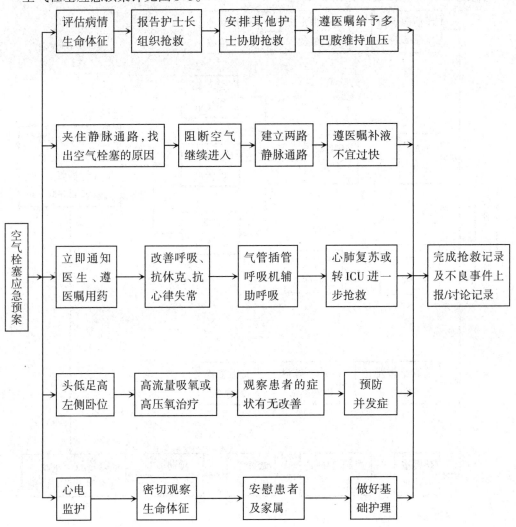

图8-3　空气栓塞应急预案

3.急性肺水肿应急预案

急性肺水肿应急预案详见图8-4。

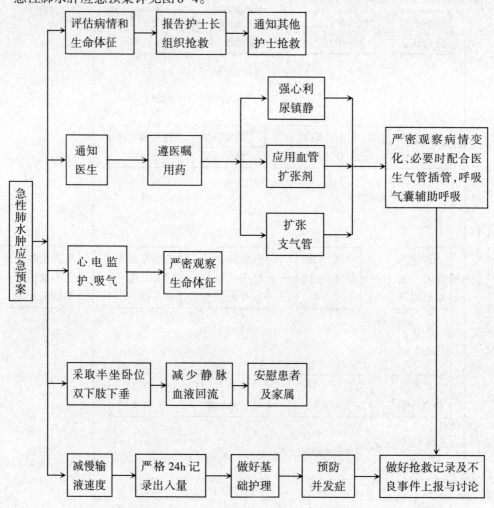

图8-4　急性肺水肿应急预案

4. PICC 导管/导丝漂浮应急预案

PICC 导管/导丝漂浮应急预案详见图 8-5。

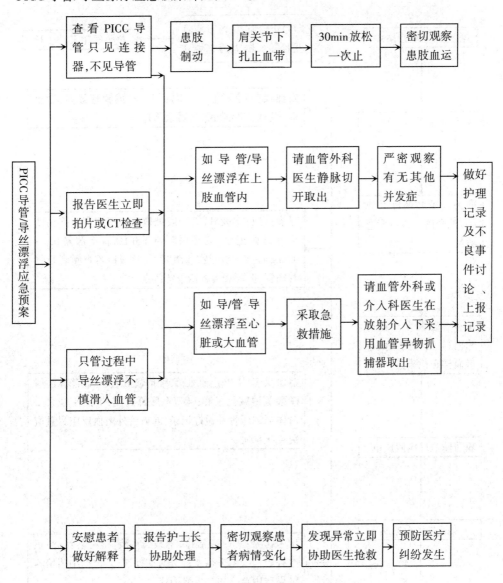

图 8-5 PICC 导管/导丝漂浮应急预案

5.输血反应应急预案

输血反应应急预案详见图8-6。

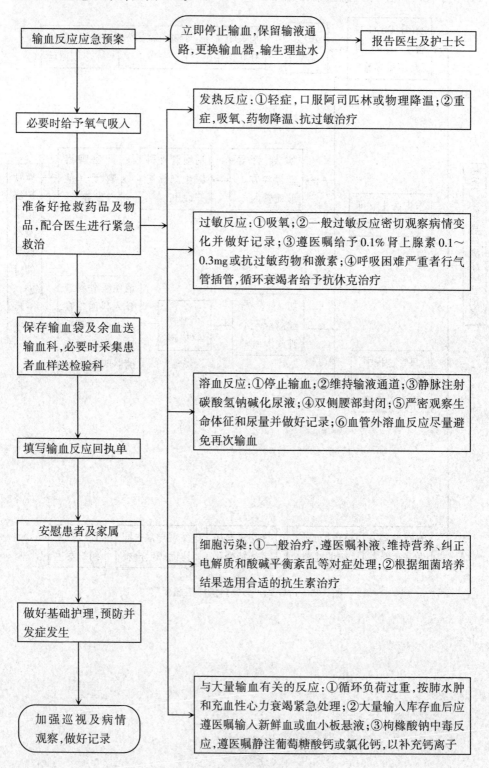

图8-6 输血反应应急预案

二、其他特殊事件处理流程

1.PICC导管堵塞处理流程

PICC导管堵塞处理流程详见图8-7。

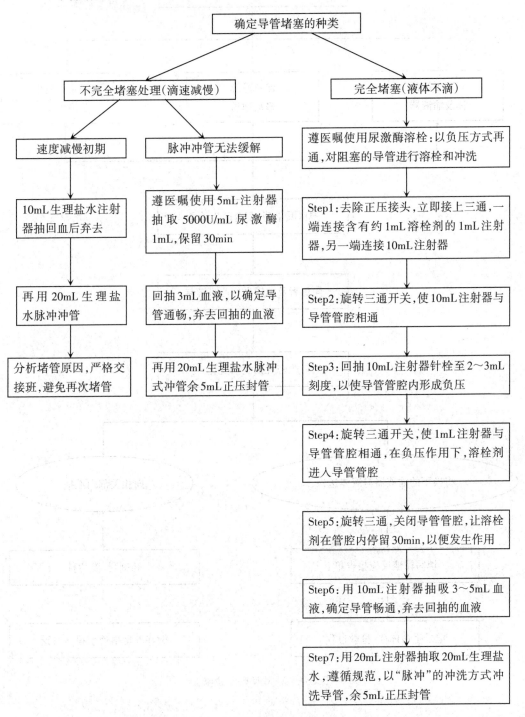

图8-7 PICC导管堵塞处理流程

2.输液反应处理流程

输液反应处理流程详见图8-8。

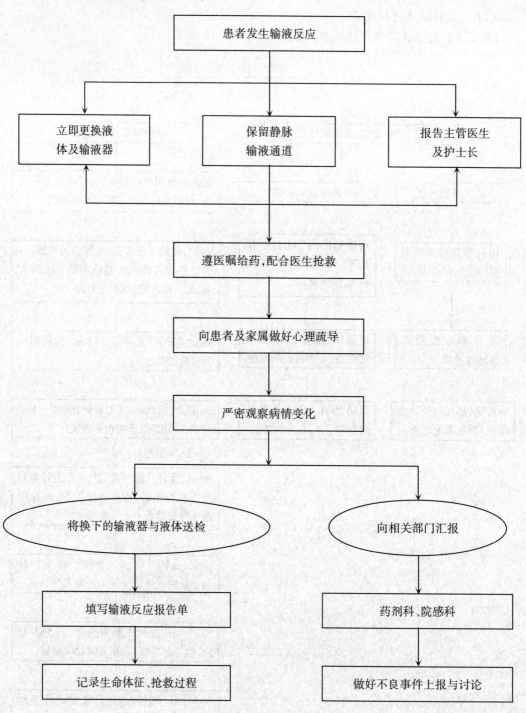

图8-8　输液反应处理流程

3.药物外渗处理流程
药物外渗处理流程详见图8-9。

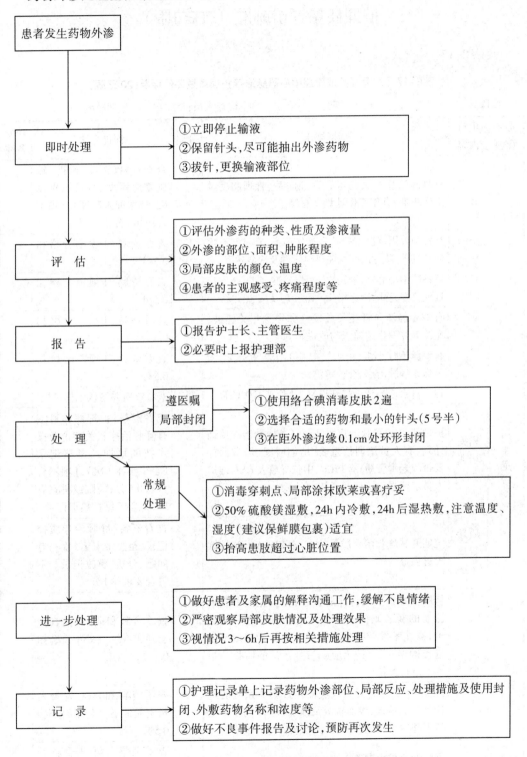

图8-9　药物外渗处理流程

第五节　甘肃省护理质控中心静脉治疗
护理质量评价标准（2023版）

见表8-17。

表8-17　甘肃省护理质控中心静脉治疗护理质量评价标准（2023版）

医院：　　　　　　检查日期：　　　　　　检查人员：　　　　　　得分：

质量管理	项目内容	标准要求	分值	评价方法	评分备注
结构质量管理（30分）	组织架构管理制度（8分）	有静脉治疗相关的组织管理体系、管理制度及工作职责,有年工作计划及总结	3	查看资料(医嘱、给药、输血查对制度、身份识别制度、技术准入制度),1项不合格扣1分	
		有各项外周静脉治疗技术操作标准、常见并发症处理流程、静脉治疗相关风险管理及应急预案	1	查看资料,1项不合格扣0.5分	
		有各项中心静脉治疗技术操作标准、常见并发症处理流程、静脉治疗相关风险管理及应急预案	1	查看资料,1项不合格扣0.5分	
		有中心静脉导管相关并发症如导管相关感染、血栓等并发症的监管与改进措施	1	查看资料,1项不合格扣0.5分	
		有静脉治疗小组,组织结构及工作职责健全,满足临床静脉治疗、会诊等需求	1	查看资料,1项不合格扣0.5分	
		临床科室设静脉治疗督导员,熟悉其工作职责	1	查看资料并访谈工作进展	
	相关培训（2分）	护理部和/或静脉治疗团队制订了静脉治疗培训计划,有人员培训信息表、培训时间、培训课件及带教老师资质;有PICC、中长导管及CVC维护人员定期强化培训及考核,有记录	2	查看资料,护理部和科室有静脉治疗相关理论及操作技能培训及考核记录(至少半年1次),1项不合格扣0.5分;医院或科室有PICC、CVC维护培训记录	
	质量管理（3分）	定期开展静脉治疗质量检查,以PDCA方法持续改进质量	3	查看资料[静脉治疗质控记录(至少每半年1次),有问题、分析、整改记录],不符合要求扣1分	
	人员资质（3分）	静脉治疗护士应为注册护士;无执业证书或未注册的新入职护士或暂无独立值班能力的护士,需在带教老师或上级护士的监督和指导下进行操作;实习护士应在带教老师的监督和指导下进行操作	1	查看资料和证书,抽查护士和实习生,1处不符合扣0.5分	
		PICC、中长导管置管人员需经过相关系统的理论及技能培训,参加省级及以上机构1周及以上培训并取得相应合格证,岗位资质符合要求	1	查看资料和PICC置管人员资质证书,1处不符合扣0.5分	
		静疗专科护士配备人数	1	查看证书,1项不合格扣0.5分	

质量管理	项目内容	标准要求	分值	评价方法	评分备注
结构质量管理（30分）	治疗室管理（6分）	静脉治疗药物配置和使用环境符合要求，液体应现用现配（<2h），静配中心配置的抗生素2h内输注，普通液体放置时间可延长	1	实地查看，1处不符合扣0.5分	
		静脉治疗液体、药品分类存放，基数管理，标识醒目，放置合理，无过期和损坏；当日输注液体摆放醒目，标签清晰。高警示药品专柜加锁，基数相符	1	实地查看，治疗液体和药品分类放置，输注液体无混淆，标签无涂改。1处不符合扣0.5分	
		配液注射器一次性使用，严禁共用或反复使用	1	实地查看，严禁治疗盘存放空针，不符合扣1分	
		治疗室台面、治疗车、治疗盘清洁无污垢，物品配备齐全，治疗车配有多层抽屉，以及医用垃圾桶、生活垃圾桶和锐器盒等	1	实地查看，1处不符合扣1分	
		抗肿瘤药物在生物安全柜内配置，配置操作符合规范要求，配置后用物处理规范，护理人员个人防护符合要求，护士熟知抗肿瘤药物外溢的处理流程	1	实地查看，1处不符合扣0.5分	
		肠外营养液宜由经培训的医务人员在静配中心或超净台内进行配置，24h内单独输液器匀速输注完毕，不应向输注中的肠外营养内添加任何药物。PN如不能及时输注，应置于2~10℃冰箱内保存，输注前1h取出复温	1	实地查看配置环境，提问护士，不符合扣1分	
	血管通路门诊管理（3分）	有诊室、院感、置管、维护及健康教育等管理制度，护士工作职责，置管及维护操作技术标准，常见并发症的处理流程及应急预案	1	查看资料，1项不合格扣0.5分	
		人员配备数量、资质符合要求，收费符合医保标准，有门诊量记录，有PICC及中长导管相关的健康教育资料及图片	1	查看资料，1项不合格扣0.5分	
		诊室及操作室独立，环境管理符合无菌操作要求	1	实地查看配置环境，不符合扣1分	
	仪器设备管理（2分）	相关科室备有足够的血管可视化设备、生物安全柜、超净台、微量泵、输液泵、化疗泵；有相关的管理制度、培训记录，护士操作熟练	2	实地查看，抽查护士操作，1人次不合格扣0.5分	

续表 8-17

质量管理	项目内容	标准要求	分值	评价方法	评分备注
结构质量管理（30分）	宣教指导（3分）	应对患者和照顾者进行静脉治疗相关的健康教育,有文字或图片资料	1	查看资料,提问护士相关知识	
		患者知晓输注药物的名称、作用及不良反应	1	访谈患者或家属	
		有PICC患者健康宣教单,置管后应对患者和照顾者进行健康宣教,并填写PICC维护手册,并交代妥善保管,维护时携带手册	1	访谈患者 提问护士知晓带管过程中活动、洗浴、维护等注意事项 不符合扣1分	
质量管理（56分）	合理选择输液工具（6分）	合理选用输液工具,在满足治疗情况下,尽量选择管径最小管腔最少的导管;开展无针输液治疗,推荐使用安全型留置针	1	提问护士输液工具选择相关知识	
		单次或<4h短期给药选用钢针;短期静脉输液选用外周留置针或中长导管;腐蚀性药物、刺激性药物和中长期输液选用PICC、CVC或PORT。	1	实地查看3-4个临床科室患者,发疱剂、胃肠外营养,渗透浓度>900 mOsm/L的液体,避免使用头皮钢针,3人以上不符合规范要求扣1分	
		CVC留置时间<4周,可用于任何性质的药物输注、血流动力学的监测,不应用于高压注射泵注射造影剂	1	提问护士相关知识,实地查看临床科室患者,1处不符扣0.5分	
		PICC留置时间<1年,用于中长期静脉治疗,可用于任何性质的药物输注,不应用于高压注射泵注射造影剂和血液动力学监测(耐高压导管除外)	1	提问护士相关知识	
		PORT可用于任何性质的药物输注,不应使用高压注射泵注射造影剂(耐高压导管除外)	1	实地查看,提问护士	
		输注药品说明书所规定的避光药品时应使用避光输液器,输注脂肪乳、化疗药物、中药制剂时宜使用精密过滤输液器	1	实地查看	
	操作流程管理（14分）	宜选择上肢静脉作为穿刺部位,避开静脉瓣、关节部位、炎症、硬结及肿胀肢体等处的静脉;成年人不宜选择下肢静脉;小儿不宜首选头皮静脉;乳房根治术的患者应选健侧肢体,有血栓史和血管手术史的静脉不宜置管。	2	实地查看临床科室部分患者,提问护士,1处不符扣0.5分	
		穿刺及维护时消毒范围:钢针≥5cm,留置针≥8cm,CVC、PICC≥15cm(大于贴膜面积),中长导管及PICC置管建议整臂消毒,待干	2	实地查看并提问护士,1处不符扣1分	
		输液器24小时更换1次,输血器4小时更换一次,如怀疑被污染或完整性受到破坏时,应立即更换	2	实地查看访谈护士1处不符扣1分	

质量管理	项目内容	标准要求	分值	评价方法	评分备注
质量管理（56分）	操作流程管理（14分）	输注有配伍禁忌药物时,应在前一种药物输注结束后,用生理盐水(或5%葡萄糖)冲管后再输另一种药物	1	实地查看,访谈护士,1处不符扣0.5分	
		长期输液/使用延长管者应每日更换输液器/延长管。肝素帽、三通管、无针正压接头应至少7天更换一次	1	实地查看 1处不符扣0.5分	
		每班评估穿刺部位有无红肿、渗液、疼痛,根据局部有无并发症决定导管留置时间,留置针原则上72—96h更换。中长导管留置时间符合标准要求	2	实地查看患者 外周静脉短导管少于6天 提问护士评估要点 1处不符扣0.5分	
		静脉导管拔除后应检查导管的完整性,PICC、CVC还应保持穿刺点密闭24h	1	实地查看 考核护士1处不符扣0.5分	
		PICC/中长导管置管签署知情同意书、患者置管及维护记录信息登记表齐全	2	查看资料:PICC置管及维护信息登记本,1处不符扣1分	
		PICC/中长导管置管时应遵循最大无菌屏障	1	实地查看,访谈护士,1处不符扣1分	
	静脉导管维护（13分）	静脉导管要求使用无菌透明敷料固定,CVC、PICC、中长导管及PORT维护应用≥10*10cm(新生儿≥6*7cm)透明敷料固定,平整、无卷边,无渗血、渗液、潮湿	1	实地查看临床科室患者,1处不符扣0.5分	
		应每日观察穿刺点、周围皮肤及敷料的完整性。PICC、CVC、中长导管治疗间歇期7天维护一次,纱布敷料2天维护一次;PORT治疗间歇期每4周维护一次,中长导管、PICC、CVC、PORT维护宜使用专用维护包	2	实地查看临床科室患者,1处不符扣1分	
		去除贴膜时采用"0度或180度"手法,避免损伤患者皮肤。	1	实地查看,访谈护士,1处不符扣1分	
		应选择符合国家要求的皮肤消毒剂。消毒时应以穿刺点为中心擦拭,至少消毒两遍或遵循消毒剂使用说明书,待自然干燥后方可穿	1	实地查看,访谈护士,1处不符扣0.5分	
		静脉导管固定方式不影响穿刺局部评估,PICC、CVC、中长导管应注明置管及维护日期、时间、外露长度,维护者签名	1	实地查看临床患者,1处不符扣0.5分	
		PICC、CVC、PVC导管固定及留置针延长管应采用U或C型固定,贴膜固定时采用全封闭、无张力方法。	1	实地查看临床科室患者,1处不符扣0.5分	

续表 8–17

质量管理	项目内容	标准要求	分值	评价方法	评分备注
质量管理（56分）	静脉导管维护（13分）	冲封管方法正确（脉冲式冲管+正压封管）；中心静脉给药前宜抽回血，用生理盐水脉冲式导管，确定导管通畅性。封管液及肝素盐水的浓度：PICC、中长导管及CVC可用0～10u/ml，推荐使用单包装生理盐水（10ml）；PORT治疗期间可用单包装生理盐水（10ml），治疗间歇期宜用100u/ml	2	考核护士封管冲管方法及A-C-L（评估、冲管及封管）的定义	
		宜选择单剂量生理盐水或预冲式封管液冲封管，严格执行一人一管	1	实地查看，访谈护士，不符合规范要求扣1分	
		肝素帽、各种输液接头、三通管内无陈旧性血迹	1	实地查看患者导管维护情况，一人不符扣1分	
		PORT、PICC、CVC冲封管应使用10ml及以上注射器或一次性专用冲洗装置。输液完毕用导管加延长管容积1.2倍生理盐水或肝素盐水正压封管。	1	实地查看，访谈护士	
		经输液接头（或接口）进行输液及推注药液前，应使用酒精棉片多方位擦拭各种接头（或接口）的横切面及外围。每次擦拭消毒5-15秒	1	考核护士输液接头消毒方式，不符扣0.5分	
	输液安全（16分）	各项静脉治疗操作必须使用2种以上身份识别方式进行核对并询问过敏史	2	实地查看临床核对流程，不符合扣1分	
		根据病情、年龄及药物性质调节输液速度	1	实地查看，患者药物滴速不符合扣0.5分	
		严禁一次性物品重复使用，止血带一人一用一消毒	1	实地查看，1处不符扣1分	
		护士知晓重点输注药物的观察要点	1	提问护士专科药物知识，1处不符扣0.5分	
		输血前和输血时床旁均需双人核对输血信息，执行双核对双签字	2	实地考核输血流程执行情况，查看资料输血流程及记录，不符合扣1分	
		按血液制品种类输注时间要求及时准确输注	1	实地查看输血流程及记录（1u全血/成分血4h内输完，血小板在患者能耐受下尽快输完）	
		输血患者有记录单，内容齐全，包含输血前后生命体征监测及输血反应记录	2	实地查看1处不符扣1分	
		静脉液体与外用液、冲洗液、肠内营养液区分，有警示标识，严禁同用一杆	2	实地查看1处不符扣1分	

续表8-17

质量管理	项目内容	标准要求	分值	评价方法	评分备注
质量管理（56分）	输液安全（16分）	输液标签建议应使用打印信息,避免手工抄写	1	实地查看1处不符扣1分	
		输液泵/微量泵参数调节正确,药液标签、刻度清楚	2	实地查看临床科室患者,1处不符扣1分	
		输液附加装置宜选用螺旋接口与输液装置紧密连接、防止脱开	1	实地查看 严禁留置针连接2路以上输液通道	
	职业防护（6分）	落实标准预防,手卫生规范、依从性强	2	实地查看（两前三后执行手卫生）现场考核 洗手方法正确 1人不符合扣0.5分	
		正确处理锐器(禁止双手回套针帽、禁止用手分离已使用的注射器针头、禁止手持锐器随意走动和随手传递)治疗车携带锐器盒,禁止锐器二次处理	2	实地查看标准预防落实情况、锐器正确处理方法1人不符合扣0.5分	
		接触血液、体液、分泌物须戴一次性手套	1	实地查看采血流程 1人不符合扣1分	
		锐器盒规范、方便使用、大小型号齐全	1	实地查看锐器盒,不符合扣0.5分	
结局质量管理（14分）	并发症管理（10分）	发生静脉炎、药物渗出和外渗、感染、静脉导管堵管、血栓等并发症处理及时、措施得当	4	实地查看临床科室,查看病人,提问护士,1项不合格扣1分	
		药物渗出和外渗发生率	1	根据实地查看记录,计算出渗出和外渗发生率1人次扣1分	
		静脉炎发生率	1	根据实地查看记录,计算出静脉炎发生率1人次扣1分	
		穿刺点渗血发生率	1	根据实地查看记录,计算出穿刺点渗血发生率,1人次扣1分	
		导管回血及堵管发生率	1	根据实地查看记录,计算出导管内回血及堵管发生率,1人次扣1分	
		导管相关性血流血栓、感染、脱管发生率	2	根据实地查看记录,计算出导管相关性感染、脱管发生率,1人次扣1分	

续表8-17

质量管理	项目内容	标准要求	分值	评价方法	评分备注
结局质量管理（14分）	不良事件管理（4分）	有静脉输液相关的不良事件（脱管、非计划性拔管、导管断裂、药物外渗、导管相关性血栓及感染、给药错误等）处理流程、上报记录单	2	提问护士知晓上报流程，1项不合格扣0.5分	
		科室有静脉治疗相关不良事件上报、讨论分析记录及改进措施	2	查看相关资料，1项不合格扣0.5分	
合计			100		

参考文献

[1] 殷雷.静脉输液与输血护理学基础[M].北京：人民卫生出版社出版,2000:243.

[2] 预防血管内导管相关性血流感染指南[Z].美国疾病预防与控制中心,2011:38-39.

[3] 李武平.医院感染管理手册[M].西安：第四军医大学出版社,2008:242.

[4] 吴玉芬,杨巧芳.静脉输液治疗专科护士培训教材[M].北京：人民卫生出版社.2018:142-149.

[5] 朱建英,钱火红.静脉输液技术与临床实践[M].北京：人民军医出版社,2015:152-153.

[6] 吴玉芬,彭文涛,罗斌.静脉输液治疗学[M].北京：人民卫生出版社,2012:230-231.

[7] 钟华荪,李柳英.静脉输液治疗护理学[M].3版.北京：人民军医出版社,2014:45-46.

[8] 闻曲,成芳,鲍爱琴.PICC临床应用及安全管理[M].北京：人民军医出版社,2012:168-172.

[9] 吴玉芬,陈利芬.静脉输液并发症预防及处理指引[M].北京：人民卫生出版社,2016:204-205.

[10] 吴丹.静脉输液治疗技术操作规范与管理[M].合肥：中国科学技术出版社,2015:106-109.

[11] 贺连香,张京慧,高红梅.静脉输液治疗护理操作技术与管理[M].长沙：中南大学出版社,2014:112-113.

[12] WS/T 433—2023,静脉输液治疗护理技术操作规范[S].

[13] 米文杰,陈迹.静脉用药集中调配基础知识问答[M].北京：人民卫生出版社,2016:13-15.

[14] 吴玉芬.静脉输液实用手册[M].北京：人民卫生出版社,2011:302-305.

[15] INS输液治疗实践指南[Z].美国输液护理学会,2024:112-113.

[16] 徐波,耿翠芝.肿瘤治疗血管通道安全指南[M].北京：中国协和医科大学出版社,2015:143-145.

［17］美国CDC血管内导管相关感染预防指南［Z］.美国疾病控制与预防中心,2011:126-127.

［18］张福先,王深明.静脉血栓栓塞症诊断与治疗［M］.北京:人民卫生出版社,2013:345-346.

［19］杨巧芳,刘延锦.静脉输液治疗护理技术指导手册［M］.郑州:河南科技出版社,2017:113-114.

［20］北京护理学会.北京国际静脉输液交流大会专题讲座与论文汇编［C］.北京:2008:113

第九章 伤口造口护理质量标准

第一节 结构质量标准

一、制度与规范

（一）组织管理

目前我国伤口造口失禁护理专科门诊工作开展模式大致分为三种：病房门诊一体化、门诊和住院部归属不同部门、多学科合作的伤口造口失禁护理中心，以伤口治疗中心/伤口护理门诊/换药室多见；住院部工作多以伤口小组/压疮小组的管理模式运作。

门诊和住院部伤口造口专科护士以专职或者兼职的形式服务全院病区，部分医院门诊专科护士承担压力性损伤/压疮质量管理工作，共同组成医院伤口造口护理专业组。

1.组织体系构建

具备三级护理管理组织体系。

（1）伤口造口护理专业组在护理部的管理和指导下开展工作。专业组可下设继续教育小组、质量控制小组、科研管理小组等，各小组内设置组长、副组长、组员，各司其职。

（2）组织管理架构详见图9-1。

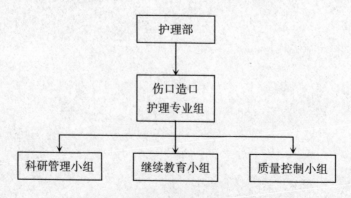

图9-1 伤口造口护理专业组管理架构

2.工作职责

（1）在护理部的领导下进行管理工作，做好全院压力性损伤预防、伤口、造口、失禁等的评估、指导、督导工作。

（2）督促所负责病区护理人员认真执行各项压力性损伤护理措施，防止护理因素导致的压力性损伤发生，负责本病区压力性损伤的监控与记录。

（3）负责院内各病区疑难伤口的处理。

（4）科室上报压力性损伤后，压力性损伤管理小组在24h内查看患者，确认压力性损伤分期，并提出进一步的防治措施。

（5）对压力性损伤联络护士进行相关知识培训，积极推广基于循证的压力性损伤预防及护理方法。

（6）收集所负责病区有关压力性损伤护理方面的问题及信息。及时向压力性损伤联络护士反馈问题。

（7）具体岗位说明详见表9-1。

表9-1　伤口造口护理专业组岗位说明

岗位名称	岗位职数	任职资格	工作权限	岗位职责
专科组长	1	学历:本科及以上 职称:副主任护师及以上 工作年限:相关科室20年以上、专科8年及以上	工作范围:医院 直接上级:护理部 直接下级:专科副组长	1.对患者进行全面、准确评估,启动有效决策,负责指导专科疑难复杂患者的护理计划实施;承担患者健康教育、伤口治疗;为患者提供专业领域的信息和建议。 2.承担全院新护士、专科护士、进修护士、实习生培训;举办专科培训、继续教育等学术活动。 3.承担专科领域科研任务。 4.修订专科护理质量评价标准;开展专科质量控制和持续质量改进工作;组织开展专科护理不良事件分析
专科副组长	1	学历:本科及以上 职称:主管护师及以上 工作年限:相关科室15年以上、专科5年及以上	工作范围:医院 直接上级:专科组长 直接下级:各分组组长	协助专科组长开展工作
秘书	1	学历:本科及以上 职称:护师及以上 工作年限:相关科室5年以上、专科3年及以上	工作范围:医院 直接上级:专科副组长	协助专科组长、副组长开展工作
治疗组组长	1	学历:本科及以上 职称:护师及以上 工作年限:相关科室5年以上、专科3年及以上	工作范围:医院 直接上级:专科副组长 直接下级:治疗护士	1.门诊坐诊。 2.院内护理会诊

续表9-1

岗位名称	岗位职数	任职资格	工作权限	岗位职责
联络组组长	若干	各临床科室护士长	工作范围：本科室 直接上级：专科组长 直接下级：联络护士	科室压力性损伤管理
治疗护士	10	学历：本科及以上 职称：护师及以上 专科工作年限：3年及以上	工作范围：医院 直接上级：治疗组长	协助治疗组长开展工作
联络护士	若干	各科室压力性损伤联络员	工作范围：本科室 直接上级：联络组长	协助联络组长开展工作

（二）管理制度

1.伤口治疗中心/伤口护理门诊/换药室工作制度

（1）严格遵守医院及门诊的各项规章制度，坚守工作岗位。

（2）热情接待就诊患者，耐心做好解释和宣传工作。

（3）保持环境清洁、整齐、安静，确保就诊有序。

（4）做好门诊患者的档案管理，注意保护患者隐私。

（5）备齐常用器械、物品、药品，并保持应急备用状态。

（6）各类物品归类放置，标签清晰，无菌物品、器械确保在有效期内，由专人负责，定期检查，及时补充。

（7）严格按操作规程和无菌原则进行各项治疗，防止交叉感染。

（8）严格执行查对制度，做好治疗登记，严防差错事故发生。

（9）认真填写门诊日志，建立账目，做好物品的登记、清点及交接工作。

（10）每日做好诊室内物表、空气、地面的消杀工作，严格按规范处置医疗废弃物，并做好登记。

2.伤口造口失禁护理专科护士准入制度

（1）掌握伤口治疗中心/伤口护理门诊工作制度及工作职责，掌握各种仪器及设备的放置、使用和保养方法，掌握常见伤口造口失禁护理技能。

（2）掌握基础护理学知识，熟悉内外科系统中与伤口造口失禁相关的常见疾病临床表现，主要护理问题和相关护理措施，熟悉整体护理和护理程序理论。

（3）经过院内重点科室轮转，能够正确、迅速、安全有效地从事各项护理工作，具有分析、判断、处理伤口造口失禁相关常见问题的能力。

（4）具有较强的团队协作精神，能与相关科室工作人员同心协力开展工作。

（5）熟悉各新型敷料性能、作用及正确的操作方法。

（6）掌握压力性损伤、糖尿病足溃疡、下肢动静脉溃疡、烧烫伤、皮肤外伤复合伤等急慢性创面处理的专科技能。

（7）每年获得规定的专业继续教育学分。

（8）以科室核心组为领导，由具有资质的伤口/造口治疗师制定伤口造口失禁专科护士培训制度，确定培训计划、内容、方式、学时数，并组织实施。

（9）由核心组成员进行相关理论、专业技术考核，成绩合格者方可独立从事伤口治疗中心/伤口护理门诊护理工作。

（10）遵照执行主管卫生行政部门的相关规定。

3.首诊负责制度

（1）负责接诊患者的整体评估、伤口造口局部评估、问题分析、敷料选择、伤口造口处理、预约复诊和愈合后随访，并做好随访记录。

（2）发现疑难复杂伤口时及时协助多学科联合会诊处理。

（3）健康指导：初诊和治疗过程中针对患者问题进行个体化健康指导并解答患者及其家属的问题，及时完成健康教育记录单，并定期反馈效果。

（4）记录伤口/造口评估和处理，负责每周质量检查记录一次，患者治疗结束后3d内及时将记录整理后存档。

4.护理会诊制度

（1）会诊范围：全院病区。

（2）会诊内容：各类复杂伤口及造口失禁相关并发症的伤情判断和处理指导（压力性损伤、难愈伤口、术后感染伤口等），压力性损伤预防指导。

（3）会诊人员：伤口/造口治疗师。

（4）会诊形式：由病区主管医生提交会诊申请（详见表9-2），卧床患者由专科护士携带会诊箱到床边会诊，可行走患者由主管医生陪同携带病历到伤口治疗中心/伤口护理门诊会诊。

表9-2 伤口治疗中心护理会诊申请单

伤口治疗中心护理会诊申请单
科室： 床号： 姓名： 性别：□男 □女 年龄： 岁 住院号：
会诊类型：□紧急会诊 □普通会诊
临床诊断：
会诊目的：
申请医生：
申请时间： 年 月 日
会诊意见：
会诊人员：
会诊时间： 年 月 日

（5）会诊等级

1）紧急会诊：影响患者生命安全/病情/生活质量的急性伤口/造口问题，由病区提出紧急会诊申请，伤口治疗中心应在30min内派出专业人员到床边会诊。

2）普通会诊：不影响患者生命安全或病情的急慢性伤口造口问题，由病区提出普通会诊，伤口治疗中心应在24h内派出专业人员会诊。

5.消毒隔离制度

（1）医务人员进入换药室内应衣帽整洁，严格执行消毒灭菌原则和无菌技术操作规程，非工作人员禁止入内。

（2）室内布局合理，清洁区、污染区分区明确，标识清楚。

（3）换药用品均保持无菌，并保证在有效日期内使用，做到一人一用。

（4）碘伏、酒精等应密闭保存，每周更换。无菌溶液（生理盐水）应在24h内使用。置于无菌储物槽中的灭菌物品（棉球、纱布、棉签等）一经打开，使用时间不得超过4h。

（5）换药操作应按清洁伤口、感染伤口、隔离伤口依次进行；特殊感染伤口如炭疽、气性坏疽、破伤风等应就地（诊室或病室）严格隔离。敷料应放入黄色防渗透的医疗废弃物袋内，并贴有特殊感染标识，由专人收集处理。

（6）落实每日清洁的消毒制度，地面湿式清扫，抹布、拖把等卫生用具专用，室内环境应达到"Ⅲ类卫生环境"标准。

6.伤口造口护理专业组业务范围

（1）各类急慢性伤口

1）慢性伤口：各种难愈伤口，包括糖尿病足溃疡，下肢静脉性溃疡，3、4期压力性损伤等。

2）皮肤缺损：包括各种外伤性及医源性皮肤缺损，如大面积皮肤撕脱伤、烧烫伤、擦伤、刀砍伤、巨大皮肤肿物切除术后等。

3）术后伤口及各类感染性伤口：蜂窝织炎、痈、坏死性筋膜炎、手术后切口感染不愈、创面脓毒症等。

4）其他伤口：癌性伤口、鼻咽瘘、肠瘘等。

（2）造口

1）胃造口、肠造口、泌尿造口护理，造口及其周围皮肤相关并发症（造口旁疝、出血、皮肤黏膜分离、粪水性/刺激性皮炎、增生、肉芽肿等）的专业处理。

2）造口患者及其家属的教育指导，定期随访。

3）造口用品的选择与维护。

（3）大小便失禁及相关皮肤问题处理。

（4）留置管道的处理及穿刺口处理。

（5）膀胱造瘘管、腹腔引流管、胆道引流管的处理及维护。

二、人力资源

（一）人员配置

1.素质要求建议

（1）热爱护理工作，有较强的责任心，有组织、沟通能力，具备良好的职业道德素养。

（2）学历：大专及以上。

（3）职称：护师及以上。

（4）工作年限：3年及以上。

（5）伤口/造口相关外科科室工作经历：3年及以上。

（6）具备伤口造口护理专科护士资质。

2.人员编配原则

各级医院按照实际情况，依据医院性质、规模、伤口治疗中心/门诊运作模式等条件，遵从功能需要、以人为本、能级对应、结构合理、动态调整的原则。

（二）人员培训

1.理论培训要求

（1）皮肤结构与皮肤护理：掌握皮肤的结构和功能，熟悉慢性伤口皮肤的典型变化以及皮肤护理、伤口边缘护理的重要性。

（2）沟通交流：掌握沟通方法与技巧，最终能够与患者及家属进行有效的沟通交流。

（3）伤口类型和伤口愈合：掌握伤口的分类、慢性伤口的特点以及影响伤口愈合的各种原因，最终能够根据伤口类型选择最佳的治疗方案。

（4）伤口评估和伤口记录：掌握伤口评估的内容及要点，了解与伤口记录相关的内容以及记录形式，最终能够在记录文件中使用正确的术语并对伤口既往病史进行归档。

（5）卫生与敷料更换：了解典型的感染源和感染环节，能够在住院患者与门诊患者更换敷料时执行卫生指南，并且能够专业地进行标本采集，在进行检查时为鉴别细菌提供帮助。

（6）临床营养支持与伤口愈合：了解各营养素及营养支持治疗对伤口愈合的影响，能够基于患者情况合理地选择最佳的营养支持方案，能够选择正确的输入途径并且根据动态监测结果有序地加以调整。

（7）疼痛：掌握疼痛评估的方法与技巧、WHO疼痛三阶梯药物治疗及5项原则，在更换敷料期间避免引起患者的疼痛，达到减轻患者疼痛、提高舒适度的目的。

（8）压力性损伤与预防：掌握欧洲压力性溃疡咨询小组（European Pressure Ulcer Advisory Panel，EPUAP）/美国压力性溃疡咨询小组（National Pressure Ulcer Advisory Panel，NPUAP）分级体系，能够在临床实践中执行包括全身性评估在内的风险性评估（风险量表），最终能够专业地应用减压措施以及进一步的预防措施，并为患者制订进一步的身体活动计划。

（9）敷料的选用与治疗：了解常用消毒剂的作用原理、适应证及清创术的操作，掌握各阶段伤口治疗的原则及伤口治疗常用技巧。最终能够依据患者的伤口状况和生活状况使用敷料，并在经济方面进行控制。

（10）糖尿病足综合征（Diabetic Foot Syndrome，DFS）：了解糖尿病足综合征的原因、表现以及后果，掌握Wagner分级方法及基本的糖尿病足综合征诊断措施，掌握防治及护理要点，最终能够采用专业的方法选择减压措施以及进一步的预防措施，并对患者的足部护理、足部检查、足部包扎以及鞋袜穿着提出建议。

（11）下肢静脉溃疡的预防及压力治疗：了解下肢血管性溃疡的原因、表现以及预后，掌握严重性分级及基本的诊断措施，掌握各种加压技术和加压系统，掌握预防腿部溃疡的特殊措施。

（12）与伤口治疗有关的法律问题：熟悉与伤口护理相关的法律规定，并在法律界定的范围内给患者予以伤口护理，保证治疗安全，降低医疗风险。

师资要求：具有丰富的临床经验，热心教育，能够对伤口造口学科发展提出建设性意见，富有创新精神，具有较高科研水平的临床医疗高级职称、国际认证的造口治疗师/伤口治疗师、本科学历及以上的护士长等。

2.实践培训要求

在完成理论课程的基础上，需制订详细的轮转计划，循序渐进地培训。

（1）熟悉工作环境，了解伤口、造口处理流程，学会网上检索相关资料。

（2）熟悉伤口、造口处理流程及各种敷料的作用、适应证，掌握典型个案病例的资料收集方法。

（3）准确进行压力性损伤分期、敷料选择与处理，完成一篇拓展性读书报告。

（4）独立处理简单伤口或造口，完成个案护理报告。

（5）在指导教师带教下完成复杂伤口、造口操作考核。内容涉及湿性愈合理念、换药流程、无菌技术、伤口评估、敷料选择、伤口包扎、拆线方法，下肢溃疡、糖尿病足、恶性肿瘤伤口等慢性伤口的基本护理方法，常见造口并发症的护理，造口患者的健康教育等。

按培训计划和护士学习进展情况，结合病例提出问题，让护士进行资料查询和检索，完成相关作业内容，并通过小组讨论、分享、带教点评来加深理解和记忆，对特殊伤口与疑难病例采取疑难病例讨论模式。

三、环境

（一）环境布局

伤口治疗中心/伤口护理门诊/换药室的布局应当便于患者换药，减少污染概率，减少人员及已发出的物品进入清洁区。

门诊换药就诊的患者多，流动性大，各种伤口患者均有，其中开放性伤口为医院感染的易感者，为防止交叉感染，伤口中心/换药室布局必须合理，区分清楚。要求宽敞明亮，光线充足，温湿度适宜，设有无菌伤口换药间和感染伤口换药间，有完善的卫生及消毒设施，如空气消毒机和污水排放设施等。具体分为无菌区、清洁区、污染区。

（二）环境管理标准

1.进入换药室的人员均须戴口罩、帽子。

2.换药室放置物品的柜子表面、换药车每日用消毒湿巾擦拭。上、下午由保洁人员打扫地面和桌面、窗台、门框、治疗床等，要求每日上下班前用消毒液清理地面。

3.时刻保持换药室通风换气，定期消毒空气，每日2～3次：8:00、12:00和17:00，使用等离子空气消毒或紫外线照射消毒，每次持续0.5～1h。

4.换药前30min停止清洁工作。

5.加强换药室人员的管理，控制换药人数，减少医疗区域人员密度，每次换药只允许1名患者进入，小儿可由1～2名家属陪护，以降低交叉感染的发生率。

6.设立独立的更衣室和流水洗手台。严格控制人员出入，凡进入换药室的人员均要进行彻底严格的手卫生。

7.备有专用换药车，污物垃圾桶（桶内置一次性塑料袋）2个（医用垃圾、生活垃圾桶）。医用垃圾与生活垃圾分类处理，并做好记录。

（三）环境监测标准

定期对换药室空气、物表、手卫生、无菌物品、消毒液等进行细菌监测，确保微生物污染指标符合感控管理要求。

四、仪器与设备

伤口治疗中心/伤口护理门诊/换药室的仪器和设备因医院规模和业务各异，大致分为五类：

1.办公设备

电脑、打印机、电话等。

2.消毒净化类

等离子空气消毒机、紫外线空气消毒机、床单元臭氧消毒机等。

3.创面评估类

相机、创面评估扫描仪等。

4.清创类

超声清创机、水刀系统、伤口负压吸引仪等仪器。

5.创面治疗类

红蓝光治疗仪、威伐光治疗仪、中频电疗仪等光电子治疗设备，瘢痕治疗仪等。

具体管理要求参见第二章第四节相关内容。

五、物品管理

（一）器械

1.一次性使用无菌医疗用品应存放于阴凉干燥、通风良好的置物架上，距地面20～25cm，距天花板≥50cm，距墙壁≥5cm。

2.无菌物品、换药包、切开包、缝合包、拆线包等，按失效日期先后顺序摆放，禁止与其他物品混放。

3.一次性使用无菌棉球、无菌敷料推荐采用小包装。

4.用后的锐利器械如针头、刀片均放入锐器盒中，集中销毁。

5.未使用的物品如换药包、切开包等应固定存放于清洁区专用柜内，并注明灭菌时间，随时保持消毒物品的无菌存放，使用和发放必须由专人负责。

6.科室所用医疗器械、医疗用品全部集中于消毒供应中心清洗、消毒、灭菌处理。

（二）耗材

1.科室储备一周用的物品基数，每日用后由白班护士清点，并及时向库房申领、补齐，做好出入库记录。

2.每月定期清点物资1～2次。耗材库备最低储备量，达到预警时及时领取、补充。消耗大的耗材预警值设为不低于50%的最低储备量，消耗少的耗材预警值设置不低于30%的最低储备量。

3.每次入库时及时登记耗材有效期，对半年内即将过期的物品做出标识，避免使用过期物品。

（三）敷料

1.敷料须提前一周由科室向设备科提交申请计划，设备科办理进货。

2.一般敷料与科室负责人沟通协调，额定每月安全库存量，每周盘点现库存量，预警值设为不低于20%的安全库存量，及时做出领用计划；月底进行盘点核查。

3.消耗少的高值敷料，与设备科沟通协商后，采取急用急购的方式。

4.根据医院实际情况，及时做好当月高值敷料实际使用登记，在不影响使用的情况下，尽量减少库存量，节约支出，减少敷料积压。

六、感染控制管理

（一）伤口造口治疗中心的感控管理

与病区管理一致，详见第二章第四节相关内容。

（二）传染病的消毒隔离

适用接触隔离、飞沫隔离、空气隔离和保护性隔离标准操作规程，具体参见第二章第四节相关内容。

（三）医疗废物的管理

1.垃圾分类放置管理

（1）凡是接触患者皮肤、伤口及体液的一次性用物（一次性中单、尿垫、敷料、棉签、手套、引流管及袋、造口底盘及造口袋、注射器等）均属于医疗垃圾，必须放置于医疗垃圾桶内。凡是未接触患者皮肤、伤口及体液的一次性用物（药盒、包装袋等）属于生活垃圾，放置于生活垃圾桶内。医疗废物如一次性手套、一次性治疗巾、一次性导尿管等与生活垃圾不可混放。

（2）特殊感染伤口的敷料应当放置在双层黄色垃圾袋内，鹅颈式结扎封闭，贴上专用标识，送医院医疗垃圾集中存放点，由专门机构焚烧处理。

（3）其他相关内容详见第二章第四节。

2.回收物品预处理

所有须回收的伤口处理用品必须进行预处理：用纱布擦拭干净剪刀、镊子、弯盘和血管钳上的血迹、分泌物，放入专用箱后由专人回收交消毒供应中心。

其他相关内容详见第二章第四节。

第二节　过程质量标准

一、安全管理

（一）防范与减少压力性损伤发生

1.建立压力性损伤风险评估与报告制度和程序

（1）压力性损伤风险评估：在入院8h内，对所有入院患者需进行Braden风险评估，根据分级进行动态评估。

（2）压力性损伤上报制度和程序：一旦科室发生压力性损伤，要逐一上报护理部。轻、中度风险向护士长报告，高度风险向护理部上报。

2.认真实施有效的压力性损伤防范制度与措施

（1）制定明确的压力性损伤预防措施：针对不同程度的压力性损伤风险，制定相应的预防措施，包括体位转换、减少摩擦力和剪切力、压力减缓用具的使用、皮肤护理、营养支持、健康宣教等。对高危患者实行重点预防。

（2）压力性损伤预防措施的落实：病区或科内组织护理查房，必要时请专科小组到床边指导，制定个体化的预防措施并实施。

3.有压力性损伤诊疗与护理规范实施措施

（1）压力性损伤监控与管理制度的建立：有完善的压力性损伤上报、会诊、处理制度，压力性损伤预防与治疗效果的跟踪。

（2）建立与落实压力性损伤会诊制度。

（3）伤口疑难病例会诊：压力性损伤上报患者，必要时专科护士到床边指导，制定个体化的预防和治疗措施，同时对疑难病例护理部组织讨论，提出建设性意见。

（4）难免压力性损伤定性会诊：皮肤高危患者发生院内压力性损伤时，应组织会诊，对其压力性损伤发生进行定性，讨论并最终确定为难免压力性损伤或可避免压力性损伤。

（5）按照伤口处理原则处理压力性损伤，并规范记录。1、2期压力性损伤由临床护士在上级会诊护师的指导下处理，3期及以上的压力性损伤由会诊成员跟踪处理，必要时联系整形科、烧伤科医生会诊，进行手术治疗。

（二）降低伤口感染的发生率

1.在进行换药过程中严格遵循无菌操作规范，确保临床操作的安全性。

2.进行有创操作时，环境消毒应当遵循医院感染控制的基本要求。

3.使用合格的消毒用品及伤口敷料。

4.根据伤口评估情况，正确应用伤口敷料。

5.根据伤口渗液情况，掌握伤口敷料更换的频率。

（三）提高清创的效果与安全性

1.全面评估患者全身及局部情况，选用正确的清创方法，掌握清创的时机。

2.注意保护肌腱、血管、神经等重要组织。

3.掌握清创的适应证。

4.清创过程如出现出血应及时给予处理，必要时请医生协诊。

（四）预防医源性皮肤损伤的发生

1.掌握胶带的粘贴与移除技巧。

2.正确使用热水袋。

3.加强输液患者的管理，预防渗漏；出现局部组织损伤或坏死应及时请伤口小组成员会诊处理，并做好上报。

4.安全使用电极，电极潮湿后及时更换。

5.正确使用各种消毒溶液，预防高浓度溶液的化学性皮肤损伤。

6.正确使用便盆，避免因使用不当造成患者皮肤损伤。

7.备皮过程中注意保护皮肤，以免术野皮肤损伤。

（五）提高伤口敷料应用的准确性与安全性

1.正确进行伤口评估。

2.掌握敷料的特性，根据伤口情况选用合适的敷料。如感染伤口不能使用密闭性敷料（如透明敷料、水胶体片状敷料等）。

（六）避免或减少失禁患者皮肤损伤

1.保持皮肤清洁，使用温和无刺激的清洗液清洁皮肤，保护皮肤表面的弱酸性环境以保持皮肤的保护功能。

2.根据患者失禁和皮肤的具体情况选用恰当的皮肤保护方法。

（1）对于持续大便失禁患者，可使用大便收集器或粘贴造口袋、肛管接床边尿袋等方法收集粪便。

（2）肛周皮肤先使用造口粉，再喷或涂上1～2层伤口保护膜或粘贴透明敷料，防止或减少大小便失禁对周围皮肤的浸渍。

（3）当局部皮肤已发生皮炎或溃疡时，使用水胶体敷料。

（4）非留置尿管的失禁患者可使用吸湿性用品如纸尿裤、尿片等，男性尿失禁者使用尿套来收集尿液；但避免使用不透气的尿片。

3.避免因反复擦拭引起机械性皮肤损伤。

（七）预防造口或造口周围皮肤并发症

1.制定造口护理操作流程。

2.加强培训，如造口袋的换袋技巧、造口用品的特性及使用方法、常见并发症的预防和处理等。

3.正确评估造口情况及患者自我护理能力，为患者提供针对性的护理指导。

4.根据造口及其周围情况选用恰当的造口用品，预防或减少粪水性皮炎的发生。

5.撕除造口底盘时，注意皮肤的保护，避免引起周围皮肤的机械性损伤。

6.指导患者及其家属掌握造口护理方法。

7.做好造口患者的健康宣教和出院指导。

（八）提高造口清洁灌肠的安全性

1.制定造口清洁灌肠的操作流程。

2.培训护士掌握清洁灌肠的操作技能及注意事项。

3.操作者必须明确患者灌肠的目的。

4.使用肛管或尿管进行灌肠，注意防止肠穿孔的发生。

二、技术标准

技术操作须由经国家认证和考核并接受过专业培训的、具备专科护士资质的伤口造口专科护士完成。标准中涉及的核心制度、手卫生制度及医疗废物处理同基础护理操作要求。

（一）伤口治疗技术

1.伤口换药

伤口换药又称敷料更换，包括伤口评估、去除分泌物、清洁伤口和覆盖敷料。

（1）目的

保持伤口清洁，预防和控制伤口感染，促进伤口愈合。

（2）评估与准备

1）评估：伤口评估是一个动态的监测过程，包括伤口局部评估和患者全身情况评估，具体内容详见表9-3。

表9-3 伤口评估及护理记录单

科室：　　　床号：　　　姓名：　　　性别：□男 □女　　　年龄：　　岁　　　住院号：

1.伤口类型:□压力性损伤　□下肢血管性溃烂　□糖尿病足　□术后不愈　□烧烫伤　□其他					
2.伤口时间:					
3.评估日期/时间			伤口评估记录		
4.伤口部位*					
5.伤口损伤程度(分期)*					
6.伤口大小(cm)*		长			
		宽			
		深			
		窦道方向			
		窦道深度			
		潜行方向			
		潜行深度			
		瘘管			
7.基底颜色(%)(RYB分类)	色	红色			
		黄色			
		黑色			
		混合型			
8.伤口渗液(Mulder标准)	质	血性			
		血清性			
		浆液性			
		脓性			
	量	无			
		少量			
		中量			
		大量			
9.边缘及周围皮肤		正常			
		边缘内卷			
		色素沉着			
		皮炎/湿疹			
		红肿热痛			
		苍白			
		浸渍			
10.伤口气味*					
11.疼痛评分(VAS:0~10分)					
12.影响伤口愈合因素*					
13.处理方法*					
14.健康宣教*					
15.换药频率*					
16.评估者签名					
17.特殊情况说明					

填表说明：

一、此表描述慢性伤口患者的伤口护理记录，需存入病历。

二、"*"部分填写均用数字或符号代表，具体示意及描述如下：

（一）伤口部位

1：头部 2：胸部 3：腹部 4：背部 5：髋部 6：骶部 7：坐骨部 8：臀部 9：上肢 10：下肢 11：踝部 12：足部 13：其他

（二）伤口损伤程度（分期）

1.一般伤口（除2、3、4）：1：第一期伤口：皮肤完整，出现以指压不会变白的红斑印。2：第二期伤口：表皮或真皮部分损失，尚未穿透真皮层，伤口底部呈潮湿红润状，疼痛，无坏死组织，出现表层的破皮，水泡或有效浅坑。3：第三期伤口：表皮及真皮完全受损，涉及皮下组织，出现较深凹洞，伤口基底无疼痛感。没有影响筋膜及肌肉层。可能有坏死组织、无效腔、渗出液或感染。4：第四期伤口：广泛的破坏，穿透皮下脂肪至筋膜、肌肉或骨头，可能有坏死组织，潜行深度、瘘管、渗出液或感染。伤口底部不痛。

2.压力性损伤：1：1期 2：2期 3：3期 4：4期 5：深部组织损伤 6：不可分期。

3.糖尿病足溃疡（Wagner分级）：0：0级 1：1级 2：2级 3：3级 4：4级 5：5级。

4.下肢静脉性溃疡：（Widmer分级）：1：Ⅰ级 2：Ⅱ级 3：Ⅲa级 4：Ⅲb级

（三）伤口大小

1.伤口大小描述：长、宽、深（含窦道及潜行深度）只使用阿拉伯数字，单位均为cm；深度为区间时，使用"："连接，如：2~3.5，代表深度为2cm~3.5cm；

2.窦道、潜行及瘘管方向描述举例：

（1）窦道方向：4，代表4点方向的窦道；

（2）潜行方向：6-9，代表6点至9点方向有潜行；

（3）瘘管：10，代表10点方向有瘘管。

（四）伤口渗液（对应项打"√"）

1.色/质

（1）血性：渗液通常为红色，主要成分为红细胞，含有血液的其他成分；

（2）血清性：渗液清亮透明，主要成分为血清，含少量细胞；

（3）浆液性：渗液为淡红色清亮液体，主要成分为红细胞；

（4）脓性：渗出液为黄绿色黏稠液体，主要成分为白细胞吞噬后的残留物及微生物。

2.量

（1）无渗出：24小时更换的纱布干燥；

（2）少量渗出：指渗出量少于5ml/24h；

（3）中等渗出：指渗出量在5mL/24h~10mL/24h，每天至少需要一块纱布，但不超过三块；

（4）大量渗出：指渗出量超过10mL/24h，每天需要三块或更多纱布。

（五）伤口气味

0：一进屋/病房/诊室就能闻到 1：进入屋内就能闻到 2：与患者一个手臂距离能闻到 3：敷料存在时可闻到 4：移除敷料后可闻到 5：无气味

（六）影响伤口愈合的因素

1：压力剪切力 2：糖尿病 3：动脉性 4：静脉性 5：营养不良 6：药物 7：放疗 8：吸烟 9：肿瘤 10：外伤 11：结核 12：手术（感染/脂肪液化/皮瓣坏死/异物反应） 13：高龄 14：其他

（七）处理方法

1：清洗消毒 2：清除坏死组织 3：保守锐性清创 4：止血 5：渗液管理 6：加压 7：包扎 8：拆线 9：缝合 10：给予引流

（八）健康宣教

1：减压措施　2：翻身/小时（个性化）　　3：皮肤护理　4：避免物理刺激　5：营养支持　6：综合治疗　7：其他

（九）换药频率

1：1天1次；2：1天2次；3：1天3次；4：隔日1次；5：每周2次；6：每周1次

（十）特殊情况

记录伤口、其他变化及清创后有无不良反应（如：清创过程是否顺利，有无出血，生命体征是否平稳等）。

2）用物准备：换药车上层置一次性换药包（止血钳或镊子2把、无菌换药碗2个、棉球数个、纱布2块）、无菌剪刀、敷料、0.9%氯化钠溶液、0.5%碘伏、清洁弯盘、3%过氧化氢、清洁手套、一次性无菌手套、一次性治疗巾或中单、绷带、胶布、速干手消毒剂、剪刀、直尺和相机，必要时备冲洗用注射器。换药车下层备有生活垃圾桶、医疗废物桶和锐器盒。

（3）操作要点

标准化伤口处理流程详见图9-2。

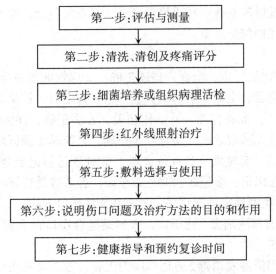

图9-2　标准化伤口处理流程

1）换药前：换药室环境应清洁、宽敞，温湿度适宜，光线充足，注意保护患者隐私。确定换药的时间、所需溶液、药物及敷料等。向患者解释目的及过程，取得其配合；协助患者摆放舒适、便于换药的体位。初步检查并评估伤口，评估所需敷料种类、大小与数量。

2）换药时：①暴露伤口，将治疗巾置于伤口部位之下。②将弯盘放于患者近治疗部位。③洗手，戴清洁手套，一手固定皮肤，一手轻撕下胶布（必要时用酒精去除胶布痕迹），将胶布丢入医疗废物桶。④揭下伤口敷料的最外层，脱下手套时将敷料包裹在手套内一并丢入医疗废物桶。期间应观察伤口渗液的性状、量及气味，如外层敷料粘连皮肤较紧，可使用0.9%氯化钠溶液湿润后再移除。⑤洗手，打开换药包，戴一次性无菌手套，取出一把止血钳或镊子，分别夹取棉球若干置于两个换药碗内，倒入适量0.9%氯化钠溶液和碘伏。⑥手持止血钳或镊子揭去伤口内层敷料。⑦观察患者伤口及周围皮肤，包括伤口的位置、大小、气味、渗液，有无潜行、窦道或瘘管，周围皮肤有无浸渍及颜色异常等。⑧使用清洁的止血钳或镊子夹取浸有碘伏的棉球，从伤口外向中间环形擦拭伤口周围皮肤，擦拭范围包括伤口及周围5cm的皮肤，一个棉球只能使用1次，消毒次数根据伤口分泌物情况决定，保证至少消毒2次；最后用蘸有0.9%氯化钠溶液的棉球清洁。应正确使用两把止血钳或镊子，不得交叉使用或互相触碰。⑨再次评估患者伤口，测量伤口大小，经患者同意后由助手留取影像资料。⑩必要时遵医嘱取患者伤口分泌物进行培养。用无菌干纱布擦干患者伤口，再用另一块无菌纱布擦干伤口周围皮肤。在伤口内放置所需填充的敷料后盖上外层敷料。自粘性敷料应用双手按压2～3min直至服贴，需用胶布或绷带固定非自粘性敷料时，胶布粘贴方向应与身体纵轴垂直。操作完毕后垃圾分类处理，未污染的敷料外包装袋放入生活垃圾桶，污染的医疗废弃物放入医疗废物桶。

3）换药后：对患者进行健康教育，应包括但不限于以下内容。换药间隔及下次换药时间；伤口不能沾水，不能自行揭下敷料；敷料脱落应随时更换；当发生伤口出血、渗出多、红肿等情况时，应及时报告医务人员；应注意控制饮食，合理补充高蛋白饮食；按时用药，监测血糖及血压变化；减少患肢活动，必要时制动；应保持身体各部位清洁、干燥。填写伤口评估及护理记录单。

（4）注意事项

1）质量标准：①评估仔细、全面，描述正确。②用物准备齐全，无菌物品均在有效期内。③核对，仔细查看，全面了解病情。④严格三查七对，护患沟通良好，环境适宜。⑤患者体位舒适，操作台准备合理。⑥动作轻柔，方法正确，评估渗液与气味。⑦照片清晰，有测量尺寸。⑧无菌观念强，消毒顺序正确，未跨越无菌区域。⑨敷料选择合理，外敷料固定牢固、美观。⑩垃圾分类规范合理。⑪处理过程记录全面、真实，使用专业术语。⑫合理收费，无漏记、多记账。⑬宣教全面，患者接受良好。

2）根据不同伤口类型确定消毒顺序。消毒及清洗伤口方法：

①清洁伤口：用消毒液消毒2遍伤口，方向是缝合伤口自上而下消毒，然后开始螺旋式向外消毒周围皮肤。

②污染伤口：先用消毒液消毒2遍伤口周围皮肤，方向是从伤口边缘螺旋向外消毒，生理盐水冲洗或擦拭伤口，再次消毒伤口周围皮肤（国际标准：用生理盐水或冲洗液清洗伤口及周围皮肤）。

③感染伤口：先用碘伏消毒2遍伤口周围皮肤，方向是从外向里螺旋消毒至伤口边缘。生理盐水冲洗或擦拭伤口及窦道、潜行，并清除坏死组织。再次消毒伤口周围皮肤（国际标准：用生理盐水或冲洗液清洗伤口及周围皮肤）。

3）适应证及禁忌证

适应证：急性伤口、慢性伤口。

禁忌证：病情危重需随时抢救、生命体征不平稳的患者，如休克，防止因换药影响患者的抢救或者因疼痛加重病情；皮肤过敏或者合并其他皮肤科疾病者，建议皮肤科会诊后处理。

4）如患者有多个伤口，切勿同时暴露，应依照先清洁、后感染的原则按顺序处理伤口。

5）如伤口需要填塞，必须选用合适的敷料，敷料末段必须保留在伤口外，记录引流条数量。

6）若伤口需要注洗，应由有经验的护士施行。选用合适的无菌注射器。注洗时力度适宜，避免过度冲击致伤口受损。注洗后必须将注洗液引出。

7）护士在清创及处理伤口时必须遵循护理安全的原则。为了降低风险，严把质量关，在加强技术管理的基础上，注意完善各种治疗文书书写记录并制定伤口清创同意书。换药过程中涉及伤口清创情况时，局部麻醉、伤口切开及缝合由医生完成，伤口/造口专科护士在进行保守锐性清创（详见图9-3）时须签署《伤口清创术知情同意书》，详见表9-4。

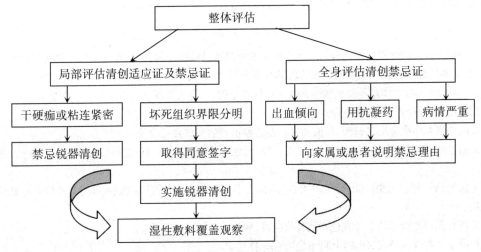

图9-3 保守性锐器清创流程图

2.伤口微生物培养

伤口疑似感染时，可以进行伤口的微生物培养。

（1）目的

确认伤口感染微生物类型，指导局部及全身抗感染治疗。

（2）评估与准备

1）评估：伤口外观情况，如是否有红、肿、热、痛、脓性分泌物并伴有异味；伤口愈合时间，是否延迟愈合、久治不愈；伤口内是否有异物或者坏死组织残留较多。

2）用物准备：治疗盘、无菌棉棒/棉球、无菌培养瓶/盒/试管、无菌换药包、生理盐水、消毒剂、无菌敷料、无菌手套、治疗巾。

（3）操作要点

1）伤口清洁方法同伤口换药。

2）戴无菌手套，用无菌棉棒/棉球以顺时针或者逆时针方向旋转，由伤口的一边至另一边，采用"十字法"或者"之字形"由上到下涂抹取样，部位不重复，使棉棒/棉球沾到伤口深部渗液，注意棉棒/棉球不可沾到伤口周围皮肤。

3）将棉棒/棉球放置于无菌培养瓶/盒/试管内，不可触及容器外部，尽快送至微生物室进行培养。

（4）注意事项

1）厌氧菌需要使用特殊培养试管，取样后的棉棒/棉球需要与底部的二氧化碳包或者氮气包接触。

表9-4　伤口清创术知情同意书

伤口治疗中心清创术知情同意书

科室：　　　　　　　　床号：　　　　　　　　住院号：

姓名：　　　　　　　　性别：□男　□女　　　　年龄：　　　岁

疾病介绍和治疗建议

伤口/造口治疗师已告知我需要进行清创手术。为了尽快清除伤口内坏死组织,减少异物对组织细胞的刺激,降低感染风险,促进伤口愈合,完成伤口床准备,需要为我实施清创术。

清创潜在风险和对策

一、伤口/造口治疗师告知我清创术可能发生的风险及具体操作内容,有些不常见的风险可能没有在此列出,具体的操作方式根据不同病人的情况有所不同,如果我有特殊的问题可与我的医生讨论。

（一）由于病情,个体差异及医学科学技术条件等原因,可能会出现下列并发症及不良后果：

1.可能发生麻醉意外危及生命；

2.因创伤及疼痛等因素刺激,可能诱发心血管隐形疾病突然发生意外；

3.由于组织损伤严重,指（趾）端已失去活性,无法保存需截指（趾）以及后续可能会发生坏死、伤口不愈；

4.任何伤口都有感染可能,污染严重者,感染已不可避免；若为特殊性感染,可能会导致截肢甚至生命危险；

5.所有伤口愈合后均会留有色素沉着或疤痕,瘢痕体质者尤为严重；

6.由于异物深而散在、探查困难,不易发现异物存留；

7.若有肌腱、神经损伤,以及累及关节面的损伤,有可能出现功能障碍；

8.其他可能发生的所无法预料或不能防范的并发症。

（二）一旦发生上述情况,可能会加重病情甚至危及生命,医务人员将按医疗原则予以全力抢救,但仍可能会产生不良后果。

二、除上述情况外,本措施有可能发生的其他并发症或需要提醒患者及家属特别注意的其他事项,如：_____

患者/家属签名：

治疗师签名：_____

签名日期：_____年___月___日

2）取样处无黑痂。

3.压力性损伤护理技术

压力性损伤是位于骨隆突处、医疗或其他器械下的皮肤和/或软组织的局部损伤。可表现为完整皮肤或开放性溃疡,可能会伴疼痛感。损伤是由于强烈和/或长期存在的压力或压力联合剪切力导致。软组织对压力和剪切力的耐受性可能会受到微环境、营养、灌注、合并症以及软组织情况的影响。（美国国家压力性损伤咨询委员会,NPUAP,2016-04-13）

附加定义：医疗器械相关性压力性损伤是指由于使用用于诊断或治疗的医疗器械而导致的压力性损伤,损伤部位形状通常与医疗器械形状一致。这一类损伤可以根据上述分期系统进行分期。黏膜压力性损伤是指由于使用医疗器械导致相应部位黏膜出现的压力性损伤。由于这些损伤组织的解剖特点，这一类损伤无法进行分期。

（1）目的

压力性损伤的预防和护理是基础护理的重要组成部分；压力性损伤发生率是医院护理质量主要评价指标之一。

（2）评估与准备

1）评估：压力性损伤评估及上报表详见表9-5，压力性损伤风险评估工具详见本章第五节。

表9-5　压力性损伤评估及上报表—成人版

科室：　　　床号：　　　姓名：　　　性别：　　　年龄：　　　住院号：　　　诊断：
入院日期：　　　　评估日期：　　　　上报日期：　　　　出院日期：
压力性损伤:院内□(难免 是□ 否□)院外□ 责任护士签名：　　　护士长签名：
转科情况:无□ 有□(转出科室：　　　　转入科室：　　　　　　　)

Braden评分(评分标准见附表)					伤口部位示意图
项目	分值				
	1	2	3	4	
感知功能					
潮湿情况					
活动能力					
体位变换能力					
营养进食状况					
摩擦力和剪切力					
总分					

压力性损伤部位及大小[（长×宽×深(cm)]：	
压力性损伤分期	临床表现(在相应内容后□内打√)
1期	疼痛□　硬结□　皮温高□　感觉异常□　压之不褪色红斑□
2期	疼痛□　紫红色□　浆液性水泡□　伤口红润□
3期	浅层溃疡□　渗液□　异味□　潜行或窦道□　腐肉□
4期	可见肌肉/肌腱/筋膜/骨骼□　渗液□　异味□　潜行或窦道□　腐肉□
深部组织损伤	深红色□　紫黑色□　疼痛□　硬结□　表皮完整□　充血性水泡□
不可分期	腐肉□　焦痂□

护理措施:(在相应内容后□打√)
1.使用减压用具:气垫床□　海绵垫□　软枕头□　糜子垫□　水袋□　泡沫敷料□　透明薄膜□
2.局部皮肤:清洁干燥□　润肤霜□　交接班□

续表9-5

3.定时翻身:1次/h□　1次/2h□　1次/2h～4h□ （翻身技巧:侧卧位30°,双足、踝、双肩胛骨及枕部的五个点压力减至最低）
4.避免剪切力和摩擦力:床单元平整□　避免拖、拉、拽□　半卧位床头小于30°□
5.加强营养:增加热量摄入□　增加蛋白摄入□　补充多种维生素及微量元素□
6.伤口处理:换药□（功能性敷料□　其他□　　　　　）物理治疗□
患者已发生压力性损伤,我们会尽力帮助患者治愈,希望得到患者及家属的配合和理解!
家属签字:　　　　　　　年　月　日
伤口小组意见: 压力性损伤评估相符:是□ 否□（修正:　　　　　　） 压力性损伤护理措施得当:是□ 否□（指导意见:　　　　） 伤口小组签名:　　　　　　　年　月　日
转归:治愈□　好转□　未愈□
注:(1)填写伤口部位示意图相应序号,在图谱上用"○"标记具体部位,侧面的伤口在中心线前的填写与正面临近序号,中心线后的填写与背面临近序号。 (2)院外带入压力性损伤用蓝笔画圈,新发生压力性损伤用红笔画圈,在其旁注明长×宽×深（3、4期用三维表示,即 长×宽×深cm³,其他分期用二维表示,即长×宽cm²）。

2）物品准备:同伤口换药。

（3）操作要点

根据压力性损伤不同分期/类,具体详见表9-6。

表9-6　压力性损伤护理技术要点

分期/类	护理技术要点
1期	①悬空受压处,避免再度受压 ②使用赛肤润液体敷料促进局部血液循环和组织修复 ③可使用超薄水胶体敷料保护
2期	①注意保护创面,促进上皮生长 ②可采取湿性愈合理念进行治疗,如水胶体敷料/泡沫敷料
3期	①清创 ②分泌物行细菌培养 ③保持引流通畅,控制感染 ④可采用银离子敷料抗感染,水凝胶自溶性清创,藻酸盐吸收渗液 ⑤感染伤口禁用密闭性敷料
4期	①措施同3期 ②大面积深达骨骼的压力性损伤,应配合医生清除坏死组织 ③创面新鲜后,转介烧伤科/整形科,植皮或行皮瓣转移修补缺损组织
深部组织损伤	采取减压措施早期可使用水胶体敷料,使表皮软化,自溶性清创
不可分期	①根据情况选择清创或者保留干痂 ②创面处理同3期

（4）注意事项

1）指导患者间隔一定时间改变体位，告知患者正确的变换体位的技巧，避免发生拖拉等动作，以减轻局部的压力和摩擦力。

2）指导患者使用合适的减压装置，如局部的减压垫或者全身适用的减压气垫床。

3）避免盲目局部按摩。

4）指导失禁患者正确使用失禁护理用品，每日清洁皮肤，保持皮肤清洁干爽，如有粪水刺激，及时清洁更换。

（二）造口治疗技术

1.造口袋佩戴及更换

造口袋佩戴及更换包括揭除患者的旧造口袋、评估造口、清洁造口及周围皮肤、剪裁造口底盘并进行粘贴的过程。

（1）目的

收集造口排泄物，保护造口周围皮肤，提高患者舒适度。

（2）评估与准备

1）评估，具体内容详见表9-7。

表9-7 造口评估及护理记录单

科室： 床号： 姓名： 性别：□男 □女 年龄： 岁

住院号： 诊断： 术式： 手术日期： 年 月 日

项目		造口评估记录					
1.造口类型:□单腔结肠 □襻式结肠 □双腔结肠 □单腔回肠 □襻式回肠 □双腔回肠 □泌尿造口 □胃造瘘 □其他_____							
2.造口部位:□左上腹 □左下腹 □右上腹 □右下腹 □其他_____							
3.造口并发症:□出血 □缺血/坏死 □皮肤黏膜分离 □回缩 □狭窄 □脱垂 □肉芽肿 □其他_____							
4.造口周围皮肤并发症:□刺激性/粪水性皮炎/浸润性破损 □过敏性皮炎 □毛囊炎 □放射性皮炎 □造口周围脓肿 □造口旁疝 □尿酸结晶 □黏膜种植 □机械性损伤 □肿瘤转移 □增生 □念珠菌感染 □脐周静脉曲张 □其他_____							
5.评估日期/时间							
6.造口颜色*							
7.造口大小(cm)*	长						
	宽						
	高						
8.DET评分*	变色皮肤	面积					
		严重程度					
	侵蚀/溃疡	面积					
		严重程度					
	组织增生	面积					
		严重程度					
	合计						

续表9-7

9.疼痛评分(VAS:0～10分)							
10.影响皮肤愈合的因素*							
11.处理方法*							
12.健康宣教*							
13.换药频率*							
14.评估者签名							
15.特殊情况							

填表说明：

一、此表描述患者的造口护理记录，须存入病历。

二、"*"部分填写均用数字代表，具体说明如下：

（一）造口颜色

1-正常：鲜红或粉红色，平滑且湿润。

2-苍白：贫血。

3-暗红或淡紫色：缺血。

（二）造口大小

造口大小描述：长、宽、高，只使用阿拉伯数字，单位均为cm。

（三）DET评分

具体详见本章第五节。

（四）影响皮肤愈合的因素

1-压力剪切力；2-糖尿病；3-动脉性；4-静脉性；5-营养不良；6-药物；7-放疗；8-吸烟；9-肿瘤；10-外伤；11-结核；12-手术（感染/脂肪液化/皮瓣坏死/异物反应）；13-高龄；14-其他。

（五）处理方法

1-清洗消毒；2-清除坏死组织；3-保守锐性清创；4-止血；5-渗液管理；6-加压；7-包扎；8-拆线；9-缝合；10-给予引流。

（六）健康宣教

1-减压措施；2-翻身/h（个性化）；3-皮肤护理；4-避免物理刺激；5-营养支持；6-综合治疗；7-其他。

（七）换药频率

1-qd 一天一次；2-bid 一天两次；3-tid 一天三次；4-qid 一天四次；5-q8h 每8h一次；6-qn 每晚一次；7-qod 隔日一次；8-biw 每周两次。

（八）特殊情况

记录造口、其他变化及清创后有无不良反应（如清创过程是否顺利，有无出血，生命体征是否平稳等）。

2）用物准备：检查手套、造口袋、造口尺/透明膜、造口护理用品（必要时）、医用纱布/卫生纸、温水、弯剪、治疗巾。

（3）操作要点

1）清洁方法：①用纱布/卫生纸蘸温水清洁造口及周围皮肤，遵循由外到内、环状清洁的原则。②清洁后用纱布/卫生纸蘸干。③清洁造口黏膜时动作轻柔，防止黏膜出血。

2）测量造口：①若造口为圆形或者椭圆形，使用造口尺沿着身体长轴测量造口长度，与身体长轴垂直的方向测量造口宽度。②若造口为不规则形状，使用透明膜轻置于造口上方，描摹造口形状，确定造口大小。

3）造口底盘剪裁：根据测量大小在造口底盘剪裁，无尺寸环的造口底盘先描画再剪裁，裁剪的造口孔要比实际造口大2mm左右，剪裁后用手指将孔径边缘毛刺抹平。

4）造口袋粘贴：①揭开造口底盘保护纸，手勿触及底盘粘胶，将造口底盘由下而上粘贴，逐步揭除造口底盘剩余保护纸，将造口底盘全部粘于造口周围皮肤上。②轻压造口底盘内侧，再由内向外侧加压，空心拳轻压造口底盘约30s，保证充分粘贴。

具体流程详见图9-4。

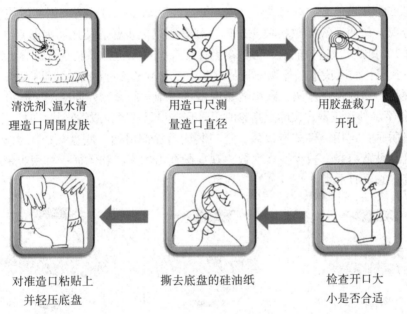

清洗剂、温水清　　　　　用造口尺测　　　　　用胶盘裁刀
理造口周围皮肤　　　　　量造口直径　　　　　　　开孔

对准造口粘贴上　　　　　撕去底盘的硅油纸　　　检查开口大
并轻压底盘　　　　　　　　　　　　　　　　　小是否合适

图9-4　造口佩戴及更换流程

（4）注意事项

1）一件式造口袋剪裁时要撑开造口袋，防止将其戳破。

2）注意观察造口及周围皮肤情况，若出现并发症，报告医生后遵医嘱进行处理。

3）造口袋开口的尾端，应根据患者的病情及体位情况摆放。①平卧位时，垂直于身体长轴。②半卧位时，与身体长轴呈30°～45°斜置。③下地/自由活动时，平行于身体长轴，垂直于地面。④新生儿一般选择与身体长轴呈30°～45°斜置。

2.常见造口及其周围相关并发症护理

（1）目的

保护造口周围皮肤，提高患者生活质量。

（2）评估及准备，同造口袋佩戴及更换。

（3）操作要点

1）造口并发症

①造口出血：较轻的造口出血多发生在术后72h以内，以造口黏膜与皮肤连接处的毛细血管及小静脉出血为主。出血量较少时用湿润棉球或者纱布压迫止血即可；出血量多时用1%肾上腺素湿纱布压迫或者云南白药粉外敷后纱布压迫；有活动出血时需要缝扎止血。

②造口缺血性坏死：报告医生，观察造口缺血情况；判断造口的转归；避免造口受压；造口部分变紫：剪除坏死组织，使用水胶体粉剂+防漏膏+水胶体辅料处理皮肤黏膜分离，选择一件式造口袋。

③造口凹陷/回缩：因患者体型改变导致造口凹陷/回缩，嘱患者减体重；使用凸面底盘造口袋（详见图9-5）；乙状结肠造口且皮肤有持续损伤者，可考虑用结肠灌洗。

④造口皮肤黏膜分离：单侧浅层分离，分离深度<0.5cm时，清理创面后使用造口粉；完全深层分离，使用藻酸盐敷料填充伤口。处理完以上步骤后使用防漏膏后再粘贴造口袋。一般每2天更换1次造口底盘，渗液多者可配合水胶体/泡沫敷料或者每日更换底盘。

⑤造口狭窄：浅度狭窄（外观皮肤开口缩小而看不见黏膜）时，定期扩肛，检查是否存在大便梗阻；采取保守疗法，嘱患者摄取富含纤维素的食物，同时给予扩肛（>10min/次）。深度狭窄（外观正常，实际上指诊时可发现造口呈现紧拉或缩窄状）时，手术治疗。

⑥造口脱垂：选用一件式造口袋，造口袋内可涂润滑油；底盘孔径尺寸要恰当；指导患者正确粘贴造口袋，减少换袋次数；观察肠梗阻的症状和体征；可用腹带/束裤固定脱垂的肠管；必要时手术。

图9-5　凸面造口底盘用于造口凹陷/回缩

2）造口周围皮肤相关并发症

①刺激性/粪水性皮炎/浸润性破损：分析导致原因并去除原因；使用新型伤口敷料治疗皮肤问题；指导患者重新选择造口用品，正确更换造口袋。

②过敏性/接触性皮炎：明确过敏原；局部可外涂类固醇类药物，保留10min后用清水洗干净后再贴造口袋；必要时更换造口用品。

③机械性损伤：揭除造口底盘较费力时，使用剥离剂揭除；已造成的皮肤损伤，使用伤口敷料处理。

（4）注意事项

长期服用泻剂的患者常见结肠黏膜色素沉着，肠黏膜呈暗黑色，需与肠造口缺血坏死鉴别。

3.结肠造口灌洗

结肠造口灌洗指通过结肠造口注入一定量温水,结肠扩张后反射性收缩,使得肠腔内的粪便和液体经造口排出体外的过程。

（1）目的

定期进行结肠造口灌洗可训练患者规律排便,提高造口患者生活质量。

（2）评估与准备

1）评估,同造口袋佩戴及更换。

2）用物准备：灌洗系统（集水袋、带流量控制开关的引流管、圆锥体灌洗头、袖式引流袋、腰带、固定环、夹子）、热开水、凉开水、温度计、量杯、润滑剂、检查手套、造口护理用品（必要时）、输液架。

（3）操作要点

1）灌洗液配置：①先将热开水倒入量杯中,再加凉开水,测量水温为38～40℃（灌洗时36～38℃）。②关闭流量控制开关,将配置好的灌洗液1000mL倒入集水袋中。③将集水袋挂于输液架上,液面位于患者造口上方40～60cm。④松开流量控制开关,排气至圆锥体灌洗头,灌洗流量夹。

2）患者取半卧位或者坐于马桶上。

3）戴手套,将涂有润滑剂的手指插入造口,以扩张造口并确定插进灌洗头的方向。

4）灌洗：①将袖式引流袋底盘置于造口处,系腰带,将袖式引流袋与底盘连接,用固定环固定,袖式引流袋末端置于便盆/马桶内。②松开流量控制开关至少量灌洗液润滑灌洗头后,关闭开关,将灌洗头缓慢插入患者结肠造口内,轻轻施压使灌洗头紧贴造口,防止水从灌洗头与肠黏膜间隙中漏出。③松开流量开关,使温水缓慢注入结肠造口内,控制水流速度为60～100mL/min,先慢后快,时间控制在10～15min。④注入温水后,关闭流量控制开关,将灌洗头保持在原位5～10min。⑤缓慢移除灌洗头,温水会连同粪便沿袖式引流袋流入便盆/马桶内。⑥流出量减少后,将袖式引流袋下端夹闭,嘱患者在室内走动或者喝少许温开水刺激肠蠕动,随后的10～15min会有较多温水连同粪便再次排出,至有气体排出后将袖式引流袋上端反折。⑦待液体流尽,拆除灌洗装置,流动水冲干净,晾干备用。

（4）注意事项

1）适应证及禁忌证

适应证：大便排空没有规律、造口用品过敏、造口位置不当不能使用造口袋的降结肠或者乙状结肠永久性单腔造口患者;为造口患者行术前肠道准备。

禁忌证：结肠残留肿瘤或者肠道炎性疾病患者（如肠道激惹综合征、克罗恩病、憩室病、放射性肠炎等）;小肠或者升结肠造口患者;伴有造口旁疝、狭窄、回缩、脱垂等并发症者;有精神疾病不能配合灌洗者。

2）观察温水流入速度和患者耐受情况,一旦发现异常,及时处理。

3）灌洗在每天同一时间±（2～3）h进行,灌洗效果不满意的情况下,24h内不要重复进行。

4）造口患者开始结肠造口灌洗的时机宜从术后1～3个月开始;需要放化疗者,放化疗结束后再进行。

5）第一周每天进行灌洗；有便秘习惯者，可每2d灌洗1次，规律排便形成前继续使用造口袋。

第三节　结局质量标准

一、敏感指标

（一）住院患者院内压力性损伤发生率

1.指标定义

（1）住院患者院内压力性损伤发生率：是指统计周期内住院患者压力性损伤新发病例数与统计周期内住院患者总数的百分比。

（2）压力性损伤：是指位于骨隆突处、医疗或其他器械下的皮肤和/或软组织的局部损伤。可表现为完整皮肤或开放性焦痂，可能会伴疼痛感。损伤是由于强烈和（或）长期存在的压力或压力联合剪切力导致。软组织对压力和剪切力的耐受性可能会受到微环境、营养、灌注、合并症以及皮肤情况的影响。

（3）院内压力性损伤：是指患者入院24h后新发生的压力性损伤。

2.指标意义

护理人员通过对压力性损伤发生率的监测可以了解其发生的现状、趋势、特征及影响因素，为其预防、控制等管理活动提供依据，以进行历史性、阶段性的自身比较，或与国家、地区标杆水平相比较，并进行目标性改善，可减少院内压力性损伤发生，减轻患者痛苦，提高其生活质量。

3.计算公式

$$住院患者院内压力性损伤发生率=\frac{同期住院患者压力性损伤新发病例数}{统计周期内住院患者总数}×100\%$$

（1）分子说明

1）患者压力性损伤新发病例数为患者入院24h后发生的压力性损伤。

2）院外带入压力性损伤者又发生了新部位的压力性损伤者，计算为1例。

3）住院患者中在统计周期内发生1处及以上压力性损伤者，计算为1例。

4）如果院内压力性损伤患者从医院A病区转入B病区，在计算院级院内压力性损伤发生率时作为1例计算；如果压力性损伤未痊愈，例次记在A病区。注意交接清楚，如交接时存在压力性损伤计为A病区例数，交接后发生的新部位压力性损伤计为B病区例数。

5）统计期间住院患者甲曾住过A病区和B病区，患者在A病区和B病区住院期间均新发院内压力性损伤，在两个病区压力性损伤发生例数中均计为1，而在全院压力性损伤统计中仍计为1。此时会出现各病区压力性损伤发生人数之和大于全院压力性损伤发生人数的情况。

6）纳入群体：所有住院患者从入院24h后发现或证实为压力性损伤患者。

7）排除群体：因动脉阻塞、静脉功能不全、糖尿病相关神经病变，或失禁性皮炎等造成的皮肤损伤；社区获得性压力性损伤。

（2）分母说明

1）住院患者总数是统计周期初在院患者数与统计周期内新入院患者数之和。

2）同一位住院患者曾 N 次入院，统计全院住院人数时计为 N。

3）同一位住院患者曾 N 次入住监测目标病区，统计病区住院人数时计为 N；统计时间段内同一位住院患者在一次住院期间曾 N 次入住监测目标病区，统计病区住院人数时计为 N。

4）统计期间住院患者甲曾住过 A 病区和 B 病区，A 病区和 B 病区住院患者集合中均有患者甲，且在两个病区住院人数统计中均计为1例，两个病区住院人数之和为2，而患者甲在全院住院人数统计中仍计为1，此时会出现各病区住院人数之和大于全院住院人数的情况。

5）纳入群体：统计周期所有办理住院手续的患者。

6）排除群体：办理住院手续但实际未到达病区即撤销住院手续或退院的患者；入院未满24h的患者。

7）"统计周期"可定为月、季度、年。

4.数据采集

根据质量控制管理要求，需要对住院患者压力性损伤发生率进行统计并记录，每月分析变化并进行持续质量改进。

（1）通过医院信息系统在护理记录单中直接采集。

（2）通过不良事件上报系统采集。

（3）翻阅护理记录单或通过登记单人工采集。

5.案例解析

（1）案例

1）患者于2019年9月1日入住心内科，9月20日出院，此次住院期间共新发压力性损伤3处，1处1期压力性损伤，2处2期压力性损伤，该患者应该如何上报？（A）

A.1例2期及以上压力性损伤

B.1例1期压力性损伤、2例2期及以上压力性损伤

C.1例1期压力性损伤

D.2例2期及以上压力性损伤

2）某三甲医院8月1—31日住院患者总人数为7888人，本月新发压力性损伤共计13例，其中1期5例，2期4例，医疗器械相关压力性损伤2例，术中获得性1期压力性损伤2例，那么如何计算该院8月份的住院患者压力性损伤发生率？

（2）解析：本院8月份住院患者院内压力性损伤发生率为

$$13/7888×100\%=0.165\%$$

（二）住院患者2期及以上院内压力性损伤发生率

1.指标定义

住院患者2期及以上院内压力性损伤发生率：是指统计周期内住院患者压力性损伤新发2期及以上病例数与统计周期内住院患者总数的百分比。

2.指标意义

同"住院患者院内压力性损伤发生率"。

3.计算公式

$$住院患者2期及以上院内压力性损伤发生率=\frac{同期住院患者2期及以上压力性损伤新发病例数}{统计周期内住院患者总数}×100\%$$

分子、分母说明，同"住院患者院内压力性损伤发生率"。

4.数据采集

根据质量控制管理要求，需要对住院患者压力性损伤发生率进行统计并记录，每月分析变化并进行持续质量改进。

（1）通过医院信息系统在护理记录单中直接采集。

（2）通过不良事件上报系统采集。

（3）翻阅护理记录单或通过登记单人工采集。

5.案例解析

（1）案例：某三甲医院8月1—31日住院患者总人数为7888人，本月新发压力性损伤共计13例，其中1期5例，2期4例，医疗器械相关压力性损伤2例，术中获得性1期压力性损伤2例，院外带入压力性损伤共计21例，其中2期2例，3期4例，4期2例，深部组织损伤8例，不可分期5例，那么如何计算该院8月份的住院患者2期及以上压力性损伤发生率？

（2）解析：本院8月份住院患者2期及以上院内压力性损伤发生率为

$$4/7888×100\%=0.051\%$$

二、其他重点监测指标

（一）伤口缩小率

1.指标定义

（1）伤口是指皮肤组织的完整性受到破坏，并常伴有机体物质的缺失，同时皮肤的正常功能受损。

（2）伤口收缩是软组织创伤修复的最终结局，一般发生于伤后3～5d，伤口边缘向中心移动、收缩，以消除创面。

（3）伤口缩小率包括面积缩小率、深度缩小率。

2.指标意义

（1）监测伤口愈合过程，分析伤口治疗的效果，为其管理活动提供科学依据。由于伤口的情况会不断发生变化，因此评估不应是一次性的。同时，当进行伤口评估时，护士应该对患者进行系统性和整体性的评估，而不是只关注伤口本身。除了患者病史，尚有很多其他的因素会影响伤口及其愈合能力。全面评估可以帮助我们收集到制订治疗计划所需的所有信息。

（2）愈合的伤口表现：治疗2～4周后伤口面积缩小20%～40%。由于伤口的情况会不断发生变化，因此评估不应是一次性的，建议根据伤口类型和治疗条件，每周对伤口进行再测量和评估，或在每次更换敷料时进行再测量。

3.计算公式

（1）伤口面积缩小率

$$伤口面积缩小率=\frac{治疗前面积—当前面积}{治疗前面积}×100\%$$

（2）伤口深度缩小率

$$伤口深度缩小率=\frac{治疗前深度—当前深度}{治疗前深度}×100\%$$

4.数据采集

用伤口尺或者伤口测量仪测量伤口的长、宽、深。

5.案例解析

（1）案例：王先生左下肢静脉溃疡创面初次评估为：6.5cm×5cm×2.5cm，9d后为：5cm×4.5cm×1cm，请评估该患者伤口愈合情况。

（2）解析：该患者伤口面积缩小率为

$$[(6.5×5)-(5×4.5)]/(6.5×5)×100\%=30.77\%$$

伤口深度缩小率为

$$(2.5-1)/2.5×100\%=60\%$$

说明该患者伤口愈合情况良好。

（二）创面愈合时间

1.指标定义

创面愈合时间是指创面完全上皮化所需时间，上皮化依靠肉眼观察。

2.指标意义

（1）分析伤口治疗的效果，为其管理活动提供科学依据。

（2）创面正常愈合时间：炎性反应期为4～6d，肉芽期为1～14d，上皮期为4～21d。为了证明治疗是有效的，护士应该对伤口进行持续评估。如果治疗2周后仍然没有愈合迹象，应考虑转诊至专科团队。

3.数据采集

记录创面完全上皮化所需时间。

4.案例解析

（1）案例：产科16床患者剖宫产术后20d，腹部切口周围红肿，大量黄色渗液，普通外科换药后未见好转。

（2）解析：剖宫产术后切口一般愈合时间为2周，该患者伤口愈合时间已超过正常周期，且有红、肿、渗液表现，考虑为术后切口感染，须转诊至专科团队进行伤口治疗。

第四节　应急预案及流程

一、常见并发症的处置

（一）伤口相关性疼痛处置

1.定义

伤口相关性疼痛为一种与皮肤的开放性损伤直接相关的有害的症状或不愉快的体验。疼痛是伤口患者面临的一个主要问题，但是最佳处理方法还尚模糊。慢性伤口疼痛的原因是多方面的，包括病因和伤口局部护理因素以及患者自身情绪因素等。

2.评估

使用视觉量表（VAS）或者"数字化疼痛计分表"（A Numeric Pain Intensity Scale，NPIS）来评估患者的疼痛强度，后者更为客观和精确。计分尺为0～10的数轴表，0表示无痛，10表示剧痛，应用时患者在刻度上用笔标出疼痛程度的分值。详见图9-6。

图9-6 数字化疼痛计分尺

3.处置措施

（1）心理护理

针对伤口换药时影响疼痛的心理因素，应做好心理护理。首先要建立相互信赖的医患关系，掌握基本的沟通技巧，创造轻松良好的换药环境，使患者全身心放松，提高其对疼痛的耐受力，从而达到减轻疼痛或止痛的效果。

（2）亦可先口服止痛药，或者伤口局部湿敷利多卡因或涂抹利多卡因凝胶，再换药。

（3）伤口清洗

传统的伤口清洗方法是擦洗和清洗，这种方法会对新生肉芽组织产生机械性损伤，增加局部出血和疼痛；对于有空洞、窦道的伤口不能清洗彻底，而且冷（室温）溶液导致伤口局部血流量减少，会延迟伤口愈合。如果采用伤口等温溶液（22～24℃）对伤口进行涡流式水流冲洗，即消毒液擦洗伤口周围皮肤后，用20mL注射器抽取生理盐水从伤口中心环形向外冲洗，形成涡流反复冲洗3～4次，有利于细胞移入和肉芽组织形成，从而促进伤口愈合，减轻患者的疼痛。灌洗法在疼痛控制方面优于擦洗法，但去除坏死组织的作用比较弱。

（4）敷料选择

湿润环境能够加速抗菌成分释放，抗菌效果更好，使用安全。

1）伤口进入肉芽期后，选择刺激肉芽生长的敷料（水胶体糊剂——溃疡糊）覆盖伤口，溃疡糊的主要成分为羧甲基纤维素钠，在吸收渗液之后形成凝胶，揭除敷料时不会导致患者疼痛。

2）伤口进入上皮形成期后，选择软聚硅酮泡沫敷料覆盖伤口，这种敷料黏着性好，敷料更换时创伤和疼痛小。

（二）急性清创晕厥处置

1.定义

晕厥指的是突然发生的，突如其来失去意识的状态。主要是因为人体大脑瞬时性和广泛性出现供血不足而导致患者肌张力消失，从而无法维持站立姿势而倒地。

2.常见原因

（1）血管迷走性昏厥

血管迷走性昏厥产生的原因主要包括以下几点：

1）疼痛刺激：由于清创缝合手术清洗需要清除患者伤口内所有的污染物，并在此基础上进行伤口缝合。对于一些较为严重的伤口，还需要对组织内的血管、肌肉等进行探查，这会使患者受到极大的疼痛刺激，从而导致晕厥。

2）心理因素：会出现不同程度的头晕、胸闷、脸色苍白等症状。

3）体位因素：主要是因为患者的受伤情况不严重，在清创时突然改变体位，导致血液循环不足而晕厥。

4）视觉刺激因素：患者在清创缝合过程中看到自己的伤口和血液的情况，从而表现出极大的恐惧感，再加上部分麻醉效果欠佳需要忍受手术的痛苦，最终导致脸色苍白、四肢冰冷、呕吐、血压下降等症状。

（2）血管抑制性晕厥

1）消毒剂刺激：出现脸色苍白，几分钟后出现晕厥现象。

2）情绪激动：此类患者情绪波动非常大，并拒绝接受清创缝合手术治疗，治疗依从性较低，必须进行强行清创处理。在此过程中，患者消耗大量体力，再加上情绪波动，从而出现晕厥情况。

3.预防措施

（1）心理护理

在换药过程中，加强与患者沟通，了解患者心理，帮助患者解除焦虑情绪，有针对性地做好心理疏导工作，主动询问受伤情况、伤口疼痛情况等。采用个性化护理，分散其注意力。

（2）营造良好的治疗环境

治疗室应保持安静、整洁、光线充足、空气流通，适宜的温度和湿度，给患者舒适的感觉。及时清洁物面和地面的污渍、血渍及医疗废物。避免闲杂人员进出，减少噪声侵入，防止一些不良刺激加重患者紧张恐惧心理而诱发晕厥。

（3）体位干预

在清创换药的过程中协助患者保持舒适适当的体位，尽量采取平卧。老年患者或空腹患者取直立位时易造成血压下降，容易导致心脑缺血的症状，从而引起晕厥的发生。因此，老年患者由卧位转变直立位时应先缓慢坐起，同时双下肢做屈伸活动，促进下肢静脉回流，然后再站立，可防止或减少直立性低血压的发生。对于空腹饥饿或者激烈运动后受伤患者，由于机体处于应急状态，若伤口情况不是很紧急，可休息后再行换药。

（4）疼痛干预

应根据患者具体情况适当麻醉，一般采用局麻。以减轻清创时患者的痛苦，并预防晕厥的发生；伤口处理过程中，检查伤口时动作应轻柔，防止不必要的翻动患者；应避免强行揭下伤口敷料，应用无菌生理盐水浸湿充分后再轻轻揭下，以减轻患者疼痛；对于四肢创伤的患者，清创换药后患者四肢常被约束，由于被动体位不适，摆放体位的方法和姿势不正确，在换药过程中会出现不舒适或疼痛；如绷带约束时，要注意固定是否过紧，并询问患者是否舒适。根据伤口的具体情况确定下次换药的时间，并告知其注意事项，如伤口防水、患肢制动、口服药物、随诊等。

4.处置措施

换药过程中晕厥的前驱症状为患者出现头昏目眩、心烦欲吐、面色苍白、四肢发凉、无力等，若发现此类症状，应立即停止换药，给予50%葡萄糖或温开水口服。遇瞬间昏倒、不省人事或出现意识恍惚、厥冷、大汗淋漓、胸闷气促、血压下降等症状，立即防护患者安全，避免患者摔伤，指掐或针刺患者人中、内关等穴位，必要时心电监护。晕厥时间长而恢复较慢者，立即送急诊抢救。

第五节　常用评估工具

一、预测类

（一）压力性损伤风险评估（成人版本）

详见表9-8。

表9-8　压力性损伤风险评估与防范记录表（成人版）

科室：　　　　床号：　　　　姓名：　　　　性别：　　　　年龄：　　　　住院号：
诊断：　　　　入院日期：　　年　月　日　出院日期：　　年　月　日
责任护士：　　　　　　　　　　　护士长：

评估内容	Braden评分				评估（日期、得分）					
	分值				月　日					
	1分	2分	3分	4分						
感知	完全受限	非常受限	轻度受限	正常	分					
潮湿	持久潮湿	非常潮湿	偶尔潮湿	很少潮湿						
活动	卧床不起	局限于椅	偶尔步行	经常步行						
移动	完全不能	严重受限	轻度受限	不受限						
营养	非常差	较差	尚可	良好						
摩擦力和剪切力	有问题	有潜在问题	无明显问题	—						
总分										
签名										

压力性损伤可能发生的部位（在相应内容后打√）
枕后□　　耳廓□　　肩胛□　　肘部□　　坐骨结节□　　髋部□　　骶尾部□　　内外膝□　　内外踝□　　脚跟□

预防措施（在相应内容后打√）
1.护理用具：气垫床□　　海绵垫□　　软枕头□　　糜子垫□　　水袋□　　压力性损伤贴□　　透明薄膜□
2.局部皮肤：清洁干燥□　　润肤霜□　　交接班□
3.定时翻身：1次/h□　　1次/2h□　　1次/2～4h□　　根据病情□

4.避免剪切力和摩擦力:床单元清洁、平整□　避免拖、拉、拽□　使用无破损便器□ 半卧位床头<30°□
5.加强营养:增加热量摄入□　增加蛋白摄入□　补充多种维生素及微量元素□
6.告知患者及家属相关知识□
7.其他
患者属压力性损伤高危人群,住院期间可能会发生压力性损伤,我们尽力帮助患者避免,希望得到患者及家属的配合和理解! 　　　　　　　　　　家属签名:　　　　　　　　　　　　　　年　　　月　　　日
结果:未发生□ 　　发生□(日期:　　　　　　分期及大小:　　　　　　　　　　　)
转科情况:无□　有□(转出科室:　　　　　　　　转入科室:　　　　　　　　　)

　　注:Braden评分(范围:6~23分):15~18分,低度危险;13~14分,中度危险;10~12分,高度危险;≤9分,极度高危。

　　初评:凡入院、转科患者均须评估,对评分<18分且满足下列情况之一者必须进行压力性损伤干预:高龄(≥75岁)、感知功能障碍(瘫痪、意识不清、痴呆)、大小便失禁、严重营养不良(水肿、消瘦)、强迫体位(手术时间≥4h、术后制动24h,病情危重者)。

　　再评:低度、中度危险者(13~18分),好转或出院时再评估1次;病情变化时随时评估;高度危险者(10~12分),每周评估2次;极度高危者(≤9分),每天评估1次。

(二)压力性损伤风险评估(儿童版本)

　　详见表9-9。

表9-9　压力性损伤风险评估与防范记录表(儿童版)

科室:　　　　　床号:　　　姓名:　　　　性别:　　　　年龄:　　　住院号:

诊断:　　　　　入院日期:　　年　月　日　出院日期:　　年　月　日

责任护士:　　　　　　　　　　护士长:

Glamorgan评分		评估(日期、得分)			
评估项目	分值	月 日			
1.儿童移动时存在较大困难或导致病情恶化	20	分			
2.缺乏协助情况下无法改变体位/控制身体的移动/全身麻醉	15				
3.轻微移动但低于该年龄段应有的移动能力	10				
4.与年龄相符的正常移动能力	0				
5.设备/物体/坚硬的表面/压迫或与皮肤摩擦	15				
6.明显的贫血(Hb<9g/dl)	1				

续表9-9

7.持续性发热(超过4h,T>38℃)	1						
8.不良的外周循环灌注情况(肢端冰冷/毛细血管再充盈时间>2s/皮肤发冷有瘀斑)	1						
9.营养不良(无法经口进食/无法吸收/肠内喂饲和不经静脉输注营养液补充营养)	1						
10.低血浆白蛋白(<3.5g/dl)	1						
11.体重低于10%分位数	1						
12.失禁(与年龄不相符的)	1						
总分							
预防措施:(填写相应内容的序号;凡<10分者,预防措施项目不填)							
1.护理用具:①气垫床。②海绵垫。③软枕头。④糜子垫。⑤水袋。⑥压力性损伤贴。⑦透明薄膜							
2.局部皮肤:①清洁干燥。②润肤霜。③交接班							
3.定时翻身:①1次/h。②1次/2h。③1次/2h～4h。④根据病情							
4.避免剪切力和摩擦力:①床单元清洁、平整。②避免拖、拉、拽。③使用无破损便器。④半卧位床头<30°							
5.加强营养:①增加热量摄入。②增加蛋白摄入。③补充维生素及微量元素							
护士签名:							

压力性损伤可能发生的部位(在相应内容后打√)

枕后□　耳廓□　肩胛□　肘部□　坐骨结节□　髋部□　骶尾部□　内外膝□　内外踝□　脚跟□
其他:＿＿＿＿＿＿＿＿＿＿

　　患儿属压力性损伤高危人群,住院期间可能会发生压力性损伤,我们尽力帮助患儿避免,希望得到家属的配合和理解!

　　　　　　　　　　　　　　　　家属签名:　　　　　　　年　　　月　　　日

结果:未发生□　发生□(日期:　　　　　　　类型、分期及大小:　　　　　　　　)

转科情况:无□　有□(转出科室:　　　　　　　转入科室:　　　　　　　　　)

　　注:(1)Glamorgan评分(范围:0～67分):无危险,<10分;低危险,≥10分;高危险,≥15分;非常高危,≥20分。

　　(2)初评:凡新入院、转科患儿均须评估。再评:低危险者(≥10分),好转或出院时再评估1次,病情变化时随时评估;高危险(≥15分),每周评估2次;非常高危(≥20分),每天评估1次。

（三）压力性损伤风险评估（新生儿版本）

详见表9-10。

表9-10 压力性损伤风险评估与防范记录表(新生儿版)

科室：　　床号：　　姓名：　　性别：　　年龄：　　胎龄：　　住院号：				
诊断：　　　　转科情况:无□ 有□(转出科室:　　转入科室:　　　　)				
入院日期：　年　月　日　　出院日期：　年　月　日　　护士长：				

NSRAS评分				评估(日期)
评估内容	分值			月 日
	4	3	2	1	评估(得分)

评估内容	4 完全受限	3 严重受限	2 轻度受限	1 不受限	
一般情况	胎龄<28周	胎龄>28周 胎龄<33周	胎龄>33周 胎龄<38周	胎龄>38周	
意识状态	由于意识减弱或处于镇静状态对疼痛反应迟钝(没有退缩、抓、呻吟、血压升高或心率升高)	仅对疼痛刺激有反应(没有退缩、抓、呻吟、血压升高或心率升高)	昏睡	警觉的和活跃的	
移动性	没有辅助下身体或肢体完全不能移动	身体或肢体位置偶尔轻微的改变,但不能独自频繁改变	能独自频繁改变但只能轻微地改变身体或肢体位置	没有辅助下能频繁地改变位置(如转头)	
活动度	在辐射台上使用透明塑料薄膜	在辐射台上不使用透明塑料薄膜	在暖箱里	在婴儿床上	
营养	禁食,需静脉输液	少于满足生长需要的奶量(母乳/配方奶)	管饲喂养能满足生长需要	每餐奶瓶/母乳喂养能满足生长需要	
潮湿度	每次移动或翻身,皮肤都是潮湿的	皮肤时常潮湿但不总是潮湿,每班至少更换1次床单	皮肤偶尔潮湿,每天需加换1次床单	皮肤经常干燥,床单只需24h更换1次	
总分					
责任护士					

皮肤损伤可能发生的部位(在相应内容后打√或补充)

枕后□ 耳廓□ 鼻中隔□ 额颞部□ 肘部□ 骶尾部□ 脊柱隆突□ 内外踝□ 足跟□

其他:_____

注:(1)总分≥13分,须每天评估并填写预防措施;(2)总分<13分,须每周二、五评估;(3)病情有变化时,随时评估。

二、分期/级类

（一）NPUAP压力性损伤分期/分类系统

1.1期：指压不变白红斑，皮肤完整

局部皮肤完好，出现压之不变白的红斑，深色皮肤表现可能不同；指压变白红斑或者感觉、皮温、硬度的改变可能比观察到皮肤改变更先出现。此期的颜色改变不包括紫色或栗色变化，因为这些颜色变化提示可能存在深部组织损伤。

2.2期：部分皮层缺失伴随真皮层暴露

伤口床有活性，呈粉色或红色，湿润，也可表现为完整的或破损的浆液性水疱。脂肪及深部组织未暴露。无肉芽组织、腐肉、焦痂。该期损伤往往是由于骨盆皮肤微环境破坏和受到剪切力，以及足跟受到剪切力导致。该分期不能用于描述潮湿相关性皮肤损伤，比如失禁性皮炎、皱褶处皮炎，以及医疗黏胶相关性皮肤损伤或者创伤伤口（皮肤撕脱伤、烧伤、擦伤）。

3.3期：全层皮肤缺失

常常可见脂肪、肉芽组织和边缘内卷。可见腐肉和/或焦痂。不同解剖位置的组织损伤的深度存在差异；脂肪丰富的区域会发展成深部伤口。可能会出现潜行或窦道。无筋膜、肌肉、肌腱、韧带、软骨和/或骨暴露。如果腐肉或焦痂掩盖组织缺损的深度，则为不可分期压力性损伤。

4.4期：全层皮肤和组织缺失

可见或可直接触及筋膜、肌肉、肌腱、韧带、软骨或骨头，可见腐肉和/或焦痂。常常会出现边缘内卷，窦道和/或潜行。不同解剖位置的组织损伤的深度存在差异。如果腐肉或焦痂掩盖组织缺损的深度，则为不可分期压力性损伤。

5.深部组织损伤

持续的指压不变白，颜色为深红色、栗色或紫色。

完整或破损的局部皮肤出现持续的指压不变白深红色、栗色或紫色，或表皮分离呈现黑色的伤口床或充血水疱。疼痛和温度变化通常先于颜色改变出现。深色皮肤的颜色表现可能不同。这种损伤是由于强烈和/或长期的压力和剪切力作用于骨骼和肌肉交界面导致。该期伤口可迅速发展暴露组织缺失的实际程度，也可能溶解而不出现组织缺失。如果可见坏死组织、皮下组织、肉芽组织、筋膜、肌肉或其他深层结构，说明这是全皮层的压力性损伤（不可分期、3期或4期）。该分期不可用于描述血管、创伤、神经性伤口或皮肤病。

6.不可分期：全层皮肤和组织缺失，损伤程度被掩盖

全层皮肤和组织缺失，由于被腐肉和/焦痂掩盖，不能确认组织缺失的程度。只有去除足够的腐肉和/或焦痂，才能判断损伤是3期还是4期。缺血肢端或足跟的稳定性焦痂（表现为干燥，紧密黏附，完整无红斑和波动感）不应去除。

（二）得克萨斯大学糖尿病伤口分级系统

得克萨斯大学系统通过深度评估糖尿病足溃疡，然后通过感染和缺血的存在或不存在进行分期：

0级：前溃疡或后溃疡部位已经愈合。

1级：不涉及肌腱、关节囊或骨的浅表伤。

2级：伤口穿透肌腱或关节囊。

3级：创伤穿透骨或关节。

每个伤口级别有四个阶段：

阶段A：清洁伤口。

阶段B：非缺血性感染伤口。

阶段C：缺血性未感染伤口。

阶段D：缺血性感染伤口。

（三）Meggitt-Wagner糖尿病足溃疡分级系统

根据病情的严重程度进行分级。常用的分级方法为Wagner分级法。本系统由Meggitt于1976年建立，随后Wagner在此基础上进行了改良并得到推广，简称为Wagner分级系统，包括伤口深度、位置、是否存在坏疽3个参数。以伤口深度为主分为0～5级，详见表9-11。

表9-11 Meggitt-Wagner糖尿病足溃疡分级系统

分级	特征
0级	有发生足溃疡危险因素的足,目前无溃疡
1级	表面溃疡,临床上无感染
2级	较深的溃疡,常合并软组织炎,无脓肿或骨的感染
3级	深度感染,伴有骨组织病变或脓肿
4级	局限性坏疽(趾、足跟或前足背)
5级	全足坏疽

三、计算类

（一）PUSH压力性损伤愈合计分工具

PUSH压力性损伤愈合计分工具详见表9-12。

表9-12 PUSH压力性损伤愈合计分工具

项目	评分及依据						得分
压力性损伤面积长×宽(cm²)	0 0	1 <0.3	2 0.3～0.6	3 0.7～1.0	4 1.1～2.0	5 2.1～3	
		6 3.1～4.0	7 4.1～8.0	8 8.1～12.0	9 12.1～24	10 >24	
渗液量	0 无	1 少量	2 中量	3 大量			
创面组织类型	0 闭合	1 上皮组织	2 肉芽组织	3 腐肉	4 坏死组织		
总分							
评估者							

使用说明：

1.评估范围：分别观察和测量压力性损伤的创面、渗出和伤口床组织类型等，并进行评分，3个项目相加所得到的总分用于评估患者压力性损伤愈合过程中是否好转或恶化。当存在多处压力性损伤时，可在每个项目评分栏内标注①②③等表示每处压力性损伤，并标明分值，但每名评估者均应明确①②③所指部位，以防影响评估准确性。

2.评估频次：院外带入压力性损伤患者入院时、住院患者发生压力性损伤初次评估时进行首次PUSH评分；压力性损伤患者住院期间每周进行评估至少1次；压力性损伤痊愈时或住院期间压力性损伤未愈者于出院时进行出院评估。

3.压力性损伤面积（长×宽）：以患者身体的头至脚为纵轴，与纵轴垂直为横轴，以纵轴最长值表示伤口的长度，横轴最长值表示宽度，计算长×宽以估计伤口的面积（单位cm²）。

4.渗液量：在揭出敷料未进行创面清洗或擦拭之前评估渗液量。

5.创面组织类型

（1）4分：坏死组织，黑色、棕色、棕黑色组织牢固附着在伤口床或伤口边缘，与伤口周围皮肤附着牢固或者松软。

（2）3分：腐肉，黄色或白色组织以条索状或者浓厚结块黏附在伤口床，也可能是黏液蛋白。

（3）2分：肉芽组织，粉色或牛肉色组织，有光泽，湿润得像颗粒状表面。

（4）1分：上皮组织，浅表性溃疡，有新鲜的粉色或有光泽组织生长在伤口边缘，或如数个小岛分散在溃疡表面。

（5）0分：闭合或新生组织，伤口完全被上皮组织或重新生长的皮肤覆盖。

（二）造口周围皮肤评估工具（DET评估表）

造口周围皮肤评估工具（DET评估表）详见表9-13。

表9-13　造口周围皮肤评估工具(DET评分表)

项目		0分	1分	2分	3分
D-变色	皮肤变色的面积（包括受侵蚀及组织增生部分）	造口周围皮肤正常（凭肉眼观察，没有发现任何表皮上的改变或损伤）	底盘覆盖下的造口周围皮肤变色的面积<25%	底盘覆盖下的造口周围皮肤变色的面积为25%～50%	底盘覆盖下的造口周围皮肤变色的面积>50%
	皮肤变色的严重程度	—	造口周围皮肤有颜色改变	造口周围皮肤颜色改变并伴有并发症，如疼痛、发光、硬结感、发热、发痒或烧灼感等	—
E-侵蚀	侵蚀/溃疡的面积	没有侵蚀	底盘覆盖下的造口周围皮肤被侵蚀的面积<25%	底盘覆盖下的造口周围皮肤被侵蚀的面积为25%～50%	底盘覆盖下的造口周围皮肤被侵蚀的面积>50%
	侵蚀/溃疡的严重程度	—	损伤累及表皮	损伤累及真皮层并伴有并发症（潮湿、渗血或溃疡）	—

项目		0分	1分	2分	3分
T-组织增生	面积	没有组织增生	底盘覆盖下的造口周围皮肤组织增生的面积<25%	底盘覆盖下的造口周围皮肤组织增生的面积为25%~50%	底盘覆盖下的造口周围皮肤组织增生的面积>50%
	严重程度	—	皮肤表面有高出的组织	皮肤表面有高出的组织并伴有并发症(出血、疼痛、潮湿)	—

注：3个症状的单项总分加起来，计算出DET总分，最高15分。

第六节　护理质量评价标准

一、压力性损伤护理质量评价标准及重点监测指标

见表9-14。

表9-14　压力性损伤护理质量评价标准及重点监测指标

序号	监测指标	标准要求	分值	评价方法
1	PIs风险评估覆盖率	责任护士应对所有入院患者进行压力性损伤风险评估。 风险评估覆盖率=$\dfrac{\text{PIs风险评估患者例数}}{\text{同期内住院患者总数}}\times100\%$	10	1.有信息系统:现场检查科室上个月所有入院患者,计算出PIs风险评估覆盖率,100%为合格,不合格每5%扣1分,累积无上限 2.无信息系统:采取抽检方式
2	PIs首次风险评估及时率	一般患者:入院后应于8h内完成首次皮肤风险评估。 首次风险评估及时率= $\dfrac{\text{8h内完成首次PIs风险评估例数}}{\text{抽查一般住院患者数}}\times100\%$ 急危重症患者:危重患者4h内完成风险评估,急诊患者根据病情尽快完成风险评估,不超过8h。 首次风险评估及时率= $\dfrac{\text{4h/8h内完成首次PIs风险评估例数}}{\text{抽查危重症患者数}}\times100\%$	10	现场随机抽查当月在院患者5人,计算出PIs风险评估及时率,100%为合格,不合格每人/次扣1分

续表9-14

序号	监测指标	标准要求	分值	评价方法
3	PIs风险动态评估合格率	责任护士对患者按要求频次进行皮肤风险动态评估。患者在病情变化、护理级别变动、术前、术中、术后、跌倒、活动能力受限、好转、出院等情况下需进行整体动态评估，在每次交接班时、转出和转入科室时、术前、术中、术后、出院前应进行皮肤动态评估。（评估频次参考甘肃省地方标准） 风险动态评估合格率=$\dfrac{\text{PIs风险动态评估频次合格例数}}{\text{抽查患者总数}} \times 100\%$	10	现场随机抽查当月在院患者5人，计算出PIs风险动态评估合格率，100%为合格，不合格每人/次扣1分
4	PIs风险评估正确率	责任护士能根据患者特点正确选用评估工具，掌握评分规范，其评分结果与患者实际病情相符，评估时机与频次正确。 风险评估正确率=$\dfrac{\text{PIs风险评估结果与实际情况相符例数}}{\text{抽查患者总数}} \times 100\%$	10	现场随机抽查当月在院患者5人，计算出PIs风险评估正确率，100%为合格，不合格每人/次扣1分
5	PIs预防措施落实率	责任护士能合理选用预防措施，预防措施的填写与落实情况相符。 PIs预防措施落实率=$\dfrac{\text{PIs预防措施选择合理且落实到位的患者例数}}{\text{抽查患者总数}} \times 100\%$	10	现场随机抽查当月在院患者5人，计算出PIs预防措施落实率，100%为合格，不合格每人/次扣1分
6	PIs评估准确率	科室压力性损伤联络员（或伤口小组护士）能准确评估压力性损伤的来源、部位、大小、深度、分期、潜行、是否发生感染，并准确上报。 PIs评估准确率=$\dfrac{\text{PIs评估结果与实际情况相符例数}}{\text{抽查的PIs患者总数}} \times 100\%$	10	现场随机抽查5例PIs患者，计算出PIs评估准确率，100%为合格，不合格每人/次扣1分
7	PIs护理措施落实率	责任护士能对PIs患者合理选用护理措施，护理措施的填写与落实情况相符。 PIs护理措施落实率=$\dfrac{\text{PIs护理措施选择合理且落实到位的患者例数}}{\text{抽查的PIs患者总数}} \times 100\%$	10	现场随机抽查5例PIs患者，计算出PIs护理措施落实率，100%为合格，不合格每人/次扣1分
8	PIs规范上报率	联络护士能在小程序上规范地填写上报内容，上报内容完整、准确，入院时带入及院内发生的压力性损伤能在8h内完成上报，若为夜班收住的患者，最晚应于24h内完成上报。 PIs规范上报率=$\dfrac{\text{统计周期内在小程序中规范上报PIs的患者例数}}{\text{同期PIs患者总数}} \times 100\%$	10	每月由小程序后台调取数据，计算出PIs规范上报率，100%为合格，不合格扣1分。漏报、瞒报每人/次扣3分

序号	监测指标	标准要求	分值	评价方法
9	院内PIs发生率	院内压力性损伤发生率是指在统计周期内,入院24h后发生压力性损伤的患者数量占同期住院患者总数的百分比。 院内PIs发生率=$\dfrac{统计周期内院内PIs新发病例数}{同期住院患者总数}\times100\%$	—	仅统计数据,不作考核参考,同级别医院发生率应处于同一区间,若发现漏报瞒报,根据情节严重程度扣3~10分
10	医疗器械相关性PIs发生率	医疗器械相关性压力性损伤是指由于使用用于诊断或治疗的医疗器械而导致的压力性损伤,损伤部位形状与医疗器械形状一致。 医疗器械相关性PIs发生率=$\dfrac{统计周期内医疗器械相关性PIs新发病例数}{同期住院患者总数}\times100\%$	10	每月由小程序后台调取数据,计算出医疗器械相关性PIs发生率,100%为合格,不合格扣1分
11	术中PIs发生率	术中压力性损伤是指在手术过程中,包括手术方式、手术时间等因素导致的深层皮肤肌肉组织损伤,通常将患者从入手术间开始的72h内发生的压力性损伤认作术中压力性损伤。 术中PIs发生率=$\dfrac{统计周期内术中PIs新发病例数}{同期住院患者总数}\times100\%$	10	每月由小程序后台调取数据,计算出术中PIs发生率,100%为合格,不合格扣1分

注:未使用"陇护汇"压力性损伤管理平台的医院,须具备压力性损伤信息化质控平台/工具。

二、伤口造口专科护理质量评价标准及重点监测指标

见表9-15。

表9-15 伤口造口专科护理质量评价标准及重点监测指标

监测指标		标准要求	分值	评价方法
结构指标:人力资源配置	1.伤口造口专科门诊每日平均护患比	计算公式:1:X=1:(每日门诊各班次接诊患者例数之和/每日各班次坐诊护士数之和) 护士纳入标准:单位时间内在伤口造口门诊出诊的专科护士;排除标准:轮转、进修、培训、实习护士,不直接参与患者护理的办公护士和护士长。 患者纳入标准:单位时间内在门诊接受伤口造口专科护理的患者及门诊专科护士会诊的住院患者;排除标准:无	—	现场查看,每月通过护理排班系统和医院信息系统获取护士和患者人数,计算出每日平均护患比

续表9-15

监测指标		标准要求	分值	评价方法
结构指标:人力资源配置	2. 每千张床位伤口造口专科护士护床比	计算公式:伤口造口专科护士总数/(开放床位数/1000) 分母纳入标准:实际开放床位数包含编制床位数,编制外的经医疗机构确认有固定物理空间和标准床单位配置、可常规收治患者的床位数,开放时间≥1/2统计周期的床位数;排除标准:急诊抢救与观察床位、手术室床位、麻醉恢复室床位、血液透析室床位、产房床位、母婴同室新生儿床、检查床、治疗床和各科室临时加床。 分子纳入标准:取得护士执业资格、在本院注册、获得伤口造口专科护理资质的护士,包括临床护士、返聘护士、休假(含病产假)护士;排除标准:院内职能部门、后勤部门、医保等非护理岗位护士,未在本院注册的护士	-	每年调取专科护士人员信息及实际开放床位数量,计算出千张床位伤口造口专科护士护床比
	3. 省级及以上持证专科护士占比	计算公式:省级及以上持证专科护士数量/伤口造口专科团队护士总数×100% 分母纳入标准:参与伤口造口专科护理的护士,包括医院伤口或皮肤护理小组成员、专科护士等;排除标准:轮转、进修、培训、实习护士。 分子纳入标准:经世界造口治疗师协会(WCET)、美国伤口管理委员会(ABWM)、国际伤口护理联盟(NAWC)等资格认证协会进行认证的伤口造口专科护士,经我国医疗机构/协会与国外医疗机构/协会[如欧洲伤口管理协会(EWMA)、德国慢性伤口协会(ICW)、德国技术监督体系]以及质量监督机构合作进行联合认证的伤口造口专科护士,参加中华护理学会及各省护理学会或医疗机构在当地卫生健康管理委员会委托下开展的专科护士培训等项目,考核合格获得证书的伤口造口专科护士;排除标准:无	10	每年调取相关护理人员信息(以专科护士证书及在岗工作量为准),计算出省级及以上持证专科护士占比,无专科护士此项为0,每个在岗省级伤口/造口专科护士加1分,加满为止
结构指标:感染预防与控制	4. 细菌监测达标率	计算公式:细菌监测达标样本例数/采样总例数×100% 分母纳入标准:统计周期内于换药室物体表面、空气消毒后和专科护士执行手卫生后随机采集的细菌监测样本;排除标准:无。 分子纳入标准:换药室物体表面细菌菌落总数≤10cfu/cm²,换药室空气中的细菌菌落总数≤4cfu/(5min·9cm平皿),手消毒的细菌菌落总数≤10cfu/cm²的样本记为"达标"样本,若采集的细菌监测样本不符合要求,则记为1例"不达标"。若任一项未进行样本采集,则该项不纳入计算;排除标准:无	10	每季度/月度相关科室可自查或委托院内感染科进行细菌监测,参照《医院消毒卫生标准》(GB 15982-2012)对伤口造口专科护士手、换药室的物表、空气采集样本,计算出细菌监测达标率,100%为合格,不合格每低于5%扣1分

监测指标		标准要求	分值	评价方法
过程指标:患者评估	5.伤口造口评估合格率	计算公式:统计周期内评估合格的患者例数/同期抽样调查的伤口造口患者例数×100% 分母纳入标准:统计周期内接受伤口造口专科护理的伤口造口患者,包括门诊患者和住院患者;排除标准:无。 分子纳入标准:评估时机合理、评估工具一致、评估结果准确、评估记录规范的患者记为1例"合格",任一项不符合要求则记为"不合格";排除标准:无	5	每月随机抽查5例伤口患者、5例造口患者,依据"附件表1"内容现场查看评估情况和(或)查看评估记录单,计算出伤口造口评估合格率,100%为合格,不合格每例/次扣1分
	6.慢性伤口患者营养风险筛查率	计算公式:统计周期内接受营养风险筛查的患者例数/同期抽样调查的慢性伤口患者例数×100% 首次接诊慢性伤口患者时,应使用有效和可靠的筛查工具对患者进行营养风险筛查,如Nutritional Risk Screening 2002(NRS2002)。分母纳入标准:统计周期内首次接受伤口造口专科护理的慢性伤口患者,如压力性损伤患者、糖尿病足溃疡患者、下肢动静脉溃疡患者等,包括门诊及住院患者;排除标准:无。 分子纳入标准:分母中接受营养风险筛查的患者;排除标准:无	5	每月随机抽查5例慢性伤口患者查看其首次就诊时的营养风险筛查记录,计算出慢性伤口患者营养风险筛查率,100%为合格,不合格每例/次扣1分
	7.伤口相关性疼痛评估规范率	计算公式:统计周期内评估规范的患者例数/同期抽样调查的伤口患者例数×100% 疼痛评估应满足以下条件: ①评估时机合理。每次换药前进行疼痛评估,并按伤口处理流程分步骤评估操作性疼痛。对于自诉疼痛剧烈的患者,留观30min后再次进行疼痛评估。 ②评估方法正确。通过语言沟通及对患者面色、体态、生命体征的观察评估患者疼痛,评估工具的选择与患者年龄、教育水平、认知等相符,护士能熟练使用评估工具开展疼痛评估。 ③评估记录及时。使用同一标准化的疼痛评估工具进行及时记录。 分母纳入标准:统计周期内接受伤口造口专科护理的门诊及住院伤口患者;排除标准:无。 分子纳入标准:分母中评估时机合理、评估方法正确、评估记录及时的患者则记为1例"规范",任一项不符合要求则记为"不规范";排除标准:无	5	每月随机抽查5例伤口患者现场查看疼痛评估情况及其伤口相关性疼痛评估记录,计算出伤口相关性疼痛评估规范率,100%为合格,不合格每例/次扣1分

续表9-15

监测指标		标准要求	分值	评价方法
过程指标:护理技术	8.护理用品使用符合率	计算公式:统计周期内护理用品使用符合原则的患者例数/同期抽样调查的伤口造口患者例数×100% 分母纳入标准:统计周期内接受伤口造口专科护理的门诊及住院伤口造口患者;排除标准:无。 分子纳入标准:伤口造口护理用品的使用遵循湿性愈合原理、与适应证相符且使用方法符合操作规范和商品说明,则认为"符合原则",其中任一项不符合,则认为"不符合原则";排除标准:无	5	每月随机抽查5例伤口患者、5例造口患者,现场查看护理用品使用情况,计算出护理用品使用符合率,100%为合格,不合格每例/次扣1分
	9.无菌技术操作规范率	计算公式:统计周期内无菌技术操作符合规范的例数/同期抽样调查的无菌技术操作例数×100% 分母纳入标准:伤口造口专科护士独立进行的换药、清创等无菌操作;排除标准:无。 分子纳入标准:整个换药过程中不违反无菌原则,无菌手套脱戴,无菌溶液倒取,无菌器械、敷料、一次性无菌物品的使用符合无菌技术操作规范,不跨越无菌区域,则记为1例"规范",任一环节不符合要求则记为"不规范";排除标准:无	5	每月现场查看,依据"附件表2"内容随机观察专科护士无菌技术操作5次且不告知观察对象,计算出无菌技术操作规范率,100%为合格,不合格每例/次扣1分
	10.手卫生依从率	计算公式:统计周期内手卫生实际执行时机数/同期应执行手卫生的时机数×100% 分母纳入标准:统计周期内,《医务人员手卫生规范》(WS/T 313-2019)中规定的应执行手卫生的时机(手卫生指征);排除标准:无。 分子纳入标准:伤口造口专科护士在护理患者过程中手卫生实际执行时机数;排除标准:无	5	每月现场查看,依据"附件表3"内容每月随机观察专科护士5例,且不告知观察对象,计算出手卫生依从率,100%为合格,不合格每例/次扣1分
	11.伤口相关性疼痛干预有效率	计算公式:统计周期内疼痛干预有效的患者例数/同期抽样调查的接受疼痛干预的伤口患者例数×100% 专科护士应根据伤口类型和疼痛程度采取有效的疼痛干预措施,如药物干预、轻柔换药、心理护理、调整体位、优化环境、缓解焦虑紧张情绪、疼痛剧烈时暂停换药、换药后指导休息和减压等。干预措施实施前后使用同一标准化的疼痛评估工具对患者进行疼痛评估,若疼痛评分降低,患者主诉疼痛减轻或缓解,则认为"干预有效"。 分母纳入标准:统计周期内伤口造口专科护士给予疼痛干预的伤口相关性疼痛患者,包括门诊和住院患者;排除标准:无。 分子纳入标准:分母中经干预后疼痛评分降低和(或)主诉疼痛减轻、缓解的患者;排除标准:无	5	每月随机抽查5例伤口相关性疼痛患者,现场观察疼痛干预过程,查看护理记录和疼痛评分记录,计算出伤口相关性疼痛干预有效率,100%为合格,不合格每例/次扣1分

监测指标		标准要求	分值	评价方法
过程指标:护理技术	12.慢性伤口愈合过程监测率	计算公式:统计周期内进行愈合过程监测的患者例数/同期抽样调查的慢性伤口患者例数×100% 分母纳入标准:统计周期内接受伤口造口专科护理的慢性伤口患者,包括门诊和住院患者;排除标准:中途转出、出院患者及门诊退出治疗的患者。 分子纳入标准:分母中进行伤口愈合过程监测的患者,伤口愈合过程的监测可使用科学有效的评价工具(如PUSH量表,DESIGN-Rating量表等)、高清相机等;排除标准:无	5	每月随机抽查5例慢性伤口患者,查看其伤口愈合过程监测记录,计算出慢性伤口愈合过程监测率,100%为合格,不合格每例/次扣1分
过程指标:延续性护理	13.延续性护理执行率	计算公式:统计周期内接受延续性护理的患者例数/同期出院和结束治疗的患者例数×100% 分母纳入标准:统计周期内接受伤口造口专科护理好转出院的住院患者和结束治疗的门诊患者;排除标准:无。 分子纳入标准:至少接受过1次延续性护理的患者,延续性护理方式不做限制;排除标准:无	5	每月随机抽查5例好转出院和结束治疗的患者,查看其延续性护理记录,计算出延续性护理执行率,100%为合格,不合格每例/次扣1分
结局指标:伤口患者结局指标	14.伤口愈合好转率	计算公式:统计周期内伤口愈合好转的患者例数/同期专科护士持续护理的伤口患者例数×100% 伤口愈合好转率指在统计周期内,愈合及好转的伤口患者例数占接诊的伤口患者总数的百分比。"伤口愈合"指创面恢复为连续的(解剖)结构和稳定的功能,创面100%再上皮化,无渗液渗出故无需引流或敷料贴敷。"伤口好转"是指经过处理,患者伤口体积缩小或者感染得以控制、疼痛得以缓解、恶臭减轻、舒适度增加、伤口未进一步恶化等。 分母纳入标准:统计周期内接受伤口造口专科持续护理的伤口患者,包括门诊和住院患者;排除标准:中途转出、出院及门诊退出治疗的患者。 分子纳入标准:分母中符合愈合、好转标准的伤口患者;排除标准:无	5	每月月初随机抽查5例急性伤口患者和5例慢性伤口患者,跟踪其伤口愈合情况,于患者结束治疗前以及当月最后1日前现场查看伤口情况,判断其是否符合愈合好转标准,计算出伤口愈合好转率,100%为合格,不合格每例/次扣1分

续表9-15

监测指标		标准要求	分值	评价方法
结局指标:造口患者结局指标	15.造口及周围皮肤并发症护理有效率	计算公式:统计周期内并发症护理有效的患者例数/同期专科护士持续护理的伴并发症的造口患者例数×100% 以下情况均属于"护理有效":造口水肿消退;造口出血停止;造口狭窄经指扩而缓解;凹陷、回缩、脱垂造口及造口旁疝选用适宜护理产品而未导致进一步损伤和恶化;轻、中度缺血坏死的造口恢复正常;造口皮肤黏膜分离的创面愈合或感染得到控制;刺激性皮炎、过敏性皮炎面积缩小或患者舒适度增加;真菌感染、毛囊炎等感染得到控制。 分母纳入标准:统计周期内接受伤口造口专科持续护理的伴造口并发症和(或)周围皮肤并发症的造口患者,包括门诊和住院患者;排除标准:中途转出、出院患者及门诊退出治疗的患者。 分子纳入标准:分母中造口及周围皮肤并发症护理有效的患者;排除标准:无	5	每月月初随机抽查5例伴有造口并发症和(或)周围皮肤并发症的患者,跟踪其并发症发展情况,于患者结束治疗前或当月最后1日现场查看并发症护理情况,判断护理是否有效,计算出造口及周围皮肤并发症护理有效率,100%为合格,不合格每例/次扣1分
	16.造口患者自我护理能力	计算公式:造口自我护理量表各条目得分之和。 患者纳入标准:统计周期内接受伤口造口专科护理的造口患者,包括住院患者和延续性护理患者。 患者排除标准:存在认知功能异常、意识不清及语言交流障碍等无法配合的情况的患者	5	每月随机抽查5例造口患者,于出院前通过附件表4的造口患者自我护理能力量表进行问卷调查,不合格每例/次扣1分
结局指标:综合性结局指标	17.继发性皮肤或组织损伤发生率	计算公式:统计周期内发生的继发性损伤例数/同期处理的伤口造口例数×100% 继发性皮肤或组织损伤是指在处理伤口或造口患者的过程中引起的皮肤或正常组织损伤,如伤口造口的继发性感染、医用粘胶相关性皮肤损伤(MARSI)、潮湿相关性皮肤损伤(MASD)、清创不当造成的大量出血、清创不当造成的神经或组织损伤、使用敷料引起的过敏和色素沉着、敷料包扎不当导致的肢端水疱、青紫或坏死等。 分母纳入标准:统计周期内由伤口造口专科护士处理的伤口造口的例数,若患者同时有造口和多处伤口,其数量叠加计算;排除标准:专科护士未进行持续护理的伤口或造口。 分子纳入标准:在处理伤口或造口过程中引起的继发性损伤,若同一患者发生多处继发性损伤,其数量以实际发生的损伤例数计算;排除标准:因医学检查、用药、手术或意外事故而造成的皮肤或组织损伤	5	现场查看专科护士每日登记接诊的伤口造口例数、继发性皮肤或组织损伤例数及损伤详细情况,计算出继发性皮肤或组织损伤发生率,0为合格,不合格每例/次扣1分

监测指标		标准要求	分值	评价方法
结局指标:综合性结局指标	18.操作相关性损伤在继发性损伤中的占比	计算公式:统计周期内护理操作相关性损伤例数/同期继发性损伤例数×100% 操作相关性损伤在继发性损伤中的占比是指因各种护理操作不当而引起的损伤在继发性皮肤或组织损伤中的比例。 分母纳入标准:在处理伤口或造口过程中引起的继发性损伤,数量以患者实际发生的继发性损伤例数计算;排除标准:因医学检查、用药、手术或意外事故而造成的皮肤或组织损伤。 分子纳入标准:分母中因护理操作不当引起的皮肤或正常组织损伤,数量以患者实际发生的操作相关性损伤例数计算;排除标准:无	5	现场查看专科护士每日登记继发性皮肤或组织损伤例数和护理操作相关性损伤例数,计算出操作相关性损伤在继发性损伤中的占比,0为合格,不合格每例/次扣1分
	19. 30d内非计划性再入院率	计算公式:统计周期内30d内非计划再入院的患者例数/同期出院和结束治疗的患者例数×100% 分母纳入标准:统计周期内,住院期间行肠造口术、泌尿造口术及其他各类外科手术、负压治疗、保守换药等,并主要由伤口造口专科护士进行护理,好转后出院的住院患者;经伤口造口专科门诊护理,治愈或好转后结束治疗的伤口造口门诊患者。排除标准:肿瘤发生远端转移,伴其他类型的恶性肿瘤,预期寿命不足半年,行姑息治疗的患者。 分子纳入标准:分母中30d内因伤口感染、剧烈疼痛、溃疡复发、伤口恶化、包扎不当、造口底盘渗漏、造口周围皮肤并发症等与健康教育不到位、护理操作不当、患者预后判断不准确高度相关的无法预测或意料之外的原因而再次入院的患者;排除标准:与医疗高度相关的原因引起的再入院;计划内的复诊、复查	5	现场查看周期内专科护士每日登记或每月系统调取30d内非计划性再入院患者例数和出院、结束治疗的患者例数,计算出30d内非计划性再入院率,0为合格,不合格每例/次扣1分
	20.健康教育有效率	计算公式:统计周期内健康教育有效的患者例数/同期抽样调查的接受健康教育的患者例数×100%	5	每月随机抽查5例患者,计算出健康教育有效率,100%为合格,不合格每例/次扣1分

附件

表1 伤口造口评估合格率查检条目

护理单元： 督查时间： 督查人：

项目	序号	内容	督查例数	合格例数	不合格例数	不适用例数	合格率	备注
伤口评估	1	于每次换药前、后对伤口患者进行评估						
	2	伤口患者的整体评估包括年龄、营养状况、代谢性疾病、免疫状态、药物、血管功能、神经系统障碍、凝血功能、心理状态						
	3	伤口患者的局部评估包括伤口类型、伤口大小与深度、伤口部位、组织类型、伤口渗液、感染评估、伤口边缘、疼痛及伤口周围皮肤						
	4	每次进行伤口评估使用的方法与工具保持前后高度一致						
	5	专科护士对伤口的评估结果准确						
	6	伤口患者评估时间、内容、结果有及时完整的记录，术语使用符合规范						
造口评估	7	于造口术前、术后及出院前对造口患者进行评估						
	8	造口患者的整体评估包括基本病情、文化背景、生活习惯、造口接受度、心理状况、皮肤情况、沟通能力以及视力和动手能力等自我护理能力						
	9	造口患者的局部评估包括造口类型、血运、位置、高度、大小与形状、黏膜及周围皮肤、造口支撑棒、排泄物						
	10	每次进行造口评估使用的方法与工具保持前后高度一致						
	11	专科护士对造口的评估结果准确						
	12	造口患者的评估时间、内容、结果有及时完整的记录，术语使用符合规范						
合计								

表2 无菌技术操作规范率查检条目

护理单元： 督查时间： 督查人：

序号	内容	督查例数	规范例数	不规范例数	不适用例数	规范率	不规范率	备注
1	无菌物品不与非无菌物品混放							
2	灭菌物品使用前检查其消毒指示胶带和有效期,一次性无菌用品使用前检查其有效期和密闭性							
3	口罩佩戴正确,松紧度适宜,口罩潮湿后立即更换							
4	戴无菌手套前、脱掉无菌手套后按规定程序洗手或进行卫生手消毒							
5	诊疗护理不同的患者之间更换手套							
6	选择尺码适宜的无菌手套,无菌手套戴脱方法正确,无污染							
7	夹取无菌敷料、器械时须使用无菌持物钳(镊子),无菌持物钳(镊子)不能用于夹取油纱布							
8	取远处物品时,无菌持物钳(镊子)应与容器一起搬移到物品旁使用							
9	无菌持物钳(镊子)不能低于腰部,使用时保持其尖端向下,不可倒转向上。换药时无菌镊子不被其他镊子污染							
10	外层敷料不使用镊子揭开,内层敷料使用镊子揭开							
11	倾倒无菌溶液时手握标签面,先倒少量液体于弯盘内,再由原处倒所需液量至无菌容器内,倾倒液体时不可直接接触瓶口							
12	按照正确顺序清洗、消毒伤口							
13	未经消毒的手和手臂不可直接接触无菌物品或超过无菌区取物。操作者应与无菌区保持一定距离,以免污染无菌区							
14	无菌包一经打开,尽快使用,已取出的物品虽未使用,也不可再放回无菌包							
合计								

表3 手卫生依从率查检表

护理单元： 督查时间： 督查人：

被检者	手卫生指征					手卫生方法				未洗手	时间
	接触患者前	清洁、无菌操作前，包括进行侵入性操作前	暴露患者体液风险后，包括接触患者黏膜、破损皮肤或伤口、血液、体液、分泌物、排泄物、伤口敷料等之后	接触患者后	接触患者周围环境后，包括接触患者周围的医疗相关器械、用具等物体表面后	洗手		卫生手消毒			
						正确	错误	正确	错误		

表4　中文版造口患者自我护理能力量表(早期版)*

护理单元：　　　　　　患者姓名：　　　　　　督查时间：　　　　　　督查人：

条目	非常不熟练 (1分)	不熟练 (2分)	一般 (3分)	熟练 (4分)	非常熟练 (5分)
1. 选择合适的造口袋	☐	☐	☐	☐	☐
2. 准备好更换造口袋所需的物品	☐	☐	☐	☐	☐
3. 从皮肤移除旧的造口袋	☐	☐	☐	☐	☐
4. 清洗并使皮肤干燥	☐	☐	☐	☐	☐
5. 评估造口和造口周围皮肤情况	☐	☐	☐	☐	☐
6. 测量造口大小并剪裁准备好新造口袋	☐	☐	☐	☐	☐
7. 牢固固定好新造口袋	☐	☐	☐	☐	☐
8. 使用必要的辅助产品	☐	☐	☐	☐	☐
9. 丢弃用过的造口袋	☐	☐	☐	☐	☐
10. 知道并能及时清空和更换造口袋	☐	☐	☐	☐	☐
总分					

注:该量表主要用于测量造口患者独立更换造口袋的技能,包含10个条目,采用Likert 5级评分,1~5分代表非常不熟练—非常熟练,得分越高,造口患者的自我护理能力越高。

参考文献

[1] 万德森,朱建华,周志伟.造口康复治疗:理论与实践[M].北京:中国医药科技出版社,2006.

[2] 苏昀,顾晓箭.外科学进展[M].南京:东南大学出版社,2011.

[3] 杨春明.外科学原理与实践[M].北京:人民卫生出版社,2003.

[4] 詹秀兰,黎中良,曾雪玲,等.伤口护理新进展[J].大家健康:学术版,2015,22(16):170-171.

[5] Peacock E E, Winkle W. Wound repair[M]. Philadelphia: Saunders, 1984.

[6] 徐晓晰,张敏,方颖.基于病人需求的护理模式在门诊伤口护理应用的效果评价[J].护理研究,2016,30(9):1108-1110.

[7] 胡爱玲,余婷,温嘉慧.德国慢性伤口护理专家标准解读及启示[J].中国护理管理,2018,18(1):15-18.

[8] Duong T T, Andrea M S, Ritin S, et al. Changes in general nurses' knowledge of alcohol and substance use and misuse after education[J]. Perspectives in Psychiatric Care, 2010, 45(2):128-139.

[9] Wilson E, Deutsch H. The wound and the bow: seven studies in literature[M]. Methuen, 1961.

[10] 徐洪莲,喻德洪.肠造口护理[J].实用肿瘤杂志,1998(4):201-202.

［11］刘春萍,何玉霞.伤口造口护理中延续性护理的应用［J］.中西医结合心血管病电子杂志,2018(19):6-7.

［12］Chang J , Siebert J W , Schendel S A, et al. Scarless wound healing: Implications for the aesthetic surgeon［J］. Aesthetic Plastic Surgery, 1995, 19(3):237-241.

［13］陈梦越,李乐之.慢性伤口细菌生物膜相关微环境的研究进展［J］.中华护理杂志,2016,51(12):1483-1486.

［14］李乐之,路潜.外科护理学［M］.北京:人民卫生出版社,2017.

［15］陈孝平,汪建平,赵继宗.外科学［M］.北京:人民卫生出版社,2018.

［16］王泠,胡爱玲.伤口造口失禁专科护理［M］.北京:人民卫生出版社,2018.

［17］喻德洪.肠造口治疗［M］.北京:人民卫生出版社,2004.

［18］王静.慢性伤口护理及案例分享［M］.上海:第二军医大学出版社,2014.

［19］张其健,戴薇薇,唐琼芳.我院伤口护理中心的建立与运行管理实践［J］.护理管理杂志,2013,13(1):1.

［20］王珑,陈晓欢.伤口造口专科护士实践手册［M］.北京:化学工业出版社,2014.

［21］胡霞.伤口造口护理小组对临床压力性损伤预防与治疗的应用研究［J］.中国医疗设备,2017(1):286-287.

［22］周春兰,刘颖,甄莉,等.慢性伤口患者基础疼痛及换药相关疼痛的调查分析［J］.护理学杂志,2016,31(18):25-29.

［23］耿志杰,陈军,刘群峰,等.伤口护理应用医用湿性敷料研究进展［J］.护理学报,2017,24(11):27-30.

［24］韩中林.伤口造口护理小组对临床压疮预防与治疗的应用研究［J］.当代护士,2017(7):142-143.

［25］夏澜,杨平,江湖,等.伤口造口失禁患者多学科团队的干预效果［J］.中国老年学杂志,2019,39(2):96-98.

［26］董珊,杨婷,汤雨佳,等.负压伤口疗法预防术后切口感染效果的Meta分析［J］.护理管理杂志,2019(8):540-544.

［27］何业萍.延续护理在慢性伤口患者出院后护理中的效果［J］.国际护理学杂志,2019,38(6):862-864.

［28］龙娟,付红英,张永春,等.基于Citespace V的我国伤口护理研究热点可视化分析［J］.全科护理,2020(4):391-396.

［29］张扬,谌永毅,许湘华,等."互联网+护理"背景下慢性伤口延续护理研究进展［J］.中西医结合护理,2020,6(2):185-189.

［30］田素萍,李会娟,张丽芬,等.上门式延续护理在居家老年患者压力性损伤治疗中的应用［J］.中华现代护理杂志,2020,26(2):265-267.

第十章 血液净化护理质量标准

第一节 结构质量标准

一、制度与规范

（一）组织管理

1.组织体系构建

组织体系构建具备三级护理管理组织体系。

（1）在护理部、科护士长、护士长的管理指导及科主任的业务指导下，有目的、有计划、有序地开展工作。血液净化护理专业可下设培训小组、质量控制小组、科研小组等，各小组内设组长、组员，各负其责。

（2）组织管理架构详见图10-1。

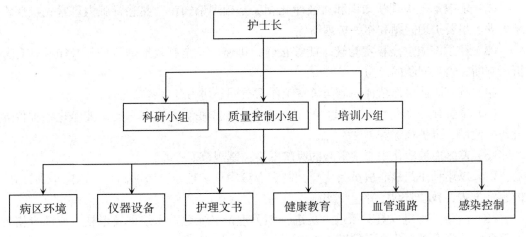

图10-1 血液净化护理组织管理架构

2.岗位管理

血液净化中心（室）护理人员岗位及层级根据各医院实际情况制定。

（1）成立岗位评定小组和绩效考核小组。岗位评定小组严格按照护理人员岗位管理及绩效考核实施方案的要求，落实护理人员岗位及层级管理，绩效考核小组制定护理人员绩效考核方案。

（2）科室护理岗位设置总务护士、责任组长、责任护士。

（3）护理人员层级管理可根据各医院实际情况设定。

（4）护理人员严格按照岗位职责履行职责。

（5）岗位评定小组和绩效考核小组每月对护理人员履职情况进行评定和考核，按岗位管理考核办法考核并发放绩效工资。

（二）管理制度

1.血液净化中心（室）工作制度

（1）严格遵守医院及科室规章制度，坚守工作岗位，保质保量完成各项护理工作。

（2）热情接待患者，耐心做好解释和宣教工作，解除患者紧张情绪，指导患者及家属做好饮食管理。

（3）严格遵守医院感染管理制度，按照操作规程和无菌原则进行各项治疗、操作，防止交叉感染，保证血液净化治疗安全顺利进行。

（4）严格执行消毒隔离制度，进入治疗区域必须更换工作衣、裤，更换清洁工作鞋，戴口罩、帽子，防止发生交叉感染。

（5）认真并及时填写血液净化治疗记录单。

（6）制订各项应急预案及处置流程，治疗前、后检查仪器设备性能、电源、水源，确保安全。

（7）严格遵守医疗废物处置管理流程。

2.护士执业准入制度

（1）具有国家执业护士注册证，具有血液净化专科护士资格证或必须在三级医院接受过血液净化护理专业培训3个月及以上，经考核合格后方可上岗。

（2）掌握基础护理学知识和血液净化相关基础理论知识，熟悉肾脏内科常见疾病临床表现、主要护理问题和相关护理措施。

（3）经过院内重点科室轮转，能够正确、迅速、安全有效地进行护理操作，具有分析、判断、处置问题的能力。

（4）具有团队协作精神，能与科室工作人员同心协力开展各项工作。

（5）掌握血液净化中心（室）的工作制度、工作职责，熟练掌握血液净化各种仪器设备的使用、维护和保养方法。

（6）掌握血液净化中心（室）的医院感染控制规范。

（7）以培训小组核心成员为主导，制定血液净化护理专科培训制度，确定培训计划、内容、方式、教学时数，并组织实施。

（8）由培训小组成员对新进人员进行相关理论、专业技术培训及考核，成绩合格者方可独立从事血液净化专科护理工作。

3.血液净化中心（室）重点环节及高危因素安全管理制度

（1）在科主任领导下，由科主任、护士长、医疗组长、护理组长等人员成立安全管理小组，全面负责血液净化中心（室）安全管理工作。

（2）排查血液净化中心（室）护理管理高危因素，制订各项应急预案及处置流程，定期组织学习并演练，做到人人掌握。

（3）各层级、各岗位护理人员职责明确，工作流程合理，责任到人，杜绝医疗、护理安全隐患。

（4）严格执行消毒隔离制度及医院感染管理制度，保证血液净化治疗安全，杜绝院内感染事件发生。

（5）制定并落实仪器设备使用和保养管理制度，确保血液净化设备使用安全。

（6）严格执行国家卫生行业医疗用品使用制度，保证血液净化治疗所使用的医疗用品三证齐全。

4.透析液和透析用水质量监测制度

（1）血液净化中心（室）透析液、透析用水的质量监测在医院感染管理科指导帮助下，由科室护士长、感染控制质控员具体负责完成。

（2）每年每台透析机至少进行一次透析液的细菌和内毒素检测。透析用水和透析液标准必须符合《血液透析及相关治疗用水》（YY 0572—2023）和《血液透析及相关治疗用浓缩物》（YY 0598—2015）的要求。

（3）透析用水取样部位为反渗水输水管路回路的末端。

（4）透析液取样部位为透析液进入透析器的位置。

（5）透析用水细菌或内毒素水平达到标准的50%时，应对水处理系统进行消毒。

（6）透析用水系统疑似污染时，增加采样点，如原水口、反渗水出入口等，并及时进行检测，查找原因，进行整改，再次复查符合标准后方可使用。

5.消毒隔离制度

（1）血液净化中心（室）工作人员必须严格遵守无菌操作技术规范。进入治疗区域必须穿工作服，换工作鞋，戴工作帽及口罩。

（2）进入血液净化治疗区，严格执行手卫生制度。

（3）两班之间必须清场，开窗通风30min，床单元一人一用一更换。每班至少空气消毒1次，每次1h。透析治疗区域、水处理间每季度按要求进行空气培养，并备案记录。

（4）定期对透析用水、透析液进行相关检测。

（5）一次性物品及透析用耗材不得重复使用，做到一人一用一弃，使用后放入医疗废弃物袋内（阳性区装入双层废弃物袋内）。

（6）每班次及时处置分类放置的废弃物。

6.血液净化中心（室）感染管理制度

（1）布局合理，符合医院感染管理要求及血液净化工作需要。

（2）护理人员入室需更换工作衣，换工作鞋，戴工作帽及口罩，严格执行手卫生规范。

（3）护理人员操作时严格执行消毒隔离制度，并加强个人防护，防止职业暴露事件发生。

（4）治疗用物在治疗准备间按需准备。治疗用药须在治疗准备间配制，配制的药品直接送至每位患者的透析单元，标识清楚，专人专用。

（5）已经进入治疗区的药品、物品不可返回治疗准备间。物品转运：清洁区→潜在污染区域→普通透析治疗区→丙型病毒性肝炎隔离透析治疗区→乙型病毒性肝炎隔离透析治疗区，不得逆向转运。严禁治疗车在隔离透析治疗区和普通透析治疗区交叉使用，隔离透析治疗区物品严禁带入普通透析治疗区。

（6）水处理设备定期消毒并记录。

（7）每人次治疗结束，严格按照废液排放流程排放废液，并对机器表面及内部进行终末消毒。

（8）一次性耗材的使用及处理详见第二章第五节相关内容。

7.传染病患者隔离制度

（1）血液净化中心（室）传染病治疗区的布局和流程应满足工作需要，符合医院感染控制要求。

（2）初次血液透析患者透析前必须进行乙肝、丙肝、梅毒、艾滋病等病毒感染相关检查并记录，根据检测结果进入相应透析治疗区域。并在1、3、6个月复查，根据复查结果进行调整。

（3）乙型病毒性肝炎、丙型病毒性肝炎、梅毒抗体阳性等经血液传播性疾病患者，应在隔离治疗区进行专区、专机治疗。

（4）隔离透析治疗区内配备专用设备、治疗车和物品，不能与普通透析治疗区交叉使用；所有设备、物品如透析机、治疗车、血压计、听诊器等有明确标识。

（5）隔离透析治疗区护理人员相对固定，同一班次护理人员不能交叉管理隔离透析治疗区和普通透析治疗区患者。

（6）隔离透析治疗区护理人员应加强个人防护，必要时佩戴防护面罩和穿隔离衣等。

（7）HIV阳性和确诊传染性梅毒患者到指定传染病专科医疗机构或卫生行政部门指定的医疗机构接受血液净化治疗，或进行居家透析治疗。

（8）血液透析合并活动性肺结核患者应在呼吸道隔离病房或到指定机构接受透析治疗。

（9）呼吸道传染病疫情期间，透析前应详细询问流行病学史并进行体温检测。可疑或确诊患者在呼吸道隔离病房或到指定医疗机构接受透析治疗。

（10）隔离透析治疗区透析机物表使用高水平消毒剂擦拭消毒。

8.传染病新发、播散报告制度

血液净化中心（室）必须严格按照《中华人民共和国传染病防治法》和《突发公共卫生事件与传染病疫情监测信息报告管理办法》的相关规定，对传染病进行管理、报告。

（1）血液净化中心（室）诊疗过程中，发现新发乙型病毒性肝炎、丙型病毒性肝炎或其他传染病，应按照国家和医院有关传染病报告制度填写"传染病报告卡"报送公共卫生管理科。

（2）长期维持性血液透析患者，每6个月1次传染病监测中新发现传染病者，应填写"血源性传染病报告卡"上报公共卫生管理科。

（3）从其他血液净化中心（室）新转来传染病患者，如原血液净化中心（室）未上报传染病，现血液净化中心（室）应填写"传染病报告卡"上报公共卫生管理科。

（4）"血源性传染病报告卡"必须在接到检验结果后及时填写，并在24h内上报公共卫生管理科。

（5）普通透析治疗区内新发现的传染病患者，必须立即向科主任、护士长报告，并填写"血源性传染病报告卡"上报公共卫生管理科。

（6）在普通透析治疗区内新发现传染病患者3名及以上者，应立即上报医院感染管理科，并及时予以相应处理。

二、人力资源

（一）人员配置

1.资质要求

（1）具有国家执业护士注册证。

（2）具备能独立从事血液净化专科技术操作能力。

（3）职称：三级医院护士长或护理组长应具有主管护师及以上专业技术职务任职资格。二级医院及其他医疗机构护士长或护理组长，应具有护师及以上专业技术职务任职资格。

（4）工作年限

1）三级医院、二级医院护士长或护理组长须具备3年及以上血液净化专科护理工作经验。

2）三级医院护士长或护理组长须接受血液净化专科护士培训。二级医院护士长及护理组长须接受3个月及以上三级医院血液净化护理专科培训并考核合格。

3）血液净化中心（室）护理人员必须在三级医院接受血液净化护理专科培训3个月及以上，并经考核合格后方可上岗。

2.人员编配原则

（1）功能需要：根据血液净化设备数量、患者人数及血液净化中心（室）布局和实际护理工作需要，合理配备护理人员数量。每班次、每名护理人员负责治疗护理的患者应相对集中，数量不超过5名透析患者，采用集中供透析液全自动透析系统时护士每班次管理患者数可适当增多，但不超过8人。

（2）以人为本：每班护理人员配备须根据患者病情、年龄、自理能力、并发症等安排人数，确保患者治疗安全。

（3）动态调整：透析治疗过程中，不同时间段护理人员配备要求不同，上、下机时间段护患比例应增加，须保证治疗安全。

（4）结构合理：每个治疗区域的护理人员应根据技术力量强弱搭档、新老搭配。上下机操作时，严禁护理人员同时操作2台机器；护理人员应合理安排所分管患者的治疗操作，按规范流程进行各项技术操作。

3.岗位职责

在护理部、科主任指导下开展门诊、病区、急危重症患者的血液净化专科治疗及护理工作。具体岗位说明详见表10-1。

（二）人员培训

血液净化护理人员应不定期接受血液净化相关法律法规、新诊疗规范、指南、医院感染管理相关知识及医院相关管理规定等规章制度的培训学习。

1.理论培训要求

（1）依据护理人员层级制订各层级血液净化专科护理培训计划，使所有护理人员达到能级对应。

表10-1　血液净化护理专业组岗位说明

岗位名称	岗位职数	任职资格	工作权限	岗位职责
护士长	1~2	学历:本科及以上 职称:护师及以上 工作年限: 1.3年以上血液净化护理工作经验 2.须接受血液净化专科护士培训或接受3个月及以上三级医院血液净化护理专科培训	工作范围:医院 直接上级:科护士长 直接下级:责任组长	1.全面负责血液净化中心(室)护理质量管理,定期检查护理质量控制小组的工作,督导各项制度落实及疑难、危重症患者抢救工作,并积极开展新技术、新业务。 2.负责血液净化中心(室)护理人员的岗位设置和分层级管理,合理排班,动态调配,并做好绩效考核管理。 3.全面负责护理人员的培养,定期开展护理业务查房、教学查房、理论和技能培训,定期考核,全面参与指导落实护士职责情况,提升护士整体素质。 4.修订科室专科护理质量评价标准;负责本专科护理质量督导、检查与考核,组织开展专科护理不良事件分析及护理质量持续改进工作
责任组组长	2~4	学历:本科及以上 职称:护师及以上 工作年限:需接受3个月及以上三级医院血液净化护理专科培训,有5年及以上血液净化护理工作经验	工作范围:医院 直接上级:护士长 直接下级:责任护士	1.负责本组护理质量控制和改进,同时完成责任护士各班次的岗位职责。 2.协助组员正确执行血液净化治疗,认真查对,担任业务查房、技能操作演示。 3.指导本组责任护士所分管的患者病情观察、基础护理、专科护理及各项操作,并参与疑难危重症患者的抢救工作。 4.承担进修生、实习护生带教工作,教学讲课,教学查房,教学操作演示
责任护士	根据机护比1:0.5(第三班酌情增加人员)	学历:大专及以上 职称:护士及以上 工作年限:临床工作1年以上;接受3个月及以上三级医院血液净化护理专科培训,有6个月及以上血液净化护理工作经验	工作范围:医院 直接上级:责任组长	1.认真执行各项技术操作流程,负责所分管患者治疗与护理,密切观察病情及监测,正确进行护理评估,及时处理并发症,实施护理措施和健康教育。 2.负责当日责任区透析患者的血液净化治疗等工作,观察生命体征及治疗期间血液净化相关参数的变化,书写血液净化治疗单。 3.负责透析患者治疗期间的生活护理,了解患者身体状况、饮食及透析效果,与患者有效沟通,提高护理服务质量
总务护士	1	学历:大专及以上 职称:护师及以上 工作年限:需接受3个月及以上三级医院血液净化护理专科培训,有3年及以上血液净化护理工作经验	工作范围:医院 直接上级:护士长	1.协助护士长进行血液净化中心(室)物品、药品、仪器设备的核查、申领、交接、报损及水、电、暖故障报修等管理工作。 2.定期与护士长进行库房物品清点、盘查并登记在册
质控护士	2~4	工作年限:3年及以上血液净化护理工作经验	工作范围:本科室 直接上级:护士长	1.协助护士长制定科室护理质控标准。 2.按照质控标准进行督导检查并记录。 3.每月总结质控结果并在科务会上反馈

（2）所有护理人员必须掌握急、慢性肾功能衰竭，急性中毒，各种血液净化治疗适应证、禁忌证、并发症，医院感染防控知识、饮食指导及血管通路维护等相关知识。

（3）定期对特殊、疑难危重症患者及特殊病例组织护理业务查房，全体护理人员参加讨论和学习，制定个性化的血液净化治疗方案及护理措施。

（4）有针对性地进行专科知识培训，如血液净化中心（室）工作职责、血液净化原理、水处理设备维护与保养、血管通路建立及维护、血液净化设备维护及保养、血液透析患者病情评估与处理、危重症患者病情观察与处理及血管活性药物相关知识。

2.实践培训要求

（1）血液净化护理人员规范化操作培训实行专人一对一带教。

（2）带教老师对新入科人员严格按照培训计划进行操作培训，每项操作考核合格后方可进行下一项操作培训。

（3）新进人员经3个月技能培训考核全部合格后，方可在指导老师带领下分管护理患者。

（4）定期组织护理人员进行应急预案演练、危重症患者抢救配合演练，并进行考核。护理人员需熟练掌握各种抢救仪器、设备的使用。

（5）定期对护理人员进行专科技能操作培训及考核，如血液透析导管维护、自体动静脉内瘘穿刺及固定、各种血液净化设备的使用等。

三、环境

（一）环境布局

1.血液净化中心（室）

布局应满足工作需要，符合医院感染控制要求，严格区分清洁区、潜在感染区和污染区。

2.清洁区

包括工作人员更衣室、办公区、生活区、辅助功能区（治疗准备室、水处理间、库房等）。

（1）医护更衣室：用于医护人员更衣。

（2）治疗准备室：用于配制透析中使用的药品，如透析用抗凝剂、静脉制剂等；储存备用的消毒物品，如缝合包、深静脉穿刺包、血液透析导管及透析用相关物品。

（3）水处理间：用于生产透析用水。

（4）库房：分干性物品库房和湿性物品库房。

（5）医护人员办公区：用于医护人员进行医疗护理相关文书书写等工作。配置满足全国血液透析患者病例登记系统（CNRDS）及血液净化中心（室）信息化管理等需求的信息化设施，至少具备1台能够上网的电脑及相应设备。

3.潜在感染区

包括透析治疗区接诊室、候诊室、患者更衣室、专用手术室/操作室。

（1）普通透析治疗区：设置普通透析治疗区和传染病隔离透析治疗区（供乙型病毒性肝炎、丙型病毒性肝炎、梅毒螺旋体阳性等患者透析治疗用）。未设置传染病隔离透析治疗区的血液净化中心（室），不得接收治疗上述传染病的患者。

（2）接诊室：为患者测量生命体征及体重、分配患者透析单元、医生制定治疗方案及开具处方、化验的工作区域。

（3）候诊室：透析患者及家属等候区。候诊区大小可根据透析患者数量决定，以整洁、舒适、不拥挤为宜。

（4）患者更衣室：用于透析患者进入治疗区前更换病员服、拖鞋。更衣室大小可根据患者数量决定，以不拥挤为宜。

4.污染区

包括污物处理间，洁具、污洗间。

（1）污物处理间：存放生活垃圾和医疗废弃物。垃圾须分类放置，严格执行医疗废弃物处置管理规定，避免转送等原因导致废弃物暴露。

（2）洁具、污洗间：用于清洗、消毒、存放洁具。

（二）环境管理标准

1.水处理室

（1）水处理室面积应为水处理装置占地面积的1.5倍以上。

（2）地面承重符合设备使用要求，地面设置地漏并进行防水处理。

（3）房间隔音、通风良好。温度20～25℃，湿度50%～60%，水处理设备及管道应标识清晰并避免日光直射。

2.库房

（1）干性物品库房存放透析器、血液管路、穿刺针、透析导管等一次性物品。

（2）湿性库房存放浓缩透析液、各种消毒液等。

（3）所有物品放置于阴凉干燥、通风良好的物架上，库房温度15～25℃，湿度45%～65%。

（4）其他管理要求与病区库房相同，详见第二章第一节相关内容。

3.治疗准备室

（1）严格限制非工作人员进入。治疗准备室应达到《医院消毒卫生标准》（GB15982-2012）中规定的Ⅲ类环境。

（2）非传染病和传染病患者应分区，有条件者设置传染病患者专用治疗准备室。

（3）药品管理、物品管理及其他等详见第二章第一节相关内容。

（4）进入透析治疗区域的药品、物品均不得返回治疗准备室。

（5）生活垃圾桶加盖，不得放置污染医疗废弃物，垃圾产生后随时清理。

4.接诊室

须具备与信息报送和传输功能的网络计算机等相适应的信息管理设备。

5.透析治疗区

（1）透析治疗室应保持清洁、安静、光线充足、通风良好，严禁家属和探视人员进入。每班之间要清场，开窗通风30min；每日透析治疗前、后及两班之间用空气消毒机消毒，每次1h以上，并记录。

（2）每个透析单元应配置独立电源插座、反渗水供给接口、透析废液排水接口、供氧装置、中央负压接口。透析单元间距≥1.0m。

（3）每个分隔治疗区域应配置洗手设备，数量应满足感染控制需要；每个透析单元应配备速干手消毒剂等物品。

（4）治疗期间严格人员管理，非探视时间不得随意出入透析治疗区；严禁在上、下机治疗期间出入治疗区域。

（5）保持治疗区地面清洁、干燥，在上机前后及人流集中后等关键环节须增加清洁地面的次数。

（6）每季度对透析治疗室空气、物表及机器表面进行病原微生物培养监测，空气细菌培养菌落数≤4cfu/（5min·9cm直径平皿）；物体表面细菌培养菌落数≤10cfu/cm²，保留原始记录，建立登记表。

6.污物处理室

各种医疗废弃物处理原则：第一时间、现场（透析治疗区）分类处理，封闭包装、封闭转运，存放时间不超过24h。

7.洁具、污洗间管理

（1）设置清洁水池及污洗池。

（2）保持干净整洁，通风良好，地面干燥，无异味，不堆放杂物。

（3）清洁用具应分区使用，各区域使用的清洁工具上有明确标识，标识清楚，分开放置，严禁混用。

（4）清洁用地巾做到：清洗→消毒→干燥→分开放置→备用。

（5）台面、地面、门把手和保洁车等，每日清洁消毒。

（6）使用后的透析液桶、消毒液桶等放置在专用区域，不得与未使用桶装液体混放。

四、仪器与设备

（一）管理要求

1.常规仪器设备

详见第二章第一节相关内容。

2.血液净化设备

（1）科室应有双回路电源，并有稳压设备。

（2）每台血液透析机须配有独立的电源插座，电源设施远离水源。

（3）每台血液净化设备应有独立的运行档案，有使用、消毒、维修及保养记录。

（4）定期校准血液透析机的性能，如超滤、漏血、空气报警等监测，保证患者治疗安全。

（5）水处理系统定期消毒。消毒方式按照厂家工程师建议执行；消毒频次遵循《血液净化标准操作规程（SOP）》的相关规定，必要时随时消毒。

（6）透析用水质量符合《血液透析和相关治疗用水》（YY 0572—2023）的要求。每月进行细菌培养，每季度检测内毒素，每年进行化学污染物检测，必要时及时检测，检测结果及时登记并保留原始资料。

（二）使用安全

1.血液透析机

（1）操作者须熟练掌握设备操作流程、报警处理及应急预案。

（2）使用前查看电源安全，机器自检通过后方可进行下一步操作，性能异常时悬挂"故障"标识。

（3）使用中及时处理机器报警，无法处理时及时与工程师联系，不得随意拆卸仪器设备。

（4）每班治疗结束后对血液透析机表面及内部管路进行消毒。机器表面使用高效消毒剂擦拭消毒，机器内部采用（热）化学或热消毒方式消毒，所选用的消毒方式须遵循厂家工程师的建议。

（5）每周对血液透析机进行一次全面清洁养护，定时更换透析液细菌过滤器。

（6）定位放置，未经允许一律不得外借。

2.水处理机

（1）保持水处理系统外部清洁，定期更换原水及软水滤过芯，及时添加再生盐。

（2）使用前应查看水电安全及夜间运行是否出现异常，设备是否处于备用状态。

（3）每日查看水处理系统运行情况，监测透析用水电导率、软硬度、余氯含量，并做好记录，发现异常及时处理，保证患者透析用水安全。

（4）使用时若发生停水、停电，待水电恢复后，先检查水处理机运行情况，正常后方可开始治疗。

五、物品管理

（一）一般耗材

参见第二章第一节相关内容。

（二）高值耗材

高值耗材是指血液净化专用耗材。

1.严格耗材管理规范，根据医院相关医用耗材申购、领用制度进行耗材申购和领用，耗材申请单、使用登记账目清楚，便于检查反馈。

2.统一采购，不得自行购入。严格审批流程，不允许供应商直接送入科室。

3.严格执行出入库登记，每日根据患者数量和使用耗材品种填写出库清单，每月汇总当月耗材使用情况，核算出库量，并清点实际库存量，保持账物相符。库存不足或遇特殊情况（如临时需用治疗耗材），立即向科室负责人汇报，并向设备处递交急购申请计划联系订货。

4.使用后详细登记患者姓名、型号、使用日期、数量，确保无漏记、重复记费。

5.其他管理详见第二章第一节相关内容。

六、感染控制管理

（一）血液透析室的感控管理

1.基本设施要求

（1）布局合理。

（2）手卫生设备齐全，详见第二章第五节相关内容。

（3）配备个人防护设备：手套、口罩、帽子、工作服、防护面罩/护目镜和隔离服等。

（4）传染病患者须分区、分机治疗。

（5）传染病隔离治疗区所用设备、物品须有标识，专区专用。

2.建立血液净化中心（室）感染防控规章制度、流程和预案，并定期组织血液净化中心（室）护理人员学习，熟练掌握，每年至少1次培训与考核。

3.透析液和透析用水质量控制

（1）透析液每月细菌培养，总数≤100cfu/mL，真菌总数≤10cfu/mL；每季度内毒素检测，限量≤0.5EU/mL，符合《血液透析及相关治疗用浓缩物》（YY 0598—2015）的要求。

（2）透析用水每月细菌培养，总数≤100cfu/mL；每季度内毒素监测，总数≤0.25EU/mL；细菌、内毒素干预水平最大允许值是50%。每年进行化学污染物检测，检测结果符合《血液透析和相关治疗用水》（YY 0572—2023）的要求。

4.工作人员要求

（1）严格执行无菌操作技术，落实消毒隔离制度。

（2）职业安全防护

1）护理人员掌握并遵循血液净化中心（室）感染防控制度、规范。

2）建立护理人员健康管理档案，定期（原则上至少1次/年）进行健康体检及传染病病毒标志物检测，保存资料；建议乙肝HBsAb阴性的护理人员注射乙型肝炎病毒疫苗。

3）护理人员应穿戴个人防护装置：普通透析治疗区的护理人员做到基本防护，穿戴工作服、工作帽，戴口罩；传染病隔离治疗区的护理人员加强个人防护，穿隔离衣，戴防护面罩。

4）护理人员针刺伤后处理按照《血源性病原体职业接触防护导则》（GBZ/T 213—2018）的要求处理，详见第二章第五节相关内容。

（3）手卫生规范要求

1）手卫生的时机：详见第二章第五节相关内容。

2）戴手套的时机：①接触患者或透析单元内可能被污染的物体表面时戴清洁手套。②注射药物、抽血、处理血标本、处理血管通路部位、擦拭机器等时须戴清洁手套。③接触不同患者、进入不同透析单元、擦拭不同机器时应洗手或速干手消毒剂进行手卫生并更换清洁手套。④处理伤口、人造血管内瘘穿刺、深静脉插管及连接、断开透析用中心静脉导管时戴无菌手套。⑤处理医疗废弃物、污物时戴清洁手套。⑥手部皮肤破损时戴乳胶手套，在此基础上佩戴上述手套。

3）不戴手套的时机：①治疗前准备，如机器开机自检、安装及预冲血液管路和透析器。②测量患者生命体征等操作。③配制各种药品。④接触医疗文件。⑤离开透析单元时，脱下手套，洗手或用速干手消毒剂进行手卫生。

4）手卫生规范化操作要求，参见第二章第五节相关内容。

5.空气、地面消毒

（1）空气消毒：参见第二章第五节相关内容。

（2）地面消毒：上机前、规定探视时间后及下机后等人流相对集中时间段。

6.血液净化机清洁与消毒

（1）机器表面清洁与消毒

1）消毒液选择：一般选用500mg/L含氯消毒液擦拭消毒或使用其他高效消毒剂、一次性专用消毒纸巾擦拭。

2）擦拭、消毒原则：①一人一机一巾。②擦拭顺序为从上到下、从左到右，按照清洁区域→高频接触表面→污染表面消毒原则，清洁—消毒一步法完成。

3）擦拭、消毒时机：①上机后，主要擦拭消毒按键部位，高频、高危接触表面（机器操作屏幕及血泵旋钮）。②下机卸除透析器、血路管后，消毒机器全部表面。

4）擦拭、消毒方法：①将抹布对折2次。②擦拭时以"M"形呈同方向擦拭。③抹布不同面擦拭机器不同部位，不得重叠使用。第一面擦拭屏幕，远离患者机器侧面；第二面从上至下擦拭液体架、机器上部平面、靠近患者机器侧面；第三面擦拭血泵、压力传感器、安全阀、透析器夹等部位；第四个面擦拭A、B液口，保护盖及管道，机器底座。

5）擦拭、消毒要求：①有血液污染时先用2000mg/L含氯消毒液一次性布巾擦拭清除血迹，再用500mg/L含氯消毒液擦拭消毒。②擦拭布巾需拧干，不可过湿。③擦拭中手不可触碰机器表面。④擦拭不到的部位使用软毛刷、棉签清洁消毒。

（2）机器内部清洁消毒

1）消毒方法、消毒液选择：参照透析机说明书或厂家工程师建议执行。

2）消毒时机：每次透析治疗结束后。

3）消毒要求：①保证消毒液的有效期及有效浓度。②透析器破膜、传感器渗漏、机器故障维修后须对机器内部管路进行消毒。③机器超过48h未使用，须对内部及水路进行完整消毒，每周2～3次；长期不用时，须定期更换消毒液，如再次使用时须更换透析液细菌过滤器，机器内部进行消毒、冲洗，监测合格后方可使用。

7.对患者管理要求

（1）基本要求

1）患者知晓血液净化治疗可能带来的血源性或呼吸道传染性疾病感染的风险，知晓并遵守血液净化中心（室）消毒隔离、定期监测等传染病控制的相关规定。

2）首次透析患者必须接受传染病病毒标志物的检测，保留原始记录，登记检查结果；急诊透析患者上机前必须留取血标本做相关检测，同时做好标准预防。

3）呼吸道传染病患者，必须佩戴口罩入室；有发热者，先行呼吸道传染病相关检查。由其他血液净化中心（室）转入、既往或现患肺结核的患者，应进行胸部X线/肺部CT以及结核感染标志物检查。

4）建立患者病历档案，在排班表、病历及相关文件上对患有传染病的患者做明确标识。

（2）传染病病原微生物监测

1）长期规律透析患者每6个月检查1次传染病病毒标志物；对存在不能解释的肝脏转氨酶异常升高的患者，行HBV-DNA和HCV-RNA定量检测；透析患者输血前后须进行传染病病原微生物检测，保留原始检验结果记录并登记。

2）出现HBsAg或HBV-DNA及HCV抗体或HCV-RNA转阳的患者，应立即对密切接触者（使用同一台血液透析机或相邻透析单元的患者）进行乙型肝炎病毒HBV-DNA或丙型肝炎病毒标志物HCV-RNA检测；检测阴性的患者应3个月内重复检测。

3）乙肝HBsAb阴性患者接种乙型肝炎病毒疫苗，丙型肝炎患者进行药物治疗。

（二）传染病的消毒隔离

1.严格按照标准预防措施执行。

2.传染病隔离透析治疗区的护士相对固定，护理时加强防护（手套、口罩、帽子及面罩等），每护理一位患者均应洗手或手消毒并及时更换消毒个人防护用品，严重污染时随时消毒，必要时穿隔离衣、戴鞋套。

3.配备一次性物品，重复使用的医疗器械与其他物品（血压计、听诊器、监护仪）相对固定，使用后及时消毒；各种器械、抢救监护设备、隔离衣等，不得与他人共用。

4.每日动态空气消毒机消毒，设施表面用1000mg/L含氯消毒液每班擦拭1次。

5.患者产生的生活垃圾（如瓜壳、纸张、一次性饭盒等）作为感染性废物管理；感染性废物和病理性废物使用双层包装物包装；排泄物、呕吐物及分泌物直接排入医院污水处理系统，统一消毒处理。

6.非工作人员须经传染病隔离区工作人员许可后方可进入。

7.乙型病毒性肝炎、丙型病毒性肝炎、梅毒等经血传播性疾病患者，须专区、专机隔离透析，艾滋病患者到指定医疗机构透析。

有下列条件之一的患者，应在传染病区透析：

（1）乙型肝炎病毒（HBV）：HBsAg（+）或HBV-DNA（+）。

（2）丙型肝炎病毒（HCV）：HCV-RNA（+）。

对于在接受透析治疗期间HCV-RNA转阴的急、慢性丙型肝炎患者：

1）自患者HCV-RNA检测结果首次报告转阴之日起6个月内，患者继续在传染病区透析，透析机相对固定，在透析日将其安排在该机位第一个透析，其间每月检测1次HCV-RNA连续6个月。

2）HCV-RNA持续阴性达到6个月以上者，可在非传染病透析区进行治疗，但须相对固定透析机，并安排末班透析。透析结束后严格按照要求进行透析机和透析床单元的清洁和消毒。由隔离透析治疗区转入普通透析治疗区的患者应当在1个月、3个月、6个月各检测1次HCV-RNA。

3）新导入或新转入HCV抗体（+）且HCV-RNA（-）的患者如存在确切临床资料证实HCV-RNA（-）持续6个月以上，则无须隔离透析，但需要在普通透析治疗区持续末班透析6个月，每月检测1次HCV-RNA。对不能确认HCV-RNA（-）持续6个月以上的患者，可按照上述方案一安排血液透析。

4）乙型肝炎合并丙型肝炎的患者在传染病区进行专机透析治疗。如条件实在有限，可在乙肝透析治疗区透析，但相对固定透析机位，并安排末班透析。

（3）梅毒螺旋体：快速血浆反应素试验（RPR）高滴度（+）、甲苯胺红不加热血清学试验（TRUST）高滴度（+）、梅毒螺旋体IgM抗体（+）或暗视野显微镜下见到可活动的梅毒螺旋体。

（三）医疗废物的管理

1.医疗废弃物按要求处置，放置在废弃物暂存室，医疗废弃物袋每班更换，污物桶每日清洁消毒。

（1）使用后的血液管路、血液透析器、废液袋、敷料、棉签、手套、注射器等均放入医疗废弃物袋内。

（2）使用后的内瘘穿刺针直接放入锐器盒内，严禁断开针头。

（3）废弃透析器、血液管路内不得有大量液体，保持密闭状态，防止液体滴洒，并做好数量登记。

（4）其他详见第二章第五节相关内容。

2.回收物品预处理

所有可回收处理的用品必须先行预处理：先清理剪刀、镊子、弯盘和止血钳上的血迹、分泌物，再放入专用箱，由专人回收后交消毒供应中心处理。

第二节　过程质量标准

一、安全管理

（一）治疗前

1.病情评估

（1）了解患者各项化验检查结果及传染病检验结果情况。

（2）评估患者意识状态、生命体征、大小便情况；有无水肿，皮肤完整性，饮食、睡眠等全身情况。

（3）评估透析间期病情，有无发热、皮肤黏膜出血、跌倒、乏力、心慌气短、肌肉痉挛、皮肤瘙痒及体重增长等情况。

（4）评估有无跌倒/坠床风险。

（5）评估动静脉内瘘是否通畅、导管有无滑脱等血管通路情况。

2.安全核查

（1）水处理机运行正常，处于工作状态；体重秤精准度准确。

（2）透析机进水管及出水管未脱出，自检通过，处于备用状态；病床处于制动状态，床单元已清洁消毒，被服已更换处于备用状态。

（3）氧气、负压吸引压力正常，功能良好，处于备用状态。

（4）治疗模式、透析器与医嘱相符，透析器及血液管路包装完好，有效期内安装正确无误，预冲充分，无残留空气。

（5）核查患者身份信息，治疗模式、治疗参数、抗凝剂量正确，血管通路通畅在位。

（6）有活动性义齿者及时取出，卧位舒适、安全。

3.安全用药

（1）核查抗凝剂种类及剂量。

（2）治疗过程中所需的抗凝剂、铁剂等药品配制，必须在治疗准备间/室针对每位患者进行配制。

（3）配药时应做到一药一具，不得交叉使用；溶剂不得共用或交叉使用。

（4）配置好的药品注明药名及配置时间，放入无菌治疗盘内，有效期<2h。

（二）治疗中

1.病情评估

（1）生命体征及神志变化、意识状态。

（2）血管通路血流量及导管相关性血流感染症状，如发热、寒战等。

（3）有无急性并发症发生，如低血压、高血压、低血糖、高血糖、发热、心律失常、出血、溶血、肌肉痉挛、空气栓塞、透析器反应、失衡综合征等。

2.安全核查

（1）连接体外循环后再次核查患者身份信息、治疗模式、治疗参数、透析器及管路安装安全性。

（2）体外循环管路妥善固定，各接口连接紧密，无渗血。

（3）动、静内瘘穿刺部位有无渗血，内瘘穿刺针固定安全，有无移位、脱出；置管处有无渗血，血液管路有无打折、牵拉等。

（4）观察机器运行状态，及时处理机器报警。

（5）保证患者体位舒适安全，防止坠床；进餐时半卧位或头偏向一侧，防止食物误吸、呛咳而发生窒息。

3.安全用药

（1）再次核查医嘱，一药一人一用，不得共用药品。

（2）药品离开治疗准备室后不得返回，未使用的药品不能用于其他患者；药具一人一用一丢弃。

（三）治疗后

1.病情评估

（1）神志、意识及生命体征。

（2）血压高者有无头晕、头痛、鼻出血、眼结膜出血、脑出血、脑梗死先兆等症状。血压低、低血糖者有无出冷汗、眩晕等症状。

（3）干体重是否达到；胸闷气短、水肿等症状有无改善；有无肌肉痉挛、乏力等超滤过多症状出现。

（4）血管通路有无异常。

2.安全核查

（1）目标脱水量是否达到；血管通路有无异常；平卧10～20min，生命体征平稳方可下床。

（2）机器消毒液种类、浓度、有效期及剂量；机器进、出水管安全在位，机器消毒有效运行。

（3）床单元做到每班次一人一用一更换，透析单元终末消毒处理符合要求。

（4）离开血液净化中心（室）前关闭机器电源，仪器设备水、电安全，关好门窗。

3.安全用药

（1）经常出现低血压或低血糖的患者，透析当日须减少或停用降压药、降糖药。

（2）要求患者随身携带个人常用速效药物及糖块。

（3）血压及血糖波动明显者，要求患者用药期间监测血压、血糖变化，以备动态调整用药剂量。

（4）服用降压药后须防止跌倒，服用降糖药后及时进餐，预防低血糖发生。

（四）体外循环管理

体外循环管理主要是监测血液净化设备的各种报警，并及时解决处理，防止发生体外循环凝血。监测内容包括透析液监测、血流量监测、压力监测、空气监测、漏血监测、凝血监测等。

1.透析液监测

（1）电导度

1）报警原因：①透析机电导度测试系统失灵。②浓缩液用完。③浓缩液管堵塞。④浓缩液管与吸管接头漏气。⑤浓度配比系统故障。⑥透析用水不符合标准。⑦透析液成分不正确，报警线设置过高或过低。

2）处理方法：①检查A、B浓缩液配置及液量是否足够，浓缩液是否正确，是否摇匀，或重新更换浓缩液。②检查透析液流量报警阈值设置，校准电导度报警线，不得随意改变报警窗口。③检查浓缩液吸管接头或管道连接是否紧密，有无漏气或扭曲，滤网是否阻塞，提起浓缩液吸管观察是否吸液，排出滤网的空气。④定期清洁电导率传感器。

（2）温度

1）报警原因：①进水温度异常，加热器损坏。②温度传感器工作点漂移或损坏。③控制电路故障及除气系统工作不良。④供水不足或透析液流量不稳。

2）处理方法：①检查水处理是否有供水不足，必要时校准透析液流量。②加热器故障，及时更换。

（3）流量

1）报警原因：①水处理供水量不足。②液路系统存在气体。③透析液流量计故障。④细菌过滤器堵塞。

2）处理方法：①检查透析供水是否充足。②机器故障及时通知工程师检修。③更换细菌过滤器。

（4）透析液压

1）报警原因：①透析液管道因沉淀、异物进入等发生阻塞。②透析机进水压力不足。③透析液管道中进入气体。④透析液侧压力传感器故障。⑤透析液管道有泄漏。

2）处理方法：①机器进行除钙。②请技术人员进行检修。

2.血流量监测

（1）查看血泵运转情况，若停止转动需及时处理。

（2）治疗开始时先给予180mL/min的血流速度治疗15min左右，患者无特殊不适时调整血流量至200～300mL/min。

（3）治疗血流速度一般在240mL/min以上，高龄、婴幼儿或严重心律失常、低血压患者，酌情减慢，治疗中密切观察患者生命体征。

3.压力监测

（1）静脉压

1）静脉压高报警原因：①内瘘静脉穿刺针内有血栓。②患者静脉血管较细，穿刺针针尖贴附静脉管壁。③静脉回路受阻，血液管路受压、扭曲、折叠、夹子未打开。④患者静脉痉挛或有狭窄，血液静脉管路或静脉壶有凝血。⑤静脉血管穿刺处有血肿形成。⑥患者剧烈咳嗽或突然坐起等血流动力学发生改变。

2）静脉压高处理方法：①避开血管瘢痕、血肿、狭窄处穿刺。②怀疑血管狭窄时，行血管造影检查或内瘘血管超声评估检查。③建立体外循环后观察血管穿刺处有无血肿、渗血。④调整穿刺针位置或针斜面，必要时重新穿刺。⑤检查血液管路有无受压、折叠、扭曲，夹子是否开放。⑥生理盐水冲洗静脉管路，查看有无凝血，协助患者改变体位，保持管路通畅等。

3）静脉压低报警原因：①血液管路连接不紧密或内瘘穿刺针滑脱。②动脉端供血不足，动脉壶或透析器严重凝血。③血液管路静脉压监测口夹子未打开或连接不当。④血液管路保护罩进水或被血液污染阻塞。⑤血液管路动脉壶发生扭曲、折叠、受压。⑥动静脉内瘘血流量不足，动脉穿刺针针尖贴附动脉管壁，穿刺不佳或血泵速率过低。⑦超滤量过多致有效血容量不足。⑧血液管路静脉压传感器故障。

4）静脉压低处理方法：①检查静脉血液管路各接口连接是否紧密，穿刺针是否妥善固定。②打开血液管路静脉压监测口夹子，更换血液管路保护罩。③透析器凝血及血液管路破损立即更换。④患者有低血压症状时，按透析低血压并发症及时处理。⑤调整超滤量。⑥静脉压传感器故障及时维修。

（2）动脉压

1）报警原因：①动脉管路受压、扭曲。②动脉端血流不足。③从动脉端输液时空气进入动脉管路。④患者血压下降。⑤动脉压力监测器或保护罩故障。

2）处理方法：①检查动脉血液管路有无空气，血液管路是否受压、扭曲。②监测血压，及时发现和处理低血压。③从动脉端输液时，严防空气进入。④降低血流量，调整动脉穿刺针位置。⑤更换动脉压监测器或保护罩。

（3）跨膜压

1）跨膜压低报警原因：①超滤总量过小。②超滤量过低。③透析液管路受压、打折。④透析用水不足或透析液压力感应器故障。⑤透析器快速接头连接不紧密。

2）跨膜压高报警原因：①透析器凝血。②超滤量过高。③透析液管路受压、折叠或异物阻塞。④透析器内有气堵现象。

3）处理方法：①调整超滤量。②检查透析液接头连接是否紧密，有无漏气。③透析液管路有无扭曲、折叠。④透析器及血液管路有无凝血迹象。如跨膜压突然升高，透析器出现凝血，立即更换透析器。⑤机器故障，请工程师及时维修。

4.空气监测

（1）报警原因

1）动脉端血流吸出不畅产生气泡。

2）大量空气进入血液管路，透析器排气预充不充分。

3）血液管路与报警传感器接触不良，有污物。

4）传感器出现故障。

（2）处理方法

1）空气报警时，透析机进入旁路状态，血泵停止工作，静脉管路夹关闭。

2）报警发生后先检查静脉壶液面或静脉管路内是否有气泡、接头有无松脱、静脉压传感器连接是否精密；如静脉壶液面下降或静脉管路内有气泡，需进行拧紧接头、调整液面、排出血液管路内的空气、调整穿刺针位置等处理。

3）排除以上情况时可用清水或酒精擦拭传感器表面。

4）报警故障仍未排除，请工程师维修。

5.漏血监测

（1）漏血原因

1）透析器破膜。

2）漏血误报警：①漏血报警传感器被污染或进入较多空气，工作点漂移。②透析器发生凝血。③血液净化设备脱气泵效率降低。

（2）处理方法

1）漏血报警时，透析机进入旁路状态，血泵停止工作。

2）观察透析器旁路端透析液是否可见血细胞，如发生破膜，应立即更换透析器。如未见漏血，经两人密切观察确认无误后可继续透析治疗。

3）假报警：①观察有无空气或气泡进入透析液，检查透析液连接口是否密封。②如无漏血、无空气、无气泡，擦拭清洁漏血传感器或重新校准漏血传感器，校准无效时应考虑漏血传感器或电路故障。③漏血假报警解除困难时先停止透析，分离患者，联系工程师。

6.凝血监测

（1）监测内容

1）静脉压升高或降低，跨膜压升高或降低。

2）透析器及血液管路出现血液颜色不均、变暗。

3）动、静脉壶过滤网内有血栓。

4）动、静脉壶张力变大。

（2）处理方法

1）保证充足的血流量。

2）治疗中避免输注血制品及脂肪乳等。

3）高危患者加强巡视，密切监测，发现有凝血风险时，及时给予生理盐水冲管、追加肝素或下机处理。

4）无肝素治疗前给予生理盐水1000mL充分预冲后方可开始治疗。治疗中每15～30min给予100～200mL生理盐水冲洗血液管路和透析器。

（五）患者管理

1.血管通路管理

血管通路是保证完成血液透析治疗的基本条件。一般临床上常见的有自体动-静脉内瘘、移植血管内瘘和无隧道无涤纶套中心静脉导管及带隧道带涤纶套中心静脉导管4种。

（1）自体动-静脉内瘘

1）术前：①内瘘侧肢体禁止穿刺抽血、输液、注射药物。②保持内瘘侧肢体皮肤清洁、完好无破损，防止发生术后感染。

2）术后：①保持内瘘处伤口敷料清洁干燥，及时换药，防止感染。②伤口处渗血时可压迫止血，压迫力度不可过大，能扪及血管震颤；如伤口疼痛加剧且渗血增多，须立即联系医生给予及时处理。③适当抬高内瘘侧肢体；站立时托起术侧肢体，使内瘘侧手腕超过心脏水平；卧床时软枕垫高术侧肢体，禁止向内瘘侧侧卧；注意保暖，保持血流畅通，防止肿胀。④内瘘锻炼方法：术日抬高内瘘侧肢体约30°，保持血流通畅；术后24h术侧手可适当做握拳及腕关节运动，促进血液循环，防止血栓形成；术后3～7d，开始内瘘强化锻炼。伤口无渗血、无感染、愈合良好，术侧手可每日捏握橡皮圈或橡皮球锻炼，每10s放松一次，每次做3～5min，每日3～4次；术后2周，在上臂捆扎止血带的同时术侧手做握拳或握球锻炼，1～2min/次，10～20次/d；热敷内瘘血管（伤口愈合良好）2～3次/d，或用非热康普内瘘治疗仪照射40min/次，促使内瘘尽早成熟。⑤患者及其家属掌握判断内瘘通畅的方法：对侧手掌心触摸内瘘处，可扪及震颤或听到血管杂音，提示血管通畅；反之则无，须立即与医生联系及时处理。⑥早期加强内瘘物理检查频次，及早发现血栓，给予处理。

3）使用：①新建立内瘘成熟后，首先进行基限评估；在使用过程中定期动态评估，每次使用时常规评估。②早期内瘘启用标准。内瘘伤口愈合良好，血管有弹性、扩张均匀，听诊杂音清晰，手掌掌心触摸有震颤；自体动-静脉内瘘8～12周成熟后开始使用。③早期内瘘穿刺原则。前5～10次穿刺用17G穿刺针，由经验丰富、穿刺技术较高的护士穿刺，穿刺部位可任选内瘘侧的贵要静脉、肘正中静脉或头静脉，平行向心穿刺。④治疗中出现血流量不足。应查看是否有进针角度不当、穿刺针斜面紧贴血管内壁或针尖处在狭窄、弯曲、内膜瘢痕部位等，须调整穿刺角度或重新穿刺；若无，则说明血管或内瘘口存在狭窄，须进一步检查治疗。⑤勤观察内瘘部位有无出血、皮下血肿，如有异常，及时处理。⑥内瘘如有血管瘤形成，须佩戴护腕，防止瘤体进行性增大或瘤体破裂出血。⑦内瘘热敷时机。血液净化治疗结束24h后，穿刺点无出血，可行湿热敷，水温控制在40～50℃，防止烫伤。

4）注意事项：①禁止内瘘侧手臂负重、测量血压、采血、输液等。②保持瘘侧肢体皮肤清洁，保暖，着衣袖宽松的棉质衣服。③睡眠时不压迫内瘘侧肢体，不将内瘘侧肢体长时间抬高超过心脏水平。④透析间期体重增长不超过干体重的5%或每日体重增长不超过1kg。监测血压变化，低血压时，立即平卧，口服补液并密切观察内瘘震颤情况。

5）并发症处理：①出血。手术结扎充分止血；内瘘成熟后再使用，首次使用由有经验的护士穿刺；加强护士穿刺技巧培训；根据患者病情，调整肝素用量；按压止血方法正确；保护内瘘肢体，防止外伤。②血栓形成。避免过早使用内瘘；避免内瘘侧肢体受压、受凉或内瘘血管另作他用；严格执行正确的穿刺技术；使用后按压力度适宜；防止低血压导致的内瘘闭塞；发现血栓或明显狭窄形成，24h内溶栓或介入治疗。③感染。保持局部皮肤干燥、清洁；穿刺时严格执行无菌操作规范；控制内瘘周围皮肤感染波及内瘘；提高护士穿刺技术水平，避免反复穿刺；发生瘘管或周围皮肤严重感染，根据药敏结果使用抗感染治疗。④血管瘤。内瘘成熟后有计划、绳梯式穿刺，禁止定点区域穿刺；已发生的小血管瘤用弹性绷带适当包扎。⑤血流不足。有计划地使用内瘘；提高护士穿刺技术，减少血肿发生；锻炼内瘘侧手臂，保暖；手术扩张。⑥心力衰竭。采用内瘘包扎压迫；外科腺瘤手术。⑦肿胀手综合征。早期抬高内瘘侧肢体增加回流，减轻水肿；长时间或严重肿胀须结扎内瘘，再建立新内瘘。⑧静脉血肿。血管条件较差者由操作熟练、穿刺水平较高的护士穿刺，并避免在关节处穿刺；穿刺前将肢体置于舒适体位，避免肢体移动发生血肿；出现肿胀疼痛时，立即停止血泵，重新穿刺。

（2）移植物血管内瘘

1）术前同"自体动-静脉内瘘"。

2）术后：①遵医嘱按时服用抗凝药物。②术后次日抬高术侧肢体48～72h，避免压迫，促进血液回流，减轻肿胀。③术后3～5d做握拳动作或腕关节运动。

3）使用：①穿刺前评估人造血管的位置、内径大小、血流速度及功能（血管震颤、弹性和充盈度），检查血管通路有无红肿、渗血、硬结，摸清血管走向深浅；前4周固定护士穿刺，做好标记，给予内瘘使用宣教。②判断移植物血管血流方向：穿刺前，按压血管U形祥部位，感觉搏动强烈、听诊杂音响、穿刺后血液搏动大的一端为动脉端，反之为静脉端。③采取绳梯式穿刺方法，穿刺顺序由远心端向近心端穿刺。④使用碘伏、酒精、氯己定纱布等，采用揉搓摩擦式消毒，移植血管内瘘U型祥皮肤，消毒面积不少于手臂面积2/3，酒精建议使用小号穿刺针（17G），穿刺针针尖斜面朝上，以30°～45°进针。⑤选择穿刺点后以穿刺点为中心，用消毒剂由内至外二次螺旋式消毒至10cm直径范围，消毒2遍。穿刺时突破感明显，见回血放平穿刺针继续进针0.5cm。⑥动静脉穿刺针至少距人造血管动静脉吻合口部位3cm以上；动、静脉穿刺针相距5～6cm；穿刺点应距血管走形弯曲处、狭窄或阻塞处3～5cm；每次改变轮换穿刺点，距上次穿刺点0.5～1.0cm。⑦直型（J形）人造血管，从通路的中点一分为二作为动脉端和静脉端，绳梯式穿刺或在人造血管通路上穿刺作为动脉端，在四肢其他部位表浅静脉穿刺作为静脉端。⑧环型（U形）人造血管，以中点为参照，向动、静脉吻合口侧逐次穿刺；穿刺时，采用象限交叉阶梯式穿刺，交替更换穿刺部位，避免在血管顶部、弯曲部及在同一水平线上穿刺。⑨拔针时，穿刺针与穿刺角度相同或接近；拔除后，瞬间加大压迫力度，压迫面积要大；压迫时间为20～30s，逐渐缓慢减轻压力，确保血流通畅无出血。

4）注意事项：①上肢局部肿胀完全消退后，推荐6～8周血清性水肿消退后开始使用。②确定血流方向，穿刺时严格执行无菌操作。③专人穿刺，严禁扣眼或穿刺方法及同一穿刺点多次反复穿刺，避免在吻合口附近及祥形转角处穿刺，提高血管使用寿命。④穿刺时不使用止血带，穿刺角度不可过小。⑤向心穿刺，如穿刺失败，立即另选其他血管穿刺，穿刺失败血管给予冷敷。⑥治疗结束，拔针时立即按压穿刺点，禁止在回撤针时按压，以防损伤血管内皮或将穿刺针周围的微细血栓遗留在血管腔内，用纱布在穿刺点正上方垂直按压止血。⑦注意观察并发症的发生，如渗血、感染、狭窄、血栓、假性动脉瘤、窃血综合征、肿胀手综合征等。⑧长时间按压人造血管可导致血栓形成。如按压超过20min仍有出血，应警惕流出道狭窄。

5）并发症处理：同"自体动-静脉内瘘"。

（3）中心静脉导管

1）术前：保持置管部位皮肤清洁、无破损。

2）术后：置管当日行血液净化时一般采用无肝素或枸橼酸体外抗凝。

3）使用

颈部血液透析导管：①沐浴时，采用擦澡的方式，胸部以下用水冲洗，冲洗时尽量避免打湿伤口敷料，以免造成导管感染。②清洗头发推荐采取平躺式洗头方式，清洁时须用防水布覆盖导管置管口，避免置管口进水，从而造成导管感染。③穿脱衣服时动作幅度不宜过大、过猛，穿衣时应先穿置管侧肢体，脱衣服时应后脱置管侧肢体。④尽量穿宽松及开襟上衣，避免穿套头式衣物，以免领口过硬、过紧，造成导管被牵拉而引起导管松脱。

腹股沟血液透析导管：①下肢不宜频繁活动；减少大腿处于90°弯曲；避免久站或过

多行走；经常检查置管处有无渗血、渗液，以免由于导管弯曲及静脉血液回流而导致留置导管阻塞。②沐浴可采取擦澡方式，避免置管处打湿、进水，造成留置导管感染。③穿宽松内、外裤，避免更换裤子时造成导管牵拉、移位。④保持会阴部清洁，避免排尿、排便污染置管口处，必要时给予及时换药。

4）注意事项：①养成良好的个人卫生习惯，保持导管置管处皮肤干燥、清洁。②如有发热或置管处红、肿、热、痛、敷料脱落、缝线处疼痛及污染，及时就诊。③导管管夹、导管保护帽须保持夹闭状态，严禁自行打开调整导管管夹及导管保护帽；不可大幅度移动导管；透析间期发生松脱，及时告知护士给予处理。④导管处渗血，少量渗血时用手指按压导管置管口处约10min后可止血；如渗血不止，可延长按压时间；如果按压时间长且仍持续渗血，可用冰袋局部冷敷并及时就诊。⑤不剧烈活动，防止导管牵拉及移位；导管意外滑脱，立即用手压迫置管口止血，即刻就诊。

5）导管并发症处理：①感染。严格无菌操作，局部加强消毒、换药；根据血培养结果，选用敏感抗生素全身治疗或管腔封管。②血栓。遵医嘱服用抗凝药；封管前用生理盐水冲净管腔内血液；封管液浓度遵医嘱，适宜、剂量准确（比管腔容积多0.1～0.2mL），正压封管；溶栓。③空气栓塞。全程密闭式回血；透析结束夹闭导管管夹，拧紧导管保护帽；一旦发生空气栓塞，即刻给予头低足高左侧卧位，吸入高浓度氧气，配合医生抢救。④出血。置管当日体外抗凝或无肝素透析；置管处渗血，局部压迫止血或冰袋冷敷，出血不止时拔管。⑤导管血流不畅。导管壁塌陷导致血流不畅，降低泵速，减轻负压；泵前输入少量生理盐水，缓解导管和血管内负压；预防导管扭曲、打折；导管口贴壁时，可进行吞咽、咳嗽等动作。

2.饮食管理

（1）进食安全

1）透析治疗期间进食时摇高床头，头偏向一侧，避免呛咳、误吸。

2）食物宜松软、少渣、清淡、易消化，缓慢进食。

3）吞咽困难者，给予半流质或流质饮食；不能经口进食者，可给予鼻饲进食或静脉输注营养液。

（2）膳食摄入量

血液透析患者饮食安全管理的目标在于预防蛋白质-能量消耗，减少高血钾、高血磷、酸中毒、电解质紊乱、因体重增长过多引起的心力衰竭。由于营养状况直接影响患者的长期存活及生活质量，推荐摄入量如下：

1）蛋白质：摄入量为1.0～1.2g/(kg·d)，高生物价蛋白质应占50%以上（如鸡肉、鱼肉、牛奶、瘦肉等），必要时补充复方α酮酸制剂0.12g/(kg·d)。

2）能量：为30～35kcal/(kg·d)。60岁以上、活动量较小、营养状况良好（人血清白蛋白>40g/L）的患者可酌情减少。

3）脂肪：每日脂肪供能占25%～35%，其中饱和脂肪酸不超过10%，反式脂肪酸不超过1%，可适当提高多不饱和脂肪酸和单不饱和脂肪酸摄入量。每日饮食中脂肪总量为50～60g，其中植物油为20～30mL。

4）无机盐：①钠盐<2000mg/d，相当于膳食钠盐小于5g/d。②钾的摄入应根据病情（尿量和血清钾）决定，无尿患者钾摄入量<2000mg/d；若尿量>1500mL/d，可适当放宽控制。③磷摄入量最好限制在600～1000mg/d，合并高磷血症时应限制在800mg/d以下，并根据患者个体情况遵医嘱服用磷结合剂。几乎所有食物均含磷，避免食用高磷食物（如蛋黄、动物内脏、坚果、全麦面包、巧克力等）。④钙摄入量不超过1500mg/d（包括各种药物中含有的元素钙）。⑤透析时水溶性维生素严重丢失，需适当补充各种维生素，其中必须补充B族维生素，适量口服维生素C、维生素B_6以及叶酸；其中维生素C的摄入量为男性90mg/d，女性75mg/d，应避免过量摄入维生素C，否则可导致高草酸盐血症；如合并维生素D不足或缺乏的患者，可补充天然维生素D。⑥肠内营养。若单纯饮食指导不能达到日常膳食推荐摄入量，应给予适当的口服营养补充剂。若经口补充受限或仍无法提供足够能量，建议给予管饲喂食。⑦水分的控制。为防止透析中低血压的发生，每次透析超滤总量不宜超过干体重的5%或每日体重增长不超过1kg。可每两周评估1次干体重。饮水量一般为前一日的尿量+500mL。

二、技术标准

（一）血液透析操作技术

血液透析（Hemodialysis，HD）采用弥散和对流原理清除血液中的代谢废物、有害物质和过多水分，是最常用的肾脏替代治疗方法之一，也可用于治疗药物或毒物中毒等。

1.目的

（1）清除体内毒素和潴留水分。

（2）补充溶质，纠正电解质及酸碱平衡紊乱。

2.评估与准备

（1）环境：干净整洁，无人员走动。

（2）设备：血液透析机、水处理机表面清洁，水电安全，性能正常。

（3）患者

1）生命体征、食欲及尿量，有无皮肤黏膜、消化道出血及咳嗽、发热、寒战及其他特殊不适等。

2）血管通路：①动静脉内瘘。穿刺部位皮肤清洁度，局部有无肿胀、瘀青、硬结、红肿，听诊杂音明显、清晰，触摸血管走向明确，搏动、震颤良好。②中心静脉留置导管。置管周围皮肤清洁度、有无破损，置管口有无脓性分泌物、红肿、压痛、出血及渗液；导管外接头部分有无破损、打折，管夹是否夹闭及破损；导管缝合固定处缝线有无脱落，带隧道带涤纶套中心静脉导管Cuff位置是否正确，有无变化及脱出迹象。

（4）准备：血液透析器、血液管路、生理盐水、透析液、血管通路护理包、内瘘穿刺针、压脉带（选用）、抗凝药品、手套等。

3.操作要点

（1）安装、预冲

1）顺血流方向安装透析器及血液管路，透析器静脉端向上、动脉端向下，废液袋正置悬挂，且不低于操作者腰部。

2）安装顺序：生理盐水—透析器—连接生理盐水—血液泵管—动脉壶倒置—连接透析器动脉端—连接透析器静脉端—静脉壶倒置或正置—血液管路静脉端—废液袋。

3）启动血泵80～100mL/min，生理盐水500mL冲洗透析器及血液管路，并将液体充满。

4）正置透析器及动、静脉壶，连接透析器旁路接头，调血流量200mL/min，再用500mL生理盐水继续冲洗排净透析器透析液室内（膜外）空气。

（2）建立血管通路

1）内瘘穿刺：①核对血管通路类型及抗凝剂种类、剂量。②按照内瘘穿刺计划确定动、静脉穿刺点，铺无菌治疗巾于内瘘侧肢体下。③以穿刺点为中心环形消毒，直径大于10cm，自然晾干。④固定皮肤，以20°～30°穿刺，穿刺成功，固定穿刺针。⑤根据医嘱推注首剂抗凝剂。

2）导管开管：①患者戴口罩，头偏向操作者对侧。②取下导管末端包裹纱布，将导管置于无菌治疗巾1/4面上，确定导管管夹夹闭。③取下导管置管处粘贴敷料，检查cuff位置，用碘伏棉签旋转消毒导管置管口，由内向外消毒3遍；再用碘伏棉签以置管口为中心，由内向外旋转式消毒置管口外的皮肤3遍，直径8～10cm；最后取碘伏棉签消毒外露的导管及导管固定缝线处，消毒3遍。贴伤口敷料，注明敷料更换时间。④取碘伏纱布置于无菌治疗巾1/4面，用碘伏纱布螺旋式消毒导管管夹及导管保护帽。⑤取碘伏纱布放置于治疗巾1/2面上，检查导管管夹夹闭后，移除导管保护帽，将导管末端置于碘伏纱布上，螺旋式消毒导管接头2遍。⑥分别用5mL注射器连接导管动、静脉端，回抽导管封管液，回抽量为动、静脉管各2mL，并推注于纱布上，检查是否有凝血块，如有凝血块，应再次回抽1mL弃去。⑦判断导管通畅后，静脉端推注透析用抗凝剂。

（3）建立体外循环

1）核对患者身份信息、治疗模式、透析器型号及血液管路内无空气，设定超滤量、时间、温度、电导度等。

2）检查血液管路连接紧密性，补液侧管夹夹闭，透析器及血液管路有无气泡。

3）连接动、静脉穿刺针或透析导管，血流量100mL/min引血，建立体外循环，调节血流量至180mL/min，观察患者有无不适，逐渐提升血流量至医嘱治疗血流量。

4）按照血液循环方向依次检查血液管路各连接处紧密性，再次核对各项治疗参数，安全固定体外循环管路。

（4）密闭式回血下机

1）内瘘：①治疗时间达到，降低血流50～100mL/min，夹闭动脉端管路管夹，打开补液口回输生理盐水20～30s，关闭血泵，靠重力回输完动脉端近心侧管路的血液后夹闭动脉管路管夹及动脉穿刺针夹子，再启动血泵回输完全部血液后，夹闭静脉管路管夹及静脉穿刺针夹子。②断开血液管路与穿刺针，封堵穿刺针末端。③分别拔除动、静脉穿刺针，直接放入锐器盒或便携式锐器盒内。④先用纱布压迫穿刺点2～3min，再用弹力绷带或胶布加压包扎。⑤观察10～20min，查看动、静脉穿刺部位有无出血、血肿形成，无异常患者方可离开。⑥排放废液，分类处理医疗废弃物。

2）导管：①密闭式回血操作同"内瘘"。②回血完毕，确保血液管路夹及透析用导管夹已夹闭，取碘伏纱布消毒血液管路及透析导管连接处，将透析导管与血液管路断开。③取碘伏纱布分别螺旋式消毒动、静脉导管接头各2遍。④采用脉冲式方法向导管动、静脉端各推注10mL生理盐水，导管外露部无血液残留。⑤按导管容积，封管液正压封管；用一次性无菌导管保护帽封闭导管动、静脉端口。⑥无菌纱布包裹导管末端及外露部分，胶布妥善固定。

（5）废液排放

1）使用便携式锐器盒废液排放操作：①夹闭穿刺针、血液管路夹子（共计4个）；分别拔除动、静脉内瘘穿刺针，放入便携式锐器盒内，并悬挂在透析机旁。②将血液管路动、静脉监测管，肝素管及动脉端补液侧管夹闭，卸下动、静脉压力传感器及泵管，卸下血液管路静脉壶并倒置。③将透析器翻转180°，静脉端向上；将透析液入液口接头归位至透析机旁路接口，同时用透析器原帽覆盖。④打开穿刺针和血液管路夹子（共计4个），排放透析器膜内废液。⑤透析器膜内废液排放完毕，打开透析器入液口原帽，排放透析器膜外废液。⑥废液排放完毕，将透析液出液口归位至透析机旁路接口。夹闭内瘘穿刺针夹子和动、静脉管路管夹，取下便携式锐器盒，卸下血液管路及透析器，放入医疗废弃物袋内。

2）使用连接管废液排放操作：①使用连接管将血液管路与动、静脉管路连接，形成密闭式循环。②其余同便携式锐器盒废液排放操作。

4.注意事项

（1）安装、预冲

1）取出血液管路前，检查所有接头并拧紧，所有夹子处于打开状态；透析器和血液管路如有污染，及时更换。

2）生理盐水现开现消现用，操作时尽量减少补液管路的暴露机会，并充分预冲，预充量≥800mL，排净透析器及血液管路内的微小颗粒及空气。

3）预冲好的透析器及血液管路必须在4h内使用，否则重新预冲后再使用。

（2）建立血管通路

1）动静脉内瘘穿刺：①采用绳梯式穿刺，穿刺前必须清洁穿刺部位皮肤。②至少消毒2遍，消毒范围要符合要求。③不可碰触已消毒穿刺部位，一旦有碰触，必须再次消毒。④穿刺点消毒后自然晾干，不可擦拭促干，且一消一穿。⑤穿刺时，先穿静脉再穿动脉，动脉穿刺点距内瘘吻合口3cm以上，静脉穿刺点距动脉穿刺点5cm以上，避免在同一条血管上穿刺；每次穿刺点与上次穿刺点的距离>0.5cm，避免在同一区域定点区域反复穿刺。⑥固定穿刺针时先固定针柄再固定穿刺点，最后塑性固定穿刺针透明软管，且固定用胶贴不可集中重叠；动、静脉穿刺针分开固定。

2）血液透析导管开管：①保持导管外观洁净，无胶印及污渍。②颈部导管，操作时患者需戴口罩，头偏向操作者对侧；股部导管，取仰卧位，髋关节伸直稍外展外旋，且充分暴露置管处。③根据导管容积定量抽取导管管腔内的肝素封管液，推注回抽血液查看血凝块时避免血液喷溅、滴洒，推注距离>10cm；推注药液时不可将消毒液推注于导管管腔内。④连接导管时避免导管连接过于紧密而导致连接头破裂。⑤当导管抽吸不畅时，禁忌将生理盐水强行推注至导管内，必要时进行尿激酶溶栓，避免将导管内血栓推至血液内。

（3）建立体外循环

1）连接体外循环时先夹闭血液管路动、静脉管夹，连接后及时打开血液管路动、静脉管路夹，严格执行无菌技术及手卫生。

2）准备开始治疗启动血泵时，须再次确定血液管路夹是否打开，不使用的夹子是否夹闭。

3）血流不足或回路异常时须先回血，再对因处理，不可停血泵处理问题。

4）重视患者主诉，每1h测量血压、脉搏，观察穿刺部位有无渗血，穿刺针有无脱出移位，导管是否连接紧密，安全固定及机器运行情况。

（4）密闭式回血下机

1）全程密闭式回血下机，严禁敲打透析器。

2）回血时不得离开患者，1人不能同时操作2个及以上患者回血下机。

3）拔除内瘘穿刺针时按压力度以不渗血且能扪及内瘘震颤或听到血管杂音为宜，必须触摸内瘘有无震颤。

4）导管保护帽位置正确，不可过紧或过松；无菌纱布包裹导管末端前须再次确认导管夹位置正确，处于夹闭状态；导管末端固定牢靠，放置于患者舒适位置，穿脱衣服时避免牵拉导管。

（5）废液排放

1）将拔除的内瘘穿刺针完全放入锐器盒内，避免脱出。严禁将内瘘穿刺针直接插入血液管路或回血用生理盐水瓶内，避免针刺伤和造成二次污染。

2）断开血液管路及透析旁路归位时，避免液体滴洒。

3）废弃血液管路就地整理处理，不可零散拖拉移至他处处理；若透析器破膜，严禁废液排放，直接放入医疗废弃物袋内。

（二）其他血液净化操作技术

1.血液透析滤过

血液透析滤过（Hemodiafiltration，HDF）是血液透析和血液滤过的结合，具有两种治疗模式优点，可通过弥散和对流两种机制清除溶质，在单位时间内比单独血液透析或血液滤过清除更多中小分子物质。

（1）目的

1）清除体内过多中小分子物质及过多体液。

2）改善患者症状，控制、纠正及稳定心血管功能。

（2）评估与准备

1）评估：同"血液透析操作技术"。

2）准备：血液透析滤过器、置换液连接管，其余同"血液透析操作技术"。

（3）操作要点

1）血液透析滤过器和血液管路安装及预冲同"血液透析操作技术"。

2）在线预冲，使用机器在线产生的置换液，通过置换液连接管，按照体外循环血流方向进行密闭式冲洗。

3）建立血管通路及体外循环，同"血液透析操作技术"，开始治疗。

4）密闭式回血：①按照不同机器要求，可采用在线回血方式。②采用生理盐水回血，同"血液透析操作技术"。

（4）注意事项

1）告知患者在治疗过程中可能出现过敏、低血压等并发症，如有不适，及时告知护士。

2）治疗过程中，严密观察机器各压力值情况及患者生命体征变化，如发生异常，及时汇报医生予以处理。

3）置换液量流速设定需根据血流速度进行调整。

2.血液灌流

血液灌流（Hemoperfusion，HP）是将患者血液从体内引到体外的循环系统，通过灌流器中吸附剂（活性炭、树脂等材料）与体内的代谢产物、毒性物质以及药物吸附结合，达到清除这些物质的治疗方法。

（1）目的

1）清除体内代谢产物、药物、特异性毒性物质。

2）清除血浆中细菌内毒素，去除血液中免疫物质。

（2）评估与准备

1）评估：患者生命体征，血管通路准备就绪，机器备用状态。

2）准备：血液灌流器、血液灌流连接管，其余同"血液透析操作技术"。

（3）操作要点

1）单纯血液灌流治疗：①灌流器肝素化。动态肝素化按照产品说明书进行，静态肝素化将肝素注射液12500U 100mg注入灌流器中混匀静置20～30min后使用。②灌流器与血液管路安装。按照体外循环血流方向安装血液管路，再将灌流器的动脉端向下、静脉端向上固定于支架上。③灌流器与血液管路预冲。动脉端血液管路与生理盐水相连接，充满生理盐水后连接于灌流器动脉端口上，再将静脉端血液管路连接于灌流器的静脉端口上，启动血泵，以200～300mL/min速度预冲，预冲生理盐水量2000～5000mL。预冲完毕，保持灌流器动脉端向下、静脉端向上，准备治疗。④建立血管通路及体外循环，同"血液透析操作技术"。⑤调节血流量180～200mL/min，开始治疗。⑥密闭式回血下机同"血液透析操作技术"。

2）组合式血液灌流联合血液透析治疗：①灌流器肝素化准备同"单纯血液灌流治疗"。②灌流器、血液透析器和血液管路的安装。按照体外循环的血流方向依次安装血液管路，将灌流器动脉端向下、静脉端向上固定于灌流器固定支架上，将透析器动脉端向下、静脉端向上固定于透析器固定支架上。③血液管路、血液灌流器与血液透析器预充和冲洗。采用灌流器动态肝素化时，用生理盐水排净血液管路动脉端气体后，连接动脉端血液管路到灌流器动脉端，再连接灌流器与静脉端血液管路，用肝素生理盐水100mg/500mL以80～100mL/min缓慢冲洗灌流器、血液管路，静置20～30min后，再用1000mL生理盐水缓慢冲洗。采用灌流器静态肝素化时，将肝素注射液12500U 100mg注入灌流器中混匀，静置30min，用生理盐水排净血液管路动脉端气体后，连接血液管路动脉端至灌流器动脉端，灌流器静脉端与血液管路静脉端连接，再用生理盐水1000mL以80～100mL/min冲洗灌流器、血液管路后夹闭静脉端血液管路，断开灌流器与静脉端血液管路，将血液管路静脉端移向透析器静脉端进行连接，用血液灌流连接管将灌流器静脉端与透析器动脉端连接，打开静脉端血液管路，生理盐水2000mL冲洗。④翻转透析器动脉端向上，连接旁路，排净膜外气体。⑤建立血管通路及体外循环，同"血液透析操作技术"。⑥调节血流量180～200mL/min，开始治疗。⑦治疗2h，分离灌流器。调整血流量至50～100mL/min，夹闭血液管路动脉端，打开补液测管，启动血泵100mL/min，用生理盐水200～300mL回血，至灌流器颜色变浅，撤出灌流器，调整血流量继续透析治疗。⑧密闭式回血下机同"血液透析操作技术"。

（4）注意事项

1）在预充血液灌流器过程中发现游离吸附剂颗粒冲出，提示吸附剂包膜破损，必须更换血液灌流器。

2）严格无菌操作，严防在灌流器断开时出现血液滴洒和空气进入。

3）灌流器必须先独立预充，再将灌流器与透析器连接进行串联预充，严格按照预充剂量和顺序进行。

4）回血过程中，全程用生理盐水回血，禁止空气回血，避免发生空气栓塞。

5）灌流器中吸附材料的吸附能力与饱和速度决定每次灌流治疗的时间，因此每隔2h更换一个灌流器。

3.连续性肾脏替代治疗

连续性肾脏替代治疗（Continuous Renal Replacement Therapy，CRRT）是指一组体外血液净化治疗技术，是所有连续、缓慢清除水分和溶质治疗方式的总称。

（1）目的

1）清除代谢产物、部分药物及机体炎症介质。

2）纠正酸碱平衡、电解质平衡，维持体液平衡。

（2）评估与准备

1）评估：患者生命体征，机器性能正常。

2）准备：血液滤过器、体外循环血液管路、置换液，其余同"血液透析操作技术"。

（3）操作要点

1）体外循环血液管路安装及预冲：①按照机器提示的安装步骤。逐步安装，以ACH-10机器为例连接血液滤过器及体外循环管路→悬挂置换液袋→连接置换液→连接生理盐水→连接废液袋→打开各管路管夹→检查各连接口连接紧密。②机器自动预冲血液管路及滤器，预冲完成，关闭动脉夹和静脉夹。③按照医嘱设置血流量、置换液量、超滤液流速等各项治疗参数。

2）建立血管通路及体外循环，同"血液透析操作技术"。

3）密闭式回血下机，同"血液透析操作技术"。

（4）注意事项

1）专人床旁治疗，严密监测患者生命体征，每0.5～1h记录一次治疗参数，观察体外循环血液管路凝血状况。

2）机器报警时，根据提示迅速解除报警。报警无法解除且血泵停止运转，立即手动回血结束治疗。

4.血浆置换

血浆置换（Plasma Exchange，PE）是一种清除血液中大分子物质的血液净化治疗方法。将血液引出至体外循环，通过膜式或离心式血浆分离方法，从全血中分离并弃除血浆，再补充等量新鲜冰冻血浆或白蛋白溶液，以非选择性或选择性地清除血液中的致病因子（如自身抗体、免疫复合物、冷球蛋白、轻链蛋白、毒素等），并调节免疫系统，恢复细胞免疫及网状内皮细胞吞噬功能，从而达到治疗疾病的目的。

根据治疗模式的不同，血浆置换分为单重血浆置换和双重血浆置换（Double Filtration Plasmapheresis，DFPP）。PE是指将分离出来的血浆全部弃除，同时补充等量的新鲜冰冻血浆或白蛋白溶液；DFPP是指将分离出来的血浆再通过更小孔径的膜型血浆成分分离器，弃除含有较大分子致病因子的血浆，同时补充等量的新鲜冰冻血浆白蛋白溶液或一定比例混合溶液。

（1）目的

1）清除疾病相关因子及异常血浆成分。

2）补充机体所需物质。

（2）评估与准备

1）评估：①血管通路通畅情况。②患者对血制品、肝素等有无严重过敏史。③患者生命体征、神志及配合程度。④查看患者血常规、出凝血指标、血生化及原发病相关检验指标。

2）准备：血浆置换机、血浆置换血液管路、血浆分离器、血浆成分分离器、血管通路维护用物、血浆、人血清白蛋白、生理盐水、抗凝药物、地塞米松及心电监护等。

（3）操作要点

1）PE：①管路安装及预冲。按照机器提示安装步骤，完成管路安装并自动预冲血液管路及血浆分离器。②遵医嘱设置血浆置换治疗参数及各项报警参数，如血浆置换目标量、各个泵流速等，再次检查血浆置换血液管路及血浆分离器内有无气泡，各连接部位是否连接紧密。③建立血管通路及体外循环，同"血液透析操作技术"。④治疗开始时，先全血循环5～10min，观察正常后再进入血浆分离程序。全血液速度宜慢，观察2～5min，患者无不适再调整至正常血流速度运行，通常血浆分离器血流速度为80～150mL/min。⑤达到目标置换量，密闭式回血下机，同"血液透析操作技术"。

2）DFPP：①管路安装及预冲。按机器提示步骤进行管路安装及连接，自动预冲血液管路、血浆分离器及血浆成分分离器。②遵医嘱设置血浆置换治疗参数，设置各项报警参数，如血浆置换目标量、各个泵的流速或血浆分离流速与血流量比率、弃浆量和分离血浆比率等。③建立血管通路及体外循环，同"血液透析操作技术"。④达到目标血浆置换量，密闭式回血下机，同"血液透析操作技术"。

（4）注意事项

1）建立体外循环，先全血自循环5～10min后，观察正常后再进入血浆分离程序。观察2～5min，无反应后再开始血浆置换治疗。通常血浆分离器的血流速度为80～100mL/min，血浆成分分离器的速度为25～30mL/min。

2）预冲过程中观察血浆分离器性能，有无裂痕。

3）严格执行血制品知情同意制度。

4）治疗过程中观察机器运行情况，包括血液流速、血浆流速、分离血浆流速、动脉压、静脉压、跨膜压等变化。

5）密切观察血浆置换过程中患者生命体征有无出现过敏、低血压、溶血、低钙血症等并发症。

第三节　结局质量标准

一、敏感指标

(一) 护患比

1.指标定义

护患比：统计周期内当班责任护士人数与其负责照护的透析患者数比。不包括行连续性肾脏替代治疗（continuous renal replacement therapy，CRRT）的责任护士人数及患者数。根据监测时限不同，可以分为平均每天护患比、时点调查护患比。

（1）平均每天护患比：统计周期内每天白班、夜班责任护士数之和与其负责照护的血液透析患者数之和的比。

（2）时点调查护患比：某时点责任护士数之和与其该时点负责照护的血液透析患者数的比。

2.指标意义

护患比反映护理服务需求和护理人力的资源匹配关系。计算护患比，能够帮助管理者了解当前人力资源配备状况，进而建立以护理服务需求为导向的科学调配护理人力资源的管理模式，让需要照护的患者获得优质护理服务，保障患者的安全和护理服务质量。

建议此指标按照月、季度和年度进行统计。按月统计能够准确反映整体护士人力与护理血透患者工作量之间匹配的客观情况，按季度统计和省护理质控数据上报同步，按年度统计能够反映血透患者增长情况和护理人力客观配备情况。

3.计算公式

$$护患比 = 1 : \frac{同期每天各班次患者数之和}{统计周期内每天责任护士总数}$$

说明："统计周期"是质量管理者关注的时间段，如某年、某月、某日或某个班次；上班责任护士总数，排除库房管理专员、治疗班、办公班等班次的护士数。

4.数据采集

表10-2　计算护患比涉及的变量及资料来源

测试对象：某医院血液净化中心（室）

变量	资料来源1(手工填报)	资料来源2(信息系统自动获取)
统计周期	根据需要决定	
在岗责任护士总数	护理单元排班表	由护理排班信息系统自动获取
治疗患者总数	患者排班表	由医院信息系统获取

5.案例应用

案例：测量某医院血液净化中心（室）一周内每天护患比及平均护患比。

第一步：确定需采集数据项目、内容。

某医院血液净化中心（室）2024年7月1—6日一周内每天治疗患者数量及在岗责任护士数。

第二步：采集数据。

表10-3　某医院血液净化中心(室)一周内护患比及平均护患比

时间	治疗患者数量	在岗护士数量	护患比
周一(7月1日)	104	21	1:4.95
周二(7月2日)	96	20	1:4.60
周三(7月3日)	98	20	1:4.90
周四(7月4日)	102	21	1:4.86
周五(7月4日)	109	22	1:4.95
周六(7月6日)	105	21	1:50
合计	614	125	1:4.912

计算得2024年7月第一周某医院血液净化中心（室）平均护患比为：

$$护患比=1：\frac{同期每天各班次患者数之和}{统计周期内每天责任护士总数}=1：4.912$$

（二）血管通路感染发生率

1.血液净化用CVC相关血流感染发生例次率

（1）指标定义

透析用中心静脉导管相关血流感染：指患者留置导管期间及拔除导管后48h内发生的原发性且与其他部位无关的感染，包括导管局部相关感染和血流感染。导管相关血流感染可导致病情恶化，增加患者死亡风险。

透析用中心静脉导管相关血流感染发生例次率采用国家卫生健康委员会发布的2021年版《血管导管相关感染预防与控制指南》中有关血流感染的定义和诊断标准。

实验室证实的血流感染必须至少符合以下一项标准：

标准一　经外周血培养和导管尖端培养结果为同一微生物≥1次。微生物培养结果经导管血培养菌落数≥3倍经外周血培养菌落数。

标准二　微生物培养结果经导管血培养菌落数≥3倍经外周血培养菌落数。

患者局部感染时出现红、肿、热、痛、渗出等炎症表现，血流感染除局部表现外还会出现发热（>38℃）、寒战或低血压等全身感染表现；外周静脉血培养细菌或真菌阳性，或者从导管尖端和外周血培养出相同种类、相同药敏结果的致病菌。如患者在同一天早上8点和8点15分抽血，每次抽取的血液各做2瓶血液培养（总共4瓶血液培养）。如果2次抽血中各有1瓶血液培养为凝固酶阴性葡萄球菌阳性，则符合标准要求。

（2）指标意义

血液净化中心（室）透析用中心静脉导管相关血流感染的发生例次率与血液净化中心（室）医护人员无菌技术操作、消毒隔离和手卫生等情况，患者的清洁卫生习惯等密切相关。监测该指标能够及时发现医院内感染异动和护理环节的薄弱点，保证有效的感染管理和预防，降低感染的发生，提高透析患者的护理质量。

（3）计算公式

$$\frac{中心静脉导管相关}{血流感染发生率} = \frac{同期血液净化用CVC相关血流感染例次数}{统计周期血液净化用CVC留置总日数} \times 1000‰（例/千导管日）$$

变量说明：①血液净化用CVC相关血流感染发生例次数指统计周期内住院患者发生血液净化用CVC相关血流感染例次之和。血液净化用CVC相关血流感染的诊断应与医疗诊断保持一致。患者发生1次导管感染的过程被记为1次导管相关血流感染例次。同一患者在统计周期内以血液净化用CVC相关血流感染实际发生频次统计。包含非隧道无涤纶套导管（non-cuffed catheter，NCC，或称临时导管）、隧道式涤纶套导管（tunnel cuffed catheter，TCC，或称长期导管）。排除动静脉内瘘和移植动静脉内瘘。②血液净化用CVC留置总日数，留置导管每跨越0点1次计为1日，当天置入并拔除的不统计。带管入院患者以入院当时开始，每跨越0点1次计为1日，带管出院患者以出院日期为止。包含住院患者TCC和NCC留置日数。排除门急诊等非住院病区置管患者的留置日数。③监测对象为留置血液净化用中心静脉导管的住院患者。

（4）数据采集

计算透析用中心静脉导管相关血流感染发生率时，需要先确定统计周期，然后采集透析患者总人数、临时导管和长期导管带管总日数与中心静脉导管相关血流感染例次数。资料采集首先由血液净化中心（室）医护人员启动，包括患者的体温变化、导管穿刺部位的变化，并采集血液标本培养。完成标本采集和送检后，由院感专职人员做出中心静脉导管相关血流感染病例的最终判断。

表10-4 血液净化中心(室)中心静脉导管患者留置记录

时间	导管患者总人数	血液净化用CVC留置总日数	临时导管日数	长期导管日数	感染例数

发生中心静脉导管相关血流感染事件时需填写中心静脉导管感染登记表（表10-5）。

感染事件均遵循21天原则，即2次同类血液透析用导管感染事件发生的间隔时间≥21天，才能确认为2次不同事件，应分别填写中心静脉导管感染登记表。

表10-5 血液净化中心(室)中心静脉导管感染登记表

患者姓名：	住院号：
性别：	年龄：
开始透析日期： 年 月 日	插管日期： 年 月 日
感染类型：	感染日期： 年 月 日
危险因素： 血液透析用血管通路相关信息： 导管类型：□隧道式中心导管 □非隧道式中心导管 导管穿刺部位：□锁骨下静脉 □股静脉 □颈内静脉 □其他	

续表10-5

具体诊断标准：
症状或体征：□发热　□寒战　□低血压(收缩压≤90mmHg)
实验室依据：□至少1套血液培养出公认的病原菌 　　　　　　□至少2套血液培养出常见皮肤微生物 　　　　　　□没有血培养或血液培养阴性
临床诊断依据：□医生给予适当抗菌药物治疗有效 　　　　　　　□血管通路部位出现脓液、发红或肿胀加剧
部位：□穿刺点/隧道口　□穿刺点/隧道口周围皮肤　□穿刺点/隧道口皮下组织
临床表现：□脓液　□发红　□肿胀加剧
感染结局： □拔除中心静脉导管 □重新插管　类型：□隧道式中心导管　□非隧道式中心导管　□其他 □住院 □死亡

（5）案例应用

案例：某医院血液净化中心（室）2023年统计数据如下：

时间	血液净化用 CVC留置总日数	临时导管日数	长期导管日数	感染例数
2023年1月	39	20	19	2例

$$\text{中心静脉导管相关血流感染发生例次率} = \frac{\text{同期血液净化用CVC相关血流感染例次数}}{\text{统计周期血液净化用CVC留置总日数}} \times 1000\text{‰}(\text{例/千导管日})$$

$$= \frac{2}{39} \times 1000\text{‰}$$

$$= 51\text{‰}$$

2.内瘘感染发生率

（1）指标定义

1）动静脉内瘘：是指利用患者自体血管或移植血管建立的动静脉分流结构，是人为地将患者动脉血引流至容易穿刺的浅表静脉内，从而建立理想的体外循环，为顺利进行血液净化治疗而创造条件，是目前建立血液透析通路最常用、最安全、最有效的通路。

2）内瘘感染是指自体动-静脉内瘘穿刺部位出现红、肿、热、痛，分泌物或脓肿形成。

3）内瘘感染发生率：同期内透析患者内瘘感染例次数与统计周期内使用内瘘透析治疗总人次的千分比。

（2）指标意义

血液净化中心（室）内瘘感染的发生率与护理人员无菌技术操作、消毒隔离和手卫生落实、患者健康宣教依从性等密切相关。监测该指标能够及时发现护理人员操作过程中的薄弱环节、患者内瘘自我照护方法不正确，针对此问题进行持续质量改进，有效预防、降低感染发生，从而提高透析患者的护理质量，以达到内瘘感染率为"0"。

（3）计算公式

$$内瘘感染发生率 = \frac{同期内透析患者内瘘感染例次}{统计周期内内瘘患者治疗总人次} \times 1000‰$$

1）"内瘘感染"的纳入标准：所有内瘘患者，包括同一患者在监测期间发生2次或2次以上内瘘感染，均按实际感染次数记录。

2）"统计周期"为每月、每季度及每年。

（4）数据采集

根据质量控制管理原则，对透析中内瘘感染发生率需要每月及每年进行统计并记录。对造成内瘘发生的可控因素进行根本原因分析并进行持续质量改进。

（5）案例解析

1）案例：某医院血液净化中心（室）7月份内瘘患者108人，内瘘患者透析治疗总人次16848次，内瘘感染发生8人次。

根据计算公式得出：

$$7月份内瘘感染发生率 = \frac{8人次}{16848人次} \times 1000‰ = 0.47‰$$

2）解析：该医院7月份内瘘感染发生率为0.47‰＞0，因此7月份内瘘使用不符合要求。

（三）内瘘针滑脱率

1.指标定义

（1）内瘘针滑脱：在透析过程中，由于患者皮肤松弛、内瘘穿刺针固定不安全或穿刺进针浅、患者频繁体位改变及牵拉、护理人员巡视不及时等原因而造成内瘘穿刺针针体滑出，导致患者意外失血，透析治疗不能正常进行。

（2）内瘘针滑脱率：统计周期内内瘘针滑脱发生例次与统计周期内内瘘穿刺次数的千分比称为内瘘滑脱率。

2.指标意义

目前，我国使用自体动-静脉内瘘占血液透析血管通路的90%以上。在治疗过程中如果发生内瘘穿刺针滑脱，会给患者带来严重后果，甚至危及生命。虽然内瘘穿刺针滑脱发生率低，但一旦发生会给患者身心造成巨大伤害，严重影响患者透析质量，同时也会给医院带来严重负面影响。

内瘘针滑脱是血液净化中心（室）严重护理不良事件，做好预防是降低内瘘针滑脱的关键。护理人员应认真、负责做好每一个细小环节，加强患者健康宣教，提高患者自我防护能力，同时加强护理人员风险防范意识，规范内瘘针固定方法，加强治疗过程中巡视监护工作，防患于未然，有效预防内瘘针滑脱，达到内瘘针滑脱率为"0"，从而使透析患者得到安全、高效的治疗。

3.计算公式

$$内瘘针滑脱率 = \frac{同期患者内瘘针滑脱发生例次}{统计周期内内瘘穿刺次数} \times 1000‰$$

（1）因内瘘针滑脱率低，"统计周期"为每月、每季度及每年进行统计。所有内瘘患者，包括同一患者在监测期间发生2次或2次以上内瘘针滑脱，按实际次数记录。

（2）内瘘穿刺次数=内瘘患者人数×2（动脉、静脉）；若同一患者在透析过程中动脉和静脉穿刺针均滑脱，则滑脱次数记为2次。

（3）"内瘘针滑脱"的纳入标准：凡是在透析过程中使用内瘘血管通路，内瘘针滑脱出现失血，影响透析不能正常进行的事件。

4.数据采集

根据质量控制管理原则，需要对内瘘针滑脱率每年进行统计记录。对造成内瘘针滑脱的因素进行原因分析及持续质量改进。

5.案例解析

（1）案例：某医院2018年血液净化中心（室）内瘘患者155人，内瘘穿刺总次数48360人次，发生内瘘针滑脱事件5次。

根据计算公式得出：

$$2018年内瘘针滑脱率 = \frac{5}{48360} \times 1000‰ = 0.1‰$$

（2）解析：该医院2018年内瘘针滑脱率为0.1‰>0，因此，2018年内瘘针使用不符合要求。追踪原因发现，由于护士穿刺后对内瘘穿刺针固定不妥，治疗期间未及时巡视查看内瘘针固定情况，因此根据追踪原因，科室须采取措施，避免内瘘针滑脱事件发生。

（四）血液透析治疗室消毒合格率

1.指标定义

血液透析治疗室消毒合格率：指血液透析治疗室在一定时间内，按照消毒规范进行消毒后，消毒效果达到合格标准的次数占总消毒次数的比例。

2.指标意义

血液透析治疗室消毒合格率反映血液透析治疗室的卫生状况和感染控制水平。血液透析治疗室是高风险环境，患者免疫系统可能较弱，易受感染。血液透析治疗室消毒合格率高，能够有效预防交叉感染，是保障患者安全的基础。

3.计算公式

$$血液透析治疗室月消毒合格率 = \frac{合格样本数}{总样本数} \times 100\%$$

$$血液透析治疗室消毒合格率 = \frac{血液透析治疗室消毒合格月份}{12} \times 100\%$$

说明：每月对血液透析治疗室空气、物体、机器表面进行病原微生物的培养检测结果保留原始记录，建立登记表，所有样本检测结果均合格，认定该月份为治疗室消毒合格月份。

4.数据采集

计算血液透析治疗室消毒合格率时，需要先确定统计周期，然后在统计周期内每月至少进行1次环境物表面和空气消毒的效果检测，收集所有环境物表面和空气消毒后的细菌培养结果（表10-6）。为确保血液透析治疗室消毒合格率指标的准确性和可靠性，数据收集过程必须严格遵循以下要求：

（1）采样频率：每个月至少进行1次环境物表面和空气的消毒效果检测。

（2）采样点选择：应覆盖治疗室的关键区域，包括透析机表面、治疗床、操作台面等。

1）空气监测采样点需根据治疗室空间面积放置培养皿，房间面积≥35m²需放置5个培养皿；放置培养皿时应避开空气消毒机出风口。

2）物品表面采样应覆盖治疗区域的关键区域，包括透析机表面、治疗床、操作台面、门把手、床护栏、治疗车扶手等高频接触点。

（3）采样方法：严格按照《医院消毒卫生标准》（GB 15982—2012）进行采样。

（4）检测方法：采用国家认可的标准方法进行细菌培养和鉴定。

（5）数据记录：详细记录采样时间、地点、方法、检测结果等信息。

（6）数据审核：由具备资质的专业人员对数据进行审核，确保数据的真实性和准确性。

合格标准：空气平均菌落数≤4cfu/（5min·9直径平皿），物品表面平均菌落数≤10cfu/cm²。

表10-6 血液净化中心(室)环境卫生学监测结果

时间	标本名称及采样部位	采样结果	合格

表10-7 血液净化中心(室)环境卫生学监测结果合格率

时间	合格	采样结果率

5.案例应用

案例：某医院血液净化中心（室）在2023年1—12月内，其中2个月样本不符合国家标准。则该血液净化中心（室）的血液透析治疗室消毒合格率是多少？

第一步：确定需采集数据项目、内容。

某医院血液净化中心（室）2023年1—12月环境卫生学监测结果。

第二步：采集数据。

（1）案例：某医院血液净化中心（室）2023年1月、2月环境卫生学监测结果如表10-8：

表10-8 某医院血液净化中心(室)2023年1月、2月环境卫生学监测结果

时间	标本名称及采样部位	采样结果	合格
2023年1月14日	空气(治疗室A区)	培养48h后细菌菌落数为1.2cfu/(min·90皿)	是
2023年1月14日	11床床头桌(C区)	培养48h后细菌菌落数为0.2cfu/(min·90皿)	是
2023年1月14日	治疗车把手(B区)	培养48h后无细菌生长	是
2023年2月12日	空气(治疗室B区)	培养48h后细菌菌落数为4.2cfu/(min·90皿)	否
2023年2月12日	空气(治疗室C区)	培养48h后无细菌生长	是
2023年2月12日	5床栏杆(D区)	培养48h后细菌菌落数为20cfu/cm²	否
2023年2月12日	1床导管夹子(E区)	培养48h后细菌菌落数为0.8cfu/cm²	是
2023年2月12日	水龙头把手(A、B区)	培养48h后无细菌生长	是

$$血液透析治疗室2023年1月消毒合格率=\frac{3}{3}\times100\%$$

$$=100\%$$

$$血液透析治疗室2023年2月消毒合格率=\frac{3}{5}\times100\%$$

$$=60\%$$

（2）案例2：某医院血液净化中心（室）2023年1—12月环境卫生学监测结果如表10-9：

表10-9　血液净化中心（室）2023年1—12月环境卫生学监测结果

时间	采样结果合格率	合格
1月	100%	是
2月	60%	否
3月	100%	是
4月	100%	是
5月	100%	是
6月	100%	是
7月	75%	否
8月	100%	是
9月	100%	是
10月	100%	是
11月	100%	是
12月	100%	是

某医院血液净化中心（室）2023年12个月血液透析治疗室消毒合格率为：

$$血液透析治疗室消毒合格率=\frac{10}{12}\times100\%$$

$$=83\%$$

6.改进措施

发现消毒合格率低于目标值，应立即调查原因，可能涉及消毒剂选择不当、消毒操作不规范、消毒设备故障或维护不当等。针对发现的问题，采取纠正和预防措施，如加强培训，优化消毒流程，加强终末消毒流程的落实；对采样不合格物表或空气再次消毒，并再次采样，追踪再次采样样本结果合格率。

（五）透析用水生物污染检验合格率

1.指标定义

在一定时期内（通常为每个月），透析用水微生物培养结果符合国家标准的样本数占检测样本总数的百分比。

2.指标意义

透析用水生物污染检验合格率是评估血液透析用水质量的关键指标。该指标直接反映透析用水的微生物安全性和有效性，生物污染，如细菌、内毒素、病毒等，可能对患者造成严重的健康风险，包括感染、过敏反应和炎症反应等；是反映透析用水处理系统的效能和维护状况，对于预防透析相关感染和确保透析治疗效果至关重要，是保障透析安全的核心指标之一。高合格率表明透析用水系统运行良好，降低了患者感染风险。

3.计算公式

$$透析用水生物污染检验月合格率 = \frac{合格样本数}{总样本数} \times 100\%$$

$$透析用水生物污染检验合格率 = \frac{\sum 透析用水生物污染检验合格月份数量（或季度数量）}{12（或4）} \times 100\%$$

说明："透析用水生物污染检验合格月份数量（或季度数量）"是每月（或季度）对透析用水、透析液进行病原微生物培养及内毒素检测，检测结果全部合格月份的总和。

4.数据采集

计算透析用水生物污染检验合格率时，需要先确定统计周期，然后采集透析用水、透析液病原微生物培养及内毒素检测结果合格的月份，再将合格月份求和。为确保透析用水生物污染检验合格率指标的准确性和可靠性，数据收集过程必须严格遵循以下要求：

（1）采样频率：细菌培养应至少每个月1次，内毒素检测至少每3个月1次。每年每台透析机应至少进行1次透析液的细菌和内毒素检测。

（2）采样点选择：水处理透析用水起始端、透析液配制用水和透析用水回路末端。

（3）采样方法：严格按照无菌操作规程进行采样，避免二次污染。

（4）检测方法：采用国家认可的标准方法进行微生物培养和内毒素检测。

（5）数据记录：详细记录采样时间、地点、方法、检测结果等信息（表10-10）。

（6）数据审核：由具备资质的专业人员对数据进行审核，确保数据的真实性和准确性。

合格标准：检测结果必须符合并达到国家行业标准《血液透析及相关治疗用水》（YY 0572—2023）的要求。透析用水、透析液微生物培养检测≤100CU/mL；每季度透析用水内毒素检测≤0.25EU/mL，透析液内毒素检测<0.5EU/mL。

表10-10　血液净化中心(室)透析液、透析用水病原微生物培养监测结果

时间	标本名称及采样部位	采样结果	合格

表10-11　血液净化中心(室)透析液、透析用水内毒素检测结果

时间	标本名称及采样部位	采样结果	合格

表10-12　血液净化中心(室)透析液、透析用水病原微生物培养检测合格率

时间	合格	采样结果率

表10-13　血液净化中心(室)透析液、透析用水内毒素检测合格率

时间	合格	采样结果率

5.案例应用

案例1：某医院血液净化中心（室）在2023年1—12月采集透析液、透析用水样本，其中3个月样本不符合国家标准，则该血液净化中心（室）透析液及透析用水微生物污染检验合格率是多少？

第一步：确定需采集数据项目、内容。

某医院血液净化中心（室）2023年1—12月采集透析用水、透析液病原微生物培养数量及监测结果。

第二步：采集数据

（1）案例：某医院血液净化中心（室）2023年1月、2月透析用水、透析液病原微生物培养监测结果见表10-14。

表10-14　血液净化中心(室)2023年1月、2月透析用水、透析液病原微生物培养监测结果

时间	标本名称及采样部位	采样结果	合格
2023年1月18日	透析液（1号机器）	培养7d后无细菌生长	是
2023年1月18日	透析液（2号机器）	培养7d后无细菌生长	是
2023年1月18日	透析液（3号机器）	培养7d后无细菌生长	是
2023年1月18日	透析液（4号机器）	培养7d后无细菌生长	是
2023年1月18日	透析用水（起始端）	培养7d后无细菌生长	是
2023年1月18日	透析用水（回路末端）	培养7d后细菌总数为108cfu/mL	否
2023年2月16日	透析液（5号机器）	培养7d后无细菌生长	是
2023年2月16日	透析液（6号机器）	培养7d后无细菌生长	是
2023年2月16日	透析液（7号机器）	培养7d后无细菌生长	是
2023年2月16日	透析液（8号机器）	培养7d后无细菌生长	是
2023年2月16日	透析用水（起始端）	培养7d后无细菌生长	是
2023年2月16日	透析用水（回路末端）	培养7d后无细菌生长	是

$$2023年1月透析液、透析用水微生物污染检验合格率=\frac{5}{6}×100\%$$
$$=83\%$$
$$2023年2月透析液、透析用水微生物污染检验合格率=\frac{6}{6}×100\%$$
$$=100\%$$

（2）案例：某医院血液净化中心（室）1月、2月透析用水、透析液病原微生物培养

监测结果。

表10-15　血液净化中心(室)2023年1—12月透析液、析用水病原微生物培养检测合格率

时间	采样结果合格率	合格
1月	83%	否
2月	100%	是
3月	100%	是
4月	100%	是
5月	67%	否
6月	100%	是
7月	100%	是
8月	100%	是
9月	100%	是
10月	83%	否
11月	100%	是
12月	100%	是

计算2023年度透析液、透析用水生物污染检验合格率为：

$$透析液、透析用水微生物污染检验合格率=\frac{9}{12}\times100\%$$
$$=75\%$$

案例2：某医院血液净化中心（室）2023年在1—12月采集透析液、透析用水样本，其中2个月样本不符合国家标准，则该血液净化中心（室）透析液、透析用水内毒素检验合格率是多少？

第一步：确定需采集数据项目、内容。

某医院血液净化中心（室）2023年1—12月采集透析用水、透析液内毒素检测数量及结果。

（1）案例：某医院血液净化中心（室）2023年3月、4月透析用水、透析液内毒素检测结果。

表10-16　血液净化中心(室)2023年3月、4月透析用水、透析液内毒素检测结果

时间	标本名称及采样部位	采样结果	合格
2023年3月17日	透析液（9号机器）	0.05	是
2023年3月17日	透析液（10号机器）	0.06	是
2023年3月17日	透析液（11号机器）	0.58	否
2023年3月17日	透析液（12号机器）	0.02	是

续表10-16

时间	标本名称及采样部位	采样结果	合格
2023年3月17日	透析用水（起始端）	0.03	是
2023年3月17日	透析用水（回路末端）	0.32	否
2023年4月18日	透析液（13号机器）	0.03	是
2023年4月18日	透析液（14号机器）	0.05	是
2023年4月18日	透析液（15号机器）	0.04	是
2023年4月18日	透析液（16号机器）	0.05	是
2023年4月18日	透析用水（起始端）	0.05	是
2023年4月18日	透析用水（回路末端）	0.05	是

$$2023年3月透析液、透析用水内毒素检验合格率 = \frac{4}{6} \times 100\%$$
$$= 67\%$$
$$2023年4月透析液、透析用水内毒素检验合格率 = \frac{6}{6} \times 100\%$$
$$= 100\%$$

（2）案例：某医院血液净化中心（室）2023年1—12月透析用水、透析液内毒素检测结果。

表10-17　血液净化中心（室）2023年1—12月透析液、透析用水内毒素检测合格率

时间	采样结果合格率	合格
1月	100%	是
2月	100%	是
3月	67%	否
4月	100%	是
5月	100%	是
6月	100%	是
7月	50%	否
8月	100%	是
9月	100%	是
10月	100%	是
11月	100%	是
12月	100%	是

计算2023年度透析液、透析用水内毒素检验合格率为：

$$透析液、透析用水内毒素检验合格率 = \frac{10}{12} \times 100\%$$
$$= 83\%$$

6.改进措施

（1）发现微生物污染检验合格率低于目标值，应立即调查污染源，可能涉及水源、水处理设备、水路管道系统或操作不当等。采取的措施包括加强水源保护，升级水处理设备，再次消毒水处理设备，清洗或更换水路管道，规范操作流程等。

（2）制订应急预案：制订应对水质异常事件的预案，以便在检测到不合格水质时迅速采取行动，防止污染扩散。

（3）建立有效的沟通机制，与患者、家属和监管机构等保持良好的沟通，共同促进血液透析治疗质量的持续提升。

二、其他重点监测指标

（一）内瘘渗血率

1.指标定义

（1）内瘘渗血：维持性血液透析患者由于反复内瘘穿刺，抗凝药物的使用，自身凝血机制异常，或拔针后压迫不到位、穿刺技术等原因，导致血管内血液向血管外渗出，穿刺点发生渗血。

（2）内瘘渗血率：同期内内瘘渗血发生例次与统计周期内内瘘穿刺总例次的百分比称内瘘渗血率。

2.指标意义

通过对内瘘渗血率监测，进一步规范内瘘穿刺流程，减少内瘘渗血发生，降低渗血风险，从而保障患者安全。护理管理人员关注内瘘渗血隐患，降低内瘘渗血发生次数，对保证患者的透析质量有着积极的作用。

降低内瘘渗血的发生率，关键在于规范穿刺技术、统一固定方法、正确拔针技术和有效压迫止血，做好健康教育，教会患者拔针后正确的压迫方法。定期对此项指标进行回顾，总结现阶段仍然存在的问题，分析发生原因，提出改进措施，护士与患者共同努力，不断降低内瘘渗血发生率。

3.计算公式

$$内瘘渗血率 = \frac{同期患者内瘘渗血发生例次数}{统计周期内内瘘穿刺总次数} \times 100\%$$

（1）"统计周期"为每月、每季度和每年，均需要进行统计，所有内瘘患者，包括同一患者在监测期间发生2次或2次以上内瘘渗血，按实际次数记录。

（2）内瘘穿刺总次数=内瘘患者人数×2（动脉、静脉）；如果某患者某次透析过程中动脉和静脉穿刺针均发生渗血，则渗血次数记为2次。

（3）"内瘘渗血"的纳入标准：所有内瘘穿刺的患者，在透析治疗过程中及透析治疗结束拔针时、松解压脉带或指压解除之前发生的内瘘渗血，渗血量>1mL或>10cm^{2}者均可纳入。

渗血量计算方法：

面积法：血液浸湿四层纱布块10cm×10cm为10mL，即10cm²为1mL。

4.数据采集

根据质量控制管理原则，需要对内瘘渗血发生率每月、每季度和每年进行统计并记录。对造成内瘘渗血的原因进行分析并持续质量改进。

5.案例解析

（1）案例：某医院2018年血液净化中心（室）4月内瘘患者总人数155人，内瘘穿刺48360人次，发生内瘘渗血共计936人次，治疗中内瘘穿刺点（动脉或静脉）渗血780次，治疗结束后内瘘渗血156次，合计内瘘渗血936次。

根据计算公式得出：

$$内瘘渗血率 = \frac{936}{48360} \times 100\% = 1.9\%$$

（2）解析：该医院2018年4月内瘘渗血率1.9%，追踪原因发现，由于护士穿刺进针角度不合理，以及穿刺针针尖向上，导致穿刺点皮肤损伤面大引起渗血；其次，治疗结束护士拔针未正确按压穿刺点，导致穿刺点渗血。科室须采取措施，降低内瘘渗血发生率。

（二）低血压发生率

1.指标定义

（1）透析中低血压：透析中低血压是血液透析常见并发症之一，根据中华医学会肾脏病学分会编写的《血液净化标准操作规程》（2021年版），透析低血压可定义为透析中收缩压下降20mmHg或平均动脉压降低10mmHg以上，并伴有低血压症状。

（2）低血压发生率：同期内透析中低血压发生人次与统计周期内透析总人次的百分比称为透析低血压发生率。

2.指标意义

有研究表明，维持性血液透析患者透析中低血压的发生率可达20%～30%，透析中低血压的发生与诸多因素有关，例如患者年龄、性别、透析年限、透析膜生物相容性、血管收缩障碍、超滤速度过快、有效血容量不足等因素。透析低血压会增加治疗难度及风险，导致预后不佳，且还会增加患者痛苦及透析恐惧，甚至造成心脑血管与肠系膜血管低灌注，诱发相应症状，影响透析质量及存活时间。

通过对透析中低血压发生人次的统计，对可控因素进行人为干预，及时采取相应措施，从而降低透析中低血压发生率，提高患者透析质量，并定期进行效果评价，持续进行质量改进，不断降低透析低血压发生率。

3.计算公式

$$低血压发生率 = \frac{同期内透析中低血压发生人次数}{统计周期内透析总人次数} \times 100\%$$

（1）"统计周期"为每月、每季度和每年。

（2）"低血压"的纳入标准：所有维持性血液透析患者在透析过程中收缩压下降20mmHg或平均动脉压降低10mmHg以上，并伴有低血压症状均可纳入。

4.数据采集

根据质量控制管理原则，需要对透析中低血压发生率每月、每季度和每年进行统计并记录。对造成低血压发生的可控因素进行根本原因分析并进行持续质量改进。

5.案例解析：

（1）案例：某医院血液净化中心（室）2019年6月透析患者186人，透析治疗2325人次，透析中发生低血压483人次。

该医院血液净化中心（室）2019年6月透析中低血压发生率为：

$$6月份低血压发生率 = \frac{483}{2325} \times 100\% = 21\%$$

（2）解析：该医院6月份低血压发生率为21%，追踪原因发现，由于患者干体重未及时调整，患者透析间期水分摄入控制不理想，导致患者体重增长过多，超滤量过大，以及患者心功能原因导致透析期间发生低血压。因此须个体化原因分析，采取个体化措施，加强患者健康宣教，降低低血压发生率。

（三）体外循环凝血率

1.指标定义

（1）体外循环凝血：在进行血液透析治疗时，经抗凝处理后的血液在血泵作用下从体外循环管路动脉端进入透析器，在透析器内进行溶质交换，再由体外循环管路静脉端回输至患者体内，此循环过程中发生透析器和体外循环管路血液凝集现象称为体外循环凝血。

（2）凝血程度分级

1）透析器凝血程度分级

0级　无凝血

Ⅰ级　透析器中<10%成束纤维凝血

Ⅱ级　透析器中10%～50%纤维凝血

Ⅲ级　治疗中静脉压明显升高，透析器中>50%纤维凝血

2）动静脉壶凝血程度分级

0级　无凝血或无挂壁现象

Ⅰ级　有微小血栓或小片挂壁现象

Ⅱ级　有大片血栓或大片挂壁现象

（3）体外循环凝血率：同期内透析患者体外凝血发生人次与统计周期内透析患者总人次的千分比称为体外凝血发生率。

2.指标意义

透析过程中体外循环凝血的发生率与患者年龄、合并慢性疾病、意识障碍、低血压、肝素量不足、血流速度、超滤率、置管因素、滤器膜和仪器设备故障等因素相关。通过这一项指标的监测，可针对血液透析治疗中体外循环凝血相关影响因素采取预防措施，降低体外循环凝血发生率，从而保证患者透析质量，提高患者满意度。

3.计算公式

$$体外循环凝血率 = \frac{同期内透析患者体外循环凝血发生人次数}{统计周期内透析患者总人数} \times 1000‰$$

（1）"体外循环凝血"纳入标准：①体外循环管路凝血，继续治疗存在隐患，须部分或完全更换管路。②重度凝血，可回输部分血液，仍能继续治疗但需要更换透析器和血

液管路。③完全凝血，血液不能回输入体内，只能直接弃去血液管路及透析器。

（2）"统计周期"为每月、每季度和每年。如果某患者在监测期间发生2次或2次以上体外循环凝血，按实际次数记录。

4.数据采集

根据质量控制管理原则，需要对透析中体外循环凝血发生率每月、每季度和每年进行统计并记录，对造成体外循环凝血发生的可控因素进行原因分析并持续质量改进。

5.案例解析

（1）案例：某医院血液净化中心（室）2019年6月透析患者共186人，累计透析治疗2325人次，发生透析器Ⅲ级凝血4人次，动脉壶凝血2人次，静脉壶凝血3人次，体外循环完全凝血1人次，合计发生体外循环凝血10人次。

根据公式得出：

$$体外循环凝血率 = \frac{10}{2325} \times 1000‰ = 4‰$$

（2）解析：该医院6月体外循环凝血发生率为4‰，须分析原因，个体化给予干预措施，避免再次发生体外循环凝血，以降低体外循环凝血发生率。

第四节　应急预案及流程

一、常见并发症的处理流程

（一）透析器反应

透析器反应处理流程详见图10-2。

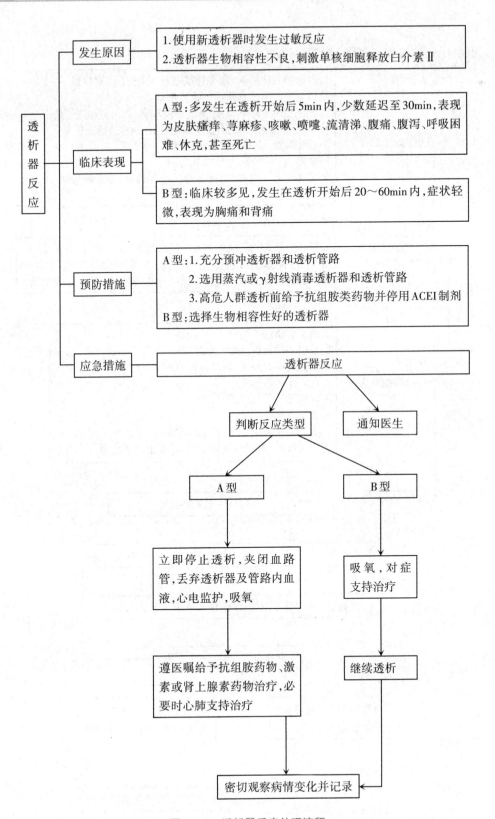

图 10-2　透析器反应处理流程

（二）低血压

低血压处理流程详见图10-3。

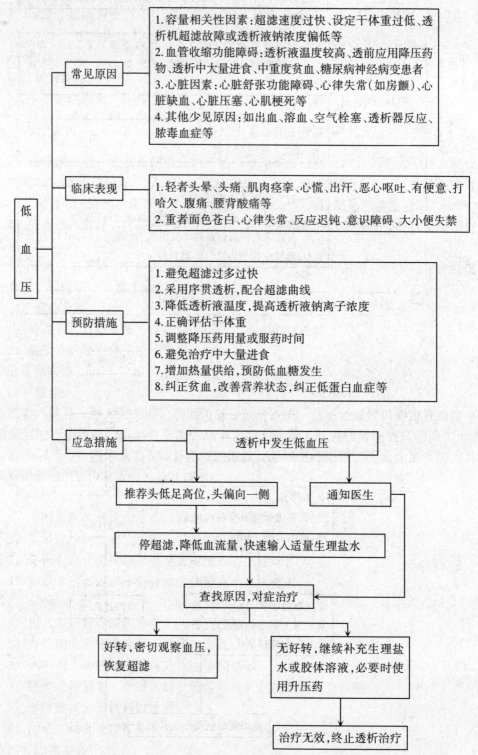

图10-3　低血压处理流程

（三）低血糖

低血糖处理流程详见图10-4。

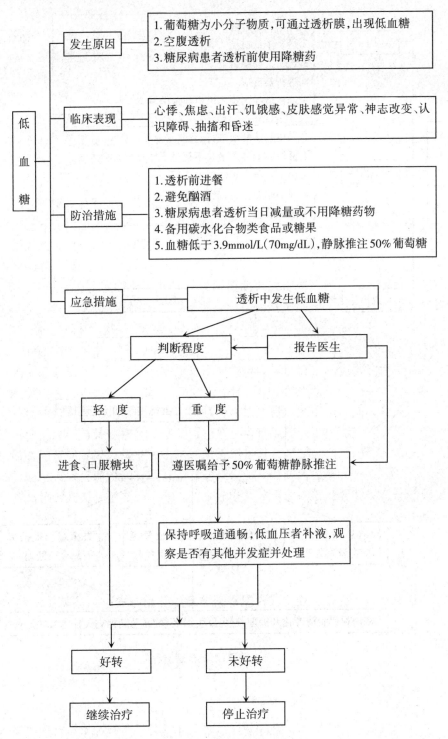

图10-4　低血糖处理流程

（四）恶心、呕吐

恶心、呕吐处理流程详见图10-5。

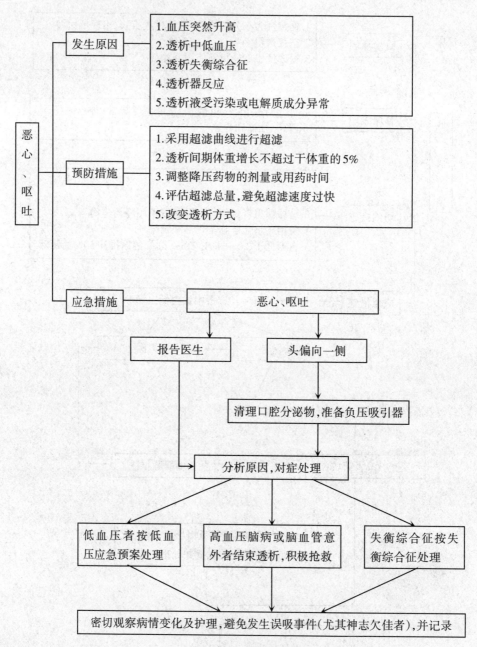

图10-5 恶心、呕吐处理流程

（五）心律失常

心律失常处理流程详见图10-6。

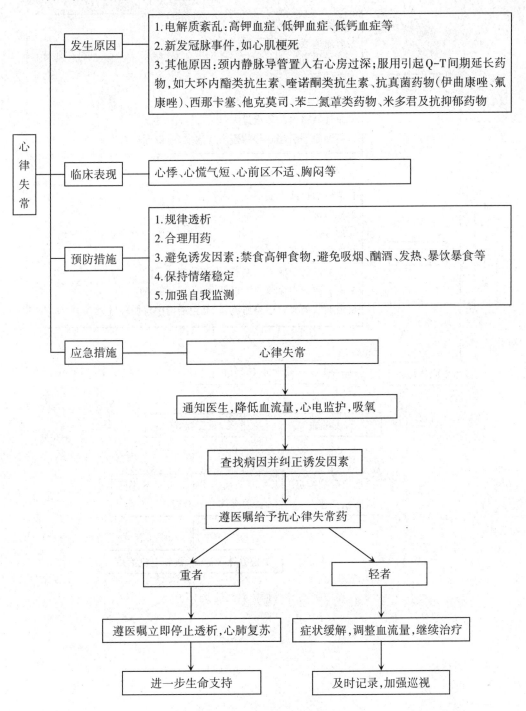

图10-6 心律失常处理流程

（六）体外循环凝血

体外循环凝血处理流程详见图10-7。

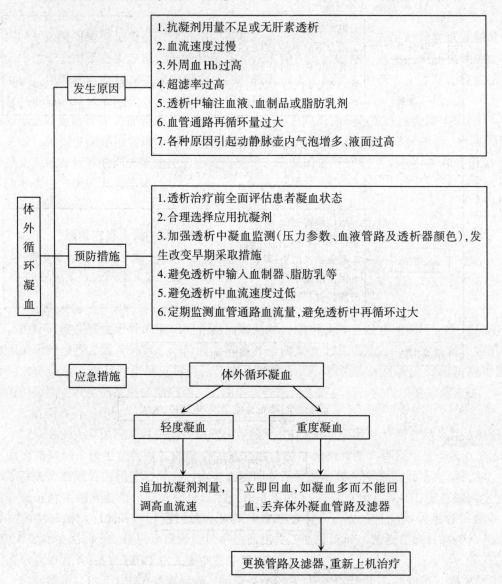

发生原因
1. 抗凝剂用量不足或无肝素透析
2. 血流速度过慢
3. 外周血Hb过高
4. 超滤率过高
5. 透析中输注血液、血制品或脂肪乳剂
6. 血管通路再循环量过大
7. 各种原因引起动静脉壶内气泡增多、液面过高

预防措施
1. 透析治疗前全面评估患者凝血状态
2. 合理选择应用抗凝剂
3. 加强透析中凝血监测（压力参数、血液管路及透析器颜色），发生改变早期采取措施
4. 避免透析中输入血制器、脂肪乳等
5. 避免透析中血流速度过低
6. 定期监测血管通路血流量，避免透析中再循环过大

应急措施

体外循环凝血

轻度凝血　　重度凝血

追加抗凝剂剂量，调高血流速

立即回血，如凝血多而不能回血，丢弃体外凝血管路及滤器

更换管路及滤器，重新上机治疗

图10-7　体外循环凝血处理流程

二、特殊事件的处置

（一）透析器破膜处置流程

透析器破膜处理流程详见图10-8。

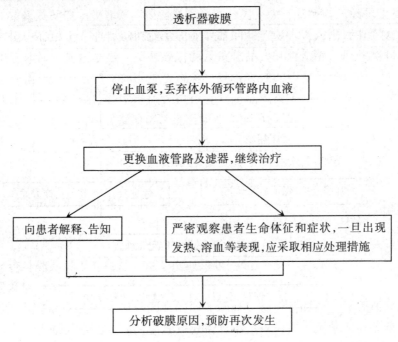

图10-8 透析器破膜处理流程

（二）静脉血肿

静脉血肿处理流程详见图10-9。

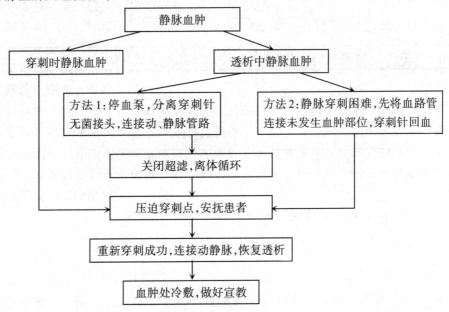

图10-9 静脉血肿处理流程

（三）突发停水

突发停水处理流程详见图10-10。

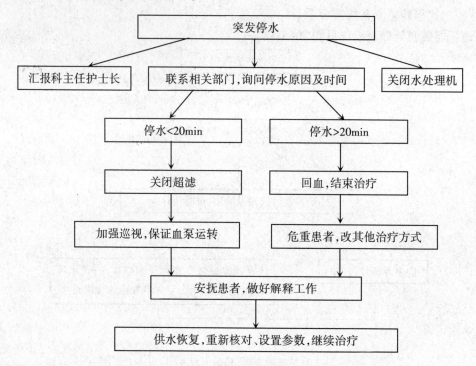

图10-10 突发停水处理流程

（四）突发停电

突发停电处理流程详见图10-11。

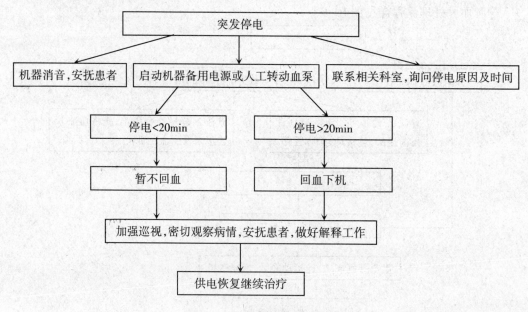

图10-11 突发停电处理流程

（五）突发火灾

突发火灾处理流程详见图10-12。

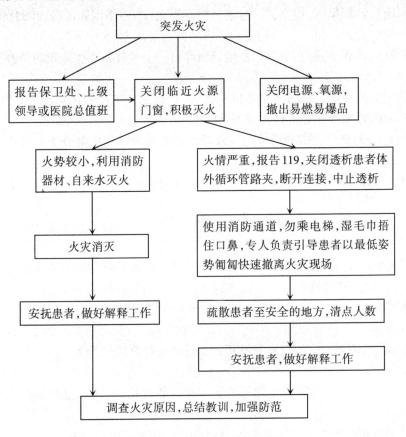

图10-12　突发火灾处理流程

（六）突发地震

突发地震处理流程详见图10-13。

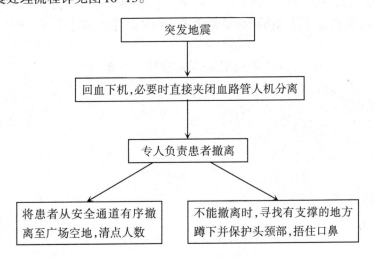

图10-13　突发地震处理流程

参考文献

［1］肖丽佳,吕军凤,赵俊文,等.血液透析室管理［J］.西南国防医药,2005,6(15):650-651.

［2］孔樊莹,李秋洁,吕东梅,等.血液透析专科护士应具备专业知识的调查研究［J］.护理学杂志,2007,6(22):1-4.

［3］梅长林,叶朝阳,戎殳.实用透析手册［M］.2版.北京:人民卫生出版社,2009:61.

［4］陈香美.血液净化标准操作规程［M］.北京:人民卫生出版社,2022.

［5］刘佩玉,蒋晓琴,文彩虹.血透室仪器设备管理中潜在风险分析与对策［J］.护理实践与研究,2013,10(17):91-92.

［6］田红,杨洁,辛帅利.血液净化中心医疗废物管理探讨［J］.西部医学,2013,25(2):304-305.

［7］向晶,马志芳.血液透析专科护理操作指南［M］.北京:人民卫生出版社,2014:10-53.

［8］谢丰明,潘先春.血液透析过程中内瘘针滑脱的预防及护理方法探讨［J］.现代医药卫生,2014,30(5):791-792.

［9］蒋国霞.血透室仪器设备管理的潜在风险与管理对策［J］.中医药管理杂志,2015,23(13):47-48.

［10］向晶,马志芳,肖光辉.血液透析用血管通路护理操作指南［M］.北京:人民卫生出版社,2015:13-52.

［11］向晶,马志芳.血液透析用感染防控护理管理指南［M］.北京:人民卫生出版社,2016:32-55.

［12］左力.血液净化手册［M］.北京:人民卫生出版社,2016:172-174.

［13］国家卫生计生委医院管理研究所护理中心.护理敏感质量指标实用手册［M］.北京:人民卫生出版社,2016:83-86.

［14］沈霞.血液净化专科护理工作手册［M］.北京:科学出版社,2017:159-161.

［15］么莉.护理敏感质量指标检测基本数据集实施指南［M］.北京:人民卫生出版社,2018:82-146.

［16］荆晓江,岳淑琴.甘肃省血液透析质量控制必备［M］.兰州:甘肃科技出版社,2019:52-56.

第十一章　内镜中心护理质量标准

第一节　结构质量标准

一、制度与规范

（一）组织管理

1.组织体系构建

具备三级护理管理组织体系（二级医院根据医院情况使用二级质量管理架构）。

（1）内镜护理单元在护理部的领导下开展工作，下设专业技术组、质量控制组、清洗消毒组、后勤保障组、继续教育组等。各小组分设组长、组员，各司其职。

（2）组织管理架构详见图11-1。

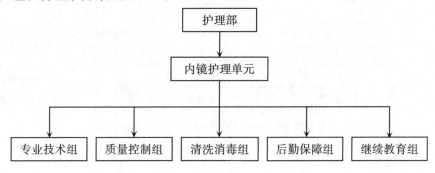

图11-1　内镜护理单元组织管理架构

2.岗位设置

按照内镜中心规模、实际接诊量、开展业务种类等需要设置护理岗位（详见表11-1），按具体护理岗位制定护士工作职责。

表11-1　内镜护理岗位说明

岗位名称	岗位职数	任职资格	工作权限	岗位职责
护士长	1	学历:本科及以上 职称:主管护师及以上 工作年限:专业工作5年以上	工作范围:内镜中心 直接上级:护理部 直接下级:护士	1.统筹规划 2.制定标准 3.质量控制 4.行政管理
专业技术组长	每组1名	学历:本科及以上 职称:主管护师及以上 工作年限:专业工作5年以上	工作范围:内镜中心 直接上级:护士长 直接下级:组员	1.业务指导 2.制定标准 3.质量控制 4.安全管理
专业技术岗位	根据工作量配置	学历:本科及以上 职称:护士及以上 工作年限:专业工作半年以上	工作范围:内镜中心 直接上级:护士长 直接下级:无	1.技术配合 2.患者护理 3.院感防控 4.安全管理
接诊岗位	根据工作量配置	学历:中专及以上 职称:护士或工人 工作年限:专业工作1年以上	工作范围:内镜中心 直接上级:护士长 直接下级:无	1.预约登记 2.接诊分诊 3.内外沟通 4.安全管理
清洗消毒岗位	根据工作量配置	学历:中专及以上 职称:护士或工人 工作年限:专业培训1年以上	工作范围:内镜中心 直接上级:护士长 直接下级:无	1.内镜维护 2.清洗消毒 3.质量监测 4.安全管理
机动岗位	根据工作量配置	学历:本科及以上 职称:护师及以上 工作年限:专业工作1年以上	工作范围:内镜中心 直接上级:护士长 直接下级:无	1.急诊出诊 2.应急调配 3.事务性工作 4.安全管理
后勤保障岗位	1	学历:专科及以上 职称:护士及以上 工作年限:专业工作1年以上	工作范围:内镜中心 直接上级:护士长 直接下级:无	1.资产管理 2.物资申领 3.出入库管理 4.后勤保障
继教秘书	1	学历:本科及以上 职称:主管护师及以上 工作年限:专业工作5年以上	工作范围:内镜中心 直接上级:护士长 直接下级:无	1.制订培训计划 2.组织业务学习 3.负责考试考核 4.完成继教任务

（二）管理制度

1.护理工作制度

（1）遵守法律法规和医务人员职业道德规范，认真履职履责。

（2）全面落实首问、首接负责制，提供便捷、高效、文明服务。

（3）认真落实患者身份识别制度及查对制度，严防差错发生。

（4）患者就诊过程有爱伤观念，体现人文关怀，做好安全管理。

（5）掌握内镜诊疗及护理相关知识，做好患者健康宣教。

（6）掌握各类内镜护理技术操作及流程，熟练配合医生开展内镜诊疗业务。

（7）掌握各种内镜、C形臂、电外科工作站等设备、器械及附件使用方法。

（8）严格落实内镜清洗消毒技术规范及质控标准，做好质量监测并记录。

2.消毒隔离制度

（1）科室成立院感防控管理小组，制定职责，分工明确，各司其职。

（2）制定内镜清洗消毒质量控制标准，定期监测，确保质量。

（3）医疗区划分清洁区、半清洁区（或缓冲区）、污染区，标识明显。

（4）诊室按不同系统分别设置，如：消化系统、呼吸系统内镜诊疗不可共用诊室；同一系统如上消化道、下消化道内镜诊疗宜分室进行，若无条件分室者，也可分时间段进行。

（5）常规检查类内镜如电子胃镜、电子结肠镜、电子支气管镜等需要达到高水平消毒；手术类内镜如用于ERCP诊疗的十二指肠镜需要达到灭菌水平。

（6）凡是穿破黏膜的各类内镜附件如活检钳等必须灭菌；明确标识为一次性使用的内镜附件，不可复消或重复使用。

（7）配置标准化内镜清洗消毒槽及全自动内镜清洗消毒机，不同系统的内镜清洗消毒设备标识清楚，不可混用。

（8）每季度对各类内镜及环境物表等消毒质量进行生物学监测，发现问题，及时整改，实施质量持续改进。

3.医务人员职业暴露防护制度

（1）制定符合内镜专业特点的职业暴露管理制度，人人知晓，强制落实。

（2）在实施内镜诊疗操作时，医务人员必须按要求穿防护服、戴口罩、帽子及手套，推荐使用防护眼镜或面罩。

（3）内镜清洗消毒人员在工作中除了必须戴口罩、帽子、双层手套外，还须穿防渗透防护服、防水专用鞋、戴防护眼镜或面罩。

（4）在实施诊疗操作前确保内镜活检帽完好并安装到位，预防诊疗过程中患者体液反射性喷溅所致职业暴露发生。

（5）选用对设备兼容性好、对人体皮肤黏膜刺激性小、毒性低、对环境污染较小的内镜消毒液，尽量降低消毒液刺激所致职业暴露发生率。

（6）正确使用高频电刀、穿刺针、注射针等高危险性器械及物品，预防不当操作所致电灼伤、针刺伤等职业暴露发生。

4.辐射防护管理制度

（1）建立辐射设备及物品使用管理制度，人人知晓，严格落实。

（2）配备专业辐射防护装备，如防护铅衣及围脖、防护帽及防护眼镜等，建立台账，严格交接班。

（3）医务人员在进行放射诊疗操作前，必须按要求着装，佩戴辐射记录仪。

（4）定期对环境及医务人员辐射剂量进行专业监测，避免辐射外泄或超量。

（5）定期对辐射防护用品进行清洁、消毒、维护及保养，以延长其使用寿命。

5.急诊值班制度

（1）建立急诊值班制度及急诊内镜出诊流程，人人知晓并严格落实。

（2）急诊值班人员承担夜间及节假日所有急诊内镜接诊及出诊工作。

（3）急诊值班人员在值班期间不得饮酒或外出，24h通信畅通，随叫随到。

（4）每日检查急诊所需的设备、器械及物品备用情况，保证性能良好，物资齐全，随时使用。

（5）急诊出诊时严格落实技术操作规范，确保医疗质量及安全。

（6）急诊、急救结束后及时做好内镜出诊与急救记录，并妥善保管资料。

（7）急诊使用后的内镜及器械要及时清洗消毒，并放在指定位置。

（8）急诊值班人员要及时向科室主任、护士长汇报急诊接诊及出诊情况。

二、人力资源

（一）人员配置

内镜中心的护理人力配置无国家及行业标准可供参考，建议根据所在医院内镜中心规模、开展业务的种类及接诊量适量配备。推荐1个内镜诊疗单元按照护理人员1名、工人1~2名比例配置；护士负责专业技术工作，工人负责患者体位管理、内镜转运、内镜床旁预处理等基础工作。这是保障诊疗工作顺利、高效进行，确保医疗质量和医疗安全的重要前提条件。

1.素质要求

（1）身体健康，具备良好的沟通、协作能力，热爱内镜护理工作。

（2）学历：本科及以上。

（3）职称：护士及以上。

（4）具有相关临床科室工作经验者优先。

（5）具有1年及以上内镜相关专业工作经历者优先。

（6）具备较强的学习能力，有教学和科研能力者优先。

2.人员编配原则

（1）功能需要：应以满足内镜中心实际工作需要为前提。

（2）以人为本：应考虑个人意愿与技术专长相结合的原则。

（3）能级对应：特殊岗位（如四级手术岗位）应考虑能级对应原则。

（4）结构合理：应充分考虑团队梯队结构及学科发展需要。

（5）动态调整：实行定期考核制度，对不符合要求的人员应及时调整岗位。

3.岗位职责

（1）护士长岗位职责

1）在护理部和科主任领导下开展工作，负责制订科室年度护理工作计划，并组织实施。

2）协同科主任，参与或负责科室人事管理、资产管理及经济管理。

3）协同科主任做好医务人员医德医风、规范执业教育及管理。

4）制定科室护理岗位工作制度、工作职责及质控标准，并组织落实。

5）制订护理人员继续教育培训计划，并组织落实。

6）制订新护士专业理论及实践技能培训计划，安排规范化专科培训。

7）负责科室院感小组的组建及管理，督促各级医护人员按照要求开展工作。

8）负责科室护理纠纷投诉、差错事故及其他突发事件的处理。

9）做好院内上传下达、组织协调，完成行政及事务性工作。

（2）专业技术组长岗位职责

1）参与科室年度护理工作规划及护士培训计划的制订及落实。

2）参与科室护理岗位工作职责、质控标准的制定及落实。

3）负责科室护理岗位技术指导、专科培训及护理质量控制。

4）负责科室新护士规范化培训及考核工作。

5）负责护理新业务、新技术风险评估、方案制订及技术支持。

6）协助护士长做好科室日常管理工作。

（3）接诊护士岗位职责

1）负责接诊分诊、预约登记、计费收费等工作。

2）严格落实患者身份识别制度及查对制度，严防差错。

3）负责责任区域环境、卫生、秩序维护和安全管理。

4）负责各类检查报告单登记、交接与发放，做好患者健康宣教。

5）负责各类标本登记、送检与交接，确保准确无误。

6）负责电话接听，做好里外协调沟通等工作。

（4）专业技术岗位护士职责

1）负责开诊前诊室环境、设备、物品等准备工作。

2）负责患者体位摆放、检查指导、病情观察及健康教育。

3）诊疗过程关注患者感受，有爱伤观念，体现人文关怀。

4）诊疗前、中、后严格落实患者身份识别制度及查对制度，严防差错。

5）配合医生完成各项内镜诊疗技术操作。

6）负责各类内镜标本的规范采集与安全管理。

7）及时完成内镜的床旁预处理。

8）负责运行内镜的转运、安装及性能测试，保障工作有序衔接。

9）做好责任区域环境管理、消毒隔离工作，预防交叉感染。

10）做好岗位护理质量控制及安全管理。

（5）清洗消毒人员岗位职责

1）负责开诊前清洗消毒各项准备工作（环境、设备、器械等）。

2）负责各类内镜的清洗消毒及设备维护保养等工作。

3）负责清洗消毒室的环境消毒和安全管理工作。

4）负责各种消毒液的有效浓度监测，并填写各种消毒登记本。

5）定期配合医院感控科完成各类内镜、消毒液等生物学监测。

6）负责各种清洗消毒物品的计划申领与规范使用。

（6）机动护士岗位职责

1）负责责任区域环境管理，秩序维护及安全管理。

2）负责责任区域患者病情观察，做好危重及特殊患者转运工作。

3）承担院内多学科业务协作、急诊出诊工作。

4）其他事务性工作。

（7）总务护士岗位职责

1）承担科室固定资产、各种物资、设备及器械的集中管理工作。

2）负责科室各类高值及低值耗材的计划申领及管理工作。

3）负责所有新设备的验收、测试及保管工作。

4）负责日常消耗性物资的准备、发放及补充等工作。

5）其他后勤保障工作。

（8）继教秘书岗位职责

1）负责或参与制订科室护理人员的年度继续教育培训计划。

2）督促护理人员按时完成科室年度业务培训。

3）督促护理人员按时参加并完成公共必修课培训。

4）定期对护理人员继续教育落实情况进行检查评价，制订质量提升计划。

5）负责进修生、实习生的带教及管理。

（二）人员培训

1.理论培训

（1）总体要求：新入科护理人员须按专科理论培训计划完成培训并通过考核。

（2）培训内容：各项规章制度、文明服务规范、患者就诊流程、健康宣教知识、消毒隔离知识、护理岗位职责、内镜诊疗常规、技术操作规范、质量控制标准、急诊急救知识、科室应急预案等。

（3）培训方式：理论授课、业务查房、案例分析、病例讨论、随机提问等。

（4）培训目标：按计划完成理论培训，掌握培训内容，考核合格。

2.技能培训

（1）总体要求：新入科护理人员须按技能培训计划完成培训并通过考核。

（2）培训内容：接诊分诊方法、预约登记方法、计费收费规范、专科护理操作技术、内镜清洗消毒规范、设备器械操作方法、常用急诊急救技术、科室应急预案及流程等。

（3）培训方式：安排高年资老师一对一、手把手带教培训。

（4）培训目标：按计划完成所有技能培训，掌握培训内容，考核合格。

三、环境

（一）环境布局

1.总体要求

内镜中心的占地面积与规模应根据医院的规模及实际工作量而定。人流物流尽量实现洁污分流、由污到洁，避免交叉及逆行。如：污染内镜由污染通道转运至洗消间，消毒内镜由清洁通道转运至内镜诊疗室，以避免在转运过程中对环境及内镜造成二次污染。

医疗区域实行分区管理，应包括六大功能区：患者接诊区及候诊区（也可独立设置）、患者准备区、诊疗区、观察区、麻醉复苏区、清洗消毒区。各区功能独立，便于开展工作。

医疗辅助用房包括医务人员办公区、会议室、耗材库房等，有条件者可以设置医务人员休息区、就餐区等。

2.医疗区设置标准

（1）接诊区：标识明显，配备电子预约、登记及叫号系统，制定患者就诊流程图。

（2）候诊区：配备候诊椅；准备健康宣教资料，便于患者取阅；安装电子显示屏，显示患者登记信息与候诊进度等。

（3）诊疗区：面积应与接诊量相匹配；每间诊室面积不少于20m²；不同系统如消化系统、呼吸系统的诊室应分开设置；同一系统如电子胃镜、电子结肠镜同属消化系统，若没有条件分室，应分时段进行诊疗；每一诊疗单元应配备内镜主机、负压吸引装置、供氧装置、可移动检查床等。

（4）清洗消毒区：应独立设置，面积与清洗消毒工作量相匹配；配置符合规范的内镜清洗消毒设备，如内镜清洗消毒槽、全自动内镜清洗消毒机、超声振荡器、高压气枪及水枪、内镜干燥台等。

（5）复苏/观察区：配备急救车、心电监护仪、吸氧及负压吸引装置等。环境宽敞明亮，便于患者病情观察与急救。

（二）环境管理标准

医疗区干净整洁，通风良好，无异味。严格遵守《医疗机构消毒技术规范》（WS/T 367—2012）、《医院空气净化管理规范》（WS/T 368—2012）、《医务人员手卫生规范》（WS/T 313—2019）和《软式内镜清洗消毒技术规范》（WS 507—2016）等。安装空气消毒机，每日定时消毒至少2次。内镜诊室宽敞明亮，视线良好，便于诊疗操作及患者转运。清洗消毒室宜具备自然通风条件，若采用机械通风，宜采用"上送下排"方式，换气次数宜>10次/h，最小新风量宜>2次/h。

（三）环境监测标准

1.空气质量

每季度对医疗区空气质量进行生物学监测。监测合格标准：菌落数≤4cfu/(5min·90皿)。

2.环境与物表

每季度对医疗区环境与物表消毒质量进行生物学监测。监测合格标准：菌落数≤10cfu/cm²。

3.医务人员手卫生

每季度对医务人员手卫生进行生物学监测。监测合格标准：菌落数≤10cfu/cm²。

4.消毒/灭菌内镜

每季度对内镜消毒/灭菌质量进行生物学监测。监测合格标准：消毒内镜菌落数≤20cfu/件，不得检出致病菌；灭菌内镜菌落数0cfu/件。

5.消毒剂或灭菌剂

消毒剂或灭菌剂检测包括有效浓度监测、染菌量及生物学监测。

（1）有效浓度监测：一次性使用的消毒剂或灭菌剂须每批次监测；重复使用的消毒剂、灭菌剂在每次配置后、使用前监测，合格者方可使用；连续使用的消毒剂在消毒内镜数量达到规定数量的50%时，要求每次使用前监测，合格者继续使用，否则及时更换。监测方法：使用专用消毒液浓度指示卡蘸取适量消毒液，放置3～5min观察对比监测结果。监测合格标准：指示卡显示颜色在色带显示合格范围。

（2）染菌量及生物学监测：重复使用的消毒剂和灭菌剂要每季度进行染菌量及生物学监测。合格标准：消毒剂菌落数≤100cfu/mL，灭菌剂菌落数为0cfu/mL。

四、仪器与设备

（一）管理要求

1.建立设备管理制度，人人知晓并遵照落实。

2.指定专人管理，每年对所有设备清点核查，做到账账相符、账物相符。

3.所有人员须经过培训并熟练掌握设备使用方法后方可上机操作。

4.运行设备安全管理责任到人，并做好交接班。

5.对高频率使用设备如各类内镜及主机等每日重点维护，确保运行安全。

6.外来医生操作设备必须经过许可，实习生、进修生不得独立操作设备。

7.不同内镜不得混用，如上消化道内镜不可用于下消化道疾病诊疗。

8.不同系统的内镜要分类存放，镜柜内壁光滑无缝隙；温度、湿度适宜。

9.每日记录设备运行情况，发生故障时要及时处理，损坏时要按程序报修。

10.设备一般不得外借，特殊情况需要外借或携带设备出诊时必须经科主任或护士长许可；使用后及时归还。

（二）安全防范

1.医务人员均要严格遵守并落实设备管理制度及操作规程。

2.医务人员在独立上岗前必须对各种设备操作方法经过专项培训。

3.进修生、实习生操作设备必须征得许可，且有带教老师指导监管。

4.每日检查运行设备性能及运行情况，发现问题及时处理，确保安全。

5.设备发生故障时及时排查，确认正常后方可使用，不可带故障运行。

6.建立设备使用安全风险预警制度，及时通报相关信息，防范安全隐患。

五、物品管理

（一）器械

1.管理原则：建立科室器械台账或清单，专人管理。

2.存放要求：器械按用途分门别类，定点放置，存放环境符合要求。

3.使用要求：新购器械在使用前要对医务人员进行操作培训，确保规范使用。

4.风险管理：实行器械使用安全风险管理，随时通报相关信息，确保使用安全。

（二）耗材

1.管理原则：按用途分门别类，专册登记，专人管理。低值耗材如胃镜包、手套等按需领取，无过期及浪费。高值耗材如静脉套扎器、超声穿刺针、黏膜切开刀等要提前计划用量，按程序审批、领取，严格出入库登记，做好信息追溯记录。

2.存放要求：耗材库房空气流通，光线及温度适宜。落实"先进先出""三防三不靠"原则（防潮防水、防火防盗、防虫防鼠；不靠地、不靠顶、不靠墙）。

3.使用要求：严格按产品说明书规范使用；明确标注一次性使用的耗材，不得复消或重复使用。

4.风险管理：实行耗材安全使用风险管理，责任到人，随时反馈存在问题，及时监控使用情况。高值耗材使用后要在出库单及内镜报告单（或诊疗记录单）上同时粘贴专用标识码（高值耗材"身份证"），以便追溯管理。

六、感染控制管理

（一）内镜中心的感控管理

1.严格遵守院感防控法律法规、制度规范及技术操作标准。

2.科室实行院感防控管理责任制，医护分工明确，各司其职。

3.树立标准预防观念，落实专科消毒隔离措施，严防内镜相关性感染发生。

4.严格落实内镜清洗消毒技术操作规范，制定内镜清洗消毒质量控制标准。

5.操作时做好职业防护，掌握内镜职业暴露防范对策及处置流程。

6.制定符合专科特点的环境清洁消毒制度，严格落实。

7.定期对运行内镜、环境物表及医务人员手卫生进行消毒质量监测。

8.定期自查自纠，分析不足，整改存在问题，持续提升感控水平。

（二）传染病的消毒隔离

1.制定传染性疾病患者接诊、分诊、就诊及消毒隔离管理制度。

2.加强医务人员传染病知识培训，强化内镜相关性职业暴露风险预防。

3.特殊传染病如艾滋病、梅毒等患者使用的内镜严格专器专用，使用后要严格清洗并加强消毒，必要时灭菌处理；内镜下治疗及手术器械一用一废弃。

4.对可疑内镜相关性感染病例要及时分析原因，排查风险隐患，制定防范对策，追踪整改效果，实施质量持续改进。

（三）医疗废弃物的管理

请参照第二章第五节相关内容。

第二节　过程质量标准

一、安全管理

（一）安全核查

1.制定符合内镜专业特点的医疗安全管理制度及操作规范。

2.接诊时认真核对电子医嘱与纸质申请单信息是否一致，有疑问及时核实。

3.诊疗前严格执行患者身份识别制度及查对制度，确保准确无误。

4.诊疗后及时做好患者健康宣教，交代注意事项，确保医疗安全。

5.无痛内镜诊疗患者须提前完成心肺功能等相关检查，做好麻醉评估。

6.行内镜下治疗及手术前，要认真核查拟行治疗及手术项目，评估患者胃肠道准备情况、出凝血功能、特殊用药史等[9]；诊疗结束要专人护送，做好交接。

7.各类内镜报告单要分门别类，认真登记，实行审核签发、签收制度。

（二）标本管理

1.制定内镜标本采集及管理规范，责任到人，严格落实。

2.根据标本的数量、体积及性质选择合格的标本瓶，固定液不少于标本体积的5～10倍；采集过程加强与医生的沟通配合，保证采集标本合格率。

3.不同类型的标本要分类存放，专人负责，加强管理，严防混淆或丢失。

4.标本及时送检，送检时双方认真核对交接，确认无误后执行双签字确认。

5.病理申请单信息要求字迹清晰、无涂改痕迹，推荐使用电子病理申请单。

6.实行标本安全风险管理，随时通报存在的问题，制定切实可行的改进措施，防范不良事件发生。

（三）不良事件管理与预防

1.跌倒/坠床：内镜中心由于专业的特殊性，患者发生跌倒/坠床的环节多，风险高，概率大，要在诊疗前对患者进行风险评估，加强防范与管理。具体要求及措施：诊区宽敞明亮，地面干燥无积水；诊室配备可移动、可升降、带护栏的活动式检查床；正确安置患者卧位，做好安全指导；检查床配置隔脏脚垫（患者上检查床免脱鞋），预防下床穿鞋时站立不稳而导致跌倒；对高危人群（婴幼儿、老年人及精神异常、无痛内镜及部分诊疗时间较长的患者等）要加强看护，正确使用约束带等。

2.呛咳/误吸：加强就诊过程患者安全管理，如：就诊前评估患者是否按要求进行胃肠道准备；有无鼻塞、咳嗽等呼吸道症状；诊疗中指导患者正确调整呼吸，及时清除口鼻分泌物及胃肠道液体；上消化道内镜诊疗后常规禁食禁水2h等。诊疗全过程严密观察病情变化，一旦发生呛咳/误吸，即刻启动呛咳/误吸应急处理预案，及时对症处理。

3.压力性损伤：对拟行内镜下手术或治疗需要较长时间固定体位的患者，在诊疗前要进行压疮风险因素评估，诊疗过程采取有效预防措施，如：移动患者体位时避免拽拉动作，骨隆突处使用水垫、加垫软枕，在允许范围内适当变换体位等。

4.检查项目错误：在内镜工作站信息系统设置检查项目自动识别功能，严格落实诊疗前、中、后患者身份识别及检查项目核查，发现错误及时纠正。

5.报告单发放错误：在内镜报告信息系统设置对重名患者的计算机自动筛查及提示功能，发放报告单时落实反向核对制度等。

二、技术标准

（一）消化内镜检查

1.电子胃镜

（1）概念

电子胃镜是通过先端带有光源电子摄像头的专业设备，经患者口或鼻腔进镜观察食管、胃及十二指肠黏膜病变，以对上消化道疾病进行诊断及治疗的诊疗技术。

（2）适应证

1）慢性胃炎、胃溃疡治疗后复查。

2）不明原因的消化道出血（呕血或便血）。

3）B超、CT等影像学检查怀疑上消化道病变须进一步确诊。

4）上消化道肿瘤高危人群普查。

5）食管及胃手术后定期随访或复查。

6）健康体检等。

（3）禁忌证

1）严重心肺疾患不宜耐受检查者。

2）患者有休克且症状较重者。

3）急性消化道穿孔。

4）腐蚀性食管炎急性期。

5）明显的胸腹主动脉瘤及脑卒中患者。

6）幼儿、精神疾病等患者无法配合者。

（4）患者准备

1）患者状态良好，近期无急性发作的疾病，如重度哮喘、上呼吸道感染等。

2）检查前常规禁食8～12h、禁饮4～6h（急危重症及老幼、体弱患者可适当放宽要求）。幽门梗阻患者检查前2～3d遵医嘱洗胃或胃肠减压，以确保胃内无食物潴留。

3）携带既往相关就诊资料，供医生参考。

（5）设备及物品准备

1）设备：电子胃镜、负压吸引装置、吸氧设备、心电监护仪等。

2）物品：基础物品，包括葡萄糖液、生理盐水、止血药物、输液及注射用物等；专用物品，包括消泡剂、活检钳、标本瓶、黏膜冲洗水、50mL注射器、酒精纱布等；必要时准备急救物品，如呼吸气囊、简易除颤仪、开口器及压舌板、不同规格的气管插管、手电筒及常用急救药物等。

（6）护理配合

1）核查患者身份信息、诊疗项目及特殊诊疗要求。

2）检查设备、器械及物品准备是否齐全合格，确保正常使用。

3）做好患者鼻咽部黏膜麻醉，协助患者取左侧屈膝卧位，解开裤带及领口，取下活动义齿，头略后仰，保持气道通畅，指导患者调整呼吸及正确配合方法。

4）急危重症患者给予低流量持续吸氧，心电监护，建立静脉通道。

5）安装设备及器械，测试内镜给气、给水、吸引功能正常，图像清晰。

6）配合医生规范实施内镜诊疗技术操作。

7）诊疗全过程关注患者感受，有爱伤观念，体现人文关怀。

8）加强患者安全管理，预防误吸/呛咳、坠床等意外伤害。

9）密切观察病情变化，有异常及时处理。

10）及时做好健康教育，交代注意事项。

（7）并发症处理

1）应激性并发症：常见的有低氧血症、心律失常等，一般属于应激性反应，不必特殊处理，经过指导患者调整呼吸或休息后即可缓解。

2）内镜相关性感染：可以通过诊疗中落实标准预防、诊疗后加强内镜清洗消毒及环境终末消毒、传染性废物的规范处理等措施加以防范。

3）消化道出血：与胃镜诊疗操作（如活检）相关的消化道黏膜少量出血，可通过胃镜下对准出血部位喷洒浓度为1∶10000肾上腺素溶液或凝血酶，或使用4℃冰盐水胃腔内灌注等即可止血[10]；对一些消化性溃疡、血管损伤所致出血量较大时，及时钛夹封闭止血或静脉给予止血药物；对由于静脉曲张破裂所致的活动性大出血，要及时配合医生行静脉套扎、静脉硬化、静脉栓塞等对症治疗。若出血仍不能有效控制，患者有休克等危及生命的症状或表现时，要及时启动急救预案，密切观察出血情况及病情变化，并做好记录；待出血控制、休克纠正、病情平稳后即可转入病房或ICU进一步处置。

4）消化道穿孔：包括食管、胃及十二指肠穿孔，在胃镜诊疗中比较少见。一旦发生，小的穿孔可在胃镜下用钛夹封闭创口加以缝合；穿孔较大者，胃镜下无法缝合时要及时请外科医生手术处理。

5）其他：如下颌关节脱臼、腮腺肿胀、喉头及支气管痉挛等，要及时对症处理，症状较重时，请专科医生会诊处理。

（8）健康宣教

1）检查后禁食禁饮2h，2h后饮食以清淡、流食为宜。

2）检查后当日若有咽痛或少量痰血等不适，不必特殊处理。

3）3d内若有咯血且量逐渐增多时，要及时来院就诊。

2.电子结肠镜

（1）概念

电子结肠镜是通过先端带有光源电子摄像头的专用设备，从肛门入镜以循腔进镜的方式观察全结肠黏膜病变，以对结肠疾病进行诊断与治疗的诊疗技术。

（2）适应证

1）不明原因的腹泻、腹痛、腹胀及大便习惯改变。

2）不明原因的消瘦、贫血而怀疑结肠有病变者。

3）不明原因的便血。

4）已确诊的大肠病变如炎症性肠病、结肠息肉、结肠癌术后等随访者。

5）结肠癌普查患者。

6）健康体检者。

（3）禁忌证

1）严重心肺及脑血管疾病不宜耐受检查者。

2）严重休克患者且症状较重者。

3）患有精神疾病不能配合检查者。

4）严重胸腹主动脉瘤、脑卒中患者。

5）严重出凝血功能异常及有腹膜炎或肠穿孔症状者。

6）女性患者孕期或月经期不宜检查。

（4）患者准备

1）检查前3d减少食用肉类及粗纤维蔬菜，以少渣或无渣饮食为宜，检查前1d进食清淡、流质饮食。

2）因结肠镜检查要完成全结肠插管，为达到良好的肠道清洁效果，必须按医嘱服用导泻药物清洁肠道。导泻期间患者若出现心慌、出冷汗等低血糖反应，症状较轻者可含服糖块或服用糖盐水补充能量，症状严重者及时请医生更换导泻药物或检查项目。便秘患者须延长肠道准备时间或增加导泻药物剂量。

3）携带既往相关就诊资料，供医生参考。

（5）设备及物品准备

1）设备：电子结肠镜、负压吸引装置、吸氧设备、心电监护仪等。

2）物品：与电子胃镜相同。

（6）护理配合

1）协助患者采取左侧屈膝卧位，指导正确配合方法。

2）其余护理配合要点详见电子胃镜检查技术。

（7）并发症处理

详见电子胃镜检查技术。

（8）健康宣教

1）常规检查后即可进食，饮食以清淡、流食为宜；行结肠镜下治疗或手术者，进食进水请遵医嘱。

2）检查后患者可有腹胀、腹痛等不适，一般可自行缓解，不必特殊处理。

3）3d内注意观察大便颜色，若有鲜血便且量逐渐增多，要及时就诊。

3.电子小肠镜

（1）概念

电子小肠镜是利用先端带有光源电子摄像头的专用设备，通过经口、经肛或经口同时经肛对接的方式进镜，无盲区式观察全小肠黏膜病变，以对小肠疾病进行诊断与治疗的诊疗技术。

（2）适应证

1）不明原因腹痛、怀疑有小肠病变者。

2）不明原因消化道出血且结肠镜检查已经排除大肠病变者。

3）既往有小肠恶性肿瘤病史定期复诊。

4）已确诊小肠疾病随访等。

（3）禁忌证

详见电子结肠镜检查技术。

（4）患者准备

由于电子小肠镜检查需要经口、经肛或经口与经肛相结合的方式插镜完成诊疗，故患者需要做好全消化道准备，才能确保诊疗质量。

1）上消化道准备：参照电子胃镜。

2）下消化道准备：参照电子结肠镜。

（5）设备及物品准备

1）设备：电子小肠镜、麻醉机、二氧化碳装置，其余详见电子胃镜检查技术。

2）物品：详见电子胃镜检查技术。

（6）护理配合

1）向患者讲解小肠镜检查注意事项，做好心理护理。

2）协助患者采取左侧屈膝卧位，指导正确配合方法。

3）准备麻醉机，做好患者麻醉综合监护。

4）配合麻醉医生实施麻醉，配合内镜医生技术操作。

5）加强医疗安全管理，预防麻醉意外、窒息、坠床等不良事件发生。

6）密切观察患者病情变化并做好记录，有异常及时处理。

7）诊疗完毕，做好复苏护理，麻醉清醒后及时向患者及其家属做好健康教育。

8）其他护理配合要点详见电子结肠镜检查技术。

（7）并发症处理

详见电子结肠镜检查技术。

（8）健康宣教

1）检查后常规留观30min，严密观察患者腹痛、腹胀、便血等情况。

2）经口侧检查后禁食禁饮12h，经肛侧检查后禁食禁饮2h，首次饮食以清淡、流食为宜。

3）其余详见电子结肠镜检查技术。

4.无痛电子胃镜/结肠镜

（1）概念

无痛电子胃镜/结肠镜是通过静脉或吸入方式给予患者一定剂量的短效麻醉剂，促使患者迅速进入睡眠状态，在无意识、无痛苦状态下完成电子胃镜/结肠镜诊疗，以对消化道疾病诊断与治疗的内镜诊疗技术。

（2）适应证

1）符合电子胃镜/结肠镜检查适应证者。

2）年老体弱等患者对常规内镜插管耐受性较差者。

3）有较高无痛苦就诊体验需求者。

（3）禁忌证

1）符合电子胃镜/结肠镜禁忌证者。

2）有明确麻醉禁忌证者。

3）有麻醉药物过敏史者。

（4）患者准备

1）完成心电图、胸片及其他相关检查项目，携带相关资料。

2）完成专业麻醉评估，携带麻醉评估单。

3）无痛胃镜患者检查前禁食8～12h、禁饮4～6h（重症及体质虚弱者适当补液）；无痛结肠镜检查患者须按照要求服用导泻药物，彻底清洁肠道。

4）近期无急性病发作，慢性病患者病情稳定，如高血压患者需要将血压控制在安全范围。

5）服用抗凝药物者需要停服7～10d。

6）有特殊用药史或药物过敏史者，要提前如实告知医生。

（5）设备及物品准备

1）设备：麻醉机，其余详见电子胃镜或电子结肠镜。

2）物品：详见电子胃镜或电子结肠镜检查技术。

（6）护理配合

1）检查电子胃镜/肠镜等设备性能正常，用物齐全，合格备用。

2）协助患者采取左侧屈膝卧位，解开裤带及领口，取下活动义齿，头略后仰，保持气道通畅，正确使用约束带。

3）做好患者黏膜麻醉及润滑准备。按诊疗项目指导患者着装、更衣。

4）配合麻醉医生实施麻醉，配合内镜医生技术操作。

5）其余护理配合要点详见电子胃镜或电子结肠镜检查技术。

（7）并发症处理

1）麻醉意外：麻醉意外是无痛内镜最为凶险的并发症，一旦发生，要即刻停止内镜操作，争分夺秒进行急救，如：发生气道梗阻者，即刻启动气道梗阻急救预案；心搏骤停者，即刻启动呼吸心搏骤停急救预案等。待麻醉意外风险解除、患者意识恢复、病情稳定后，再视情况决定是否继续实施无痛内镜诊疗。

2）其他并发症处理详见电子胃镜或电子结肠镜检查技术。

（8）健康宣教

1）进食、进饮时间请遵医嘱（根据具体诊疗项目及患者病情决定）。

2）检查当日勿饮酒，以免加剧麻醉后续反应。

3）当日不可骑车、驾车或从事高空作业及精密计算等工作，以免发生意外或失误。

5.超声胃镜

（1）概念

超声胃镜是指将微型超声探头安装在内镜先端的专业设备，利用电子胃镜+超声扫描观察消化道及管壁各层次的组织学特征、腔内病变和周围相邻重要器官病变，以对相关疾病进行诊断的技术。

（2）适应证

1）确定黏膜下肿瘤的起源与性质。

2）判断肿瘤侵犯深度和外科手术切除术的可能性。

3）诊断胰胆系肿瘤及十二指肠壶腹部肿瘤的鉴别诊断。

4）判断食管静脉曲张程度与效果等。

（3）禁忌证

1）符合电子胃镜禁忌证者。

2）无明确超声胃镜诊疗适应证者。

（4）患者准备

1）患者状态良好，情绪稳定，能耐受超声胃镜检查。

2）近期无急性发作的疾病，如重度哮喘、重度上呼吸道感染等。

3）胃肠道准备：幽门梗阻患者检查前2～3d遵医嘱洗胃或胃肠减压，以确保胃内无食物潴留；检查前1d进食清淡、易消化饮食；检查前禁食8～12h、禁饮4～6h。急危重症及老幼、体弱患者可适当放宽要求。

4）携带既往电子胃镜检查报告单，以供医生对照参考。

（5）设备及物品准备

1）设备：超声胃镜（环扫或扇扫内镜）、超声诊断仪、负压吸引装置、专用注水泵，其余详见电子胃镜检查技术。

2）物品：详见电子胃镜检查技术。

（6）护理配合

1）安装超声胃镜，连接注水泵，打开超声诊断仪，确认正常使用。

2）其余护理配合要点详见电子胃镜检查技术。

（7）并发症处理

1）呛咳或误吸：呛咳或误吸是由于超声胃镜诊疗过程需向胃肠道大量注水所致。一旦发生呛咳，要及时处理。症状较轻者通过指导患者调整呼吸、清理口鼻分泌物等即可缓解；若有误吸所致窒息表现时，要即刻停止操作，即刻按窒息急救处理。

2）应激性并发症、内镜相关性感染、出血、穿孔等并发症处理要点详见电子胃镜检查技术。

3）其他：如下颌关节脱臼、腮腺肿胀、喉头及支气管痉挛等，要及时对症处理；症状较重时，及时请专科医生会诊处理。

（8）健康宣教

1）检查后若有咽痛或少量痰血等不适，不必特殊处理。

2）其余宣教要点详见电子胃镜检查技术。

6.胶囊内镜

（1）概念

胶囊内镜是一种无创的消化道无线电子监测系统。是患者通过口服内置摄像与信号传输装置的智能胶囊，借助胃肠道的蠕动功能，使智能胶囊随胃肠道蠕动而拍摄图像，并以数字信号传输图像至患者体外携带的图像记录仪进行记录，为消化道疾病尤其是小肠疾病诊断提供影像学资料的诊断技术。

（2）适应证

1）不明原因的消化道出血、怀疑有小肠病变者。

2）反复发作的腹痛、腹泻且排除结肠病变者。

3）怀疑有消化道疾患但经常规内镜检查无法确诊者。

4）影像学检查提示小肠异常或怀疑有小肠病变者。

（3）禁忌证

1）患者有严重吞咽困难而无法吞服胶囊者。

2）有明确的消化道畸形、消化道穿孔、胃肠道梗阻、狭窄或瘘管者。

3）体内植入心脏起搏器或其他电子仪器者。

4）各种急性肠炎、严重的缺血性疾病及放射性结肠炎急性期。

5）对胶囊高分子材料过敏者。

6）年老、幼儿及精神病患者不宜吞服胶囊者。

（4）患者准备

1）患者穿宽松、易脱、棉质衣服，以便于穿戴专用背心及图像记录仪。

2）就诊前3d禁止行钡餐、钡灌肠检查，幽门梗阻者提前3d洗胃。

3）检查前1d进食清淡、易消化、无渣流质饮食，吞服胶囊前禁食8～12h。

（5）设备及物品准备

1）设备：胶囊内镜工作站、专用背心、图像记录仪等。

2）物品：智能胶囊、消泡剂、胃肠动力药物等。

（6）护理配合

1）检查前确认设备、用物准备齐全。

2）向患者简要介绍胶囊内镜检查基本知识、配合方法，做好心理护理。

3）协助患者正确穿脱背心，开通电源，连接记录仪，打开超声内镜监视器。

4）指导患者正确吞服胶囊。

5）吞服胶囊后严密监控，确认胶囊通过幽门。

6）注意观察患者有无不良反应，有异常及时对症处理。

7）向患者交代注意事项，嘱咐患者按时归还专用背心及记录仪。

8）督促医生及时调取记录仪监测数据，清洁设备，归位放置。

（7）并发症处理

常见的并发症为胶囊滞留或嵌顿于胃肠道而无法排出。一旦发生滞留或嵌顿，要及时报告医生，遵医嘱服用胃肠动力药促进排出；仍然无法排出时，及时联系外科医生会诊，必要时通过外科手术取出胶囊。

（8）健康宣教

1）嘱咐患者在吞服胶囊后不能靠近任何强电磁场场所，以免干扰设备。

2）胶囊内镜检查持续大约8h，期间避免任何剧烈的运动。

3）胶囊内镜检查期间不可进食，饥饿者可饮用糖水充饥，必要时补液。

4）避免记录仪与其他物品发生碰撞，禁止自行拆卸记录仪。

5）随时注意观察记录仪电源指示，电量不足时及时充电。

6）检查结束后正确脱卸专用背心及记录仪，及时归还设备。

7）告知患者胶囊一般在1～3d随大便排出，故要求每次如厕时注意观察胶囊是否排出，如果不能按时排出，要及时来院就诊。

（二）呼吸内镜检查

1.电子支气管镜

（1）概念

电子支气管镜是利用先端带有光源电子摄像头的专业设备，通过观察肺、气管及支气管黏膜病变，以对呼吸系统疾病进行诊断与治疗的诊疗技术。

（2）适应证

1）不明原因的咳嗽、咯血或痰中带血。

2）局限性哮鸣音或声音嘶哑。

3）痰中发现癌细胞或可疑癌细胞。

4）影像学检查提示肺部异常改变以明确诊断。

5）肺或支气管感染性疾病患者获取标本进行培养以明确诊断。

6）机械通气患者辅助检查以指导气道管理等。

（3）禁忌证

1）活动性大咯血及凝血功能严重障碍。

2）严重的心脑肺功能障碍及肺动脉高压。

3）可疑主动脉瘤及极度衰竭患者。

（4）患者准备

1）检查前患者状态良好，情绪稳定，穿宽松衣物。

2）检查前禁食禁饮6～8h。

3）近期无急性发作重度哮喘、重度上呼吸道感染等。

4）携带心电图、胸片及血常规、出凝血功能验血单等资料。

5）建议亲属陪同。

（5）设备及物品准备

1）设备：电子支气管镜、负压吸引装置、吸氧设备、心电监护仪等。

2）物品：详见电子胃镜检查技术。

（6）护理配合

1）做好患者鼻咽部黏膜麻醉。

2）协助患者采取仰卧位，头略后仰，保持气道通畅；眼部用一次性口罩遮盖，预防诊疗过程误伤或液体溅入眼内。

3）安装设备及器械，测试电子支气管镜给水、吸引功能正常，图像清晰。

4）其余护理配合要点详见电子胃镜检查技术。

（7）并发症处理

1）应激性并发症：常见有喉头痉挛、低氧血症、心律失常等，多为患者过度紧张或医生操作技术不熟练所致，一般通过心理护理、氧气吸入等对症处理即可缓解。

2）出血：出血是较为凶险的并发症，多由支气管镜下病灶活检损伤血管所致，一旦发生，要即刻紧急处理。将患者置于患侧卧位，指导患者咳嗽促使气道积血及血凝块排出，以预防窒息；少量出血时，可通过支气管镜对准出血部位喷洒止血药物；出血量较大时，及时静脉滴注垂体后叶激素等止血药物；若有休克、窒息等危及生命的症状或表现时，要及时启动急救预案，密切观察出血情况及病情变化，遵医嘱给予对症治疗；待出血控制、病情平稳后即可转入病房或ICU进一步处置。

3）其他并发症：如气胸，发生率较低，一旦发生，及时对症处理。

（8）健康宣教

1）检查后禁食禁饮2h，2h后饮食以清淡、流食为宜。

2）检查后当日若有咽痛或少量痰血等不适，不必特殊处理。

3）3d内若有咯血且量逐渐增多，要及时来院就诊。

2.内科胸腔镜

（1）概念

内科胸腔镜是用于胸膜及胸膜腔疾病诊断与治疗的内视镜系统。临床上主要用于胸膜活检、胸膜粘连松解、胸膜腔的固定、顽固性胸腔积液等疾病诊断与治疗。

（2）适应证

1）不明原因胸腔积液。

2）胸腔占位性病变进一步确诊及肺癌的分期。

3）顽固性胸腔积液的胸膜固定治疗。

4）急性脓胸、血气胸及支气管胸膜瘘治疗等。

（3）禁忌证

1）低血小板症、低氧血症患者。

2）严重心脑血管疾病、身体极度虚弱不能耐受手术者。

3）广泛的胸膜粘连及严重胸膜闭锁、肺包虫、囊虫病等。

（4）患者准备

1）患者状态良好，情绪稳定，适宜耐受并配合手术。

2）术前洗澡，清洁身体，更换宽松手术衣。

3）完成血常规、出凝血功能、肝肾功能、胸部CT等常规检查。

4）近期无新发心肌梗死、哮喘等严重影响心肺功能的疾病。

（5）设备及物品准备

1）设备：胸腔镜、负压吸引装置、吸氧设备、心电监护仪等。

2）物品：基础物品及常规急救物品详见电子支气管镜检查物品准备；专用物品包括手术切开包、缝合包、皮肤消毒物品、无菌手术铺巾、胸腔闭式引流装置、无菌标本瓶、镇静止痛药物、麻醉剂、各种规格的注射器等，拟行胸腔镜下治疗时，则准备治疗所需用物及药物等。

（6）护理配合

1）术前对诊室物表及空气彻底消毒，消毒监测合格。

2）诊室宽敞明亮，便于手术操作，使用可升降式、移动式检查床。

3）准备灭菌胸腔镜、切开包、缝合包等手术相关物品。

4）安置患者于健侧卧位，心电监护，低流量持续吸氧。

5）建立静脉通道，肌肉注射镇静止痛药物。

6）医护人员按要求戴口罩、帽子，外科洗手，穿手术衣。

7）协助医生消毒手术野皮肤，铺无菌手术洞巾。

8）协助医生对穿刺点局部麻醉后在床旁B超辅助定位下做手术切口，钝性分离皮下各层至胸膜后置入专用穿刺鞘管，后将胸腔镜顺鞘管送入胸膜腔。

9）其余护理配合要点详见电子支气管镜检查技术。

（7）并发症处理

1）应激性并发症：常见的有心律失常、高血压、低氧血症等，大多属于应激性反应，一般不需特殊处理，休息、吸氧后即可缓解。

2）出血：胸膜活检后少量出血可通过药物喷洒或高频电凝方法止血；若由于血管损伤而致出血量较大时，及时对症处理，必要时外科手术止血。

3）其他并发症：如血气胸、肺水肿、支气管胸膜瘘等并发症比较少见，只要规范技术操作，大多可以避免。

（8）健康宣教

1）术后保持手术伤口清洁，敷料污染或浸湿时要及时更换。

2）严密观察伤口渗血或内出血征象，有异常及时报告医生处理。

3）保持胸腔闭式引流管通畅，观察引流液颜色、性质及量，有异常及时查明原因，对症处理。

4）密切观察患者生命体征及病情变化，有异常及时处理。

5）遵医嘱补液、抗炎、对症治疗。

（三）其他专科内镜检查

1.电子喉镜

（1）概念

电子喉镜是通过先端带有光源电子摄像头的专业设备，经口或鼻腔入镜观察患者咽喉部黏膜病变，以对咽喉部疾病进行诊断与治疗的诊疗技术。

（2）适应证

1）不明原因的声音嘶哑及咽部异物感。

2）咽喉部及声带息肉诊断治疗。

3）喉瘢痕性狭窄扩张治疗。

4）咽喉部良性肿瘤切除。

5）咽喉部及气道异物诊断及取出等。

（3）禁忌证

1）严重外伤致颈椎脱位者。

2）严重心肺脑器官疾病或功能异常不能耐受检查者。

3）老幼体弱或精神病患者无法配合者。

4）孕初期或妊娠晚期妇女等。

（4）患者准备

1）患者近期无急性发作的疾病如，心肌梗死、重度哮喘、重度上呼吸道感染等。

2）检查前禁食禁饮6～8h。

3）携带血常规、出凝血功能等验血单及心电图等就诊资料。

（5）设备及物品准备

1）设备：电子喉镜、负压吸引装置、吸氧设备、心电监护仪等。

2）物品：详见电子支气管镜检查技术。

（6）护理配合

1）做好患者鼻咽部黏膜麻醉。

2）安装设备及器械，测试电子喉镜性能正常，图像清晰。

3）其余护理配合要点详见电子支气管镜检查技术。

（7）并发症处理

1）应激性并发症：常见有喉头水肿、喉头痉挛、低氧血症、心律失常等，多为局部麻醉不满意、医生操作动作粗暴或患者过度紧张所致，一般可通过心理护理、氧气吸入等对症处理即可缓解。

2）出血：黏膜擦伤所致少量出血不必特殊处理，必要时使用止血药物。

3）喘息：常见于有哮喘病史者。要求检查前无论患者有无哮喘症状，均须给予氨茶碱等药物预防处理。检查过程中若患者哮喘发作，应立即停止喉镜检查，即刻给予对症处理；若患者哮喘持续发作，有呼吸困难、窒息等危及生命的症状或表现，要及时启动急救预案。

（8）健康宣教

1）检查后禁食禁饮2h，以免呛咳误吸。

2）检查后1周应减少讲话，以利于声带恢复；行喉镜下手术者术后多做深呼吸，以防伤口粘连，随时观察呼吸及颈部有无肿胀及疼痛，及时发现内出血征象。

2.电子膀胱镜

（1）概念

电子膀胱镜是通过专业电子设备观察患者泌尿系统病变，以对疾病进行诊断与治疗的诊疗技术。

（2）适应证

1）不明原因的血尿须进一步诊断或确定出血部位。

2）经其他检查仍不能明确泌尿系统疾患、膀胱肿瘤诊断。

3）膀胱异物及结石的镜下治疗等。

（3）禁忌证

1）已经确诊的尿道狭窄。

2）膀胱容量小于50mL、泌尿系统急性炎症期、全身出血性疾病等。

（4）患者准备

1）患者状态良好，情绪稳定，穿宽松衣物。

2）检查前清洁会阴部，嘱患者排尿。

（5）设备及物品准备

1）设备：膀胱镜、冷光源、碎石钳、吸氧设备、心电监护仪等。

2）物品：详见电子胃镜检查技术。

（6）护理配合

1）协助患者取仰卧位，支架托起双腿并自然分开，膝关节自然屈曲，臀部齐床边，两手放于胸部或身体两侧，注意保暖，保护隐私。

2）提前5～10min做好尿道黏膜局部麻醉。

3）其余护理配合要点详见电子胃镜检查技术。

（7）并发症处理

1）应激性并发症：常见尿频、尿急、尿痛等尿路刺激征表现，属于应激性反应，一般通过多饮水或口服抗生素即可缓解。

2）血尿：轻微血尿多由于膀胱镜诊疗刺激黏膜所致，一般不必特殊处理；若尿血量逐渐增多或颜色逐渐变深，要及时对症处理。

3）其他：腹痛、腹胀、便血、排尿不畅及时对症处理。

（8）健康宣教

1）膀胱镜检查后3d内注意休息。

2）鼓励患者多饮水，要求24h饮水量2500mL以上，尿量2000mL以上。

3）若有腰痛且持续加重不能缓解，并伴有恶心、呕吐，要立即来院就诊。

3.妇科宫腔镜

（1）概念

妇科宫腔镜是通过专业内镜观察患者宫腔黏膜病变，以对宫腔疾病进行诊断与治疗的诊疗技术。

（2）适应证

1）异常子宫出血。

2）原发或继发性不育。

3）不明原因反复流产。

4）宫腔粘连治疗。

5）宫腔内息肉、肿瘤等病变的诊断及治疗。

6）宫腔内手术后随访等。

（3）禁忌证

1）异常发热。

2）活动性子宫出血。

3）急性和亚急性生殖系统炎症。

4）宫内妊娠。

5）浸润性宫颈癌及子宫内膜癌。

6）生殖道结核未经抗结核治疗。

7）子宫颈管或子宫腔过窄。

8）有近期子宫壁手术史者。

9）严重心、肺、肝、肾疾患等。

（4）患者准备

1）患者状态良好，情绪稳定，适宜配合诊疗。

2）完成常规妇科检查并携带相关资料。

3）就诊前沐浴，保持外阴清洁，穿宽松衣物。

4）避开孕期及月经期。

5）建议家属陪同。

（5）设备及物品准备

1）设备：宫腔镜、吸氧设备、心电监护仪等。

2）物品：专用物品，包括无菌器械包（内有扩阴器、宫颈钳、卵圆钳、探针、弯盘等）、诊疗必需的其他器械、物品及药物等；基础物品及急救物品，详见电子胃镜检查技术。

（6）护理配合

1）准备膨宫液体备用，设定好膨宫压力80～120mg，液体流速180mL/min。

2）协助患者取膀胱截石位，双腿自然分开，膝关节自然屈曲，臀部齐床边，两手放于胸部或身体两侧，注意保暖，有爱伤观念，体现人文关怀。

3）冲洗消毒外阴及阴道。

4）提前30min肌注肌松药，必要时肌注镇静止痛药。

5）其他护理配合要点详见电子胃镜检查技术。

（7）并发症处理

1）常见并发症：常见宫腔黏膜损伤、出血及感染，一般不必特殊处理，症状较重时可给予补液、抗炎、止血等对症治疗。

2）特殊并发症：如心脑综合征，常由于扩张宫颈和膨宫时致迷走神经功能亢进而出现头晕、胸闷、流汗、脸色苍白、恶心、呕吐、脉搏和心跳减慢等症状，一旦发生，立即停止宫腔镜诊疗，积极对症治疗。

（8）健康宣教

1）常规卧床休息30min。

2）如感下腹隐痛，多在术后1h缓解，一般不必特殊处理。

3）1周内阴道可有少量出血，不必紧张，大多可自行停止。

4）2周内禁房事、盆浴，以预防感染，必要时口服抗菌药物。

（四）常见内镜下治疗/手术技术

1.经内镜消化道息肉/腺瘤切除术

（1）概念

经内镜消化道息肉/腺瘤切除术是借助电子胃镜或电子结肠镜及专用器械，利用高频电凝电切原理或冷切技术，对消化道息肉及良性肿瘤行内镜下切除的技术。

（2）适应证

1）消化道良性息肉。

2）直径小于2cm且局限于黏膜层的早期癌等。

（3）禁忌证

1）符合电子胃镜、电子结肠镜检查禁忌证。

2）起源于固有肌层的黏膜下肿瘤。

3）浸润至黏膜下深层的早期癌。

（4）患者准备

1）停用抗凝药物1周以上，高血压患者须将血压控制在正常水平。

3）完成血常规及出凝血时间等常规检查，携带近期内镜检查及病理检查报告单。

4）术前禁食8～12h，禁饮4～6h；有严重幽门梗阻的患者，术前2～3d充分洗胃；最近2～3d未做消化道钡餐检查。

5）结肠息肉/腺瘤切除术前必须按要求彻底清洁肠道。

（5）设备及物品准备

1）设备：适宜的治疗型电子胃镜或电子结肠镜、高频电刀、吸氧设备、心电监护仪等。

2）物品：专用物品，包括负极板、电活检钳、电凝棒、圈套器、注射针、止血夹等；基础物品及常规急救物品，详见电子胃镜检查技术。

（6）护理配合

1）做好患者咽部、肛门部黏膜润滑及麻醉。

2）去除患者随身佩戴的金属饰品、手机等。

3）协助患者采取左侧屈膝卧位，解开裤带及领口，指导正确配合方法。

4）安装设备及器械，设置高频电刀工作模式，测试性能，确保正常使用。

5）其他护理配合要点详见电子胃镜检查技术。

（7）并发症处理

常见并发症为出血及穿孔，处理详见电子胃/肠镜检查技术。

（8）健康宣教

1）术后当日饮食/活动遵医嘱。

2）1周内避免剧烈活动，进食清淡、低纤维、易消化饮食。

3）若有腹痛剧烈且伴有呕血、便血者及时就诊。

2.经内镜食管/胃/结肠黏膜剥离术（ESD）

（1）概念

ESD是指经电子胃镜或电子结肠镜对食管、胃或结肠黏膜下肿瘤、早期癌进行黏膜下完整剥离的内镜下四级手术技术。

（2）适应证

1）消化道内直径大于2cm的癌前病灶。

2）已经确诊的消化道良性肿瘤，如间质瘤、脂肪瘤等。

3）已经确诊消化道的早期癌。

4）来源于黏膜下层或肌层的肿瘤等。

（3）禁忌证

1）符合电子胃镜/电子结肠镜检查禁忌证。

2）拟行ESD手术病变表面有明显溃疡或瘢痕形成。

3）超声内镜检查提示癌已浸润至黏膜下2/3以上者。

（4）患者准备

1）行胃-食管ESD术前患者禁食8～12h，禁饮4～6h；有严重幽门梗阻的患者，术前2～3d充分洗胃；最近2～3d未做上消化道钡餐检查。

2）行结肠ESD术前患者必须按要求彻底清洁肠道。

3）其他准备详见经内镜消化道息肉切除术治疗技术。

（5）设备及物品准备

1）设备：适宜的治疗型电子胃镜或电子结肠镜、高频电刀、吸氧设备、心电监护仪等。

2）物品：专用物品包括黏膜剥离刀、注射针、负极板、电凝棒、圈套器、止血夹、手术标记用药等；基础物品及急救物品，详见电子胃镜检查技术。

（6）护理配合

1）行胃-食管ESD者，协助患者采取左侧屈膝卧位，取下活动义齿，头略后仰，保持气道通畅，指导正确配合方法。

2）行结肠ESD者，术前更换肠镜专用裤，协助患者采取左侧屈膝卧位。

3）安装设备及器械，设置电刀工作模式，测试性能，确保正常使用。

4）做好ESD手术标本回收及送检。

5）术后专人护送患者回病房，做好交接。

6）其余护理配合要点详见电子内镜检查技术。

（7）并发症处理

常见并发症为出血和穿孔，处理详见胃肠镜检查技术。

（8）健康宣教

1）术后当日饮食/活动遵医嘱。

2）术后3d尽量卧床休息，1周内避免剧烈活动。

3）一周内饮食以清淡、低纤维、易消化为宜，以后逐渐过渡。

4）术后若有腹痛剧烈且伴有呕血、便血，要及时查明原因，对症处理。

3.经内镜食管-胃底静脉曲张治疗术

（1）概念

经内镜食管-胃底静脉曲张治疗术是通过电子胃镜，使用专用结扎装置或药物对食管-胃底曲张静脉进行套扎、硬化及栓塞的诊疗技术，从而达到止血和预防再出血的目的。包括食管曲张静脉套扎术、食管曲张静脉硬化术、胃底曲张静脉组织黏合术。

（2）适应证

1）食管-胃底静脉曲张破裂出血且药物治疗无效者。

2）频发食管-胃底静脉曲张破裂出血，患者全身状况差，不能耐受外科手术者。

3）既往有食管-胃底曲张静脉破裂出血史，当前仍有出血倾向，须做预防性治疗者。

（3）禁忌证

1）严重的失血性休克未纠正者。

2）有肝性脑病意识不清或有肝昏迷前驱症状患者。

3）出血量较大，影响内镜下观察及治疗者。

4）严重的心、肺、脑、肾功能不全者。

（4）患者准备

1）术前禁食8～12h，禁饮4～6h（急诊大出血患者不做限制要求）。

2）术前建立2组静脉通道，尽量选择较大血管，足量补液，维持循环。

3）做好交叉配血试验及备血。

（5）设备及物品准备

1）设备：电子胃镜、吸氧设备、负压吸引装置、心电监护仪等。

2）物品：专用物品，包括套扎器、注射针、硬化剂、组织黏合剂、冰盐水、止血药物、镇静解痉药、黏膜麻醉剂、润滑剂、消泡剂等；基础物品及急救物品，详见电子胃镜检查技术。

（6）护理配合

1）持续吸氧，心电监护，开通静脉通路，足量补液，维持循环。

2）协助患者采取左侧屈膝卧位，解开裤带及领口，取下活动义齿，头略后仰，保持气道通畅，指导正确配合方法，避免误吞误吸。

3）安装设备及器械，测试正常，重点检查负压吸引装置性能正常。

4）遵医嘱给患者肌注镇静解痉药物。

5）诊疗结束，专人护送患者回病房，做好交接。

6）其他护理配合要点详见电子胃镜检查技术。

（7）并发症处理

1）继发大出血：食管-胃底静脉曲张诊疗过程或诊疗后继发大出血发生率高，来势凶险，出血量大，患者急剧发生失血性休克，严重者危及生命。因此，特别强调诊疗前要做好充分准备。其他处理详见电子胃镜检查技术。

2）吞咽困难或胸痛：食管静脉套扎术后80%患者会有胸骨后疼痛及吞咽困难，属于正常反应，一般不须特别处理，1周左右即可自行缓解；若疼痛剧烈，不能耐受，可适当遵医嘱使用止痛药物。

3）食管重度溃疡或穿孔：怀疑有重度溃疡或穿孔者，要及时明确诊断，积极对症治疗，若内科保守治疗无效且症状持续加重，及时请外科手术处理。

（8）健康宣教

1）饮食管理：向患者及其家属交代饮食管理的重要性。术后24h禁食禁饮，48h后可给予流质饮食，宜选用米汤、豆浆等碱性食物，以中和胃酸，收敛黏膜，有利于止血；72h后可进无渣半流质饮食，1周后逐步过渡到半流质饮食、软食至普食；平时饮食避免刺激及过热、过冷、过硬食物，以防刺激曲张静脉破裂导致再出血。

2）术后1周内尽量卧床休息，不做剧烈活动。

3）保持大便通畅，避免剧烈咳嗽，以防腹压突然增高而诱发再次大出血。

4.经口内镜下贲门括约肌切开术（POEM）

（1）概念

POEM是指使用电子胃镜经口入镜行贲门括约肌切开以治疗贲门失弛缓症的内镜诊疗技术。

（2）适应证

1）严重食道哽咽感，内科治疗无效者。

2）贲门扩张术后哽噎症状又复现者。

3）心肺功能差，不能耐受外科手术者。

（3）禁忌证

1）符合电子胃镜检查禁忌证。

2）凝血功能严重低下者。

（4）患者准备

1）患者近期无新发心肌梗死、哮喘等疾病。

2）慢性病患者病情稳定，如高血压患者血压控制在正常范围。

3）胃排空延迟或幽门梗阻患者术前充分洗胃，禁食禁饮8～12h。

（5）设备及物品准备

1）设备：治疗型电子胃镜、高频电刀、吸氧设备、心电监护仪、麻醉机等。

2）物品：专用物品，包括负极板、黏膜切开刀（IT刀、三角刀等）、钛夹、注射针、足量冰盐水、止血药物、麻醉剂、镇静解痉剂、润滑剂、消泡剂等；基础物品及急救物品，详见电子胃镜检查技术。

（6）护理配合

1）协助医生准确测量贲门口狭窄部位及长度。

2）协助患者采取左侧屈膝卧位，解开裤带及领口，取下活动义齿。

3）给患者持续吸氧，做好麻醉监护，建立静脉通路。

4）遵医嘱给患者肌注镇静解痉药物。

5）其他护理配合要点，详见电子胃镜检查技术。

6）诊疗结束，专人护送患者回病房，做好交接。

（7）并发症处理

1）出血：术中及时对创面暴露血管行高频电凝止血；术后用钛夹对手术切口做完整缝合；手术结束退镜前仔细观察，有活动性出血时及时镜下处理，必要时静脉给予止血药物；若出血量较大且患者有失血性休克症状，要及时启动急救预案，必要时请外科医生会诊处理。

2）穿孔：详见电子胃镜检查技术。

（8）健康宣教

1）手术后当日禁食禁饮，以减少胃肠蠕动，避免手术切口裂开。

2）术后3d内尽量卧床休息，2周内避免剧烈活动。

3）1周内进食清淡、低纤维、易消化饮食，以后逐渐过渡；养成良好的饮食习惯，如少量多餐，睡前不宜饱食，进食后不宜立即平卧，以防食管反流等。

4）若有胸部剧烈疼痛且伴有呕血、便血，要及时对症处理。

5.经内镜食管支架置入术

（1）概念

经内镜食管支架置入术是经口腔-咽-食管自然腔道，通过电子胃镜在X线透视下定位食管病变并植入支架的诊疗技术。常用于各种原因引起的功能性食管狭窄及食管术后吻合口狭窄患者的对症治疗。

（2）适应证

1）晚期食管癌、贲门癌无法进行外科手术治疗者。

2）化学性损伤或其他创伤造成的食管狭窄。

3）食管癌术后吻合口狭窄。

4）食管气管瘘、食管纵隔瘘、贲门失弛缓症等对症治疗。

（3）禁忌证

1）有明确消化道穿孔者。

2）腐蚀性食管炎急性期患者。

3）明显的胸腹主动脉瘤及脑卒中患者。

4）重度食管静脉曲张患者等。

（4）患者准备

1）患者状态良好，情绪稳定，穿宽松衣物。

2）术前禁食8～12h，禁饮4～6h。

3）胃排空不良或幽门梗阻患者术前充分洗胃。

（5）设备及物品准备

1）设备：治疗型电子胃镜、吸氧设备、心电监护仪等。

2）物品：专用物品，包括食管支架、支架推送器、斑马导丝或钢导丝、鼠齿钳、鳄齿钳、镇静解痉药、黏膜麻醉剂、润滑剂、消泡剂等；基础物品及急救物品，详见电子胃镜检查技术。

（6）护理配合

1）协助医生准确测量食管狭窄段部位及长度。

2）协助患者采取左侧屈膝卧位，解开裤带及领口，取下活动义齿。

3）遵医嘱给患者肌注镇静解痉药物。

4）其他护理配合要点详见经电子胃镜检查技术。

（7）并发症处理

1）胸骨后疼痛及异物感：属正常反应，不需特殊处理，一般在术后1周症状消失；疼痛剧烈时可遵医嘱适当使用止痛药物。

2）胃食管反流：指导患者养成良好的饮食习惯，少量多餐，每次餐后不要立即平卧，保持坐位或直立体位1～2h；睡觉时抬高床头15°～30°；必要时遵医嘱使用抑酸剂和黏膜保护剂等。

3）食物嵌顿：密切观察患者进食情况，如发生呕吐、哽噎或突然吞咽困难等情况，多提示食物嵌顿在支架内，应及时胃镜下疏解食物团块，解除嵌顿。

4）出血：食管黏膜少量出血可通过局部喷洒止血药物进行止血处理，若为支架刺激原因所致的出血且出血量较大，要果断行食管支架取出术。

5）食管穿孔和破裂：发生原因为诊疗过程使用过大球囊扩张食管狭窄段或暴力操作，应尽力避免；一旦发生，要急诊行食管穿孔修补术。

6）食管支架移位：一旦发生支架移位，要及时胃镜下调整位置或重新置入。

（8）健康宣教

1）饮食管理：向患者及其家属交代饮食管理的重要性。术后当日禁食禁水，1d后方可进温热流质饮食（如牛奶、米汤，藕粉等），第2天开始予以半流质饮食，以后逐渐过渡到软食；平时进食时要细嚼慢咽，少量多餐，避免生硬、粗糙及粗纤维食物，进食后饮温水以冲洗食管，以避免食物滞留管腔造成嵌顿；金属支架由于热胀冷缩原理，会遇冷收缩造成支架脱落至胃腔内，应指导患者注意避免进食冰水、冷饮及雪糕等。

2）药物治疗：为预防食管支架置入后食管应激性溃疡形成，可遵医嘱使用胃黏膜保护剂及质子泵抑制剂；疼痛明显时可适当使用止痛剂。

3）其他：嘱患者若有饮水呛咳、进食后突然哽咽，可能为支架移位和阻塞的表现，应及时来院就诊。

6.经内镜食管狭窄扩张术

（1）概念

经内镜食管狭窄扩张术是指通过电子胃镜，利用专用器械，对因各种因素引起的食管狭窄段进行机械扩张而达到对症治疗的诊疗技术，包括探条扩张术和球囊扩张术。

（2）适应证

1）病理性食管狭窄，如食管术后吻合口狭窄等。

2）功能性食管狭窄。

（3）禁忌证

1）符合电子胃镜检查禁忌证。

2）重度食道静脉曲张患者。

（4）患者准备

1）患者状态良好，情绪稳定，穿宽松衣物。

2）术前禁食禁饮8～12h。

3）胃排空延迟或幽门梗阻者，术前要充分洗胃。

（5）设备及物品准备

1）设备：治疗型电子胃镜、吸氧设备、心电监护仪等。

2）物品：专用物品，包括食管扩张探条、食管扩张球囊、斑马导丝或钢导丝、压力枪、镇静止痛药物、黏膜麻醉剂、润滑剂、消泡剂等；基础物品及急救物品，详见经电子胃镜检查技术。

（6）护理配合

1）提前做食管X线或钡餐检查，明确食管狭窄范围及程度。

2）协助医生测量食管狭窄段部位及长度。

3）协助患者采取左侧屈膝卧位，解开裤带及领口，取下活动义齿。

4）遵医嘱给患者肌注镇静止痛药物。

5）其他护理要点详见经电子胃镜检查技术。

（7）并发症处理

1）胸骨后疼痛及异物感：轻度症状无须特殊处理，疼痛剧烈时可遵医嘱适当使用止痛药物。

2）出血：多与食管扩张过程致黏膜损伤有关，处理详见电子胃镜检查技术。

3）穿孔：多与探条扩张时医生暴力操作有关，处理详见电子胃镜检查技术。

4）食管气管瘘：一旦发生，要立即请外科医生会诊，必要时进行手术处理。

（8）健康宣教

1）嘱患者当日注意休息，避免用力咳嗽，以防食管黏膜破裂出血。

2）术后禁食禁饮6～8h；近期饮食以清淡、易消化为主，少量多餐，逐渐过渡；平时进食后2h内避免平卧，适当活动，睡眠时抬高床头15°～30°，防止食物反流。

3）若有胸骨后突然剧烈疼痛或呕血、黑便等症状，常提示食管穿孔或出血，要及时来院就诊。

7.经内镜空肠营养管置入术

（1）概念

经内镜空肠营养管置入术是通过电子胃镜，经患者鼻腔或口腔入镜置入空肠营养管，从而提供持续营养支持的辅助诊疗技术。

（2）适应证

1）上消化道吻合口瘘不能经口进食者。

2）急性重症胰腺炎禁食期。

3）各种原因所致上消化道梗阻不能正常进食者。

4）胃肠手术后胃肠功能障碍等。

（3）禁忌证

1）严重心肺疾患无法耐受胃镜插管者。

2）有明确消化道穿孔者。

3）腐蚀性食管炎急性期患者。

4）明显的胸腹主动脉瘤及脑卒中患者。

5）重度食道-胃底静脉曲张的患者。

6）胃肠道严重梗阻，无法置管者。

（4）患者准备

1）置管前禁食8～12h，禁饮4～6h。

2）其他准备详见电子胃镜检查技术。

（5）设备及物品准备

1）设备：经鼻电子胃镜、吸氧设备、心电监护仪等。

2）物品：专用物品，包括空肠营养管、导丝、鼠齿钳、鳄齿钳、异物钳、固定别针、胶布、黏膜麻醉剂、润滑剂等；基础物品及急救物品，详见电子胃镜检查技术。

（6）护理配合

1）清理患者鼻腔，做好鼻咽部黏膜麻醉。

2）液状石蜡润滑空肠营养管。

3）置管成功后妥善固定空肠营养管。

4）其他护理配合要点详见电子胃镜检查技术。

（7）并发症处理

1）营养管堵塞：常由于饮食成分过稠或管饲后未及时冲洗营养管使食物堵塞所致。一般通过温开水冲管即可疏通，无法疏通时，则拔管后重新置管。

2）腹胀腹泻：常由患者对管饲饮食不耐受所致，应及时调整饮食成分。

3）恶心呕吐：常由管饲饮食污染、成分异常或灌注速度过快所致，应注意避免。

（8）健康宣教

1）妥善固定空肠营养管，随时检查营养管外露长度，防止脱落及移位。

2）每次管饲饮食后均要用温开水冲洗营养管，防止管腔阻塞。

3）营养液宜现配现用，成品营养液开启后在24h内使用，以防变质。

4）每次管饲饮食时灌注速度不宜过快，量不宜过大。

5）患者恢复经口进食后，可以考虑拔除营养管。

8.经内镜逆行胰胆管造影（ERCP）及相关诊疗技术

（1）概念

经内镜逆行胰胆管造影（ERCP）开口及相关诊疗技术是指将电子十二指肠镜经口入镜插入至十二指肠降部，循十二指肠乳头插入专用器械进入胆管或胰管内，在X线透视或摄片下进行造影以完成对胆胰疾病的诊断、治疗及手术的内镜技术。

（2）适应证

1）梗阻性黄疸患者考虑有肝外胆管梗阻以进一步诊断。

2）肝外胆管结石、胆道蛔虫病等内镜下手术及治疗。

3）各种原因所致胆管梗阻，需要置入支架引流等。

（3）禁忌证

1）符合电子胃镜检查禁忌证。

2）凝血功能不佳或长期使用抗凝药物者。

3）确定有造影剂过敏者。

4）无明确ERCP适应证者。

5）年老体弱不宜耐受内镜插管等患者。

（4）患者准备

1）更换手术衣，去除随身佩戴的金属饰品。

2）术前禁食8～12h，禁饮6～8h。

3）其他准备详见经电子胃镜治疗技术。

（5）设备及物品准备

1）设备：电子十二指肠镜、高频电刀、吸氧设备、心电监护仪等。

2）物品：专用物品，包括造影管、导丝、造影剂、黏膜麻醉剂、润滑剂、十二指肠乳头切开刀、取石网篮、取石球囊、碎石器、碎石网篮以及各种规格的导丝、鼻胆管、胆管支架及支架推送器、止血药、解痉剂、镇静止痛药物等；基础物品及急救物品，详见经电子胃镜治疗技术。

（6）护理配合

1）医护人员按要求更衣，穿铅衣，戴铅帽，系铅围脖，戴防护眼镜等。

2）做好患者的辐射防护及安全管理，必要时使用约束带等。

3）协助患者采取左侧俯卧位，左下肢伸直，右下肢自然弯曲，头偏向右侧，解开裤带及领口，取下活动义齿。

4）做好鼻咽部黏膜麻醉，遵医嘱肌注解痉剂、镇静止痛药物。

5）其他护理配合要点详见经胃镜检查技术。

（7）并发症处理

1）应激性并发症：常见有喉头痉挛、低氧血症、心律失常等，多为患者过度紧张或医生操作不熟练所致。通过心理护理、氧气吸入等对症处理即可缓解。

2）感染：常见ERCP后胰腺炎，常由于诊疗过程造影剂推注过快、造影剂注入胰管或操作过程不注意无菌操作等原因所致。一旦发生，要及时按照胰腺炎诊疗规范及时处理，否则会引起严重后果，应引起高度重视。

（8）健康宣教

1）患者术日卧床休息，禁食禁饮24h。

2）术后首次进食以少量温开水或米汤为宜，进食后若无腹痛、腹胀、呕吐等症状，可从流质、半流质到正常饮食逐渐过渡。日常饮食以低脂、低胆固醇、少渣低糖、高维生素为主，少量多餐，忌暴饮暴食。

3）3d内注意监测体温及血、尿淀粉酶，有异常及时对症治疗。

9.经内镜胆管支架/鼻胆管置入术

（1）概念

经内镜胆管支架/鼻胆管置入术是利用十二指肠镜经十二指肠乳头开口导入专用器械进入胆管内，在ERCP基础上，借助X线透视按需要实施胆道支架或鼻胆管置入，以达到胆管减压、减轻黄疸、消炎的诊疗技术。

（2）适应证

1）各种原因所致的胆道梗阻。

2）胆瘘及良性胆道狭窄对症治疗。

（3）禁忌证

1）非梗阻性黄疸患者或没有证据显示胆管梗阻的患者。

2）单纯胆囊疾病没有证据显示胆管受累者。

3）凝血功能不佳或长期应用抗凝药物者。

4）对造影剂过敏者。

5）明确诊断的上消化道梗阻未解除而影响诊疗操作者等。

（4）患者准备

详见ERCP技术。

（5）设备及物品准备

1）设备：电子十二指肠镜、吸氧设备、心电监护仪等。

2）物品：专用物品，包括各种规格的鼻胆管、胆道支架及支架推送器、异物钳、一次性橡胶鼻导管、导丝、镇静止痛药物、解痉剂、黏膜麻醉剂、润滑剂、消泡剂、固定别针或胶布等；基础物品及急救物品，详见电子胃镜检查技术。

（6）护理配合

1）选择型号合适的支架，造影后插入导丝，跨过狭窄段，导丝头部到达肝内胆管，但不宜过深；保持导丝位置不变，循导丝插入一体式支架，支架末端的侧翼顶住十二指肠乳头，拉出支架内撑管和导丝，可见胆汁顺利流出，即完成操作。

2）其他护理配合要点详见ERCP。

（7）并发症处理

1）支架/鼻胆管阻塞：常为血块、泥沙样结石堵塞所致，应及时更换支架或鼻胆管。

2）胆管炎：常见发生原因为胆管原发性感染或支架/鼻胆管置入时无菌操作不严格。应积极治疗原发感染，操作过程注意无菌操作，适当使用抗生素等措施加以预防。

3）穿孔：一旦发生，嘱患者禁食禁水，行胃肠减压、镜下缝合等保守治疗，若保守治疗效果不佳，病情严重者应及时联系外科手术治疗。

4）胰腺炎或高淀粉酶血症：较常见，经过对症处理后一般常可短期内恢复正常。

（8）健康宣教

1）术后第一日监测患者血、尿淀粉酶，必要时监测血糖。

2）留置鼻胆管者，向患者及其家属讲解鼻胆管置管的重要性和必要性，妥善固定，加强维护，预防过早意外脱落；保持有效引流，密切观察引流液的颜色、性质及量，引流量过少或过多时，均要高度重视，及时报告医生对症处理。

3）胆管支架若维护良好，一般可保持通畅3～4个月；若再次出现黄疸、发热等症状，常提示支架发生移位或阻塞，应及时来院就诊。

4）其他健康宣教详见ERCP。

10.经内镜十二指肠乳头括约肌切开取石术（EST）

（1）概念

EST是通过电子十二指肠镜，在ERCP基础上，确诊患者有肝外胆管结石，先用高频电刀电凝电切方式切开十二指肠乳头及其胆/或胰管括约肌，以达到扩大胆管/胰管开口的目的，再利用专用器械取出胆管结石的内镜诊疗技术。

（2）适应证

1）各种单纯性胆管结石。

2）合并胆囊结石的胆管结石。

（3）禁忌证

1）符合电子胃镜及ERCP禁忌证者。

2）胆管多发大结石伴有胆总管下段狭窄且取石困难者。

3）胆总管特大结石无法内镜下取出者。

（4）患者准备

详见ERCP。

（5）设备及物品准备

1）设备：电子十二指肠镜、高频电刀、吸氧设备、负压吸引装置、心电监护仪等。

2）物品：专用物品，包括十二指肠乳头切开刀、取石网篮、取石球囊、碎石器及碎石网以及各种规格的导丝、鼻胆管、胆道支架及支架推送器、黏膜麻醉剂、润滑剂、解痉剂、镇静止痛药物等；基础物品及急救物品，详见ERCP。

（6）护理配合

1）根据结石的大小配合医生小心切开十二指肠乳头括约肌；对嵌顿性结石，无法通过高频切开刀者，可用针状电切刀在乳头口侧做一造口，并做引流，使胆管减压，再做乳头切开术；若切开长度大于1cm，泥沙样结石会自然排泄；对小于1cm的结石可在X线监视下将网篮伸过结石，张开网篮，抓取结石后取出；对直径大于2cm的结石，须机械碎石后再取出；对较小的结石或用碎石器粉碎的小结石，用网篮难以套取，可以用取石球囊清理取石。

2）其他护理配合要点详见ERCP。

（7）并发症处理

1）出血：常见于患者凝血功能障碍及服用抗凝药物者，或乳头切开过小、结石较大时强行取石造成黏膜撕裂所致。要及时在内镜下止血处理，如用冰盐水或止血药物局部喷洒、高频电凝止血等，必要时静脉使用止血药物。

2）穿孔：比较少见，常见于内镜下十二指肠乳头切开时切口过大，超过乳头隆起部所致。处理措施：诊疗过程避免暴力操作，手术切口适宜；一旦发生穿孔，嘱患者禁食禁水，及时行胃肠减压、抗感染等保守治疗，多数较小穿孔可在一周内愈合；若保守治疗无效，患者腹痛、腹胀等症状持续加重，要及时联系外科手术治疗。

3）胰腺炎或高淀粉酶血症：常见于医生操作技术不熟练而反复插管、造影剂注入胰管或误伤胰管所致。症状较轻者经过对症处理，一般可短期治愈；症状较重者则按照胰腺炎诊疗规范及时处理。

（8）健康宣教

1）外置鼻胆管者要妥善固定，预防过早脱落，保持有效引流，密切观察引流液的颜色、性质及量，发现异常要及时报告医生处理。

2）术后3d内注意监测血、尿淀粉酶，异常增高要及时对症处理。

3）术后1周内监测患者生命体征，严密观察病情变化，注意有无高热、腹痛、腹胀等症状，有异常及时报告医生对症处理。

4）其他健康宣教内容详见ERCP。

第三节　结局质量标准

一、敏感指标

（一）消毒监测合格率

1.指标定义

消毒监测合格率是指统计周期内消毒监测合格样本数占同期抽检同类样本总数量的比率。

2.指标意义

内镜中心消毒监测合格率是判定院感防控及管理水平的重要指标。按照 WS 507-2016《软式内镜清洗消毒技术规范》（以下简称《规范》），应每季度对内镜中心诊室空气、物表、医务人员手卫生、使用的内镜及消毒剂等进行消毒质量监测，监测结果作为评价医疗机构依法合规开展内镜诊疗业务的主要依据。因此，内镜中心消毒监测应该包括对所有运行的内镜、使用的消毒剂或灭菌剂、诊室及诊区空气、物表及医务人员手卫生等的监测。

3.计算公式

$$消毒监测合格率=\frac{同期内监测样本合格数}{统计周期内实测同类样本总数}×100\%$$

（1）分子说明："监测合格率"中"样本"可以是全部样本，也可以是某一专项样本，如胃镜、结肠镜、支气管镜或使用中的消毒剂，如戊二醛、邻苯二甲醛等。

（2）"统计周期"应为每季度一次，也可根据需要每月监测。

4.数据采集

根据院感防控原则，内镜中心定期对本部门的消毒监测合格率进行统计分析，对消毒监测不达标样本要及时分析原因，制定对策，追踪整改后再次采样监测，直到监测结果合格。

附：内镜中心消毒监测内容及要求

1.内镜清洗质量监测

（1）监测方法：目测法、蛋白质残留测定法等，常用目测法。

（2）监测时机：运行内镜应在每次清洗之后进行监测。

（3）质量标准：清洗后的内镜表面清洁，无肉眼可见污渍。

（4）监测部门：内镜中心。

2.内镜消毒质量监测

（1）监测方法：生物学监测。

（2）监测时机：每季度监测。

（3）质量标准：每次按内镜总数量的25%比例抽检。若总数量少于5件，每次全部监测；数量多于5件，每次监测不少于5件。消毒内镜菌落数≤20cfu/件。

（4）监测部门：医院感染管理科。

3.消毒剂或灭菌剂监测

（1）监测方法：有效浓度监测法、染菌量监测法、生物学监测法，常用有效浓度监测法。

（2）监测时机：有效浓度监测要求一次性使用的消毒剂或灭菌剂每批次监测；重复使用的消毒剂、灭菌剂在每次配制后监测，合格者方可使用；连续使用的消毒剂除每日监测外，在消毒内镜数量达到规定数量的50%时，要求每次使用前监测（即每条内镜监测），合格者继续使用，否则及时更换。染菌量及生物学监测每季度一次。

（3）质量标准：有效浓度在规定范围（以指示卡色带对照为准），生物学监测消毒剂菌落数≤100cfu/mL，灭菌剂菌落数为0cfu/mL。

（4）监测部门：医院感染管理科。

4.内镜清洗消毒机监测

（1）监测方法：主要是对该消毒机清洗消毒后的内镜进行生物学监测，监测结果达标者判定为消毒机合格，可投入使用。其他质量监测遵循国家相关规定。

（2）监测时机：新机安装后、使用前，旧机维修后、使用前。

（3）质量标准：消毒后内镜菌落数≤20cfu/件。

（4）监测部门：医院感染管理科。

5.手卫生及环境学消毒质量监测

（1）监测方法：生物学监测。

（2）监测时机：每季度监测。

（3）质量标准：监测手卫生菌落数≤10cfu/cm²，空气菌落数≤4cfu/(5min·90皿)。

（4）监测部门：医院感染管理科。

5.案例解析

（1）案例：某医院院感科在某季度对该院内镜中心进行消毒质量监测，采集诊室物表样本10份，医务人员手卫生10份，使用中消毒剂10份，消毒内镜15件。对以上45份样本分别进行生物学监测。监测结果显示：其中物表样本有1份菌落数为15cfu/cm²，手卫生样本中有1份菌落数为20cfu/cm²，消毒剂样本中有1份菌落数为100cfu/mL，消毒内镜样本质量监测中2份菌落数分别为15cfu/件、19cfu/件。

（2）解析：通过数据对照分析：以上45份样本中有5份样本显示有菌落生长，但有1份消毒剂样本、2份内镜样本监测菌落数在《规范》标准范围，可以判定为消毒监测合格；而1份物表样本、1份手卫生样本（共2份）显示菌落数超过《规范》标准范围，即判定为监测结果不合格。

（二）内镜相关性医院感染发生率

1.指标定义

（1）医院感染：详见第二章第五节相关内容。

（2）医院感染发生率：是指统计周期内住院患者由于在医院内获得的感染新发病例数量占同期所有住院患者数量的比率。

国家规定，医院感染发生率，一级医院≤7%，二级医院≤8%，三级医院≤10%；各级医院感染漏报率≤20%。

（3）内镜相关性医院感染发生率：是指统计周期内接受内镜诊疗患者内镜相关性医院内感染发生病例数量占同期受检内镜患者数量的比率。

2.指标意义

（1）医院内感染是衡量医疗机构院感防控水平的重要指标，关乎医疗质量及患者安全。内镜中心由于各类内镜结构的复杂性和技术操作的特殊性，发生内镜相关性感染的环节多，风险高。一旦发生院内感染，会对患者造成不同程度的伤害，尤其是发生感染群发事件后，社会影响极大，对医疗机构的冲击力、破坏力亦不可估量。因此，内镜中心应当把院感防控作为首要任务，严把质量关，尽力降低内镜相关性感染发生率。

（2）根据医院感染管理原则，内镜中心在短时间内出现临床症候群相似、怀疑有共同感染源或怀疑有共同感染途径的感染病例时，应及时进行针对性调查分析和处置工作，以防事态进一步扩大或恶化。

3.计算公式

$$医院内感染发生率=\frac{同期内住院患者新发院内感染病例数}{统计周期内住院患者总例数}×100\%$$

$$内镜相关性医院感染发生率=\frac{同期内内镜受检患者新发医院感染病例数}{统计周期内内镜受检患者总例数}×100\%$$

4.数据采集

医疗机构在发生可疑内镜相关感染性病例时，应当及时上报管理部门，管理部门要对相关诊疗流程、医疗环节、风险因素等展开全面调查，获得第一手数据资料，在确诊为院内感染后，要及时组织分析讨论，查找发生原因，积极有效处置，制定防范对策。内镜中心要对发生的案例详细记录，定期整理数据，分析总结，实现质量持续改进。

5.案例解析

（1）案例：某医院某月在同一临床科室接受ERCP相关诊疗患者中连续发生3例不明原因高热病例。医生在排除其他感染因素之后，经过分析判断，怀疑可能与ERCP诊疗感染有关。在通告内镜中心后，内镜中心随即联系院感科集中对现阶段所有运行的十二指肠镜进行生物学监测，监测结果显示：在采集的15份样本中，其中2份有细菌生长，分别为10cfu/件、15cfu/件。通过进一步实验室检查分析，认定上述3例患者的发热与ERCP诊疗使用的十二指肠镜灭菌质量不达标相关。通过统计，该院在该月共接诊ERCP相关诊疗患者108人，ERCP相关感染发生率2.7%

（2）解析：由于ERCP是直接侵入胆道系统的无菌手术类操作，《规范》要求使用的十二指肠镜应达到灭菌水平。通过对内镜清洗消毒流程跟踪调查，发现护士在执行清洗操作时未将十二指肠镜头端端帽拆卸，使抬钳器刷洗不彻底而导致局部有肉眼可见污垢残留，是造成此次生物学监测结果不达标的主要原因。

（三）职业暴露发生率

1.指标定义

（1）职业暴露：是指由于职业关系而暴露在危险因素中，从而有可能损害健康或危及生命的一种情况。

（2）医务人员职业暴露：是指医务人员在从事医疗护理工作过程中接触有害、有毒物质或传染性病原体，从而损害自身健康或危及生命的职业暴露。

（3）医务人员职业暴露发生率：通常是指医务人员由于某种因素发生的职业暴露的人数占部门医务人员总人数的比率。

2.指标意义

（1）医务人员职业暴露按接触危险因素不同分为感染性职业暴露、放射性职业暴露、化学性职业暴露及其他职业暴露。根据暴露程度分为一级、二级、三级职业暴露。

（2）内镜中心由于专业特点，发生职业暴露的环节多，风险高，概率大。风险因素常见的有患者体液及血液喷溅、接触放射源及危化品、针刺伤等，但此类职业暴露可防可控，要求内镜从业人员树立标准预防观念，具备较强的职业防护意识，经过系统的院感防控专项培训，落实规范技术操作，执行有效防范对策等。一旦发生职业暴露，应即刻启动应急处置预案，密切观察随访，直至职业暴露风险解除。

3.计算公式

$$\frac{统计周期医务人员}{职业暴露发生率} = \frac{同期内医务人员职业暴露发生人数}{统计周期内暴露于危险因素中医务人员总人数} \times 100\%$$

如果按某一风险因素计算，则计算公式：

$$某因素职业暴露发生率 = \frac{同期内该危险因素职业暴露发生人数}{统计周期内暴露于该危险因素中医务人员总人数} \times 100\%$$

说明：统计周期可以为每月、每季度或每年。

4.数据采集

在医疗机构中，无论发生何种因素的职业暴露，都应及时向院感管理部门报告，管理部门对各科室上报的数据要及时整理并分析总结，作为评价医务人员职业暴露发生率的重要参数。内镜中心也要对本部门职业暴露发生的原因、种类、数量进行记录，作为敏感指标测算的有效数据。记录方式可以利用信息系统，也可以手工记录。

5.案例解析

（1）案例：某医院内镜中心共有医护人员30人。在某年1—12月发生护士眼睛被消毒液喷溅3例，医生面部被患者体液喷溅案例2例，护士针刺伤案例1例，即该年度共发生医务人员职业暴露案例6例，职业暴露发生率为20%。

如果按某一风险因素计算，如以"消毒液喷溅职业暴露"为例，该年度消毒液喷溅职业暴露发生率为10%。

（2）解析：通过调查，上述案例中医生面部被患者体液喷溅职业暴露发生的原因是在气管镜诊疗过程中未按要求戴口罩及防护面屏；护士发生消毒液喷溅职业暴露是由于在内镜清洗消毒过程中未按要求戴防护面屏；护士针刺伤职业暴露是由于该护士在执行注射后回套针帽。分析以上案例，发生原因都与医务人员在操作过程中未按要求做好标准职业防护或不当操作有关。

二、其他重点监测指标

（一）设备完好率

1.指标定义

（1）设备：一般指生产或生产过程中常用的机械和装备，是固定资产的主要组成部分。

（2）设备管理：是指对设备从投入使用到报废全过程实行的综合管理，包括对设备的规划、使用、维护、修理以及更新。

（3）设备完好率：是指机构或部门能正常运行的设备数量占总设备数量的比率。

2.指标意义

（1）设备作为医疗机构固定资产重要的组成部分，在医疗活动中发挥着不可或缺的作用，在一定程度上影响医疗诊断水平。保障设备高效使用，是体现现代医院管理水平的重要内容。综合医院等级评审标准要求设备完好率：一级医院≥80%，二级医院≥80%，三级医院≥95%。

（2）内镜中心作为医院设备占有量较大的部门，所有业务的开展均离不开各种设备的正常运行，应该把设备完好率纳入内镜中心质量管理体系。

3.计算公式

$$统计周期设备完好率=\frac{同期内设备完好数}{统计周期内设备总数}\times100\%$$

（1）完好率统计可以对设备分类计算，也可以计算全部设备。

（2）"统计周期"可以为每月、每季度或每年。

4.数据采集

内镜中心应每年对在账设备进行清点核查，做到账物相符。建立设备运行记录本，详细记录运行状况、故障原因及维修情况等。定期总结分析，获得准确数据，为计算设备完好率及成本效益分析提供依据。

5.案例解析

（1）案例：某医院内镜中心共有在账内镜106件，在某年度共报修内镜10件，则该年度内镜（设备）完好率为90.57%。

（2）解析：通过对该内镜中心报修设备故障原因分析，报修的10件内镜有6件为钳道破损，2件为插入部外皮破损，2件为螺旋故障，其中钳道破损所致的故障发生率占总故障率的60%。通过追踪检查及原因分析，发现该内镜中心近期接受了5名进修医生，其中有3名进修医生对内镜基本构造知识欠缺，技术操作手法粗暴，尤其在向内镜钳道送活检钳时不注意对弯曲镜身的调整。上述人为操作因素，直接导致内镜钳道的破损。

（二）标本合格率

1.指标定义

标本合格率是指统计周期内采集的标本合格数占同期采集标本总数的比率。

2.指标意义

（1）标本合格率是反映所采集标本有效性的主要指标，所采集标本的合格与否直接影响病理学、细胞学等诊断结果，是医疗质量的重要组成部分。

（2）内镜中心标本包括组织活检标本、组织穿刺标本、体液标本等。由于此类标本获取途径的特殊性和不可替代性，故对标本一次性采集合格率提出更高要求。重新取材会影响整体医疗进程，引发医患矛盾。

3.计算公式

$$统计周期标本合格率=\frac{同期内采集标本合格数}{统计周期内采集标本总数}\times100\%$$

（1）"标本数"可以是某一类型标本，也可以是所有标本。

（2）"统计周期"可以为每月、每季度或每年。

4.数据采集

计算标本合格率数据可以使用统计周期内所有标本，也可统计某一专项标本，如活检标本、体液标本等。为了统计数据更加精准，建议采用专项标本数据计算，如病理组织标本、气管灌洗液标本等。

5.案例解析

（1）案例：某内镜中心在某月共采集病理标本600份，病理科反馈其中有3份标本取材过小，要求重新取材，2份标本由于脱水严重，影响切片质量而无法使用。即该月不合格病理标本共计5份。则本月病理标本合格率为99.17%。

（2）解析：标本取材过小，是由于取材医生技术不熟练或对取材标本大小标准掌握不准确所致；标本脱水是由于护士配制标本固定液浓度过大所致。

（三）医疗差错事故发生率

1.指标定义

（1）医疗差错：是指在医疗护理过程中，由于医务人员行为过失，给患者未造成或造成一般性损害结果。根据损害程度，分为一般差错和严重差错。

（2）医疗事故：是指在医疗护理过程中，医务人员违反法律法规、规章制度、操作规范、操作或行为过失直接导致患者病情加重、肢体或器官功能损害、伤残甚至死亡的情况。根据伤害程度分为一级、二级、三级、四级医疗事故。

一级医疗事故：造成患者死亡或重度残疾者。

二级医疗事故：造成患者重度残疾或组织器官功能严重损害者。

三级医疗事故：造成患者轻度残疾或组织器官一般性功能障碍者。

四级医疗事故：造成患者明显人身损害者。

（3）医疗差错事故发生率：是指医疗机构或部门在统计周期内发生差错事故的例数占同期住院或接诊患者总数的比率。

2.指标意义

（1）医疗差错与医疗事故实质上属于同一范畴，一般都是医务人员违规操作或不当执业行为导致的不良后果。由于医疗差错与医疗事故对患者造成的伤害程度及后果有本质区别，故应该将医疗差错与事故同质化管理，区别化处置。

（2）内镜中心常见的医疗差错有分诊错误、检查项目错误、报告单错误等；医疗事故常见的有患者意外跌倒/坠床而致伤致残、误诊漏诊等；其他如消化道、气道意外穿孔，内镜诊疗操作所致大出血等，虽然属于并发症范畴，但一旦发生类似事件，又往往混淆于医疗事故，应加强防范管理。

3.计算公式

$$统计周期医疗差错事故发生率=\frac{同期内医疗差错事故发生人数}{统计周期内接诊患者总人数}\times1000‰$$

（1）住院患者差错事故发生率只计算住院患者中发生的比率。内镜中心应当把所有接诊的住院和门诊患者纳入统计范围。

（2）"统计周期"一般为每年，也可根据需要设为每季度或每月。

4.数据采集

按照医疗安全管理条例，医疗机构任何部门若由于自身过失而发生各种与预期结果及目标完全相反的后果，均要按不良事件如实上报。管理部门及不良事件发生科室要如实记录，定期整理数据，分析原因，制定防范措施并督促整改落实，以降低或杜绝医疗差错事故发生率。

5.案例解析

（1）案例：某医院内镜中心在某年共接诊患者4000人次，发生2例护士误将患者气管镜检查安排为胃镜事件，1例超声胃镜安排为普通胃镜事件，1例结肠镜报告信息错误事件，1例意外坠床致使患者尾骨骨裂事件，1例下检查床时意外跌倒使头部碰撞设备导致头皮划伤事件。

（2）解析：分析上述数据，其中检查错误3例，报告单错误1例，属于医疗差错范畴；1例坠床致骨裂事件，1例跌倒致头皮外伤事件，经过医疗会诊确定为三级医疗事故。按事件类型分别计算差错、事故发生率：

$$该年内镜中心差错发生率=\frac{同期内差错发生总人数}{统计周期内接诊总人数}\times1000‰$$

$$=\frac{4}{4000}\times1000‰=0.1‰$$

$$该年内镜中心事故发生率=\frac{统计周期内事故发生总人数}{统计周期内接诊总人数}\times1000‰$$

$$=\frac{2}{4000}\times1000‰=0.5‰$$

第四节　应急预案及流程

一、应急预案

（一）突然晕厥（详见图11-2）

1.患者一旦发生晕厥，立即取适当体位，如休克者取休克体位，就地抢救。

2.对患者晕厥原因做出快速判断，密切观察生命体征、意识状态等。

3.保持患者气道通畅，给予氧气吸入，建立静脉通道。

4.呼叫医生查看患者，遵医嘱对症处理。

5.若病情允许，将患者移至检查床或安全地带施救。

6.准备急救车，即刻实施急救。

7.严密观察病情变化，做好急救记录。

（二）急性出血（详见图11-3）

1.紧急评估患者病情及出血情况，以便对症处理。

2.清理气道，保持呼吸道通畅。

3.若患者神志不清、大动脉搏动消失，立即心肺复苏。

4.绝对卧床，头部偏向一侧，预防反流窒息。

5.准备负压吸引器，及时清除口腔内血液/痰液及口鼻分泌物，防止误吸。

6.立即建立静脉通道（至少2组），快速补充血容量，维持循环。

7.紧急配血、备血，输入血制品。

8.喉头水肿、呼吸困难者紧急气管插管，必要时行气管切开。

9.准备注射针、止血夹、止血钳、止血药物等，即刻配合医生内镜下止血。

10.严密观察患者病情变化，做好急救记录。

（三）消化道意外穿孔（详见图11-4）

1.内镜检查过程中发生消化道穿孔，应立即实施补救措施。

2.建立静脉通道，给予氧气吸入，稳定患者情绪，观察患者病情变化。

3.内镜下判断穿孔位置及创面大小，小的穿孔即刻行内镜下钛夹缝合，创面较大无法缝合时，积极联系外科手术处理。

4.对于病情危重患者，积极联系急诊科、ICU等进一步处置。

5.需要转运时，要有专人护送，并做好交接工作。

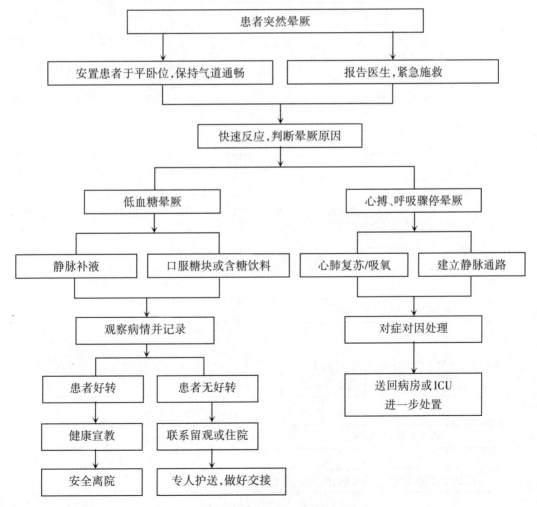

图11-2 突然晕厥应急处理流程

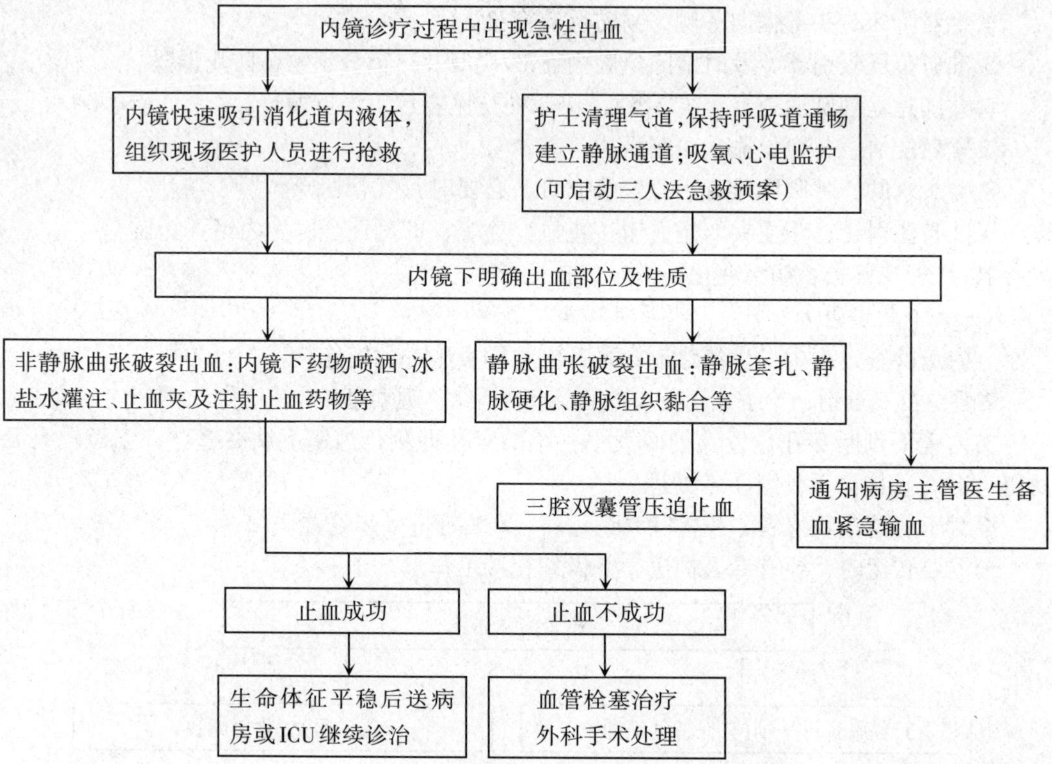

内镜诊疗过程中出现急性出血

内镜快速吸引消化道内液体，组织现场医护人员进行抢救

护士清理气道，保持呼吸道通畅建立静脉通道；吸氧、心电监护（可启动三人法急救预案）

内镜下明确出血部位及性质

非静脉曲张破裂出血：内镜下药物喷洒、冰盐水灌注、止血夹及注射止血药物等

静脉曲张破裂出血：静脉套扎、静脉硬化、静脉组织黏合等

通知病房主管医生备血紧急输血

三腔双囊管压迫止血

止血成功

止血不成功

生命体征平稳后送病房或ICU继续诊治

血管栓塞治疗外科手术处理

图11-3　急性出血应急处理流程

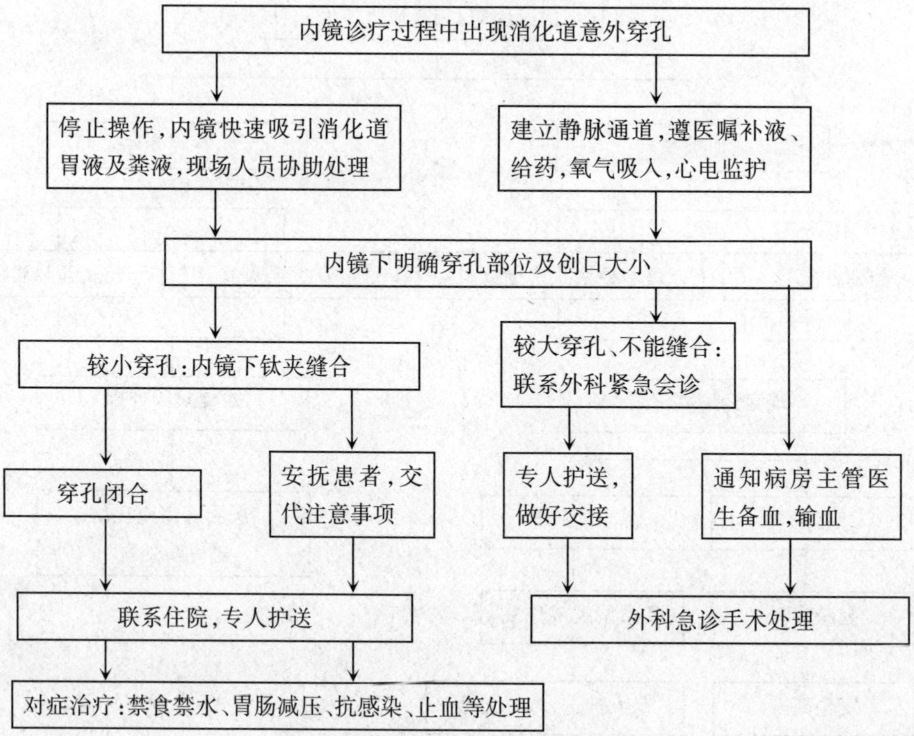

内镜诊疗过程中出现消化道意外穿孔

停止操作，内镜快速吸引消化道胃液及粪液，现场人员协助处理

建立静脉通道，遵医嘱补液、给药，氧气吸入，心电监护

内镜下明确穿孔部位及创口大小

较小穿孔：内镜下钛夹缝合

较大穿孔、不能缝合：联系外科紧急会诊

穿孔闭合

安抚患者，交代注意事项

专人护送，做好交接

通知病房主管医生备血，输血

联系住院，专人护送

外科急诊手术处理

对症治疗：禁食禁水、胃肠减压、抗感染、止血等处理

图11-4　消化道意外穿孔应急处理流程

（四）误吞（详见图11-5）

1.了解病史，评估病情，确定误吞物品形状及嵌顿位置，制定内镜诊疗方案。

2.用物准备：适宜内镜、异物钳、圈套器、异物网篮、黏膜麻醉剂等。

3.患者准备：心理护理、配合指导、咽部麻醉、知情告知并签字等。

4.误吞解除：异物留证，让患者及其家属过目，交代注意事项；误吞未解除：向患者及其家属交代病情，联系外科医生会诊处理。

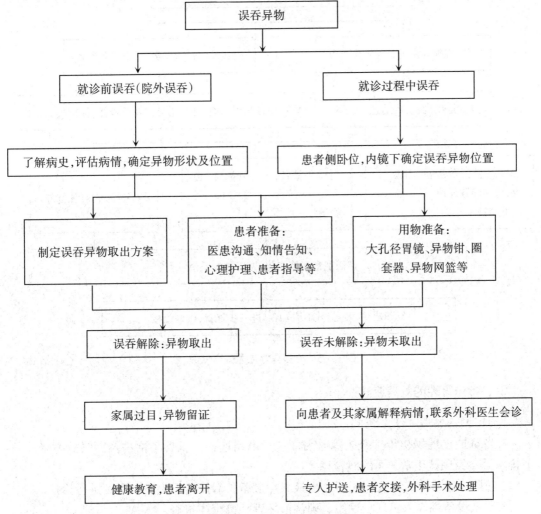

图11-5　误吞应急处理流程

（五）心搏骤停（详见图11-6）

1.判断标准：患者意识丧失，大动脉搏动消失，无自主呼吸。

2.启动抢救预案：紧急呼叫支援，就地抢救。

3.开放气道，清除口鼻分泌物，面罩给氧或气管插管。

4.建立静脉通道，快速补液扩容，维持循环，遵医嘱用药。

5.严密观察病情变化，做好抢救记录。

6.复苏成功，及时转运，做好交接。

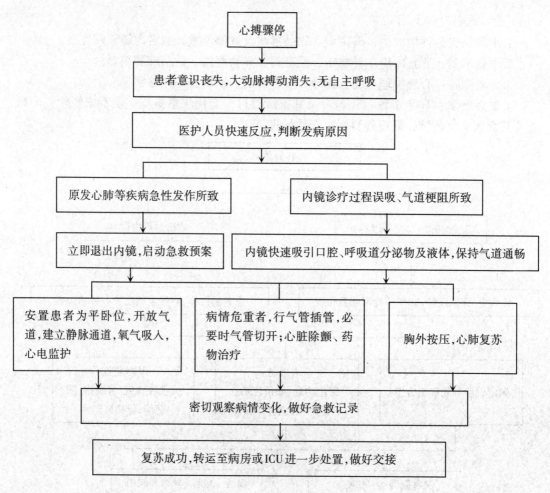

图11-6 心搏骤停应急处理流程

二、特殊事件的处理流程

（一）设备故障（详见图11-7）

1. 当班护士现场初步排查故障原因，包括电路连接、仪器零部件及网络故障等；故障排除后，经调试正常方可继续使用。

2. 故障未能排除者，安抚患者，更换故障设备，启用备用设备，继续进行诊疗。

3. 联系设备维修人员现场勘验，确认损坏者，按程序报修。

4. 做好设备故障排查及报修记录。

（二）投诉处理（详见图11-8）

1. 热情接待患者，落实首接首诊负责制，安抚患者情绪。

2. 调查投诉原因及事件经过，做好医患沟通。

3. 根据投诉问题，积极采取措施解决问题，取得患者谅解。

4. 对于无法解决的纠纷、投诉，及时汇报科室领导妥善处理。

5. 记录事件经过，必要时上报主管部门。

6. 定期组织案例学习，分析讨论，总结经验，改进工作。

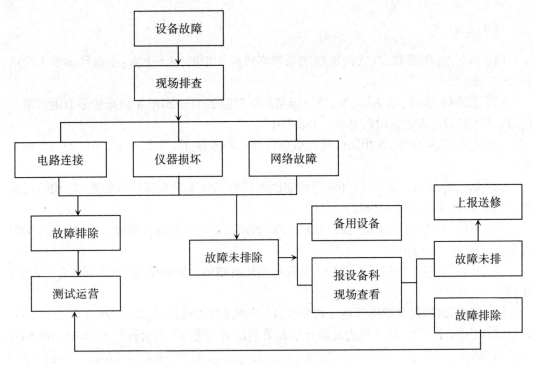

图 11-7　设备故障处理流程

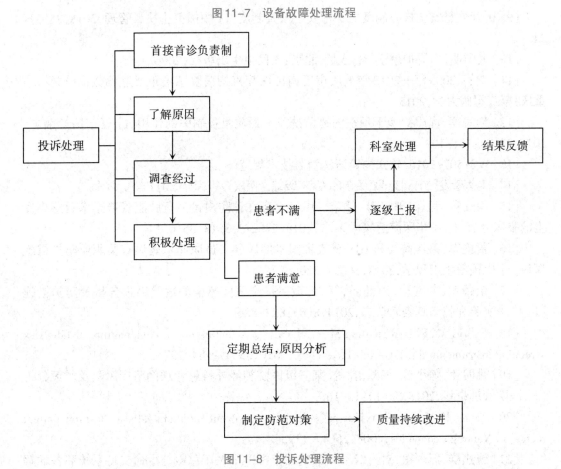

图 11-8　投诉处理流程

参考文献

[1] 马久红,席惠君.软式内镜清洗消毒实践操作指南[M].上海:上海科学技术出版社,2017:8.

[2] 张丹梅,张吟,寇华炜,等.银川市某三甲医院2011—2016年消毒效果监测结果分析[J].中国消毒学杂志,2018,35(7):498-501.

[3] 蒋彩霞,陈清华.医用高值耗材信息化管理的体会[J].当代护士,2018,25(8):187-188.

[4] 郭红梅,李丽,晋子纯."6S"管理在医用耗材二级库房管理中的实践[J].山西医药杂志,2018,47(16):1965-1967.

[5] 汤国平,胡亮,徐华健.基于JCI标准的医用高值耗材精细化管理实践[J].现代医院管理,2018,16(1):81-83.

[6] 黄晓晨.基于医疗供应链的G医院医用耗材精细化管理研究[D].南京:南京大学,2019.

[7] 苏波.医用耗材库房管理方式分析[J].中国医疗器械信息,2018,24(14):159-160.

[8] 王平,于飞飞.医疗机构危险化学品管理的研究进展[J].全科护理,2018,16(10):1183-1185.

[9] 医疗质量安全核心制度之手术安全核查制度[J].中国卫生质量管理,2018,25(5):24.

[10] 尤黎明.内科护理学[M].5版.北京:人民卫生出版社,2006.

[11] 贺莉.2003年—2013年重庆市巴南区医疗机构医院感染重要监测数据分析[D].重庆:第三军医大学,2015.

[12] 彭海萍.优质护理干预在内镜清洗及消毒质量控制中的作用[J].辽宁医学杂志,2019,33(3):101-103.

[13] WS-507-2016,软式内镜清洗消毒技术规范[S].

[14] 卫医管发[2011]33号,关于印发《三级综合医院评审标准(2011年版)》[S].

[15] 徐安芬,程霖,郭艳等.邻苯二甲醛消毒在预防内镜逆行胰胆管造影术后感染发生的临床分析[J].中华医院感染学杂志,2018,28(22):3513-3516.

[16] 黄艳军.某医院骨科HIV感染者围术期医务人员职业暴露调查及职业防护措施探讨[J].中国卫生工程学,2017,16(5):620-622.

[17] 余德兰,刘健琼,卢健丽,等.内镜室护士医院感染的危险因素分析及防护措施[J].中华实验和临床感染病杂志,2014,8(6):823-826.

[18] FabreJ M,Ellis R,Kosma M,et al.Falls risk factors and a compendium of falls risk screening instruments[J].J. Geriatr Phys Ther.,2010,33(4):184-197.

[19] 姚明亚,陈小芳,卢佩蕾,等.某三级医院神经外科患者跌倒坠床风险及对策分析[J].医院管理论坛,2018,35(1):13-16.

[20] Tzeng H M,Yin C Y.Nurses' solutions to prevent inpatient falls in hospital patient rooms[J].Nursing Economics,2008,26(3):179.

[21] 施燕群,彭顺银.对三级甲等医院评审标准中关于急救与生命支持系统装备的解

析[J].中国医疗设备,2014,29(4):107-108,163.

[22] 医疗事故分级标准[N].中国中医药报,2002-08-19.

[23] 伍仲秀,吴志敏,徐坤仪,等.品管圈活动提高术中离体标本固定时间合格率的效果分析[J].中国实用医药,2019,14(8):193-195.

第十二章 手术室护理质量标准

第一节 结构质量标准

一、制度与规范

（一）组织管理

组织体系构建具备三级护理管理组织体系，详见图12-1。

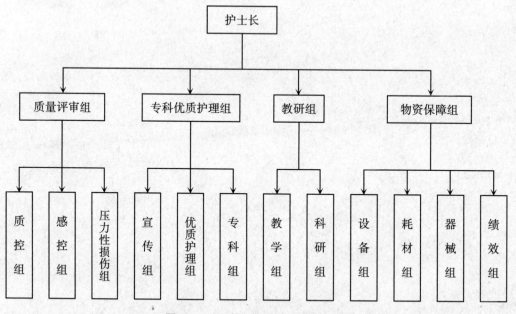

图12-1 手术室护理组织管理架构

（二）岗位工作职责

在护理部领导下开展工作，手术室根据实际工作量、开展业务等需要设置护理岗位，按护理岗位制定各班岗位工作职责。详见表12-1。

表12-1　手术室护士岗位职责说明

岗位名称	岗位职数	任职资格	工作权限	岗位职责
护士长	1	学历:本科及以上 职称:主管护师及以上 工作年限:专业工作10年以上	工作范围:手术室 直接上级:护理部 直接下级:手术室所有工作人员	1.行政管理 2.制定标准 3.质量控制 4.安全管理 5.统筹规划
二级管理组长	根据需要设置	学历:专科及以上 职称:主管护师及以上 工作年限:专业工作5年以上	工作范围:手术室 直接上级:护士长 直接下级:护士	1.制订计划 2.质量管理 3.安全管理 4.科室管理
亚专科组长	根据需要设置	学历:专科及以上 职称:护师及以上 工作年限:专业工作5年以上	工作范围:手术室 直接上级:护士长 直接下级:护士	1.制定标准 2.质量管理 3.安全管理 4.业务指导
巡回护士 (专业技术岗位)	根据工作量设置	学历:专科及以上 职称:护师及以上 工作年限:专业工作2年以上	工作范围:手术室 直接上级:护士长 直接下级:无	1.手术配合 2.患者护理 3.感控管理 4.安全管理
器械护士 (专业技术岗位)	根据工作量设置	学历:专科及以上 职称:护士及以上 工作年限:专业工作1年以上	工作范围:手术室 直接上级:护士长 直接下级:无	1.手术配合 2.患者护理 3.感控管理 4.安全管理
总务护士 (保障岗位)	1	学历:专科及以上 职称:护师及以上 工作年限:专业工作5年以上	工作范围:手术室 直接上级:护士长 直接下级:无	1.每日手术排班 2.协调患者接送 3.感控管理 4.安全管理
器械保障班护士 (保障岗位)	1	学历:专科及以上 职称:护师及以上 工作年限:专业工作5年以上	工作范围:手术室 直接上级:护士长 直接下级:无	1.无菌器械、敷料包的准备和发放 2.灭菌质量监测
耗材管理护士 (保障岗位)	1	学历:专科及以上 职称:护师及以上 工作年限:专业工作5年以上	工作范围:手术室 直接上级:护士长 直接下级:无	1.物资申领 2.出入库登记 3.灭菌质量监测

1.手术室护士长工作职责

（1）在护理部的领导下，负责手术室的业务、教学、科研和管理工作。

（2）负责手术室工作计划和质量控制方案的制订、实施、检查和持续质量改进。

（3）负责手术室护理人员排班，科学分工，督促检查护理人员认真执行各项规章制度和技术操作规范，检查各级人员岗位职责履行情况，预防护理不良事件的发生。

（4）负责手术室日常工作安排，统筹安排手术，合理调配人员，确保手术安全顺利完成。督促保持手术室环境整洁，工作秩序良好。

（5）负责组织科室护理人员业务学习和技能考核，开展新技术、新业务及科研工作，掌握手术护理专业新动态。

（6）督促检查科室人员做好感染控制、消毒隔离工作，抽检每季度空气、物表、手术人员手部细菌培养结果，动态监测无菌物品灭菌效果。

（7）参与危重手术患者抢救及重大手术讨论工作，组织教学查房。安排进修、实习护士的带教培训。

（8）负责科室经济核算及管理，审签手术室仪器、设备、器械等资产的申领报销、检查使用和保管维护情况。

（9）负责对外联络，科间协调及接待参观事宜。

（10）全面掌握护理人员思想、工作和学习情况，提出考核、奖惩和培养使用意见并制定措施。

2.手术亚专科组长工作职责

（1）在护士长的领导下开展工作，认真履职，协助护士长管理。

（2）担任本专科组手术配合及抢救工作，掌握专科护理理论及技术操作，熟悉所在专科各种仪器设备、器械的使用，维护保养及常规故障的识别处理。负责专科组手术器械、设备的调整和补充，以满足手术发展的需要。

（3）制订各层级护士的培训计划，负责本专科组护士的理论、技能培训，定期考核。协助护士长组织护理查房，解决护理疑难问题。

（4）积极协助手术医生开展新技术、新业务，定期总结撰写护理论文。

（5）定期征求手术医生意见和建议，汇总后上报护士长，及时改进工作，提高手术配合质量及满意度。

3.巡回护士工作职责

（1）巡回护士密切观察手术患者生命体征。

（2）负责手术全过程中物品、器械、敷料的准备和供给，保障输血输液安全。

（3）监督所有人员无菌操作，全面负责手术中的一切事务。

（4）术前准备工作

1）查看手术通知单，了解拟实施手术名称、麻醉方式、患者相关信息（病情、过敏史、手术史、化验检查、血型等），必要时参加病例讨论，做好术前访视与宣教。

2）确认手术所需物品、器械、敷料、仪器设备和体位用物等齐全，处于功能状态。

3）检查手术间环境，符合相关规范要求，包括温度、湿度、照明、清洁情况等，发现异常及时报修，更换相应设备，避免影响手术。

4）执行手术患者交接制度，做好与病房或中央运输护士的交接，检查病历、药品和影像资料等是否齐全，确认患者有无义齿、饰品、文身、植入物及着装是否符合要求，在交接单上签字确认。

5）核对手术患者信息，确认患者身份，同时采用2种或以上方法确认，即核对腕带信息和反问式核对。再次核查手术名称、手术部位、手术知情同意书，检查患者术前准备及皮肤情况，手术部位是否标识，抗生素皮试、血型和交叉配血试验结果等。

6）患者转移至手术床时，防止坠床，并盖棉被保暖。做好心理护理，以缓解患者焦虑紧张的情绪。

7）根据手术及麻醉需要，选择穿刺部位，建立静脉通路，妥善固定。

8）实施麻醉前由麻醉医生、手术医生、巡回护士执行第1次三方核查，确保正确的患者，正确的手术部位。协助麻醉医生完成麻醉。

9）遵循体位摆放原则，与手术医生、麻醉医生共同安置患者手术体位。对受压部位预防性保护，适当约束患者，减少不必要的暴露，保护患者隐私。

10）执行手术物品清点制度，与器械护士共同认真清点核对手术台上所有器械、敷料和物品，即刻记录在物品清点单上。

（5）术中配合工作

1）协助器械护士铺置无菌台，检查无菌物品有效期、包装和灭菌指示卡，确保物品合格，打开无菌物品。

2）监督术者外科洗手消毒，协助手术人员穿无菌手术衣，安排人员就位，暴露患者手术部位，协助手术医生进行皮肤消毒、铺单，调节灯光，正确连接调试各类设备仪器。控制参观人数，保持手术间门处于关闭状态。

3）切开皮肤前执行第2次三方核查。

4）坚守岗位，随时关注手术进展，供给术中所需物品，添加物品双人清点后及时记录，掉落物品集中放于固定位置，以便清点。根据手术需要及时调节温度、湿度和灯光，并督促所有人员严格执行无菌操作技术、隔离技术及垃圾分类等。

5）密切观察患者手术中的一切动态变化，包括患者病情变化、手术体位、保暖情况，保证各种仪器设备正常运转，发现异常及时处理，确保手术安全。根据医嘱随时做好输血、输液准备，保证静脉通路通畅，防止液体外渗。

6）规范书写各类护理文书，特殊情况在护理记录单上详细记录，必要时请主刀医生签字确认。

7）遵循手术标本管理制度，与手术医生、器械护士共同确认标本名称、来源和数量，妥善固定及管理手术标本。督促相关人员及时送检，签字确认。

8）关闭体腔前、关闭体腔后及缝合皮肤后与器械护士共同清点所有物品，确认无异物遗留患者体腔。严格执行交接班制度，当面交接，内容包括手术物品、体位、皮肤和管路等，并做好交接记录。

（6）术后整理及记费工作

1）协助手术医生包扎伤口，保持患者皮肤清洁，整理患者衣物，保护隐私，注意保暖。

2）检查患者皮肤，如有损伤等异常情况，与手术医生共同确认，详细记录，做好交接班。

3）各种管路保持通畅，标识清楚，固定妥当。

4）整理患者所有物品，完成各类记录单，执行第3次三方核查。

5）与麻醉医生、手术医生共同护送患者至麻醉复苏室或重症监护病房，做好物品、手术情况、皮肤和各种管路的交接。

6）整理手术间，物归原位，补充手术间物品，如为感染手术，按感控相关制度做好处理。

7）术后严格执行收费制度，做好收费记录与手术登记。

4.器械护士工作职责

器械护士紧密配合手术医生，负责手术全过程器械、物品和敷料的供给。

（1）查看手术通知单，了解拟实施手术名称、麻醉方式、患者相关信息和手术特殊用物，必要时参加病例讨论，访视患者。

（2）根据手术需要备齐所需物品、器械和敷料，必要时请术者确认关键的器械和物品，如有疑问及时补充更换。

（3）检查所有无菌物品、器械名称、有效期、包装和灭菌指示卡，符合要求。

（4）提前15～30min洗手、穿无菌手术衣、戴无菌手套，确认周边环境符合无菌技术操作要求，铺置整理无菌台，检查手术器械性能、完整性。

（5）严格执行手术物品清点制度，与巡回护士共同清点所有器械、敷料、物品，清点时机为手术开始前、关闭体腔前、关闭体腔后和缝合皮肤后。

（6）配合手术医生消毒手术区皮肤，铺无菌单，戴无菌手套。协助医生连接各种设备。

（7）术中密切观察手术步骤及需要，主动、迅速、正确传递手术器械，及时收回用过的器械，擦拭血迹，传递前后均需检查器械完整性。传递锐器时，放在器械传递盘中，防止误伤，严格执行标准预防。主动灵活处理各种紧急情况。

（8）严格执行无菌操作规范，随时整理器械台，保持手术台及器械台整齐有序，无菌敷料浸湿应及时加盖无菌巾，备用器械用无菌巾遮盖。监督手术台上人员的无菌操作，疑似污染立即更换或加盖无菌巾。

（9）严格执行手术隔离技术，无菌和污染器械、物品等严格分区放置，不可混用，污染操作完成后立即更换手套。如为特殊感染手术，按感染类别执行《医疗机构消毒技术规范》（WS 367—2012）相关处理规定。

（10）与手术医生、巡回护士共同确认标本名称、数量和来源。妥善保管手术标本，防止遗失。

（11）完成物品清点后，告知手术医生所有物品数目正确，完整。

（12）手术结束协助医生清洁患者皮肤的血迹及包扎伤口。

（13）术后手术器械预处理后，与巡回护士共同清点无误后放入密闭转运箱，锐利精细器械单独放置。特殊器械与消毒供应中心人员当面交接并记录。对性能不佳的器械及时标记，告知相关管理人员及时更换。遵循垃圾分类原则，锐器应放置于锐器盒内。

（14）与巡回护士共同做好手术间的整理工作。

5.总务护士工作职责

（1）在护士长的领导下工作。

（2）负责每日择期手术及各术间巡回、器械护士的安排工作。

（3）协调中央运输人员完成每日手术患者的接送工作，认真核对每个手术患者信息（姓名、性别、年龄、科室、手术名称及部位、手术知情同意书签署等），查看手术标识、术中带药、影像资料等。

（4）礼貌接听电话，有关事宜及时通知护士长及相关人员。

（5）协助急危重症手术患者的转运工作，并及时通知相关班次的人员。

（6）负责定期送洗患者棉被及拖鞋，检查患者转运车的清洁情况，督促相关人员每日擦拭转运车。

（7）每日与值班人员做好物品、环境的交接工作，保证物品齐全、完好，环境整洁、安静。

6.器械保障班护士工作职责

（1）在护士长的领导下工作。

（2）依据手术通知单准备急诊、择期手术所需器械、敷料包等，合理计划和调配，保障手术顺利完成。

（3）负责接收、清点消毒供应中心每日配送的无菌器械、敷料包，按规范合理放置，有问题及时与消毒供应中心联系。

（4）定期与专科组长沟通，根据手术需要及时调整、添加手术器械。负责老化、损坏器械的更换和登记工作。

（5）每日定时检查所有无菌器械、敷料包的有效期、包装、放置情况，保证无菌间无过期、包装破损器械。物品架清洁、干燥，物品摆放规范、整齐。

（6）节假日期间，准备足量应急物资，并做好交接班。

7.一次性耗材管理人员工作职责

（1）高值耗材管理人员工作职责

1）高值耗材管理人员须熟悉科室所有高值耗材的种类、用途，按照医院及科室规章制度严格管理所有耗材。

2）所有高值耗材均设有一定基数，管理人员每日依据基数从医院一级库房申领耗材，准确登记入库。

3）每日根据各手术间巡回护士填写的高值耗材申领单发放耗材，当日下午及次日晨收回剩余耗材，与高值申领单核对使用数量和剩余数量，并与计费人员核查使用的耗材是否计费，有问题及时与巡回护士联系，防止费用漏计、错计、多计。

4）每日将使用的高值耗材准确登记出库，对存放耗材的申领箱进行擦拭，保持箱内干燥、清洁。

5）负责各手术间临时用高值耗材的配送。

6）保持高值耗材库房及存放柜的清洁、整齐。

7）月末对所有高值耗材进行盘库，账物相符，查看有效期，杜绝耗材过期。对效期临近的耗材贴明显标识，尽快发放使用。

8）未经护士长批准，不得随意外借高值耗材。

（2）低值耗材管理人员工作职责

1）低值耗材管理人员须熟悉科室所有低值耗材的种类及用途，按照医院及科室的规章制度严格管理所有低值耗材。

2）定期根据科室低值耗材库存从医院一级库房申领所需耗材，准确登记入库。

3）每日依据各手术间《物品使用登记本》记录并发放低值耗材，并准确出库。

4）每日对低值耗材存放箱擦拭，保证箱内清洁、干燥。

5）保持低值耗材库房及存放柜的整洁、干燥。

6）月末对所有低值耗材盘库，并检查所有耗材有效期，杜绝耗材积压、过期。一次性物品根据手术常规用量，建立所有医用耗材的最低储备量，同时设立预警值，留置针、缝线、手套消耗量大，预警值设为不低于50%的最低储备量，达到预警后，及时领取补充。

7）未经护士长批准，不得随意外借任何低值耗材，外借的低值耗材须有借条，并尽快收回外借物品。

（三）管理制度

1.手术室一般管理制度

（1）进入手术室人员须严格遵守手术室各项规章制度，按规范着装，头发不得外露在手术帽外，口罩须遮住口鼻。工作期间外出，须穿外出服，换外出鞋。工作结束后将用过的衣、裤、鞋、帽和口罩放置在指定位置。

（2）严格控制进入手术室人员，与手术无关人员一律不得入内，患严重上呼吸道感染人员禁止进入手术室。

（3）参加手术人员须在手术前20～30min进入手术室做好准备。

（4）手术室分区明确，流程合理，标识醒目。环境整洁、安静，不得大声喧哗，工作秩序良好。人员、物品按照规定的区域进出和运送。

（5）手术须在指定的手术间进行，有接台手术，先行无菌手术，再行污染手术。

（6）手术室的仪器设备、无菌器械、敷料、物品定点放置，定期检查、清洁和保养，并设专人管理。

（7）手术人员须爱护器械、设备，如有损坏及时上报护士长。

（8）手术人员应保持严谨的工作作风，不应坐、卧于手术间地面或手术床上，手术间保持肃静，不谈论与手术无关的话题。

（9）手术室工作人员应熟悉各种设备、物品位置及使用方法。急救药品及器材做到"五定"，并保持性能良好。

（10）新入院医生，进修、实习医生必须完成岗前培训方可进入手术室。在无本院医生带教时，严禁单独手术。

（11）特殊感染手术只能在特殊感染手术间进行，应提前通知手术室做好相应准备。

（12）手术室在夜间及节假日应设专人值班，以随时进行各种急诊手术，并对手术室所有手术患者的信息做好登记。

2.手术标本管理制度

凡在手术室内实施手术所取下的组织、器官或与患者疾病有关的物体、异物等，均视为手术标本。

（1）手术标本管理原则：①即刻核对原则。标本产生后器械护士立即与主刀医生核对标本来源。②即刻记录原则。标本取出核对无误后，巡回护士即刻记录标本来源、名称和数量。③及时处理原则。标本产生后尽快固定或送至病理科处理。

（2）标本切除后，器械护士须根据标本体积、数量，妥善放于合适容器内，防止标本干燥、遗失和污染无菌台。标本不得与清点物品混放。

（3）巡回护士须准确填写标本袋（容器）上各项内容（患者姓名、性别、年龄、科室、住院号、标本名称、手术日期、离体时间、固定时间和手术医生等），字迹清晰，标本离体30min内固定，固定液不少于标本体积的10倍，并确保标本全部置于固定液中，容器完好不渗漏。准确填写标本登记本，将病理申请单与标本核对无误后放于指定位置，标本存放间温湿度适宜，避免温度过高。

（4）手术室有专人负责标本送检，送检前再次核对标本容器标签、病理申请单、标本登记本上的各项内容完全相符方可送检。发现问题及时与相关人员联系，不得自行随意涂改。特殊标本如巨大标本应及时送检，防止标本自溶、腐败和干涸等。

（5）标本送检人员应经过专门培训，送检时与病理科接收人员进行核对，无误后双方签字确认。

（6）术中快速冰冻标本，术前由主管医生填写病理申请单，注明冰冻。标本切除后立即送检，不用固定液固定。送检前器械护士、巡回护士和主刀医生再次核对标本来源、名称和数量，无误后送检。

（7）肝炎、梅毒、HIV等传染病或特殊感染手术标本须在标本容器上注明。

（8）任何人不得随意将手术标本取走或切割，如有特殊原因，需经主刀医生和巡回护士同意，并做好记录。

（9）无病理价值和保留价值的组织、器官、肢体均应让患者或者家属确认后并做好手术标本的登记，然后按病理性医疗废弃物处理。对无病理检查价值的体内异物、内固定物等，家属确认后做好登记并按医疗废弃物处理。

3.手术物品清点制度

（1）严格遵循手术物品清点原则，即双人逐项清点原则、同步唱点原则、逐项即刻记录原则、原位清点原则。

（2）手术前，巡回护士仔细检查手术间环境，不得遗留上一台手术患者的任何物品。器械护士对所有手术器械、敷料及各项物品进行整理，定位放置。器械护士、巡回护士在手术开始前、关闭体腔前、关闭体腔后和缝合皮肤后，共同清点器械、敷料等的数目、性能和完整性，每次2遍。巡回护士准确记录并复述。术中临时增加的器械或敷料，及时准确记录。

（3）清点物品前，巡回护士应将随患者带入手术间的伤口敷料、绷带等彻底清理出手术间。

（4）术中器械护士应及时收回使用过的器械、缝线、钢丝、克氏针等的残端和裁剪的引流管碎片。医生不可自行拿取手术台上物品，暂不使用的器械及时交给器械护士，不得乱丢或放置在手术区。

（5）手术切口内应使用带显影标记的纱布、纱垫等敷料。手术中使用的敷料应保留原始规格，不得裁剪或做其他任何改型，特殊情况必须裁剪或改型时，及时准确记录。

（6）凡体腔或深部组织术中使用有带纱垫时，带子尾端放在切口外，防止敷料遗留体内，同时术者应告知器械护士，器械护士对填塞纱布的数量做到心中有数。手术切口内须填塞纱布、纱垫等敷料压迫止血并带离手术室时，应将敷料的种类、数量准确记录在手术护理记录单上，术毕请手术医生详细记录在病历中，取出时须核对数目，与记录数目相符，并检查其完整性。

（7）器械护士应注意力集中，及时、准确传递手术所需物品。凡手术台上掉落的器械、敷料等物品，巡回护士应及时捡起放在固定位置，未经巡回护士允许，任何人不得拿出手术间。

（8）器械护士不可将手术台上纱布、纱垫等物品交于其他人员做他用，术中送冰冻切片、病理标本时严禁用纱布包裹。硬膜外穿刺包、深静脉穿刺包等包内的纱布不可与手术用的纱布、纱垫相同，以免混淆。

（9）物品数目和完整性清点有误时，立即告知手术医生共同寻找缺失部分或物品，若找到缺失部分或物品，器械护士、巡回护士和手术医生共同确认为该台手术遗失物品。如采取各种手段均未找到，X线辅助确认物品不在患者体内，须手术医生、巡回护士和器械护士签字、存档，按不良事件上报。

（10）大手术、危重手术和新开展手术，不得中途换人进餐或从事其他工作。特殊情况确须换人时，交接人员须当面交清器械、敷料等物品的数目，共同签名。

二、人力资源

（一）人员配置

根据医院手术间数量、手术种类和特点、每日手术间持续使用时间等实际情况合理配置护士数量，以保证医疗护理工作的正常进行，提高效率。

1.人员编制

一般综合性教学医院手术间数量与外科床位数比例为1：（25～30），手术室护士与手术间护士之比为3.5：1。各个医院由于所承担的手术量与手术类型不一致，也可参考护理人力资源配置公式：所需护理人数=每年所需工作总时数/每名护理人员实际可提供的工作时数+机动数（20%～25%）。

2.人员结构

（1）护士的结构：根据手术室护士从事手术护理工作的时间，人员结构上可分为3个层次，即10年以上为高年资护士，5～10年护士为中年资护士，5年以下的护士为低年资护士。一般高：中：低年资护士比例为1：5：10。

（2）组织结构：手术室护士长、职能护士（总务护士、教学护士等）和手术护士（器械护士和巡回护士）。

（二）人员培训

手术室工作专业性强，应有计划地对护士进行专业化培训。针对不同级别的资质要求，进行分级培训，有利于手术室护理专科化发展，有利于提高手术室护理质量和水平。

（1）目的

规范手术室护士在职培训内容与培训方法，明确不同层级的手术室护士应掌握的专业领域相关知识、技能和态度，为各级医院手术室护士分层培训提供指导。

（2）层级划分

N0：刚进入手术室工作的护士，经过至少1年的准入培训后，能独立承担手术室护士的工作，完成一级和二级手术配合。

N1：完成准入培训后的手术室护士，能够胜任三级手术配合，并参与手术室护理临床教学工作和抢救配合。

N2：经过N1阶段培训后的手术室护士，能够胜任三级手术配合，并参与手术室护理教学、抢救配合和护理科研。

N3：经过N2阶段培训后的手术室护士，能够胜任四级手术、亚专科领域内的重大疑难手术以及新开展的手术配合，并参与手术室护理教学、抢救配合、护理科研和手术室护理管理。

N4：经过N3阶段培训后的手术室护士，能够引领亚专科领域护理内涵建设，能主持专科及亚专科手术的疑难护理讨论、教学查房、专科护理会诊、专科护理质量检查与评价标准修订及手术室护理管理工作。

（3）分层培训与考核评价

1）N0级护士

①培训目标：本阶段护士的在职培训，以学用一致为原则，注重思维能力、实践能力、沟通能力、人文素养的培养，重点掌握手术室基础专业知识、基础专业技能。

知识目标：掌握国家相关法律、法规和部门规章，熟悉手术室护士职责、各项制度、流程、应急预案等。

技能目标：掌握基础护理操作技术和手术室护理操作技术，熟悉一、二级手术的洗手配合，熟悉手术室常见仪器、设备、器械的使用和保养。

素质目标：具备良好的职业素养、政治素养、沟通能力和服务能力等。

②培训内容：见表12-2。

表12-2　N0级护士培训内容

专业知识	基础理论知识	疾病相关知识,如一、二级手术疾病相关知识等
		急救相关知识,如心肺复苏要点等
		核心制度,如安全查对制度、患者身份识别制度等
		职业防护,如锐器伤预防等
		感染预防与控制,如医院感染控制规范等
		相关法律、伦理,如《护士条例》等
		护理文件书写
	专科理论知识	局部解剖相关知识,如一、二级手术的基础解剖等
		麻醉相关知识,如常见麻醉方法及并发症护理等
		消毒隔离知识,如手卫生、无菌技术等
		常规手术方式及手术步骤,如一、二级手术步骤等

续表12-2

专业态度	个人素质	适应能力、压力应对等培训,如护士的压力管理与心理调适等
	职业素养	职业素质培训,如护理礼仪与职业素养等
	交流能力	交流与沟通能力培训,如护士人际沟通技巧等
专业能力	评估与干预	术前核对及准备,如手术安全核查制度等
		标准预防实践
		病情观察,如一、二级手术患者病情观察要点等
		护理服务,如手术室优质护理实践、手术室人文关怀等
		护理文件书写,如手术清点记录单的书写规范等
	专科操作	常用护理技术,如手术室无菌器械台的摆放规范等
		手术隔离技术
		消毒隔离管理
		一、二级手术洗手配合
		急救技术应用,如心肺复苏技术等
	器材使用	手术耗材的正确使用,如手术缝线的类型和术中应用等
		手术器械的使用及维护,如手术室常用手术器械的识别等
		手术常用仪器设备的使用及维护,如手术床、无影灯的使用等
		手术急救仪器设备的使用及维护,如除颤仪的使用和维护等
	专业发展	护士职业生涯规划

③考核评价：参加护士规范化培训并完成护理部及手术室各项理论与操作考核；临床实践技能培训经专科理论和相关手术配合技能考核合格后，方可轮转学习其他手术配合。

2）N1级护士

①培训目标：本阶段护士的在职培训，立足院内，重点掌握手术室专科理论和专科技能。

知识目标：掌握手术室各项工作职责、制度、流程、应急预案等。

技能目标：熟悉部分专科操作，全面掌握三级手术的洗手配合，熟悉一、二级手术的巡回配合，熟悉并掌握部分手术室各种仪器、设备、器械的使用和保养。

素质目标：具备良好的个人素质和职业素养、交流能力、评判性思维能力和基本临床护理的服务能力。

②培训内容：见表12-3。

表12-3　N1级护士培训内容

专业知识	基础理论知识	疾病相关知识,如三级手术疾病相关知识等
		急救相关知识
		手术室核心制度,如患者交接制度、术前及术中安全用药制度等
		职业防护
		感染预防与控制
		相关法律、伦理、手术室专业指南、规范等
		护理文件书写,如转运交接单等
	专科理论知识	局部解剖相关知识,如三级手术的基础解剖等
		手术体位与相关并发症知识,如标准仰卧位的安置原则、并发症预防等
		麻醉相关知识,如常见麻醉方法等
		手术室感染防控知识
		常见三级手术方式及手术步骤
专业态度	个人素质	适应能力、压力应对等培训,如护士的压力管理与心理调适等
	职业素养	职业素质培训,如护理礼仪与职业素养等
	交流能力	交流与沟通能力培训,如护士人际沟通技巧等
	评判性思维	发现问题,提出意见和建议,如护理评判性思维的培养
专业能力	评估与干预	术前访视及评估,如手术室术前访视流程等
		标准预防实践,如标准预防技术等
		病情观察,如三级手术患者病情观察
		安全隐患识别及预防
		健康教育,如常见三级手术患者健康宣教等
		心理护理,常见三级手术患者围手术期心理护理等
		护理服务,如手术室优质护理实践等
		护理文件书写
		突发事件处理,如术中物品清点不清的应急处置等
		不良事件处理,如手术室不良事件上报、流程及分析等
	专科操作	手术室常用技术操作
		手术隔离技术
		手术室感染预防与控制管理
		常见三级手术洗手配合
		急诊手术配合,如硬膜下脑血肿清除术的洗手配合等
		急救技术应用

续表12-3

专业能力	器材使用	手术耗材的正确使用,如专科耗材的使用等
		手术器械使用及维护能力,如常见三级手术器械的使用等
		手术常用仪器设备使用及维护
		手术急救仪器设备使用及维护
		手术专科仪器设备使用及维护
		手术仪器故障处理,如能量平台的常见故障处理等
	专业发展	护士职业生涯规划
		护理质量持续改进的方法

③考核评价：完成N1级人员课程培训，完成护理部及手术室各项理论与操作考核。手术室N1级护士理论与操作考试合格后，方可进行下一能级培训，不合格者，延长培训时间，直至考核合格；通过手术室独立护理工作能力考核。

3）N2级护士

①培训目标：本阶段护士的在职培训以全面提高临床护理能力为导向，巩固基础，不断提高手术室护理工作能力和护理水平。

知识目标：掌握手术室各项职责、制度、流程、应急预案等。

技能目标：掌握大部分专科操作，全面掌握常见四级手术洗手配合，熟悉部分亚专科复杂手术配合。掌握手术室各种仪器、设备、器械的使用和保养。

素质目标：具备良好的个人素质和职业素养、沟通协调能力、应急处理能力和评判性思维能力，具有一定的临床带教能力和手术室管理能力。

②培训内容：见表12-4。

表12-4　N2级护士培训内容

专业知识	基础理论知识	疾病相关知识,常见四级手术疾病相关知识等
		急救相关知识
		手术室核心制度,如输血制度等
		职业防护
		感染预防与控制
		相关法律、伦理、手术室专业指南、规范等
		护理文件书写
	专科理论知识	局部解剖相关知识,如常见四级手术的基础解剖等
		手术体位与相关并发症知识,如侧卧位的安置原则等
		麻醉相关知识,如常见麻醉相关突发事件的处置和配合等
		感染预防与控制
		常见四级手术方式及手术步骤
		复杂手术方式及手术步骤,如腹腔镜下肝切除术的手术步骤

专业态度	个人素质	适应能力、压力应对等培训,如护士的压力管理与心理调适等
	职业素养	职业素质培训,如护理礼仪与职业素养等
	交流能力	交流与沟通能力培训,如护士人际沟通技巧等
	评判性思维	综合分析问题的能力
专业能力	评估与干预	病情观察,如常见四级手术患者病情变化的识别等
		安全隐患识别及预防
		健康教育,如常见四级手术患者健康宣教等
		心理护理,如常见四级手术患者围手术期心理护理等
		护理服务,如手术室优质护理实践等
		术后随访
		护理文件书写
		突发事件处理,如手术患者发生电灼伤的应急处理等
		急诊手术处理,如硬膜下脑血肿清除术的巡回配合等
	专科操作	手术室常用技术操作能力,如手术患者侧卧位的安置等
		手术室感染预防与控制管理
		常见四级手术洗手配合、常见三级手术巡回配合
		危重手术配合,如大面积烧伤手术患者的手术配合要点等
		急诊手术配合
		急救技术应用
	器材使用	手术耗材的正确使用
		手术器械使用及维护,如手术室显微器械的使用和维护等
		手术常用仪器设备使用及维护,如腔镜摄像系统的使用等
		手术专科仪器设备使用及维护,如宫腔镜的使用流程和注意事项等
		手术仪器故障处理,如等离子电切系统的常见故障处理等
	专业发展	教学能力,如手术室实习护生、进修生带教,N0和N1级护士带教等
		科研能力,如护理文献检索等
		护理质量持续改进工具的应用等
	护理管理	质量管理,如手术室质量检查方法等

③考核评价:完成N2级人员课程培训,完成护理部及手术室各项理论与操作考核;手术室N2级护士理论与操作考试合格后,方可进行下一能级培训,不合格者,延长培训时间,直至考核合格。

4）N3级护士

①培训目标：本阶段护士的在职培训主要培养手术室护士的评判性思维能力，提高其专业素质和水平，为手术室发展储备专科护理人才。

知识目标：掌握手术室各项职责、制度、流程、应急预案等。

技能目标：掌握各专科操作，全面掌握亚专科四级手术和部分疑难、复杂手术配合，掌握手术室各种仪器、设备、器械的使用和保养。

素质目标：具备良好的个人素质和职业素养、沟通协调能力、突发事件应急处理能力和评判性思维能力，具有一定的临床带教能力、护理科研能力和手术室管理能力。

②培训内容：见表12-5。

表12-5　N3级护士培训内容

专业知识	基础理论知识	疾病相关知识,如四级手术和部分疑难、复杂手术疾病相关知识等
		手术室核心制度
		感染预防与控制
		相关法律、伦理,手术室新发布指南、规范、共识等
	专科理论知识	手术体位与相关并发症知识,如截石位的安置原则等
		麻醉相关知识
		四级手术方式及手术步骤
		复杂手术方式及手术步骤,如脊柱侧弯畸形矫正术的手术步骤
专业态度	个人素质	适应能力、压力应对等培训,如护士的压力管理与心理调适等
	职业素养	职业素质培训,如护理礼仪与职业素养等
	交流能力	交流与沟通能力培训,如护士人际沟通技巧等
	评判性思维	解决问题能力
专业能力	评估与干预	病情观察,如危重、疑难、复杂手术患者病情观察等
		安全隐患识别及预防
		护理服务,如手术室优质护理实践等
		突发事件处理,如手术患者术中心跳、呼吸骤停应急处理,手术室停电应急处理等
		急诊手术处理
	专科操作	手术室常用技术操作,如手术患者截石位的安置等
		手术室感染预防与控制管理
		四级手术配合
		危重、疑难、复杂手术配合
		急诊手术配合

续表12-5

专业能力	器材使用	手术耗材的正确使用
		手术器械使用及维护,如达芬奇机器人器械的使用和维护等
		手术常用仪器设备使用及维护,如显微系统的使用等
		手术专科仪器设备使用及维护,如神经导航仪的使用流程和注意事项等
		手术仪器故障处理,如气压弹道式体外冲击波治疗仪的常见故障处理等
	专业发展	教学能力,如手术室实习护生、进修生带教,N0、N1和N2级护士带教等
		新技术实践,如手术室新技术的申报和应用等
		护理科研,如护理论文的撰写、护理科研课题申报等
		护理质量持续改进工具的应用等
	护理管理	质量管理
		风险管理,如手术室风险预警管理等
		成本控制,如手术室运营成本控制与绩效管理等
		组织计划
		创新改革

③考核评价:完成N3级人员课程培训,完成护理部及手术室各项理论与操作考核;手术室N3级护士专科理论与操作考试合格;主持科内护理查房,疑难手术讨论,参加护理会诊;能独立完成带教工作;参与科室质量检查、分析改进;开展或参与新技术、新项目和护理科研。

5)N4级护士

①培训目标:本阶段护士的在职培训以突出"专"字为原则,以临床、教学、科研三大任务为主线,培养手术室骨干和护理管理人员。

知识目标:掌握手术室各项职责、制度、流程、应急预案等。

技能目标:掌握各专科操作,全面掌握亚专科手术和疑难、复杂手术配合,掌握手术室各种仪器、设备、器械的使用和保养。

素质目标:具备良好的个人素质和职业素养沟通协调能力、突发事件应急处理能力和评判性思维能力,具有质量管理、临床带教、护理科研等手术室综合管理能力。

②培训内容:见表12-6。

表12-6 N4级护士培训内容

专业知识	基础理论知识	核心制度,如护理会诊制度、疑难病例讨论、护理质量管理制度等
		感染预防与控制
		相关法律、伦理,手术室新发布指南、规范、共识等

续表12-6

专业知识	专科理论知识	手术体位与相关并发症知识,如俯卧位等复杂体位的安置原则等
		麻醉相关知识
		手术室感染管理与防控
		复杂手术方式及手术步骤,如机器人辅助腹腔镜下肾上腺肿瘤切除术的手术步骤、冠状动脉搭桥+换瓣术的手术步骤
专业态度	个人素质	适应能力、压力应对等培训,如护士的压力管理与心理调适等
	职业素养	职业素质培训,如护理礼仪与职业素养等
	评判性思维	交流与沟通能力培训,如护士人际沟通技巧等
专业能力	评估与干预	病情观察
		安全隐患识别及排除
		突发事件处理,如手术室突发公共卫生安全事件应急预案等
		急诊手术处理,如全主动脉弓置换术的手术配合等
	专科操作	手术室常用技术操作能力,如手术患者俯卧位等复杂体位的安置等
		手术室感染预防与控制管理
		危重、疑难、复杂手术配合,如机器人辅助腹腔镜下肾上腺肿瘤切除术的手术配合要点、冠状动脉搭桥+换瓣术的手术配合要点等
		急诊手术配合,如全主动脉弓置换术的手术配合要点等
	器材使用	手术专科仪器设备使用及维护,如达芬奇机器人手术系统的使用流程和注意事项等
		手术仪器故障处理
	专业发展	教学能力,如手术室实习护生、进修生带教,N0~N3级护士带教等
		新技术实践,如手术室新技术的申报和应用等
		科研能力,如国家级、省级、市级护理科研课题的申报方法、标书的撰写等
		护理质量持续改进工具的应用
	护理管理	质量管理,如主持手术室护理质量持续改进项目等
		风险管理
		成本控制
		组织计划
		创新改革

③考核评价：完成N4级人员课程培训，完成护理部及手术室各项理论与操作考核；手术室N4级护士专科理论与操作考试合格；独立参与护理教学和护理查房工作；主持科室护理质量持续改进项目；开展新技术、新项目、护理创新、院级及以上护理科研项目等护理科研。

三、环境

洁净手术部应位于医院环境安静、大气含尘浓度较低的地方，不宜设在建筑的顶层或底层。设计须分区明确，供应方便，流程合理，洁污分明。并与重症监护病房、血库、病理科、产科等手术科室临近。

（一）布局

洁净手术部（Clean Operating Department）是由洁净手术室、洁净辅助用房和非洁净辅助用房等一部分或全部组成的独立的功能区域。洁净手术部分3区4通道。

1.洁净手术部3区

（1）洁净区，包括手术间、刷手间、手术间内走廊、无菌物品间、药品间、仪器设备间和麻醉准备间等。

（2）准洁净区，包括器械室、敷料室、洗涤室、消毒室、护士站、手术间外走廊和恢复室等。

（3）非洁净区，包括办公室、会议室、标本室、污物室、资料室、电视教学室、值班室、更衣室、更鞋室和医护人员休息室等。

2.洁净手术部4通道

（1）医务人员通道，供参与手术的医务人员使用。

（2）手术患者通道，供手术患者使用，与护士站相连。

（3）无菌物品通道，无菌物品专用通道，与无菌室或消毒供应中心清洁电梯相连。

（4）污染物品通道，手术后污物转运通道，与非洁净区相连。

3.洁净手术室基本装备

详见表12-7。

表12-7　洁净手术室基本装备

装备名称	最低装备数量
无影灯	1套/间
手术床	1张/间
计时器	1只/间
医用气源装置	2套/间
麻醉气体排放装置	1套/间
观片灯（嵌入式）	1个/间
免提电话	1部/间
净化空调参数显示调控面板	1块/间

续表12-7

装备名称	最低装备数量
药品液体柜（嵌入式）	1个/间
无菌物品柜（嵌入式）	1个/间
物品柜（嵌入式）	1个/间
麻醉物品柜（嵌入式）	1个/间
医用吊塔	2～3个/间
记录板（嵌入式）	1块/间
保温柜	1个/间
静压差表	1个/间
消防感应器	1个/间

4.洁净手术室用房分级标准及用途

详见表12-8。

表12-8　洁净手术室用房分级标准及用途

洁净用房等级	沉降法（浮游法）细菌最大平均浓度		空气洁净度级别		参考手术	适用手术
	手术区	周边区	手术区	周边区		
I	0.2cfu/（30min·90皿）（5cfu/m³）	0.4cfu/（30min·90皿）（10cfu/m³）	5（100级）	6（1000级）	假体植入,某些大型器官移植手术,手术部位感染可直接危及生命及生活质量等手术	关节置换,器官移植,脑外科、心脏外科等无菌手术
II	0.75cfu/（30min·90皿）（25cfu/m³）	1.5cfu/（30min·90皿）（50cfu/m³）	6（1000级）	7（10000级）	涉及深部组织及生命主要器官的大型手术	整形外科、眼科、肝胆胰外科、骨科、普外科I类切口无菌手术
III	2cfu/（30min·90皿）（75cfu/m³）	4cfu/（30min·90皿）（150cfu/m³）	7（10000级）	8（100000级）	其他外科手术	普外科（除I类手术）、妇产科、泌尿外科手术等
IV	6cfu/（30min·90皿）（175cfu/m³）		8.5（300000级）		感染和重度感染手术	肛肠外科及污染类手术

注：浮游菌指经过培养得出的单位体积空气中的菌落数，单位为个/m³；沉降菌指用直径90mm培养皿静置室内30min，培养得出的每个皿的菌落数。

（二）管理标准

1.环境管理

（1）健全感染质控小组

1）质控小组由护士长、净化空调系统维护工程师和感控护士组成，负责制定工作制度及质量标准。

2）护士长主要负责环节质量控制及跟踪检查。

3）净化空调系统维护工程师负责每日手术间温度、湿度、压力、风速的监控，所有空调机组的检测、清洁、保养维修与登记。

4）感控护士负责手术室环境、物体表面、无菌物品细菌培养，手术人员手卫生消毒效果的监测，结果分析，资料收集保存及信息上报工作。

（2）环境要求

1）手术间内温度为21～25℃，辅助用房温度为21～27℃，湿度为60%以下，Ⅲ级、Ⅳ级湿度为35%～60%。

2）手术间自净时间：Ⅰ级10min，Ⅱ级20min，Ⅲ级20min，Ⅳ级30min。

3）每日第一台手术前30min开启空调净化系统，全天手术结束后清洁、消毒工作完成，空调系统继续运行30min关闭。

4）手术室噪声≤50dB。

5）光照度：最低光照度350lx，平均光照度500lx左右。

6）换气次数：其功能是保证洁净度和自净时间，Ⅳ级12次/h，Ⅲ级18次/h，Ⅱ级24次/h。

（3）严格人流、物流管理

1）洁、污流程严格区分。医护人员、患者及无菌物品运送走洁净通道，术后器械、敷料、垃圾污物走污染通道。

2）严格控制各类人员进出手术室。设立专职人员控制洁净手术室人员进出，手术人员按"手术通知单"上的名单核对后进入手术室；移植手术、关节置换手术、心脏手术和特殊感染手术限制或禁止参观；外来参观人员凭医务处证明，手术室同意后方可进入，特殊手术、学术交流手术演示安排在有转播系统的手术间，参观人员在观摩厅或示教室观看。

3）严格着装管理。进入手术室的人员按规范穿戴专用衣裤、鞋帽、口罩，洗手衣裤每日清洗灭菌，拖鞋清洗消毒，口罩、帽子一次性使用，患者穿清洁手术服，戴一次性隔离帽。

4）严格管理手术间门户。手术过程中前后门处于关闭状态，避免频繁开门，术中临时需要物品，电话通知专人配送至手术间，按专科相对固定手术间，仪器设备定位放置，物品固定基数，以减少进出手术间次数。

5）严格划分无菌、急诊、感染手术间。手术安排原则为先行无菌手术，再行感染手术，特殊感染手术在独立空调系统的正负压切换手术间进行，急诊手术间设在手术室外侧。

6）手术间人数应符合相关要求，Ⅰ级12～14人，Ⅱ级10～12人，Ⅲ级6～10人。

2.物品及清洁卫生管理

（1）各种仪器设备须拆去外包装，进行湿式擦拭，方可进入手术室。所有一次性无菌物品进入洁净区前，需拆去包装箱，再送至手术间或无菌储物间。

（2）手术人员严格遵守无菌技术操作规范，手术台上废弃物不可随意丢弃，应及时收集，手术后布类敷料装入医疗废弃物袋，减少地面污染。

（3）每日首台手术患者进入前，对手术间物体表面按照一定顺序用消毒湿巾擦拭，每台手术后，对手术床及周边1～1.5m范围的物体表面进行清洁；连台手术，被体液、血液污染的区域用1000mg/L含氯消毒剂或酸性氧化电位水擦拭。当日术间手术结束后，进行终末处理（含氯消毒剂擦拭物表，拖地）。

（4）辅助房间、走廊、生活区的物表每日清洁至少1～2次，地面擦拭频次根据污染程度，每日不少于2次，保持地面清洁、干燥、无污渍等。

3.净化空调系统运行管理

（1）设净化空调系统专职维护工程师，应熟悉并遵守设备保养标准，负责完成洁净手术室日常管理和维护。

（2）制定运行手册，按照规定对净化空调系统每日和定期检查，并记录相关数据。

（3）净化空调系统主要装置日常检查维护内容如下：

1）空气处理机组，每月检查1次并清扫内部，对热交换器用高压水枪冲洗。

2）新风机组，每日检查1次，保持内部干净。初效过滤网每2周清洗1次，初效过滤器每3～6个月更换1次；中效过滤器每周检查1次，6～12个月更换1次；亚高效过滤器1年以上更换1次；高效过滤器1年检查1次，当阻力超过设计阻力160Pa或使用3年以上应予以更换。

3）排风机组中的中效、高效过滤器每年更换，如实施特殊感染手术，立即更换，密封后送消毒供应中心焚烧，回风口内外表面用500mg/L的含氯消毒液擦拭。

4）回风口栅栏每日用500mg/L含氯消毒剂或酸性氧化电位水擦拭，每周清洗过滤棉1次。

5）吊顶送风天花板每月检查1次，清洁内部表面（阻漏式天花板除外）。

6）每6个月监测1次送风量、气流、静压差、噪声，并记录监测数据。

4.清洁工具的管理

（1）不同区域清洁工具应严格区分使用，有明确标识。

（2）清洁工具配置的数量、复用处置设施（拖布架、洗衣机、清洗池等）与手术室规模相匹配。

（3）擦拭地巾、抹布选择不易掉纤维的织物，宜使用细纤维材布、脱卸式地巾。

（4）清洁工具的清洁、消毒方式

1）抹布清洗干净，用250mg/L含氯消毒液浸泡30min，冲洗干净，晾干备用。

2）地巾清洗干净，用500mg/L含氯消毒液浸泡30min，冲洗干净，晾干备用。

3）有条件的医院采用热力型清洗–消毒机，用后的抹布、地巾放入清洗机内，按照使用说明进行机械清洗、热力消毒、机械干燥、装箱备用。

（三）监测标准

洁净手术部根据洁净手术部房间总数，合理安排每次监测的房间数量，保证每个洁净房间每季度至少监测1次。

1.物品及环境表面清洁消毒监测

（1）目测法：目测检查环境干净、干燥、无尘、无污渍、无碎屑、无异味等。

（2）化学法

1）荧光标记法：将荧光标记在邻近诊疗区域内高频接触的环境表面，在保洁人员清洁前预先标记，清洁后用紫外线灯检查荧光标记是否被有效清除，计算有效的荧光标记清除率，考核环境清洁质量。

2）荧光粉迹法：将荧光粉撒在工作区域内高频接触的环境表面，在保洁人员清洁工作前标记，清洁后用紫外线灯检查荧光粉是否扩散，统计荧光粉扩散的处数，考核环境清洁工作"清洁单元"的依从性。

3）ATP法：依据ATP监测产品的说明书执行，记录监测表面的相对光单位值（RLU），考核物表清洁工作质量。

（3）微生物法：环境微生物考核法参考GB15982。采样应在物品、环境表面消毒处理后4h内进行。监测合格标准菌落数≤5cfu/cm^2。

2.空气质量监测

具体采样方法详见表12-9。

（1）采样时间：在洁净系统自净后、从事医疗活动前采样，或怀疑与医院感染暴发有关时采样。

（2）采样方法：可选择沉降法或浮游菌法，参照GB50333要求进行监测。

（3）监测合格标准：洁净手术室≤10cfu/m^3，且不得检出致病性微生物。

表12-9　洁净手术室静态采样方法（沉降法）

等级	空气洁净度		布点要求	细菌最大平均浓度[个/（90皿·30min）]	
	手术间	周边区		手术区	周边区
I	100级	1000级	（布点示意图）	0.2	0.4
II	1000级	10000级	（布点示意图）	0.75	1.5
III	10000级	100000级	（布点示意图）	2	4
IV	10000级		（布点示意图）	6	

3.手卫生消毒效果监测

医务人员手卫生包括洗手、卫生手消毒、外科手消毒。

（1）采样时机：洗手或卫生手消毒应在接触患者前、进行诊疗操作前采样，外科手消毒后穿无菌手术衣前采样。

（2）监测卫生学标准：卫生手消毒监测细菌菌落数≤10cfu/cm²，外科手消毒细菌菌落数≤5cfu/cm²；均不得检出致病菌。

四、仪器设备

（一）管理要求

1.建立仪器设备账册、档案

（1）新购置的仪器设备须通过医院设备管理科审核后方能进入手术室。每台设备都应贴有医院统一的设备编码，并记入手术室仪器设备账册。

（2）仪器设备进入手术室后，将仪器设备的名称、型号、生产厂家、购入时间、责任人等登记在仪器设备档案册上。

（3）跟随仪器设备的全部资料，如使用说明书、操作流程和维保手册等，分别放入档案袋进行集中管理，以便查询和维保时使用。

（4）报废的仪器设备须经医院相关部门认证后，填写报废单，待报废的仪器设备推离手术室，及时在仪器设备账册上注销。

（5）定期清点账册上的各类仪器设备，并与医院登记台账保持一致。

2.制作仪器设备操作指引

（1）每台仪器设备参照厂商提供的随机资料结合科室工作特点，制作科学、规范的操作指引，包括操作流程图和注意事项。

（2）操作指引随仪器固定放置，为仪器操作者提供操作提示，也可制作二维码供扫码参考。

（3）仪器设备用在手术台上的部件宜拍成全套图片跟台使用，以作为操作包装指引，防止损坏和丢失；必要时请专业技术人员协助指导。并将厂商工程师的联系方式贴于仪器上，便于请工程师指导。

3.规范仪器设备使用与登记

（1）小型仪器设备应配套适宜的仪器车。缓慢平稳推动仪器，避免撞伤和摔坏。

（2）建立仪器设备日常使用登记本，将每次使用日期、时间、使用情况、人员记录在登记本上。登记本随仪器保存。

（3）贵重仪器设备由专人负责，使用人员必须及时记录贵重仪器的使用情况，包括手术信息、使用人员、使用时间、设备状况、故障记录等。

（4）仪器设备使用前，须确认仪器功能是否良好，配件是否齐全，各导线是否连接正确。

（5）使用仪器设备时，要严格遵循操作指引进行操作。按键时，动作适度，切勿用力过猛，以免按键损坏失灵。

（6）术中加强巡视，动态观察仪器设备的使用状态，尤其注意各类报警信息并及时处理，确保使用安全。

（7）仪器设备使用后，巡回护士及时关闭相关的电源、气源和水源开关，清洁整理导线，定点放置。

（8）密切关注贵重仪器设备的使用情况，在精细管理基础上提倡多专科资源共享，最大限度发挥设备效能，避免闲置造成浪费。需充电的仪器定时充电，并做好记录。

4.加强仪器设备操作培训与考核

（1）新购入的仪器设备，使用前请专业技术人员对全体护理人员进行统一培训，包括仪器设备的工作原理、操作流程、清洁、消毒灭菌、保养方法和注意事项等。培训后安排模拟训练及考核，考核合格方可使用。

（2）贵重仪器设备培训后，根据手术需要指定专人使用，或先由专科组护理人员开始使用，熟练后再全科普及。

（3）将各类仪器设备的操作培训纳入各级人员的科室培训计划，定期完成。填写培训记录，培训人员签字，存档。

（4）加强仪器设备日常使用的安全教育，避免因仪器设备的操作与使用不当，或违规操作而引发安全隐患。

5.强化仪器设备管理和检查

（1）仪器设备指定专人负责管理，贴有医院统一的设备编码，便于定期检查和维修。

（2）根据手术间布局、专科使用属性和使用频率定位放置，并设定标识，术毕及时归位。

（3）任何仪器设备未经许可一律不得外借推离手术室。

（4）严格外请专家、试用外来仪器设备的准入管理，一律经医院相关部门备案，准入后方可进入手术室使用，关注使用情况，发现异常立即上报。

（5）制定完善的手术室仪器设备故障应急预案及处理流程，及时应对意外事件的发生。

（6）仪器设备使用必须严格遵照消毒管理规范，杜绝交叉感染。

（7）医院设备科相关管理人员定期检查仪器设备的功能状态，包括机械性能、电气化性能、系统程序等。

（8）仪器设备要做到"四查"，即准备消毒前查、使用前查、使用时查、清洁后查。若出现问题，及时请专业技术人员进行维修。

（9）抢救用仪器设备每天进行检查、记录，时刻保持备用状态，完好率达100%。

（10）护士长每月对仪器设备进行抽检，监督专管人员工作质量。

6.做好仪器设备清洁维保

（1）每台仪器设备使用后，由参加手术的护士做好仪器表面的清洁工作，需要清洗处理的部分应立即处理，拆洗干燥后的配件立即回装，保证配件完整，避免遗失。

（2）仪器设备出现故障，立即上报护士长，联系专业技术人员进行维修，明确故障标识，严禁擅自拆卸维修。

（3）有条件的医院可在手术室内设立简易维修室，由一名专业技术人员承担仪器故障的紧急排查和维修，以保证手术顺利进行。

（4）仪器管理人员每周定期对每台仪器设备进行检查保养，查看仪器附件是否齐全，螺丝是否松动，性能是否良好，运转是否正常，记录仪器保养时间、状态，并签名。

（5）仪器设备要做到防潮、防震、防热、防尘、防腐蚀。

（6）有计量要求的仪器设备应定期进行测试校准，保存检测和维修记录，设备上贴检测合格标识。

（7）安排医院设备维护人员定期进行设备内部清洁、易损耗材更换、机械结构校正和技术参数校对。

（8）协助医院设备科制订计划，定期请厂商专业技术人员进行设备维护，并签署具有法律效力的检修记录。

（二）使用安全

1.常用仪器设备

（1）充气式压力止血仪

充气式压力止血仪多用于骨科四肢手术，它可通过高效气泵快速充气加压于止血带内，阻止肢体的血液循环，减少创面出血，从而达到止血效果。

1）评估：检查仪器各部件是否齐全，止血带是否漏气，根据手术部位及患者年龄选择合适的止血带。

2）操作要点：①打开电源，连接止血带。②设置工作压力，设定工作时间。③充气。

3）注意事项：①根据患者年龄、肢体情况等因素，选择长度、宽度合适的袖带。②放置于四肢近关节中上1/3处，距离手术部位10～15cm，止血带连接口朝上，避免污染手术区。止血带的松紧度以能插入一指为宜。消毒皮肤时避免消毒液流至止血带下引起皮肤灼伤。③充气前，先设置工作时间和压力。一般标准设定值为上肢200～250mmHg，时间<60min；下肢300～350mmHg，时间<90min。也可根据患者血压设置，上肢压力为收缩压加50～75mmHg，下肢压力为收缩压加100～150mmHg。儿童严格掌握压力大小，通常上肢压力为150～200mmHg，下肢压力为200～250mmHg，时间不超过60min。④双侧肢体同时使用止血带时，止血带不应同时放气。如手术未完需继续使用，应先放气10～15min再充气重新计时。重复使用时，充气时间缩短，间歇时间相对延长。⑤为避免患者神经损伤，使用止血带应首先选择止血压力的最低期望值。⑥严格掌握止血带的使用禁忌证，如血栓闭塞性脉管炎、肢体感染、血液病等患者禁止使用。

（2）骨动力系统

骨动力系统是用于人体骨骼部位手术的一种设备，同时具备钻、锯、磨等多种功能。

1）评估：使用前检查设备功能状态，钻头、手柄的灭菌效果。

2）操作要点：①对电钻及部件进行清点，检查各部件是否完好。②将钻柄、变速体及缆线组装完成后与主机输出端连接，测试踏板运行是否正常。③使用完毕先关闭主机开关，将缆线从主机输出端分离，再关闭电源。④分离钻头、钻柄、变速体及缆线，清点检查整理完毕，送终末处理。

3）注意事项：①安装钻头、铣刀、锯片时，确保正确连接且稳固。②测试运行过程中避免人为损伤。③使用中需要不间断用无菌生理盐水冲洗钻头、铣刀等，达到局部降温，有利于仪器正常工作。④机器暂不用时，移开脚踏板，避免踩踏造成误伤。

4）维护保养：①使用前检查钻头、铣刀、锯片，发现磨损立即更换，以免造成手柄损坏。②全程使用中注意保护缆线，防止打折、挤压、踩踏等。③提倡间歇使用，避免连续高速运转导致手柄过热。

（3）自体血液回收机

自体血液回收机是将术中患者散失的血液收集起来，通过机械过滤、分离、洗涤后再回输给患者的一种设备，可用于预计出血在400mL以上的各种大手术或稀有血型的患者。

1）评估：使用前仔细检查用物是否准备齐全，一次性物品的有效期，包装有无破损。

2）操作要点：①接通电源，检查仪器功能状态。②安装一次性配套物品，检查全部管道、接口是否安装正确。③按要求比例配好抗凝液。④检查负压是否正常，设置压力不高于0.02kPa。⑤设定好仪器数据，打开电源开关，仪器开始按照既定程序工作。⑥术毕关闭电源，清理废液袋，耗材严格按医疗废物处理。

3）注意事项：①安装配套物品时注意无菌操作，避免造成管路污染。②仪器运行过程中保持管路通畅，防止扭曲和打折。③离心泵运转时切勿打开离心盖，离心机过热须进行维护。④回收处理后的浓缩红细胞尽快回输给患者，在回输过程中密切观察患者，出现不良反应立即停止输血。

（4）单极电刀

单极电刀是在一个回路中利用频率大于200kHz的高频电流作用于人体所产生的热能和放电对组织进行切割、止血的电外科设备。

1）评估：①环境，避免潜在富氧环境（口咽部手术等），避免皮肤消毒时可燃、易燃消毒液在术野过多残留或浸湿敷料。②患者，有无佩戴金属饰品，如项链、手镯、义齿等。患者体内有无植入物或其他医疗设备（如心脏起搏器、植入式电子耳蜗等）。患者身体与金属物品有无接触（手术床等）。③设备，检查主机的工作模式、参数是否符合手术要求，回路负极板的粘贴部位是否合适。评估电刀笔、腔镜高频电刀以及连接线绝缘层的完整性。

2）操作要点：①接通电源，开机自检。②将负极板粘贴于患者适宜部位，并选择合适的输出模式和最低有效输出功率。③术中观察电刀使用情况，发现电刀笔功能不良及时更换。④在使用过程中切勿调节电刀模式及功率，以免异常放电损伤周围组织。⑤手术结束后，将输出功率调至最低后，关闭主机电源，再拔除单极电刀连接线，揭除回路负极板。

3）注意事项：①使用中发出异常声音时，停止使用并检查原因。②对体内存有金属植入物的患者，回路负极板粘贴位置应靠近手术部位，使回路电流避开金属植入物。③对安装心脏起搏器的患者，禁用或慎用单极电刀，改用双极电凝并低功率操作。④电刀输出功率根据切割或凝固组织类型进行选择，原则为达到效果的情况下，尽量降低输出功率，并避免长时间连续操作。⑤加强术中电刀笔的安全管理，电刀笔不用时及时撤离术野，将其置于绝缘的保护套内或放于器械托盘上，防止坠落污染或手术医生非正常使用激活电刀笔而灼伤患者的非手术部位。单极电刀使用时易形成电火花，避免在有挥发性、易燃、易爆气体的环境中使用。⑥使用含乙醇的消毒液消毒皮肤时，应待乙醇挥发后再使用。气道内手术使用时应暂时移开氧气，肠梗阻患者慎用电刀。⑦将单极电刀工作提示音调节到手术人员能清晰听到的音量。⑧负极板尽量贴附于靠近手术切口部位（不小于15cm），避免越过身体的交叉线路，使电流通过的路径最短。⑨电刀笔连线固定时不能与其他导线盘绕，防止发生耦合反应，且避免设备漏电或短路，勿将电刀笔连线缠绕在金属物品上。⑩术中电刀笔不得用水冲洗，使用专用清洁片或湿纱布清除电刀笔上的焦痂组织。

4）负极板使用：①根据患者的体形、体重选择合适的负极板，具体应严格按照生产厂家提供的产品说明使用。烧伤、新生儿等无法粘贴负极板者，可选择回路垫。②一次性负极板严禁复用，禁止裁剪。使用前检查其有效期、完整性及性能，水基凝胶损坏或变干的负极板禁止使用。③负极板应贴附于患者肌肉血管丰富的部位，如大腿、小腿等处，避开毛发、瘢痕、骨隆突处。④儿童负极板的有效导电面积是 $65cm^2$，成人负极板有效导电面积是 $129cm^2$。⑤如需使用升温毯，应将升温毯与负极板保持适当的距离。⑥粘贴前清洁、干燥粘贴部位皮肤，负极板粘贴方向与身体纵轴垂直，且与皮肤紧密贴附。术毕将负极板从边缘沿皮纹方向缓慢水平揭除。⑦使用过程中出现报警，停止使用并检查，必要时关机重新粘贴或更换负极板。

（5）双极电凝

双极电凝是一种高频电流发生器，在双极电凝器械与组织接触良好的情况下，电流在双极镊的两极之间产生热能，对人体组织进行电凝止血。

1）评估：使用前检测主机设备的功能状态，根据手术需求设定双极电凝参数并选择合适的双极电凝器械，确保使用状态良好。

2）操作要点：①准备电凝设备、脚控线路。②连接电源和脚控开关，开机自检，将脚控开关放于术者脚下。③选择双极电凝模式，根据手术部位及医生需求选择合适的输出功率。

3）注意事项：①根据手术部位和组织性质选用适合的电凝镊或钳。在重要组织结构（如脑干、脊神经等）及附近使用时，尽量调小输出功率。②使用双极电凝时用生理盐水间断冲洗或滴注，清洁术野且保持组织湿润，避免高温影响电凝周围的重要组织和结构，减少组织焦痂在双极镊或钳上的黏附。③尽可能采用间断电凝，每次电凝时间约0.5s，重复多次直至达到电凝效果，避免电凝过度损伤组织。④电凝过程中，及时用湿纱布擦除双极电凝镊上的焦痂，以免影响电凝效果，不能用锐器刮除，以免损伤头端或镊尖表面镀层，导致焦痂组织更易黏附。⑤使用双极电凝镊时动作要轻柔，两尖端保持一定距离，避免互相接触而形成电流短路，从而影响电凝效果。

（6）超声刀

超声刀是一个能产生超声能量和机械振动的发生器，通过超声频率发生器作用于刀头，以55.5kHz的频率通过刀头进行机械振荡（50～100μm），将电能转变成机械能，继而使组织内液体汽化，蛋白质氢键断裂，细胞崩解，蛋白质凝固，血管闭合，达到断开组织、凝血的效果。

1）评估：使用前检查设备功能状态，根据组织类型、血管的粗细选择合适的超声器械和输出功率。

2）操作要点：①按照生产厂商说明安装超声刀头。②开机自检，利用手控或脚踏开关进行刀头自检。③使用中通过脚踏板或手柄控制输出能量的大小，并根据不同组织调节输出功率。④关闭主机开关，拔除手柄线接口，再拔除电源。

3）注意事项：①严格按照生产厂商说明使用，选择合适的配件规范安装。②术中清洁刀头时，将刀头张开完全浸没于生理盐水中，启动脚控或手控开关进行清洁，避免与容器边缘接触。③使用较长一段时间后，刀锋会变热，停止使用时刀锋不可触及患者或易燃物品，以免灼伤患者或致燃。④使用刀头的前2/3夹持组织，夹持的组织不宜过多。⑤超声刀工作时严禁用手触摸，不可长时间连续激发操作，不能用超声刀头夹持金属物品及骨组织或闭合刀头空激发。⑥术毕或术中需要更换刀头时，关机或将主机置于备机状态。

（7）显微镜

手术显微镜是进行精细显微外科操作的必要设备，由照明系统、观察系统、支架系统、控制系统等组成，能有效地提高手术的精确程度，尽可能减轻手术损伤。

1）评估：使用前检查显微镜功能状态，各关节固定是否牢固，活动是否顺畅，镜头是否洁净，术者的目镜瞳距是否调整。

2）操作要点：①移动显微镜至手术床旁，固定底座刹车，套好无菌保护套。②松动各臂制动手轮，根据手术部位放置显微镜，使之正对术野中心，重新旋紧制动手轮。③调节显微镜亮度，移动显微镜调整物镜的距离，使之呈现最大清晰度。④关闭前将光源亮度调至最低，然后关闭，收好脚踏开关，将显微镜移离手术区，关闭总电源。⑤整理电源线，收拢各臂且固定归位，锁好底座刹车。

3）注意事项：①未经培训人员勿擅自操作显微镜，操作时动作轻柔。②移动显微镜时推力点应尽量放在较低的支架位置，不能将显微镜主体或观察镜等当作推动手柄，推动要缓慢，避免碰撞。③显微镜应尽量定点放置，减少移动范围。

4）维护保养：①调节光源时应从最小的亮度开始，不可调至最亮处，以延长灯泡的使用寿命。②每次使用后用拭镜纸擦净物镜及目镜，勿用乙醇、乙醚等有机溶剂擦拭镜身。③连台手术间歇须关闭灯泡开关，以免灯泡过热。④仪器存放间相对湿度不超过65%。

2.腔镜系统

腔镜系统是由多个仪器设备组成的内镜系统，利用冷光源提供照明，通过腹部小切口将腹腔镜镜头插入腹腔内，运用数字摄像技术把所拍摄的腹腔内各种脏器的图像传输到监视器上，手术医生通过观察图像，检查、诊断各种病变，并使用各种特殊的手术器械在体外进行操作来完成手术治疗。

1）评估：使用前检查腔镜系统各仪器的功能状态，包括摄像主机、监视器、光源、气腹机等各类连线的连接是否正确、有无松动，检查已灭菌的腹腔镜镜头、专用手术器械、气腹管等是否准备齐全。

2）操作要点：①各仪器合理摆放于内镜台车或吊塔上，根据手术要求将台车推至预定位置，调整好监视器角度。②设定气腹压力，一般成人 12～14mmHg，儿童 8～10mmHg，幼儿 6～8mmHg。③术中依据手术需要随时调整各仪器设备参数。④停止使用时，关闭 CO_2 气源，断开气腹输出管，排出余气后关闭气腹机开关。⑤3D腹腔镜使用前调节好3D模式，并根据手术医生需要，提前备好3D眼镜或镜片。

3）注意事项：①器械使用前，应仔细检查其功能及螺丝有无松动，若发现功能不良立即更换。②光源机上不能放置任何物品，以免影响散热。③开机时光源应从最低起调，关机前要将光亮度调至最低。④镜头进入腹腔前必须纱布满视野、保持2cm进行对白。

⑤手术台上各种连接线固定稳妥，不可打折、扭曲或牵拉，镜头轻拿轻放。

4）维护保养：①光源若使用中突然断电，应等待3min后再打开，以保护灯泡。②光缆轻拿轻放，避免打折，术后用软布擦干净，并用75%乙醇纱布擦拭消毒，盘成直径大于15cm的圆圈，以防光导纤维折断。③镜头需单独放置，避免碰撞损坏，存放时上面不要摆放物品，防止受压变形。④镜头须用专用的擦镜纸擦拭。⑤定期检测机器功能，使用中发现问题及时报修。⑥3D眼镜或镜片使用后及时清洁，定点放置，专人管理。

3.专科仪器设备

（1）泌尿电切镜

泌尿电切镜是泌尿外科手术专用设备，通过在内镜直视下，利用高频电流，经尿道对前列腺增生体和膀胱肿瘤等进行切割、汽化、凝血，达到病变切除的目的。

1）评估：使用前检查各仪器功能状态，各连线连接是否正确。检查灭菌电切镜镜头、专用手术器械以及冲洗液等是否准备齐全。

2）操作要点：①内镜台车推至预定位置，调整好监视器的角度。②接通各仪器电源，脚踏开关放于术者右脚位置，并在周围铺置地巾。③根据仪器粘贴负极板（如是等离子系统不用粘贴负极板，气化电切粘贴负极板），根据术中需要随时调节各仪器设备参数，调节电刀输出功率。选用气化电切镜时，电切环的功率：电切为90～100W，电凝为80～90W，电凝球为120W。选用等离子电切仪时，电切环的功率为280W，电凝为80W，电凝球为150W。④及时更换冲洗液，排净空气。

3）注意事项：①光源上不能放置液体物品，以免影响散热。②电刀输出功率应根据手术和电切设备进行选择，原则为达到效果的情况下，尽量降低输出功率，避免长时间连续操作。③脚踏开关使用前外套防水套，保证安全使用，术毕及时更换。④由于手术器械精细，术前、术后护士须检查器械功能及完整性。⑤术中密切关注灌注液使用情况，术中保持灌注液持续冲洗，以保证视野清晰。

4）维护保养：①专用器械轻拿轻放，避免碰撞或坠落，带电凝功能的器械使用前应检查绝缘层的完整性，防止漏电。②专人管理，使用中发现问题及时报修。

（2）超声乳化仪

超声乳化仪是通过2～3mm小切口，将超声乳化头伸入前房，利用超声波高频振动对晶体核及皮质进行粉碎、乳化，并将其吸出。适用于白内障手术。

1）评估：使用前检查仪器功能状态，灭菌配件齐全，冲洗液充足。

2）操作要点：①连接电源，开机，脚踏放置在医生右脚合适位置。②调整灌注液袋高度，一般高于床头60cm。③正确连接灌注、吸引管、超声手柄，排净管道内空气，预设备操作数值，对仪器超声功能进行检测，测试正常开始使用仪器。

3）注意事项：①手柄高温灭菌后待自然冷却15min后方可使用，不可放入冷水中。②术中随时配合医生调整灌注液袋高度，灌注液不可中断。③超声乳化手柄是精密器械，避免摔、碰、撞。④根据患者病情合理调节控制面板参数。

（3）骨科机器人

骨科机器人主要由光学跟踪系统、机械手臂及操作平台三部分组成。骨科机器人是骨科手术专用设备，通过实时追踪，能够辅助医生精准定位植入物或手术器械，进行精准截骨和关节置换，其在微创术式和高风险手术领域具有明显优势，为骨科精准治疗提供了新的选择。

1）评估：使用前检查各仪器的功能状态，各连线连接是否正确。检查专用手术器械是否齐全。

2）操作要点：①确保患者体位正确，便于手术操作且能保持稳定。②严格按照操作手册进行机器人系统的校准，保证定位和运动的准确性。③精准地将患者解剖结构与机器人系统进行配准。④密切关注机器人的运动轨迹和操作参数，实时监控手术进展。⑤人机协作，根据机器人的引导进行精准操作。

3）注意事项：①输入患者和器械相关数据时要保证准确无误。②操作人员必须经过专业培训，具备足够的经验和技能。

（4）超声骨刀

超声骨刀是一种新型的骨外科手术设备。它利用高强度聚焦超声技术，将电能转化为机械能，使特制的刀头以高频振动的方式进行骨组织的切割和磨削。它可根据不同组织的密度改变输出功率，做到"切硬不切软"，最大程度地避免对周围的血管、神经和其他软组织造成损伤。

1）评估：使用前检查设备的功能状态，根据手术需要设定输出参数。检查灭菌手术器械是否齐全。

2）操作要点：①正确安装刀头，并确保连接牢固。②将冲水管路及手柄组装完成后分别与主机和生理盐水连接，测试设备运行是否正常。③关闭主机，拔除手柄线接口，拆卸刀头。

3）注意事项：①操作时应平稳、匀速，避免用力过猛或过度切割，防止对周围正常组织造成损伤。②使用时保持冲水，防止刀头过热而导致组织损伤。③如使用中设备出现异常声音、振动或停止工作等情况，应立即停止使用，并进行检查和维修。

五、物品管理

（一）器械

手术器械分为普通器械、贵重精细器械、外来器械

1.器械管理

（1）普通器械管理

1）手术器械由手术室根据需求负责申领、保管、统一提供使用，专科特殊器械由专科提出，经与手术室共同商榷后由手术室提出采购申请，专科科主任、手术室护士长签字，报设备科审批，同意后由医院设备部门统一采购。

2）手术室设专职或兼职人员负责器械管理工作，器械管理须建账立册，专柜分类放置，摆放有序，标识醒目，详细登记出入库。管理人员定时清洁整理器械柜，每半年清点一次器械，账物相符。

3）手术器械包根据手术所需进行器械组合，包内放置器械基数卡，便于清点。无菌手术器械包根据手术种类、手术量设有一定基数，特殊专科器械根据手术医生具体要求准备。

4）手术室器械均由医院设备部门统一购进，禁止手术医生携带器械用于手术，未进入采购流程的试用器械，必须按照医院流程办理相关手续，经手术室护士长同意方可

使用。

5）手术器械原则上不外借，确需借用，须经有关部门审批，手术室护士长同意后凭借条借出；归还时，接收人员清点器械数目并检查器械性能、完好性。发生损坏或报废，应及时汇报管理人员进行更换。

6）严禁任何人将手术器械拿出手术室、私自挪作他用或更换。

（2）贵重精细器械管理

贵重精细器械是指单件器械在1000元以上或精密、锐利、尖细、易损的器械，如显微外科器械、心脏血管手术器械、腔镜外科器械等，一般价格贵，做工精细，极易损坏或丢失。

1）设专人管理，分类放置，专项建账立册，每半年清点一次，账物相符。建立使用登记本，登记器械的使用时间和使用情况，并签字。

2）不可与普通器械混放，以免损坏器械，最好采用特制器械盒包装，单独灭菌存放。若混放，灭菌，注明"勿压"字样，轻拿轻放。

3）使用时，不可夹持粗厚物品或挪作他用，不可投掷、互相碰撞，注意保护利刃和尖端，不用时用硅胶管保护器械尖端，防止损坏。

4）使用完毕做好手术器械的预处理，并尽快与消毒供应中心人员当面交接，确认完好性，清洗时单独手工清洗或单独放入超声清洗机清洗。

5）定期保养器械，保证其性能良好，延长其使用寿命。

6）器械一旦损坏或丢失，应及时报告护士长及专科组长，并查找原因，及时补充，以免影响手术使用。

（3）外来器械管理

外来器械指外来单位（厂家）提供给医院临时使用的手术器械，如关节置换器械、内固定器械、电钻等，是在普通手术器械基础上增加的局部专项操作器械，这类器械具有手术针对性强、组织创伤性小、高效、省时省力、预后好等特点。

1）外来单位（厂家）应向医院提供符合国家标准的手术器械。

2）外来器械必须经过医院医务处、设备处等部门审批，设备部查看相关资料、证件齐全后，在手术室备案登记方可使用，不得使用未经注册、过期失效或淘汰的医疗器械。手术室只接收医院消毒供应中心处理灭菌的外来器械。

3）外来器械使用前，技术人员对手术医生、手术室护士进行专业培训，熟练掌握器械的基本性能和使用方法。外来器械最好可以相对固定在医院，如不能固定，须提前一天与手术室人员确认手术患者信息后将器械送到医院消毒供应中心清洗、灭菌，保障手术正常进行。

4）厂家人员原则上不许进入手术室，如手术需要现场指导，应提前经过手术室安排的培训计划，经设备科出具技术人员跟台表，征得手术室护士长同意后进入手术室，厂家人员更换时，应重新培训，每次限一人，但是禁止上台操作。

2. 器械使用规范

（1）手术器械根据手术需要配置常规手术器械包、专科手术器械包。器械包内放置器械清点单，注明器械名称、种类、型号、数量等。

（2）手术器械包根据手术方式、种类、数量的变化定期调整、增加，以满足手术需要。

（3）器械使用前检查器械完整性，功能是否良好，数量是否齐全，器械有锈蚀、断裂、功能不良应及时取出，更换新的器械，以免影响手术使用。

（4）禁止暴力使用器械，如用持针器拧钢丝，弯钳夹持螺钉等。不可用精细器械夹持粗厚物品，注意轻拿轻放，单独区域放置，不可投掷、互相碰撞。

（5）器械使用后及时擦拭血迹、污渍，手术结束后做好手术器械的预处理。

（二）耗材（一次性耗材）

一次性耗材是经灭菌后，有明确标识，包括名称、生产日期、失效日期、生产商、批号等的一次性使用的耗材物品。

1.一次性耗材基本管理规范

（1）一次性耗材资质管理：手术使用的一次性耗材必须是由医院设备及采购部门严格审批，并符合国家规定、医院招标范围及审核合格的产品。

（2）一次性耗材购置管理：手术室所有一次性耗材必须由医院主管部门统一采购，手术室不得自行采购，需要采购的耗材，由手术室提交申请，医院审核招标，相关部门采购、验收、入库，手术室根据手术需要领用。

2.低值耗材的管理

低值耗材是指医用消毒类、医用高分子材料类、敷料类等。

（1）手术室设专人负责一次性耗材的申领、接收、存放、发放及整理工作。

（2）建立和规范低值耗材的领用程序，专管人员根据使用量制订每日或每周申领计划，并固定一定基数，避免无货影响手术或积压过期造成浪费。

（3）耗材应按种类、规格定位放置，所有耗材须拆除外包装箱后再入库。耗材间放置速干手消毒液，拿取耗材前进行手卫生。

（4）耗材管理可采用目视化管理，用不同颜色区分区域，根据耗材实际使用量和供货周期在目视管理标识上设置预警线，达到预警线及时补充。

（5）有条件的医院可进行信息化管理，建立库存定位器识别通道货架标识，确定厂商编号及名称，创建储存位置的目录和排序，方便管理人员发放和归位。

（6）储存在环境整洁有净化级别的库房，每日清洁擦拭，定期整理，清点盘库。库房严禁出现过期耗材，低值耗材使用应遵循先进先出的原则。

（7）耗材出库前，管理人员与领用人员须检查包装完整性、有效期等。

（8）低值耗材使用管理

1）手术间存放低值耗材须定位放置，便于取用，同时根据实际使用量设定基数，采用抽屉式存放的，设立存放基线，以免放置过满，抽拉时挤破包装。

2）耗材使用前检查外包装的完整性，有无潮湿、破损，以及是否在有效期内，一经打开立即使用，打开未用的耗材不得保留使用，禁止重复灭菌使用。

3）耗材使用过程中如果发现问题，及时反馈到专管人员、护士长，进行应急处理和上报。

4）未进入采购流程的试用耗材，必须按照医院规定办理相关手续，设备科、医务处报备后，设备科相关人员通知手术室护士长，护士长通知耗材专管人员后方可试用，试用后填写反馈报告。任何人不得擅自试用一次性耗材。

5）手术室耗材原则上不予外借，如需外借，须经护士长同意，出具借条借出，并及时收回。

6）低值耗材计费管理：制定手术室耗材计费流程和管理规定，可利用信息化完善耗材计费工作，使用时通过扫码生成计费，避免收费错误、重复核对等。

3.高值耗材的管理

高值耗材是指直接作用于人体，安全性有严格要求，使用须严格控制，价格较高的医用耗材。其中植入性高值耗材是指借助手术，部分或全部进入人体，在手术结束后留置在体内30d以上的耗材。

（1）手术室设有高值耗材库房，由专人管理，耗材间放置速干手消毒液，拿取耗材前进行手卫生。

（2）高值耗材应分类放置，整齐有序，标识清楚，常用与不常用耗材分类与分区存放。

（3）根据耗材使用量设立基数，专管人员每日进行耗材清点、登记、整理、申领工作，储存量不宜过大。

（4）建立严格出入库登记制度，准确及时记录出入库数量。建立使用登记本，每日手术间根据手术需要到库房领取并进行登记，使用后在计费单上准确记录耗材名称、规格型号、数量。未使用的耗材及时还回库房，管理人员核对无误后注销出库记录。

（5）对储存有特殊要求的耗材按要求存放，须冷藏的耗材放入冰箱储存，调节到规定的温度，保障耗材安全有效。

（6）高值耗材使用管理

1）高值耗材使用前检查外包装的完整性，有无潮湿、破损，以及是否在有效期内，一经打开立即使用，打开未用的高值耗材不得保留使用，禁止重复灭菌使用。

2）高值耗材价格昂贵，使用前巡回护士、手术医生、器械护士三方核对无误后，巡回护士须再次复述，确认无误后打开耗材，避免错打，造成不必要的损失。

3）手术医生、手术室护士须熟悉并掌握各种耗材的用法，适用范围，以免给患者造成损失。

4）使用耗材的条形码分别粘贴在计费单和病例等规定文书内，作为耗材使用依据并方便患者查询。

5）耗材使用过程中发现问题及时反馈到管理人员、护士长，进行应急处理和上报。

6）高值耗材使用时遵循先进先出的原则。

（7）高值耗材计费管理

1）管理人员根据每日出库记录与计费人员进行核对，防止耗材费用错计、漏计、多计。

2）可利用信息化系统，巡回护士扫码计费。

（三）敷料

1.手术室敷料类型

（1）布类棉质敷料：布类敷料是用来铺盖术野四周皮肤的屏障材料，把无菌区和有菌区严格分开，防止发生切口感染。其优点是布质柔软、舒适、价格便宜，可耐受反复多次洗涤和灭菌处理；缺点是防湿性差，易被血液、水浸透，失去隔离作用，容易产生毛絮且易沾灰，影响手术间空气质量。包括手术布巾、洗手衣裤、手术衣、纱布纱垫、绷带等，必须使用双层棉布制作的包装。

（2）一次性手术敷料：采用无纺布制作，可以有效阻隔细菌渗透，轻便、防湿、无尘、透气，一次性使用可有效降低手术感染率，污染后处理彻底，使用方便，但价格较贵。

（3）纸塑包装类：常用于各种单包器械和物品的包装，包装方法简便，为一次性使用包装材料。

2.常用布类敷料名称、用途

（1）手术衣，用于参加手术的人员使用，遮盖其身体和手臂。

（2）洗手衣、裤，用于进入手术室的人员穿着。

（3）治疗巾，用于手术切口四周消毒后的皮肤遮盖。

（4）中单，用于各种手术铺巾，遮盖术野及器械台等。

（5）桌单（双层），用于铺置无菌器械桌，遮盖器械台。

（6）包布（双层），用于包装各种类型器械及布类敷料。

（7）托盘套（双层），用于遮盖器械升降盘。

（8）各类专科手术单，分别用于头部、面颈部、胸腹部、会阴部、腰背部、眼部、上下肢、耳鼻喉手术等。

（四）手术室无菌物品的管理

1.无菌物品使用要求

（1）手术室须根据手术间数量与工作流程合理设置无菌物品间数量和面积，其位置符合要求且取用便捷。

（2）根据无菌物品用途、种类、数量、使用频次定位放置于开放式储物柜或储物架，遵循先进先出原则（如左放右取、前取后放），合理规范放置，方便护理人员取用、归还。

（3）无菌间须放置速干手消毒液，护士拿取无菌物品前应进行手卫生。清点无菌物品以目测为主，尽量减少触摸。

（4）无菌物品间须粘贴灭菌前后的各类化学指示卡，作为灭菌效果对比，方便护理人员查看。无菌物品架或柜须标识清晰，放置位置规范。

（5）每日由专人查看、整理无菌器械、无菌敷料包、无菌敷料盆，保证器械、敷料包、敷料盆无过期。每周定期检查一次性无菌耗材有效期，临近过期物品标识清楚，单独放置，尽快使用。

（6）贵重物品柜内放置，加锁保管，设置交班本并注明名称、数量，每班交接并签字确认。

（7）使用无菌器械、包、盆等前，须检查包外灭菌指示胶带和包内化学指示卡，包外灭菌指示胶带只表明物品是否灭菌，包内指示卡变色合格才可使用无菌物品。

（8）使用无菌物品前须检查名称、有效期、包装、灭菌指示胶带及灭菌指示卡，符合要求方可使用。

（9）无菌物品出现以下情况禁止使用：

1）无菌物品过期或没有注明灭菌、失效日期。

2）无菌物品包装破损、松散，外包布潮湿、有污渍、水渍。

3）灭菌指示胶带、包内指示卡未变色或变色不均匀。

4）无菌器械、包、盆包装层数不符合要求。

2.无菌物品存放管理要求

（1）无菌物品存放间有空调净化，环境整洁，温度≤24℃，湿度≤70%，温湿度相对恒定；限制人员流动。

（2）无菌物品存放架或柜距离地面20～25cm，距离墙面5～10cm，距离天花板50cm。

（3）灭菌包体积重量要求：下排气程序灭菌包体积不宜超过30cm×30cm×25cm，脉动预真空压力蒸汽灭菌包体积不宜超过30cm×30cm×50cm，器械包重量≤7kg，敷料包重量≤5kg。

（4）无菌物品存放区严禁出现未灭菌、过期、标识不清楚物品，发现包装松散，包布潮湿、破损，包装污染等须重新灭菌。

（5）无菌物品存放区温湿度及净化符合要求时，无菌物品有效期如下：

1）使用普通棉布包装无菌物品，有效期为14d。

2）使用医用无纺布、一次性皱纹纸、一次性纸塑袋包装，硬质容器包装，有效期为6个月。

3）没有净化空调系统的普通手术室，普通棉布包装无菌物品有效期为7d。

六、感染控制管理

（一）手术室的感控管理

1.手术部位感染危险因素

手术部位感染危险因素可概括为患者和手术两大方面。

（1）患者相关因素

1）年龄：婴幼儿（<2岁）因免疫系统发育不全而易被感染；老年人（>60岁）则因机体老化、各种组织器官退行性变化、功能衰退、机体免疫防御功能明显下降、身体带菌状态增至易被感染。因此，婴幼儿及老年患者感染病种更广，感染率更高，是医院感染的易感人群。

2）肥胖：肥胖是由于饮食与消耗不平衡引起的脂肪组织增加的代谢性疾病，可以增加疾病的易感性。由于脂肪组织的血流量和血容量都较低，供血少的组织容易发生感染。此外，脂肪组织影响手术操作和显露、延长手术时间、脂肪层的无效腔难以完全消灭等因素，均会增加术后感染的机会。

3）营养不良和低血清白蛋白：蛋白质是机体各器官、组织的重要组成成分。低蛋白血症和营养不良会影响免疫系统，导致免疫功能下降，从而增加手术部位感染率。

4）疾病严重指数：有严重基础疾病的患者更容易发生感染。糖尿病是目前常见的慢性疾病，高血糖会导致患者机体微循环反应异常，不仅会抑制趋化因子和白细胞的吞噬作用，而且会降低细胞免疫反应，随着血糖水平的增高，手术部位感染的发生率也会增加；相较于良性肿瘤，恶性肿瘤切口感染率更高，这是由于恶性肿瘤严重破坏了患者的自身免疫能力，导致机体免疫功能下降，且放化疗后白细胞数降低，进而导致感染率的增加。

5）远处感染灶：活动性感染的患者，即使感染部位与手术切口距离很远，仍比未患有感染的患者切口感染率高。控制手术前后出现的感染灶，可降低伤口感染发生的危险性。

6）鼻腔携带金黄色葡萄球菌：金黄色葡萄球菌具有毒力强、易传播、高耐药性的特性，是医院感染的主要原因之一。金黄色葡萄球菌，尤其是耐甲氧西林金黄色葡萄球菌（MRSA），主要寄生在人体的鼻前庭，在住院患者以及医护人员中鼻腔定植率可高达50%～90%。金黄色葡萄球菌鼻腔携带者很可能在鼻腔外的其他部位也被相同的菌株污染，增加了内源性感染的风险，尤其是手术部位感染。

7）吸烟：长期吸烟者免疫功能低下，免疫球蛋白浓度和溶菌酶活性降低，术后感染的机会大；同时，吸烟能够导致外周血管收缩、组织缺氧及降低机体组织中性粒细胞抗氧化能力和胶原合成，增加了手术部位感染的能力，不利于切口愈合。

8）术前住院时间：术前长时间住院的患者，机体的抵抗力降低，长时间住院易出现病原微生物，特别是多重耐药菌的侵袭，加之环境、心理等因素的影响，会延缓手术切口的愈合时间，增加感染发生。

9）治疗因素：免疫抑制药、麻醉药、激素、放疗药、化疗药等以及治疗方法，可降低机体免疫功能，增加手术部位感染的概率。

围手术期抗菌药物的预防性应用，其目的主要是预防手术部位感染，但并不包括与手术无直接关系的、术后可能发生的其他部位感染。因此，围手术期正确、恰当地使用抗菌药物才能达到预防手术部位感染的最佳效果。2015版《抗菌药物临床应用指导原则》指出，如需预防感染用抗菌药物时，应在手术患者皮肤、黏膜切开前0.5～1h内或麻醉开始时给予合理种类、合理剂量的抗菌药物。

（2）手术因素

1）手术室环境：手术室空气中悬浮菌密度与手术切口感染的危险性呈正相关，医务人员着装是否规范、人员的数量、步行等运动、术间门的开启、敷料的抖动等均会影响空气细菌总数。

2）术前备皮：手术区皮肤准备能够有效降低皮肤上定植的细菌，但同时也会破坏皮肤、黏膜的完整性，因此术前备皮也是造成切口感染的一个危险因素。手术前一日备皮比手术日备皮有更大的危险；使用剃刀比剪刀危险大，这是因为剃刀备皮会造成皮肤毛囊损伤，增加真皮层细菌的定植。

3）手术风险分级标准：根据美国《医院感染监测手册》中的手术风险分级标准（NNIS），手术分为NNIS0级、NNIS1级、NNIS2级和NNIS3级。具体计算方法是将手术切口清洁程度、麻醉分级和手术持续时间的分值相加，总分0分为NNIS0级，1分为NNIS1级，2分为NNIS2级，3分为NNIS3级。手术部位感染率随着NNIS风险等级的升高而升高。

a.手术切口清洁度：手术部位感染的发生与在手术过程中术野所受污染程度有关，随着手术污染程度的增加，感染发生率显著上升。为了更好地评估手术切口的污染情况，《外科手术部位感染预防和控制技术指南（试行）》根据外科手术切口微生物污染的情况，将外科手术切口分为四类。

b.手术持续时间：手术风险分级标准根据手术的持续时间将患者分为两组：手术在

标准时间内完成组、手术超过标准时间完成组。随着手术时间的延长，术野暴露时间延长，创面感染细菌的机会以及数量均会增加；长时间的暴露、牵拉，切口周围组织可出现缺血缺氧，进而造成组织损伤；手术时间长，创伤大，出血，麻醉时间延长，导致机体免疫力下降；手术时间长也会导致术者疲劳，从而疏于无菌技术操作，增加感染的机会。

c.ASA分级：美国麻醉师协会（ASA）根据患者体质状况和对手术危险性将麻醉前患者分为5级。有研究显示，ASA评分是手术部位感染的危险因素，随着麻醉分级（ASA）的提高，术后感染的危险性增加。

4）手术性质及手术部位：急诊手术是影响手术部位感染的首要因素，急诊手术患者病情危急，开放性创伤大，失血、失液，机体防御能力下降，进而增加感染的风险。手术部位不同，感染率也不尽相同，手术部位感染率随着手术切口污染程度的加重而增加。美国医院感染监测报道，感染率最高的手术部位为结肠。

5）低体温：低体温可导致凝血机制障碍，也可使多种免疫功能无法发挥正常，长时间低体温还会导致能量消耗增加。

2.预防手术部位感染的措施

根据手术部位感染的危险因素采取综合预防控制措施，包括术前、术中和术后。

（1）手术前

1）尽量缩短患者术前住院时间。择期手术患者应尽可能待手术部位以外感染治愈后再行手术。

2）基础疾病有糖尿病的手术患者，应先有效控制患者的血糖，血糖目标水平应<11.1mmol/L。

3）正确准备手术部位皮肤，彻底清除手术切口部位和周围皮肤的污物。术前备皮应当在手术当日进行，确须去除手术部位毛发时，应当使用不损伤皮肤的方法，避免使用刀片刮除毛发。

4）采用卫生行政部门批准的合格的消毒剂消毒手术部位皮肤，皮肤消毒范围应当符合手术要求，如需延长切口、做新切口或放置引流时，应当扩大消毒范围。

5）预防性使用抗菌药物者，应在皮肤切开前30min至1h内给予。

6）有明显皮肤感染或患流感等呼吸道疾病以及携带或感染多重耐药菌的医务人员，在未治愈前不应参加手术。

7）手术人员要严格按照《医务人员手卫生规范》进行外科手消毒。

8）术前纠正水电解质紊乱、贫血、低蛋白血症等。

（2）手术中

1）保持手术间门关闭，最大限度减少人员数量和流动。

2）保证使用的手术器械及物品等达到灭菌水平。一般情况下不建议对手术器械进行快速灭菌，应避免对植入物进行快速灭菌。

3）手术中医护人员要严格遵循无菌技术原则和规范。

4）手术时间超过3h，或者手术时间超过所用抗菌药物半衰期的2倍以上，或失血量大于1500mL时，手术中应追加合理剂量的抗菌药物。

5）手术人员尽量轻柔地接触组织，保证有效地止血，最大限度地减少组织损伤，彻底去除手术部位的坏死组织，避免形成无效腔。

6）术中维持患者核心体温≥36℃，防止发生低体温。冲洗体腔时，液体温度不宜超过37℃。

（3）手术后

1）医护人员接触患者手术部位或者更换手术切口敷料前后应当进行手卫生。

2）为患者更换切口敷料时，严格遵守无菌技术操作原则及换药流程。

3）术后保持引流通畅，根据病情尽早为患者拔除引流管。

4）外科医生、护理人员要定时观察患者手术切口部位情况，出现分泌物时应当进行微生物培养，结合微生物报告及患者手术情况，对外科手术部位感染及时诊断、治疗和监测。

3.感染监测

（1）成立手术室医院感染监控小组，由护士长和感控护士组成。负责对本科室工作过程中可能存在的与医院感染发生有关的各个环节进行监测。一旦发现违反操作规范和其他感染危险因素，应立即采取措施纠正。

（2）建立感染监测制度，制订监测计划，由专人负责对手术室环境、医务人员的手、消毒液、无菌物品等进行微生物学监测，并做好记录。当怀疑医院感染暴发与手术室有关时，应及时全面监测，并进行相应致病性微生物的检测。

（3）对监测人员进行知识和技能培训，监测方法正确、规范，提高分析和判断能力。

（4）在监测过程中发现有医院感染暴发和集聚性医院感染发生的情况，应及时向上级部门汇报。

（5）定期总结分析监测资料，提出监测中发现的问题，向相关科室反馈并提出改进建议。

（二）感染手术的消毒隔离

感染手术是指手术部位已受到病原微生物的感染或直接暴露于感染区的手术，包括脓肿切开引流、烧伤、清创术等手术部位已有感染形成的手术以及患者一些特殊化验异常（如肺结核、各种病毒性肝炎、气性坏疽、多重耐药菌感染等）的手术。

1.常见感染手术的分类

根据病原菌的种类及病变性质，手术室内常见的感染手术分为一般感染手术及特殊感染手术两类。

（1）一般感染手术

一般感染手术包括脓肿切开引流、烧伤、清创术等手术部位已有感染形成的非传染性疾病的手术，同时包括结核、肝炎、梅毒等传染性疾病的手术。

（2）特殊感染手术

1）朊毒体感染患者手术：朊毒体是一种缺乏核酸但能够自行增殖的蛋白质亚病毒，是一种能够引起人畜共患的传染性中枢神经系统慢性退行性变的病原体。传染途径主要是消化道感染和医源性感染。

2）气性坏疽感染患者手术：气性坏疽是由梭状芽孢杆菌引起的一种严重的急性特异性感染，传染性极强。发生气性坏疽主要条件为有梭状芽孢杆菌污染的伤口，伤口尤其是肌肉组织内有失活的或血液循环障碍的组织以及缺氧的局部环境。

3）人类免疫缺陷病毒（艾滋病病毒）感染患者手术：是一种感染人类免疫系统细胞

的慢病毒，属反转录病毒的一种，广泛存在于感染者的血液、体液中，在手术室的传染途径主要为血液传播。

4）不明原因感染患者手术：如在世界范围内第一次引起疫情的新病原体以及我国范围内第一次引起疫情的新病原体等。

2.感染手术的消毒隔离

（1）手术间准备：手术间条件应符合接收感染性疾病患者。

1）手术室内应设一般手术间和隔离手术间，有条件可设置正负压切换手术间。

2）隔离手术间应设置在手术室入口处，远离其他手术间，为独立空调机组，有独立刷手间。

3）感染手术进行时，手术间门外悬挂隔离标志。

（2）人员管理

1）术间人员进行标准预防：正确佩戴一次性手术帽、防护口罩、护目镜，穿一次性隔离衣、无菌手术衣、一次性防水鞋套；离开手术间前，须脱去污染的衣物、鞋套、手套方可离开手术间。

2）空气传播疾病的手术，手术人员必须佩戴防护口罩，如N95口罩等。

3）特殊性感染、人感染高致病性禽流感以及SARS感染患者等特殊手术结束后，手术者须进行沐浴更衣后再重新进入手术间。

4）限制术间人员数量及走动频次，限制手术间门的开关频次，拒绝人员参观，手术间设置内外两名巡回护士，内外分工明确，协调配合。

5）接触患者体液、血液、分泌物、排泄物等必须戴手套。

（3）物品准备

1）根据手术需要备齐所需用物，包括敷料、器械、手术所需耗材、医疗垃圾收集容器、工作人员防护用品等，无关用物不得存放在手术间内。

2）尽可能使用一次性手术敷料，用后按感染性医疗废物处理。

（4）患者管理

1）接送患者时，转运平车须单独铺置一条大单，能够包裹患者，以一次性材质为佳。设专用感染标识，提示工作人员采取隔离措施，平车专人专用，转运途中避免不必要的停留。

2）尽量减少患者的转运，如在病房、手术间、复苏室等之间的转运、停留。

3）对于空气传播疾病的患者，病情允许时应佩戴外科口罩。

（5）术后处理

1）手术间的环境及物表消毒用含氯消毒剂，擦拭物表有效浓度为500～1000mg/L，拖地有效浓度为1000mg/L，作用时间30min。

2）感染性织物的处理：①一次性敷料术后按感染性医疗垃圾处理。②复用的感染性布巾使用双层医疗废物专用包装袋盛装，粘贴感染手术标识，采用压力蒸汽灭菌后再按规范进行洗涤、灭菌。

3）术后器械处理：在手术间内用黄色医疗垃圾袋双层包装，并在包外醒目标识，运送至消毒供应中心处理。

4）标本处理：标本在手术间内完成固定工作，做好感染标识，密闭容器运送，运送过程相关人员做好相应的防护。

5）患者血液、体液、尿液等经1000mg/L含氯消毒液浸泡30min后再倒入污水处理系统（朊病毒的浓度应调至10000mg/L），或进行封闭式收集后放入医疗垃圾袋，袋外注明感染手术字样。

6）特殊感染手术间在手术结束后必须在院感科指导下对手术间进行消毒、清洁，封闭48h，封闭时门外悬挂"特殊感染手术后"字样。封闭完成后请感控科人员进行空气、物表的细菌培养，合格后方可开放，正常安排手术。封闭期间每日物表含氯消毒剂擦拭2次，必要时每日紫外线照射2次。

第二节　过程质量标准

一、安全管理

（一）安全核查

1.手术安全核查概念

手术安全核查是指由具有职业资质的手术医生（本院）、麻醉医生和手术室护士三方（以下简称三方），分别在麻醉前、手术开始前和患者离开手术间前，共同对患者身份和手术部位等内容进行核查的工作。

2.手术患者安全核查内容

（1）麻醉实施前由手术医生主持，三方按《手术安全核查单》内容依次核对患者身份（姓名、性别、年龄、住院号）、手术方式、手术部位与标识正确、手术知情同意、麻醉知情同意、麻醉方式确认、麻醉设备安全检查完成、皮肤是否完整、术野皮肤准备正确、静脉通道建立完成、患者是否有过敏史、抗菌药物皮试结果、术前备血、假体/体内植入物/影像学资料、其他；局部麻醉患者由手术医生和巡回护士共同核对。

（2）手术开始前由麻醉医生主持，三方共同核查患者身份、手术方式、手术部位与标识，并确认风险预警等内容。由手术医生陈述：预计手术时间、预计失血量、手术关注点及其他；麻醉医生陈述：麻醉关注点及其他；手术护士陈述：物品灭菌合格、仪器设备、术前术中特殊用药情况、是否需要相关资料及其他。

（3）患者离开手术间前由巡回护士主持，三方共同核查患者身份、实际手术方式，术中用药、输血的核查，手术用物清点情况，确认手术标本，检查皮肤完整性、各种管路，确认患者去向等内容。

（二）体位管理

1.标准手术体位概念

标准手术体位由手术医生、麻醉医生、手术室护士共同确认和执行，根据生理学和解剖学知识，选择正确的体位设备和用品，充分显露术野，确保患者安全与舒适。

2.手术体位安置原则

（1）在减少对患者生理功能影响的前提下，充分显露术野，保护患者隐私。

（2）注意分散压力，防止局部长时间受压，保护患者皮肤完整性。

（3）正确约束患者，约束带松紧度适宜（以能容纳一指为宜），维持体位稳定，防止术中移位、坠床。

（4）保持患者呼吸、循环通畅，保持人体正常的生理弯曲及生理轴线，维持各肢体关节的生理功能位置，防止过度牵拉、扭曲及损伤血管神经。

3.常见手术体位

（1）仰卧位

1）摆放要点：头部置头枕并处于中立位置，头枕高度适宜。头和颈椎处于水平中立位置；上肢掌心朝向身体两侧，肘部微屈用布单固定。远端关节略高于近端关节，有利于上肢肌肉韧带放松和静脉回流。肩关节外展不超过90°，以免损伤臂丛神经；膝下宜垫膝枕，足下宜垫足跟垫；距离膝关节上5cm处用约束带固定，松紧适宜，以能容纳一指为宜，防止腓总神经损伤。

2）仰卧位适用于头颈部、颜面部、胸腹部和四肢手术。

（2）俯卧位

1）摆放要点：根据手术方式和患者体型，选择适宜的体位支撑用物，并置于手术床上相应位置；麻醉成功，各项准备工作完成后，由医护人员共同配合，采用轴线翻身法将患者安置于俯卧位支撑用物上，妥善约束，避免坠床；检查头面部，根据患者脸型调整头部支撑用物的宽度，将头部置于头托上，保持颈椎呈中立位，维持人体正常的生理弯曲；选择前额、两颊及下颌作为支撑点，避免压迫眼部眶上神经、眶上动脉、眼球、颧骨、鼻及口唇等；将前胸、肋骨两侧、髂前上棘、耻骨联合作为支撑点，胸腹部悬空，避免受压，避开腋窝。保护男性患者会阴部以及女性患者乳房部；将双腿置于腿架或软枕上，保持功能位，避免双膝部悬空，给予体位垫保护，双下肢略分开，足踝部垫软枕，踝关节自然弯曲，足尖自然下垂，约束带置于膝关节上5cm处；将双上肢沿关节生理旋转方向，自然向前放于头部两侧或置于托手架上，高度适中，避免指端下垂，用约束带固定。肘关节处垫防压体位垫，避免尺神经损伤；或根据手术需要，双上肢自然紧靠身体两侧，掌心向内，用布巾包裹固定。

2）俯卧位适用于头颈部、背部、脊柱后路、盆腔后路、四肢背侧等部位的手术。

（3）侧卧位

1）摆放要点：取健侧卧，头下置头枕，高度平下侧肩高，使颈椎处于水平位置。腋下距肩峰10cm处垫胸垫。术侧上肢屈曲呈抱球状置于可调节托手架上，远端关节稍低于近端关节；下侧上肢外展于托手板上，远端关节高于近端关节，共同维持胸廓自然舒展。肩关节外展或上举不超过90°；两肩连线与手术台成90°。腹侧用固定挡板支持耻骨联合，背侧用挡板固定骶尾部或肩胛区（离术野至少15cm），共同维持患者90°侧卧位。双下肢约45°自然屈曲，前后分开放置，保持两腿呈跑步时姿态屈曲位。两腿间用支撑垫托住上侧下肢。小腿及双上肢用约束带固定。

2）侧卧位适用于颞部、肺、食管、侧胸壁、髋关节等部位的手术。

（4）截石位

1）摆放要点：患者取仰卧位，在近髋关节平面放置截石位腿架；如果手臂需外展，同仰卧位。用约束带固定下肢；放下手术床腿板，必要时臀部下方垫体位垫，以减轻局部压迫，同时臀部也得到相应抬高，便于手术操作。双下肢外展<90°，大腿前屈的角度

应根据手术需要改变；当需要头低脚高位时，可加用肩托，以防止患者向头端滑动。

2）截石位适用于会阴部及腹会阴联合手术。

4.并发症及预防

（1）并发症

主要为压力性损伤和意外伤害。

（2）预防

1）术前评估患者全身皮肤情况，骨隆突处及摩擦较大的部位衬以棉垫、压疮贴，预防术中压力性损伤的发生，特别注意年老体弱、昏迷、营养不良和水肿的患者。

2）摆放体位前应通知麻醉医生，保护患者头部及各种管道，如气管插管、输液管等，防止管道脱落、颈椎脱位等意外发生。

3）每台手术患者均应做眼睛护理。

4）体位安置完成后应再次确认床单是否平整、清洁、干燥；患者身体与手术床等金属物品是否接触，防止意外灼伤。

5）手术中头低位，手术时间较长且不能改变体位时，应采取适当垫高头部的方式，缓解因长时间头低位引起的眼部不适

6）在手术允许的情况下，应每2h适当调整体位，以缩短局部受压时间。

7）手术结束后检查、评估患者皮肤情况，若有异常，应与病房护理人员做好交接，防止损伤加重。

（三）体温管理

低体温是指核心温度低于36℃，是最常见的手术并发症之一。

1.导致低体温的因素

（1）麻醉药物导致体温调节障碍：麻醉药抑制血管收缩，抑制机体对温度改变的调节反应。

（2）手术操作导致热量流失：进风口位于手术台上方，空气对流导致患者体温下降较快。长时间手术，患者体腔与冷空气接触时间延长，机体散热增加。

（3）环境温度：手术间温度低于21℃，手术超过3h，患者极易出现低体温。

（4）静脉输注未加温的液体、血制品：术中输注大量常温的液体使患者体温降低。

（5）术中使用未加温的冲洗液：术中用大量盐水冲洗腹腔或体腔，带走体内热量及浸湿周围敷料，可导致机体热量散失。

（6）低体温高危人群：老年患者、新生儿、婴幼儿，虚弱、严重创伤、大面积烧伤患者等，为低体温的高危人群。

（7）其他：术前禁饮、禁食、皮肤消毒、患者紧张等因素都可能导致患者对冷刺激敏感性增强，引起体温下降。

2.体温保护原则

（1）若患者术前核心体温<36℃，应尽快实施主动加温（除急诊手术外，如大出血、急腹症等特殊情况），使患者体温尽量达到36℃。

（2）保持患者良好的热舒适度，麻醉前核心体温应不低于36℃。

（3）若患者术前核心体温≥36℃，在麻醉诱导前、气管插管或动静脉穿刺置管等操作期间仍应主动保温。

（4）维持环境温度（包括手术室或患者等候区等）不低于21℃。

（5）积极采取体温保护措施并贯穿整个围手术期。

3.预防低体温的措施

（1）被动保温

被动保温可促进热量滞留，应贯穿于整个围手术期，包括使用人工鼻、棉毯、手术单、反光毯和隔热毯等隔热措施。被动保温可减少30％的热量损失，其保温效果与覆盖物的材料、面积及覆盖层数相关。

（2）主动保温

主动保温主要指利用加热装置产生热量应用于皮肤和其他外周组织。

1）充气加温（forced-airwarming，FAW）设备，属于对流加热，是目前临床广泛使用的主动加温方法之一，适用于成人及新生儿、婴幼儿、肥胖患者等特殊人群的保温。加热后通过空气对流或接触传导使机体加温，减少热量丢失，从而维持患者核心体温处于正常范围，不增加切口感染率，较被动保温（棉被、棉毯）可更有效预防围手术期体温降低，加速低体温患者复温。其保温效果与手术体位、保温部位（上腹部、下腹部、全身）、设定温度范围等有关。

2）静脉输液加温设备，包含各类隔热静脉输液管道、水浴加温系统、金属板热交换器、对流加温系统等低流速或高流速加温设备。超过1000mL的液体以及冷藏血制品建议采用静脉输液加温设备加温至37℃以上再输注，但血制品加温不应超过43℃，且不宜采用水浴和微波加温方法。

3）传导加热系统，包含传导型电热毯、循环水加热系统、碳纤维电阻加温系统。荟萃分析显示，FAW设备对椎管内麻醉患者的保温效果优于传导型电热毯。随机对照研究结果提示，循环水加热系统对于不同腹部手术患者的术中保温效果与FAW设备类似，联合FAW设备时保温效果更佳。一项前瞻性临床试验证实，与被动保温相比，碳纤维电阻加温系统更能有效预防围手术期低体温的发生。

4）其他保温措施，包括温热腔镜冲洗液或CO_2气腹气体加温等，均可有效减少术中热量丢失。

（3）环境温度调控

热辐射热量的丢失主要取决于患者皮肤与环境的温度差。经过热量再分布后，环境温度对保温患者核心体温的影响很小。对于主动加温患者，环境温度可设置为手术室团队舒适温度。国内外普遍推荐成人术中手术室温度不低于21℃，实施儿科手术的手术室温度不低于23℃。将上述主动保温的措施组合实施即为复合保温。现有研究表明，复合保温比单一化的主动保温更加有效。

（4）药物干预措施

药物干预的目的主要是减少热量再分布（如去氧肾上腺素）和增加代谢产热（如果糖、氨基酸）。

4.特殊患者围手术期体温管理建议

特殊患者围手术期体温管理值得关注，包括特殊的监测部位、体温变化趋势、个体化治疗及患者获益等。

（1）儿童

围手术期应动态监测患儿体温变化趋势，新生儿测量部位可选择背部；适当提高环境温度（≥23℃）；对暴露体表进行覆盖（可采用保温毯），保证敷料干燥，保温箱转运；选择性使用复合保温方式。

（3）孕产妇

若剖宫产时感觉阻滞达到T4—T6水平，寒战阈值可降低0.6℃，故寒战在剖宫产中发生率为36%～71%。围手术期积极的复合体温保护可有效减少孕产妇寒战发生率，减少热量丢失。

（4）创伤

术前推荐测量鼓膜温度，在建立安全气道的患者中，推荐首选食管温度作为核心体温。对创伤患者的体温管理强调预防为先，首先与环境充分隔绝以保留身体产生的热量，防止传导性热量损失。围手术期应积极行复合保温措施以恢复和维持正常体温，减少并发症的发生。

（5）肝移植

肝移植患者术中体温变化呈现"V"字形，门静脉开放后体温最低，供肝置入腹腔和开放为影响体温最重要的原因。除常规保温方法外，减少供体置入腹腔时与后腹膜接触面积及"脉冲式开放"或可有效改善肝移植围手术期低体温。

（6）脓毒症

基于症状缓解的个体化治疗，是脓毒症患者围手术期体温管理的首选办法。

（四）皮肤管理

1.压力性损伤概念

压力性损伤是指手术过程中无法改变体位，身体局部长时间受压或皮肤与医疗器械长时间接触引起血液循环障碍，造成局部缺血、缺氧而致的软组织溃烂和坏死，其发生以压力性损伤为主，术后到6d内发生，其中以术后1～3d较多见。

2.压力性损伤好发部位

压力性损伤的发生与手术体位密切相关。常好发于局部受压和缺乏脂肪组织保护、无肌肉包裹或肌肉较薄的骨隆突处或皮肤黏膜与医疗器械接触处。

（1）仰卧位以枕骨隆突、肩胛骨、手臂和肘部、骶尾部及足跟部好发。

（2）侧卧位以面部和耳部、肩部、肋骨、髋部、膝关节内外侧（尤其是腓骨小头处）及踝关节内外侧部好发。

（3）俯卧位以面部、胸部（女性乳房）、髂前上棘、男性生殖器、膝关节、足背及足尖部好发。

（4）截石位以枕部、肩胛、腘窝、骶尾部好发。

3.压力性损伤的预防

（1）术前认真评估患者整体情况，有无压力性损伤高危因素，根据预计发生的危险因素，制订详细的预防措施。

（2）安置体位前在受压部位使用适宜的敷料，安置体位时要保持手术床面平整、干燥。

（3）正确摆放手术体位，动作要轻柔，避免拖、拉、拽、推等动作。体位安置后，检查患者身体与床面是否呈点状接触，悬空处用棉垫支撑，以增加受压面积，防止局部受压导致压力性损伤的发生。

（4）手术中注意保持床单位干燥，避免冲洗液等浸湿床单。

（5）在手术允许的情况下，尽可能每2h给予受压部位悬空片刻，以改善受压部位的血液循环。

（6）手术结束后再次评估患者皮肤情况，详细记录，并与病房护士认真交接，对患者的皮肤情况动态观察，及时发现损伤，早期治疗。

（五）标本管理

1.手术标本的概念

手术标本是指在手术室内实施手术过程中所切取下的组织、器官或与患者疾病有关的物体或异物。手术标本病理诊断的准确性对疾病的诊断和治疗起着决定性作用，正确的病理诊断为患者疾病后期的诊断和治疗方案提供有力保障。因此手术病理标本的安全管理是手术室患者安全质量管理的重要组成部分。

2.标本管理原则

（1）即刻核对原则：病理标本取出后器械护士应立即与主刀医生核对标本来源名称及数量，确定无误。

（2）即刻记录原则：病理标本取出核对无误后，巡回护士立刻记录标本来源名称和数量。

（3）及时处理原则：病理标本产生后应尽快固定或送至病理科处理。

3.标本的安全管理

详见标本管理制度。

二、技术标准

（一）无菌技术

无菌技术是外科治疗的基本原则，是预防和控制交叉感染及传播的一项重要基本操作。手术室护理人员及所有手术人员应遵循无菌原则和无菌技术规范管理要求，始终坚持无菌操作理念，减少和杜绝感染，保证手术安全。

1.外科洗手、手消毒

外科洗手、手消毒是指外科手术前医务人员用洗手液和流动水洗手，再用手消毒剂清除或者杀灭手部暂居菌和减少常居菌的过程。

（1）外科洗手、手消毒的设施

1）洗手池应建在靠近手术间附近的区域，洗手池高度适中，建议每2～4个手术间配置1个洗手池，洗手池管道不应裸露于外，安装标准防喷溅设施，池壁光滑无死角，应每日清洁和消毒。

2）采用非手触式水龙头，水龙头数量与手术间数量匹配，应不少于手术间数量，洗手用水水质应符合《生活饮用水卫生标准》（GB 5749—2022）要求，水温建议控制在32～38℃，不宜使用储水箱。

3）外科洗手清洁剂可选用洗手液，盛装洗手液的容器应为一次性的，如需重复使用，应每次用完后清洁消毒。

4）干手物品应使用无菌巾，一人一用。

5）外科手消毒剂应符合国家管理要求，在有效期内使用，开启后应标明开启日期、时间，易挥发的醇类产品开瓶后使用期不超过30d，不易挥发的产品开瓶后使用期不超过60d。宜采用非接触式出液器，建议使用一次性包装；重复使用的消毒容器应至少每周清洁与消毒。

6）手刷应柔软完好，重复使用时一人一用一灭菌，修剪指甲工具应在指定容器存放，应每日清洁和消毒。

7）应配备计时装置，方便医务人员观察洗手与手消毒时间。

8）洗手池上方应张贴外科洗手流程图，方便医务人员规范手消毒流程。

9）洗手池正前方应配备镜子，用于刷手前整理着装。

（2）外科洗手法

1）免刷外科洗手法：取适量的外科洗手液用七步洗手法揉搓双手每个部位、前臂和上臂下1/3，揉搓3～5min，用流动水从手指到肘部沿一个方向冲洗双前臂和上臂下1/3，双手应保持在高位，注意不要在水中来回移动手臂。用无菌巾从手至肘上依次擦干，注意拿无菌巾的手不要触碰已擦过皮肤的一面，同时还要注意无菌巾不要擦拭未清洗的皮肤。同法擦干另一手臂。取适量手消毒剂按照七步洗手法涂抹至双手的每个部位、前臂和上臂下1/3，并认真揉搓至消毒剂干燥。手消毒剂的取液量、揉搓时间及使用方法应遵循产品的使用说明。

2）手刷刷手法：取无菌手刷，取适量洗手液，刷洗双手、前臂至上臂下1/3，时间约3min。根据洗手液说明，刷手时稍用力，先刷甲缘、甲沟、指蹼，再由拇指侧开始，渐次到指背、尺侧、掌侧，依次刷完双手手指，再分阶段交替刷左右手掌、手背、前臂和肘上。刷手时要注意勿漏刷指间、腕部尺侧和肘窝部。用流动水从手指到肘部沿一个方向冲洗手和前臂，注意防止肘部水反流至手部。擦干手、消毒液涂抹方法同前。

（3）外科手消毒注意事项

1）外科手消毒前规范着装，摘除首饰（戒指、手表、手镯、手链、耳环、珠状项链等）。

2）手部皮肤无破损。

3）应先清洁后消毒，在清洁双手时，注意清洁指甲下的污垢和手皱褶处的皮肤，指甲长度不应超过指尖，不应佩戴人工指甲或涂指甲油。

4）外科手消毒过程中始终保持手臂位于胸前，低于肩，高于腰，使水由手部流向肘部，操作过程中，注意手不可触及其他物品，否则需重新洗手。

5）不同手术患者之间、手套破损、手被污染时应重新进行外科手消毒。

6）戴无菌手套前，避免污染双手，摘除外科手套后应用洗手液清洁洗手。

2.穿脱无菌手术衣

（1）目的：避免和预防手术过程中手术人员衣物上的细菌污染手术切口，同时保障手术人员安全，预防职业暴露。

（2）穿无菌手术衣技术：①拿取无菌手术衣，评估周围环境，站于宽敞处，面向无菌台，手提衣领打开，使无菌手术衣的另一端自然下垂。②两手提住衣领两角，衣袖向前将手术衣展开，使手术衣的内侧面朝向自己，举至与肩同齐水平，顺势将双手和前臂伸入衣袖内，并向前平行伸展。③巡回护士在穿衣者背后抓住衣领内面，协助穿衣者将袖口后拉，并系好领口系带及手术衣内侧一对系带。④穿衣者无接触式戴手套后，解开腰间活结，交于其他手术人员或交由巡回护士用无菌持物钳夹取，旋转后与左手腰带系于胸前。

（3）脱无菌手术衣技术：由巡回护士协助脱衣者解开衣领系带，先脱手术衣，再脱手套，确保不污染洗手衣裤和手。

（4）穿无菌手术衣注意事项：①穿无菌手术衣必须在相应手术间内进行，周围环境宽敞。②穿衣时，手术衣不可触及任何非无菌物品，若不慎或可疑触及，应立即更换。③穿全遮盖式手术衣时，穿衣人员须戴好手套后再接触腰带，未戴手套的手不可拉衣袖及其他部位。④穿无菌手术衣人员须巡回护士协助，后拉时双手不可触及手术衣的外面。⑤无菌手术衣的无菌区范围为肩以下、腰以上及两侧腋前线之间。⑥穿好手术衣，戴好手套等待手术开始前手术人员避免倚靠非无菌区，不应坐带靠背的圆凳。双手应始终互抱置于胸前，不可高举过肩、下垂于腰下或双手交叉放于腋下。⑦破损手术衣或可疑污染时应立即更换。

3. 无接触式戴无菌手套

无接触式戴无菌手套是指手术人员在穿无菌手术衣时双手不露出袖口独自完成或由他人协助完成戴手套的方法。

（1）目的

避免和预防手术过程中医护人员手部皮肤深部的细菌被汗液带到手套的表面而污染手术切口，同时保障手术人员安全，预防职业暴露。

（2）方法

1）自戴无菌手套：双手放于手术衣袖口内，隔衣袖取手套置于同侧的掌侧面，指端朝向前臂，拇指相对，反折边与袖口平齐，隔衣袖抓住手套边缘并将其翻转包裹手及袖口。

2）协助戴无菌手套方法：协助者将手套撑开，被戴者手直接插入手套中，协助者将手套完全包裹被戴者手术衣袖边。

（3）摘除手套方法

1）用戴手套的手抓取另一只手的手套外面翻转摘除。

2）用已摘除手套的手伸入另一手套的内侧面翻转摘除。注意清洁手不被手套外侧面所污染。

（4）注意事项

1）戴手套时手稍向前伸，不要紧贴手术衣，戴手套时双手始终不能露出袖口，操作双手均在衣袖内。

2）戴好手套后，应将手套翻折处翻转包住袖口，避免裸露腕部。

3）协助戴手套时，协助者戴好手套的手避免触及被戴者皮肤。

4）感染、骨科等手术，手术人员应戴双层手套。

4. 无菌器械台的管理

无菌器械台是指手术过程中存放无菌物品、手术器械等物品的操作区域。

（1）目的：使用无菌单建立无菌区域，设置无菌屏障，防止无菌手术器械和敷料被污染，最大限度地减少微生物由非无菌区域转至无菌区域。同时可以加强手术器械管理，迅速准确地配合手术医生进行手术操作，加快手术进程，降低手术部位感染。

（2）术前无菌器械台管理：①戴好帽子、口罩，规范着装，按七步洗手法洗手。②根据手术性质及范围，选择适宜的器械车，备齐所需无菌物品。在洁净宽敞的环境中铺置无菌器械台（无菌器械包和敷料包应在手术体位安置完成后打开）。③器械护士和巡回护士双人共同进行开包前检查，包括包外化学灭菌指示条的变色效果、有效期、包装是否完整干燥，有无破损，是否为手术所需的敷料和器械。无菌包的规格、尺寸应遵循《医疗机构消毒技术规范》（WS/T367-2012）C.1.4.5的规定。④铺置无菌器械台的时间应尽量靠近手术开始时间，特殊情况下不能立即使用时，须用无菌巾覆盖，有效期为4h。⑤巡回护士或器械护士徒手打开无菌包外层，注意手和未灭菌物品不能触及外层包布的内面，包布内层可由巡回护士或器械护士应用无菌持物钳打开。⑥无菌器械台台面敷料铺置4～6层，台面要求平整，四周边缘下垂不少于30cm，台上的器械物品不能超出台缘。⑦未穿手术衣及未戴无菌手套者，手不得跨越无菌区以及不得接触无菌台上的一切物品。⑧器械台无菌区仅限于器械台面，不可将器械物品置于器械台外侧缘，手术人员不可触及台面以下布单。⑨移动无菌器械台时，器械护士不能接触台面以下区域，巡回护士不可触及下垂的手术布单。

（3）术中无菌器械台的管理：①术者操作应面向无菌区，若更换位置时，如两人邻近，一人双手放于胸前，其中一人后退一步，与交换者采用背对背方式交换。如非邻近，则由双方先面向手术台退出，然后交换。②手术开始后手术台上一切物品不得相互使用，已取出的未污染的无菌物品也不能放回无菌容器内，须重新进行灭菌。③植入体内的无菌物品不得用手直接拿取，尽量采用无接触式拿取技术。④巡回护士为台上提供一次性无菌物品，打开包装后用无菌持物钳夹取放到无菌器械台上或由器械护士用镊子夹取，不应将物品倾倒或反扣在无菌器械台上，以保持一次性无菌物品无菌状态。⑤术中传递器械不应妨碍术者视线，应在无菌区域内进行，禁止从术者背后或头部传递，术者不可随意伸臂横过手术区取器械，必要时可从术者手臂下传递，但不得低于手术台边缘。⑥暂时不用的器械应按顺序摆放在无菌器械台，用无菌单覆盖备用。托盘上的缝针应针尖向上，以避免针尖扎透无菌敷料单。⑦术中暂停手术如进行X线摄片时，切口及手术区应以热盐水纱布垫或无菌单覆盖，防止污染。⑧器械护士术中要保持无菌单干燥，台上湿纱布敷料放在治疗盘内，如果敷料单被浸湿应立即更换或加铺两层以上无菌单。⑨手术间门应始终保持关闭状态，术中减少开关门次数，限制非手术人员进入手术间，减少人员走动。⑨参观者不能站太高，距离无菌区及手术人员30cm以上，不得随意互串手术间。⑩手术中应保持肃静，禁止手术人员在无菌区域内谈笑，咳嗽、打喷嚏应将头转离无菌区，避免飞沫污染。术中请他人擦汗时，头应转向外侧，用湿毛巾擦拭，避免毛絮纤维落入无菌区。

（二）隔离技术

1.隔离技术的概念

隔离技术是指在无菌操作原则的基础上，手术过程中采取的一系列隔离措施，将肿瘤细胞、种植细胞、感染源等与正常组织隔离，以防止或减少肿瘤细胞、种植细胞、污染源、感染源的脱落、种植和播散的技术。

2.隔离技术操作原则

（1）建立隔离区域：在无菌区域内建立隔离区域，隔离器械、敷料放置在隔离区域内，在隔离操作过程中使用，隔离前后操作器械、敷料不得混淆。

（2）隔离前操作准备：在切口至器械台之间加铺无菌巾，以保护切口周围及器械台面，隔离结束后撤除。

（3）明确隔离开始时机：明确进行污染及有瘤操作时；消化道、呼吸道、泌尿生殖道等手术穿透空腔脏器时；组织修复、器官移植手术开始时即为隔离开始。

（4）被污染的器械、敷料应放在隔离区域内，注意避免污染其他物品，禁止再用于正常组织。

（5）切除部位断端应用纱布垫保护，避免污染周围组织。

（6）保持术中吸引装置通畅，随时吸出外流内容物，吸引器头不能污染其他部位，根据需要及时更换。

（7）积极采取预防切口种植或污染措施，防止标本和切口接触，建议使用取物袋取出标本，放入专用容器。

（8）器械护士的手不能直接接触隔离区域内污染物。

（9）隔离后立即撤除隔离区域内物品，彻底清洗术野，更换器械、敷料，手术人员更换手套。切口周围加盖无菌巾，重新建立无菌区。

（10）清点物品时，应借助未污染器械辅助清点，不可用手直接接触隔离盘内器械。

3.常见隔离手术及操作要点

（1）恶性肿瘤手术/可疑恶性肿瘤手术

操作要点：

1）皮肤和皮下组织保护：皮肤贴膜或采用干纱布垫保护，并用巾钳或缝合固定。切开皮肤后皮下组织使用纱布保护后用牵开器固定暴露术野，或根据手术切口大小选择合适的一次性切口保护器进行切口保护。

2）手术器械和敷料的管理：建立肿瘤隔离区域，以便分清有瘤区和无瘤区，用于放置被污染和未被污染的器械、敷料。接触肿瘤的器械和敷料放在隔离区域使用，禁止用于正常组织，接触肿瘤的敷料用器械夹取。准备隔离盘用于放置肿瘤标本和直接接触肿瘤的手术器械。

3）冲洗液的使用：使用未被污染的容器盛装冲洗液冲洗术野；冲洗后不建议用纱布擦拭，以免肿瘤细胞种植。

（2）妇产科手术

1）操作要点：保护切口。涉及可能暴露宫腔手术时，切开腹壁后用切口保护套或纱布垫保护切口创面。剖宫产手术，子宫切口周围应用纱垫保护，尽量避免宫腔内血液或羊水污染切口。

2）手术器械和敷料的管理：术中接触宫腔的敷料必须一次性使用后丢弃，不能再用于其他部位。接触子宫内膜、胎膜或胎盘的器械应放在固定位置，避免污染其他器械和用物。缝合子宫的缝线不应再用于缝合腹壁各层组织。

3）冲洗液的使用：关闭腹腔及缝合腹壁切口前须用冲洗液冲洗，切口周围加盖无菌巾，防止腹壁切口子宫内膜异位症。

（3）空腔脏器手术

操作要点：①手术切口周围应用纱布垫或切口保护器保护，避免内容物污染切口。②切开空腔脏器前用纱布垫保护周围组织，备好蘸有消毒液的纱球（消毒断端）、吸引器（及时吸引内容物，以免内容物流出污染切口）。③若为肠梗阻，肠管内可能积存易燃性气体，在切开肠管时，不能使用电外科设备，避免造成意外伤害。

（4）同期手术

同期手术是指两种或两种以上术式同时进行、一次完成的手术。如不同切口级别的手术同期进行，肿瘤合并非肿瘤手术同期进行。

操作要点：①Ⅰ类切口手术合并非Ⅰ类切口手术，应遵循无菌技术操作原则，避免交叉感染。原则上Ⅰ类切口手术在前，非Ⅰ类切口手术在后。②特殊手术需要先做非Ⅰ类切口手术，再做Ⅰ类切口手术时，应重新更换器械及敷料，并将Ⅰ类手术切口贴膜保护。③手术器械台的管理须严格执行无菌技术和隔离技术操作规范，铺置2个无菌器械台，手术器械单独放置，区别使用。物品不得交叉使用，凡接触污染手术的物品均视为污染，不能再用于清洁切口的手术操作，避免交叉感染，手术人员应更换手套，更换无菌单。

第三节　结局质量标准

一、敏感指标

（一）手术安全核查正确率

1.指标定义

手术安全核查正确率是指单位时间内，正确执行手术安全核查的患者例数与同期抽样手术安全核查患者的总例数之比。

麻醉开始前：由手术医生主持，三方按《手术安全核查表》依次核对患者身份（姓名、性别、年龄、病案号）、手术方式、知情同意情况、手术部位标识、麻醉安全检查、皮肤完整性、术野皮肤准备、静脉通路建立情况、患者过敏史、抗菌药物皮试结果、体内植入物、影像学资料等内容。

手术开始前：由麻醉医生主持，三方共同核查患者身份、手术方式、手术部位与标识，并确认风险预警等内容，手术物品准备情况的核查由手术室护士执行并向手术医生和麻醉医生报告。

患者离开手术间前：由巡回护士主持，三方共同核查患者身份、实际手术方式、术中用药及输血情况、清点手术物品情况、确认手术标本、检查皮肤完整性、动静脉通路、引流管、确认患者去向等内容。

2.指标意义

手术安全核查制度是卫生部办公厅2010年3月为加强医疗机构管理，指导规范医疗机构手术安全核查工作，保障医疗质量和医疗安全，根据国家有关法律、法规制定的制度。通过监测该指标，督促手术人员严格执行手术安全核查制度与流程，有效防止手术患者、手术部位等发生错误，保障手术患者安全。

3.计算公式

$$手术安全核查正确率=\frac{正确执行手术安全核查的患者例数}{同期抽样手术安全核查患者的总例数}×100\%$$

4.数据采集

依据质量控制管理原则，需要对每月、每季度和每年手术安全核查执行率进行统计并记录。对未进行手术安全三方核查或核查不正确的进行原因分析，并进行持续质量改进。

5.案例解析

（1）案例：某医院3月共完成手术1800例，其中正确执行手术安全核查的例数达1795例，根据计算公式得出：

$$3月手术安全核查正确率=\frac{1795}{1800}×100\%=99.7\%$$

（2）解析：该医院3月手术安全核查正确率为99.7%，正确率未达到100%。原因主要为：手术医生、麻醉医生、手术室护士对三方核查重视程度不足；手术科室派进修医生或规培医生进行三方核查；安全核查后没有及时签字等。

（二）手术过程中异物遗留发生率

1.指标定义

单位时间内，手术过程中异物遗留发生例数占同期手术患者出院人数的比例。

2.指标意义

异物遗留发生在外科手术等治疗过程中，会对患者造成严重伤害，甚至危及生命，属于严重不良事件。通过监测该指标，发现术中物品清点流程及环节中存在的问题，分析原因，制订整改措施，加强人员培训，提高手术相关人员意识，杜绝手术过程中异物遗留患者体内不良事件的发生。

3.计算公式

$$手术过程中异物遗留发生率=\frac{手术过程中异物遗留发生例数}{同期手术患者出院人数}×100\%$$

4.数据采集

依据质量控制管理原则，需要每月、每季度和每年对手术过程中异物遗留发生率进行统计并记录。对发生在手术过程中异物遗留的不良事件进行原因分析，并进行持续质量改进。

5.案例解析

某医院3月共完成手术1800例，其中当月手术过程中异物遗留发生例数共2例。

案例1：患者王某，男，32岁，"脾脏切除"术后持续腹部不适1年3个月，到医院就诊，经B超检查发现腹腔有异物影，随即行"剖腹探查手术"，术中发现一根长约25cm的一次性吸引头套筒。

案例2：患者李某，男，58岁，行"主动脉瓣+升主动脉置换+主动脉弓置换术"。关闭切口时清点发现少1枚6-0普理林缝合线的缝针，随即报告手术医生进行寻找，并上报了护士长。经过1h的寻找未找到，行术中拍片显示缝针影，医生多次尝试取出未找到。

由于患者病情不稳定，考虑到患者安全，手术医生与患者家属谈话告知事情经过及处理措施（术后行CT定位，二次开胸取出）。患者家属表示理解并签字确认。术后3d患者病情平稳，经CT定位缝针位于主动脉根部后壁处，入手术室行"开胸探查术"，顺利将6-0普理林缝针取出。

根据计算公式得出：

$$3月手术过程中异物遗留发生率=\frac{2}{1800}×100\%=0.1\%$$

解析：该医院3月手术过程中异物遗留发生率为0.1%。案例1通过调取病例发现当年手术时，一次性吸引头套筒没有记录在《手术物品清点记录单》上作为清点项目，器械护士、巡回护士在手术关闭切口时未将一次性吸引头套筒作为清点项目进行清点，遗留至腹腔。案例2器械护士手术当中未能及时收取并发现缝针遗失，导致缝针遗留在患者体内。

（三）手术标本处理正确率

1. 指标定义

单位时间内，正确处理的手术标本数与同期抽样手术标本的总数之比。

2. 指标意义

手术患者的病理标本对疾病定性和治疗起着关键作用，正确的病理诊断决定着疾病的诊断和进一步治疗措施的制订。通过监测该指标，督导手术相关人员重视手术标本的管理，严格落实手术标本登记及送检流程，杜绝发生手术标本错误或遗失。

3. 计算公式

$$手术标本处理正确率=\frac{正确处理的手术标本数}{同期抽样手术标本的总数}×100\%$$

4. 数据采集

依据质量控制管理原则，需要每月、每季度和每年对手术标本处理正确率进行统计并记录。对发生的手术标本错误事件进行原因分析，并进行持续质量改进。

5. 案例解析

（1）案例：某医院3月共抽取手术标本1800例，其中当月手术标本处理错误例数共1例。巡回护士将同一手术间第一台手术患者信息误抄写在第二台手术患者标本袋上，造成切除阑尾患者的病理申请单上有阑尾标本，但没有盛放阑尾的标本袋。没有切除阑尾患者的病理申请单上没有阑尾标本，标本袋中却有阑尾标本。送检标本的当班护士也没有仔细核对，从而未发现此错误，病理科工作人员核对时发现少一份阑尾标本，随即联系送检标本的护士，送检标本的护士与病理科工作人员将当日50多份标本重新核对，又与2台手术医生和手术间当时巡回护士反复确认，最终确定是标本袋信息书写错误造成标本有误。根据计算公式得出：

$$3月手术标本处理正确率=\frac{1799}{1800}×100\%=99.9\%$$

（2）解析：该医院3月手术标本处理正确率为99.9%，正确率未达到100%。原因主要为巡回护士和送检护士没有严格按照《手术标本管理规范》核查并正确登记患者信息，造成标本袋患者信息与病理申请单患者信息不符。

（四）手术部位标识核查正确率

1.指标定义

（1）手术部位标识是指术前由手术医生在患者及其家属参与下，用不产生色素沉着的外科手术皮肤记号笔在患者手术部位进行体表标记，以杜绝手术部位发生错误，提高手术安全性的一种手段。

（2）手术部位标识核查正确率是指在单位时间内，核查患者手术部位标识的正确例数与同期抽样有手术标识的患者总例数之比。

2.指标意义

手术部位错误在医疗事故中占有一定比例，而手术部位标识是一种客观的信息载体，能给参与手术的医护人员提供直观可视的手术部位，是确保手术患者医疗安全、防止手术患者手术部位错误的重要措施。通过监测该指标，督促手术相关人员严格执行手术部位标识制度，防止弄错手术部位，给患者造成意外伤害，从而提高手术安全性。

3.计算公式

$$手术部位标识核查正确率=\frac{核查患者手术部位标识的正确例数}{同期抽样有手术标识的患者总例数}×100\%$$

4.数据采集

依据质量控制管理原则，需要对每月、每季度和每年手术部位标识核查正确率进行统计并记录。对未进行手术部位标识的或标识不正确的进行原因分析，并进行持续质量改进。

5.案例解析

（1）案例：某医院3月共抽取有手术标识的患者1560例，其中手术部位标识正确例数达1550例，根据计算公式得出：

$$3月手术部位标识核查正确率=\frac{1550}{1560}×100\%=99.4\%$$

（2）解析：该医院3月手术部位标识正确率为99.4%，正确率未达到100%。原因为：手术医生对手术部位标识在手术患者安全管理中的作用认识不足；手术部位标识不统一，不规范；缺乏有效的监督机制等。

（五）手术间环境指标异常发生率

1.指标定义

单位时间内，手术间环境指标发生异常的手术间数与同期开放手术间的总数之比。

2.指标意义

反映洁净手术室环境是否符合规范要求，手术患者存在的感染风险。

3.计算公式

$$手术间环境指标异常发生率=\frac{环境指标发生异常的手术间数}{同期开放手术间总数}×100\%$$

4.数据采集

依据质量控制管理原则，需要对每月、每季度和每年手术间环境指标异常发生率进行统计并记录。对环境指标发生异常的手术间进行原因分析，并进行持续质量改进。

5.案例解析

（1）案例：某医院3月同期开放20间手术间，其中发生手术间环境指标异常1间，根据计算公式得出：

$$手术间环境指标异常发生率=\frac{1}{20}×100\%=5\%$$

（2）解析：该医院3月手术间环境指标异常发生率为5%，原因为：空调加温系统临时发生故障。

（六）手术抗菌药物预防使用时机正确率

1.指标定义

单位时间内，在手术切皮前0.5～1h抗菌药物预防使用患者的例数与同期术前抗菌药物预防使用的患者总例数之比。

2.指标意义

反映手术抗菌药物预防使用时机落实及管理情况。

3.计算公式

$$手术抗菌药物预防使用时机正确率=\frac{手术切皮前0.5～1h抗菌药物预防使用患者的例数}{同期术前抗菌药物预防使用的患者总例数}×100\%$$

4.数据采集

依据质量控制管理原则，需要对每月、每季度和每年手术抗菌药物预防使用时机正确率进行统计并记录。对手术抗菌药物预防使用时机错误事件进行原因分析，并进行持续质量改进。

5.案例解析

（1）案例：某医院3月共抽取术前抗菌药物预防使用的患者总例数1560例，其中手术切皮前0.5～1h抗菌药物预防使用患者的正确例数达1550例，根据计算公式得出：

$$3月手术抗菌药物预防使用时机正确率=\frac{1550}{1560}×100\%=99.4\%$$

（2）解析：该医院3月手术抗菌药物预防使用时机正确率为99.4%，正确率未达到100%。原因为：手术医生未按要求开具手术医嘱，巡回护士不能在规定时间内执行该医嘱；患者所带药物与医嘱不符，导致执行时间延后等。

（七）手术隔离技术操作正确率

1.指标定义

单位时间内，采用手术隔离技术操作正确的患者例数与同期抽样手术隔离技术患者总例数之比。

2.指标意义

反映手术人员在无菌技术基础上手术隔离技术操作规范化的情况。

3.计算公式

$$手术隔离技术操作正确率=\frac{手术隔离技术操作正确的患者例数}{同期抽样手术隔离技术患者的总例数}×100\%$$

4.数据采集

依据质量控制管理原则，需要对每月、每季度和每年手术隔离技术操作正确率进行统计并记录。对手术隔离技术操作出现的问题进行原因分析，并进行持续质量改进。

5.案例解析

（1）案例：某医院3月共抽取手术隔离技术的患者总例数1560例，其中手术隔离技术操作正确的例数达1550例，根据计算公式得出：

$$3月手术隔离技术操作正确率=\frac{1550}{1560}\times100\%=99.4\%$$

（2）解析：该医院3月手术隔离技术操作正确率为99.4%，正确率未达到100%。原因为：器械护士对手术隔离技术操作掌握度不高；科室培训考核不充分；缺乏有效的监督机制等。

（八）手术人员外科手消毒正确率

1.指标定义

单位时间内，手术人员正确实施外科手消毒的人数与同期抽样外科手消毒的总人数之比。

2.指标意义

降低医务人员的外科手消毒不规范带来的手术部位感染风险。

3.计算公式

$$手术人员外科手消毒正确率=\frac{手术人员正确实施外科手消毒人数}{同期抽样外科手消毒的总人数}\times100\%$$

4.数据采集

根据质量控制管理原则，定期由医院感染管理科对手术医生、手术室护士，包括进修和实习人员进行外科手消毒后采样，进行细菌培养，对消毒后手部菌落数不合格的人员进行跟踪，分析原因并持续质量改进。

5.案例解析

（1）案例：某医院1月对80名手术室护士及外科医生的外科手消毒进行细菌培养。结果监测，其中2名器械护士和1名手术医生外科手消毒后细菌培养菌落数≥5cfu/cm²，根据公式得出：

$$1月手术人员外科手消毒正确率=\frac{77}{80}\times100\%=96.3\%$$

（2）解析：该医院1月手术人员外科手消毒正确率为96.3%，正确率未达到100%。原因为：器械护士未提前刷手上台，导致时间紧张；外科洗手及手消毒时间不足；新入职护士对外科手消毒流程不熟练，未规范操作；部分手术医生对外科手消毒工作不重视。

（九）手术患者2期及以上术中获得性压力性损伤发生率

1.指标定义

单位时间内，手术患者2期及以上术中获得性压力性损伤发生例数与同期手术患者总例数之比。

2.指标意义

手术患者2期及以上术中获得性压力性损伤的发生会给手术患者带来额外的痛苦，给家庭、医院、社会带来经济负担。通过监测该指标，分析现患率、风险人群及影响因素，提高手术室护士防范术中获得性压力性损伤的意识，加强防范措施，减少术中获得性压力性损伤的发生，从而提高患者的满意度。

3.计算公式

$$手术患者2期及以上术中获得性压力性损伤发生率=\frac{手术患者2期及以上术中获得性压力性损伤发生例数}{同期手术患者的总例数}×100\%$$

4.数据采集

依据质量控制管理原则，需要对每月、每季度和每年手术患者2期及以上术中获得性压力性损伤发生率进行统计并记录。对手术患者2期及以上术中获得性压力性损伤案例进行原因分析，并进行持续质量改进。

5.案例解析

（1）案例：某医院1月共有1800例患者进行手术，其中6例手术患者发生2期及以上术中获得性压力性损伤，根据公式得出：

$$1月手术患者2期及以上术中获得性压力性损伤发生率=\frac{6}{1800}×100\%=0.3\%$$

（2）解析：该医院1月手术患者2期及以上术中获得性压力性损伤发生率为0.3%。原因为：巡回护士术前对易损伤部位皮肤情况未进行充分评估；没有提前做好预防措施；术中未进行手术体位微调整；手术时长达10h等。

（十）术中低体温发生率

1.指标定义

单位时间内，术中发生低体温的患者例数（医疗目的的控制性降温除外）与同期应接受体温监测的手术患者总例数之比。

2.指标意义

反映手术室预防术中低体温护理质量。

3.计算公式

$$术中低体温发生率=\frac{术中发生低体温的患者例数}{同期应接受体温监测的手术患者总例数}×100\%$$

4.数据采集

依据质量控制管理原则，需要对每月、每季度和每年术中低体温发生率进行统计并记录。对术中发生低体温案例进行原因分析，并进行持续质量改进。

5.案例解析

（1）案例：某医院1月共有1800例患者接受体温监测，其中6例手术患者发生低体温，根据公式得出：

$$1月术中低体温发生率=\frac{6}{1800}×100\%=0.3\%$$

（2）解析：该医院1月术中低体温发生率为0.3%。原因为：巡回护士术前对患者的生理情况未做充分评估；没有提前做好预保温措施等。

（十一）术中电灼伤发生率

1.指标定义

单位时间内，术中电灼伤发生的患者例数与同期手术患者使用电外科的总例数之比。

2.指标意义

反映手术过程中电外科操作不规范对患者造成的直接或间接伤害的情况。

3.计算公式

$$术中电灼伤发生率=\frac{术中电灼伤发生的患者例数}{同期手术患者使用电外科的总例数}×100\%$$

4.数据采集

依据质量控制管理原则，需要对每月、每季度和每年术中低体温发生率进行统计并记录。对发生术中低体温的案例进行原因分析，并进行持续质量改进。

5.案例解析

（1）案例：某医院1月共有1800例患者使用电外科设备，其中2例手术患者发生术中电灼伤，根据公式得出：

$$1月术中电灼伤发生率=\frac{2}{1800}×100\%=0.1\%$$

（2）解析：该医院1月术中电灼伤发生率为0.1%。原因为：巡回护士术前负极板放置位置不正确；手术医生操作过程中未按规范使用电外科设备等。

二、其他重点监测指标

（一）手术室护士锐器伤发生率

1.指标定义

单位时间内，发生锐器伤的手术室护士人数与同期手术室护士总人数之比。

2.指标意义

反映锐器伤对手术室护理人员的伤害特征和程度。

3.计算公式

$$手术室护士锐器伤发生率=\frac{发生锐器伤的手术室护士人数}{同期手术室护士总人数}×100\%$$

4.数据采集

依据质量控制管理原则，需要对每月、每季度和每年手术室护士锐器伤发生率进行统计并记录。对发生手术室护士锐器伤案例进行原因分析，并进行持续质量改进。

5.案例解析

（1）案例：某医院手术室3月共有103例手术室护士，其中2例发生锐器伤，根据公式得出：

$$1月术中电灼伤发生率=\frac{2}{103}×100\%=1.9\%$$

（2）解析：该医院1月术中电灼伤发生率1.9%。原因为：巡回护士术前负极板放置位置不正确；手术医生操作过程中未按规范使用电外科设备等。

（二）术中低温烫伤发生率

1.指标定义

单位时间内，术中发生低温烫伤的患者例数与同期使用加温操作的手术患者总例数之比。

2.指标意义

反映医疗机构手术室患者体温护理与管理质量。

3.计算公式

$$术中低温烫伤发生率=\frac{术中发生低温烫伤的患者例数}{同期使用加温操作的手术患者的总例数}×100\%$$

4.数据采集

依据质量控制管理原则，需要对每月、每季度和每年术中低温烫伤发生率进行统计并记录。对发生术中低温烫伤案例进行原因分析，并进行持续质量改进。

5.案例解析

（1）案例：某医院3月共有866例手术患者使用加温操作，其中2例发生术中低温烫伤，根据公式得出：

$$3月术中低温烫伤发生率=\frac{2}{866}×100\%=0.23\%$$

（2）解析：该医院3月术中低温烫伤发生率为0.23%。原因为：手术室护士安全防范意识较低，未掌握低温烫伤发生的原因；科室培训考核不充分等。

第四节　应急预案及流程

一、应急处理流程

（一）手术室停电应急处理流程

手术室停电应急处理流程详见图12-2。

```
                          ┌──────────┐
                          │   停电    │
                          └────┬─────┘
              ┌────────────────┴────────────────┐
        ┌──────────┐                      ┌──────────┐
        │ 计划性停电 │                      │非计划性停电│
        └────┬─────┘                      └────┬─────┘
    ┌────────┴────────┐              ┌────────┴────────┐
    │接到停电通知电话，询│              │ 通知电工房，      │
    │问具体停电原因及事件│              │ 上报护士长       │
    └────────┬────────┘              └────────┬────────┘
    ┌────────┴────────┐                       │
    │上报护士长，通知相关│                       │
    │人员做好停电准备   │                       │
    └────────┬────────┘                       │
             └────────────┬──────────────────┘
                 ┌────────┴────────┐
                 │密切观察患者生命体征，│
                 │保障患者安全      │
                 └────────┬────────┘
              ┌───────────┴────────────┐
              │停电后，手术间备用自动启动(EPS)│
              └───────────┬────────────┘
         ┌────────────────┴───────────────┐
  ┌──────────────┐                 ┌──────────────┐
  │手术间备用电源自动启动│            │手术间备用电源未启动│
  └──────────────┘                 └──────────────┘
```

护士长	麻醉医生	巡回护士	手术医生	器械护士
立即报告总值班，尽快寻找原因，恢复供电	立即检查呼吸机的工作状态，如蓄电池未启动，立即断开呼吸管路，使用呼吸气囊给氧，并评估患者情况	开启应急照明（应急灯置于电脑桌第三层），关闭所有设备仪器。准备转运呼吸机至麻醉机旁。恢复供电，开启设备，并调整参数后使用	根据手术情况作出相应的处置	配合医生，做好应急处理

图12-2　手术室停电应急处理流程

（二）中心负压突然停止应急处理流程

中心负压突然停止应急处理流程详见图12-3。

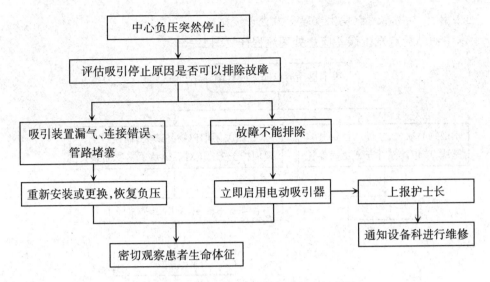

图12-3 中心负压突然停止应急处理流程

（三）手术中常用仪器设备故障应急处理流程

手术中常用仪器设备故障应急处理流程详见图12-4。

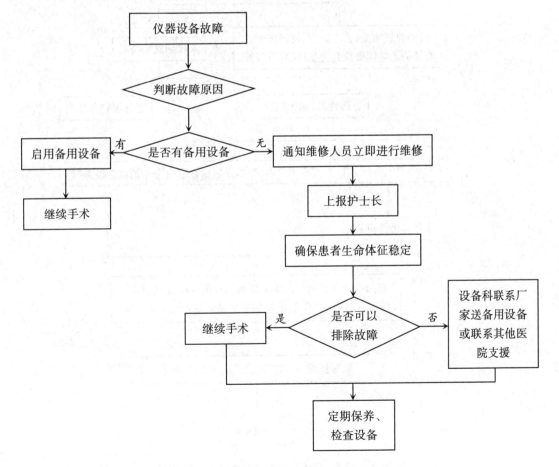

图12-4 手术中常用仪器设备故障应急处理流程

（四）手术中物品清点发生误差应急处理流程

手术中物品清点发生误差应急处理流程详见图12-5。

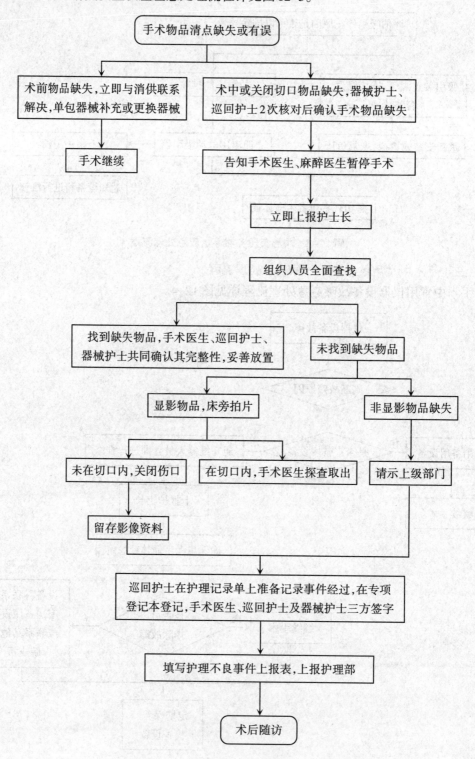

图12-5 手术中物品清点发生误差应急处理流程

（五）手术室火灾应急处理流程

手术室火灾应急处理流程详见图12-6。

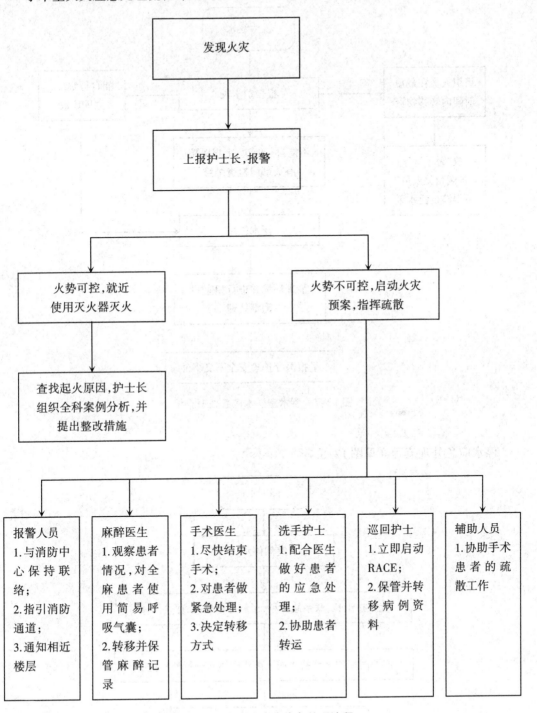

图12-6 手术室火灾应急处理流程

（六）手术室泛水应急处理流程

手术室泛水应急处理流程详见图12-7。

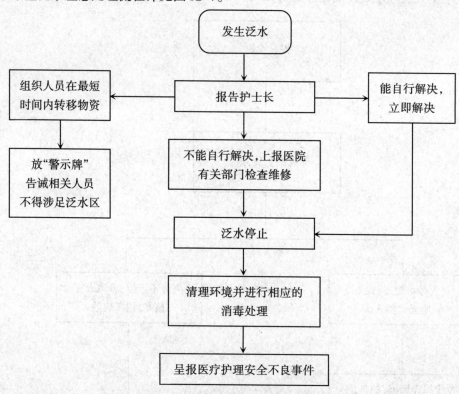

图12-7　手术室泛水应急处理流程

（七）停水应急处理流程

停水应急处理流程详见图12-8。

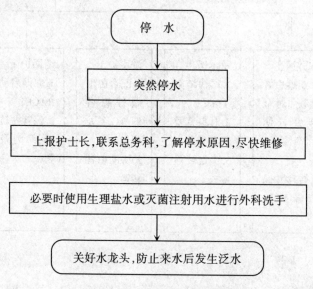

图12-8　停水应急处理流程

（八）手术室地震应急处理流程

手术室地震应急处理流程详见图12-9。

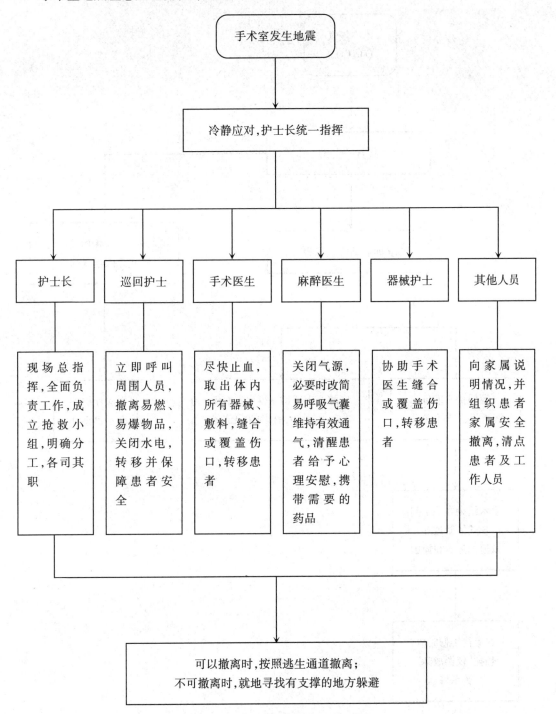

图12-9　手术室地震应急处理流程

（九）手术室术中停气（O$_2$、CO$_2$）应急处理流程

手术室术中停气（O$_2$、CO$_2$）应急处理流程详见图12-10。

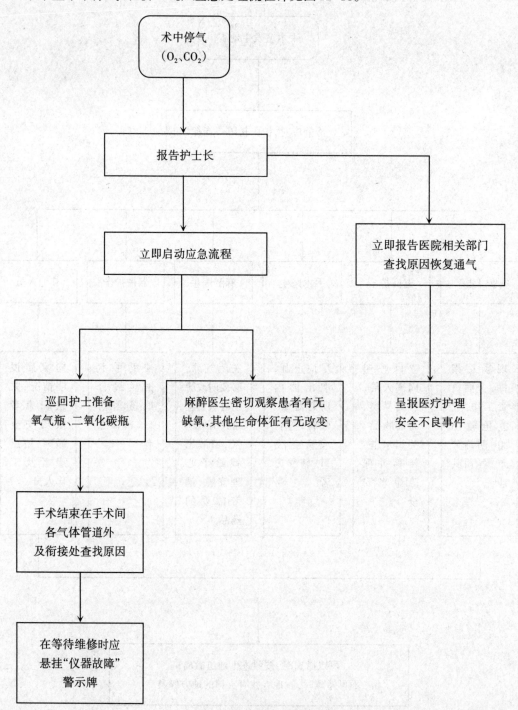

图12-10 手术室术中停气应急流程

二、手术室批量伤员处置流程

手术室批量伤员处置流程详见图12-11。

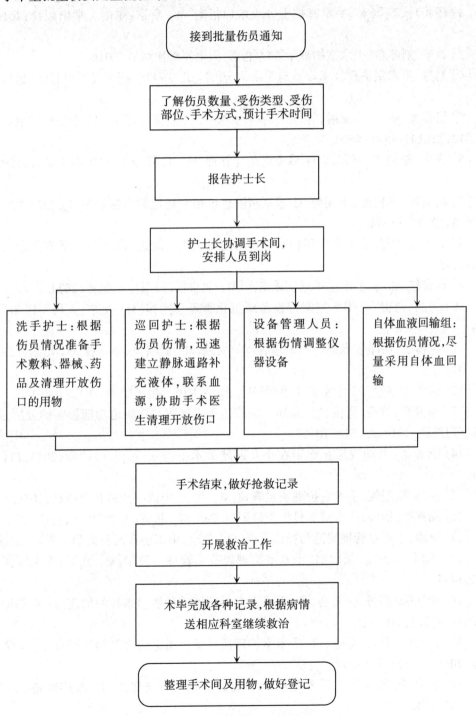

图 12-11　手术室批量伤员处置流程

参考文献

［1］朱丹,周力.手术室护理学[M].北京:人民卫生出版社,2008:178-193.

［2］杨美玲,李国宏.手术室护士分级培训指南[M].南京:东南大学出版社,2016:8-13.

［3］魏革,刘苏君.手术室护理学[M].北京:人民军医出版社,2016

［4］刘芳.手术室护理技术规范与手术配合[M].北京:科学技术文献出版社,2011:10-16.

［5］银彩霞,董薪,李丽霞,等.洁净手术室医疗废物感染的管理[J].中华医院感染学杂志,2012,22(20):4599-4600.

［6］佟青,张钊华,刘馨.医院感染规范化管理[M].北京:人民军医出版社,2012:282-303.

［7］高菊玲,王桂菊,李雯婷.手术室医院感染控制规范的实施效果[J].护理实践与研究,2015,12(3):87-88.

［8］盛淑红.医院手术室病理标本管理中的持续质量改进[J].中医药管理杂志,2018,26(21):153-154.

［9］孙育红,郭莉.手术室护理实践指南[M].北京:人民卫生出版社,2024.

［10］何丽,高健萍.手术室医疗设备规范化管理及操作[M].北京:人民军医出版社,2014

［11］赵体玉.洁净手术部(室)护理管理与实践[M].武汉:华中科技大学出版社,2010:97-104.

［12］曲华,宋振兰.手术室护士手册[M].北京:人民卫生出版社,2012:108-118.

［13］邓可衡,蒋英,周俊,等.婴幼儿腹腔镜手术气腹对胃肠道功能影响的分析[J].结直肠肛门外科,2017,23(S1):70-71.

［14］李春华.电动气压止血带在小儿四肢手术中应用[J].全科护理,2013,11(12):1111.

［15］刘春英,王悦.手术室护理质量管理[M].北京:中国医药科技出版社,2018.

［16］高兴莲,田莳.手术室专科护士培训与考核[M].北京:人民卫生出版社,2018:7.

［17］李敏.手术室管理规范与操作常规[M].北京:中国协和医科大学出版社,2018:1.

［18］何理,李丽霞,徐淑娟.手术室护理规范化管理与教学[M].北京:人民军医出版社,2014:7.

［19］余满荣,苏丹,张明会,等.手术室专科护理质量敏感指标的构建[J].中华护理杂志,2017,4(52):418-421.

［20］白晓霞,曹勋,邓敏,等.手术室护理质量敏感指标构建的初步研究[J].中华护理杂志,2016,13(12):885-889.

［21］古兆荣.医院净化手术室空调系统设备的运行与管理[J].医疗装备,2017,30(19):113-114.

［22］气压止血带在四肢手术中应用的专家共识协作组.气压止血带在四肢手术中应用的专家共识[J].中华麻醉学杂志,2020,40(10):1160-1166.

第十三章　工作制度及应急预案

第一节　护理核心制度

一、护理质量管理制度

1.成立由分管院领导、人事、财务、医务、护理、后勤、院感、药剂、输血等相关部门主要负责人组成的护理质量管理委员会，下设院级护理质量控制小组若干个，负责全面督导、检查工作。

2.各护理质量控制小组在护理部领导下，负责制定各项护理质量考核标准，定期组织检查，发现问题及时反馈，并建立追踪制度。

3.实行护理部、大科、病区三级护理质量管理体系或护理部、病区二级护理质量管理体系，病区质控小组每周抽查1次，大科每月检查1次，护理部每月抽项检查、每季度全面检查并记录。

4.建立护理质量管理效果评价及双向反馈机制。护理质量检查结果应以书面形式及时反馈给相应科室，科室根据存在问题进行原因分析，制定整改措施，抓好落实，由护理部、科护士长根据整改效果进行评价，以达到护理质量持续改进的目的。

5.护理质量检查结果在每月护士长例会上进行全面反馈和分析，作为科室进一步护理质量改进的参考及护士长管理考核重点，并纳入科室和护士长绩效考核。

6.护理质量管理委员会定期召开会议，总结护理质量检查中存在的问题，分析原因，提出改进措施并反馈给全体护士。

二、病房管理制度

1.病房管理由护士长负责，科主任积极协助，全体医护人员参加。

2.护士长全面负责保管病房财产、设备，并分别指派专人管理，建立账目，定期清点、检查、维修、补充；如有遗失，及时查明原因，按规定处理；管理人员调动时，要办好交接手续。

3.统一病房陈设，室内物品和床位应在固定位置摆放整齐，保持病房整洁、舒适、安静、安全，布局有序，注意通风，避免噪声，做到说话轻、走路轻、关门轻、操作轻。

精密贵重仪器备有使用要求，由专人保管，不得任意搬动。

4.患者被服、用具按基数配给患者使用，出院时清点收回并做终末消毒处理。

5.严格执行陪护制度，加强对陪护人员的管理，积极开展卫生宣教和健康教育。责任护士应及时向新住院患者介绍住院须知、医院规章制度，及时进行安全教育，签署住院患者须知，教育患者共同参与病房管理。

6.病房内不接待非住院患者，不会客。值班医生与护士及时巡视病房，对可疑人员进行询问。严禁散发各种传单、广告及推销的人员进入病房。注意患者安全，有预防跌倒/坠床等安全防范措施。

7.定期召开护患沟通座谈会，听取患者对医疗、护理、医技、后勤等方面的意见，对患者反映的问题要有处理意见及反馈，不断改进工作。

8.工作人员必须按要求着装，服装整洁，佩戴胸牌上岗，坚守岗位。工作时间内不准聊天、闲坐、做私事。治疗室、护士站不得存放私人物品。原则上，工作时间不接私人电话。

9.节约水电，按时熄灯和关闭水龙头，杜绝长流水、长明灯现象。

三、抢救工作制度

1.定期对护理人员进行急救知识培训，提高其抢救意识和抢救水平，抢救患者时人员应迅速到位，行动敏捷，有条不紊，分秒必争。

2.立即确定抢救时间、抢救负责人，组成抢救小组。在抢救过程中态度严肃认真，动作迅速准确，既要分工明确，又要密切配合，听从指挥，坚守岗位。

3.参加抢救人员必须熟练掌握各种抢救技术和抢救常规，护士还应熟悉抢救器械的性能和使用方法，并能排除一般故障，确保抢救的顺利进行。

4.做好查对工作和抢救记录。口头医嘱要求准确清楚，护士执行前必须复述一遍，确认无误后再执行，抢救完毕须及时由医生补开医嘱和处方；抢救中各种药物的空安瓿、输液瓶、输血袋等集中放置，以便统计；抢救记录要字迹清晰，内容完整准确，抢救用药、抢救措施来不及记录的，于抢救结束后6h内据实补记，并加以说明。

5.认真做好抢救患者的各项基础护理及生活护理。对烦躁、昏迷及神志不清的患者，拉起床档并采取保护性约束，确保患者安全。预防和减少并发症的发生。

6.抢救室内应备有完善的抢救器械和药品，严格执行"五定"（定数量、定点安置、定专人管理、定期消毒灭菌、定期检查维修）制度，保证抢救时使用。室内物品一律不得外借，做好交接班并记录，保证急救物品完好率达100%，抢救结束后及时清理各种物品并进行初步登记、处理和补充。

四、分级护理制度

分级护理是患者在住院期间医护人员根据患者病情和（或）自理能力进行评定而确定的护理级别，分为特级护理、一级护理、二级护理、三级护理4个级别。护理人员必须严格执行分级护理制度，并在诊断牌和床头牌上分别采用不同的颜色标记（特级护理用红色标记，一级护理用粉红色标记，二级护理用蓝色标记，三级护理用绿色标记或不做任何标记）。

1.分级方法

（1）患者入院后应根据患者病情严重程度确定病情等级。

（2）根据患者Barthel指数总分，确定自理能力的等级，详见表13-1。

（3）根据病情等级和（或）自理能力等级，确定患者的护理分级。

（4）临床医护人员应根据患者的病情和自理能力的变化动态调整患者的护理分级。

2.分级依据

（1）符合以下情况之一，可确定为特级护理：

1）病情危重，随时可能发生病情变化需要进行监护、抢救的患者。

2）维持生命，实施抢救性治疗的重症监护患者。

3）各种复杂或大手术后、严重创伤或大面积烧伤的患者。

（2）符合以下情况之一，可确定为一级护理：

1）病情趋向稳定的重症患者。

2）病情不稳定或随时可能发生变化的患者。

3）手术后或者治疗期间需要严格卧床的患者。

4）自理能力重度依赖的患者。

（3）符合以下情况之一，可确定为二级护理：

1）病情趋于稳定或未明确诊断前，仍须观察，且自理能力轻度依赖的患者。

2）病情稳定，仍须卧床，且自理能力轻度依赖的患者。

3）病情稳定或处于康复期，且自理能力中度依赖的患者。

（4）病情稳定或处于康复期，且自理能力轻度依赖或无依赖的患者，可确定为三级护理。

3.自理能力分级

（1）分级依据：采用Barthel指数评定量表（详见表13-1）对日常活动进行评定，根据Baethel指数总分，确定自理能力等级。

表13-1 Barthel指数评定量表

序号	项目	完整独立	需部分帮助	需极大帮助	完整依靠
1	进食	10	5	0	-
2	沐浴	5	0	-	-
3	修饰	5	0	-	-
4	穿衣	10	5	0	-
5	控制大便	10	5	0	-
6	控制小便	10	5	0	-
7	如厕	10	5	0	0
8	床椅转移	15	10	5	0
9	平川行走	15	10	5	-
10	上下楼梯	10	5	0	-

Barthel指数总分：_____分

注:依据患者的实质状况,在每个项目对应的得分上划"✓"

（2）分级：对进食、洗澡、修饰、穿（脱）衣、控制大便、控制小便、如厕、床椅转移、平地行走、上下楼梯10个项目进行评定，将各项得分相加即为总分。根据总分，将自理能力分为重度依赖、中度依赖、轻度依赖和无依赖4个等级，详见表13-2。

表13-2　自理能力分级

自理能力等级	等级划分标准	需要照护程度
重度依赖	总分≤40分	全部需要他人照护
中度依赖	总分41～60分	大部分需要他人照护
轻度依赖	总分61～99分	少部分需要他人照护
无依赖	总分100分	无需他人照护

4.实施要求

（1）临床护士应根据患者的护理分级和医生制订的诊疗计划，为患者提供护理服务。

（2）应根据患者护理分级安排相应能力的护士。

5.各级护理包含要点

（1）特级护理要点

1）严密观察患者病情变化，监测生命体征并记录。

2）根据医嘱，正确实施治疗、给药措施。

3）根据医嘱，准确测量出入量并记录。

4）根据患者病情，正确实施基础护理和专科护理，如口腔护理、压疮护理、气道护理及管路护理等，实施安全措施。

5）保持患者的舒适和功能体位。

6）实施床旁交接班。

（2）一级护理患者护理要点

1）每小时巡视患者，观察病情变化。

2）根据患者病情，测量生命体征。

3）根据医嘱，正确实施治疗、给药措施。

4）根据患者病情，正确实施基础护理和专科护理，如口腔护理、压疮护理、气道护理及管路护理等，实施安全措施。

5）提供护理相关的健康指导。

6）掌握患者病情"十知道"。

（3）二级护理患者护理要点

1）每2h巡视患者，观察患者病情变化。

2）根据患者病情，测量生命体征。

3）根据医嘱，正确实施治疗、给药措施。

4）根据患者病情，正确实施护理措施和安全措施。

5）提供疾病相关的健康指导。

（4）三级护理患者护理要点

1）每3h巡视患者，观察患者病情变化。

2）根据患者病情，测量患者生命体征。

3）根据医嘱，正确实施治疗、给药措施。

4）提供疾病相关的健康指导。

五、护理值班及交接班制度

1.病房护士实行24h 3班（A班、P班、N班）轮流值班制，值班人员必须坚守岗位，履行职责，严格遵守医院规定的工作时数与护士长排班制度，不得擅自调班，不得脱岗，保证各项治疗、护理工作准确及时地进行。

2.值班人员应严格遵照医嘱和护士长安排，对患者进行治疗、护理工作，掌握病区动态。加强病房巡视，密切观察患者病情与心理状态，保证各项治疗护理工作准确及时完成。做到"四轻"（说话轻、走路轻、操作轻、开关门轻）、"十不"（不擅自离岗外出、不违反护士仪表规范、不将私人用品带入工作场所、不在工作场所内吃东西、不做私事、不打瞌睡不闲聊、不玩手机、不与患者及探视陪护人员争吵、不接受患者馈赠、不利用工作之便谋私利）。

3.每班必须按时交接班。交班者在交班前完成本班各项工作，交班报告在交班前1h开始书写，按护理文件书写规范要求做好护理记录。接班者应提前10~15min到岗，清点物品，了解患者病情，阅读病区动态交班报告、重点患者的护理记录。接班者未接清楚之前，交班者不得离开岗位。

4.交接班应做到书面写清、口头讲清、床前交清。对规定交班的毒、麻、限、剧药及医疗设备、被服等当面交接清楚并签字。交班中如发现病情、治疗、器械物品等不符，应立即查明；接班时如发现问题，应由交班者负责，接班后如因交班不清，发生差错、事故或物品丢失，应由接班者负责。

5.晨间集体交班时，由N班护士报告病区患者动态，重点报告危、重手术患者诊断、病情、治疗及护理等情况，护士长根据报告做必要的总结，布置当日重点工作，时间一般不超过15min。

6.晨间集体交班后，由护士长带领交接班者共同巡视病房，对危重及有特殊情况的患者进行床头交接，注意查看患者的病情是否与交班相符，以及危重患者的基础护理、专科护理是否符合要求。

7.交班方式：书面交班、口头交班、床旁交班。

8.交班内容

（1）患者动态：①原有患者数和现有患者数。②离开科室总人数，包括死亡、出院、转院、转科人数。③新入科室总人数，包括入院、转院、转科人数。④特殊人数，包括手术、分娩、病危、病重、发热、备术、特殊检查等人数。⑤其他，包括留送各种标本、各项处置完成情况以及尚待继续完成的各项工作。

（2）床头交接：查看危重、抢救、昏迷、大手术和生活不能自理患者的病情、基础护理完成情况、皮肤情况等。

（3）物品：包括常规备用的贵重、毒、麻、限、剧药品，抢救物品、器械、仪器等数量及完好状况等。

9.交接班过程中发生突发状况（如抢救），由双方共同完成。

10.值班者应定时巡回病区，检查辖区控烟、防火、防盗、防恐工作，消除安全隐患，保障病区水、电、暖、设备、网络等财产安全。

六、查对制度

1.医嘱查对制度

（1）医嘱须认真复核，未经2人查对的医嘱不能执行。如1人上班时，新开的医嘱要仔细、反复核对后方可执行。

（2）新开长期医嘱经复核后电脑自动默认签名、时间。停长期医嘱时，护士复核后电脑自动显示停止时间，默认签名。

（3）临时医嘱及检查医嘱经复核后须录入执行日期、时间、签名默认。临时即刻执行的医嘱，须经2人查对无误后，方可执行，执行者录入执行日期、时间、签名默认。

（4）长期医嘱白班2人查对1次，P班或N班护士复查1次。护士长每周参加医嘱查对至少2次。

（5）抢救患者时，下达口头医嘱后执行者须复诵1遍，由2人确认无误后方可执行，并暂时保留空安瓿。抢救结束后及时补开医嘱，由执行者据实录入执行日期、时间、签名默认。

（6）处理长期医嘱或临时医嘱时若有疑问，必须问清确认后方可执行。

2.服药、注射、输液查对制度

（1）服药、注射、输液前必须严格执行"三查八对"。

三查：操作前、操作中、操作后查。

八对：对床号、姓名、药名、浓度、剂量、时间、用法、药品的质量及有效期。

（2）备药前要检查药品质量、标签、有效期和批号；检查瓶口有无松动、裂痕，挤压塑料液体瓶有无漏气；注射液有无变色、沉淀变质，不符合要求或标签不清者不得使用。

（3）摆药后必须经第2人核对后方可执行。

（4）易过敏药物，给药前应询问有无过敏史。使用毒、麻、限、剧药时，要经过反复核对，用后要保留安瓿，以便必要时查对。多种药物联合使用时，要注意药物间有无配伍禁忌。

（5）发药、注射、输液等治疗时，患者如提出疑问，应及时查清，方可执行。

（6）治疗过程中患者出现各种反应，及时报告医生，并严密观察，剩余的药物按要求保留，进一步核对。必要时按规定封存，鉴定处理。

3.输血查对制度

（1）取血时应和血库发血者共同查对。

三查：查血液的有效期、血液的质量、血袋有无破损。

十对：查对受血者姓名、床号、住院号、血型、血袋号、交叉配血试验结果、血液种类、剂量、供血者编号及血型。

（2）在确定无误后方可取回，输血前应由2人按上述项目复查一遍，核对无误后方可执行。

（3）执行输血治疗时，如患者提出疑问，应及时查清后方可执行。

（4）输血完毕，将血袋上的条形码粘贴于输血安全护理记录单上，入病历保存，血袋及时送血库。

（5）抽交叉配血时，2名医护人员核对无误后才可抽取血标本；交叉配血和血型分开抽取。

（6）输血治疗过程中患者出现各种反应，应及时通知医生处理，严密观察病情，剩余的血液按要求保留，进一步核对，必要时按规定封存，鉴定处理。

4.手术患者查对制度

（1）接患者时查对内容

1）查病历：手术知情同意书必须有医生与患者签字；有血型、乙肝五项、梅毒、艾滋病等各项检查结果。

2）核对患者内容

①核查患者腕带信息、手术部位、切口标识及皮肤情况（备皮、皮肤完整情况及体内植入物）。

②反向核对患者信息、疾病名称、既往史、过敏史及禁食水时间。

③检查所需物品是否齐全，如病历、影像资料、术中用药等；其他物品一律不得带入手术室，如义齿、假发、发卡、眼镜（含隐形眼镜）、饰品等。

（2）手术前核查内容

1）三方（医生、麻醉师、护士）核查：患者姓名、性别、年龄、床号、住院号、诊断、手术名称及部位。

2）手术物品准备齐全，器械、仪器设备性能完好，无菌物品及无菌包灭菌合格，在有效期内。

（3）手术中核查内容

1）在术前、关闭体腔前、关闭体腔后、缝合皮肤后，严格3人4次所有物品清点，记录并签字。

2）手术标本由器械护士、巡回护士、手术医生核对无误后登记（姓名、性别、年龄、床号、住院号、标本名称、标本数量、送检性质）、固定，检查病理申请单并妥善存放。

3）术中给药严格核查，输血由双人核查并填写输血护理记录单，及时签注电子医嘱。

（4）手术后核查内容

1）核查患者皮肤受压情况、各种引流管及手术伤口。

2）查对患者术后物品（病历、影像资料、手术衣等）。

3）手术取下的标本，应由洗手护士与手术者核对后，再填写病理检验单送验。病理切片做到四查：床号、姓名、住院号、标本名称。标本瓶应做到有盖、有溶液、有标签，送检要有登记、签收。

5.消毒供应中心查对制度

（1）严格执行查对制度，做到三查四对（三查：放时查、存时查、发时查；四对：对品名、对数量、对日期、对科室）。

（2）污染物品回收后，应清点检查其数量及性能，如有问题应及时与使用科室联系，并记录。

（3）包装时，应认真检查物品清洁度、性能、数量、包内卡等。

（4）物品包装后，应粘贴追溯标签，注明物品名称、灭菌日期、失效期、包装者、检查者等。

（5）灭菌员应核查每灭菌锅次监测结果、有无湿包，合格后方可放行。

（6）发放无菌物品时，查对名称，包装是否严密、干燥，灭菌日期，有效期，灭菌效果指示标识，标签（日期、锅号、锅次），完好性，有无湿包等情况，符合要求方可发放。

七、给药制度

1.护理人员必须严格根据医嘱给药，不得擅自更改，如对医嘱有疑问，复核后方可给药，避免盲目执行。

2.护理人员应了解患者病情及治疗目的，熟悉各种常用药物的性能、用法、用量及副作用，向患者进行药物知识介绍。

3.严格执行"三查八对"制度。

三查：操作前、操作中、操作后查。

八对：床号、姓名、药名、浓度、剂量、用法、时间、药物的质量及有效期。

4.给药前，要洗手，戴口罩，严格遵守操作规程，询问患者有无药物过敏史（需要时做过敏试验），并向患者解释以取得合作。给药时要检查药物有效期及有无变质；静脉输液时要检查瓶盖有无松动，瓶口有无裂缝，液体有无沉淀及絮状物等；多种药物联合应用时要注意配伍禁忌。给药后要注意观察药物反应及治疗效果，如有不良反应要及时报告医生，并记录在护理记录单上，必要时做好药物封存及检验等工作。

5.安全正确用药。合理掌握给药时间、方法，药物要做到现配现用，尤其是抗生素、抗肿瘤类、中药类、PPI等药物，避免久置引起药物污染或药效降低。

6.治疗后对所用的各种物品进行初步清理后，由消毒供应中心回收处理，口服药杯定期清洗消毒备用。

7.如发现给药错误，应及时报告、处理，积极采取补救措施，向患者做好解释工作。

八、护理查房制度

1.护理部查房

（1）随时巡回查房，查护士劳动纪律、无菌技术操作、岗位责任制的执行情况，以危重症患者护理、消毒隔离、服务态度等为主要内容，并记录查房结果。

（2）专科护理查房由各专科选择疑难病例、危重症患者或特殊病种进行查房，责任护士查房前要做好充分准备，查房时要简单报告病史、诊断、护理问题、治疗、护理措施等，要主次分明，重点突出，紧紧围绕该病例进行，查房完毕进行讨论，并及时修订护理计划。

（3）每月按护理工作要求进行分项查房，严格考核、评价，促使护理质量不断提升。

2.护士长查房

（1）护士长随时巡视病房，查各班护士职责执行情况、劳动纪律、无菌操作规程等执行情况。

（2）每月2次护理业务查房，典型病例或危重症患者随时查房，并做好查房记录。

（3）定期有目的、有计划地组织教学查房。根据教学要求，查典型病例，事先通知学生熟悉病历及患者情况，组织大家进行提问，共同讨论，由护士长做总结。

3.参加医生查房

病区护士长或责任护士每周参加主任或科室大查房，以便进一步了解患者病情和护理工作质量。

九、患者健康教育制度

1.健康教育要因人施教，患者参与，符合理论与实践相结合的原则。

2.宣教护理人员在提供护理技术服务的同时，根据患者的心理情况，进行健康知识服务，如入院介绍，检查前、检查后、术前、术后以及治疗护理操作的相关知识、注意事项说明、出院指导等。

3.帮助患者熟悉住院环境、规章制度，根据疾病特点选择不同的宣教方法，指导患者采取健康的生活方式。

4.在健康教育过程中，各科室应备有形式多样的资料。护理人员可根据患者的学习需要，对宣教材料、宣教计划、宣教效果进行评估、评价。

5.健康教育方式

（1）个体指导：内容包括一般卫生知识，如个人卫生、公共卫生、饮食卫生，常见病、多发病、季节性传染病的防病知识，急救常识、妇幼卫生、婴儿保健、计划生育等知识。在护理时，结合患者病情、家庭情况和生活条件做具体指导。

（2）集体讲解：门诊患者可利用候诊时间，住院患者根据作息时间安排；采取集中讲解、示范、模拟操作相结合及播放电视录像等形式进行。

（3）文字宣传：以黑板报、宣传栏、编写短文、健康教育处方、图画、诗歌等形式进行。

（4）卫生展览：如图片或实物展览，内容定期更换；体现专科新技术、新业务。

（5）电视、录像、新媒体：利用患者候诊及住院患者活动时间进行或定期推送健康教育内容。

十、护理会诊制度

1.凡属复杂、疑难、跨科室、跨专业的护理问题和护理操作技术，均可申请护理会诊。

2.科内会诊，由责任护士提出，护士长或主管护师主持，召集有关人员参加，并进行总结。责任护士负责汇总会诊意见。

3.科间会诊时，由要求会诊科室的责任护士提出，护士长同意并签字后填写会诊申请单，注明患者一般资料、请求护理会诊的理由等，并送至护理部。护理部接到申请单后组织协调被邀请科室工作，即确定会诊时间，通知申请科室并负责组织有关护理人员进行护理会诊，2天内完成（急会诊者应及时完成），并书写会诊记录；会诊地点常规设在申请科室。

4.院际（级）会诊：由要求会诊的医院科室提出申请，经护理部审核同意，联系被邀请医院的护理部，会诊科室接到护理部通知后及时安排会诊（或出诊）；会诊单要给护理部报备一份留档。

5.参加会诊人员原则上应由副主任护师以上人员，或由被邀请科室护士长指派人员承担。

十一、病房一般消毒隔离制度

1.医务人员在进行无菌操作时，应严格执行无菌技术操作规程，洗手，戴帽子，戴口罩。

2.病室应定时通风换气，地面湿式清扫，必要时进行空气消毒。每日晨间护理时用消毒湿布套扫床，一床一套。

3.患者的衣服、床单、被套、枕套每周更换1~2次，污染后及时更换；枕芯、棉褥、棉被应定期用床单元消毒机消毒；床头柜、病床、椅子、凳子等应定期用消毒液擦拭消毒；患者出院、转科、死亡后床单元要进行终末消毒。

4.患者在住院期间，发现疑似传染病时，除按规定上报疫情外，应按病情、病种进行床旁或房间隔离，并有标识。必要时转传染病房或隔离病房，所用物品如被服及其他用品均应先消毒后清洗再消毒；患者排泄物、体液须经消毒后才能倾倒，敷料应焚烧处理。

5.严格控制探视、陪住人员，婴幼儿谢绝进入病房，防止交叉感染。

6.体温表一人一支，每次使用后浸泡于消毒液中，消毒后清水冲洗，晾干备用，由专人负责。静脉采血应实行一人一针、一巾一带。

7.治疗室、换药室每日定时通风换气，并定时空气消毒，定期做空气培养；台面、治疗车、治疗盘用后及时擦洗干净。

8.无菌器械、容器、器械盘、敷料罐等应定时更换与灭菌，无菌物品须标明灭菌日期和失效日期；无菌包、无菌持物钳、无菌镊及其容器罐打开后须标明开启时间，仅限4h内使用；无菌物品须与非无菌物品分别放置，且有明显标识。

9.医护人员在诊治护理不同患者前后，应洗手或用速干手消毒剂进行手卫生。各种诊疗护理用品用后按医院感染管理要求进行处理，特殊感染的患者采用一次性用品，用后装入双层黄色塑料袋内并粘贴标识，专人负责回收；各种医疗废弃物按规定收集、包装，专人回收。

10.定期对科室的消毒隔离工作进行检查、监测，及时整改存在的问题。

十二、护理安全管理制度

1.成立由分管院领导、护理部主任、护理部副主任、科护士长组成的护理安全管理委员会，负责全面督导、检查护理工作。

2.护理安全督导在护理部领导下进行，实行护理部、科护士长、护士长三级护理安全管理体系或护理部、护士长二级护理安全管理体系，全面负责全院护理安全管理，确保全院护理安全监控、改进及实施。

3.严格按照《护士条例》规定的范围执业，实行执业资格准入制度。

4.科主任、护士长为科室医疗护理质量安全负责人，负责全科医疗护理活动质量与安全，督促科内人员及时发现处理医疗护理缺陷及违规违章行为，并及时上报主管职能部门。

5.每月进行一次质量与安全分析，对本月工作中存在的安全隐患提出整改与防范措施并及时落实。

6.如发生护理不良事件，应积极组织抢救，防止损害扩大，同时妥善保管好书证和物证，及时上报相关主管部门，并根据事情轻重，在2～7天内组织全科人员进行分析讨论，查明原因，提出处理意见与防范措施。

7.对意识不清和没有自我保护能力的患者，加强安全保护，严防摔伤、烫伤、压伤等各种意外事故发生。

8.加强巡视病房，密切观察患者病情变化，发现异常情况及时报告，及时处理。

9.严格执行病历保管制度，病历柜随时上锁。

10.保持病区各种设施设备及环境安全，如：电器、门窗、玻璃、床架等应定期检查，若有损坏，及时维修；治疗室、换药室、配餐室、开水房及库房门应随时上锁；危险物品及药品妥善保管；抢救用物和抢救药品固定放置，随时处于备用状态。

11.注意消防安全，保证消防通道通畅。任何人、任何时间内不能阻塞消防通路。

12.无陪护病房严格出入病室制度，进出病房随手锁门。除本科人员、进修及实习人员外一律不能随便进入病区。相关人员因工作原因进入病区须征得护士长的同意。

13.患儿玩具应选用较大不易误吞的、橡胶或塑料制品，禁止玩弄刀、剪、玻璃等易破损的物品；任何针头、刀剪、玻璃等锐器在操作完毕后必须清点检查，不得遗留在病室内；工作人员工作服上不能使用大头针或别针，以免刺伤患儿。

14.工作场所及病房内严禁患者使用非医院配置的各种电炉、电磁炉、电饭锅等电器，确保安全用电。注意电脑使用安全，严禁将患者信息泄露给第三方。

15.做好护理新技术、新业务的准入和培训管理；及时制定相应的护理常规，确保护理人员能够遵照执行。制定并落实突发事件的应急处理预案和危重症患者抢救护理预案。

十三、护理不良事件上报及管理制度

1.建立护理不良事件报告上报登记表，规范上报流程。

2.发生护理不良事件时，保护患者，密切观察病情，立即通知医生，及时纠正错误，积极采取措施，尽可能将危害降到最小。

3.发生护理不良事件，责任者要立即向护士长报告，护士长根据护理不良事件的分级要求，在规定时间内上报护理部，严重护理不良事件要立即报告护理部、科主任，必要时夜间上报总值班。责任人应在2天内提交书面检查材料。护理不良事件如果有意隐瞒或不按规定报告，事后经查发现，按情节给予严肃处理。上报程序：护士→护士长→护理部→院领导。

4.凡实习进修人员发生护理不良事件，或护士指使陪员、护工进行职责范围以外的技术操作而发生的护理不良事件，由带教人及指使人承担责任。

5.发生护理不良事件的有关记录、化验及造成不良事件的药品、器械等均应妥善保管，不得擅自涂改、销毁，并保留患者的标本，以备鉴定之用。

6.护理不良事件发生后，按性质、情节轻重分别组织全科有关人员进行讨论，确定

事件性质，提出处理意见，以提高认识，吸取教训，改进工作。

7.为弄清事实真相，应注意倾听当事人的意见，讨论时本人参加，允许个人发表意见。

8.各科室每月组织护士召开护理质量分析讨论会，并记录；对已发生的护理不良事件，由护士长组织全科护士讨论并总结，提出整改意见，并在规定时间内向护理部提交护理不良事件。

9.在医疗护理工作中，因服务态度、服务质量或技术水平导致的护理工作缺陷引起患者或家属不满，以书面或口头汇报方式反映到护理部或有关部门转到护理部的意见，均为护理投诉。

10.护理部设专人接待护理投诉，接待投诉人员要做到耐心细致，认真倾听投诉者意见，做好解释说明工作，使患者有机会陈述自己的观点，耐心安抚投诉者，避免引起新的冲突。做好投诉记录，记录投诉事件的经过、原因、分析、处理结果及整改措施。

11.护理部对全院护理不良事件进行调查，并定期组织护士长讨论，每月在全院护士长例会上总结、分析并制定相应措施，总结出带有规律性或代表性的问题，将共性问题公布，以警示全院护理人员，并制定防范措施。

十四、护理术前访视制度

1.通过术前访视、阅览病历，护士收集相关资料，掌握患者的整体情况，制订相应的护理计划，实施手术护理措施，保障患者安全，更好地使患者配合医护人员完成手术。

2.术前对患者进行心理支持，有利于患者顺利完成手术。针对患者术前紧张、焦虑、恐惧、情绪低落及其期望等，提出相应的护理措施。

3.首先阅览医疗和护理病历，了解患者一般资料（姓名、性别、年龄、民族、体重、文化程度等），然后收集患者临床资料（术前诊断，麻醉方式，手术方式，手术入路，各种检验结果，有无特殊感染，配血情况，过敏史，手术史，有无肢体运动障碍、听力障碍、语言障碍，有无皮肤破损，有无压力性损伤，血管情况、心肺功能评估等），了解患者的心理状态，进行必要的心理疏导及护理。

4.向患者讲解手术相关的注意事项：术前禁食、禁饮的时间，是否有体内植入物，是否有美甲、文身，术前一日，提醒患者清洁术区皮肤。

5.手术当日更换清洁的病员服并贴身穿，不佩戴饰物（包括眼镜），不携带任何金属物品，取下活动义齿，贵重物品交家属保管，勿化妆等。

6.若患者不知晓自己的病情（尤其是癌症患者），则需要做好保密工作，避免直接提问。

7.简要介绍手术室的位置、环境及温湿度，手术过程中可能用到的医疗设备，手术体位可能引起的不适及配合的重要性。

8.简要介绍手术的目的、方法，手术大概所需时间，让患者了解相关知识，以便更好地配合手术。

9.告知患者手术时，患者应提前准备的物品。

10.访视注意事项

（1）访视时间一般选择在手术前一日下午进行，应尽量避开患者进食或进行其他治

疗的时间，携带手术健康教育宣传资料及手术术前访视单进行访视，访视时间应控制在
10～15min，时间不宜过长，否则会导致患者紧张、产生疲劳感。访视环境尽可能安静、
舒适。

（2）访视人员进入病房后应先主动做自我介绍，消除护患间的陌生感，然后讲明来
意，做好术前宣教工作。

（3）访视过程要体现人文关怀，护士态度要热情，要耐心解答患者提出的问题，告
知患者手术过程中有医护人员陪伴，以减轻或消除患者的疑虑和恐惧心理。

（4）术前访视完毕，应感谢患者的配合，认真做好访视记录，以便采取相应的措施。

十五、护理文件管理制度

1.病房护士长负责护理文书的管理，护士长不在时由办公护士或值班护士负责管理。
各班护理人员均要按管理要求执行。

2.患者住院期间，护理文书要定点存放，病历中各种表格要按规定顺序排列整齐，
不得撕毁、拆散、涂改或丢失。

3.对需取得患者书面同意方可进行的护理活动，应当签署知情同意书。

4.患者不得自行携带病历出科室，外出会诊或转院时，只允许携带病历摘要及检查、
化验回报单。非医务人员不得翻阅病历，未经批准不得借调、携带出科室，更不得随意
撕毁。

5.患者出院或死亡，应及时记录出院或死亡时间，并将医嘱执行单、护理记录单按
规定顺序排列，整理好病历，经整理后由护士长总检查一次，交由病案室保管。

6.护士长是护理文书书写负责人，负责检查运行、出科病历书写质量，及时发现问
题及时解决，以保证护理文件的质量。

7.制定护理文件书写规范

（1）护理记录应客观、真实、及时、完整。

（2）及时填写电子文书，表述准确，文句通顺，用医学术语书写，标点和页数正确。

（3）护理文件应当按照规定的内容进行书写，并由相应的护理人员注明日期并签全
名。实习、试用期护理人员书写记录，必须由合法执业的带教老师审阅、修改并注明修
改日期，签全名。

（4）因抢救急危患者未能及时书写抢救记录的，当班护理人员应当在抢救结束后6
小时内据实补记。记录时间应当具体到分钟，患者死亡时间具体到秒，并注明抢救完成
时间和补记时间。

8.护理文件书写质量纳入每月科室护理质量考核。

十六、患者身份识别制度

1.护士在进行各项诊疗护理活动中，严格执行查对制度，至少同时使用两种以上的
方法确认患者身份，不得仅以床号作为识别的依据。

2.住院患者使用"腕带"作为操作前识别患者身份的重要标识。护士在使用腕带时，
实行"双核对"（腕带与床头卡同时核对），准确识别患者身份。

3.使用腕带前向患者或家属做好宣教，使患者或家属认识到使用腕带的目的及重

要性。

4.腕带的识别信息必须准确，转科、损坏时须及时重新加戴。

5.在病房、手术室、ICU之间转运交接患者时，除使用"腕带"作为识别患者身份的标识外，还应严格按照交接程序进行交接，填写交接单，双方签名。

6.手术当日，手术室人员应与病区护理人员共同核对患者腕带标识上的内容，并与病历、患者或者家属核对，无误后方能送入手术间；麻醉前、手术开始前，巡回护士、麻醉医生、手术医生共同核对患者手术部位等；术毕手术室护理人员应与病区护理人员认真核对腕带、病历，做好患者、病情、药品及物品的交接，核对无误后方可离开。

注：压力性损伤预防制度、压力性损伤上报制度见第十三章第四节护理质量管理制度部分内容；患者跌倒/坠床意外事件管理制度见第十三章第三节患者安全管理制度部分内容；防范患者跌倒/坠床的预案及处理流程见第十三章第十节部分内容。

第二节　护理管理制度

一、护理部工作制度

1.护理部在院长及分管院领导的领导下负责全院的护理业务和行政管理工作，实行三级管理或二级管理，对护士长进行垂直管理。

2.护理部依据各级卫生行政部门下发文件制定或修订本院护理管理制度、岗位职责、工作流程、操作规范、疾病护理常规等。

3.护理部制定或修订后的护理管理制度、岗位职责、工作流程、操作规范、疾病护理常规等，必须经过全院护士长讨论、征求护理人员意见及建议后修订相关内容，修订后报请医院相关部门审核下发，组织学习和实施，并注明修订时间及第几次修订，同时废止以前内容。

4.护理部实行目标管理，有年度计划、季度计划、月工作安排、周工作重点，并认真组织落实，年终有总结。

5.护理部负责全院护理人员的聘任、调配、奖惩等有关事宜。

6.健全护士长的岗位管理及考核标准，每月进行考核考评。

7.定期组织护理相关会议

（1）护理部例会每周1次。

（2）护士长例会每月1次。

（3）全院护士大会每年1～2次。

（4）全院护理学术报告会每2年1次。

（5）护理科研项目开题报告会每年1次。

8.护理质量控制工作

（1）实施三级或二级护理质量控制，由分管护理质量的护理部副主任、科护士长、病区护士长和护理人员组成质控小组，进行护理质量控制，并做好追踪整改。

（2）不断完善护理质量检查标准，有月工作计划、周工作重点，定期与不定期进行检查，发现问题及时解决。

（3）护理部及科护士长深入科室，协助科室解决问题。

（4）组织护士长夜查房，每周2次，并记录与反馈。

9.护理教学工作

（1）由主管继续教育的护理部副主任、护士长、科室教学秘书负责，进行护理教学工作。

（2）建立各级各类人员（实习生、进修生、在职护理人员等）的教学计划及考核标准，并组织落实与总结。

（3）根据护理人员各层级要求，定期组织理论学习、技能培训及考核。

（4）组织全院教学查房每月1次。

（5）对新护士进行岗前培训。

（6）对实习生进行岗前教育，定期进行理论授课及座谈。

二、优质护理管理制度

1.护理部按照《医院实施优质护理服务工作标准（试行）》《关于开展优质护理服务评价工作的通知》和《关于进一步深化优质护理、改善护理服务的通知》，制定本医院《优质护理服务实施方案》和《护理人员岗位管理及分层级管理制度》等。

2.护理部实施垂直管理，建立护理部、科护士长、护士长三级管理体系或护理部、护士长二级管理体系。

3.护理部根据临床护理工作需要，对全院护理人员进行合理配置和调配。建立机动护理人员人力资源库，保证应急需要和调配。

4.科护士长根据科室护理工作量在大科层面调配护理人员。

5.科室落实责任制整体护理服务模式，实施连续排班模式，细化分级护理标准、服务内涵和服务项目，在病房醒目位置公示。

6.严格执行《护理人员岗位管理及分层级管理制度》和《护理人员绩效管理制度》。

7.简化护理文书书写，缩短护理人员书写时间。

8.落实优质护理服务保障措施，成立辅助支持部门，承担检查预约、患者陪检转运、标本送检、物品下收下送等支持工作。危重患者外出检查根据病情应有医护人员陪同。

9.落实健康教育制度，对患者进行疾病康复、检查、用药、出入院等健康指导及出院后随访。

10.定期召开护患沟通会，听取患者意见和建议并持续改进。

三、抢救、特殊、重点患者上报管理制度

1.各科室严格执行抢救、特殊、重点患者上报制度。涉及以下情况需及时上报：

（1）自然灾害事故、突发事件及公共卫生事件。

（2）重大抢救、特殊病例、有医疗纠纷隐患及医疗纠纷患者。

（3）知名人士、保健对象及外籍人士住院。

2.上报内容

（1）灾害事故、突发事件及公共卫生事件发生的时间、地点、伤亡人数及分类，伤亡人员的姓名、年龄、性别、致伤、病亡的原因、伤病员的病情及采取的抢救措施等。

（2）重大抢救、特殊病例、有医疗纠纷隐患及医疗纠纷患者的姓名、性别、年龄、住院号、诊断、病情及采取的医疗措施。

（3）知名人士、保健对象及外籍人士的姓名、性别、年龄、诊断、病情等。

3.报告程序及报告时限。正常上班时间值班护理人员应立即向护士长汇报，护士长向护理部上报。节假日、夜间及周末同时向院总值班报告。护理部接到报告后应根据情况向主管院领导报告。

四、护理新业务、新技术管理制度

1.在医院范围内首次开展的新业务和新技术实施前，建立有效的申报程序。由开展该项目的科室护士长提出申请，填报相关表格，护理部审核后方可开展。

2.科室制定新业务、新技术管理规范与护理操作流程，并报护理部审核。

3.护理新业务、新技术实施前告知患者并征得其同意，必要时签署知情同意书，充分尊重患者的知情同意权。

4.组织护理人员进行新业务、新技术的培训及应用效果评价。

5.做好新业务、新技术的文书资料管理（培训计划、操作流程、操作考核评分标准、考核内容及结果）及患者信息资料管理（姓名、性别、年龄、病情、实施后的效果）。

五、医院感染护理管理制度

1.贯彻执行国家医院感染相关的法律法规及技术规范，遵照本院预防和控制医院感染的相关规定，开展医院感染预防及监测工作。

2.参加医院感染管理委员会会议，协调和解决有关医院感染护理方面的重大事项。

3.严格执行无菌操作技术、标准预防措施，做好双向防护，发生职业暴露后立即处理，并上报医院感染管理部门备案。

4.严格执行医疗废物管理制度，规范科室医疗废物处置工作流程。

5.督查科室消毒隔离措施的落实及科室感控监测护士工作情况，发现有医院感染问题及时向医院感染管理部门反映或提出建议。

6.组织护理人员参加消毒隔离方法、预防和控制医院感染知识与技能的培训考核。

7.认真做好各项监测工作，严格控制院内感染发生，做到监测与控制相结合。

8.医院感染管理相关具体工作，按照国家和医院制定的医院感染管理要求执行。

六、护理人员岗位管理及分层级管理制度

1.严格落实国家卫健委《关于实施医院护士岗位管理的指导意见》及《三级综合医院评审标准》的要求，对护理人员进行岗位及分级管理。

2.护理岗位设临床护理岗位、护理管理岗位和其他护理岗位三类，对没有从事这三类岗位的护理人员，将由护理部认定，人事处进行清理，不再占用护士编制。

3.科室严格执行岗位管理及分级管理，实施同工同酬同待遇、多劳多得、优绩优酬。

4.科室护理岗位设置为总务护士、办公护士、责任组长、责任护士、助理护士岗位。

5.岗位班次设置为A班、P班、N班、D班、帮班等。

6.护理人员层级设置为N0、N1、N2、N3……Nn共$n+1$级。

7.护理人员按照岗位职责说明书履行岗位职责。

8.每年对各层级护理人员履职情况按岗位职责考核办法进行考核。

9.护理人员定级、晋级、降级按岗位职责考核办法进行考核。

七、护士长分级管理制度

1.严格落实《关于实施医院护士岗位管理的指导意见》及《三级综合医院评审标准》的要求，对护士长实施分级管理。

2.护士长分为初级护理管理者、中级护理管理者、高级护理管理者、护理管理专家4个层级，即M1、M2、M3、M4。

3.护士长按照岗位职责说明书履行岗位职责。

4.每年对各层级护士长履职情况按岗位职责考核办法进行考核。

八、护理人员绩效管理制度

1.严格落实《医院绩效分配管理办法》及《护理人员绩效分配细则》，制定科室绩效分配方案。

2.科室成立绩效考核小组，由护士长及不同层级护理人员组成。

3.科室绩效分配方案，遵循多劳多得、优绩优酬的原则，由全科护理人员讨论制定，同意签名后方可实施。每年征求护理人员对绩效分配方案的意见，进行修订并签名。

4.科室绩效管理小组进行绩效分配时，严格落实护理人员岗位系数、层级系数和护理质量考核相结合的方式，计算出当月绩效工资。

九、护士长夜查房制度

1.护士长夜查房应在护理部具体安排指导下工作。

2.护士长轮流承担夜班督查工作，每组2人，每周2次。

3.检查夜班护理人员劳动纪律、仪容仪表、病区安全及医疗秩序等。

4.了解夜班护理人员的工作情况及对危重患者病情掌握情况。

5.检查夜班护理人员是否按要求完成护理工作及书写护理文书。

6.协助夜班护理人员解决问题。

7.督查结果于次日向护理部书面汇报。

十、护理工作汇报制度

1.工作汇报坚持"逐级汇报"制。护士长向科护士长汇报，科护士长向护理部汇报，护理部副主任向主任汇报。

2.每月护理部副主任以书面形式向主任汇报当月工作情况及下月工作计划。

3.每季度科护士长以书面形式向护理部汇报科部本季度工作情况和下月工作计划，以及存在及需要解决的问题。

4.每季度护士长以书面形式向科护士长汇报科室当月工作情况及下月工作计划，科室存在及需要解决的问题。

5.认真填写工作汇报表，内容翔实，数据真实可靠。

6.护理部及大科对科室汇报情况进行核实，及时做出回复。

7.工作汇报表经核实后整理归档。

十一、护士长例会制度

1.护士长例会由护理部主任主持，每月1次。

2.建立考勤制度，护士长不得迟到早退。若有特殊情况不能参加例会者，应事先向护理部请假。

3.进行全院护理质量分析与评议。

4.反馈当月护理质量督查及护士长夜查房存在的问题及整改措施。

5.反馈当月护理人员理论、技能考核结果及实习生管理工作。

6.安排下月护理工作重点。

7.征求护士长对护理部的工作建议。

8.进行典型案例分析及讨论。

十二、护理人员请假、休假制度

1.护理人员请休假，按照《医院职工请休假管理办法》执行。

2.事假、公休假、探亲假等，由本人提出请假申请，经护士长、科主任同意，护理部审批后到人事处办理备案手续。

3.因病或因事（双休日、节假日及夜班除外）需调休，护士长根据科室工作情况同意后方可按调休处理。

4.因突发疾病不能上班者，至少提前2小时向护士长请假，当日来院就诊，提交病假证明，否则按旷工处理。

5.如遇特殊情况须暂时离岗者，须经护士长同意后方可离岗，否则按脱岗处理。

6.护士长休假、学习外出、节假日外出，须向护理部、分管院领导提交请假申请。

十三、护理人员奖惩制度

1.凡属下列情况给予一定奖励

（1）助人为乐，在社会上受到好评，为医院赢得荣誉者。

（2）见义勇为，为保护医院财产、科室安全及患者安全做出贡献者。

（3）服务态度好，经常受到患者、家属、周围同志及领导好评者。

（4）全年护理质量及服务质量考核均达标，质控考核在前3名者。

（5）有效杜绝差错、事故、并发症及护理缺陷等发生者。

（6）在SCI、正规报刊、期刊发表专业文章者。

（7）在国家级、省市级、院级组织的技能大赛中获奖者。

2.凡属下列情况给予一定处罚

（1）违反医德医风和护理人员行为规范者。

（2）违反医院各项规章制度者。

（3）在护理工作中违反国家相关法律法规、医院规章制度及操作规程，发生护理不良事件隐瞒不报者。因服务态度不好，受到患者及其家属投诉者。

（4）不服从护理部工作安排，不遵守请假制度，违反劳动纪律者。

十四、护理科研管理制度

1.护理部下设护理科研管理团队。由护理部选拔具有较强科研能力的护理骨干担任组长及成员。

2.护理科研管理团队及时掌握本学科领域的国内外发展动态，定期组织学术讲座，积极开展新业务、新技术。

3.遵循护理科研应用于临床、解决实际问题的原则，结合护理工作特点及医院实际情况，有针对性地制订科研计划。

4.引领本专业相关人员参与科研项目的设计、对申报的科研项目进行充分论证，遵守科研道德，实事求是，不剽窃他人成果。

5.科研资料分类妥善保管，记录完整、真实，有据可查。

6.鼓励并积极引领护理人员撰写学术论文，对已完成的科研论文进行登记备案。

第三节　患者安全管理制度

一、护理安全输血管理制度

1.护理人员根据医嘱确定输血后，打印配血条码，核对条码信息与输血申请单及病历上的患者信息一致后，贴条码于配血专用试管，由2名医护人员持输血申请单和贴好条码的试管于患者床前，当面核对患者床号、姓名、性别、年龄、住院号、诊断和血型，采集血标本。

2.为杜绝配血标本采集错误造成医疗护理不良事件，应避免同时采取2名及2名以上患者血标本，1次只采集1名患者血标本。

3.由医生将受血者血标本与输血申请单送交输血科，双方逐项核对并签字。

4.医护人员接到取血通知时，携带患者病历、输血申请及条码与输血科人员共同核对以下内容：

（1）核对受血者（患者）姓名、性别、年龄、住院号，确认输血患者。

（2）逐项核对交叉配血试验报告单各项内容及血袋标签，包括科室、患者姓名、病案号、血型（包括Rh因子）、血液成分、交叉配血试验结果、供血者编码及血型（包括Rh因子）、血袋号（储血号）及血液有效期，确认交叉配血试验报告单和血袋标签上的血型（包括Rh因子）、血袋号一致。

（3）检查血袋标签有无破损，字迹是否清晰可辨，血袋有无破损、渗漏，同时检查血液质量即血液有无溶血、沉淀及凝块等。

（4）确认以上3项内容无误后，双方在交叉配血试验结果报告单上签全名及取血时间。不符合要求的拒绝领取，并通知相关人员。

5.输血时严格执行"三查十对"制度。"三查"：查血液的有效期、血液的质量、输血装置是否完好；"十对"：查对受血者姓名、床号、住院号、血型、血袋号、交叉配血试验结果、血液种类、剂量、供血者编号及血型。

（1）输血前由2名医护人员核对患者信息、交叉配血试验结果及血型报告、血袋标签上各项内容，检查血袋有无破损、渗漏，血液颜色是否正常，准确无误后方可输血。

（2）输血时由2名医护人员共同到患者床旁核对患者床号、姓名、性别、年龄、住院号、血型等，确认与配血报告单相符，再次核对血液质量后进行输血，在医嘱单及交叉配血试验结果报告单上双签名，填写输血安全护理记录单。

6.取回的库存血不能加温，需要在室温下放置15～20min后再输入，避免使用从血库取出超过4h的血液制品。输注前将血袋内的成分轻轻混匀，避免剧烈震荡。血液内不得加入其他药物。

7.新鲜冰冻血浆冷沉淀溶化后需在30min内输入。因故融化后未能及时输用的新鲜冰冻血浆，可在4℃冰箱暂时保存，但不得超过24h，不可再冷冻保存。

8.血小板从输血科取出后应立即给患者使用，并以患者能耐受的速度快速输入，输注前轻轻摇动血袋。因故未能及时输注，在(22±2)℃室温放置，每隔10min左右轻轻摇动血袋，不可放入冰箱保存。

9.建立单独输血通路，输血前后用生理盐水冲洗输血器。连续输注不同供血者的血液时，前一袋血液输注完毕后，先用生理盐水冲洗干净输血器后，再输注另一袋血。

10.输血时应先慢后快，再根据病情和年龄调整输注滴速，并严密观察受血者有无输血不良反应，发现异常情况及时报告医生并处理。处理措施如下：

（1）立即减慢或停止输血，用生理盐水维持静脉通路。

（2）立即通知值班医生和血库值班人员，及时检查、治疗和抢救，并查找原因，做好记录。核对输血申请单、血袋标签、交叉配血试验结果等。

11.输血完毕后，记录输血过程，将血袋条码贴在输血安全护理记录单上，将交叉配血试验结果报告单贴在病历中。空血袋须低温保存并及时送输血科。

二、腕带标识管理制度

1.所有住院患者必须使用医用腕带标识对其身份进行24h随身标识，入院时给予佩戴，松紧适宜。

2.腕带标识要求字迹清晰，信息准确，应标明病区、床号、患者姓名、住院号、性别、年龄、诊断等，以保证对患者身份进行准确、快速识别。

3.在执行各项诊疗护理操作、检查前、转送患者及手术时，必须核对腕带标识确定患者身份。除特殊情况外，对标识信息无法辨别或标识丢失的患者不能进行任何处理，必须首先确定患者身份并更换腕带标识。

4.在患者住院治疗期间，护理人员应每日检查患者腕带标识，确保患者随身佩带，确保患者腕带标识上记载的信息足够清晰并可辨认，确保佩戴部位皮肤无擦伤、血运良好。佩戴过程中如有遗失或损坏，立即更换新腕带。

5.当患者出院时，护理人员应将患者佩戴的腕带标识去除。如果患者在医院死亡，应让腕带标识保留在尸体上，以确认尸体。

6.患者转科时必须更新腕带信息，确保患者身份识别信息与腕带信息一致。

7.对无名患者，根据所掌握的信息填写腕带，姓名暂用无名氏代替。

8.腕带一般应统一佩戴在患者手腕上，如病情禁忌，则佩戴在脚踝上，新生儿实行双腕带。

三、患者身份识别落实制度

为杜绝因患者身份识别错误造成医疗、护理错误事件，凡门诊、急诊、住院患者进行各项诊疗、护理操作时，必须严格执行查对制度，采取反向核查，即询问患者全名时，由患者说出自己的姓名（您叫什么名字），不得直接称呼患者姓名而获得应答。如患者无法回答时由家属代为回答。至少同时使用2种及以上（姓名、住院号、性别、年龄、出生年月等）识别患者身份的方法。

1.门诊患者辨识

（1）门诊患者使用患者姓名识别，由患者自述姓名及至少2项个人资料（如身份证号码、出生日期、电话号码或地址等补充信息）来确认患者，并将上述信息与就诊卡信息严格核对。患者就诊时须携带就诊卡和附有照片的证件，如身份证、医保卡等。

（2）医护人员为门诊患者执行各项诊疗、护理活动时，认真核对患者就诊卡及条形码的各项信息。

（3）门诊手术患者身份识别

1）患者进入术前准备区域前，护理人员核查患者身份证、就诊卡信息、实验室及影像学检查结果等。

2）患者进入术前准备区域，护理人员核查患者姓名、科别、年龄、床号、就诊卡号、相关检查结果、手术知情同意书、X光片、手术部位及名称、手术时间。

3）患者进入手术间，护理人员根据三方核查规范再次核对患者信息。

4）护理人员须核查手术知情同意书，手术知情同意书由本人签署，特殊患者（幼儿、老人、少数民族、聋哑人、不识字、外国籍等）必须由患者委托授权的家属（须携带有效身份证明）代签知情同意书，本人在知情同意书上盖指纹确认。

5）核查手术患者信息时，信息必须完全一致，就诊卡号必须完全一致。

6）特殊患者（幼儿、老人、少数民族、聋哑人、外国籍等）身份识别必须由患者委托授权的家属陪同进行核查。

2.住院患者辨识

（1）所有住院患者必须使用腕带作为诊疗活动时辨别患者的一种必备手段。

（2）护理人员在给患者进行各项诊疗、护理操作时，要求使用患者的姓名及住院号作为身份核对的两个要素；询问患者全名时，采取反向核查，如无法回答时由家属代为回答确认。至少同时使用2种及以上患者身份识别的方法，核对床头卡和腕带，确认患者身份，杜绝仅以患者的床号或房间号来确认其身份。

（3）住院手术患者身份识别

1）根据手术通知单、病历核查患者身份，内容包括：

①采用反向询问，核查患者信息与腕带信息是否一致。

②核查患者信息（尤其是住院号）与患者相关检查结果、手术、麻醉知情同意书信息是否一致。

2）在核查上述资料过程中如内容不一致，出现以下情况，则暂缓手术，与主治医生沟通，确认患者身份正确后再进行手术：

①腕带信息与知情同意书信息一致，但与检查结果信息不一致。

②腕带信息与检查结果信息一致，但与知情同意书信息不一致。

③腕带信息与知情同意书及大部分检查结果信息一致。

④围手术期护理人员根据三方核查规范核对患者信息有任何疑问时。

3）特殊患者（幼儿、老人、少数民族、聋哑人、外国籍等）身份识别必须由患者委托授权的家属陪同进行核查。

3.实施各项操作时操作者应亲自与患者（和/或家属）沟通，作为对患者身份的最后确认，以确保对正确的患者实施正确的操作。

4.关键流程患者身份辨识

在各关键流程中，如急诊与病房、手术室与ICU、手术室与病房、病房与产房以及血液净化室与病房之间流程中有识别患者身份的具体措施、交接程序与记录：

（1）急诊科患者收住入院与病区交接：患者由急诊科医护人员护送，确保转运安全；交接患者急诊病历、各项检查报告及影像资料等，认真填写《医院患者转运交接单》并与收住科室护理人员按照内容详细交接，确认无误后签字方可离开。

（2）手术患者术前病区与手术室交接：手术前，病区护理人员做好术前准备，认真与手术室护理人员按照《医院手术患者接送卡》内容详细交接，核查患者身份及手术部位标识，术前准备已完成，确认无误签字后，方可接患者。

（3）手术患者术后手术室与病区交接：手术结束后，手术室护理人员与麻醉科及病区护理人员按照《医院手术患者接送卡》内容详细交接并签字，确认无误后方可离开。

（4）病区与ICU交接患者：患者由病区医护人员负责转送，保证转运安全；认真填写《医院患者转运交接单》并按照内容与ICU护理人员详细交接，确认无误签字后方可离开。

（5）病区与产房转接患者：病区护理人员认真填写《病区与产房患者转运交接单》并按照内容详细交接（包括患者一般资料，子宫收缩、宫口扩张及会阴部皮肤准备情况，胎心音，药品，并发症等），确认无误签字后方可离开。

（6）产房与病区转接患者：产房护理人员认真填写《产房与病区患者转运交接单》并按照内容详细交接（包括生命体征、分娩及会阴情况、子宫收缩及阴道出血情况、药品应用及新生儿情况、分娩记录等），确认无误签字后方可离开。

（7）介入手术室与病区转接患者：术前、术后均由病区与介入手术室医护人员护送，保证患者转运安全；术前、术后病区护理人员与介入手术室护理人员认真填写《医院介入手术患者接送卡》并按照内容详细交接，确认无误签字后方可离开。

（8）血液净化室与病区转接患者：患者由病区及血液净化医护人员负责转送，保证转运安全；认真填写《医院患者转运交接单》并按照内容详细交接，确认无误签字后方可离开。

四、静脉用药调配制度

1.静脉用药的调配在医院静脉用药配置中心未开展之前，可在病区治疗室内调配，但须参考《静脉用药集中调配管理规范》有关要求严格管理，其他场所不能用于静脉用药的调配。

2.进行静脉用药调配工作的人员须接受岗位专业知识培训并经考核合格，否则不能进行此项工作。

3.静脉用药调配所用药品及医用耗材由药学及有关部门统一采购，应当符合有关规定。静脉用药调配所使用的注射器等器具，应当采用符合国家标准的一次性使用产品，临用前应检查包装，如有损坏或超过有效期的不得使用。

4.每日对静脉用药配置室、操作台、治疗室进行清洁消毒处理。每月检测空气中的细菌菌落数，并有记录。

（一）静脉用药调配操作程序

1.在静脉用药调配前，双人核对，按照输液贴核对药品名称、规格、剂量、有效期和完好性，检查输液袋（瓶）有无裂纹，瓶口有无松动、裂缝，输液袋（瓶）内有无沉淀、絮状物等，确认无误后，方能进行调配。

2.用碘伏消毒输液袋（瓶）口，待干。

3.除去西林瓶盖，用碘伏消毒西林瓶胶塞；安瓿用砂轮切割后，需用碘伏仔细擦拭消毒，去除微粒。

4.选用适宜的一次性注射器，拆除外包装，旋转针头连接注射器，确保针尖斜面与注射器刻度处于同一方向。

5.抽取药液时，注射器针尖斜面应当朝上，紧靠安瓿瓶颈口抽取药液，然后注入输液袋（瓶）中，轻轻摇匀。

6.溶解粉针剂，用注射器抽取适量静脉注射用溶媒，注入粉针剂的西林瓶内，必要时可轻轻摇动（或置振荡器上）助溶，全部溶解混匀后，用同一注射器抽出药液，注入输液袋（瓶）内，轻轻摇匀。静脉用药应现配现用，每次限配一组液体。

7.普通胰岛素经静脉调配时，由2名护理人员共同核对取用的剂量，确认无误后注入输液袋（瓶）内，操作人员和核对人员在输液瓶贴上分别签名。

8.调配结束后，进行检查及核对。

（1）再次检查已配药液有无沉淀、变色、异物等。

（2）进行挤压试验，观察输液袋有无渗漏现象，尤其是加药处。

（3）按医嘱执行单内容逐项核对所用输液和空西林瓶与安瓿的药名、规格、用量等是否相符。

（4）核检非整瓶（支）用量患者的用药剂量和标识是否相符。

（5）操作人员和核对人员应当分别签名，签名需清晰可辨。

（6）核查完成后，再将空西林瓶及安瓿等废弃物按规定进行处理。

9.静脉用药调配室的环境应符合卫生要求，不得堆放与静脉用药调配无关的杂物；调配操作完成后，应立即清场，用清水或500mg/L含氯消毒液擦拭台面，除去残留药液，不得留有与下批静脉用药调配无关的药物、余液、注射器等。

（二）静脉用药混合调配注意事项

1.不得采用交叉调配流程。

2.静脉用药调配所用的药物，如果不是整瓶（支）用量，则必须将实际所用剂量在输液贴上明显标识，以便校对。

3.若有2种以上粉针剂或注射液同组输入时，应当严格按药品说明书要求和药品性质顺序加入，并注意配伍禁忌；对肠外营养液、高警示性药品和某些特殊药品调配，应当按相关的加药顺序调配操作规程执行。

4.调配过程中，出现异常或对药品配伍、操作程序有疑点时应当停止调配，保留相关药品及用具，报告护士长或与处方医生协商调整用药医嘱，上述情况应做好详细记录，防止再次发生。

5.调配操作危害药品注意事项

（1）危害药品调配应当重视操作者的职业防护，严格按照有关规程操作。

（2）危害药品调配完成后，必须将留有危害药品的西林瓶、安瓿等单独置于适宜的包装中，以供核查。

（3）调配危害药品用过的一次性注射器、手套、口罩及检查后的西林瓶、安瓿等废弃物，应按规定统一处理。

（4）危害药品溢出处理按照相关规定执行。

五、模糊医嘱澄清制度

1.所下达医嘱要求层次分明，内容清楚，必须准确。开具、执行、更改和取消的医嘱，医生应复查后提交，护理人员查对无误复核后方可生效执行。特殊及临时医嘱应向护理人员交代清楚并在嘱托中详细说明。护理人员应按时执行医嘱并签名。

2.模糊不清有疑问医嘱是指医嘱开具不准确、医嘱开具有明显错误（包括医学术语错误）、医嘱内容违反诊疗常规及药物使用规则、医嘱内容与常规医嘱内容有较大差别、医嘱有其他错误或者疑问等。

3.护理人员对模糊医嘱，必须及时和医生沟通，查清后方可复核并执行。首先询问开医嘱者；如果开具医嘱者不在或无法联系则寻找其上级医生，上级医生不在的情况下联系值班医生或总住院医生；核实后重新下达医嘱并打印医嘱执行单，执行医嘱的护理人员接医嘱执行单后，认真查对，严格按照医嘱的内容、时间等要求准确执行，不得擅自更改。

4.在抢救危重患者的紧急情况下，对于模糊医嘱，护理人员立即汇报抢救医生，查清后方可执行，如仍有疑问，及时报告护士长及科主任处理，抢救结束后做好相关的记录。在此过程中推诿、延误抢救者，根据情节严重情况和造成的后果将给予严厉的处罚。

六、非惩罚性医疗安全（不良）事件报告制度

1.医疗安全（不良）事件定义

医疗安全（不良）事件是指在临床诊疗活动中以及医院运行过程中，发生本可避免的涉及医疗安全的不良事件/缺陷，涵盖医疗、护理、医院感染、药品、医疗器械和设备、公共设施、后勤保障、治安和其他事件。医院通过多种报告途径获得显性或隐性医疗安全（不良）事件信息，对不良事件、安全隐患的信息进行及时处理、定期分析，提出防范措施。

2.医疗安全（不良）事件等级划分

事件级别：

（1）Ⅰ级事件（警讯事件）：与患者自然病程无关的，非预期的死亡，或是非疾病自然进展过程中造成永久性功能丧失。

（2）Ⅱ级事件（不良后果事件）：在疾病医疗过程中是因诊疗活动而非疾病本身造成的患者机体与功能损害。

（3）Ⅲ级事件（未造成后果事件）：虽然发生了错误事实，但未给患者机体与功能造成任何损害，或有轻微后果而不需要任何处理可完全康复。

（4）Ⅳ级事件（隐患事件）：由于及时发现，错误在实施之前被发现并得到纠正，未形成事实。

事件严重程度：

A级：客观环境或条件可能引发不良事件（不良事件隐患）。

B级：不良事件发生但未累及患者。

C级：不良事件累及患者但没有产生伤害。

D级：不良事件累及患者，需要进行监测以确保患者不被伤害，或需要通过干预预防。

E级：不良事件造成患者暂时性伤害。

F级：不良事件造成患者暂时性伤害并需要住院或延长住院时间。

G级：不良事件造成患者永久性伤害，但不需要治疗以挽救生命。

H级：不良事件发生并导致患者需要治疗以挽救生命。

I级：不良事件发生导致患者死亡。

3.护理安全（不良）事件类型

（1）不良治疗：给药错误、输血错误、标本采集错误、手术身份或部位识别错误、体内遗留手术器械、输液输血反应、医院感染暴发等。

（2）管道护理不良事件：管道滑脱、患者自拔等。

（3）意外事件：跌倒、坠床、走失、烫伤、自残、自杀、失火、失窃、咬破体温表、约束不良等。

（4）皮肤护理不良事件：院内压力性损伤、医源性皮肤损伤。

（5）职业伤害：针刺伤、割伤、暴力伤、化学伤害。

（6）饮食护理不良事件：误吸或窒息、咽入异物。

（7）不良辅助检查、患者转运事件：身份识别错误、标本丢失、检查或运送中或后病情突变或出现意外。

（8）护患沟通事件：护患争吵、身体攻击、打架、暴力行为等。

4.护理安全（不良）事件上报范围及形式

（1）上报范围

凡在医院内发生的或在院外转运患者时发生的不良事件均属主动报告的范围。

（2）上报形式

1）口头上报：发生严重不良事件时，知情人员立即向护士长、科主任、总值班、护理部口头报告事件情况。

2）书面上报：知情人员书面填写《医院护理不良事件上报表》上报护理部。

3）网络上报：知情人员通过网络系统直接上报或填写《医院护理不良事件上报表》

电子表格。

5.护理安全（不良）事件上报、处理程序

（1）Ⅲ级、Ⅳ级护理安全（不良）事件

1）由当事人或发现人立即报告科室护士长、科主任。

2）公共设施、医疗设备器械事件要同时报告相关的职能科室，24h内没有答复时报告护理部。

3）48h内填写护理不良事件上报表；药物及耗材事件则填写药物或器械不良反应报告表。

4）科室组织讨论分析原因，制定并落实防范措施。

5）科室每月汇总，排查工作中的其他医疗护理安全隐患，并制定前瞻性整改措施。

（2）Ⅱ级护理安全（不良）事件

1）由当事人或发现人立即报告科室护士长、科主任，同时电话报告科护士长和护理部。

2）保存病历资料及相关物品，及时纠正错误，积极采取措施，做好患者的后续处理及家属安抚工作，护士长24h内填报《医院护理不良事件上报表》报告护理部。

3）科室1周内完成讨论分析原因及整改，形成书面材料上报护理部。

4）护理部每月组织护理安全管理小组成员对Ⅱ级事件讨论分析，提出建议，追踪整改效果。

5）职业暴露同时上报院感管理科，输液输血反应同时报告药剂科或输血科。

（3）Ⅰ级护理安全（不良）事件

1）当事人应立即上报护士长、科主任或总值班人员，立即采取措施，将损害降至最低；必要时组织全院多科室抢救、会诊等，同时汇报护理部、医务处、主管院领导等部门，报告时限不超过6h。

2）护士长应在6h内填报《医院护理不良事件上报表》，护理部于抢救或紧急处理措施结束后立即组织人员进行调查、核实。

3）有投诉纠纷时由护理部、医务处和法律事务室/办进行事件调查，按医院医疗投诉纠纷处理程序处理。

4）护理安全管理小组讨论分析原因和提出重大整改措施，护理部督促科室落实整改措施，并追踪整改效果。

6.医疗安全（不良）事件上报原则

（1）主动性：医护人员应积极主动地向主管部门报告显性或隐性的医疗安全（不良）事件。

（2）非惩罚性：对主动报告医疗安全（不良）事件的医护人员，不给予责任追究和处罚；对主动发现并及时报告重要医疗安全（不良）事件和隐患，避免严重不良后果发生的医护人员给予奖励。

（3）保密性：该制度对报告人以及报告中涉及的其他人和部门的信息完全保密。

7.医疗安全（不良）事件管理部门

（1）医疗安全（不良）事件主管部门

医务处：负责每月统一收集、核查全院各职能部门上报的医疗安全（不良）事件，对汇集的不良事件和安全隐患信息进行分析，发布警示信息，提出防范措施；定期组织员工进行不良事件报告制度的教育和培训。

（2）医疗安全（不良）事件上报部门

1）质量控制处（科）：负责收集、处理由临床医技科室上报的与诊疗活动有关的医疗安全（不良）事件。

2）护理部：负责收集、处理涉及护理质量与安全、护理服务方面的医疗安全（不良）事件。

3）医院感染管理处（科）：负责收集、处理全院各部门与医院感染有关的医疗安全（不良）事件。

4）药剂科：负责收集、处理涉及药品管理、临床药物不良反应的医疗安全（不良）事件。

5）设备处（科）：负责收集、处理涉及医疗器械和医疗设备的医疗安全（不良）事件。

6）后勤处（科）：负责收集、处理医院公共设施、后勤保障等方面的医疗安全（不良）事件。

7）保卫处（科）：负责收集、处理医院治安与消防方面的医疗安全（不良）事件。

8.奖励机制

每年由医院质量管理委员会对不良事件和安全隐患报告中的突出个人和集体提出奖励建议，并报请院长办公会讨论通过。

（1）定期对收集到的不良事件报告和安全隐患进行分析，公示有关好的建议和意见，给予表扬与奖励。

（2）每季度对主动报告不良事件和安全隐患前3位的科室给予表扬与奖励。

（3）定期对及时整改和持续改进的部门和个人给予表扬与奖励。

七、手术部位识别标示制度

1.主刀医生对确保在正确的手术部位进行手术负最终责任。

2.患者和/或家属、授权委托人、监护人宜参与标识。

3.患者由接送人员转运到手术室前，病房护士核实，应标识而未标识的患者不能转运，核对正确后送达手术室交接区。

4.在交接区手术室护理人员再次核对并确认标识情况。

5.在手术室内手术医生、麻醉医生和手术室护士遵循三方核查制度。

6.涉及左右侧的器官（如左右侧的眼、耳、鼻腔、胸壁、肺、肾、附件等）、多重结构（如四肢、足趾、关节等）和多节段部位（如脊柱等）以及非正常解剖部位的器官或组织的手术，在患者身体的相应位置分别进行标识。

7.脊柱手术可在影像资料上标记具体的脊柱段。

8.患者消毒前，手术部位标识应清晰可见。

9.不做手术部位标识的情况

（1）需紧急抢救手术时；

（2）单孔自然腔道内镜手术（消化道内镜、支气管镜、膀胱镜、宫腔镜等）；

（3）开放性骨折、损伤；

（4）经人体自然腔道（阴道、尿道、直肠等）的手术；

（5）心脑血管介入；

（6）唯一正中的器官或组织。

10.手术标识人员为主刀医生或经主刀医生授权的手术医生。

11.进入手术室之前完成手术标识。

12.手术标识使用外科手术皮肤记号笔，新生儿等易产生色素沉着的患者或部位宜用不产生色素沉着的外科手术皮肤记号笔。

13.标识方式有3种，分别为体表标识、书面标识和影像（包括数字影像）标识。

14.体表标识

（1）一般手术标识于体表

1）脊柱手术应明确手术椎体节段。

2）眼科手术标识于患侧眉弓上方正中。

3）口腔手术可在相对应的面部皮肤进行标识（WS/T 813—2023）。

4）患处已有纱布、石膏、牵引器等，统一标识于包扎物上；若在进手术室之前已去除包扎物，宜在患处标识。

（2）体表标识方式

在手术部位上以"○"标识，直径≥3cm。

15.书面标识

（1）以下情况适用于书面标识

1）皮肤状况不适宜标识或患者拒绝做手术部位的皮肤标识；

2）标识可能影响患者美观，如头颈部；

3）标识部位在解剖学上是不可行的，例如口腔等部位。

（2）书面标识方式

在"书面标识确认图"（见图13-1、图13-2）中相应的手术部位以"○"标识，并签字存档保管。

16.影像标识

在影像中相应的手术部位以"○"标识，并留存记录。

姓名：_____ 住院号：_____ 科室：_____ 床号：_____

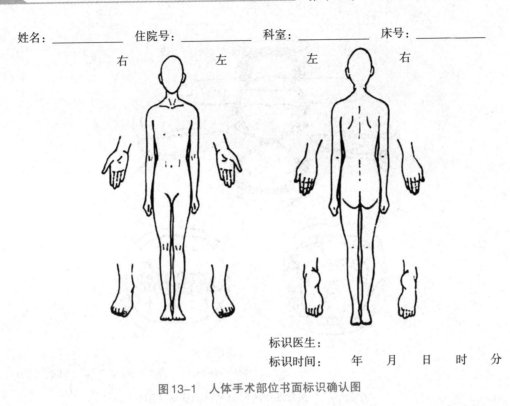

标识医生：_____

标识时间： 年 月 日 时 分

图13-1 人体手术部位书面标识确认图

姓名：_____ 住院号：_____ 科室：_____ 床号：_____

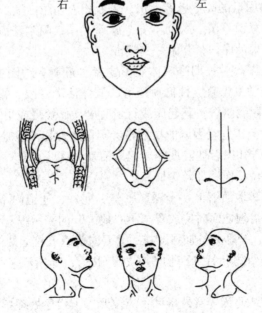

图13-2 头颅部手术部位书面标识确认图

右　　　　　　　　　左

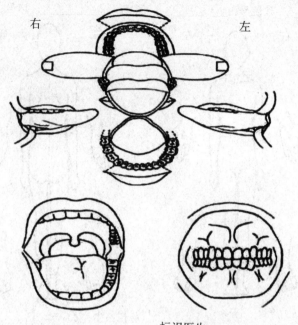

标识医生：

标识时间：　　年　月　日　时　分

续图13-2　头颅部手术部位书面标识确认图

八、患者跌倒/坠床等意外事件管理制度

1.患者入院时，根据住院患者护理评估单及跌倒/坠床危险因素评估表进行评估，对存在发生跌倒/坠床危险因素的高危患者标识，采取相应预防措施。

2.护理人员在护理意识不清、躁动不安、癫痫发作、阿尔茨海默病、精神异常等患者时，必须用床档或约束带保护，并做好交接班。

3.做好安全宣教工作。对长期卧床体质虚弱者、近期有跌倒史（1周内），以晕厥、昏蒙为主要症状者，经常发生直立性低血压者，肢体活动受限、视觉障碍及年老体弱等患者，护理人员应告知家属陪护，其起床或行走时应动作缓慢或由家属或护理人员陪伴。

4.为存在发生跌倒/坠床危险因素的高危患者测量体重和沐浴时，应专人在旁守护。

5.做好入院宣教，告知患者住院期间、起床活动时穿防滑鞋。外出检查由专人陪同，检查前更换外出鞋，行动不便者准备轮椅。

6.保持病室、走廊和地面清洁、干燥、平整、完好，通道内不随便堆放物品，以免影响患者通行。保洁员清理地面时应放置"小心地滑"的警示牌。

7.夜间应开启地灯，护理人员加强巡视，必要时为患者拉起两侧床档。

8.对服用抗精神病药物和特殊药物者（如安眠药、降糖药、降压药等）加强观察，做好重点交接班。

9.一旦患者出现跌倒/坠床等意外事件，应按照以下程序处理：

（1）立即通知主管医生或值班医生，报告护士长、科主任。护士长接到报告后要及时评估事件发生后的影响，如实上报护理部。

（2）当班护理人员协助医生对患者进行救治及伤情判断，遵医嘱执行各项治疗和护理。

（3）记录事件经过及患者情况，并填写《医院护理不良事件上报表》。

（4）护士长应对意外事件发生的过程及时调查研究，组织科内讨论，分析原因，总结经验，采取针对性的整改措施，以减少跌倒/坠床等意外事件的发生；并将讨论结果和整改措施上报护理部。

第四节　护理质量管理制度

一、护理质量与安全管理委员会工作制度

1.成立由分管院长、医务科、质控科、输血科、设备科等相关部门及护理部主任、护理部副主任、科护士长组成的护理质量与安全管理委员会，负责全面督导、检查工作。

2.质量与安全管理委员会负责制定各项质量检查标准，定期组织检查，发现问题及时反馈。

3.质量委员会成员每季度召开护理质量分析及工作会议，总结质量检查中存在的问题，分析原因，提出改进措施并反馈到全体护理人员。

4.实行护理部、科护士长、护士长三级网络质量管理。科室质控小组每周检查1次，科护士长每月全面检查1次，护理部每月抽项检查、每季度全面检查，并有记录。

5.质量检查结果应及时反馈给当事人，并以护理质量改进回复书的形式反馈给相应科室。

6.科室根据存在的问题和反馈意见进行改进，通过护理质检反馈及整改三级跟踪表将整改措施汇报护理部，再次进行效果评价，以达到持续改进的目的。

7.护理质量检查结果作为科室进一步护理质量改进的参考及护士长目标管理考核的重点。

二、护理业务查房制度

1.护理业务查房由护士长组织全科护士及实习护士对病区的危重患者、疑难手术及新开展手术后的患者、特殊诊疗患者进行床旁查房，每周1次，并做详细的书面记录。

2.查房前要求责任护士掌握患者病历，查阅和学习相关资料、知识。护士长应详细了解被查患者情况。

3.查房时要求参加人员严肃认真。由责任护士报告简要病历、当前病情及给予的护理措施与评价。

4.查房者通过床旁查看患者病情、护理措施的实施与效果、健康教育的落实以及了解患者的身心需求后，提出存在的护理问题，组织大家讨论、总结，并制定符合患者实际情况切实可行的护理措施，且督促执行。

5.对实行保护性医疗的患者，在查看患者后，需要在护士站进行问题讨论。

6.护士长将查房中存在的问题进行分析，并将检查结果及整改措施在晨会上及时反

馈，工作质量与绩效考核挂钩。

三、护理质量督查制度

1.在护理部主任领导下，由护理质量控制小组负责护理质量督查工作。

2.护理质量控制小组检查方式包括综合检查、重点检查、夜班检查。

3.由质控委员会定期对全院进行质量检查，总结分析，并根据存在问题和工作需要，提出持续改进措施。

4.综合检查内容包括检查护理人员对病区动态情况的掌握，基础护理、危重护理、护理技术操作、急救药品、消毒隔离、护理文书书写、药品管理、病案规范、健康教育、劳动纪律、仪容仪表、服务态度和患者满意度等。同时负责检查当月重点工作的落实和实施情况。

5.每月安排一项重点检查内容，如某项护理核心制度的落实或应急预案的考核等，同时追踪上月存在问题的整改落实情况。

6.夜班检查内容包括夜班护理人员在岗情况、对病区动态掌握的情况、治疗护理工作的完成情况、危重患者的护理质量、病区管理、突发事件的处理及人力资源安排是否合理等。

7.护理质量督查时间要求

（1）护理部每月对全院护理质量督查1次。

（2）科护士长每月对全科护理质量督查1次。

（3）科室质控小组每周对科室护理质量督查1次。

（4）护理部每月进行业务查房1次。

（5）科护士长每月进行业务查房1次。

（6）护士长每月对设备、器械、急救物（药）品完好状态检查1次。

（7）护士长随时检查科室护理质量。

四、护理质量公示制度

1.护理部每年修订并下发各项质量检查标准。

2.护理部将每月检查结果以书面形式公示，作为科室绩效考核的一项指标。

3.每月将总评成绩突出、进步大的科室向护士长通报。

4.每月将出现单项否决和不达标的科室向护士长通报，并要求科室提出整改措施。

5.科室应针对问题积极整改，并将整改措施、效果评价等记录在护士长手册上。

五、护理安全督查管理制度

1.护理安全管理组织结构

详见图13-3。

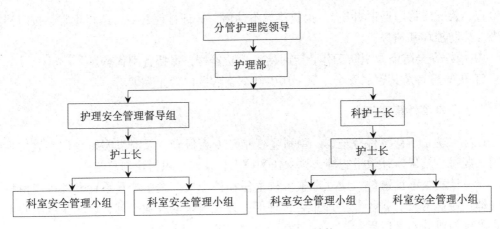

图13-3 护理安全管理组织结构

2.护理安全管理督导组工作职责

（1）护理安全管理督导组在分管护理院领导、护理部主任领导下开展工作。

（2）护理安全管理督导组全面负责全院护理安全管理，确保全院护理安全监控、改进及实施。

（3）建立完善的护理安全管理制度，督促护理人员认真执行，以保证护理质量与安全。

（4）负责全院护理人员的护理安全教育及培训，提高安全意识，确保患者护理安全和护理人员的职业安全。

（5）对发生的护理缺陷进行充分的调查核实，进行根源分析，提出管理系统的改进建议，制定防范措施并提出处理意见。

（6）督促检查和评价全院日常护理质量安全工作，并协助病区进行护理质量安全工作，提出改进措施和意见。

六、护理质量安全教育制度

1.定期组织护理人员学习各项法律法规和《医疗事故处理条例》，增强法律意识。严格执行各项规章制度，遵守医疗原则，规避医疗风险。

2.新入职护理人员上岗前进行质量安全教育，掌握重要质量安全制度。

3.学习沟通技巧，加强护患交流，做好告知工作，尊重患者的知情同意权。

4.严格执行交接班制度、不良事件登记报告制度与分级护理制度，按时巡回病房，认真观察患者病情变化。

5.正确执行医嘱，严格执行查对制度和无菌技术操作规程，做好消毒隔离工作，预防院内交叉感染。

6.对危重、昏迷、瘫痪患者及小儿应加强护理，必要时加床档、约束带，以防坠床；定时翻身，防止压力性损伤；用热水袋时，水温应在50℃以内且不可直接接触皮肤。

7.高警示、毒、麻、限、剧、贵重药品专人保管，专柜加锁，账物相符。

8.内服药与外用药标签清楚，分开放置。

9.抢救物品做到四定（定物品种类、定位放置、定量保存、定人管理）三及时（及时检查、及时维修、及时补充）。抢救器材不外借，保证性能良好，运行正常，按时清点交班，严防损坏和遗失。

10.做好安全防盗及消防工作，定时检查消防器材，保持备用状态。

11.告知患者及其家属安全用氧、用电知识，病区内禁止吸烟。

七、不良事件管理制度

1.科室建立不良事件登记本，由科主任指定专人保管，及时真实地登记事故发生的原因、经过、结果、补救措施等，科主任和护士长及时组织讨论与总结。

2.一旦发生不良事件，应立即报告科主任和护士长。发生严重不良事件，应由科主任立即汇报医务处，护士长立即报告护理部，并积极采取补救措施，以减少或消除由于不良事件造成的不良后果。

3.发生严重不良事件后，应及时指定专人对各种有关记录及造成不良事件的药品、器械妥善保管，不得擅自涂改、销毁。

4.不良事件发生后，按其性质与情节，组织全科人员进行讨论，吸取教训，改进工作，并将相关情况告知患者及其家属。

5.发生不良事件的科室和个人，如不按规定及时上报，或有意隐瞒，一经发现，从严处理，并承担因延误而失去补救措施所造成的全部后果。

6.因不负责任而造成事故者，本人承担全部后果，包括经济赔偿与法律责任。

7.在不良事件的调查中，应当注意听取当事人的意见，必要时当事人可参加讨论会。

8.每月底，各科要进行一次医疗安全教育和不良事件发生情况的总结，并将不良事件统计表上报医务处、护理部。

八、护理投诉管理制度

1.医疗护理工作中，因服务态度、服务质量或技术水平而导致的护理工作缺陷，引起患者或家属不满，以书面或口头汇报方式反映到护理部或有关部门转回护理部的意见，均为护理投诉。

2.护理部设专人接待护理投诉，认真倾听投诉者的意见，使患者有机会陈述自己的观点，耐心安抚投诉者，并做好投诉记录。

3.接待投诉人员要做到耐心细致，认真做好解释说明工作，避免引发新的冲突。

4.护理部设有护理投诉专项记录本，记录投诉事件的发生经过、原因。

5.护理部及时反馈给护士长，督促科室认真核查事情经过，分析事发原因，总结教训，制定整改措施，提出处理意见并上报护理部。

6.投诉经核实后，护理部可根据事件情节轻重，给予当事人相应的处理。

（1）给予当事人批评教育。

（2）责成当事人在科室做出书面检查，并交护理部备案。

（3）向投诉患者真诚道歉，取得患者的谅解。

（4）给予相应的经济处罚。

（5）因服务态度导致的恶劣投诉，将责任人上交人事处待岗学习。

7.对违反操作规程给患者造成损伤或痛苦者，按《医疗事故处理条例》规定处理。

8.护理部定期在全院护士长例会上对近期发生的护理投诉进行公布、总结和分析。对全年无投诉的科室给予表扬或奖励，作为评选优秀科室的重要依据。

九、纠纷病历封存制度

1.当出现医疗纠纷和医疗争议，患者及其家属要求封存病历时，科室要保管好病历，以免丢失。

2.立即上报科主任、护士长及医务处（晚间及节假日联系总值班）。

3.检查护理记录、体温单、医嘱单记录是否完整，包括医生的口头医嘱是否及时记录。

4.备齐患者所有病历资料，如为抢救患者，病历应在抢救结束后6h内据实补齐。

5.医务处或总值班与患者或直系亲属共同在场的情况下封存患者的主观病历，包括死亡病历讨论记录、疑难病历讨论记录、上级医生查房记录、会诊意见、病程记录等。

6.患者要求复印病历时，可复印病历资料包括：门急诊病历和住院病历中的入院志、体温单、医嘱单、化验单、检查报告单、特殊检查（治疗）知情同意书、手术知情同意书、手术及麻醉记录单、护理记录及出院记录。

7.病历封存后由医务处指定专人保管。晚间及节假日由医院总值班保管，次日或节假日后移交医务处。

十、纠纷实物封存制度

1.出现医疗纠纷和医疗争议，患者及其家属要求封存实物时，科室要保管好实物，以免丢失。

2.本制度由病房、药剂科、输血科、设备科、供应室共同遵守，医务处负责监督执行。

3.立即上报科主任、医务处、护理部，晚间及节假日上报院总值班。

4.发生输液、输血反应后，由科室立即封存全套输液（血）器及剩余的药液（血液）和原瓶的存留液，护士协助医生立即填写《输液（血）不良反应登记表》。

5.根据患者及其家属的要求，送有关部门检测。检测人员为判断原因，可根据需要抽检其他样品，被抽检科室不得拒绝。

6.由检测部门分析反应原因，得出结论，提出防范措施，送交有关部门。

十一、压力性损伤预防制度

对所有入院患者使用《压力性损伤风险评估单》进行评估后，对具有压力性损伤风险的患者（Braden评分≤18分），应采取如下预防措施：

（1）保护皮肤，避免局部长期受压

1）鼓励和协助患者2h翻身一次。

2）使用水袋、气垫床等措施保护骨隆突处和支持身体空隙处。

3）避免患者翻身、搬运时拖、拉、推，防止皮肤损伤。

4）对长期卧床患者，床头抬高<30°，以减少剪切力的产生。

5）对使用石膏、夹板、牵引、约束的患者，衬垫应平整、松软。

（2）保持患者皮肤清洁，避免局部刺激

1）及时清除患者尿液、粪便、汗液等机体排泄物和分泌物。

2）对于大小便失禁患者，注意肛周及会阴部皮肤护理，腹泻患者及时清洗肛周皮肤，局部可使用小儿用痱子粉或皮肤保护喷剂/膜。

3）避免使用肥皂和含酒精用品清洁皮肤。

4）保持床单元整洁、干燥、平整。

（3）促进皮肤血液循环

1）可采用温水擦浴。

2）避免对骨隆起处皮肤和已发红皮肤进行按摩，以免加重组织损伤。

（4）改善机体营养状况

对病情允许的患者，鼓励其摄入高蛋白、高维生素、含锌饮食，必要时行肠外营养。

（5）健康教育

对家属和患者开展压力性损伤预防宣教，提高患者依从性。

（6）严格执行交接班制度。

十二、压力性损伤上报制度

1.发现皮肤压力性损伤，无论是院内发生还是院外带入，均应及时上报。

2.护理人员认真填写纸质版《医院住院患者压力性损伤评估及护理记录单》一份（患者出院后入病历），24h内通过信息平台（手机/电脑）提交《医院压力性损伤评估及上报表——科室版》。

3.院伤口小组到科室进行床边观察、核实、指导、填写处理意见，并进行难免压力性损伤的认定，24h内通过信息平台（手机/电脑）提交《医院压力性损伤评估及上报表——伤口小组版》。

4.1期、2期压力性损伤由院伤口小组指导科室压力性损伤监督管理员处理；3期及以上压力性损伤需要处理的，伤口小组现场进行，并以后1～2次/周进行跟踪管理（压力性损伤处理、护理措施落实、转归等情况）。

5.患者出院/死亡时，由科室压力性损伤监督管理员及时通过信息平台（手机/电脑）在"压力性损伤管理微信群"反馈压力性损伤转归情况。

6.护理人员填写压力性损伤评估表时应客观、真实、准确。

（1）压力性损伤属院外带入的，应注明"院外"。

（2）压力性损伤属院内发生的，根据压力性损伤发生原因归类为"术中压力性损伤、医疗器械相关压力性损伤"，不属于上述情况的，均归类为"院内压力性损伤"。对院内难免压力性损伤由伤口小组人员现场根据"医院难免压力性损伤"的认定条件进行认定。

（3）护理人员应向家属告知压力性损伤的情况、干预措施及健康指导并签字，征得家属的支持与配合。

（4）护理人员对压力性损伤要积极采取治疗措施，如增加翻身次数、创面换药、观察皮肤变化及交接班等。

7.为避免压力性损伤出现漏报、重报等情况，特做如下说明：

（1）转科者：患者压力性损伤由转出科室上报，转出和转入科室严格进行交接，由转入科室进行跟踪处理及转归情况上报。

（2）术中发生者：术中获得性压力性损伤由患者术后转入的第一个科室完成上报及跟踪处理程序，并与手术室沟通，手术科室及手术室进行汇总备案。

（3）各科室填写《医院压力性损伤患者信息汇总表》，留科室备案。各科室对发生压力性损伤者应积极上报，如隐瞒不报，一经发现与科室及护士长绩效考核挂钩。

8.院伤口小组对院内发生压力性损伤者进行原因分析，并提出整改措施。

第五节　病房工作管理制度

一、医嘱核对执行制度

1.凡用于患者的各类药品、检查及操作项目均应有医生开具的医嘱。

2.医生开具电子医嘱后，护理人员先对医嘱进行查对复核，包括姓名、药名、剂量、给药方式、执行时间、费用等，核对无误后打印出各项医嘱执行单。

3.护理人员应及时执行临时医嘱。

4.非紧急情况，护理人员不执行口头医嘱。如手术或危重患者抢救过程中，医生下达口头医嘱时，护理人员应大声复述一遍，医生确认后方可执行，事后督促医生及时补开医嘱。

5.新开具的长期医嘱每日3次的治疗方案（如内服药等），当日至少执行2次；每日2次治疗方案，当日必须至少执行1次，如有必要，应按医嘱执行2次；每日1次治疗方案，当日必须执行。临时医嘱须由下一班护理人员执行的，应向接班人员交接清楚，做好标本容器、特殊检查要求（如禁食、术前用药等）的各项准备。

6.患者手术、分娩后，应及时停止术前或产前医嘱，重新执行术后或产后医嘱。

7.各班护理人员须核对上一班次及本班次全部医嘱（长期、临时、检查医嘱），白班核对医嘱后签名。

8.电脑医嘱、医嘱单、医嘱执行单三者必须相符。

二、出入院管理制度

1.入院

（1）需住院的患者由门诊、急诊科医生或值班医生检查确认后电脑预约，家属携就诊卡、身份证、社保卡和住院押金至住院结算中心办理住院手续，抢救患者可先入院，后补办手续。

（2）病房值班人员必须热情接待，及时安置患者，急需住院而又无空床时，可安排加床。

（3）值班护理人员电脑分配床位，录入相关信息，责任护士通知主管或值班医生进行诊治或抢救。

（4）病情稳定后责任护士应及时向患者及其家属进行入院宣教，包括病房环境、人员介绍、相关检查和制度等，并请患者或家属签字确认。

2.出院

（1）出院须由主管医生决定，停止一切医嘱，打印出院证明并交代出院注意事项后，完成出院处理，通知办公护士。

（2）办公护士核对药物及费用账户，电脑完成出院结算；通知家属携身份证/医保卡/电子医保卡、单据在护士站、住院结算中心办理出院手续；发放出院证明书/出院记录。

（3）责任护士接办公护士通知后，及时完成当日治疗、护理项目，做出院宣教，整理病历；清点回收用物，查看结算发票后患者即可离院。

（4）出院患者未离开病区前，责任护士应按其当日护理级别，巡视观察患者病情，直至患者离院。

（5）患者不宜出院，而患者或家属强行要求出院者，医生应加以劝阻，说服无效者报科主任批准，并由患者出具文字证明方可同意其出院；应出院而不出院者，通知家属或所在单位接回或送回患者。

三、护理文件书写制度

1.护理文件要用钢笔或中性笔正楷书写。

2.护理文件要严格按《病历书写规范》及相关规定填写，无空项。

3.应用医学术语，及时、准确、客观、真实地记录病情，文字简练，通俗易懂，无涂改。

4.外文或药名要写全名或按规定缩写。

四、转科、转院制度

1.转科

（1）凡住院患者因病情需要转科者，由主管医生联系，经转入科室会诊同意后，通知患者或家属，开写转科医嘱，通知办公护士，完成转科记录后做转科处理。

（2）办公护士联系病床及转科时间，核对药物及治疗费用，电脑办理转科手续并通知转入科室接收。

（3）责任护士接办公护士通知后，完成本病区的治疗护理及护理文件书写，整理病历，填写患者转运交接单后方可转科。

（4）转科时，由转出科派医护人员护送患者到转入科，向值班医生及护理人员转交病历，当面交代病历及药物，待转入科室接受病历并安置好患者，双方在床旁交接患者的病情及护理情况后护送者方可离去。

（5）对在转科途中可能出现生命危险的患者，应待病情稳定后再行转科。

2.转院

（1）因本院诊疗设备及技术条件限制而不能诊治的病例，由经管主治医生提出，科主任同意报医务处、医保处批准，经拟转入医院同意后，方可办理转院手续，需要去省外诊治者，由医务处在转院证明上加盖公章后，到卫健委、医保局办理转外就医手续。

（2）转院患者，必须严格掌握指征，对转送途中可能加重病情或导致生命危险者，应暂时留院处置，待病情稳定后再行转院。

（3）需转院者应征求患者意见，交代注意事项；重症患者转院，须与患者家属、单位联系解决有关护送等问题。

（4）转院时，由住院医生写好病历摘要，必要时由本院医护人员护送，并携带必要的急救药物。

（5）急性传染病、麻风病、精神病、截瘫患者，不得转往外省市治疗。

五、患者管理制度

1.住院患者应自觉遵守住院规则，听从医护人员的指导，服从治疗和护理，同时遵守病区作息时间，保持病房内外环境整洁与安静，不大声喧哗，不随地吐痰，不在楼内吸烟。

2.住院患者的饮食必须遵守医生的医嘱，经医生或护理人员同意后方可食用。

3.住院患者不得自行邀请外院医生诊治，也不得随意自购药物服用。

4.住院患者未经许可，请勿进入医疗场所，不得翻阅病历及其他有关医疗记录。

5.住院患者不得随意外出，如有特殊情况须经主管医生批准，填写《住院患者外出告知书》后方可离开；住院患者私自外出，如发生病情变化或其他意外，一律由本人负责。

6.住院患者应爱护公共财物，如有损坏须按价赔偿。

7.住院患者可携带生活必需用品，其他物品不准带入，贵重物品请自行保管，严防丢失。

8.为了避免交叉感染，患者不得乱串病房或自行调换床位。

9.住院患者可随时对科室工作提出宝贵意见，帮助科室改进工作。

10.患者如有不遵守院规或违反纪律者，医务人员有责任劝阻教育，必要时通知患者单位或请有关部门处理。

六、病区安全管理制度

1.病区通道要通畅，加强对病区环境的无障碍管理，禁止堆放各种物品、仪器、设备等，防止患者绊倒、滑倒，保证患者通行安全。

2.病床移动或调整后及时将病床锁定；对有坠床风险的患者安防护栏；对有躁动的患者进行适宜的约束。

3.各种物品、仪器、设备固定放置，便于清点、查找及检查。毒、麻、限、剧药品按要求管理。

4.病区内一律不准吸烟，禁止使用电炉、蜡烛及点燃明火。

5.病区应按要求配备必要的消防设施及设备，消防设施应完好、齐全，消防设备上无杂物，消防通道应通畅，不准堆杂物。

6.加强对患者的安全教育。病房环境布局、设施的选择应考虑患者的安全，防止跌倒和摔伤。

7.提醒患者及医护人员保管好自己的物品，贵重物品尽可能不要放在病区。

8.加强对陪住和探视人员的安全教育及管理。

9.病房晚熄灯前应劝诫探视人员离开病房。

10.加强巡视，如发现可疑人员及不安全迹象，及时通知保卫处（科）。

11.病房无人时，要及时上锁。同时加强病区水、电、暖管理，如有损坏及时维修。

七、病房巡视制度

1.护理人员巡视病房时应着装整洁，步履轻盈，态度和蔼，动作轻稳。

2.注意观察患者的意识、生命体征、手术切口、肢体活动、受压皮肤及卧位等情况。

3.观察患者输血输液及各种用药的治疗反应，特别是静脉穿刺局部的情况。

4.观察各种引流管是否固定在位，引流是否通畅及引流液的颜色、量及性状。

5.掌握重点患者的特殊检查、治疗、护理及病情。

6.了解患者饮食、排泄状况。

7.了解患者心理状况，主动进行有效沟通，如有心理问题，给予及时的疏导并通知主管医生。

8.督促患者遵守院规，保证休息。

9.值班护理人员一定要对病区所有患者的病情做到心中有数，重点患者重点巡回。

八、病区医院感染管理制度

1.依据相关法律法规，根据本科室医院感染的特点制定管理制度，并组织实施。

2.对医院感染病例及感染环节，采取有效措施，降低医院感染的发病率；发现有医院感染流行趋势时，于24h内报告医院感染管理科，并积极协助调查。

3.掌握抗感染药物临床合理应用原则，做到合理用药。

4.加强预防、控制医院感染知识的培训，掌握医院感染诊断标准。

5.严格执行无菌操作技术、手卫生、消毒隔离制度及医院感染的各项规章制度，执行医疗废物分类、分装、移交等工作操作规程。

6.掌握自我防护知识，正确进行各项技术操作，预防职业暴露。

7.发现医院感染病例，及时送病原学检验及药物敏感试验；查找感染源、感染途径，控制蔓延。

8.做好保洁员、配餐员的卫生知识培训以及陪员、探视人员的卫生知识宣教。

九、抢救室工作制度

1.抢救室专为抢救患者设置，其他任何情况不得占用。室内一切抢救药品、物品、器械、敷料均须做到四定，即定数量、定位置、定专人管理、定期消毒更换与维修，不准任意挪动或外借。

2.抢救物品齐全，保证处于良好应急备用状态，尤其是特殊仪器，如临时起搏器、食道调搏、除颤仪等应设专人管理，定期保养，每周清洁检查，班班交接并有记录。

3.所有抢救药品及一次性使用医疗用品保证基数，标签清晰，无过期，用后及时补充。每次清点有记录，做到账物相符。

4.抢救时，抢救人员要按时到岗定位，遵照疾病的抢救常规程序进行抢救。医护密切配合，严格执行查对制度，各种急救药品安瓿、输液空瓶、输液器、输血袋等用完后，暂时保留，以备事后查对与统计。

5.抢救病历书写要详细、准确、及时、清楚，并做好各种记录。

6.抢救室每日消毒1次，每周彻底清扫1次，保持室内卫生整洁，严禁烟火，非抢救人员不得进入。

十、治疗室管理制度

1.室内布局合理，无菌物品专柜放置，用物清洁，摆放有序。

2.保持室内整洁，每做完一项处置，要随时清理，每日进行空气消毒。

3.工作人员进入治疗室必须着工作服，非工作人员不得入内。

4.各种药品分类定位放置，标签明显，字迹清晰，定期清点有记录。

5.毒、麻、限、剧、贵重药应与基数相符，专柜加锁保管，严格交接。

6.器械物品固定放置，及时申领，上报损耗，做好登记。

7.严格执行医疗废物分类、分装、移交等工作操作规程。

8.无菌物品须注明灭菌日期和失效日期，并与非无菌物品分别固定放置，并在有效期内使用。

十一、换药室管理制度

1.严格执行无菌操作原则，工作人员进入换药室必须穿工作衣，戴工作帽及口罩。

2.保持室内清洁、整齐，定时消毒。

3.严格执行换药操作规程，先处理清洁伤口，后处理感染伤口。

4.无菌物品与非无菌物品要严格分开放置，注明灭菌时间，并在有效期内使用；无菌溶液应注明开启时间，超过24h重新更换。

5.操作者严格执行手卫生制度，防止交叉感染。

6.严格执行消毒隔离制度，器械进行预处理后交消毒供应中心集中处理。

7.特殊感染用物不得在换药室处理，按院内感染规定处理。

十二、饮食管理制度

1.患者的饮食种类由医生根据病情决定。医生开具医嘱后，护理人员应及时通知营养室，做好饮食标志，并向患者宣讲治疗膳食的临床意义。

2.指导患者按医嘱规定进餐，禁食患者告知其禁食原因和时限。

3.做好患者进餐前的准备，协助卧床患者如厕、洗手、安排舒适卧位，必要时备好床上饭桌。

4.配餐人员衣帽整洁，落实手卫生，严格查对，避免差错。

5.原则上患者由医院配餐，如有特殊情况须经医生同意后方可外送。

6.熟悉饮食治疗原则，观察进食情况，征求患者意见，及时向营养室反馈，以便改进饮食质量。

十三、探视、陪护制度

1.为促进患者早日康复，使医疗护理工作有序地进行，病房尽可能地减少探视、陪护。

2.陪护人员须严格控制，如患者病情确需要陪伴，由医生决定，护士长发放陪护证方可陪护，陪护停止，须将证收回。

3.陪护人员须遵守本院相关制度，听从医护人员的指导，不得擅自翻阅病历及其他各种医疗文书；积极配合医护人员进行各项医疗护理；不得私自将患者带出院外；不要谈论有碍患者健康和治疗的事宜。

4.陪护人员不能在病区内使用电器；不得在患者床上睡觉；不准吸烟，保持病房整洁、安静。

5.陪护人员应节约水电，爱护国家财产，凡损坏、丢失医院物品者，应照价赔偿。

6.陪护人员要随身携带陪护证以备检查，陪护证严禁转让他人使用。

7.在规定时间内探视，每次不超过2人，学龄前儿童不得进入病房。

8.探视人员如患有呼吸道感染，禁止来院探视。

十四、病区卫生工作制度

1.保持科室卫生整洁，营造良好的工作环境。

2.严格按照医院感染管理制度，对科内环境卫生责任区明确分工，严格检查。

3.各室物品器具摆放应整洁有序，工作完毕后须对相应设施和环境进行消毒。科内设施如有损坏影响使用或有碍整洁，应及时报修。

4.在打扫卫生时不得任意拔除任何医疗器械或办公用的电源插头，仪器由使用人员负责清洁，仪器内部结构的清洁由维修工程师负责。

5.各种清洁剂、消毒剂应妥善保管，各级人员按要求使用。

6.每天更换垃圾袋，保持垃圾桶清洁。所有垃圾按医院垃圾处理办法分类处置。

7.保洁人员着工作服、戴手套上岗，垃圾密封运送。

8.新进保洁人员应进行岗前培训，明确工作职责，了解清洁剂和消毒剂的使用方法，掌握垃圾分类处置，使其有清洁消毒观念和安全操作常识。

9.每月底进行病区卫生大扫除。

十五、晨会交班制度

1.晨会交班由护士长主持，各级护理人员按要求有序站立。

2.由N班护士汇报病区动态，手术，危重及特殊患者的病情、治疗和护理，备术患者的术前准备等。

3.交班时使用医学术语，重点突出，简明扼要。

4.护士长对交班内容进行补充总结，安排当日重点工作，传达各项会议精神。

5.晨会时间尽量简短，应在15～30min内结束。

6.定期安排小讲课或即时业务查房并进行相关知识提问。

十六、保护患者隐私制度

1.患者隐私权利包括：付费住院权、治疗知情权、治疗保密权、个人病史保密权、个人身体状况保密权、个人生活习惯保密权、个人通信联系保密权、个人财产保密权、个人私事保密权。

2.患者就诊时做到"一医一患"，无围观。

3.理解患者就医心理，一般情况下，护理人员不得随意探听患者的隐私，通过规范服务取得患者的信任，增强患者的安全感。

4.完善门诊诊室及医技检查设施，保护患者隐私。要求每间诊室、检查室内安装隔帘，形成独立、隐秘的诊察空间；或采取男、女分设检查室的方式，切实做好保护患者隐私的工作。

5.对涉及患者隐私的身体检查、治疗及病历资料，除相关诊疗人员因医疗活动需要外，其他人员不得进行上述活动。因实习医生、进修医生教学需要，可在征得患者同意后进行。

6.对于涉及患者隐私的有关临床检验结果、检查报告单应交给患者本人；本人如因各种原因不能来取检验检查报告单，应交给其授权人，其他无关人员不能查阅患者的检验检查结果。

7.患者住院期间的病历资料，除因医生诊疗、会诊、讨论等活动需要外，无关人员不得查阅、记录、复印等，也不得随意议论或向他人传播患者的病情等。

8.对于归档病历，应该按照归档病历的要求保管；对于病历复印，只有患者本人或其授权人才能复印，其他人员不能复印，复印时应携带患者身份证及授权人身份证。

9.对泄露患者隐私造成不良影响或严重不良后果者，由当事人承担全部责任；情节严重者，给予当事人停职、免职或追究其刑事责任。

十七、临终关怀制度

1.以提高患者临终阶段生命质量为宗旨，为临终患者创建一个安全舒适、有意义、有尊严、人性化的环境。

2.尊重临终患者的尊严和权利，护理过程中尽可能保留患者原有的生活习惯，满足其合理要求，保留个人隐私权利和对治疗护理方案的知情权。

3.做好临终患者家属的心理支持，护理人员需与家属进行必要的沟通，取得家属的信任与配合。尽可能解答家属对临终患者治疗护理过程中提出的疑问。

4.做好生命体征的监测，为患者提供舒适的生活护理，最大限度地减轻患者的痛苦。发生病情变化时及时通知医生及家属。

5.关注临终患者的心理变化，加强患者的安全措施。

6.尊重死者，尊重家属，做好尸体护理。

7.做好同病区患者的安抚工作。

十八、一次性医疗用品使用管理制度

1.科室必须使用医院设备科采购的质量验证合格的一次性医疗卫生用品。

2.一次性医疗卫生用品使用科室应保持一定基数，领取时不得超量，以免过期；储存时要正确存放，防止受潮、破损、污染。

3.在使用一次性医疗卫生用品前，必须检查有效期及有无破损。如产品存在质量缺陷，出现问题立即封存，并上报设备科。

4.在使用一次性输液（血）器、注射器时出现致热原反应或有关医疗纠纷时，必须按规定进行登记并上报不良反应监测中心。

5.一次性医疗卫生用品使用后，按医疗废弃物管理相关要求分类处理。

6.所有一次性医疗卫生用品严格按规定使用，包装上显示一次性的不得重复使用，造成不良后果的，将追究相关人员的责任。

十九、物品损坏、赔偿制度

1.凡在本院工作的所有工作人员包括学生、进修生、规培生，对公共财产均有爱护、使用和保养的责任。对下列情况，有关科室和个人应负赔偿责任：

（1）因工作失职、不负责任，或违反操作规程等主要原因造成的医院财产损失者，根据情节轻重、损失大小，除给予批评教育外，应适当赔偿。

（2）由于交接责任不清而造成丢失、损坏，由交接双方共同负责赔偿。

2.对下列情况可做报损处理，免于赔偿：

（1）凡属使用年久及在抢救患者时损坏之器材，经有关人员证明损坏情况后可做报损处理。

（2）消耗性器材等因工作原因造成损坏时。

（3）台板、公用衣被、床单等低值易耗品属自然损坏，可以报损处理。

3.凡丢失、损坏仪器设备时，当事人应主动报告科室负责人并及时书面报告主管部门，如隐瞒不报，一经查出，除应全部赔偿外，并根据情节轻重给予不同的处分。

4.患者及非本院工作人员，无论在何种情况下使用仪器、器材造成损坏者，一律照价赔偿。

二十、应用保护性约束告知制度

1.根据病情，对精神障碍、神志不清、治疗不配合者，实施有创通气、各类插管、引流管等治疗的患者，实施保护性约束。

2.使用前，向患者家属解释使用约束带的目的和必要性，取得患者家属的理解和配合。

3.记录使用约束带的原因、类型、部位、时间、相应的护理措施及解除约束的时间。

4.做好约束处皮肤的护理，避免不必要的损伤，每小时检查约束部位的血液循环情况并记录。

5.对昏迷或精神障碍者，若家属不同意保护性约束，则需要签字注明，由此发生的意外后果由家属承担。

6.患者出院时除非必须，应解除约束，以免对患者造成伤害。

二十一、护理操作前告知制度

1.实施护理操作前必须由操作者提前告知，尤其对高难度、高风险性有创操作。

2.告知内容包括该项操作的目的、必要性、操作方法及由此带来的不适和意外，必要时要求患者及其家属签字。

3.操作中关键环节随时解释，以减轻患者的紧张情绪。

4.无论何种原因导致操作失败，都应礼貌道歉，取得患者谅解。

5.操作结束后感谢患者的配合。

二十二、标本采集核对制度

1.护理人员应掌握各种标本的准确留取方法。

2.采集标本严格按医嘱执行。

3.标本采集前认真执行查对制度，对检验条码与容器逐项核对。

4.标本采集时再次核对姓名、容器无误后（必要时患者参与确认），方可执行。

5.输血、配血采集标本时，必须2人核对后采集并双签名。

二十三、住院患者外出管理制度

1.为保障患者安全，患者住院期间未经医生许可不得私自外出，如擅自外出，外出期间如发生病情变化或其他意外事件，一律由患者本人负责。

2.有特殊原因外出须经医生批准，填写《住院患者外出告知书》，写明姓名、外出事由、离院时间、回院时间等。要有医生签字、患者或家属签字。

3.外出之前护理人员应交代注意事项，如所服药物不得间断等。

4.外出期间不得将机密文件、贵重物品及现金留在病房，否则后果一律由患者本人负责。

5.外出期间，如有身体不适，必须及时返回医院。

6.外出应按时返院，返院后将《住院患者外出告知书》存放在病历中存档，妥善保管。

二十四、护患沟通座谈会制度

1.科室每月召开1次护患沟通座谈会，由护士长主持，要求病情允许、能活动的患者或陪员参加，人数不得少于在院患者人数的1/3。

2.座谈会内容

（1）征求患者及陪员对医院管理、医疗、护理工作的意见和建议。

（2）征求患者及陪员对护理人员的意见和建议，以便提高护理人员整体素质，改善护理服务，提高护理质量。

（3）征求患者及陪员对饮食的意见和建议。

（4）向患者及陪员宣教住院须知、探视陪护制度、卫生常识、相关疾病知识，住院期间注意事项等。

3.对患者及陪员反映的意见和建议，将逐项答复、解决，如果解决不了的向有关部门及领导反映。

4.要有会议记录（包括主持人、记录人、日期、会议内容、总结、处理、护士长和科主任签名等）。

二十五、护患沟通制度

1.入院时沟通

护理人员实行"首迎负责制"。责任护士在患者入院30min内做自我介绍、入院宣教并记录。护士长在患者入院当日至患者床前做自我介绍，与患者进行沟通交流，了解患者的基本情况及需求。

2.住院期间沟通

（1）护理人员实行"首问负责制"，对患者或家属提出的问题要认真、耐心解释。

（2）责任护士每天主动与患者及家属进行沟通交流，了解患者的情况及思想动态，做好心理护理及健康教育，并做好记录。对检查、用药等注意事项的解释或健康指导要及时到位、通俗易懂。

（3）护士长应每日进行查房，有重点地与患者或家属进行交流，了解患者在住院期间对护理工作的满意程度并征求其意见和建议；每月定期组织住院患者或家属召开护患沟通座谈会，征求意见和建议并记录。

（4）护理人员对患者实行"温馨护理操作"。护士进行每一项护理技术操作时须做到：操作前有问候和告知声；操作中有鼓励和安慰声；需患者配合时有感谢声；操作后注意事项有交代声；操作失误时有道歉声。

二十六、科室记费复核制度

1.完善医疗服务项目的病例记录和费用核查工作，严禁医嘱外收费，做到"不多收，不少收，不漏收"。

2.科室指定专人负责，每日对住院患者发生的费用进行医嘱复核，发现问题，及时进行更正。

3.科室每日逐项记录患者发生的医疗费用。在患者入院时，告知患者每日医疗费用的查询方式。

4.患者出院时，对住院期间发生的每一笔费用进行复核，及时办理未检查治疗项目和未用药品的退费。

5.对患者复核发现的收费问题，科室必须认真对待，及时改正，并向患者表示歉意，同时要有整改措施。

二十七、住院告知服务制度

1.介绍病区环境、设施、人员。

2.讲解住院须知，医院相关规章制度，如探视陪护、作息制度；病房设施的使用方法，如床档、呼叫系统等。

3.告知患者住院期间妥善保管好贵重物品，不私自离开医院。告知婴幼儿、老年患者、精神障碍者的监护人患者住院期间的注意事项，告知书签字保存。

4.各项护理操作前向患者告知操作的名称、目的、必要性、主要的程序步骤，操作中的配合和可能出现的不适，有创操作应承担的风险，操作后的注意事项等。

5.告知各种检查、化验的目的、注意事项，取得患者配合。

6.患者出院时详细告知其出院后疾病康复的相关知识、正确的服药方法、饮食、休息、功能锻炼方式、复诊时间、联系电话、网上预约挂号等。

二十八、住院患者特殊帮扶制度

1.行动不便的住院患者，医院应提供相应的辅助器具，如平车、轮椅、助行器等，患者需要时医护人员随时给予帮助。

2.患者需要检查时应该做到

（1）认真核对患者的身份信息，检查项目，告知注意事项及特殊检查的准备，并将相关信息传至辅助支持部。

（2）陪检人员要了解患者的病情、检查前的准备、特殊检查知情同意书签字情况等，根据患者的病情、身体状况选择相应的运送工具，必要时携带外出检查急救箱。

（3）陪检人员和医技科室人员应严密观察患者病情，一旦发生病情变化，应暂停检查，立即就地抢救，同时报告送检科室，需要相关科室协助抢救时立即电话联系。

（4）检查结束后，将患者送回病房，与病房护理人员交接，并将检查途中的情况详细反馈于病房护理人员。

二十九、患者心理疏导制度

1.护理人员应针对不同患者做好心理护理，使其处于良好的心理状态接受治疗。

2.护理人员使用安慰和体贴的语言，以取得患者的信任。解除患者的恐惧心理，增强其战胜疾病的信心和勇气。同时向患者宣教相关疾病的防治知识，提高其自我保健能力。

3.及时将疾病好转的信息传递给患者，让患者树立战胜疾病的信心。

4.治疗护理谈话时内容要简明、具体、易懂，使患者能按要求密切配合。

5.病情无明显好转或病情恶化时，应避开患者告知其亲属，以免加重患者心理负担，产生不良情绪，从而影响患者康复。

6.医护人员之间应避免在患者面前谈论病情，以免给患者造成心理负担，影响患者康复。

7.医护人员学习、掌握必要的心理学常识和沟通技巧，在患者出现不良情绪时，及时给予心理疏导。

三十、病区物品申领保管制度

1.护理单元物品管理由护士长负责，做到"四定"：定品种、定数量、定地点放置、定专人保管。设立账目登记，每月清点1次，登记签名，遇有丢失或损坏，查明原因，及时补充或修理。

2.护理单元物品按要求配齐，配送交接时与相关科室当面点清；如有丢失，应追究责任，予以补充。

3.库房内物品摆放整齐，经常通风，定时晾晒，防止受潮霉变，非专管人员不得随意进入库房。

4.申领物品由护士长填写电子申请单，提交到相应库房，由相关部门下送并及时入账。物品申领应做到量出为入，尽量节俭。

5.科室间借用物品时，建立借条登记，及时索回，不得丢失或损坏。

6.保管者应认真负责，凡个人损坏、丢失物品，须由本人填写损坏报告，请示科主任、护士长和有关部门领导批示，酌情处理或赔偿。

第六节　用药管理制度

一、病区药品管理制度

1.为确保患者及时用药，病区可配备一定基数的药品，药品由专人负责保管，并做好交接班。

2.病区药品的配备，以常用和抢救为主，品种数量不宜过多。病区基数药品的配备须经药剂科、护理部审核，按需要定品种数量，并制作基数表。

3.基数药品一般不配备贵重、限剧药品；如需配备少量时，必须经批准，并按药品管理制度使用，用后必须登记以备核查；自备药品要注明床号、姓名。

4.基数药品应分类存放，妥善保管，定期清点，检查药品质量，防止积压浪费，发现有沉淀、变色、过期、标签模糊等药品，应报药剂科处理。

5.病区所有基数药品，只供住院患者按医嘱使用，其他人员不得私自取用。

6.药剂科应定期检查，随时抽查各病区基数药品的管理情况。

二、毒、麻、精神、限剧药品管理制度

1.病区毒、麻、精神、限剧药品实行"专人、专册、专柜、加锁、专用处方"五专管理，具有醒目标识，数量固定，班班交接，做到账物相符。

2.定期检查，若发现有沉淀、变色、过期、标签模糊等情况停止使用，报药剂科处理。

3.病区毒、麻、精神、限剧药品只能供住院患者按医嘱使用，其他人不得私自取用、借用。

4.建立毒、麻、精神、限剧药品使用登记本，注明患者姓名、床号、药品规格和剂量、使用日期和时间、批号，护理人员双人签全名。

5.护理人员领药时凭专用处方和空安瓿到药房领取，补充基数。

6.毒、麻药品必须使用专用处方开具，项目填写不得缺项，字迹清晰，不得涂改，医生签全名并盖章。

7.交接班时应交接药品、空安瓿和处方，对剩余的毒、麻药品由交、接双方确认后弃去。

8.药剂科应定期到各病区检查麻醉药品、医疗用毒性药品与精神药品的使用和保管情况，并将检查结果报告主管院长。

三、安全用药管理制度

1.按医嘱在规定时间内配药及给药，以确保药效。

2.用药时严格执行"三查八对"，准确掌握给药剂量、浓度、方法、时间和药物的有效期。

3.药品应按照内服、外用、静脉用药的种类分类存放，并有标识。

4.用药前要询问患者有无药物过敏史，用药时检查药品的质量。

5.药物联合使用时注意配伍禁忌。

6.口服药要监督患者服药到口。

7.注射药物须2人核对；静脉用药应在药瓶上粘贴注明患者姓名、床号、药物名称和剂量的瓶签，及时认真填写输液卡。

8.用药后应观察药效和不良反应，如有过敏、中毒等反应，立即停药，并报告医生，及时处理。

9.做好用药知识的健康教育，患者应知道使用药物的名称、作用及注意事项，掌握准确的用药方法。

10.护理人员应了解常用药物的性质、作用、用法、剂量、不良反应和中毒症状。

11.对于膀胱冲洗、VSD引流、鼻饲、局部灌注等非静脉用药应明确标识，且不能与静脉用药挂在同一输液架上。

12.重要药品根据各病区具体情况实施相应安全管理。

四、护士使用抗生素管理制度

1.抗生素要现用现配，配药时严格执行查对制度，并核对皮试结果。

2.护理人员正确执行医嘱，注意配伍禁忌，严格执行抗生素给药时间。

3.使用前要认真阅读药物说明书，根据医嘱、药物性质、要求、注意事项及患者病情，调节输液速度，做好用药指导，并观察用药后的反应。

4.使用时，认真检查药物质量、有效期，是否有混浊、沉淀、变色、变质等，如出现上述情况，应停止使用。

5.使用过程中，如患者出现不良反应，护理人员要及时上报主管医生并保留原药液，填写药物不良反应上报表，并严格执行药物不良反应处理流程。

五、用药后观察制度

1.任何药物应用后要观察治疗作用及不良反应（副作用、毒性反应、变态反应、后遗效应、继发反应等），做好必要记录。

2.对易发生不良反应的药物或特殊用药应密切观察，如有过敏反应，立即停止用药，并报告医生，做好记录、封存及检验工作。

3.用药后主动询问和检查有关症状，以便及时发现和处理相关问题，避免药源性疾病发生。

4.定时巡回病房，根据病情和药物性质调整输液滴速，观察有无发热、皮疹、恶心、呕吐等不良反应，发现异常，及时通知医生进行处理。

5.做好患者的用药指导，使其了解药物的一般作用和不良反应，指导正确用药和应注意的问题。

6.应用微量泵、输液泵或化疗药及特殊药物时，应密切观察用药效果和不良反应，及时处理与记录。

7.几种药物联合用药期间，要观察协同作用及拮抗作用。

六、重点药物观察制度

1.重点药物包括抗菌药物、心血管系统药物、细胞毒性药物、中枢性肌松药、抗精神失常药、中枢镇静催眠药以及须做过敏试验的药物等。

2.对需试敏药物必须按规定做好注射前的过敏试验，在确认无过敏的情况下方可使用药物。用药后要注意观察药物反应及治疗效果，如有过敏中毒反应立即停用，按照有关规定上报处理。

3.护理人员用药前应询问患者的用药情况，并告知患者和家属将要使用的药品名称、用法用量、可能存在的不良反应、注意事项。

4.用药后护理人员巡视病房时向患者和家属询问用药后有无不适感，是否出现不良反应。

5.静脉给药时护理人员必须按药品说明书规定或医嘱调节好滴速，向患者交代注意事项，如有不适感及时报告。

6.病房发口服药时护理人员应指导患者服用，并交代注意事项后方可离开，并及时巡视病房，询问患者用药后的情况。

7.护理人员交接班时，交班者应向接班者介绍病房内使用重点药物患者的情况，以利于接班护士继续执行用药后观察。

8.出现不良反应时及时报告值班医生，并安抚患者及其家属，使其配合治疗。

9.值班医生接到不良反应报告，应及时对患者进行检查，妥善处理，并填写药物不良反应报告表上报。

10.各临床科室依据本科情况，制定本科室重点药物清单，用药后观察制度及用药后观察程序。

七、特殊药品管理制度

1.特殊药品是指麻醉药品、精神药品、医疗用毒性药品和放射性药品等。依照《药品管理法》及相应管理办法，实行特殊管理。

2.麻醉药品、医疗用毒性药品和一类精神药品只限于医疗、教学、科研需用；麻醉药品的保管、调配、使用必须按照《麻醉药品管理办法》执行，对麻醉药品要控制科室备用数量。

3.对晚期癌症患者执行申领麻醉药品专用卡的暂行规定，处方书写要规范并注明病情。班班交接，逐日登记消耗。

4.严格执行"五专"管理，即专柜加锁、专册登记、专账消耗、专用处方和专人负责管理，并分类放置，交接班时当面交接清楚并做好记录。

5.麻醉药品处方保存3年备查；精神药品和医疗用毒性药品处方保存2年备查，并做好逐日消耗记录和旧空安瓿等容器回收记录。

6.特殊药品仅限本科使用，不得转让、借出或移作他用。严格按规定控制使用范围和用量。

7.失效、过期、破损的特殊药品及旧安瓿等容器每年报废1次，由药剂科统计，经院领导批准，报药品监督部门监督销毁，并详细记录处理过程，现场人员签字。放射性药品使用后的废物，必须按国家有关规定妥善管理。

8.如遇药品丢失或被盗，必须立即上报医院、当地公安机关和药品监督管理部门。

9.未经药品监督部门批准，不得擅自配制和使用含麻醉药品、一类精神药品和放射性药品的制剂。

八、相似药品管理制度

1.不同的品种、外观相似、读音相近等易导致混淆差错的药品，应设置醒目标识，根据科室具体情况制定易混淆药品清单。

2.对相似药品进行分类保管。区分内容包括品名相似药品、成分相同厂家不同的药品、规格不同的相同药品、剂型不同的相同药品、包装相似药品。注射剂、内服及外用药品分区摆放，分柜陈列。

3.对于相似药品，专人管理，定期进行清点并建立记录，保证出现问题及时发现并纠正。

4.对于包装相似药品，护理人员须双人核对使用。如药效相同、包装相似的药品，在药品柜中分开放置并留置醒目标识；如药效不同、包装相似的药品，要分柜放置并留置醒目标识。

5.对于成分相同厂家不同的药品，在其放置的地方留置醒目标识，并在标识上标明产地以便区分。

6.对于规格不同的相同药品，在其放置的地方留置醒目标识，并在标识上标明规格以便区分。

7.对于剂型不同的相同药品，宜分柜放置并留置醒目标识。

8.科室应派专人定期检查，工作人员应恪尽职守，严格执行操作规程，严格落实查对制度，仔细核对相似药品名称、规格、剂型、产地等信息，确认无误后方可给患者使用。

九、危化药品管理制度

1.对易燃、易爆、强酸、强碱和剧毒等危险药品必须贮藏在危化药品专用室（柜）内，并按危险特性，分类存放，不得和普通试剂混存或随意乱放。

2.危化药品室（柜），必须由专人管理。管理人员要有高度的责任感，掌握各种药品的危险特性，具有一定的防护知识，并实行双人双锁管理，实行双人领发、双人使用。

3.危化药品室内严禁烟火，应配备相应的消防设施，如灭火器、消防桶等，主管院领导和专管人员要定期检查，要把危化药品室列为重点防范区。

4.定期对危化药品的包装、标签、状态进行认真检查，并核对库存量，做到账物相符。

5.使用危化药品前，应遵守安全操作规程要求。

6.对剩余的危化药品及时收集，妥善处理，不得在病房存留，更不可随意倒入下水道。

7.危化药品的管理和使用方面如出现问题，除立即采取措施给予恰当处理外，应及时向院领导如实报告，并协助有关部门进行处理。

第七节　护理继续教育管理制度

一、护理继续医学教育委员会工作制度

1.护理继续医学教育委员会由分管院长、护理部主任、护理部副主任、继续医学教育科科长、科护士长组成，负责全面督导、检查工作。

2.负责全院的护理学科建设、科研、教学、继续医学教育工作。

3.主任委员或副主任委员每季度召开1次相关会议，必要时随时召开。

4.组织协调全院护理科研课题的申报及管理，以及院内科研成果的推广和应用，审核学科建设和科研经费使用情况。

5.协调组织护理继续医学教育项目申报及培训安排。

6.组织全院护理学术活动，包括举办院内和院外学术交流、学术讲座及学习班等。

7.负责全院护理学术论文的管理，定期做好登记、统计推荐和汇编整理工作。

8.组织审批在职人员继续教育、外出进修、外出学习及专业培训等工作。审批安排下级医院进修人员，并做好考核鉴定。

二、护理继续教育管理制度

1.成立医院护理人员在职继续教育培训与考核小组，全面负责医院护理人员在职继续教育的培训与考评工作。

2.制订各级护理人员在职继续教育的培训计划及目标，定期考核，使之达标。定期督查护理人员在职继续教育计划落实情况，并对培训效果进行追踪评价。

3.依据护士岗位需求及层次培训要求，分层级进行培训与考评，考评结果与本人评优、职称晋升及薪酬调整挂钩。

4.根据不同阶段设置培训内容，包括基本理论、基本知识、基本技能、护理专业理论及技能、临床教学、护理管理、护理科研等。

5.有计划选送护理人员到院外、省外及国外进修及参加相关专业的培训学习班。

6.鼓励护理人员撰写护理论文，年发表论文数大于或等于护理人员总数的10%。

7.制定培训考核制度，考核不合格者按制度相关规定处罚。

三、护理人员岗前培训管理制度

1.新入职护理人员正式上班前应接受3周的岗前培训。岗前培训由护理部统一安排。

2.新入职护理人员应进行理论及技能培训。培训结束由护理部组织考试，考核合格者方能上岗，不合格者再次进行培训。

3.培训期间不能无故请假，遇特殊情况必须请假者应由本人提交请假申请，报护理部批准后方可中断培训。请假期间缺席的课程应在请假结束后重新补学。

4.参加技能培训时应遵守培训中心的规章制度，爱护公物，如人为损坏培训模具应按要求照价赔偿。

四、试用期护士管理制度

1.新入职护理人员接受岗前培训考核合格后进入试用期，试用期时间为3个月。

2.试用期间应遵守劳动纪律，团结同事，工作无投诉，无差错事故，否则不予转正。

3.试用期间科室制订详细培训计划，进行"一对一"带教，全程负责试用期护理人员的业务指导，落实"传、帮、带"工作。

4.科室护士长做好试用期护理人员的管理，及时掌握其思想动态和工作情况，并给予及时反馈。

5.试用期护理人员转正考核由护理部下属考核小组组织实施。合格者予以转正；不合格者，由护理部按管理办法退回。

6.试用期满考试合格者，填写《试用期护士考核鉴定表》。科室签署意见报护理部审核。护理部签署意见报人事处审批。

五、护理考务工作保密制度

1.分管继续教育工作的护理部副主任为各类考试保密工作第一责任人，负责各类考试的安全保密工作；培训中心负责人作为直接责任人，承担组织、协调和各项安全保密措施的落实工作；考务人员要严格执行有关程序和规定，依法正确履行职责。

2.凡涉及考试各环节的工作人员应接受保密教育，增强其责任意识、守纪意识、自律意识，努力建设一支公正廉洁、认真负责、业务熟练、相对稳定的考试工作人员队伍。

3.对在考试工作中发生的违法违规行为，视情节轻重分别给予批评教育、纪律处分或绩效处罚。

4.从命题开始直至考试结束期间的试题（卷），接触试题的工作人员不得以任何方式泄漏试题（卷）内容。

5.考务人员不得在没有采取保密措施的计算机上接收、处理和存储试题，未经批准不得随意打印有关信息，应按保密要求管理。

6.印刷人员在印刷试卷过程中严格执行保密规定，做好保密工作。

7.参与阅卷人员不得将试题和未公布的考试考核结果（包括计算机存储的考试结果数据）抄送、复制、打印给任何人。

8.任何人不得擅自更改、泄露或提前对外公布考试成绩。

六、护理应急储备人员培训考核制度

1.护理应急储备人员应具备过硬的政治素质、身体素质及扎实的业务素质。

2.护理应急储备人员应由在专科工作5年以上高年资护理人员或经急救培训（最少经过一个月急诊或ICU培训）的各科N2级以上护理人员担任。

3护理应急储备人员确定后，科室不得随意更换；如需更换，应向护理部提出申请并对更换人员进行培训，考核合格后方能担任护理应急储备人员。

4.护理应急储备人员每年应参加由护理部组织的有针对性的专项培训。连续3次未参加培训考核将取消其资格，并给予科室及个人相应的处罚。

5.护理应急储备人员应参加医院组织的各种应急演练，不断提高急救水平及快速反应能力。

七、护理人员轮转管理制度

1.对新入职应届护理本科生、硕士研究生，按照医院分层级管理规定进行管理。

2.轮转护理人员应按要求完成轮转计划，各项考核均合格，按照分层级管理的规定，作为晋升级别的依据之一。

3.轮转护理人员培养实行导师制。由护士长为每位新进护士安排实行"一对一"带教，指导老师应是护师职称以上且具有扎实的本科室专科护理知识和技能、为人师表的临床护理人员。各科室由护士长负责对轮转护理人员进行考核。

4.由护理部按用人计划安排科室。每6个月轮转一个科室，完成整个轮转计划至少2年（如有特殊情况，报请护理部审批）。出科前由护士长负责做好全面考核和个人评定工作。

5.各科护士长按要求制订本科室的轮转护理人员培训计划。在每科室轮转结束后，由所在科室护士长组织全科护理人员对其工作表现、工作能力、服务态度等进行综合考评，并按要求填写轮转手册。

6.轮转护理人员完成阶段培训，但科室考核不合格，应延长轮转时间，直到各项考核合格方可进行下一阶段培训。

7.轮转期间的绩效由护理部发放1/2，科室发放1/2。

8.轮转结束后，个人书写定科申请；医院根据个人表现、科室和护理部考核情况及医院总体工作需要，确定科室。

八、长期休假返岗护理人员培训管理制度

1.适用范围

一年内，因各种原因脱离原工作岗位，连续休假3个月或累计休假4个月及以上的护理人员。

2.返岗程序

护理人员需在返岗前填写《返岗护理人员申请表》并及时提交至护理部，由护理部根据《护士岗位管理办法》及所申请科室护理人员岗位情况，对所提交的返岗申请进行审核，决定具体岗位。

3.培训方式

根据科室岗位设置，按照层级进行培训，由负责培训的科室从工作制度、工作流程、急救技术、专科技术操作、应急能力、沟通技巧、服务态度等方面制订具体培训计划，并组织实施；安排高年资、责任心强的护士落实"一对一"带教至少1周。

4.培训时间

根据离岗时间、科室工作性质及培训效果决定培训时间。连续休假3个月或累计休假4个月及以上的护理人员，N0、N1级护理人员培训不少于1个月，N2级及以上护理人员培训不少于2周；休假时间≥6个月的护理人员，在上述培训时间要求的基础上，每超过1个月，N0、N1级护理人员培训延长10天，N2级及以上护理人员培训延长5天；休假超过1年者，返岗培训时间由护理部讨论决定。

5.考核办法：培训结束后，由培训科室组织考核，考核合格方能上岗，考核不合格者延长培训时间直至考核合格后方能上岗。

6.其他注意事项

（1）培训期间按照0.5～0.7的岗位系数发放绩效，经科室培训考核合格，护理部审批通过后，由科室根据其工作能力，按照科室绩效分配方案酌情发放。

（2）正常休产假者可直接在原科室返岗，培训时长、绩效由科室根据情况决定。

（3）年度周期：以每年首次休假时间至次年同一时间为一个周期。

九、专科护士培训制度

1.各专科应设置1名专科负责人，负责该专科护士的各项管理工作。

2.各专科应设置1名考核负责人，负责该专科所有考核工作的统筹安排。

3.各专科应设置考核专家库，根据各专科特色和人员基数，专家库成员为3～10人，负责考试命题和抽调监考。

4.各层级专科护士培训及考核次数见表13-3。

表13-3 专科护士理论技能培训及考核次数

层级		理论技能培训及考核次数
S1	专科助理护士	1.参加院级基础知识培训2次
		2.参加院级基础技能培训2次
		3.参加院级专科知识培训4次
		4.参加院级专科技能培训4次
		5.8次专科考试不合格次数累计不超过2次
S2	初级专科护士	1.参加院级基础知识培训2次
		2.参加院级基础技能培训2次
		3.参加院级专科知识培训4次
		4.参加院级专科技能培训4次
		5.8次专科考试不合格次数累计不超过2次
S3	中级专科护士	1.参加院级基础知识培训1次
		2.参加院级基础技能培训1次
		3.参加院级专科知识培训3次
		4.参加院级专科技能培训3次
		5.6次专科考试不合格次数累计不超过2次
S4	高级专科护士	1.参加院级专科知识培训1次
		2.参加院级专科技能培训1次
		3.参加省内外相关专科培训1次
		4.主持院级专科培训1次
		5.2次专科考试不合格次数累计不超过1次

续表13-3

层级		理论技能培训及考核次数
S5	护理专家	1.参加院级专科知识培训1次
		2.参加院级专科技能培训1次
		3.参加省内外专科培训2次
		4.主持院级专科培训2次
		5.2次专科考试不合格次数累计不超过1次

5.培训内容

（1）专科护士基础理论培训应由护理部统一安排、组织，采用"钉钉"线上培训的形式进行，护理部应通过"钉钉"后台监管学员培训情况，并向各科室反馈学员的培训结果。

（2）专科护士基础技能培训应由护理部统一安排、组织，每次技能培训时间不应少于2h。

（3）专科护士不参加院级基础理论与技能考核。

（4）专科理论培训应由护理部安排、组织，采用"钉钉"线上培训的形式进行，定于每月第一周培训，每次培训时长不应少于2h。护理部应通过"钉钉"后台监管学员培训情况，每月向各科室反馈学员培训结果。

（5）专科技能培训应由护理培训中心与各专科共同完成。在护理培训中心进行的技能培训应由培训中心统一安排，各专科应负责实施技能培训；在各专科进行的技能培训应由各专科按照培训计划完成。技能培训应采用线下培训的方式进行，每次技能培训时间不应少于2h。

（6）专科理论考核应由护理部统一安排、组织，定于每月第三周进行理论考核，各专科应于考试前一周将考核试题交至护理部。各专科应负责考核试卷的命题，由讲课人、考核专家与考核负责人共同负责。其中，讲课人命题应占50%，考核专家命题应占50%，考核负责人应负责试卷的最终生成与审核，并签署保密协议。护理培训中心应每月向各科室反馈专科理论考核成绩。专科理论考核题型及分值详见表13-4。

（7）专科技能考核应由护理部与各专科共同完成。护理部应成立专科护士技能考核督导团队，各督导团队每月对所分管的专科进行技能考核督导。各专科应在每月第三周之前完成专科技能考核，技能考核完成当天将考核成绩汇总表（电子版）和各学员考核评分表（纸质版）交至护理部。护理培训中心应每月向各科室反馈专科技能考核成绩。

表13-4　专科理论考核试卷题型

题型		题目数量	分值
单选题	普通单选	20	2分/题
	综合分析题	20	2分/题
判断题		10	2分/题

十、专科护士管理制度

1.适用范围

新生儿护理专科、急诊急救护理专科、重症护理专科、手术护理专科、伤口造口失禁护理专科、血液净化护理专科。

2.专科护士共分为S1级（助理专科护士）、S2级（初级专科护士）、S3级（中级专科护士）、S4级（高级专科护士）和S5级（护理专家）5个层级。

3.岗位设置中仅S1级（专科助理护士）为兼职专科护士，其余层级均为专职专科护士。只有达到相应级别岗位职责能力要求的护士才能从事对应的护理操作，下级专科护士不应进行该操作，但其上级专科护士可进行并指导该项操作。

4.各层级专科护士初次定级及晋级条件

（1）S1级（专科助理护士）初次定级条件：应具有护士执业证书，获得任职机构及以上机构颁发的专科护士证书，从事任职机构认可的专科护士岗位工作3年（本科学历）/1年（硕士研究生及以上学历）及以上，承诺从事专科护理工作。晋级条件：应具有护士执业证书，获得任职机构及以上机构颁发的专科护士证书，从事任职机构认可的专科护士岗位工作3年（本科学历）/1年（硕士研究生及以上学历）及以上，具有较强的业务能力、沟通能力、学习能力，承诺从事专科护理工作。

（2）S2级（初级专科护士）初次定级条件（符合其中一条）：①应获得省级及以上机构颁发的专科护士证书，本科及以上学历，获得护师资格证书；②应获得任职机构颁发的专科护士证书，从事任职机构认可的专科护士岗位工作6年（本科学历）/3年（硕士研究生及以上学历）及以上，获得护师资格证书。晋级条件：应获得省级及以上机构颁发的专科护士证书，获得护师职称证书，担任S1级专科护士满3年同时获得本科学历满6年，或担任S1级专科护士满2年同时获得硕士研究生及以上学历满3年，担任S1级专科护士期间考核合格，通过S2级专科护士晋级考核。

（3）S3级（中级专科护士）初级定级条件（符合其中一条）：①应获得省级及以上机构颁发的专科护士证书，从事任职机构认可的专科护士岗位工作3年（本科学历）/2年（硕士研究生及以上学历）及以上，获得主管护师资格证书；②应获得任职机构颁发的专科护士证书，从事任职机构认可的专科护士岗位工作10年（本科学历）/5年（硕士研究生及以上学历）及以上，获得主管护师资格证书。晋级条件：应获得省级及以上机构颁发的专科护士证书，获得主管护师资格证书，担任S2级专科护士满4年同时获得本科学历满10年，或担任S2级专科护士满2年同时获得硕士研究生及以上学历满5年，担任S2级专科护士期间考核合格，通过S3级专科护士晋级考核。

（4）S4级（高级专科护士）初次定级条件（符合其中一条）：①应获得省级及以上机构颁发的专科护士证书，从事任职机构认可的专科护士岗位工作6年（本科学历）/4年（硕士研究生及以上学历）及以上，获得主管护师资格证书5年及以上或副主任护师资格证书；②应获得任职机构颁发的专科护士证书，从事任职机构认可的专科护士岗位工作15年（本科学历）/7年（硕士研究生及以上学历）及以上，获得主管护师资格证书5年及以上或副主任护师资格证书。晋级条件：应获得省级及以上机构颁发的专科护士证书，获得副主任护师资格证书，担任S3级专科护士满4年同时获得本科及以上学历满

14年，或担任S3级专科护士满3年同时获得硕士研究生及以上学历满8年，担任S3级专科护士期间考核合格，通过S4级专科护士晋级考核。

（5）S5级（护理专家）初次定级条件（符合其中一条）：①应获得省级及以上机构颁发的专科护士证书，从事任职机构认可的专科护士岗位工作10年（本科学历）/7年（硕士研究生及以上学历）及以上，获得主管护师资格证书10年及以上或主任护师资格证书；②应获得任职机构颁发的专科护士证书，从事任职机构认可的专科护士岗位工作20年（本科学历）/11年（硕士研究生及以上学历）及以上，获得主管护师资格证书10年及以上或主任护师资格证书。晋级标准：应获得省级及以上机构认可的专科护士证书，获得主任护师资格证书，担任S4级专科护士满4年同时获得本科学历满18年，或担任S4级专科护士满3年同时获得硕士研究生及以上学历满11年，担任S4级专科护士期间考核合格，通过S5级专科护士晋级考核。

5.应在每年8月对上一年度8月1日至本年度7月31日期间专科护士的岗位职责履职情况进行考核。科室的岗位职责考核小组（同绩效考核小组）每年应根据各层级专科护士岗位职责履行情况，按照以下内容进行考核，并对考核结果的真实性负责。

6.考核内容及条件

（1）考核内容应包括工作完成情况及考勤、工作量、理论技能培训及考核、继续教育、专科发展、带教及授课（S1级无此项）。

（2）院级基础知识和技能培训应每年由护理培训中心统一组织实施。

（3）院级专科理论和技能培训应每年由各专科负责人在护理部备案后，由各专科负责人组织实施和考核，专科培训每次时长应为2h及以上。

（4）主持工作的护士长应完成其相应专科护士层级班次数的50%。

7.考核结果认定标准

考核结果应按照以下标准确定为合格、基本合格、不合格3类。

（1）6项（S1级为5项）全部合格，年度考核定为合格。

（2）有1项不合格，年度考核定为基本合格。

（3）有2项及以上不合格，年度考核定为不合格。

（4）出现严重违纪或严重护理不良事件者直接定为不合格。

8.各层级专科护士绩效系数确定

S1级专科助理护士奖励性绩效应由所在科室发放，S2～S5级专科护士奖励性绩效应由医院发放。各层级护士的绩效系数见表13-5。

若上一年度岗位职责考核为合格或基本合格，当年度应按照原绩效系数执行；若上一年度岗位职责考核为不合格，当年度绩效系数应按原标准下浮0.025。

表13-5　各层级护士的绩效系数

层级	S1	S2	S3	S4	S5
系数	1.10	1.15	1.20	1.25	1.30

9.关于定级、晋级、降级的其他要求

（1）专科护士初次定级、晋级、外出进修均应由个人向科室提交申请，科室推荐后交护理部审核决定。

（2）专科护士职称、学历等均应以获得的证书为准。

（3）各专科方向不同层级专科护士数量和比例应由科室上报护理部审核决定。

（4）获得任职机构颁发的专科护士证书的护士只可参与初次定级，进入专科护士队伍后，应全部按本办法中的晋级标准管理。

（5）调动来院者初次定级应按照实际专科工作年限计算（只计算三级甲等医院专科工作年限），来院第一年不予定级，第二年应为定级考核期，在定级考核期内按照各级别要求，对应个人符合的级别参加培训及考核。为期一年的考核期结束后，如符合该级别在岗要求，则按该级别予以定级。

（6）由于人员调动等情况造成的专科护士方向改变，应由科室上报护理部讨论决定。

（7）每年科室考核完成后，应将考核表报护理部审核，本人签字确认后存档，并作为下一年度绩效系数确定及晋级的依据：年度考核不合格/3年内有2次考核基本合格/连续2年考核基本合格者应降一级使用；3年内有2次考核不合格/连续2年考核不合格者将失去专科护士资格，由科室上报护理部后调整至相对应的N级岗位进行管理。

十一、培训中心管理制度

1.人员管理制度

（1）培训指导老师在每次培训前应认真准备培训场地及所需用物，培训结束后要督促和指导护理人员清洁、整理用物和场地，做好培训相关记录，下班前应检查门、窗、水、电及仪器设备，确认均已关闭方可离开。

（2）护理人员在每次培训前应做好培训准备，了解本次培训的内容和基本要求，并做好相关知识的预习。

（3）护理人员在使用培训模型和仪器设备前，应认真听取指导老师的讲解，使用过程中要严格遵守操作规程，做到准确、规范操作。如培训模型或仪器设备出现故障，应报告指导老师并积极协助老师进行处理。如因违反操作规范造成损坏，应按照相关规定赔偿。非本次培训所需的模型和仪器设备，未经老师允许不得擅自动用。

（4）培训过程中，指导老师应认真负责地进行临场指导，被培训人员应严格按老师的要求一丝不苟地进行练习，如有问题，要及时向老师请教。

（5）培训结束后，护理人员应将模型和仪器设备恢复原状，打扫场地卫生，关好门、窗、水、电，经老师检查合格后方可离开。

（6）参与培训的老师和护理人员均应严格按要求着装，衣帽整齐方可进入培训室。培训过程中要严格遵守纪律，保持培训中心的整洁、安静，不得到处走动、大声喧哗，不得在培训中心吃饭或吃零食，不得做与本次培训无关的事情。

2.仪器设备管理制度

（1）仪器设备实行专人造册管理。购置的仪器设备按正常程序办理入科手续，按医院规定编码，实行计算机管理。

（2）定期核对仪器设备，账物相符，检查仪器设备的编号和破损情况，如有差错及时纠正。

（3）仪器设备使用前详细阅读说明书，熟悉性能，严格遵守操作规程。大型精密仪器设备的操作使用人员应经过培训，考核合格后方能操作。

（4）仪器设备由专人管理维护，保证正常运行。出现故障及时与维修部门联系。

（5）严禁将仪器设备解体或拆散使用，如确有必要时，应经护理部批准。

（6）贵重、精密仪器设备发生较大的责任事故，应立即上报护理部，查明原因，写出详细的事故报告，报请护理部处理。

（7）护理培训中心所有教学模型和仪器设备概不外借。

十二、护理人员外出进修管理制度

1.基本原则

（1）各科室应根据学科建设规划，有计划地选派政治觉悟高、业务素质好、思想进步、热爱医院和本专业、有发展潜力的后备护理人才外出进修学习，不应因人员外出进修学习而影响科室工作的正常开展。

（2）各科室应按照专业对口、学用一致以及有利于在科内开展新业务、新技术的原则选派护理人员外出进修学习，不应跨专业进修学习；确因科室工作需要等原因跨专业进修学习者，应经护理部研究决定。

（3）进修人员应按计划完成学习任务，按时返回单位上班。不应随意更改进修专业，不应提前终止或延期进修，有特殊情况需要更改专业或提前终止、延期进修者，应经护理部批准。

（4）护理人员自愿从事非护理岗位并需要进修的学习者，本人应填写《护理人员从事非护理岗位承诺书》，科室主任及护士长签字后，报护理部审批。

（5）未办理相关审批手续，任何人不应擅自外出进修。

2.基本条件

（1）外出进修护理人员应为本科学历，N2级以上护理人员，年龄为40岁以下。

（2）外出进修护理人员应在本科室从事临床护理工作3年及以上，2年内培训考核成绩合格，且日常工作表现优秀。

（3）经科室科务会讨论，且通过人数达2/3者，方可申请外出进修。

（4）每科室每年选送人数不应多于2人。

（5）进修计划时间宜安排3个月，特殊专业或进修单位有特殊要求的，可延长至6个月。

（6）进修单位应为国内知名医院或专科。

（7）进修学习的技术、业务应为省内未开展或少部分开展的项目。

3.申报程序

科室每年应在10月30日前将第二年的进修计划电子版报护理部，护理部应组织相关人员进行资格审查，审查合格者，在护理部通知的时间内填写《护理人员外出进修学习申请表》，由护士长签字后报护理部，经护理部再次审核通过后，报请主管院领导批准，其余时间不宜单独审批。如因医院或科室工作需要临时申请外出学习者，应由科室向护理部提交申请。

4.注意事项

（1）外出进修学习人员在递交《护理人员外出进修学习申请表》时应写清本次外出进修学习的目的和意义、学习内容、与目前所从事工作的关系、对未来工作的设想等。

（2）进修学习结束后应在1个月内到护理部办理相关手续，并将学习心得以电子版报护理部，提出改进工作的计划和措施，应将所学新技术、新业务运用于实际临床工作；进修结束3个月内应在各大科进行交流，将《外出进修护理人员工作成果鉴定表》及课件交至护理部后进行相关费用的报销；科室应在每年11月30日前将进修后开展的新技术、新业务情况上报护理部。

（3）各大科护士长应掌握本大科内护理人员外出学习情况，进修结束后，大科护士长应组织外出学习人员将进修学习内容在大科内进行汇报交流，优秀者应推荐至全院进行交流。

（4）返院后应凭借《护理人员外出进修学习申请表》《外出进修护理人员工作成果鉴定表》及结业证书复印件、进修学习总结、相关费用证明报销进修学习费用。

（5）进修学习期间工资、福利待遇应按照医院相关规定执行。

（6）进修学习期间，因违反进修医院的规章制度或医疗行为过失被进修医院退回者，5年内不应提出各种形式的进修学习申请。

十三、护理人员外出参加学术活动（会议）管理制度

1.外出参加学术活动（会议）的范围

（1）护理人员宜参加由中华护理学会等国家一级学会及其直属专业委员会发起并为主承办单位的全国性学术活动（会议）。

（2）护理人员宜参加上级卫生行政部门或医院安排的学术活动（会议）。

（3）护理人员宜参加省护理学会及其专业委员会举办的学术活动（会议）。

（4）护理人员宜参加国际学术会议（包括短期班、研讨会、工作会议等）。

（5）凡外省、市、地区的区域性学术活动（会议）及个别单位、民间团体或杂志社（核心杂志社除外）举办的学术活动（会议）原则上不予参加。

2.外出参加学术活动（会议）基本要求

（1）学术论文被大会录用并做口头交流的作者（限第一作者）可参会，其撰写的论文和参加学术活动的内容应与本人从事专业对口。

（2）被中华护理学会或其他社会团体组织聘为主任委员、副主任委员、青年委员、专家库成员等人员，每2年参加涉及的相关会议1次，委员、青年委员在双数年份参会，专家库成员单数年份参会。

（3）每人每年仅限参加各类学术活动（会议）1次，科室每年派出参加学术活动（会议）的人数不超过科室护理人员数量的20%。

（4）出国（境）参加国际会议者，应持正式国际邀请函和大会发言通知。

（5）未办理相关审批手续，任何人不得擅自外出。

3.外出参加学术活动（会议）审批程序

申请外出参加学术活动（会议）人员应填写《护理人员参加学术活动（会议）申请表》，经科室讨论同意，由护士长签字报护理部，经护理部审核通过后，报请主管院领导批准。

4.其他注明事项

（1）学术活动（会议）结束后，应及时到护理部报到，办理相关销假手续。

（2）返院后凭借《护理人员参加学术活动（会议）申请表》、参会总结及相关费用证

明报销参会费用，否则不予报销。

（3）学术活动（会议）结束后，应将学习报告及今后的工作思路以电子及书面形式（500字以上）报护理部，提出改进科室工作的计划和措施，并将所学新技术、新业务运用于实际临床工作，科室每年11月30日之前须将开展的新技术、新业务情况上报护理部，否则下一年度将不再审批该科室人员外出参加学术活动（会议）。

十四、外来进修护理人员管理制度

1.进修内容设置

（1）临床护理应包括内科护理、外科护理和门诊护理。专科护理应包括重症护理、急诊护理、新生儿护理、手术室护理、骨科护理、血液净化护理、消毒供应护理、烧伤护理、糖尿病护理及心血管护理等。护理管理应包括护士岗位管理、护理质量持续改进、专科护理质量管理、护理单元目标管理、绩效管理、护理敏感指标等方面的管理。

（2）进修报名条件：进修护理人员应具有良好的政治素养、医德医风和团队协作精神；应身心健康，具有一定独立工作能力。进修护理人员应持有效护士执业证书，应从事护理工作≥3年。进修护理人员应经所在医疗机构批准同意后报名进修，不应私自报名。护理管理进修人员进修时间应≥1个月，临床护理及专科护理进修人员进修时间应≥3个月。不应接收患有传染病、慢性疾病者，怀孕和哺乳期者，及进修期间有晋升、调动、考试、上学、结婚等特殊情况者。

2.进修招录流程

（1）报名时间：春季进修报名截止时间应为每年1月15日，进修报到时间应为3月1日；夏季进修报名截止时间应为每年4月15日，进修报到时间应为6月1日；秋季进修报名截止时间应为每年7月15日，进修报到时间应为9月1日。

（2）审核流程：网上申报→资质审核→进修前预调查→进修报到→岗前培训→实践培训。

3.进修报到

来院护理进修人员应凭住培管理办公室开具的介绍信在规定时间内至护理部报到。

4.岗前培训

（1）培训时间：进修报到后第一周，培训为期4天。

（2）培训内容：包括护理管理、基础护理及护理科研等方面的内容。

5.实践培训

（1）带教计划

实践科室应根据《护理进修学员实践培训大纲》及进修学员进修目标制订相应的带教计划，并严格按照带教计划进行"一对一"带教。

（2）带教方式

1）应采用理论授课、技能授课、床旁带教及教学查房等相结合的带教方式。

2）带教老师应为N3级及N3级以上护士。

3）集中理论授课应至少1次/月；集中技能授课应至少1次/月，应着重于科室新技术、新业务的培训；教学查房应1次/月，应由进修人员主导，带教老师补充及总结。

4）带教老师应指导每位进修人员完成一篇护理综述或护理个案。

第十三章 工作制度及应急预案 821

5）护理部定期到带教科室了解并指导临床带教情况。

6.结业考核

进修结束后，实践科室应落实进修护理人员出科考核工作，并组织进修护理人员结业答辩。护士长须参加结业答辩，并完成科室进修鉴定工作。

（1）结业条件

1）遵守医院规章制度，按要求完成进修计划。

2）结业考核成绩合格，结业成绩=理论考核（30%）+技能考核（30%）+工作态度（10%）+出勤考核（10%）+结业答辩考核（20%）。出勤考核成绩=10-（10/本科室进修时长）×请假天数，结业成绩≥60分为合格。

（2）不予结业情况

1）结业成绩不合格者。

2）进修期间迟到、早退、无故旷工，不请假擅自离院者。

3）进修期间病事假累计超过15天者。

4）未按期完成进修计划，随意更换进修科室者。

5）因服务态度不好或工作责任心不强，违反医院规章、规定造成医疗事故、差错或引起医疗纠纷者。

6）道德品行不端，触犯治安条例者。

7.日常管理

（1）上岗管理

1）来院护理进修人员应遵守医院工作制度，不得迟到、早退、无故旷工及未经请假擅自离院，一经发现，应立即终止进修，退回原单位。

2）来院护理进修人员应服从医院领导，服从科室安排，规范服务。

3）来院护理进修人员应佩戴胸牌上岗，接受患者和带教老师的监督。

4）来院护理进修人员应在带教老师指导下进行相关护理工作，不应独立值班和独立进行护理活动；如出现危重、疑难问题应及时向带教老师汇报；可在带教老师指导下参加公共突发事件的抢救工作。

5）来院护理进修人员经过带教老师考核，具备一定能力者，可授权按照本人执业范围开展基础护理活动，但应在带教老师的指导下执业。

6）来院进修护理人员开展护理活动授权范围应按照医院管理规定执行。

7）科室及带教老师应告知来院进修护理人员操作规范及医院相关制度条例。若来院进修护理人员不按规定进行操作或违反医院相关制度条例而使自身身体受到伤害（如被感染、被注射器/锐器刺伤、摔伤、滑倒等），带教老师及科室对此不应承担任何赔偿责任；若未被告知造成的后果，应由科室及带教老师负责。

8）进修期间应积极参加护理部及科室组织的业务学习和技能培训。

（2）护患矛盾处理与解决

1）因服务态度不好，患者投诉情况属实者，第一次应给予警告，第二次应记录在本人鉴定上，第三次应退回原单位。

2）无论何种原因由进修人员引发护患矛盾或产生纠纷，患者要求解决问题的，进修人员应参与处理，直至解决。

3）在带教老师指导情况下出现的护理差错、纠纷，应视情节轻重给予相应处理；在没有请示和带教老师指导的情况下，违反医院规定私自处理患者出现的护理差错和护患纠纷，应由进修人员负直接责任，违法者应承担相应的法律责任。

4）患者投诉或出现护患纠纷有赔偿情况的，应视当事人引起纠纷的缘由、事态程度及认识态度，根据医院医患纠纷处理规定承担相应的经济责任。

（3）请销假管理

1）请事假者，应由原单位出函请假。

2）请病假者，应持医院证明到护理部请假，病假超过15天者，应退回原单位治疗。请假2天以内者，应由护士长批准；请假3天及以上者，应持原单位证明由护理部进修负责人签署意见后，方可离院。

请假期间发生意外，医院不承担任何责任；请假期满后应到护理部销假，并按请假时间延长进修期限，逾期不归者按旷工处理，取消进修资格，退回原单位。请假应记入进修手册。

（4）疫情防控管理

1）疫情期间，应遵守医院疫情防控相关规定，按照疫情防控要求做好个人和公共卫生防护，来院进修护理人员疫情防控管理与医院职工等同。

2）应按照医院核酸检测要求落实个人核酸检测工作，不隐瞒个人健康信息，及时上报异常身体状况。

3）应遵守"非必要不外出"政策，不前往中高风险地区，不接触中高风险地区人员，不信谣，不传谣。

4）若外出，应履行外出报备手续，返兰后应立即进行核酸检测，核酸检测结果为阴性方可继续进修。

5）若不遵守疫情相关管理要求，进修人员本人应承担一切后果。

十五、外来参观护理人员管理制度

1.报名条件

（1）参观学习护理人员应具有良好的政治素养、医德医风和团队协作精神；应身心健康，具有一定的独立工作能力。

（2）参观学习护理人员应持有效护士执业证书。

（3）参观学习护理人员应经所在医疗机构批准同意后报名学习，不应私自报名。

（4）不应接收患有传染病、慢性疾病及在怀孕和哺乳期的参观学习护理人员，以及参观学习期间有晋升、调动、考试、上学、结婚等特殊情况者。

2.申报流程

委派单位每年年初应向医院护理部提出参观学习申请，参观学习人数达20人后，护理部应通知参观学习人员至护理部统一报到。

3.学习报到

外来参观护理人员应凭原单位开具的介绍信在规定时间内至护理部报到。

4.带教管理

（1）学习时间：参观学习护理人员在医院学习时间应为1周。

（2）带教计划：应根据参观学习护理人员的学习目标制订带教计划，并严格按照带教计划进行"一对一"带教。

（3）带教方式：带教科室应采用理论授课、技能授课、床旁带教等相结合的带教方式。带教老师应为N3级及N3级以上护士。护理部应定期到带教科室了解并指导临床带教情况。

5.日常管理

（1）上岗管理

1）参观学习护理人员应遵守医院工作制度，不得迟到、早退、无故旷工及未经请假擅自离院，一经发现，应立即终止学习，退回原单位。

2）参观学习护理人员应服从医院领导，服从科室安排，规范服务。

3）参观学习护理人员应佩戴胸牌上岗，接受患者和带教老师的监督。

4）参观学习护理人员应在带教老师指导下进行相关护理工作，不应独立进行护理活动。

5）带教科室及带教老师应告知参观学习护理人员操作规范及医院相关制度条例。若参观学习护理人员不按规定进行操作或违反医院相关制度条例而使自身身体受到伤害（如被感染、被注射器/锐器刺伤、摔伤、滑倒等），带教老师及科室对此不应承担任何赔偿责任；若未被告知造成的后果，应由科室及带教老师负责。

6）参观学习护理人员应积极参加护理部及科室组织的业务学习和技能培训。

（2）护患矛盾处理与解决

1）因服务态度不好，患者投诉情况属实者，第一次应给予警告，第二次应记录在本人鉴定上，第三次应退回原单位。

2）无论何种原因由参观学习人员引发护患矛盾或产生纠纷，患者要求解决问题的，参观学习人员应参与处理，直至解决。

3）在带教老师指导情况下出现的护理差错、纠纷，应视情节轻重给予相应处理；在没有请示和带教老师指导的情况下，违反医院规定私自处理患者出现的护理差错和护患纠纷，应由参观学习人员负直接责任，违法者应承担相应的法律责任。

4）患者投诉或出现护患纠纷有赔偿情况的，应视当事人引起纠纷的缘由、事态程度及认识态度，根据医院医患纠纷处理规定承担相应的经济责任。

（3）请销假管理

1）请事假者，应由原单位出函请假。

2）请病假者，应持医院证明到护理部请假。

3）请假期间发生意外，医院不承担任何责任；请假期满后应到护理部销假，并按请假时间延长学习期限；逾期不归者，按旷工处理，取消学习资格，退回原单位。

（4）疫情防控管理

1）疫情期间，应遵守医院疫情防控相关规定，按照疫情防控要求做好个人和公共卫生防护。参观学习护理人员疫情防控管理与医院职工等同。

2）应按照医院核酸检测要求落实个人核酸检测工作，不应隐瞒个人健康信息，及时上报异常身体状况。

3）应遵守"非必要不外出"政策，不前往中高风险地区，不接触中高风险地区人员，不信谣，不传谣。

4）若外出，应履行外出报备手续，返兰后立即进行核酸检测，核酸检测结果为阴性方可继续进修。

若不遵守疫情相关管理要求，进修人员本人应承担一切后果。

十六、护理实习生管理制度

（一）护理硕士实习生管理制度

1.行政管理

（1）护理研究生教育的管理由护理教研室负责。在护理教研室协调、管理下，实行护士长负责管理、导师全面负责、指导小组成员分工指导的集体培养制度。

（2）护理教研室在主管院长的领导下，承担组织、实施、协调、联络、服务等研究生行政工作。

2.课程管理

临床学习阶段的专业核心课由各专业授课，可采取临床病例讨论、业务查房、自学等多种形式，要求每位研究生做好记录。

3.临床培训管理

（1）各研究生导师和研究生应结合本人特点，按研究生学位类型和培养目标，合理制订个性化的临床培训计划，各科室参照该计划统一进行排班，护理教研室负责进行监督和检查。

（2）研究生临床轮训期间，各科室必须指派1名护士长及N4级以上的老师专门负责对研究生的政治思想、医德医风、临床工作、业务学习等进行指导。

4.科研培训管理

（1）由导师小组根据研究生的学位类型和导师的科研情况决定研究生的科研学习和训练的方式与内容。

（2）每月组织研究讨论研究课题，开展形式多样的学术活动，活跃学术氛围，营造创新意识。

5.学生管理按照《医院教学管理制度》落实相关管理。如有违反，按医院有关规定进行处理。

（二）护理其他实习生管理制度

1.教学管理

（1）实习生应凭行政、组织介绍信和实习报到通知书在规定时间内至护理教研室报到。

（2）护理教研室组织为期1周的岗前培训。授课内容包括医院简介、护士礼仪、职业安全与防护、常见护理理论、护理技能及护患沟通等方面。

2.带教管理

（1）护理实习生入科后，科室应为实习生制订实习计划，带教老师和实习生应了解实习计划及每周教学内容，带教老师应按照教学计划实施护理带教。

（2）护理实习生入科后，科室应为实习生做入科教育。科室应进行"一对一"带教。

科室应每月为实习生集中理论授课至少1次，示范性护理技能授课每周至少1次。科室每月以PPT形式组织1次实习生主导的护理教学查房，由实习生进行查房，带教老师进行总结及补充。

（3）实习生出科前，应由科室对实习生进行量化考核，并记录于实习手册及科室教学文档。

（4）护理教研室应对科室护理实习生教学定期督查。

（5）实习生不应单独进行侵入性操作。

3.日常管理

（1）请假管理

1）实习生在实习期间无特殊情况，不应请假。

2）实习生因病或因事不能正常实习者，应持医院疾病证明或学校开具的事假证明，并填写请假审批表，请假经批准后方能生效。请假1天以内由实习科室审批；请假2天以上5天以内由班主任、实习生科室及护理部审批；请假5天以上由教学处、实习科室及护理部审批。

3）实习生应按照请假截止时间按时返院实习，有特殊原因不能按时返院者，应办理续假手续。

4）请假期间不能按时参加出科考核者，应办理缓考手续，否则按旷考处理。

5）未经请假私自离开实习医院或超出请假时间未归者，应按旷实习处理。

（2）纪律管理

1）实习期间，实习生应接受学校和实习基地的双重管理，不应迟到、早退、私自调换实习科室。

2）实习生旷实习3天及以上，应取消优秀实习生评选资格，并报告临床教学部，学校按照情节轻重给予相应处理。

3）实习生在科室实习时间未达到本科室实习时间的1/3者，应按实际天数补足实习时间。

（3）优秀实习生评选

1）实习生服从实习安排，遵守学校和实习基地的规章制度，尊重带教老师和实习单位人员；无迟到、早退、旷实习现象，在本科室请假时间累计未超过3天。组织纪律应占评选成绩的20%。

2）实习生应勤奋好学，主动参与科室实习生培训，无缺席情况；主动发言，为科室工作提出合理的意见和建议。学习态度应占评选成绩的20%。

3）实习生应按时完成实习计划，出科理论成绩应达85分及以上，技能成绩应达95分及以上。实习考核应占评选成绩的40%。

4）实习生应在临床工作中做到理论联系实际，具有良好的团队精神和人际关系，积极发挥协作和组织作用，受到护士长、带教老师、患者和其他实习生的好评。

5）带教老师应根据评选标准，提出初步人选，填写《优秀实习生登记表》，并报科室审议，科室审议后确定人选报护理教研室。

6）护理教研室应对科室上报的正式名单和学生实习材料进行逐人审核，最终确定优秀实习生人选。

7）优秀实习生应每年评选一次，评选时间可为每年2月。优秀实习生的评选比例应是该校实习生总数的10%。优秀实习生的评选应做到公平、公正、公开。实习基地应为优秀实习生颁发优秀实习生荣誉证书。

十七、护理科研管理制度

1.护理部应下设护理科研管理团队，并选拔具有较强科研能力的护理骨干担任组长及成员。

2.护理科研管理团队应及时掌握本学科领域的国内外发展动态，定期组织学术讲座，开展新业务、新技术。

3.护理科研应运用于临床，解决临床实际问题。

4.护理科研应结合护理工作特点及医院实际情况，有针对性地制订科研计划。

5.科研管理团队应引领本专业相关人员参与科研设计，对申报的科研项目进行充分论证，遵守科研道德，实事求是，不剽窃他人成果。

6.科研资料应分类妥善保管，记录完整、真实，有据可查。

7.护理部应鼓励并引领护理人员撰写学术论文，对已完成的科研论文进行登记备案。

十八、护理分层培训及考核管理制度

1.适用范围：隶属护理部管理、考核的所有护理人员。

2.各层级护士培训方案见表13-6。

表13-6　各层级护士培训方案

层级	培训目标	培训(学习)内容	培训形式	培训次数
N0	使护生成功转变为临床护士，并掌握基本的知识、理论及技能	临床护理：基础理论、基础知识、基础技能、职业防护以及内/外科常见疾病护理常规等 伦理与法律实践：护理相关法律法规、医院护理核心制度等 专业发展：医院文化、医德医风规范、医院护理专科发展现状等	岗前培训：临床常用基本理论、基本技能培训 轮转期间科室培训：科室业务小讲课、教学查房等 轮转期间院级培训：院级新技术、新业务培训，层级护士培训 自主学习：自主学习相关知识	院级培训：新技术、新业务培训每年度至少参加4次 低层级护士培训：每年度至少参加6次 科室培训：每月科室培训均需参加
N1	培养其成为临床护士，掌握基本的知识、理论与技能	临床护理：基础理论、基础知识、基础技能，危重患者的护理常规、抢救流程等 专业发展：职业发展规划、各岗位工作职责和流程等 人际关系：沟通知识与技巧、沟通案例学习等	院级培训：院级新技术、新业务培训，层级护士培训 科室培训：科室业务小讲课、教学查房等 自主学习：自主学习相关知识	院级培训：每年度最少参加4次 层级培训：每年度最少参加6次 科室培训：每月科室培训均需参加

层级	培训目标	培训(学习)内容	培训形式	培训次数
N2	侧重培养其专科素质能力,同时培养其管理、科研水平	临床护理:专科基础知识、专科基础技能、专科常见疾病护理常规等 专业发展:主要包括专科指南、行业标准的学习与临床实践等 教育、咨询:教育模式、理念与方法、教学手段的指导(如幻灯片的制作,患者健康宣教技巧等)	院级培训:院级新技术、新业务培训 科室培训:实践训练、业务小讲课、教学查房等 自主学习:自主学习相关知识	院级培训:每年度至少参加6次 科室培训:每月科室培训均需参加
N3	在培养其专科素质能力的基础上进一步提高管理、科研水平	临床护理:对应专科系统重症患者的病情观察与护理 批判性思维:死亡、特殊案例分析讨论,个案护理查房等 领导能力:护理质量控制、护理安全管理、护理不良事件分析等	院级培训:院级新技术、新业务培训 科室培训:实践训练、主持科室业务小讲课、教学查房等 自主学习:自主学习相关知识	院级培训:每年度最少参加4次
N4	在培养其专科素质能力的基础上进一步提高管理、科研水平	临床护理:专科系统及相关专科新理论、新技术、新业务 领导能力:护理流程改进 科研能力:如何提出科研问题,如何应用科研手段解决临床问题,科研成果的产生与转化	院级培训:院级新技术、新业务培训 科室培训:实践训练、主持科室业务小讲课、教学查房等 自主学习:自主学习相关知识	院级培训:每年度最少参加2次
N5	护理专家	临床护理:专科系统及相关专科新理论、新技术、新业务 领导能力:护理流程改进 科研能力:如何提出科研问题,如何应用科研手段解决临床问题,科研成果的产生与转化	院级培训:院级新技术、新业务培训	院级培训:每年度最少参加2次

3.各层级护士理论考核见表13-7。

表13-7　各层级护士理论考核方案

层级	考核内容	考核方式	考题出处	院级考核次数	科室考核次数	考核组织者
N0	参考书目:《护理学导论》《基础护理学》《内科护理学》《外科护理学》等	护理考核管理平台系统-电脑抽题,手机答题	省医护理考核管理平台系统	每2个月进行1次	每个月进行1次	护理培训中心
N1	参考书目:《基础护理学》《内科护理学》《外科护理学》《急危重症护理学》等	护理考核管理平台系统-电脑抽题,手机答题	省医护理考核管理平台系统	每4个月进行1次	每个月进行1次	护理培训中心
N2	参考书目:《内科护理学》《外科护理学》《妇科护理学》《儿科护理学》《急危重症护理学》等	护理考核管理平台系统-电脑抽题,手机答题	省医护理考核管理平台系统	每6个月进行1次	每3个月进行1次	护理培训中心
N3	参考书目:《内科护理学》《外科护理学》《妇科护理学》《儿科护理学》《急危重症护理学》《生理学》《护理研究》《护理管理学》《护理心理学》等	护理考核管理平台系统-电脑抽题,手机答题	省医护理考核管理平台系统	每6个月进行1次	每个月进行1次	护理培训中心
N4	参考书目:《内科护理学》《外科护理学》《妇科护理学》《儿科护理学》《急危重症护理学》《生理学》《护理研究》《护理管理学》《护理心理学》等	护理考核管理平台系统-电脑抽题,手机答题	省医护理考核管理平台系统	每年进行1次	无	护理培训中心

4.各层级护士技能考核见表13-8。

表13-8　各层级护士技能考核方案

层级	考核内容	考核方式及次数	考核地点	备注
N0	1—6月:静脉输液、清洁灌肠、翻身叩背、导尿术 8—11月:无菌技术、心电监护(简单案例)、心肺复苏	1—6月抽考4项,8—11月抽考2项	护理培训中心	科室专业技能考核每个月1次(自主完成,护理部抽查)
N1	1—6月:吸痰护理、心肺复苏术(案例)、口腔护理 8—11月:心电监护(案例)、留置针、除颤仪	1—6月抽考2项,8—11月抽考1项	护理培训中心	科室专业技能考核每个月1次(自主完成,护理部抽查)

层级	考核内容	考核方式及次数	考核地点	备注
N2	3月:除颤仪(案例) 9月:心电监护(综合案例)	案例	护理培训中心	科室专业技能考核每3个月1次(自主完成,护理部抽查)
N3	4月:心电监护(案例) 10月:心肺复苏(综合案例)	案例	护理培训中心	科室综合考评每4个月1次(自主完成,护理部抽查)
N4	5月:除颤仪(综合案例)	案例	护理培训中心	科室综合考评每6个月1次(自主完成,护理部抽查)
N5	8月:计算机模拟综合案例考核	案例	护理培训中心	

5.考核结果运用

理论考核60分以下应视为不合格,理论考核一次不合格者,扣除科室当月考核分1.0分;技能考核一次不合格者,扣除科室当月考核分1.0分。因外出公派学习达3个月者,应免去学习当年理论及技能考核。

第八节　特殊科室工作制度

一、急诊中心护理制度

(一)急诊中心工作制度

1.急诊中心护理人员应具备一定临床经验和技术水平,轮转人员不得超过定岗人员的20%;进修、实习护理人员不得单独值班;新入职护理人员由业务技术过硬、责任心强的护理人员带教上岗。

2.工作人员应坚守岗位,做好交接班,严格执行急诊各项规章制度和技术操作规程。

3.各类抢救药品及器材要准备完善,保证随时可用。专人管理,位置固定,定时检查,及时补充、更新、维修和消毒。

4.对急诊患者应以高度的责任心和同情心,及时、严肃、敏捷地进行救治,严密观察病情变化,做好各项记录。对危重不宜搬动的患者应就地抢救,待病情稳定后再转送病房。对需急诊手术的患者及时送手术室。

5.重大抢救、批量伤、特殊患者应立即向科主任和护士长汇报。凡涉及法律、纠纷的患者,在积极救治的同时,应及时向有关部门报告。

6.急诊患者不受划区分级的限制,凡家属要求转院的急诊患者,应事先向患者家属交代病情和转运途中的风险。

7.特殊感染和传染病的患者,严格执行消毒隔离制度,按规定上报,同时做好自我防护。

8.各种护理文件记录符合标准要求，并及时、完整、准确填写。

（二）预检分诊制度

1.急诊预检分诊应由熟悉业务知识、责任心强、临床经验丰富、服务态度好的护理人员担任。

2.预检分诊护理人员应坚守工作岗位，不得擅自离岗，如有事离开应安排相应的护理人员代替。了解抢救区、复苏区、内外科诊室及急诊大厅患者的动态就诊情况。

3.预检护理人员应主动热情接待每一位前来就诊的患者，了解病情，检查体征，根据病情的不同分诊到相应的就诊区。

4.根据病情轻重缓急，优先安排病情危重者诊治。对急、危、重患者，应立即开通绿色通道先抢救生命，后补办相应手续。

5.预检护理人员对来急诊的救护车及各种车辆应主动出迎，热情接待患者。对急、危重患者予以紧急处理，通知有关医护人员进行抢救。

6.对患有或疑似传染病者均应引导到感染科就诊，以预防交叉感染和传染病扩散，并做好传染病登记及上报工作。

7.对于短时间内反复就诊或辗转多个医院均未被收治的急诊患者，即使其临床表现可能不符合急诊条件，也应予以恰当处理，避免延误病情。

8.遇到严重工伤事故、交通事故及其他突发事件，大批患者、特殊人群、外宾及港澳同胞来就诊时，应挂胸前病情分级卡，立即通知科室主任、护士长及医务科和护理部，以便组织抢救。对涉及刑事、民事纠纷的患者，除向医务科、护理部和保卫处汇报外，还应向公安部门报告。

9."三无"患者就诊时，立即按"三无"患者接诊流程处理。

10.完善急诊预检分诊登记中的患者相关信息。

11.做好住院、抢救、死亡及传染病患者的登记和填报工作，并协助医生联系住院、会诊、手术等有关事宜。

12.在预检分诊过程中遇到困难，应向护士长汇报，或与有关医生共同分诊解决，对疑难病倒分诊后应及时跟踪结果，不断积累分诊经验，提高预检分诊质量。

（三）急诊抢救室工作制度

1.抢救室专为急诊抢救患者设置，其他任何情况不得占用。

2.医护人员对抢救患者应以高度的责任心和同情心，严肃、敏捷、熟练、正确地进行治疗护理工作，严密观察病情变化并做好详细记录。

3.一切抢救药品、物品、器械、敷料均应放在指定位置，各种仪器性能良好，并有明显标识。

4.仪器原则上不予外借，特殊情况应经科主任、护士长或总值班同意，对借出及维修的设备、仪器应明确交班，并记录在交接班本上。

5.药品、器械用后均应及时清理、消毒，消耗部分应及时补充，放回原处以备再用；无菌物品在有效期内。每班核对物品、药品，班班交接，做到账物相符。

6.每日清洁、消毒地面和物表等。

7.抢救时抢救人员要按岗定位，按照抢救程序进行。

8.严格执行医嘱,抢救医嘱需在6h内完成护理记录。

9.经抢救病情稳定后或需急诊手术者,应由医护人员护送入观察室或住院病房,严格履行转运制度。

10.凡涉及法律和民事纠纷者,及时报告总值班、医务处和保卫处,并随时与患者单位和家属联系,做好家属的思想工作。

11.患者抢救完毕,完善抢救记录。

（四）EICU护理工作制度

1.凡入EICU的工作人员,着工作衣、帽,穿工作鞋,严格按操作规程操作。

2.保持病室安静,做到"四轻",抢救时应注意保护周围其他患者。各种抢救药品、物品、设备等定位放置,位置固定,定期清洗、消毒。

3.熟练掌握各种疾病的抢救程序、各种特殊治疗项目的常规护理,熟练掌握各种仪器的操作规程,注意保养。

4.每日按常规做好晨、晚间护理,及时更换床单,保持床铺整洁,患者卧位舒适,定时翻身、拍背,预防压力性损伤及各种并发症。

5.按时完成各项治疗、护理工作,认真做好特护记录,严格执行查对、交接班及消毒隔离制度,遵守各项操作规程。特殊治疗、用药及护理应重点交班。

6.保持各管道通畅,特殊药物剂量、浓度要精确计算,必须双人核对。

7.严密观察病情变化,及时报告医生,迅速准确配合医生进行抢救工作,危急情况下可给予相应的处理。

（五）急诊清创缝合室工作制度

1.进入清创缝合室必须穿工作服,戴口罩、帽子,非工作人员不得入内,严格执行无菌技术操作。

2.每周五补充清点缝合及换药物品。每日清洁、消毒地面及物表等。

3.清创室物品、器械固定放置,物品分类放置,开启的消毒溶液瓶注明开启时间。

4.每月由院感科进行空气细菌监测1次,细菌总数不超过$500cfu/cm^2$,每月对工作人员的手、物体表面进行细菌监测1次,细菌总数不超过$10cfu/cm^3$。

5.使用过的器械预处理后送消毒供应中心消毒处理。

6.被传染病患者血液、体液污染的物品,按传染病消毒隔离原则严格执行。

（六）急诊观察室工作制度

1.不符合住院条件,但根据病情需要观察的患者,可留观察室进行观察。

2.急诊观察患者由急诊中心医生和护理人员负责诊治护理。

3.护理人员随时巡视患者,发现病情变化及时汇报医生并记录,加强基础护理,预防并发症。

4.按时完成各项治疗、护理工作,认真做好特护记录,严格执行查对、交接班及消毒隔离制度,遵守各项操作规程。特殊治疗、用药及护理应重点交班。

5.每日按常规做好晨、晚间护理,及时更换床单,保持床铺整洁,做好各项护理常规及心理护理。

（七）急诊输液室工作制度

1.输液室应安排熟悉业务、责任心强的高年资护理人员担任输液室工作。

2.输液室为急诊输液患者服务。患者须凭急诊科医生开具的有效输液单进行输液治疗。

3.认真执行查对制度，杜绝护理不良事件的发生；并密切观察治疗情况，发现问题立即通知相关医生，以便及时处理。

4.输液室实行主班护士负责制。如遇特殊情况，及时汇报医生进行处理。

5.严格遵守医德规范，对患者热情、体贴，准确及时地完成输液工作并做好登记。

6.输液室不得留观危重患者，不得私自占用急救备用床；患者输液完毕无特殊输液反应才可离开输液室。

7.用药前应询问过敏史及其他疾病，并做好过敏试验。

8.抢救药品及物品定点放置，定期检查，及时补充更换。

9.严格执行无菌操作原则，严格执行消毒隔离制度，防止交叉感染。

10.输液室应保持安静，不得喧哗，严禁吸烟；早晚空气消毒各1次，定期做空气细菌培养。

11.使用一次性输液用品。垃圾分类放置，及时收集并交接签字。

（八）急诊绿色通道管理制度

1.凡在急诊科就诊的患者，应无条件进行生命支持抢救。

2.对急危重症、批量伤、突发事件等特殊患者必须开通绿色通道，遵循"先抢救，后付费"的原则。优先抢救、检查和治疗，不得因为费用问题影响患者的生命安全。

3.急危重症患者经急诊抢救后，需要住院者，必须优先安排住院。由医护人员协助其办理住院手续，并护送入住，同时做好交接班手续。

4.由110或120送入医院的患者，因无家属或缴费困难，可先汇报医务处或总值班及时办理有关手续。待病情稳定或家属到达后告知病情并补缴费用。

二、门诊护理制度

（一）门诊护理工作制度

1.护理人员仪表端庄，佩戴胸牌，提前15min到岗，做好开诊前准备工作。在岗期间坚守岗位，不得擅自离岗，如需离岗，必须由其他护理人员替岗后方可离开。

2.熟悉业务知识、门诊就诊流程、门诊医生及门诊时间安排等。维护就诊环境整洁、舒适、安静，保持就诊秩序井然有序。

3.护理人员以高度的责任心和同情心主动热情接待每一位患者和家属。优先安排急危重症患者，老、弱、病、残、行为不便等患者给予适当照顾。

4.患者如遇困难，护理人员应全力协助解决。急危重症患者住院由护理人员护送至急诊科或病房；特殊患者由工作人员陪同进行辅助检查。

5.为候诊患者进行疾病知识、相应检查注意事项、门诊就诊流程等内容的健康宣教与指导、辅助科室方位等内容的健康宣讲与指导。

6.严格执行登记制度，做好发热患者登记。

7.在预检、分诊过程中遇到困难时，与有关医生沟通，确定患者去向，以提高预检、分诊质量。

8.严格执行消毒隔离制度，每日开诊前开窗通风，定时进行空气消毒及紫外线消毒；

每日对地面、物表进行清洁、消毒。

9.下班前整理好室内物品，关闭水电开关及门窗，防止意外事故的发生。

（二）门诊导医工作制度

1.导医台应设在门诊大厅或每层楼面的楼梯口处，备有疾病健康知识和医院医疗特色宣传手册、专家门诊时间表、纸、拐杖、推车等便民设施。

2.导医在门诊部主任、护士长直接领导下开展工作，以流动性服务为主。着装整洁，佩戴胸牌，文明用语。对待患者热心、耐心，主动服务意识强。

3.负责分管医疗区的医疗秩序、医疗咨询、就医指南；负责特殊群体陪同就诊（急危重症、老人、残疾人、行动不便而又无人陪伴者）。

4.及时巡回，密切观察候诊、待查患者的病情变化，如有特殊情况应及时与医生联系，尽早救治。

5.严格执行各项规章制度，主动与各科室做好协调配合工作。发挥导医在医患之间的"桥梁"与"纽带"作用。每日清洁消毒平车、轮椅，并检查其功能，保证其正常运行。

6.预检分诊时，如遇传染病患者或疑似传染病患者时，应当采取隔离或控制传播措施，按规定及时上报，同时对接诊处采取必要的消毒措施。

（三）门诊换药室工作制度

1.严格执行消毒隔离制度，区域布局合理。

2.严格执行无菌操作原则，进入换药室穿着工作服，戴工作帽，操作前后洗手，戴口罩，严格执行换药用具一人一套。

3.仔细检查患者伤口情况，根据不同类型的伤口情况给予正确、合理的换药治疗，先处理清洁伤口，后处理感染伤口。

4.护理人员应耐心做好解释工作，告知患者注意事项，取得患者的配合。

5.除固定敷料外（绷带等），一切换药物品须保持无菌，注明灭菌日期，保持其在有效期内。消毒液打开时须注明开启日期、时间，及时更换。

6.特殊感染患者不得在换药室处理，应在隔离室处理，换下的敷料须焚烧处理。

7.使用后的换药碗、钳子须预处理后，再送供应室消毒处理。

8.保持室内干净、整洁，定期消毒、监测，并做好相关记录。

（四）门诊采血室工作制度

1.采血室护理人员提前15min到岗，做好采血前的各项准备工作。

2.保持室内干净、整洁，地面、物表、空气严格消毒并记录。

3.严格执行查对制度，患者提出疑问时应先查对确认后再采血，防止差错。

4.严格执行无菌技术操作；采血时使用一次性医疗用品，做到一人一针一巾一带一消毒。

5.各种无菌物品、消毒液定期检查、更换；用过的物品由消毒、供应中心进行更换，保证采血工作顺利进行。

6.严格区分清洁区、污染区。每日定时进行空气消毒及地面消毒、清洁2次，并记录；治疗盘及使用后的物品应及时分类处置。

（五）客服中心电话随访工作制度

1.患者出院前，由主治医生、责任护理人员根据病情，为患者或家属提供出院用药、营养、康复训练指导、复诊时间等健康宣教内容。

2.建立与完善患者的随访与指导流程，使其具有连贯性，对随访情况予以动态追踪，将定期随访与不定期随访结合起来，注重落实和过程、结果评价，实现随访工作的持续改进。

3.随访前，随访人员须仔细阅读并核对患者随访档案，在随访过程中保证完成随访内容，在结束随访后须继续做好随访记录。随访中严格使用规范用语，熟练掌握沟通技巧和方式。

4.随访对象为已出院患者和门诊患者，对于需院外治疗、康复、定期复诊和特定患者（根据临床/科研需要）均在随访范围。

5.随访内容包括：了解住院患者出院后的病情变化，是否遵医嘱用药、遵医嘱进行康复训练，征求患者对在院期间医护人员服务态度、服务质量、技术水平、检查用药、环境卫生及医疗收费等方面的满意度和改进意见及建议。

6.出院患者随访时间：1周、3个月、6个月依次进行定期随访。

7.建立患者随访管理（电子）文本档案，科室质控小组负责对随访工作情况及有效性进行定期评价，及时总结经验，进行持续改进。

8.科室负责人定期对随访管理工作落实情况进行督促检查、总结和评价，并提出改进措施。

9.不定期听取患者对随访方式、服务内容的意见与建议，制定并落实整改措施，持续改进。

（六）预约诊疗服务工作制度

1.门诊部全面协调医院门诊预约诊疗工作，负责预约挂号服务监督和管理，本着公开、公平的原则加强门诊预约挂号管理，与相关部门密切协作，全面做好预约工作。

2.预约挂号适用于初诊、复诊患者。预约挂号包括现场预约、电话预约、自助机预约、网络预约等方式。预约挂号须提前1～7d预约，预约挂号范围包括专科门诊和特需门诊。

3.预约挂号采取实名制预约，患者须提供真实、有效的实名身份信息和证件，护理人员必须做好预约就诊人员相关信息和就诊需求登记，安排好预约就诊相关工作。患者取消预约须至少提前1d通知客服中心，取消预约挂号。

4.预约患者就诊当天在自助机或人工收费窗口持身份证或电子健康卡缴费、取号。

5.加强宣传，通过电子屏、门诊公示牌等方式公示门诊信息，预约挂号须知、预约流程及预约方式。

6.为保障预约门诊工作的有序开展，各科室和医生严格按要求出诊，不得随意停诊和替诊。若因故须停诊或替诊，须提前7天通过OA系统—门诊部—门诊分诊审批卡进行申请，科室安排好替诊医生并在前一天16：00前填写停替诊单交至客服中心。

7.门诊办公室护理人员在接到医生停替诊流程时，进行停替诊流程处理、登记，并通过电话通知已预约患者，协助其进行改约。

（七）便民咨询处工作制度

1.护理人员主动、热情为患者提供以下便民服务措施：

（1）为患者免费提供冷热饮水。

（2）为行动不便患者提供平车或轮椅。

（3）为需要的外地患者提供邮寄检查报告服务。

（4）为需要的老年患者提供老花眼镜。

（5）为患者提供伞具租借服务。

（6）为患者提供失物招领服务。

（7）免费测量血压。

（8）为患者提供免费健康教育宣传资料。

2.护理人员热情接待来访者，认真听取投诉人意见，核实相关信息，做好沟通和解释，尽量当场协调解决。对于无法当场协调处理的，请来访者填写接待登记表，报门诊部主任，并在7个工作日内反馈处理意见，完善书面登记。

3.规范门诊患者检验危急值管理，护理人员接到电话后，详细、正确登记相关信息，并及时将报告通知接诊医生及患者，告知患者来院进一步进行检查、治疗。

4.护理人员主动引导患者使用综合自助服务机，耐心、细致解答患者的咨询，维护门诊秩序，协助患者办理各种退费工作。

三、手术室工作制度

（一）手术室一般工作制度

1.手术室于手术前一天12：00以前电脑提交手术通知单至手术室，并注明特殊用物、感染情况等，手术室按照规范合理安排手术。急诊手术需注明"急诊"，按照急诊手术管理流程安排手术。

2.手术室工作人员及中央运输人员按时至病房接手术患者，与病房护士交接，规范填写《手术患者接送卡》。

3.手术人员应按时到岗，保证手术准时开台。手术人员着装应符合要求，严格遵守《手术室出入管理制度》和无菌技术操作规范。院内参观人员应遵守手术室人员参观制度，并严格执行。不遵守手术室工作制度者，护士长和巡回护士有权拒绝其进入手术室，并报告相关部门。

4.手术人员认真做好手术患者风险评估。认真执行三方《核查制度》，确保手术患者安全。认真执行《手术物品清点制度》，确保手术物品清点无误。

5.术中留取的标本由器械护士负责妥善保管，与手术医生核对无误后交巡回护士装入标本袋内，及时用标本固定液固定。固定液的量至少为手术标本体积的10倍，使其全部置于固定液中。术毕三方再次核对患者身份信息、标本数量及名称后由手术医生填写《病理检查申请单》，巡回护士与器械护士逐一核对病理检查单及标本袋外标签，无误后，将相关信息填写在《病理标本登记本》上并签全名，将标本及《病理检查申请单》放在标本存放柜内并上锁，由专人每日定时送检。手术过程中需要做细菌培养、涂片，应事先开好化验单，标本取下后立即送检。术中做冰冻切片检查时，手术标本必须立即送检，严禁在标本袋内加入固定液等其他液体。

6.手术结束后，器械由器械护士规范处置，与巡回护士清点无误后妥善放置于器械车内，由专人与消毒供应中心人员交接，及时处理，消毒灭菌合格后及时送回手术室备用。特殊感染手术的术后用物按照《消毒技术规范》中的相关要求处置。

7.各类手术仪器设备应定位放置，建立使用登记本，登记使用及维修情况。手术器械、敷料及药品由专人管理，保证手术需要。

8.巡回护士做好手术间环境（温、湿度）管理，及时记录。做好连台手术间清洁、空气消毒、空气净化及登记工作，降低手术感染风险。护士长严格管理，随机抽查清洁质量，每季度做好一次环境卫生学监测工作，监测结果妥善保管

9.按时做好每日手术量统计上报。

（二）安全防护制度

1.防止接错患者

（1）根据手术通知单确认患者信息，并通知病房护士做好该患者的术前准备。

（2）接患者时，转运人员与病房护士应按照《手术患者交接单》的内容进行交接。

（3）把手术患者接入手术室，由总务护士或者值班护士核对并确认手术患者信息，在手术转运床上悬挂手术间号牌，建立静脉通道，并做好患者心理护理。

（4）患者入手术间或者预麻室后，总务护士与手术间护士或预麻室护士按照《手术患者交接单》的内容进行交接。

（5）患者进入手术间后，应严格执行安全核查制度。

2.防止摔伤、碰伤和坠床

（1）保持地面干燥、平整、完好，以免患者意外摔倒。

（2）接送患者时，注意保护患者头部及手足，防止碰伤；移动患者至手术床或运送车时，将床或车固定好（带锁的床或车应将锁锁闭），由2人以上保护移动，并上好护栏，防止患者滚动摔伤；运送途中，拉起床档，护送员手推床头，以利观察和保护患者；搬动患者时，动作轻巧、稳妥，防止意外损伤。

（3）神志不清、昏迷、小儿患者接送时应加以约束，入手术室后应有人床旁看护，必要时上约束带，防止坠床；清醒患者可进行安全知识教育。

（4）全麻患者未清醒前，应有人床旁看护，防止发生意外。

（5）定期检查接送车性能，保持性能良好，防止接送途中摔伤患者。

3.防止手术部位错误

（1）手术医生提交手术通知单时，应详细写明手术名称及左、右侧。

（2）转运人员接患者时，应根据手术知情同意书和安全核查单核对患者手术名称、部位及左、右侧，并查看手术标识是否正确。

（3）把手术患者接入手术室，由总务护士或者值班护士根据手术知情同意书和安全核查单核对患者手术名称、部位及左、右侧，并查看手术标识是否正确。

（4）患者入手术间或者预麻室后，总务护士与手术间护士或预麻室护士根据手术知情同意书和安全核查单核对患者手术名称、部位及左、右侧，并查看手术标识是否正确。

（5）患者进入手术间后，应在麻醉前、安置体位前、手术开始前根据手术安全核查单及影像资料核对患者手术名称、部位及左、右侧，并查看手术标识是否正确。

4.防止使用药物错误

（1）使用任何注射药物，应先核对瓶签，并与另一人核对药物质量、浓度、剂量、用法后方可使用。

（2）瓶签脱落、字迹不清或有疑问，严禁使用。

（3）用过的空安瓿，应保留至手术结束置于锐器盒内，以备查对；未经同意，不允许带出手术间。

（4）局麻药中加肾上腺素时，应事先问明剂量再加药。

（5）器械台上应有盛放局麻药的专用杯，标记明显，以免与其他药物混淆。

（6）执行口头医嘱用药时，要大声复诵一遍，无误后方可执行并及时记录。

（7）抽吸药品时严格执行三查七对，防止错误用药。

（8）装有药物的注射器，必须贴上标签，注明药名、剂量。

（9）麻醉药必须与医生核对，注射器不可混合抽取两种及两种以上药物。

（10）对于可能有过敏反应的药物，给药前必须核对过敏测试结果，测试结果阴性方可用药。

（11）无菌手术台上用药，必须有明确标识，单独放置。

5.防止输注血液错误

（1）取血护士每次只能取1名患者的血液制剂。

（2）取血前，巡回护士核对患者信息，查看输血医嘱是否与血型报告单一致。

（3）取血护士与巡回护士共同核对患者信息、血型、血液制剂名称和剂量。

（4）取血人员与输血科工作人员进行"三查十对"，并在取血单上确认签字。

（5）取血人员返回手术间，取血人员与巡回护士进行"三查十对"，并在取血本上确认签字。

（6）输血前、输血后巡回护士与麻醉医生进行"三查十对"，确保患者安全。

（7）密切观察患者输血后反应，如有异常及时处理。

6.防止烫伤、烧伤、电灼伤

（1）使用电外科设备时，负极板要平坦，紧贴患者皮肤，粘贴应选择易于观察、肌肉血管丰富、皮肤清洁、干燥的区域（毛发丰富的区域不易粘贴，避免脂肪过多的部位）。靠近手术切口部位，距离手术切口＞15cm；距离心电图电极＞15cm，避免电流环路近距离通过心电图电极和心脏。防止负极板灼伤患者。患者身体其他部位避免与手术床上的金属部分接触。要正确接好电源。所有电器均按规范操作。

（2）使用化学药品时，要注意掌握浓度、剂量及方法，避免灼伤皮肤。应用对患者有损伤的化学药品，给药时一定避免渗漏。

（3）保持手术床单平整、干燥。消毒时，若被消毒液浸湿应及时更换，尤其是小儿，以避免灼伤。

7.防止切口感染

（1）所有手术人员应加强无菌观念，熟练无菌技术操作，严格执行手术室无菌技术操作规范。

（2）严格管理手术室门户，控制进入手术室的人数，手术间限制人数，手术人员进入手术室后，应迅速就位，尽量减少走动或频繁开关手术间门，减少不必要的活动，避免浮尘飞扬。

（3）手术人员应监督自己及他人有无违反无菌技术，发现应立即纠正。

（4）凡耐高温、高压的手术物品一律采用高压蒸汽灭菌，否则改用低温等离子或环氧乙烷气体消毒灭菌，不可用化学药液浸泡。严格按消毒使用说明执行，每次消毒应在盒外注明消毒日期和时间，并双签名。

（5）保持手术切口周围、无菌器械台敷料干燥，可使用防水手术薄膜及加盖无菌铺巾保护。

（6）手术进行中若有可能污染时，应注意保护切口及手术区。污染标本及器械，应放在指定区域或容器内。

（7）先做无菌手术，后做污染手术，有条件时，应划分无菌手术间、急诊手术间、感染手术间，以降低无菌手术感染率。不可同时在一个手术间施行无菌、污染两种手术。

（8）加强手术技能的培训，尽量缩短手术时间，减少组织创伤。若手术时间超过4h，手术切口周围应加盖无菌巾。

（9）参加感染手术的人员，手术后必须彻底淋浴、更衣、换鞋、戴口罩和帽子后方可到其他手术间走动或参观。

8.防止燃烧、爆炸等意外事故发生

（1）手术室内使用酒精灯时，应远离氧气，防止爆炸。侧灯勿靠近麻醉机、设备带。气体均须远离电源、明火及暖气。

（2）若使用气动电钻、骨钻时，注意检查气体有无漏气。

（3）定期检查各手术间电路、医用气体管道装置的安全性、密闭性。每月对高频电刀、无影灯以及其他设备进行测试、维修或更换。手术间设地线接口，防止发生短路。

（4）术中尽可能保持手术间地面干燥，防止漏电。

9.防止因器械不足或性能不良造成意外

（1）手术开始前，器械护士应根据手术通知单将手术所需器械准备齐全，并检查器械框内器械是否齐全，性能是否良好。若有问题，第一时间告知巡回护士，巡回护士告知器械岗护士和护士长，由器械岗护士查看是否有可替代器械，若有则手术继续，若没有，及时与主刀医生沟通，暂停手术。

（2）实施重大、特殊手术或新开展手术时，术者应于术前一日亲自到手术室挑选所需的特殊器械，并检查其他物品是否备齐及适用。

（3）在进行重要步骤前，术者应先检查器械是否适用，性能是否良好。

（4）发现有问题，必须及时通知器械岗护士和护士长。

（5）手术室应常规准备不同种类的急诊手术器械包以及常用的手术器械包，以备急用。用后应及时包好灭菌。

（6）按期检查急诊器械并及时保养。每年应进行器械大保养及检修1次。

10.防止气压止血带使用不当造成损伤

（1）严格掌握禁忌证，下肢动脉硬化、血栓性脉管炎、淋巴管炎、化脓性感染（坏死）等患者不可使用驱血带，恶性肿瘤或局部炎症的患者，使用止血带时不驱血。

（2）使用前应检查气囊、显示表（气量）是否完好，有无漏气。

（3）绑扎止血带的部位位于上臂上1/3处、大腿上1/3处。绑扎止血带时，皮肤表面垫棉纸，绑扎完毕用绷带固定。松紧适宜，以能伸进一指为宜。工作压力：成人上肢压力为200～250mmHg，时间<60min，下肢为300～350mmHg，时间<90min。如根据患者血压设定，上肢压力为患者收缩压加50～75mmHg，下肢压力为患者收缩压加100～

150mmHg。若达到安全时间最大值仍需继续使用时，应先放气10～15min后再充气并重新计时。重复使用时，充气时间应缩短，间歇时间相对延长，缩短肢体缺血时间。

（4）设定报警提示音，倒计时10min、5min、1min时及时提醒主刀医生。

（5）抬臂或抬腿消毒时，消毒液会顺势流入束缚的止血带内，再加术中充气加压，容易造成消毒液对皮肤的烧灼。因此，消毒前在束缚的止血带远端边缘用纱布填塞一圈，以阻挡消毒液流入，消毒完毕取下弃之。

11.防止体位不当造成损伤

（1）摆放体位时，应遵循安全、舒适，术野充分暴露，不妨碍呼吸和循环为原则，根据手术部位正确摆放手术体位。

（2）患者侧卧位时，胸垫与腋下应间隔10cm左右；俯卧位时，女性患者胸部、男性患者会阴部勿受压；两腿不可过度伸直；骨隆突部位垫软枕，防止受压。

（3）束缚带不可固定过紧，防止神经损伤。

（4）加强术中观察，每30min检查1次，观察肢体末端血运，按摩受压肢体3～5min/次。

12.防止病理检查标本遗失或差错

（1）器械护士应将所取下的标本放于盛有盐水的小杯（小碗）内，必要时用丝线结扎或钳子夹持作为标记，妥善放在器械台上。若为较大的标本，标本表面可用盐水纱垫覆盖，防止干燥。

（2）冰冻切片的标本，送冰冻标本前，巡回护士、洗手护士应与主刀医生核对送检标本的来源、名称、数量，无误后方可送检。送检人员与巡回护士核查日期、时间以及标本的来源、名称、数量并登记，双方签字。交于病理科时，病理科与送检人员再次核查时间、日期以及标本来源、名称、数量，并双方签字。

（3）石蜡病理标本，术毕由器械护士和巡回护士再次核对后，将标本放入有固定液的容器内并贴上标签，再将手术医生填写好的病理申请单与标本核对后放在指定位置，并将标本送检登记本中的内容逐项填写清楚。

（4）手术室指定专人负责标本送检，送检前送检人员再次核对标本容器上的标签与病理申请单、标本送检登记本上所填各项内容是否相符，无误后将三者放置一处送检。若核对中发现送检单有错项、漏项或填写不全，送检人员应立即通知手术医生到科补填或更改，护士不可帮填，防止差错发生。

（5）病理科接到标本后，逐项检查各项标本的登记情况，无误后在标本送检登记本上签名。

（6）所有病理申请单、病理结果报告单、标本容器标签以及标本送检登记本，都必须字迹工整、项目齐全。病理诊断报告以正式文字报告为准。

13.防止纱布、器械遗留体腔

（1）洗手护士与巡回护士手术前、关闭体腔前、关闭体腔后及缝合皮肤后，双人4次清点手术所用物品，准确记录。如术中需交接班、手术切口设计2个及以上部位或腔隙时均应增加清点次数，如关闭膈肌、子宫、心包、后腹膜等。手术未结束，任何物品不得挪离手术间。没有洗手护士时，由巡回护士和手术医生负责清点。

（2）随患者带入手术间的敷料，术前要清理干净，以防清点时发生错误。

（3）术中由洗手护士负责管理手术台上所有物品，其他人不得随意拿取添加物品，术中由巡回护士负责管理台下物品，其他人不得往手术间带任何与清点有关的物品。

（4）术中增减物品，记录单上要及时记录，手术台上掉下的物品由巡回护士统一管理。

（5）交接班要清楚，必须由2人以上进行核对。

（三）患者转运制度

1.转运原则

（1）转运人员应为有资质的医院工作人员。

（2）转运时应根据手术患者情况采用不同的转运工具。

（3）转运交接过程中应确保患者身份正确。

（4）转运前应确认患者的病情适合且能耐受转运。

（5）转运前应确认转运需要携带的医疗设备及物品，并确认功能完好。

（6）转运中应确保患者安全，在取得患者或家属同意后采取适当的保护性约束，转运人员应在患者头侧，如有坡道，应保持患者头部处于高位。注意患者的身体不应出轮椅或推车，避免推车速度过快、转弯过急，以防患者意外伤害，并注意患者隐私保护和保暖。

2.接入患者

（1）交接内容

1）患者信息，如科室、床号、住院号、姓名、性别、年龄、手术名称、手术部位、手术标识。

2）医疗文书，如手术知情同意书、患者授权书、手术安全核查表、手术风险评估表、设备运行记录单、血型单，以及纤溶全套、血常规、心电图、乙肝三系统、梅毒、艾滋病等各项化验单。输血治疗同意书和病理申请单根据手术患者的手术级别及病情准备。

3）患者禁食水的情况及生命体征。

4）检查患者皮肤情况、手术部位皮肤准备情况及术前医嘱执行情况。

5）检查患者的管道情况是否妥善固定，是否通畅，有无标识。

6）患者既往史、过敏史及有无植入物等，如果有心脏起搏器、内置物等特殊情况，填在"备注"栏。

7）核对手术用药（包括皮试结果）、需携带的物品，如X线片、CT和MRI检查结果等。

8）贵重物品如首饰、手表、眼镜等不得带入手术室。

（2）接入流程

1）手术室转运人员根据手术通知单确认患者信息，通知病房护士。病房护士应确认患者术前准备已完成，排空大小便，身上无金属物品、首饰、手表、现金等。

2）转运人员应根据手术安排提前至病房，将患者接入手术室；病情危病重者，应与麻醉医生沟通并双方准备好所有用物后，由转运人员和主管医生共同护送至手术室。

3）接患者时，转运人员与病房护士应按照《手术患者交接单》的内容进行交接。

4）患者接入手术室，由总务护士或者值班护士核对并确认患者信息，核查手术需要的资料及携带物品，协助其戴好手术帽，在手术转运床上悬挂手术间号牌，建立静脉通道，并做好患者心理护理。

5）患者入手术间或者预麻室后，总务护士与术间护士或预麻室护士按照《手术患者交接单》的内容进行交接。

3.送出患者

（1）交接内容

1）患者生命体征。

2）患者诊断、手术名称、麻醉种类、术中出血和输血情况、出入量。

3）检查敷料包扎，有无渗出。

4）检查各种导管是否通畅、有无脱出、有无标识，观察引流液的颜色、性状和量。

5）检查静脉输液药物及滴速，穿刺点周围有无渗液、红肿。

6）全身皮肤有无发红、皮疹、破损、压力性损伤、灼烧等。

7）患者衣服、影像资料、病历等。

8）专科需特殊观察的内容。

（2）送出流程

1）手术结束，护士整理患者着装，保护患者隐私，确保切口部位无血迹、消毒液。

2）麻醉医生确认患者术毕去向，并提前电话通知PACU/ICU。

3）若患者直接返回病房，巡回护士提前电话通知所到科室。

4）根据患者情况，若术后患者返回PACU或ICU，应由巡回护士、手术医生、麻醉医生共同护送；若术后患者返回病区，应由巡回护士与转运人员交接，转运人员护送，与接收科室护士详细交接患者情况，在《手术患者交接单》上双签字。

4.转运流程

1）转运前，转运人员应确认患者信息，并通知病房。病房护士应确认患者的术前准备已完成，排空大小便，身上无金属物品、首饰、手表、现金、手机、眼镜（隐形眼镜）等。

2）转运时，转运人员与病房护士应核对科室、姓名、床号、住院号、手术日期、患者意识清楚、切口标识核查、术前准备、术前禁食和禁水、药品/物品、生命体征、静脉管路、引流管路、离开病房时间等。

3）交接无误后与病房护士共同在《手术患者接送卡》上签字。

4）患者进入手术室，转运人员应与总务护士或者值班人员共同核实患者信息及携带物品，手术护士确认签字，核实科室、姓名、床号、住院号、手术日期、患者意识清楚、切口标识核查、术前准备、术前禁食和禁水、药品/物品、生命体征、静脉管路、引流管路、离开病房时间等，总务护士或者值班人员协助其戴好手术帽，在手术推车上悬挂手术间号牌，建立静脉通路（首台除外），并做好患者心理护理。

5）患者进入手术间或预麻室，总务护士应与术间巡回护士或者预麻室护士共同核实患者信息及携带物品，术间巡回护士或者预麻室护士确认签字，核实科室、姓名、床号、住院号、手术日期、患者意识清楚、切口标识核查、术前准备、术前禁食和禁水、药品/物品、生命体征、静脉管路、引流管路、离开病房时间等1。

6）患者手术结束，术间护士应根据患者去向，与复苏室护士或者转运人员核查：患者的科室、住院号、床号、姓名、性别、年龄、生命体征、手术名称、手术部位、手术体位、手术时长及皮肤情况；管道固定情况、通畅性、标识、名称；血型单、乙肝三系统、梅毒、艾滋病病毒等各项化验单；医嘱执行情况（输血）及携带的其他物品。双方确认签字。

5.注意事项

1）向患者主动做自我介绍。

2）应至少同时使用2种及以上的方法确认患者身份，确保患者正确。

3）确保患者安全。根据患者病情，确认转运人员、适宜时间、目的地、医疗设备、药物及物品等；防止患者意外伤害的发生，如坠床、非计划拔管、肢体挤压等；转运前确保输注液体的剩余量可维持至目的地。

4）交接双方应共同确认患者信息、病情和携带用物，无误后签字，完成交接。

5）转运设备应保持清洁，定期维护保养。转运被单应一人一换。

6）特殊感染手术患者转运应遵循《医疗机构消毒技术规范》（WS/T 367—2012）做好各项防护。

7）做好突发应急预案的相应措施。如突遇设备意外故障、电梯故障，备好相应的急救用物，采取紧急呼叫措施。

8）查对带入手术室物品时依据手术交接核查单逐项询问及查看，将难以取下的首饰记录于交接单备注区。

9）带入的术中用药、影像学资料、病历资料等与转运人员交接，核对数量并妥善保管。

（四）查对制度

1.执行各项医疗护理操作要做到"三查八对"。

2.接手术患者时，逐项查对病区、床号、姓名、性别、年龄、住院号、手术名称、手术部位、手术方式及术前用药等，防止接错患者。

3.实施体腔或深部组织手术时，严格落实物品清点制度，防止物品遗留体内。

4.留取病理标本时，应严格执行管理制度，妥善保管，及时登记，按时送检，防止遗失。

5.执行口头医嘱时，在执行前须大声复诵一遍；毒、麻、剧、限类药品，须经两人查对无误后方可使用。

6.落实好手术三方安全核查，即麻醉医生、手术医生、巡回护士三者分别在麻醉前、手术开始前、患者离开手术室对患者进行核查，并各自在《手术安全核查表》上签名。

（五）物品清点制度

1.手术物品清点时机

1）第一次清点，即手术开始前。

2）第二次清点，即关闭体腔前。

3）第三次清点，即关闭体腔后。

4）第四次清点，即缝合皮肤后。

5）增加清点次数时机，如术中需交接班、手术切口涉及2个及以上部位或腔隙，关闭每个部位或腔隙时均应清点，如关闭膈肌、子宫、心包、后腹膜等。

2.不同类型手术需清点的物品

1）体腔或深部组织手术应包括手术台上所有物品，如手术器械、缝针、手术敷料及杂项物品等。

2）浅表组织手术应包括但不限于手术敷料、缝针、刀片、针头等杂项物品。

3）经尿道、阴道、鼻腔等内镜手术应包括但不限于敷料、缝针，并检查器械的完整性。

3.手术物品清点原则

1）双人逐项清点原则：清点物品时洗手护士与巡回护士应遵循一定的规律，共同按顺序逐项清点。没有洗手护士时由巡回护士与手术医生负责清点。

2）同步唱点原则：洗手护士与巡回护士应同时清晰说出清点物品的名称、数目及完整性。

3）逐项即刻记录原则：每清点一项物品，巡回护士应即刻将物品的名称和数目准确记录于物品清点记录单上。

4）原位清点原则：第一次清点及术中追加需清点的无菌物品时，洗手护士应与巡回护士即刻清点，无误后方可使用。

4.手术前

1）巡回护士需检查手术间环境，不得遗留上一台手术的任何物品。

2）洗手护士应提前15～30min洗手，保证有充足的时间进行物品的检查和清点。在手术的全过程中，应始终知晓各项物品的数目、位置及使用情况。

3）清点时，洗手护士与巡回护士须双人查对手术物品的数目及完整性。巡回护士进行记录并复述，洗手护士确认。

5.手术中

1）应减少交接环节，手术进行期间若患者病情不稳定、抢救或手术处于紧急时刻物品交接不清时，不得交接班。

2）严禁将器械或敷料等物品另作他用，术中送冰冻切片、病理标本时，严禁用纱布等包裹标本。

3）手术物品未经巡回护士允许，任何人不应拿进或拿出手术间。

4）医生不应自行拿取台上用物，暂时不用的物品应及时交还洗手护士，不得乱丢或堆在手术区。

5）洗手护士应及时收回暂时不用的器械；监督术者及时将钢丝、克氏针等残端、剪出的引流管碎片等物品归还，丢弃时应与巡回护士确认。

6）台上人员发现物品从手术区域掉落或被污染，应立刻告知巡回护士妥善处理。

7）关闭体腔前，手术医生应配合洗手护士进行清点，确认清点无误后方可关闭体腔。

8）每台手术结束后应将清点物品清理出手术间，更换垃圾袋。

9）术前怀疑或术中发现患者体内有手术遗留异物，取出的物品应由主刀医生、洗手护士和巡回护士共同清点，详细记录，按医院规定上报。

6.手术敷料清点

1）手术切口内应使用带显影标记的敷料。

2）清点纱布、纱条、纱垫时应展开，并检查其完整性及显影标记。

3）手术中所使用的敷料应保留其原始规格，不得切割或做其他任何改型。特殊情况必须剪开时，应及时准确记录。

4）体腔或深部组织手术中使用有带子的敷料时，带子应暴露在切口外面。

5）当切口内需要填充治疗性敷料并带离手术室时，主刀医生、洗手护士、巡回护士应共同确认置入敷料的名称和数目，并记录在病历中。

7.清点意外情况的处理

1）物品数目及完整性清点有误时，立即告知手术医生共同寻找缺失的部分或物品，必要时根据物品的性质采取相应的辅助手段查找，确保其不遗留于患者体内。

2）若找到缺失的部分和物品，应立刻告知手术医生。手术医生、洗手护士与巡回护士应共同确认其完整性，并放于指定位置，妥善保存，以备清点时核查。

3）如采取各种手段仍未找到，应立即报告主刀医生及护士长，X线辅助确认物品不在患者体内，需主刀医生、巡回护士和洗手护士签字、存档，按清点意外处理流程报告，填写不良事件表，并向上级领导汇报。

（六）重危患者抢救制度

1.抢救工作迅速、及时、有效，是医疗护理工作中的一项很重要的任务。必须加强抢救工作的科学管理，认真执行规章制度，为患者的生命赢得抢救时机。

2.由护士长担任抢救的组织工作。

3.急救设备和物品立即准备到位，确保设备使用性能，如除颤仪、急救药品、液体，根据需求备液体加温仪、温毯、冰帽等辅助用物。

4.参加抢救人员应服从分配，明确分工，密切配合麻醉医生和手术医生，严肃认真，保证抢救及时以及抢救工作有条不紊。

5.控制手术间人员，以免忙乱而影响抢救工作。

6.急诊抢救手术接到通知时，应及时与手术医生沟通查明患者姓名、性别、年龄、手术名称及部位，以便及时准备手术用物，缩短准备时间。

7.夜间抢救手术，应由高年资护士担任抢救的组织工作，应及时汇报护士长，组织抢救，不得延误。

8.抢救过程中，严格执行医疗操作规范，密切观察病情，并详细记录。

9.正确执行医嘱，执行口头医嘱应复述一遍，所用药品、血制品应双人核查后方可使用。抢救中所用药品的空安瓿均应保留，抢救完毕经两人查对后方可弃去。

10.医生应在抢救结束后6h内补开医嘱。

11.术中需要其他科室如化验室、血库等配合时，应立即通知做好相关准备工作，以节约时间，保障抢救工作顺利进行。

12.做好抢救记录。

13.抢救完毕，做好登记和终末处理。

14.抢救物品应做到"四定、三无、二及时、一专"，每月定期检查、登记，合格率应为100%。

15.实施抢救时，手术医生应及时告知患者家属病情及预后，取得家属的配合。

16.因纠纷、斗殴、交通、生产事故、自杀、他杀等原因致伤的患者，除积极抢救外，同时应向医务处或相关科室（保卫处）汇报，必要时报告公安部门。

17.与抢救工作无关的人员不得进入抢救现场，但需做好抢救的协助保障工作。

18.定期对科室进行各种急救理论知识、技能操作的培训，并将其列入继续教育的学习内容。

19.接到外出抢救通知，手术室人员应在最短时间内准备好抢救物品，到达抢救地点。

（七）标本管理制度

1.医疗机构应有手术标本管理制度、交接制度及意外事件应急预案，明确责任人、要求、方法及注意事项等，所有相关医务人员应遵照执行。

2.标本管理原则

（1）即刻核对原则：标本离体后洗手护士应立即与主刀医生核对标本来源、名称、数量。

（2）即刻记录原则：标本离体并核对无误后，巡回护士备好标本袋，袋上标明患者姓名、科室、住院号、床号及标本名称、主管医生及送检性质。

（3）及时处理原则：标本产生后，巡回护士尽快将其固定并放入专用标本盒内妥善保管或送至病理科处理。

3.在手术台上暂存标本时，洗手护士应妥善保管，根据标本的体积、数量选择合适的无菌标本容器盛装，防止标本干涸、脱水、丢失或污染无菌台。

4.主管医生负责填写病理申请单上各项内容，标本来源、名称应与洗手护士再次核对后签字确认。

5.标本处理者负责核对病理申请单上各项内容与病历一致，并遵循及时处理原则。

6.应有标本登记交接记录，记录内容包括日期、科室、患者姓名、住院号、标本名称、标本数量、标本固定时间、签名，标本送检人员核查日期、科室、患者姓名、住院号、标本名称、标本数量、标本固定时间，交接双方人员签字。

7.术前预计送冰冻标本时，主管医生应在术前填好病理申请单，注明"冰冻"，术前交于病理科。标本切除后应即刻送检，不应用固定液固定。

8.送冰冻标本前，洗手护士、巡回护士应与主刀医生核对送检标本的来源、名称、数量，无误后方可送检。

9.送检人员与巡回护士核查日期、时间、标本来源、标本名称、标本数量并登记，双方签字。交于病理科时，病理科与送检人员再次核查时间、日期、标本来源、标本名称、标本数量，并双方签字。

10.术中冰冻标本病理诊断报告必须采用书面形式（可传真或网络传输），以避免误听或误传，严禁仅采用口头或电话报告的方式。

11.特殊标本

（1）肝炎、梅毒、HIV等传染病或特殊感染手术标本须在标本容器上用红色笔注明。

（2）无病理价值和保留价值的组织、器官、肢体均应让患者或者家属确认后并做好手术标本的登记，然后按病理性医疗废物处理。

（3）对无病理检查价值的体内异物、内固定物等，家属或患者确认后做好登记并按医疗废弃物处理。

（4）死胎小于16周，质量小于500g，按病理性医疗废物处理。死胎大于16周，质量大于500g，家属自行带走按殡葬处理，医院不予处理。

（5）细胞学检查标本用无菌容器盛装后，术后由手术医生送至病理科。

12.手术标本不得与清点物品混放。

13.任何人不得将手术标本随意取走。如有特殊原因，需经主管医生、护士长、巡回护士、洗手护士同意，并做好记录。

14.若需固定标本，应使用10%甲醛溶液，且用量不少于病理标本体积的3~5倍，并确保标本全部置于固定液之中。特殊情况如标本巨大时，建议及时送新鲜标本，以防止标本自溶、腐败、干涸等。

15.标本送检时，应将标本放在密闭、不渗漏的容器内，与病理申请单一同送检。

16.标本送检人员应经过专门培训，送检时应与病理科接收人员进行核对，双方签字确认。

17.不合格标本包括：申请单与相关标本未同时送达病理科；申请单中填写的内容漏项或与送检标本不符；标本袋上患者信息错误或缺失；申请单字迹潦草不清；标本过小，标本严重自溶、腐败、干涸等及其他可能影响病理检查可行性和诊断准确性的情况。

18.不合格标本的申请单和标本需当即退回，不予存放，通知相关责任人整改并记录。

19.曾被拒收的标本再次送检合格，需在申请单上标注。

20.术中院外冰冻标本装袋后及时随打印好的《病理检验申请单》交于患者家属及时送至相应医院，并在《院外标本登记本》上签字。

21.如有送往生物样本库的标本，标本离体并核对无误后，巡回护士备好标本袋，袋上标明患者姓名、科室、住院号、床号、标本名称、标本数量。主刀医生将标本给家属看过后，巡回护士电话通知生物样本库人员前来手术间收取标本，双人依次核对日期、科室、患者姓名、住院号、标本名称、标本数量，标本送检人员、收取人交接双方人员签字，主刀医生填写病理申请单。

〔八〕特殊感染手术管理制度

1.特殊感染包括气性坏疽、破伤风、炭疽、朊毒体、突发原因不明传染病病原体等所致感染。

2.特殊感染手术必须在《手术通知单》上注明感染诊断、隔离种类。逐级上报护士长、医务科、医院感染管理办公室等。

3.此类手术禁止参观，手术人员需做好个人防护，戴护目镜、口罩、帽子、双层手套，穿隔离衣和隔离鞋或双层鞋套，严防职业暴露。

4.特殊感染手术安排在特殊感染手术间进行。室内设备力求简单、实用。当台手术不用的仪器设备全部撤出手术间，手术间门上悬挂"隔离"标记。

5.参加手术的巡回护士分为内巡回护士和外巡回护士。手术尽可能采用一次性用物。术中需要室外物品时，由外巡回护士传递给内巡回护士，室内人员不得随意出手术间。

6.运送患者的平车应铺一次性床单，用清洁大单将患者包裹起来，设警示牌，以提示工作人员采取隔离措施。术后应尽快将其送回隔离病房或恢复室，途中避免不必要的停留。

7.手术后的处理

（1）术毕手术人员脱去污染衣裤、口罩、帽子、鞋，手卫生消毒后在手术间门口换清洁鞋后方能离开手术间。

（2）敷料、锐器的处理：术后一次性敷料、物品装入黄色医疗废物袋双层扎紧（特殊感染标志），锐器弃于锐器桶后密闭，送医疗废物处理站按规定处置。重复使用的布类敷料放入红色塑料袋标明特殊感染，密闭转运至洗衣房消毒、清洗，并有专项交接记录。

（3）术后器械的处理：术后器械由供应室处理，应打开器械轴节放于密闭箱内标明特殊感染，密闭转运至供应室，按特殊感染手术器械处置。

（4）手术间空气消毒：彻底清洁手术间。空气培养合格后方可使用。

（5）手术间严格进行终末消毒。环境表面用1000mg/L含氯消毒剂擦拭，有明显污染物时应采用含氯消毒剂10000mg/L擦拭。清洁工具应经有效消毒后方能再次使用。

（九）感染控制管理制度

1.贯彻执行国家医院感染相关的法律法规及技术规范，遵照医院预防和控制医院感染的相关规定，开展手术室感染预防及监测工作。

2.加强进入手术室人员的管理，规范人员着装，严格限制手术间参观人数，Ⅰ级12～14人，Ⅱ级10～12人，Ⅲ～Ⅳ级6～10人。

3.严格执行无菌操作技术规范，各类无菌物品须去掉外包装箱后方可进入洁净区无菌物品库存放，无菌与非无菌物品分开放置，一次性无菌用品禁止重复使用。

4.严格采取标准预防措施，做好双向防护，发生职业暴露后立即处理，并上报医院感染控制处备案。

5.严格落实手术室消毒隔离制度，定期组织护理人员参加消毒隔离方法、预防和控制医院感染知识与技能的培训考核。

6.科室感控小组认真做好各项监测工作，严格控制院内感染发生，做到监测与控制相结合，一旦发现医院感染问题，及时向医院感染管理部门反映或提出建议。

7.加强手术室环境表面清洁与消毒，每天手术前用消毒湿巾擦拭各种设备、仪器、物品表面，术中发生血液、体液等污染手术台周边物体表面、地面及设备或疑似污染时应立即实施污点清洁与消毒，接台手术之间，对手术床、电刀、超声刀、吸引器装置、腔镜设备等及周边1～1.5m范围的高频接触物表进行清洁与消毒，全天手术结束后，对所有物体表面进行终末消毒（除外墙面、天花板）。

8.加强手术区域环境管理，每周对手术间所有物体表面、回风口、送风口进行清洁，每月底彻底卫生大扫除一次，包括所有手术间及附属房间的清洁。

9.每季度对手术室空气、物体表面、工作人员的手及无菌物品进行微生物监测，确保达标。

10.严格执行医疗废物管理制度，规范科室医疗废物处置流程。

（十）参观制度

1.院外人员由医务处和护理部批准、手术室护士长同意后方可进入。

2.院内人员根据手术单申请人员和感控要求，由护士长和巡回护士管理。

3.参观手术人员应遵守手术室各项规章制度，服从手术室管理，只能在规定的时间和手术间内参观。各级别手术间总人数：Ⅰ级12～14人，Ⅱ级10～12人，Ⅲ、Ⅳ级6～10人。

4.不同参观人员配发不同参观证。

5.院外参观人员，须经医务处和护理部批准、手术室护士长同意后方可参观。

6.手术室人员根据手术室参观审批手续对参观者进行评估，了解参观者的身体状况，参观者符合进入手术室（无传染性疾病，身体无创伤，无呼吸道疾病，认知功能正常等）的要求。

7.参观人员应服从手术室管理，按要求规范着装，贵重物品及现金自己妥善保管。

8.参观人员不随意出入手术室，在批准的范围活动。

9.参观人员应严格遵守无菌原则，不应靠近无菌区，与无菌区至少保持30cm，参观过程中不得到其他手术间参观手术。

10.参观人员不触摸、搬动手术间内物品、药品、器械、设备、设施等，听从巡回护士的安排。

11.参观时保持室内安静、整洁，遵守手术室的各项规章制度，如需留取摄像资料等，必须征得手术医生、巡回护士和护士长的同意。

12.本院研究生进入手术室采集标本，须经手术室护士长同意。外院研究生必须经医务科批准后方可进行。

13.实习同学应在带教老师的带教下，在指定的手术间参观学习。

14.器官移植手术、关节置换手术、心脏手术和特异性感染手术等不应参观。

15.凡是直系亲属手术，家属一律不应进入手术室陪同。

16.参观结束后应将物品物归原处，参观用物按规定归还至指定位置。

17.如有违反规定、不服从手术室工作人员管理者，由手术室护士长上报医务部或护理部处理。

18.参观结束，应立即离开手术室。

（十一）设备仪器管理制度

1.手术室实行医院领导、设备科和科室三级管理制度。由科主任、护士长、工程师、质量管理人员组成管理团队，专人管理，专岗管理。整体负责科室设备配置评估、计划预算、质量和安全管理、维护与报废管理。

2.根据《医疗卫生机构医学装备管理办法》要求，建立健全医学装备档案管理制度，按照集中统一管理的原则，做到档案齐全、账目明晰、完整准确。

3.根据《医疗器械临床使用安全管理规范（试行）》，按照国家分类编码的要求，对所有医疗器械进行唯一性标识，妥善保存高风险医疗器械购入时的标识、标签、说明书、合格证明等原始材料。对接医院信息化管理，确保后期维修时信息具有可追溯性。

4.在医院设备科等相关部门的指导下，手术室建立使用管理责任制，指定专人管理，保证设备处于良好备用状态。

5.新进设备在使用前需由设备科负责验收、调试、安装，然后与手术室相关人员交接签字。

6.医疗设备信息化管理，使用小程序"驼峰系统"，在该系统向设备科上报设备维修，设备科收到维修信息后安排人员维修。

7.建立《手术室新进设备登记表》，对新进设备及时登记，保存设备入库清单和设备相关资料，设备科人员、护士长、接收人员三方确认后在《手术室新进设备登记表》和入库清单签字留底。

8.建立培训制度和《培训登记本》，由教学组统一安排培训和登记，设备组联系相关人员进行培训，培训内容包括设备的工作原理、结构性能，使用与维护方法，清洁、消毒灭菌和保养方法。

9.建立规范统一的设备操作流程，严格遵照设备使用说明和操作流程，规范使用。

10.建立设备《运行记录登记本》，设备登记本中应登记每次使用时间、运转情况、使用人员等。

11.设备故障预警时，操作人员不得擅自离开，应立即通知设备管理人员，查找原因，及时排除故障，必要时及时更换替代设备，严禁设备带故障和超负荷使用和运转。

12.建立设备应急预案制度，装备故障时有紧急替代流程。优先保障急救类、生命支持类装备的应急调配。设备出现故障应记录于登记本上并上报设备组，设备组检查，由设备组上报设备科维修处理，同时立即启动设备应急措施。

13.建立设备不良事件报告制度和《设备不良事件报告表》。如果发生因设备引起的不良事件，应立即调查记录不良事件的有关资料，包括患者资料、发生情况与地点、医疗设备相关信息、操作使用人员等信息；在事件发生后及时填写《设备不良事件报告表》，报设备科，并保留相关报告、检查、处理的流程、规定与记录。

14.建立设备维修维保制度、《维修登记表》和《维保登记本》。

15.医疗设备原则上不外借，如需借出，须经科室负责人审批同意后方可外借。

16.设备安全管理必须做到"四定四防"。"四定"是指定人管理、定点存放、定期检查和定期维护，"四防"是指防尘、防潮、防蛀和防盗。

17.档案管理：档案应由科室专人保管或由本机构档案管理部门统一保管。

四、麻醉科护理工作制度

（一）麻醉恢复室工作制度

麻醉恢复室又称麻醉后监测治疗室（post-anesthesia care unit，PACU），是手术麻醉后患者进行集中严密观察和监测，继续治疗直至患者生命体征恢复稳定的单位。麻醉后恢复的目的是使患者生理趋于稳定，重点在于监护和治疗在苏醒过程中出现的生理紊乱，早期诊断和预防并发症。

PACU护士在麻醉科和护理部领导下，负责麻醉恢复期患者的监护与治疗等护理工作，并能迅速识别术后并发症，快速协助医生进行正确的处理，保证患者恢复期安全与舒适。要求护士掌握常用麻醉药品和急救药品的药理作用、各种监测方法，熟练地施行气管插管拔除术、心肺复苏术，能正确地使用麻醉机、呼吸机和除颤仪等仪器，迅速识别并配合处理麻醉恢复期患者出现的各种术后并发症。熟练掌握麻醉恢复期患者的监护与治疗，医嘱执行和护理记录的书写，物品交接和院内感染管理，药品、物品准备和仪器设备的检查。

麻醉恢复室的设备、药品及人员配置要符合相关规定。床旁设施配备监护仪、呼吸机、吸引器、除颤仪、各类型面罩、口咽通气管、雾化吸入器、吸痰管、简易呼吸器等，并保证仪器设备的完好率达100%，室内配备急救药品和急救物品。配合开展围手术期工作的麻醉护理人员与麻醉医生的比例原则上≥0.5∶1，PACU护士与PACU实际开放床位比≥1∶1，高危患者（如未清醒、未拔管、躁动患者）护患比≥1∶1，PACU应配有麻醉医生，由医生和护士共同管理患者，严格执行麻醉恢复室相关制度。

1.在科主任领导、护士长直接指导下工作。

2.清点物品和药品，确保数目合适，严格按照交接班制度做好交接。

3.了解当日手术情况，提前10分钟做好患者入室准备，备好物品、药品，仪器设备均处于备用状态，麻醉机、监护仪处于待机状态。

（1）环境准备：每日晨擦拭台面及麻醉机、监护仪、血气分析仪等设备及电缆线，保持恢复室环境整洁、安静。

（2）物品准备：一次性呼吸管路、各种型号麻醉面罩、雾化器、呼吸感应节氧器、吸痰管、喉镜柄、喉镜叶片、各种型号气管插管、牙垫、电极片、不同型号口咽通气道、呼吸囊、吸痰用生理盐水、各种型号注射器、纱布块等。

（3）设备准备：完成以下设备的自检，确保其处于备用状态。麻醉机、监护仪、血气分析仪、体表加温仪、输血输液加温仪、微量泵、除颤仪、便携式指脉氧夹、转运监护仪、氧气枕、负压吸引装置等。

（4）药品准备：治疗车按基数补充，查药品的有效期，配置去甲肾上腺素及阿托品等抢救药品，配置肝素盐水（冲管用）。

4.患者由麻醉医生和巡回护士携带监护设备共同送至恢复室，与恢复室医生及护士交接：入院诊断、手术名称及方式、术中用药、生命体征、留置管道、伤口情况、皮肤情况、输血输液情况、镇痛情况、麻醉方式、麻醉记录单等特殊情况，预计苏醒时间、可能发生的并发症及采取的处理措施等。

5.主班老师负责恢复室护理人员床位分配，尽可能根据护理人员人数固定患者床位管理，实施整体护理。

6.患者入室后，立即实施麻醉恢复室护理常规，遵医嘱监护、护理患者。连接麻醉机，调节其参数，连接心电监护仪，全程动态监测患者的神志、心率、血压、呼吸、体温、血氧饱和度、气道压、$P_{ET}CO_2$、出入量、肌肉松弛恢复情况等。

7.妥善安置患者，加护床栏及约束带等，以免患者坠床或拔管，保证患者安全。

8.熟练掌握恢复室仪器设备的操作流程、参数调节、报警和故障处理。备好吸引器，按需吸痰，密切观察患者意识、肌张力恢复情况，正确评估。准确判断拔管指征，遵守无菌技术操作原则，遵医嘱拔管并做好记录。

9.机械通气、躁动、谵妄及小儿、高龄等高风险的患者应做到一患一护，保持呼吸道通畅，做好各种管道的管理，预防手术后相关并发症的发生。

10.协助拔管后患者做肢体活动，指导患者有效呼吸，必要时进行人工辅助呼吸，确保呼吸道通畅，有效通气。做好呼吸、脉搏、心电图、血氧饱和度等生命体征的监测，发现问题及时通知医生，对症处理。

11.使用镇痛泵的患者，核对镇痛泵与患者腕带信息一致，检查镇痛泵是否安装在位，给患者连接前，务必进行排气、减压，确保正常运行。

12.根据麻醉恢复情况，参考改良Aldrete评分标准及患者的具体病情，在麻醉医生确认后，携带转运监护设备，将患者转出恢复室，与运输人员进行患者生命体征、病情、输液通道、管路、物品及皮肤情况等交接。

13.遵医嘱正确给药，认真执行各项规章制度和技术操作规程，严格执行"三查七对"制度，严防差错事故发生。

14.协助麻醉医生进行各种诊疗工作，负责采集各种检验标本。

15.遇抢救患者时，严格认真执行各种抢救口头医嘱，医嘱必须复述一遍，与医生双方确认无误后方可执行，对有疑问的医嘱要反复核对，确认无误后方可执行。

16.掌握恢复室各类型应急预案及流程，确保患者安全。

17.恢复室内按照《医院感染管理规范》进行清洁、消毒，麻醉器具按性能选择消毒方式，并记录，医疗废物按规定进行分类处理。

18.认真、及时、客观、真实地填写PACU护理记录单。

19.每周定期对手术间固定的一次性耗材进行补充。

20.负责收回当天择期手术用物及药品，与麻醉医生当面清点，并核对处方，清点安瓿。按照基数正确摆放次日所有术间治疗车的药品和物品，认真清点记录各术间高值耗材退回数目。回收、清点和记录当日下送消毒供应中心消毒的物品。

（二）麻醉恢复室患者管理制度

1.主班老师负责恢复室护理人员床位分配，根据护理人员人数固定患者床位管理，实施整体护理。

2.患者入室后，立即实施麻醉恢复室护理常规，遵医嘱监护、护理患者。连接麻醉机，调节其参数，连接心电监护仪，全程动态监测患者的神志、心率、血压、呼吸、体温、血氧饱和度、气道压、$P_{ET}CO_2$、出入量、肌肉松弛恢复情况等。

3.妥善安置患者，加护床栏及约束带等，以免患者坠床或自行拔管，确保患者安全。

4.熟练掌握麻醉恢复室仪器设备的操作流程、参数调节、报警和故障处理。备好吸引器，按需吸痰，准确判断气管插管拔管指征，遵守无菌技术操作原则，遵医嘱拔管。

（1）拔管指征：没有单一的指征能保证可以成功地拔除气管导管，下列指征有助于评估术后患者是否可以拔管：

1）患者意识清醒，咳嗽反射、吞咽反射恢复，可以合作。

2）患者能自主呼吸，呼吸不费力，呼吸频率<30次/分，潮气量>300mL。

3）能睁眼、皱眉、握手，肌力完全恢复。

4）血气分析结果大致正常，无严重酸碱失衡，$PaCO_2$为35~45mmHg，PaO_2为80~100mmHg或SpO_2为92%~99%。

5）循环稳定：无需紧急处理的心律不齐，高血压、低血压等。

6）确定拔管后，不会因手术因素（如头颈部手术，颜面部、咽部、喉颈部手术）而发生上呼吸道梗阻。

7）具有拔管条件者，由麻醉医生再次确认，护士在医生指导下执行"气管导管拔除术"。

（2）拔管注意事项

1）拔管前应警惕原已经存在的气道情况，并做好可能需再次行气管插管的准备。

2）拔管前必须充分吸引残留于口、鼻、咽部及气管导管内的分泌物，拔除气管导管前预充氧；拔除气管导管后给予雾化面罩吸氧，必要时再次吸引口、鼻、咽部的分泌物。

3）拔管前确保患者意识状态、血压、心率、体温、SpO_2及血气分析结果大致正常；

拔出气管导管后密切观察患者意识状态、血压、心率及SpO_2，并注意是否有气道梗阻的症状。

4）吸痰时遵守无菌技术原则，动作轻柔，吸痰过程中密切观察患者的血氧饱和度。拔管动作迅速、轻柔，尽可能减少刺激。

5）拔管前后均应注意肺部听诊。

5.全身麻醉术后患者要密切观察其神志、肌力恢复情况，椎管内麻醉患者应密切观察其阻滞部位感觉和运动恢复情况。

6.持续监测患者核心体温，采取主动保温措施，积极预防低体温等各种术后并发症的发生，熟练掌握麻醉恢复期患者常见并发症及处理原则。

7.动态观察患者组织器官的灌注及循环和呼吸系统情况。

8.根据患者情况适时检测动脉血气，根据结果及时给予相应的处理。患者拔管及出室前均需检测动脉血气，确保患者的生命安全。

9.遵医嘱准确、认真执行各项治疗及护理，口头医嘱复述一遍方可执行，并嘱麻醉医生及时补开书面医嘱。

10.注意手术切口的情况以及敷料有无渗血、渗液。保持留置的各种管道妥善固定，引流通畅。注意观察引流液的性质、颜色和量，准确记录出入量。

11.了解患者所输液体的名称，保持输液通畅。检查静脉导管的固定、注射部位的皮肤血管情况以及输液的量和速度。维持动、中心静脉测压管通畅，中心静脉置管和动脉测压管穿刺点保持局部敷料干燥。

12.定时评估患者疼痛评分和镇静评分，观察镇痛效果，必要时使用镇痛泵或协助医生行神经阻滞术后镇痛，观察相关不良反应的发生，必要时给予相应处理。最后一次给予镇静/镇痛药后，至少观察30分钟，观察患者有无呼吸抑制存在。

13.执行各项操作严格遵守无菌原则及手卫生规定，控制院内感染的发生。

14.按照规范正确书写麻醉恢复室护理记录单，要求真实、客观、详细、准确。

（三）麻醉恢复室安全管理制度

1.成立由科主任、科护士长、质控组人员组成的护理安全管理小组，负责全面督导、检查工作，每月进行一次质量与安全分析，对本月工作中存在的安全隐患提出整改与防范措施并及时落实。确保护理安全时时监控、持续改进及实施。

2.如发生护理不良事件，应积极采取补救措施，防止损害扩大，及时上报相关主管部门，并根据事件轻重，在2~7天内组织全科人员进行分析讨论，查明原因，提出处理意见与防范措施。

3.安全管理

（1）防止术后并发症

1）根据患者情况设置合适的麻醉机参数，以防潮气量、呼吸频率等过高或过低造成肺损伤、二氧化碳蓄积或酸碱失衡等。

2）适时、按需吸痰，以防增加对患者的刺激性伤害。严格遵守无菌操作原则以防肺部感染的发生。

3）患者入PACU时查看气管导管的深度及固定是否牢固，防止气管导管插入过深导致肺不张或过浅脱出，从而危及生命安全。

4）患者入PACU时认真交接各种管道刻度、颜色、性质和量。

5）对于存有疼痛刺激的患者及时给予镇痛镇静，做好心理护理，缓解焦虑等负性情绪。

6）患者入PACU后根据体温及时给予体温保护，以防发生低体温等不良反应。

（2）防止碰伤、坠床和压力性损伤

1）运送患者时，注意保护患者头部及手足，防止碰伤；移动患者至手术床或运送车时，将床或车固定好，由2人及以上保护搬运，并上好护栏，防止患者摔伤；运送途中，拉上床档，护送员手推床头，以利观察和保护患者；搬动患者时，动作轻巧、稳妥，防止意外损伤。

2）神志不清、昏迷、小儿患者接送时应加强固定，入手术室后应专人床旁看护，必要时使用约束带，防止坠床；清醒患者可进行安全知识教育。

3）全麻未清醒、术后躁动、谵妄等特殊患者，专人床旁看护，必要时可使用约束带，防止坠床、脱管、窒息等意外发生。

4）约束带不可固定过紧，防止造成神经损伤。定时观察，每15分钟检查1次，观察肢体末端血运，按摩受压肢体，3～5分/次。

5）高龄、瘦弱、苏醒延迟、被迫体位患者骨隆突部位垫水袋、软枕等，防止局部皮肤受压。

6）定期检查接送车性能，保持其性能良好，防止接送途中摔伤患者。

（3）防止用药错误

1）使用任何药物，应先双人核对药品名称、剂量、浓度、使用方法后方可使用。

2）瓶签脱落、字迹不清或有疑问时，严禁使用。

3）药品空安瓿，应保留48小时，以备查对，未经许可，不可拿出本科室。

4）执行口头医嘱用药时，要复诵一遍医嘱，及时记录并补录医嘱。

5）抽吸药品时严格执行"三查七对"，防止用药错误。配置好的药品必须贴上标签，注明药品名称、剂量、浓度、用药时间。

（4）防止输血错误

1）严格执行输血查对制度，输血时由2名医护人员共同到患者床旁认真核对患者姓名、科室、床号、住院号、诊断、血型、交叉配血试验单、输血种类、输血量。输血前双人再次核对后进行输血，在医嘱单及交叉配血试验结果报告单上双签名，填写输血安全护理记录单，输血后再次查对。

2）建立单独输血通路，输血前后用生理盐水冲洗输血器。凡输2袋以上的血液时，应在两者之间输适量生理盐水，两者不可直接混合。

3）输血时应先慢后快，再根据患者病情和年龄调整输注滴速，并严密观察输血后反应。有特殊反应者，应保留余血备检。输血毕，保留血袋，以备查对。

4）输血开始、结束时间及输血量，由PACU护士记录于麻醉恢复室记录单上。

（5）防止增加感染

1）所有护理人员应加强无菌观念，熟悉无菌技术，严格执行无菌技术操作常规。应监督自己及他人有无违反无菌技术原则，发现时应立即纠正。

2）保持患者手术切口周围、无菌敷料干燥。

（四）麻醉恢复室患者转入、转出标准

1.转入标准

（1）收治范围

1）全身麻醉（带有气管导管或喉罩）术后患者。

2）手术间拔除气管导管后，病情不稳定或出现麻醉后并发症的患者。

3）阻滞平面较高，有可能出现并发症或呼吸循环不稳定的椎管内麻醉患者。

4）急诊全麻术后患者。

5）意识未清醒或呼吸循环不稳定的基础麻醉患者。

（2）排外条件

1）病情危重，循环不稳定，仍需血管活性药物维持者。应在不间断监测和治疗的条件下转入ICU。

2）呼吸衰竭、其他多脏器功能不全或衰竭者，休克尚未彻底纠正者，或估计较长时间呼吸仍不能恢复者，或出现呼吸系统并发症，复杂的口腔、咽腔等特殊部位手术后的患者，仍需行呼吸支持或严密监测治疗的患者，应在呼吸机支持和监测的条件下转至ICU。

3）心肺复苏后患者直接转入ICU。

4）术前即有昏迷、呕吐误吸等情形者，直接送ICU。

5）感染伤口大面积暴露的患者。

6）特殊感染的患者（活动期肺结核、多重耐药菌感染、炭疽杆菌感染、气性坏疽、破伤风及HIV感染者、狂犬病患者等）。

7）其他医院感染管理规范规定需要特殊隔离的患者。

8）其他器官、系统功能异常或病情需要需转入ICU进一步治疗的患者。

2.PACU全身麻醉患者转出标准

（1）全麻患者改良Aldrete评分≥9分，血气分析结果大致正常，方可转出麻醉恢复室。

（2）凡术后在麻醉恢复室用过镇静、镇痛药的患者，用药后至少观察30分钟，方可转出。

（3）如病情严重或出现呼吸道并发症，仍需呼吸支持或严密监测治疗者应在呼吸支持或监测的条件下转至ICU。

（4）能深呼吸或有效咳嗽，保持呼吸道通畅，吞咽及咳嗽反射恢复；通气功能正常，呼吸频率为12～20次/分，$PaCO_2$在正常范围或达术前水平，面罩吸氧时PaO_2高于9.33kPa（70mmHg），SpO_2不低于术前的3%～5%。

（5）术后用麻醉性镇痛药或镇静药后，观察30分钟无异常反应。

（6）无急性麻醉或手术并发症，如呼吸道梗阻、恶心呕吐、气胸、活动出血等。

（7）血压、心率改变不超过术前静息值的20%，且维持稳定30分钟以上。

（8）核心体温在正常范围。

（9）疼痛评分VAS<3分方可出室（见表13-9）。

表 13-9 改良 Aldrete 评分

分值标准	2分	1分	0分
活动	自主或遵嘱活动四肢和抬头	自主或遵嘱活动二肢和限制的抬头	不能活动肢体或抬头
呼吸	能深呼吸或有效咳嗽,呼吸频率和幅度正常	呼吸困难或受限,但有浅而慢的自主呼吸,可能用口咽通气道	呼吸暂停或微弱呼吸,需呼吸机治疗或辅助呼吸
血压	麻醉前±20%以内	麻醉前±(20%~49%)	麻醉前±50%以上
意识	完全清醒(准确回答)	可唤醒、嗜睡	无反应
SpO_2	呼吸空气SpO_2≥92%	呼吸氧气SpO_2≥92%	呼吸空气SpO_2≤92%

3.椎管内麻醉转出标准

(1)呼吸循环稳定。

(2)麻醉平面在T_6以下,感觉及运动神经阻滞已有恢复,交感神经阻滞已恢复,循环功能稳定,不需用血管活性药物。

(3)超过最后一次麻醉用药1小时。

(4)若用过镇痛药者应待药物作用高峰期过后再转回病房。

(五)麻醉恢复室交接班制度

1.每班必须按时交接班。在接班者未接清楚之前,交班者不得离开岗位。

2.每日晨组织大交班,全体工作人员参加。值班护士报告前日麻醉恢复室患者情况及特殊患者病例。护士长可安排讲评、提问及讨论,布置当日工作重点及提出应注意改进的问题。

3.严格床旁交接班,交班内容突出患者病情变化、诊疗护理措施执行情况、皮肤情况、出入量、各种管道和仪器设备运行等情况。交班中发现疑问,应立即查证。

4.交班前,值班护士应完成各种物品、药品的清点,检查各项工作完成情况。当面清点麻醉药品、第一类精神药品、特殊贵重药品及物品、设备等,要求账物相符,并进行登记签名。

5.手术后入PACU患者,由麻醉医生、外科医生、手术室护士携便携式指脉氧夹护送并与PACU医生、护士交接班,双方认真核对病历姓名、性别、年龄、住院号与腕带是否一致,清醒患者可询问患者姓名与病历姓名是否一致。

6.PACU患者达到出室指征时,PACU麻醉医生再次评估并下达转出医嘱,PACU护士电话通知病房。PACU麻醉医生签字确认,麻醉护士携带转运监护设备将患者安全护送回病房,与病房护理人员详细交接。若患者需要转送ICU,则由病区医生和麻醉医生及运输人员一起护送。

7.患者入PACU时,需PACU医生、PACU护理人员、巡回护士、手术医生、主麻医生共同完成交接。交接内容包括:

(1)主麻医生交接

1)术前情况:患者基本信息、生命体征、既往史、用药史、过敏史、临床诊断、手术名称、麻醉方式、气道情况、各种检查及实验室检查结果等。

2）术中情况：①术中用药情况。所用麻醉药物（麻醉用药包括麻醉诱导、维持用药）的剂量和给药方式，最后一次给药剂量、时间，是否用过拮抗剂、血管活性药物等情况。②术中生命体征（血压、脉搏、呼吸、血氧饱和度、气道压、$P_{ET}CO_2$、尿量、神志和体温等）、血气分析结果，有无特殊操作、特殊情况的处理或病情变化等。③气管内导管的深度和型号以及动静脉导管穿刺情况。④术中出入量（失血量、输血及输液情况、尿量等）。

3）术后情况：术后镇痛、预计可能发生的并发症及特殊注意事项。

（2）巡回护士交接

1）核对资料：病历、病员服、影像学资料、药品、物品（假牙、饰品等）。

2）管路：中心静脉、外周静脉情况以及各种导管如胸腔和腹腔引流管、营养管、胃肠道减压管、导尿管（出入PACU时尿量应≤100mL）等保持引流通畅，妥善固定，密切观察引流液的量、色、性质。

3）安全检查：核对所带液体、血液制品，详细交接患者皮肤情况（注意手术体位压迫处及易受压的骨突处）。

（3）外科医生交接

1）所施手术名称、方式及术中特殊情况。

2）术后应特别注意观察的问题。

3）预计可能发生的并发症及特殊注意事项。

8.患者转出PACU交接内容：手术名称、生命体征、留置管道、伤口情况、皮肤情况、输血输液情况、镇痛装置、特殊情况、麻醉方式、麻醉记录单等。

9.交接班要认真仔细，接班人员接班后要对职责范围内的一切护理问题负责。

（六）麻醉恢复室患者转运制度

1.患者转入PACU前由麻醉医生及巡回护士全面评估病情，做好转运前各项准备，携便携式指脉氧夹监测转运途中患者生命体征，确保转运途中患者安全。

2.麻醉医生或巡回护士提前10分钟电话通知PACU护士，让PACU护士了解患者情况，准备必要的设备及调节合适的呼吸机参数，制订患者监护计划，并分配相应能力的护士。

3.转运患者需由麻醉医生、外科医生和巡回护士共同送至PACU，入PACU室后，即刻连接麻醉机、心电监护仪等，妥善固定各管路，记录其生命体征。

4.麻醉医生、外科医生和巡回护士须和PACU麻醉医生、护士进行详细交接（术前情况、术中情况、术后情况、麻醉情况、各种管路情况、全身皮肤情况，核对资料并进行安全检查等）后，方可离开。

5.评估PACU患者恢复程度，改良Aldrete评分≥9分，椎管内麻醉患者麻醉平面在T_6以下，达到出室标准后，麻醉医生开具转出医嘱，护理人员通知运输人员，准备离开麻醉恢复室。

6.按要求完善PACU记录单，麻醉医生、护士双签字，核查记录单。

7.由PACU护士将患者转运出PACU，所有出室患者务必携带转运监护设备（特殊患者携带氧气瓶、便携式指脉氧夹或转运监护仪、转运呼吸机等监护设备）与病房护理人员详细交接（手术名称、生命体征、留置管道情况、伤口情况、皮肤情况、输血输液情况、镇痛装置、麻醉方式、麻醉记录单、特殊病情），PACU护士确保患者携带转运监护设备，生命体征平稳，输液通道通畅，方可将患者送回病房。

8.患者转运期间全程使用便携式指脉氧夹监测患者生命体征，确保患者生命安全。

（七）预先麻醉工作制度

1.预麻室工作人员在科主任及护士长领导下，负责预麻室相关临床护理工作及协助麻醉医生进行预先麻醉配合工作。

2.预麻室护理人员须经过专业培训，具有扎实的麻醉专科理论知识和熟练的操作技能，能及时发现患者的异常情况，配合麻醉医生完成手术患者的麻醉诱导；遇紧急情况及时通知医生并配合抢救；协助完成麻醉相关医疗文书的书写，熟练掌握气管插管、动脉穿刺置管术等操作。

3.熟练掌握各种麻醉监护仪器和设备的原理、性能、使用方法。预麻室内各种设备、耗材、器械及药品应分类管理，规范标识，固定基数，定位放置，定时检查补充，消毒备用。

4.做好患者预先麻醉前的各项评估、健康教育及心理护理，检测动脉血气分析，严密观察患者生命体征及病情变化，发现异常及时报告麻醉医生并配合处理。如有心电监护仪、麻醉机等仪器设备报警或故障，立即检查并采取处理措施。

5.预麻室工作人员须履行各自的工作职责，严格遵守预麻室的各项规章制度，坚守工作岗位，未经批准，不得随意调班。

6.按整体护理要求为预麻患者提供安全、高质量护理，严格遵守无菌技术操作原则，控制进、出预麻室的人员。

7.严格执行预麻前"三方核查"要求，严防医疗事故发生。

8.患者转出预麻室前，要与相应手术间联系，由主麻医生和巡回护士共同将患者携便携式指脉氧夹转入手术间，严格执行患者交接及转运制度，同时做好记录。

9.预麻室内应保持整洁、安静、舒适，非相关工作人员不得入内。

（八）镇痛管理工作制度

1.麻醉科镇痛工作在科主任、护士长的领导下，由镇痛小组全面负责，其他医护人员应积极协助完成。

2.护士应掌握电子注药泵的工作原理、参数设置、使用方法、常见故障处理，对不能处理的故障，及时通知相对应的工程师，定期督促设备工程师，对镇痛泵检查、维修、保养。

3.护士严格遵医嘱配药，确定电子注药泵的药名、剂量、给药途径、用药方案，不得擅自更改医嘱配方，若有疑问，应核实清楚后配置，避免配药错误，及时在术后镇痛管理系统录入患者信息，以便实时监控信息。

4.已完成配置的镇痛泵需经双人核查、减压、排气后方可安装，使之运行并将其锁定。

5.PACU患者返回病房时，需检查电子注药泵的连接情况，泵体、管道有无漏液，运行是否正常，确认疼痛评分＜3分，并向患者及家属详细介绍电子注药泵、PCA按键的使用方法及使用后可能出现的不良反应。

6.建立专人专管配泵和术后连续至少3日（一日一次）的随访制度（特殊患者＞1次/日），

建立术后患者镇痛访视表，访视表的内容项目要按要求认真填写完善，以备随访记录使用。

7.对患者访视之前应先自我介绍，说明来意，了解镇痛泵的使用情况，观察和询问镇痛效果，填写访视表的各项内容，根据患者反馈的信息调整镇痛治疗方案。若疼痛评分≥3分，联系镇痛医生，镇痛值班医生再次评估并调整镇痛方案或给予联合其他镇痛方式，直至疼痛评分＜3分。

8.发现有镇痛泵相关不良反应时，与病房护士、主管医生及时沟通，汇报麻醉医生处理，观察治疗效果及评估疼痛程度。

9.进一步指导患者及家属合理使用镇痛泵，教会患者根据自身疼痛情况自我管理疼痛。

10.对参与疼痛治疗的医护人员进行定期培训，定期进行镇痛相关知识的小讲课，进行知识更新，每周对之前的工作进行总结，做到及时反馈。

11.加强对临床科室医护人员镇痛治疗知识的普及和宣传工作，加强疼痛治疗相关方面的培训，以便在临床工作中取得支持和理解。能及时反馈镇痛治疗过程出现的问题，提高术后患者的镇痛质量和患者满意度。

（九）药品管理制度

在科主任、护士长的领导下，具有护士执照的护士按照相关规定实施双人管理药品。科室指定专职人员负责麻醉、精神药品的管理。建立麻醉、精神药品使用专项检查制度，定期组织开展检查，并做好记录。

1.普通药品

（1）麻醉药车表面有普通药品基数，按基数每日补充。

（2）督促麻醉医生及时开具所用普通药品的医嘱。

（3）领回的普通药品清点数量，检查有效期，按有效期先后顺序放入药柜内。

（4）二级库房药柜药品入库、出库等使用后及时上锁，药品班护士负责每日库房药品的出入库，并做好出入库登记。

（5）每月末盘点一次库房药柜药品数量并及时上报主任、护士长，每月末检查药品有效期。

2.麻醉药品、第一类精神药品

双人双锁，基数固定，专柜（保险柜）保存，专用账册，专用处方，专用登记本。登记内容包括：日期、药品名、剂量、规格、单位、数量、批号、发药人、复核人和领用人签字，做到账物、批号相符。

（1）麻醉、精神药品按照相关管理条例管理，分管麻醉、精神药品的负责人应掌握相关的法规和政策，熟悉麻醉、精神药品的使用和安全管理工作。定期接受有关法律、法规、专业知识、职业道德的教育和培训。

（2）存放麻醉、精神药品应配备保险柜，配备必要的防盗设施及监控。麻醉、精神药品杜绝丢失、短缺，按处方和批号回收安瓿并妥善保管。

（3）如遇安瓿丢失，应及时寻找，确认丢失时麻醉科护士与麻醉医生当面核对并登记丢失安瓿的名称、数量、地点、日期、时间、安瓿批号，双方签字确认，并上报科主任及药房。

（4）领回的麻醉、精神药品核对数量后登记入账。下班前清点麻醉、精神药品总基数，并登记签字。

（5）麻醉、精神药品保险柜内保存，一人保管钥匙，一人管理密码，两人同时在场打开保险柜。

（6）发药前清点麻醉、精神药品数量，麻醉医生携麻精药品箱以及空安瓿凭领药单领取麻醉、精神药品，护士根据处方核销药品数量，剩余药品和空安瓿如数收回。每日统计核对麻醉、精神药品基数，空安瓿数量与处方药品数量相对应。

（7）将处方和相应数量的空安瓿交药房，双方确认签字，按处方领药。

（8）专用账册登记麻醉、精神药品出入库数量，按有效期先后顺序放入保险柜内。

（9）专用处方：麻醉药品用"麻醉"处方，第一类精神药品开"精一"处方，第二类精神药品开"精二"处方。

（10）专用登记本登记：患者重要信息，使用药品剂量、剩余剂量和处理方式，医护双方签字，要求可以根据登记追溯到患者、医生、护士本人。

（11）若发现药品有沉淀、变色、过期、标签模糊等情况，停止使用，报药剂科处理。

（12）麻醉药品处方保存3年，精神药品处方保存2年。

（13）做好麻醉、精神剩余药品使用和废弃量登记。使用后剩余的麻醉、精神药品及其他对他人具有潜在危险性药品的处理，由执行人员和另一名医务人员监督，双人核对，监控下正确处理，并做好记录。

3.高危药品

高危药品是指药理作用显著且迅速、易危害人体的药品，包括高浓度电解质制剂、肌肉松弛剂及细胞毒化药品等。

（1）建立科室高危药品清单、摆放及库存原则、标准化操作规程，同时做好倡导教育工作。

（2）高危药品单独专柜（专区）存放，不可与其他药品混放，其中药品名称、外观或外包装相似及多规格、多剂型的，应错开摆放并贴上"高危药品"警示标识。

（3）手术间高危药品有基数，并贴有"高危药品"警示标识，使用后及时补充。

（4）领回的高危药品清点数量，检查有效期，按有效期先后顺序放入柜内，有计划地提前在有效期内使用，剩余高危药品及时退回药房。根据院内药品变动及医疗需求及时更新高危药品信息。

（5）肌肉松弛剂、酚妥拉明和胰岛素等药品专用冰箱保存，每日进行温、湿度检测，如停电导致冰箱断电，应将冰块置于冰箱最底层，保持冰箱内温度。

4.急诊麻醉治疗车及麻醉药、第一类精神药药箱内药品管理

（1）急诊麻醉治疗车内药品供急诊白班、夜班医生麻醉使用，基数固定，护士与值班医生当面清点，双人签字。所用麻醉、精神药品做好登记，并签名。

（2）麻醉治疗车内药品标识清楚，便于取放，定期检查药品有效期。

（3）清点核对处方与药品数量，如有丢失，立即追回。

（4）夜班预留的麻醉、精神药品存放于急诊专用麻醉、精神药箱内，需要冷藏保存的药品存放于专用冰箱内。

私自外借麻醉药品属违法行为，特殊情况下需有科主任批示，违犯者上报护理部，按照相关规定处罚。

（十）耗材管理制度

1.普通耗材

（1）耗材管理工作由总务班专人负责，并在科主任及护士长的领导下开展工作。

（2）耗材计划实行周报或月报制，每周在系统提交本周及下周所需的耗材预订计划，也可每月末制订下个月的耗材预订计划，与总务库房相互协调，保证日常工作中的耗材供应。

（3）接收耗材时查看耗材包装是否严密，是否在灭菌有效期内，进口耗材是否有对应的中文标志，按照制订的计划清点数量。

（4）耗材入库前，去除外包装至最小包装，按照感染管理办法放至相应的位置。

（5）每日根据次日手术清单发放耗材，并有出入库登记本。

（6）定期清点库房，核查出入库的数量及记录。

（7）建立专柜保存近3个月失效的物品。

2.高值耗材

（1）科室制定高值耗材管理制度，并严格落实执行。高值耗材管理由科主任、护士长总负责，总务护士主要管理，办公护士协助管理。设立高值耗材库，高值耗材使用"医用装备管理系统"申领、消耗，并同时使用高值耗材登记本，每日由总务护士与办公护士清点、核查并登记，确保出入库数量，账物相符。

（2）高值耗材规范申领，严格执行出入库管理。为确保耗材管理制度全员落实执行，总务护士每3个月一轮岗。

（3）总务班护士根据手术量需求，每周定期向总务库房提交高值耗材计划单，通过审核后，由运输人员协助总务库房进行配送，总务班护士接收耗材并审核（核对名称、数量、有效期、质量、批号），做到电脑、实货、供货单三方一致，审核无误及时入库。审核护士在三联单签名。

（4）麻醉高值耗材在手术或者院内急救时使用，由麻醉医生或麻醉护士遵医嘱执行使用。

（5）总务护士每天根据次日手术需求摆放高值耗材，并在麻醉高值物品申领单做好登记，麻醉医生操作前、中、后与预麻室护士或者巡回护士共同核对高值耗材名称、规格型号、有效使用期限，并检查包装是否完好。手术室外使用时，由麻醉医生向总务护士申领，并在麻醉科临时高值物品申领单上登记。

（6）高值耗材按规定分类摆放，按照型号、用途、储存要求、使用有效期限等科学合理、整齐摆放，各类耗材数量充足，保障手术使用量。

（7）严格核查高值耗材使用记录，如实、精准收费，确保账物相符。手术当日或者次日由办公护士根据麻醉记录单、高值申领单严格核对麻醉医生术中所使用高值耗材名称、类型、数量等，严格核对患者的信息，均需做到医疗文书如实记录，费用不得多记、漏记，确保账物相符。使用后的耗材装入医疗垃圾袋进行规范处理。

（8）高值耗材账物清楚。每月月初护士长和办公班护士对上月全月使用耗材做发票账物登记，所有发票经科室主任和护士长双签名，确保账账相符。

（9）高值耗材定期盘点。每月末由总务、办公护士对库存的耗材进行一次盘点（医用装备管理系统、耗材登记本、耗材实物数量、有效期），与护士长共同核查，及时发现问题，及时沟通解决。

（10）体外循环、日间、介入等外围手术高值医用耗材收费记录单，手术结束后麻醉医生、办公护士、总务班护士三人核对，确保记录准确。

（十一）麻醉科仪器设备管理制度

1.在科主任、护士长监督，设备组协助管理下，由专人负责管理。

2.建立科室仪器设备档案，内容包括：设备名称、型号、规格、生产厂家、编号、购买日期、管理负责人、维修负责人等。

3.建立麻醉设备负责人表，由麻醉医生和麻醉护理人员共同管理。每周相应术间负责人需将术间设备、设备配件、物品等使用及运行情况向护士长汇报。

4.建立各种仪器设备使用操作流程，医护人员必须经过培训，了解仪器性能及操作规程、使用注意事项后方能操作仪器，必要时还需经过考核，方可使用。

5.建立仪器设备运行记录本，每日仪器使用后，将使用情况、时间、使用人员和维修情况等记录在登记本上。

6.建立仪器设备维修记录本，出现故障后，使用人员应在当日报告护士长、主任及设备组成员，尽快联系相关部门进行维修。

7.每台手术结束后均应用消毒湿巾进行设备表面擦拭，由专人负责定期对设备进行基本保养，由设备部门负责各种仪器每年强检工作，有检修记录，确保仪器设备性能良好，处于备用状态。

8.每种仪器设备定人、定位、定量、定期管理。

9.麻醉仪器设备的购置由科室提出申请，经医院医疗设备委员会批准后按照国家有关规定购置。仪器设备报废由科室管理人员填写报废申请单，经维修部门确定、科主任签字确认，报医院设备管理部门审核。

10.在使用过程中凡因不负责任或违反操作规程而损坏仪器设备者，应根据医院赔偿制度进行赔偿处理。

11.任何仪器设备未经主任、护士长允许不得外借，特殊情况下需由科主任批示，并附借条，双人核对签字。注：抢救仪器设备不予外借。

（十二）麻醉科消毒管理与监督制度

1.医务人员感染控制管理

（1）工作人员进入工作室，必须更换手术室内用鞋、洗手衣裤，戴口罩、帽子，不得佩戴手链、戒指等饰品。外出时更换外出衣、鞋。

（2）外来参观人员必须更换手术室内用鞋、洗手衣裤，戴口罩、帽子，在指定室间区域参观。

（3）掌握手卫生知识，落实手卫生要求，严格执行各项无菌技术操作规程。

（4）接触患者的体液、血液及传染病患者要戴检查手套。

（5）如不慎被患者的体液、血液触及黏膜或破损的皮肤时，应立即用清水冲洗。

（6）医务人员洗手方法（六步洗手法）

①掌心相对，手指并拢相互搓擦；

②手心对手背沿指缝相互搓擦，交换进行；

③掌心相对，双手交叉沿指缝相互搓擦；

④双手指相扣，互搓；

⑤一手握另一手大拇指旋转搓擦，交换进行；

⑥将五个手指尖并拢在另一手掌心旋转搓擦，交换进行。

2.环境感染控制管理

（1）每日清洁整理吸氧机、吸痰机、心电监护仪、麻醉机等装置，湿化瓶一人一用一消毒。督促保洁人员的清洁工作。

（2）每日及时清理恢复室污物、敷料及杂物，地面采用含氯消毒液拖地，桌面、麻醉机等每日用消毒湿巾擦拭2次。术间每台手术结束后，麻醉机、监护仪等仪器设备表面均需用消毒湿巾擦拭。

（3）被患者血液、体液等污染的地面及物品及时用含氯消毒液进行擦拭。

（4）监护仪导联线一人一用一擦拭，若有血渍、污渍等，可随时用消毒湿巾擦拭，必要时更换消毒。

3.麻醉物品的消毒隔离管理

（1）凡置入患者体腔内或接触患者血液的物品均使用一次性物品，包括气管插管、面罩、人工鼻、牙垫、螺纹管等，一人一用，用毕需毁型弃入医疗废物袋集中回收处理。

（2）全身麻醉气管插管使用非一次性喉镜叶片，一人一用一消毒。使用后的喉镜叶片及时预处理，再统一送消毒供应中心消毒。

（3）每周对急救呼吸气囊统一送消毒供应中心进行消毒，特殊感染患者使用后须即刻送往消毒供应中心进行消毒。

（4）凡进入人体消化道、呼吸道等与黏膜接触的内镜须进行高水平消毒。支气管纤维镜、可视喉镜使用后及时预处理，然后送消毒供应中心清洗消毒，干燥备用，记录使用情况。

（5）每台麻醉手术结束后，麻醉机、监护仪等仪器设备表面用消毒湿巾擦拭，除此之外，每2周麻醉机、呼吸机常规用专用麻醉机消毒剂、呼吸机消毒剂进行整个回路的彻底消毒，特殊感染患者使用麻醉机、呼吸机后须即刻内回路消毒，消毒完成后需打印消毒凭证。

（6）病室内地面和物表（如桌、凳、柜等）保持清洁、干燥，每日（常规2次对空气、医用物品、物体表面）消毒。抹布、拖把等清洁用具要专区专室专用，有醒目标记，用后分别洗净、消毒（抹布用250mg/L、拖布用500mg/L含有效氯消毒液浸泡30分钟以上）、冲净、晾干备用。有明显污染时，随时去污（用吸湿材料），再用400～700mg/L含有效氯消毒液清洁消毒，经血传播病原体、分枝杆菌、细菌芽孢污染的物品用含有效氯2000～5000mg/L的消毒液浸泡30分钟以上。

（7）医疗废物严格按垃圾分类放置，锐器不能与一般医疗废物混放，必须放置于黄色锐器盒内。

（8）特殊感染手术

①接到特殊感染通知单后，上报科主任及护士长。

②准备正负压切换手术间，将手术间内暂不使用的物品移至室外，并备齐手术所需

要的物品。

③手术室外悬挂隔离标志，将空调系统调制负压状态。

④手术室内外各设一名巡回护士，严格控制进入手术间的人员。

⑤参加手术人员皮肤完整无破损。穿防护服，带双层外科口罩、全包式手术帽及护目镜，戴双层手套，穿鞋套。

⑥手术结束后，患者在手术间内拔管复苏，从专用通道将患者送出手术室。

⑦患者使用后物品及器械装入双层医用黄色垃圾袋内，封口，袋外注明感染类型及日期，通知消毒供应人员及时收取，特殊处理。

⑧定期请感控科采样。

五、介入手术室护理制度

（一）介入手术室工作制度

1.进入介入手术室的工作人员和参观人员均须换手术室专用口罩、帽子、衣裤和鞋。严格遵守各项规章制度，严格执行各项操作规范。手术人员应穿好铅衣，戴铅帽，围铅围脖，做好个人防护，手术期间关闭手术间防护门。

2.建立常用手术器材登记。准备器材时逐项核对，同时检查器械性能、导管及耗材型号，保证适合手术患者，避免浪费。如系特殊重大手术，术者应亲自核对检查。

3.灭菌手术包必须符合规范。传染病患者的手术敷料尽量使用一次性的，器械用后应及时进行规范处理。

4.严格落实介入手术室的环境清洁，物表和空气消毒；定期进行各项细菌培养监测并记录。

5.各类手术包和器械专人负责。每天检查、补充、清点、更换。

6.各类器械、药品、导管及耗材应由专人保管，建立严格的出入库登记。应放在固定位置，用后放回原处。

7.介入手术患者术后要详细登记信息，准确计费。

8.加强安全管理，室内严禁吸烟，保持安静，切勿高声喧哗。

（二）介入手术室一次性耗材管理制度

1.一次性耗材必须是经医院统一招标、三证齐全、设备科审核后从医院库房申领，严禁科室私自接受厂商耗材。

2.申购程序原则上由手术科室科主任申领，介入手术室护士长统一保管，由专职护理人员担任库管员，分工明确，各司其职，严格落实出入库登记管理。

3.一次性耗材实行先备货并附供货明细单，耗材使用后每月结算1次。

4.介入材料使用耗材管理系统信息化管理，使用后及时准确扫描记录，每月盘点1次结余，确保耗材无过期、账物相符。

5.一次性使用无菌耗材必须放置在专用无菌柜内，防潮、防虫蛀、防毁损（悬挂或平摊，忌折叠）。

6.一次性耗材严禁重复使用，必须确保一人一针一管。垃圾分类处置，专人处理，并做好交接签字。

7.一次性耗材原则上不外借，必要时须经护士长、科主任签字同意后方可外借。借条必须注明单位、借物人姓名及联系电话，交库管员保管，在月底盘点前必须归还。

（三）介入手术室仪器设备及贵重物品管理制度

1.医疗仪器要由专人负责保管，定期检查，认真保养，班班交接。

2.使用仪器须掌握性能，严格遵守操作规程。

3.使用后规范关闭仪器，切断电源。

4.定期进行清洁、维修，保持性能良好。

5.除颤仪定期检查、充电，保证正常使用。

（四）介入手术室放射线防护制度

1.严格执行国家《放射防护规定》，充分利用时间、距离和屏蔽进行外照射的防护。

2.从事放射工作的人员应具备必要的防护知识，严格遵守操作规程，并采取适当的个人防护措施。

3.经常检查防护物的防护效能，各种放射源只能在国家规定剂量的条件下使用，避免工作人员接受超量照射。

4.放射专业工作人员在任何情况下都不允许暴露于原发射线束之中，在不影响诊疗质量的情况下，尽量缩短治疗时间。

5.从事放射性工作的人员，要定期进行健康体检，建立健康档案。其白细胞、血小板在规定标准线以下者，可暂时脱离接触放射线，并给予治疗。

6.长期从事放射线工作的人员，根据国家有关规定，享受相应的保健待遇。

六、分娩室工作制度

（一）分娩室工作制度

1.工作人员进入分娩室须戴帽子、口罩、洗手衣及室内专用拖鞋，非分娩室工作人员不得随意入内。

2.工作人员必须态度和蔼、热情接待新入室的孕妇，严密观察产程，严格遵守各产程护理常规和助产技术规范；做好人性化服务，减轻孕产妇心理压力，发现异常及时汇报医生，工作期间不得擅离职守。

3.保持室内清洁，定期通风，每日湿性打扫2次，空气消毒机消毒2次。每月大扫除1次，每季度做空气、物表细菌培养1次。

4.分娩室相关要求。各种抢救物品、药品准备齐全；所用抢救设备、仪器均在备用状态；一次性物品、无菌物品均在有效期内，且固定放置，专人管理，定期检查，及时补充更新；所用物品均不外借。孕妇入分娩室后，严密观察产程进展，第一产程早期每30min听胎心1次，第一产程末10～15min听胎心1次，第二产程5～10min听胎心1次，臀位者每次宫缩后听胎心1次，如胎心异常可持续电子胎心监护。

5.接生前按外科洗手法进行洗手；接生后清理产床，整理用物，垃圾分类处理，向家属及产妇交代胎盘处置情况，并签署知情同意书。

6.严格交接班制度，助产士应对胎心、产程进展及高危因素进行重点交接，同时做好财产、物品的交接。

7.孕妇在分娩过程中需转为剖宫产时，助产士须完成术前准备，完善病历，填写手术接送单，与手术室人员进行交接。

8.接生人员应及时、准确填写分娩记录、新生儿记录、总结产程图,做好各种登记。

9.产妇分娩后,在分娩室观察2h,每30min观察母婴的生命体征及产妇子宫收缩情况、新生儿脐带有无渗血,指导母乳喂养,并填写护理记录单。转至母婴同室病房时注意做好母婴的保暖,与责任护士床头交接,共同核对新生儿出生时间、性别、体重、Apgar评分,母乳喂养情况等。

10.促进母乳喂养,实行早接触、早吸吮、早开奶。

11.严格执行消毒隔离制度,做好分娩室的消毒隔离制度。

12.凡有传染病或未做产前检查的孕妇在隔离分娩室分娩,使用一次性产包,器械按相关规定处置,胎盘交由医院处理,并签署知情同意书。

（二）分娩室查对制度

1.在交接班时应将每一位孕产妇的情况进行床头交接。

2.对新入室的孕妇,要认真与病房护士及急诊护士交接,并核对孕妇信息。

3.新生儿娩出后,应检查眼、耳、口腔、手指、足趾、生殖器、肛门、脊柱等部位有无畸形,并抱给产妇识别、核对性别等。

4.确认住院号、新生儿性别、体重无误后将新生儿右脚印、母亲右拇指印印在新生儿病历上。

5.遇抢救时,助产士在执行口头医嘱时必须大声复诵一遍,经核实无误后执行,并保留空安瓿,抢救结束后及时补录医嘱、各种记录,补充药品、物品等。

6.使用毒麻药品,需2人核对无误后方可使用,并做好登记。

7.母婴转回病房时,助产士要再次核对新生儿腕带、胸前牌与病历（新生儿记录、分娩记录）是否一致。

（三）高危妊娠患者管理制度

1.进入产房的高危妊娠产妇,由专人护理,严密观察其生命体征、产程进展、宫缩、胎心等,每5～10min听胎心1次,必要时持续监测胎心。

2.备好抢救物品、药品,做好随时抢救的准备,同时准备好新生儿复苏物品、设备,必要时请儿科医生到场协助抢救。

3.拉起床护栏,防止产妇坠床。

4.宫口开全后请值班医生查看患者。

5.必要时启动快速反应团队,完成抢救工作,保障母婴安全。

（四）分娩室医院感染管理制度

分娩室医院感染管理在普通病房医院感染管理的基础上应达到以下要求:

1.环境卫生要求

（1）凡进入分娩室的工作人员须更换衣裤及鞋,戴好帽子、口罩。

（2）接触患者前后,医护人员须进行手卫生。

（3）工作人员离开分娩室,因事外出须更换衣裤及鞋。

（4）产妇进入分娩室必须更衣换鞋。

（5）布局合理,严格划分无菌区、清洁区、污染区,与母婴病室相邻近。

（6）用500mg/L含氯消毒剂擦拭待产室、分娩室的门窗、桌椅等,每班用500mg/L含氯消毒液擦拭地面1～2次,传染病产妇分娩后用1000mg/L含氯消毒液擦拭地面。

（7）分娩室每日通风，使用空气消毒机进行空气消毒，每季度空气培养1次，分娩室和待产室每周进行1次大扫除，并对室内空气和家具物体表面消毒1次。

2.消毒隔离要求

（1）接生前按洗手常规刷手，刷手用物一用一消毒。

（2）接生时按规定操作，处理新生儿按无菌操作规程进行。

（3）接生后，所有物品分类处置，更换产床被服及产垫。

（4）产床每次使用后，应用消毒液擦拭。

（5）须更换待产床上的全部被服后，才能接受新的待产妇。

（6）单独设置隔离病房，凡隔离者按隔离技术规程和助产所用过的布类和物品，均应在待产室和分娩室内进行严格终末消毒处理。

（7）遇有急诊无化验单或传染病（梅毒、艾滋病）等传染病的孕妇，分娩后器械先消毒后清洁，单独放置；使用一次性产包，一次性医疗废物使用双层垃圾袋。

（8）待产室和分娩室等的卫生用具分室专用，标记明确，分开清洗，悬挂晾干，定期消毒。

（9）按照规定监测使用中的消毒液浓度，并做记录。

（10）保持工作拖鞋清洁，每天清洗1次。

（11）其他消毒隔离要求详见第二章第四节相关内容。

〔五〕母乳喂养宣教制度

1.对孕妇及家属进行母乳喂养知识宣教。

2.临产后向孕妇详细介绍母乳喂养的相关知识，发放母乳喂养宣教手册。

3.分娩后2h内进行早接触（不间断皮肤接触），出生后关注新生儿寻乳行为，协助其完成第一次母乳喂养。

4.责任护士指导母亲正确的哺乳姿势，及婴儿的含接姿势，做好乳房护理，指导母乳喂养。

5.指导纯母乳喂养6个月。

6.指导母亲挤奶、按需哺乳。

7.出院后继续给予母乳喂养的指导，提供咨询电话。

〔六〕母婴同室管理制度

1.母婴同室工作人员必须经过系统母乳喂养知识的学习培训，并在工作中不断学习母乳喂养的新知识。

2.母婴同室要保持空气清新、安静、舒适、湿度适宜。

3.产妇入母婴同室病房后给予母乳喂养的指导，教会产妇哺乳姿势、体位、方法及婴儿含接姿势，按需哺乳，同时做好乳房护理。

4.护理人员定时巡视，密切观察母婴情况，发现异常及时报告医生。

5.对母婴同室的新生儿进行常规护理及预防接种等工作时，母婴分离时间不能超过1h。

6.接种卡介苗、乙肝疫苗等由专人负责，做好相关登记。

7.非本室工作人员不得随意进入母婴同室病区，严格执行探视制度，控制探视人员。

8.出院前向产妇及其家属进行母乳喂养等相关知识的宣教，做好随诊复诊工作。

9.母婴出院时工作人员清点物品，病房进行终末消毒。

（七）新生儿查对制度

1.新生儿出生后由助产士托起新生儿臀部，请母亲看清生殖器并告诉助产士核对无误。

2.填写新生儿腕带、胸前牌，内容为：母亲姓名、住院号，新生儿体重、性别、出生时间（具体到分钟），病历上按新生儿脚印及母亲手印。

3.新生儿沐浴前，查母亲姓名、床号、住院号，新生儿体重、性别，沐浴后与监护人进行反向核对。

4.各项护理操作前后，应核对新生儿性别及腕带、胸前牌信息是否相符，并检查新生儿腕带有无松动、遗失、字迹模糊等情况，必要时更换新腕带。

5.出院时，护士应与母亲或家属共同核对出院证、新生儿腕带、胸前牌信息是否相符，确认无误后签名，撤除腕带、胸前牌，办理离院手续。

（八）引产胎儿及死胎儿管理制度

1.主管医生根据患者的病情，于分娩前与孕妇及其家属沟通，确认引产儿或死胎儿的去向，请家属签字确认。

2.分娩后，接生者详细书写分娩过程；妊娠28周及以上者书写分娩记录，并登记于分娩登记本上，不足28周者书写病程记录中，并登记于引产登记本（详细记录胎儿的身长、体重、性别、有无畸形及胎盘情况）。

3.由接生者将引产儿或死胎儿清理包裹后与主管（或值班）医生共同交于家属并记录，请家属签字确认。

4.任何工作人员不得私自处理、转让、非法买卖引产儿或者死胎儿。

5.体重>500g或孕周>16周的引产儿按殡葬法处理，重量<500g或孕周<16周的胚胎组织按医疗垃圾处理。

七、计划生育手术室护理制度

（一）计划生育手术室工作制度

1.工作人员应坚守岗位，着装整洁，佩戴胸牌，接待患者主动热情、耐心、文明服务，关心体贴患者；严禁议论患者隐私。

2.凡进入计划生育手术室的工作人员，须更换专用的手术衣裤、鞋、帽、口罩，外出时穿外出衣，换外出鞋。

3.严格控制进入手术室的人员，与手术无关的人员不允许入内。

4.凡在计划生育手术室接受检查或手术的患者，应在检查或手术前完成相关术前检查，签署手术及无痛诊疗麻醉知情同意书。

5.应保护手术患者隐私，男医生为患者进行妇科检查时，应有其他女医护人员在场。

6.手术室各区域每日定时清洁消毒，符合感控要求。

7.严格执行消毒隔离制度，检查时做到一人一巾，防止交叉感染。

8.门诊手术患者，术后须留观0.5～2h，待患者完全清醒，可以自理后方可离开手术室，离开前告知患者术后注意事项并带好病历资料及随身物品。急重症患者优先安排就诊及手术。

9.认真、及时、准确登记门诊手术患者信息，妥善保存资料。

（二）计划生育手术室宣教制度

1.凡接受计划生育手术室检查或手术的患者，如人流术、取放宫内节育器、宫腔镜检查术及阴道镜检查术等，术前应详细告知患者病情、手术适应证、并发症、术后注意事项及自我保健知识。

2.告知患者病情及进行健康宣教时，应态度和蔼，语言通俗易懂。

3.患者在理解手术风险、了解并发症后签署《手术知情同意书》和《无痛诊疗麻醉知情同意书》。

4.计划生育手术室应在门口设立健康宣传栏，有纸质版健康宣教资料和电子动画视频资料，医护人员根据患者的实际需求进行个体化健康宣教。

5.护理人员应积极宣传避孕节育、优生优育等科普知识，以多种形式告知患者人工流产、取放宫内节育器等相关知识。

八、消毒供应中心工作制度

（一）消毒供应中心工作制度

1.工作人员按各岗位要求着装上岗，衣帽整齐。禁止戴耳环，禁止戴戒指、手镯，禁止留长指甲及涂指甲油、化浓妆。

2.工作人员不得在工作区域扎堆、聊天、干私活，不得看非医学书、报、杂志。工作时间不会客，不接打私人电话；如遇特殊情况，应更衣、换鞋出工作区域，在生活区处理。外出须更衣、换鞋、更换帽子，每次外出不超过30min。

3.遵守职业道德规范，保持严肃、认真的工作态度，热爱集体，不得做有损集体利益的事。

4.负责全院各科室可重复使用的医疗器械、教学科研及培训考核所需无菌物品的消毒灭菌供应。

5.根据各科需要配备灭菌物品，按时下收、下送。保障临床诊疗物品供应，定期征求临床科室意见。

6.严格执行国家卫生行业WS310-2016《医院消毒供应中心标准规范》，WS/T《医疗机构消毒技术规范》，严格遵守各项规章制度和操作规程，并落实岗位职责。

7.保持环境清洁，严格划分去污区、检查包装及灭菌区、无菌物品存放区，区域间有实际屏障。

8.做好固定资产管理，设备定期进行检查、保养、维护。严格执行各项质量监测，确保检测结果符合标准，检测记录留档保存。

9.爱护公共财产，禁止在工作区墙面、桌面、信息栏内乱写乱画。禁止在科室内吸烟及将私人物品、食品等带入工作区内。

10.不得私自调班、代班，如遇特殊情况应向护士长申请。

11.工作时间内不得擅离职守，有特殊事外出须向上级主管人员请假。

12.其他事宜按医院工作制度及护理工作制度执行。

13.工作人员应接受相应的岗位培训，掌握各类医疗器械的清洗、消毒、灭菌，职业安全防护及医院感染控制的相关知识。严格执行各类物品的处理流程，保证各类器材、物品完整，性能良好。

（二）质量追溯及质量缺陷召回制度

1.建立质量控制过程与追踪制度。相关记录应易于识别和追溯。灭菌质量监测记录保留期限应≥3年，清洗监测资料≥6个月。

2.追溯系统应记录清洗、消毒、灭菌设备的运行情况和运行参数。

3.追溯系统应记录灭菌的信息：灭菌日期，灭菌器锅号，锅次，装载的主要物品、数量，灭菌员等。

4.灭菌包外的追溯条码信息应包括：灭菌包的名称和条码号、灭菌日期、失效日期、包装者与核对者信息或编号。

5.临床任何质量反馈的处理过程和结果均有详细记录，并妥善留存。

6.对供应的灭菌物品种类、数量应有去向登记。

7.发出物品中一旦发生化学监测、生物监测不合格，或发生同一时间处理的灭菌物品出现多个感染病例时，应尽快通知使用科室停止使用；向护理部和院感科提交书面报告，说明召回原因，立即召回自上次生物监测合格以来所有尚未使用的灭菌物品；分析灭菌物品不合格原因并进行改进；改进后对灭菌器重新进行物理、化学（B-D测试重复3次）及生物监测（空载连续监测3次），监测结果均合格后该灭菌器方可正常使用。

8.使用科室发现包内化学指示卡变色不合格、包外标识错误或湿包时，应立即停止使用，并通知消毒供应中心将物品召回。

9.若临床科室使用同一时间处理的灭菌物品，出现多个感染病例，提出疑问时，应立即召回同批次全部物品，查找原因，再次进行相应监测。

10.消毒供应中心运用信息化管理系统进行全面质量管理。

（三）无菌物品发放与下收下送工作制度

1.下收下送工作人员仪容仪表规范标准，佩戴胸牌，服务态度良好。

2.每日对无菌物品存放区进行清洁，由专人负责无菌物品的发放，严格执行手卫生。

3.各类物品定点放置，无菌物品、非无菌物品分区，且标识明确。每日检查物品有效期。

4.物品摆放遵循"先进先出"的原则，确认灭菌监测结果合格后发放。

5.发放时发放者与下送人员认真核对科室、物品名称和数量，确认无菌物品有效性和包装完好性。

6.发放车及回收车应性能良好、清洁，无菌物品和非无菌物品应分开放置。

7.污物回收应遵循安全、防止污染扩散（人员、物品、环境）的原则，实施封闭式回收，在安全环境下进行物品交换，不在诊疗科室进行面对面清点。

8.下收下送者发物、收物工作明确，避免交叉感染，收取使用过的物品须戴手套。取物时应轻拿轻放，保持病室安静。

9.送收物品完毕后，及时清理发放车和回收车；未发出的物品也应按照污染物对待；送货车和回收车用500mg/L含氯消毒液擦洗。

10.一次性使用的无菌医疗物品应拆除外包装（内包装应完整）后，方可进入无菌物品存放区。

11.严禁一切未灭菌的物品进入该区，已发放至临床科室的未使用灭菌包也不得返回该区域。

（四）外来医疗器械（含植入物）管理制度

1.消毒供应中心的所有外来医疗器械必须经医院设备科招标，并对外来器械供应商的资质进行审核合格后，按程序办理相关手续后方可投入使用。科室不得私自使用外来器械，必须经设备部门批准后方可使用。

2.外来医疗器械供应商应提供器械处理说明书，消毒供应中心根据说明书进行清洗、消毒、包装及灭菌等处理，为保证有足够的处理时间，择期手术最迟应在术日前一天下午3点前将器械送达消毒供应中心，急诊手术应及时送达。

3.消毒供应中心必须与供应商（或手术室护理人员）按照手术所需器械清单共同清点核查，核对器械与植入物的名称、数量、结构和功能的完好性以及其使用科室、使用医生和手术名称等信息，并做好交接登记和标记，确保使用的准确性。

4.清洗前清点、核对所有外来器械，并拆卸至最小单位后清洗，注意同台手术器械分类清洗，勿遗漏，勿混放。

5.严格按照要求进行包装，包内放置第五类化学指示物，包外贴器械包标识。超重的组合式手术器械，应根据器械处理说明书灭菌，重器械摆放在下，轻器械在上，并用吸水巾分隔，不应遗漏和丢失任何外来医疗器械，包外贴器械包标识。标识清晰具有可追溯性，其信息内容包括：器械包名称（注明外来器械）、手术器械总数及植入物名称和数量、灭菌器编号、灭菌日期、失效日期、配包者及包装者等。

6.消毒供应中心确认生物监测合格后将灭菌后植入物发放给手术室，手术室与消毒供应中心进行交接；手术开始前由手术室器械护士和巡回护士共同核对各项信息和植入物标识，确保无误后方可开台手术。

7.紧急情况下（患者生命垂危或肢体障碍等）灭菌植入物时，在生物PCD中加第五类化学指示物，化学指示物合格可提前放行，使用部门填写紧急情况下提前放行记录单。生物监测的结果应及时通报使用科室。

8.手术结束后外来器械在消毒供应中心进行清洗、消毒、干燥，与外来医疗器械供应商交接登记后方可取走。

（五）去污区工作制度

1.严格遵守消毒供应中心消毒隔离制度。

2.着装应符合去污区职业防护要求，工作期间不应跨区域活动，落实职业安全防护措施。

3.回收用具专用，并应在每次使用后进行清洗消毒。

4.回收时应清点物品数量，检查器械功能，如有疑问，及时与临床科室沟通并解决。

5.应严格执行各类物品的清洗流程和清洗机的操作流程，不得擅自更改操作步骤。

6.被朊毒体、气性坏疽及突发不明原因传染病病原体污染的诊疗器械、器具和物品应遵循WS/T367的规定进行处理。

7.工作人员应熟练掌握常用医用清洁剂、消毒液、润滑剂和除锈剂的配置及浓度监测方法。

8.应及时报告设备的故障情况，不得带故障操作，必要时按应急预案处理。

9.工作中如被针刺伤，应按职业暴露处理程序处理。

10.严格执行垃圾分类，医疗废物应分类存放。

11.保持工作区整洁，每日应使用1000mg/L含氯消毒液喷洒或拖拭地面，使用表面消毒湿巾擦拭工作台面，每日开启空气消毒机进行消毒，并记录设备工作时数。

12.工作结束后应做好各类物品使用登记、整理及消毒工作，做好交接班。

13.严格执行交接班制度，每日工作结束后关好门、窗、水及电源。

（六）检查包装及灭菌区工作制度

1.严格遵守消毒供应中心消毒隔离制度，非工作人员禁止进入检查包装及灭菌区。

2.应按要求规范着装，工作人员进入检查包装及灭菌区应做手卫生。

3.工作人员应严格执行器械和物品的检查、包装及灭菌操作流程与标准。

4.器械检查包装台面每次使用后应使用表面消毒湿巾进行擦拭。每日应使用500mg/L的含氯消毒液喷洒或拖拭地面。

5.敷料室仅供制作各类敷料包使用，非工作人员不得入内。

6.严禁一切与工作无关的物品进入，该区所使用的推车、盛装容器等不得随意流动到其他区域，其他区域推车必须进入时应进行清洗消毒后方能进入该区。

7.消毒员应接受岗位培训，持特种设备人员作业证上岗，认真履行岗位职责，严禁违规操作。

8.合理选择灭菌方法及灭菌程序，严格执行灭菌器操作流程。

9.工作结束后，做好相应记录、环境整理及安全检查工作。

（七）消毒供应中心设备、物资及外来器械管理制度

1.建立使用管理责任制，严格遵循使用登记制度。认真检查保养，保持仪器设备处于良好状态，并保证账物相符。

2.设资产管理员（库房管理员兼）一名，协助护士长负责各类仪器设备的申报、报废及建账盘点工作。

3.资产管理员定期组织各区域组长对各类仪器设备进行盘点并登记，记录内容包括设备名称、数量、放置区域等信息。

4.由专人负责仪器设备的日常维护、保养工作，并在资产管理员的指导下，督促设备维修人员制订切实可行的设备日、月、季度、年度维护保养计划。

5.资产管理员指导督促设备管理员制定相应的操作规程及使用注意事项、仪器报警处理指引等。

6.操作人员应严格执行操作规程，发现异常及时上报管理者，严禁擅自拆修。

7.新进仪器设备在使用前应由专人负责验收、调试、安装。组织有关人员培训，操作人员在了解仪器设备的性能、工作原理和使用维护方法后，方可独立使用。

8.资产管理员每月定期检查各类仪器设备的保养计划落实情况及维修登记记录。

9.做好仪器设备的各项登记，以备查证；每年对仪器设备和固定资产进行全面核查。

（八）消毒供应中心质量控制管理制度

1.应目测或使用带光源放大镜检查器械的清洗质量，器械表面、关节及齿牙处应无血渍、污渍、水垢等残留物质或锈斑。

2.每月至少随机抽查3～5个待灭菌包内全部物品的清洁度，并记录检查结果。

3.应每半年对清洗机进行清洗质量监测，合格后方可使用。

4.湿热消毒监测并记录每次消毒的温度和时间。

5.化学消毒根据消毒剂的种类和特点，每日检测消毒剂的有效浓度、消毒时间和消毒时的温度等，并记录。

6.每次灭菌过程均应进行物理、化学和生物监测，并记录相关参数。压力蒸汽灭菌效果监测应包括：

（1）物理监测：每次灭菌应连续监测并记录灭菌时的温度、压力、灭菌维持时间等各项灭菌参数。

（2）化学监测：每个灭菌包均应进行包内、包外化学指示物监测。高度危险物品应放置化学指示物于包内最难灭菌的部位。

（3）生物监测：每日对灭菌器进行生物监测。

7.灭菌器新安装、移位和大修后应进行物理、化学和生物监测，物理、化学监测合格后，连续3次空载行生物监测均合格后方可使用。

8.监测不合格，应立即停用灭菌器，并通知使用部门停止使用灭菌物品，及时召回自上次监测合格以来尚未使用的所有灭菌物品。查找原因，书面报告相关部门，监测合格后方可重新启用灭菌器。

9.应每季度对工作区的空气、物体表面及工作人员手部的细菌情况进行培养，菌落数应符合要求。

10.各种清洗、消毒及灭菌监测记录应符合WS310.3的标准要求。

11.定期对医用清洗剂、消毒剂、润滑剂、洗涤用水和包装材料等进行质量检测，结果应符合WS310.1标准要求。

（九）沟通联系反馈制度

1.由护士长组织实施，落实手术室、日间手术室、介入手术室、计划生育手术室、口腔诊疗中心以及各临床科室的联络负责人。

2.根据各科室专业特点，掌握专科器械种类、结构、材质特点和处理要点，建立规范的工作流程，如相关信息更改，应及时与使用科室沟通。

3.无菌物品发放区应建立质量反馈记录本，详细记录临床科室反馈的问题并及时解决。

4.各工作区电话接听人员以及对外窗口人员应认真倾听反馈者的意见，及时解决问题。不能解决的问题，应及时报告组长或护士长予以解决。

5.建立满意度调查表，定期征求意见、建议并讨论分析，制定改进措施并整改落实。

九、重症监护室（ICU）护理制度

（一）ICU工作制度

1.本科室工作人员进入ICU，应换专用拖鞋，戴口罩、帽子，穿专用工作服；非本室工作人员进入ICU，须穿白大褂，戴口罩，非接触患者可不戴帽子，其他非医疗工作人员须穿隔离衣，戴口罩、帽子，其他人员未经科室同意不得入内。

2.值班人员应坚守岗位，责任护士不得随意离开患者；禁止离岗、脱岗现象发生。

3.严密观察危重患者病情变化，做好危重患者护理记录，发生病情变化时及时汇报医生进行相应处理。

4.各种护理文书书写规范，无漏项，无涂改，患者资料妥善保管。

5.保持各种管道通畅，妥善固定，防止堵塞、打折。

6.治疗、用药、输血输液严格执行"三查八对"，做到用药及时，准确，治疗护理落实到位，防止不良事件及并发症的发生。

7.熟练掌握抢救技术，根据患者病情及时进行相应的抢救治疗。

8.严格无菌操作及消毒隔离制度，落实手卫生制度，病区每日常规进行4次物表擦拭消毒，做好终末消毒，定期进行细菌培养监测并记录。

9.遇有严重感染、传染病及免疫功能低下等患者，做好床旁隔离，有条件时安置单间病房专人护理。

10.各种抢救仪器设备、药品、物品定点放置，专人管理，定期维修保养，确保功能良好。

11.熟练掌握各种仪器设备的性能和操作规程，安全使用医疗设备。

12.监护室的抢救仪器设备不得外借，遇有特殊情况须履行相关手续，及时上报科主任及护士长。如有损坏或遗失，查明原因后上报主管科室，并照价赔偿。

13.护士长全面负责保管病区财产及设备，建立账目，定期清点。如有遗失，及时查明原因，按规定处理。

（二）ICU抢救工作制度

1.紧急抢救时，医生未到以前，护理人员不能离开患者，应根据患者病情及时给予相应的处理，迅速开放2条以上静脉通路，由各班护理组长负责抢救。

2.严密观察病情，准确及时执行医嘱。执行口头医嘱时，护理人员在用药前应先复述一遍，经确认无误后方可执行，并将空安瓿保留，抢救工作结束后，经2人核对无误后方可丢弃。抢救过程中未及时记录的医疗文件在抢救后6h内据实补录。记费须在当日完成。

3.对危急患者就地抢救时应将其置于安全宽敞的环境，确保各项抢救仪器设备安全运行。

4.严格执行床头交接班制度和查对制度，对病情变化、抢救经过、各种用药及相关化验检查要详细交接。

5.抢救完毕后，需及时做好抢救记录及抢救小结，总结经验，改进工作。

（三）ICU探视制度

1.ICU禁止陪护，根据患者需求开放探视，原则上探视时不可随意更换家属。

2.患者入住ICU期间，要留好家属确切的联系方式，24h保持通信畅通。

3.探视时由主管医生向家属介绍病情、诊疗经过，护士不可随意介绍诊疗方案等，但鼓励对患者心理疏导。

4.探视时间：16：30—17：30；每次只能进1名家属，学龄前儿童、患有上呼吸道感染与急、慢性传染病家属不得探视。家属探视时间最长不超过20min。

5.家属探视时必须穿隔离衣，戴口罩、帽子、鞋套，进出病房时进行快速手消毒。

6.探视者须根据要求有序进入，进入病室后保持安静，严禁吃东西、打电话、拍照；不得随意拿物品进入病室；探视期间严禁触摸患者的伤口、各种管道及仪器设备。

7.患者在抢救期间不得探视，以免影响抢救治疗。特殊情况（放弃治疗或濒临死亡）

须护士长及主管医生同意后方可探视。

8.家属探视时，由ICU工作人员从探视通道带入病区，其他通道禁止进入。

9.探视结束后由探视通道离开病区，禁止逗留、交头接耳，离开后方可脱隔离衣，戴口罩、帽子、鞋套，并再次快速手消毒或洗手。

（四）ICU消毒隔离制度

1.医务人员上班时应着装整洁，严格执行无菌技术原则，严格执行《医务人员手卫生规范》。

2.室内布局合理，分区明确，标志清楚。设有足够数量的流动水洗手设施及快速手消毒设施。室温以20～24℃为宜，湿度应保持在50%～60%。

3.每日进行至少3次的室内物表及地面的清洁消毒。被患者血液、体液、排泄物、分泌物等污染时，应随时清洁并消毒。定期对窗帘、隔帘、空气滤网、消毒机过滤网、监护仪（血压计）袖带等进行清洗，污染时及时清洁消毒。

4.不同区域设置专用清洁工具，标记明确，定期消毒，医疗区域应每天清洁消毒2～3次，达到中水平消毒。

5.患者所用的医疗用品一人一用，禁止交叉使用，用后消毒，污染时及时消毒。

6.危重症患者长期使用的湿化器、呼吸管路每周更换1次（血液、体液污染随时更换），呼吸机外壳及面板每天消毒1～2次。呼吸机管路及配件应一人一用一消毒或灭菌。

7.对感染患者采取相应隔离措施并悬挂隔离标识。患者的安置原则应为：感染患者与非感染患者分开，同类感染患者相对集中，特殊感染患者单独安置。

8.患者出院、转科或死亡后，床单元进行终末消毒。

9.控制出入人员的数量，有呼吸道感染或急性传染病的家属禁止探视。

10.建立感染监测记录本，定期进行空气、物表、医务人员手卫生监测，每月将监测情况进行分析，指导医务人员做好感染预防与控制。

11.严格按照消毒药物使用浓度、使用量及作用时间消毒，做好监测登记。

12.医疗垃圾详见第二章第四节相关内容。

（五）ICU患者转运制度

1.转运前医护人员应充分评估患者病情，及时向家属充分交代病情及风险，解释转科目的及注意事项，经其同意并签字后方可转运。

2.有心跳呼吸停止者、有紧急气管插管指征但未插管者、血流动力学极其不稳定未使用药物者，禁止转运。

3.转运前与接收科室做好充分的沟通交流，确保接收科室了解病情并做好物品、人员准备。

4.根据病情做好转运物品准备：抢救药品、气管插管物品、氧气袋或氧气瓶、（插管的患者备）转运呼吸机、建立通畅的静脉通道、转运监护仪、带有蓄电池的注射泵、合适的转运设备（平车或病床）。

5.转运前做好病情及生命体征的记录，在医院信息系统打印转运交接单。

6.必须由主管医生和护理人员参与并主导转运，且随行人员至少2名。

7.转运过程中需要做检查时，医护人员应留在患者身边，密切观察和记录生命体征及病情变化，并完成所有治疗和护理工作，若遇意外情况要立即进行处理和抢救；转运过程中密切观察病情变化，保证液体通路及各种管道通畅，防止管道脱出等意外情况的发生。

8.转运到接收科室后，与接收护理人员一起安置患者，并详细交班，介绍患者在ICU期间的治疗、护理过程，交接病历资料、物品等后方可离开；一旦患者病情发生变化，一起参与抢救。

十、新生儿重症监护室（NICU）工作制度

（一）NICU工作制度

1.医护人员进入NICU必须更衣、换鞋、戴帽、戴口罩，接触新生儿前后洗手，非本室人员未经许可禁止入内。

2.NICU应保持清洁无尘、整齐、布局合理，洁污路线分开。每周做大清洁1次，每日用500mg/L含氯消毒剂拖地2次，有污染时随时清洁。

3.NICU应保持空气清新，层流净化系统定期更换过滤网，室内温度保持在22~24℃，相对湿度以55%~65%为宜。

4.新生儿一人一床，被单、床单、枕套按规定时间换洗，发现明显污渍时应及时更换。

5.有医学指征喂养的新生儿，其用具做到一人一用一消毒，用具必须高压蒸汽消毒灭菌，一次性奶具用后应立即弃去。

6.新生儿所用衣物、毛巾须经消毒后方能使用。使用一次性纸尿裤应放入垃圾袋内集中处理，避免空气传播细菌。

7.新生儿使用中的暖箱、光疗箱内外每日用500mg/L含氯消毒剂擦拭，新生儿出光疗箱、暖箱后及时进行终末消毒。

8.所用浸泡消毒液每日更换1次，并进行浓度监测及记录。空氧混合、CPAP等设备湿化装置每日更换消毒。

9.每个新生儿都配有双腕带，标明床号、姓名、性别、住院号、住院日期，以便识别。

10.严密观察新生儿一般情况，如有异常变化及时通知医生，配合处理，不得延误。

11.每次交班除书面报告外，要做床边详细交班。详细记录危重新生儿护理记录单。

12.凡有新生儿腹泻、新生儿脓疱疮等传染性疾病，立即隔离，避免交叉感染。

13.NICU物品、器械、药品应固定位置，抢救物品应处于备用状态，定期检查。

14.新生儿出院时应仔细做好核对工作，对家属做好出院指导工作。出院床单元做终末消毒。

15.每季度对空气、物体表面、医护人员手、消毒液进行环境卫生学监测。

（二）NICU危重患儿抢救制度

1.接到收治危重患儿通知后，护理人员应立即准备床单元（监护仪、辐射台、氧源、吸引器、抢救车等）。

2.当患儿被送入病房后，护理人员对患儿应即刻实施监护及抢救措施，并通知医生。

3.护理人员必须正确执行医嘱，在执行医生口头医嘱前，护理人员要大声复述一遍，经核对无误后方可实施。

4.各种急救药物的空包装、输液袋、血袋等用完后集中放在一起，以便查对与记录。

5.协助医生抢救的同时，应注意观察病情，协助留取标本，加强患儿的基础护理，做好抢救记录。

6.凡危重患儿须转送至检查科室、手术室等，必须有医护人员护送，以便在转移途中发生意外能及时进行紧急处理，并向接收人员详细交班，如患儿的症状、主要处理经过、生命体征情况等。

7.护理人员在巡回观察过程中，发现危重患儿应及时向医生报告，立即进行抢救。

8.抢救完毕后，要做好抢救登记工作，整理抢救用物，及时添加所用的药物及物品，保持抢救用物齐全及环境清洁。

9.遇到重大抢救需全员参与抢救，分工明确。

（三）NICU患儿腕带使用管理制度

1.NICU所有患儿均需不同肢体佩戴双腕带标识。

2.责任护士负责打印2份腕带，腕带打印完毕须经双人核对无误后方可佩戴，转出、转入或腕带丢失、损坏、字迹模糊等需要更换时须经双人核对。

3.注意观察腕带松紧度，以放入1手指为宜，观察佩戴部位皮肤有无擦伤、血运情况等，发现异常及时处理。

4.严禁医务人员、家属随意将患儿腕带标识取下。

5.执行各项治疗护理前要认真核对腕带信息。

6.患儿出院应及时取下腕带，按垃圾进行处理。

（四）新生儿身份确认制度

1.住院患儿身份核对

（1）患儿入院时责任护士与家属共同核对患儿信息（姓名、性别、住院号）后方可将患儿抱入新生儿重症监护室。

（2）评估患儿有无胎记、痣、畸形等以便确认。

（3）入室后实施双腕带管理，置于患儿手腕或脚腕。

（4）每班核对腕带，如有脱落必须双人核对后方可佩戴。

（5）住院期间执行各项护理、诊疗前后必须进行身份核对。

（6）患儿离开床单元前后（如光疗治疗、外出检查等）必须进行身份核对。

（7）患儿外出检查、转科前必须双人核对患儿身份。

2.出院患儿身份核对

（1）患儿出院、将患儿抱出新生儿重症监护室前必须双人双向核对患儿身份（床号、姓名、性别、住院号），核对无误后双人在护理记录单签字。

（2）将患儿抱于家长前，核实家长身份（请家长提供本人身份证、母亲身份证、出生证明），进行开放性核对（由家长说出患儿姓名及性别），并与家长共同核对患儿姓名、性别及住院号，核对准确无误后方可将患儿交与家长。

（五）新生儿转运制度

1.应成立新生儿转运团队。转运小组应包括至少一名医生及一名护士。根据新生儿病情需要及转运新生儿数量适当增加人员，负责转运。

2.新生儿转运团队应利用急救车进行转运，急救车上设备设施应根据新生儿数量进行配备，单个新生儿转运至少宜包括转运暖箱、转运呼吸机、T组合复苏器、监护设备、微量注射泵、输液泵、便携氧气瓶、车载氧源、负压吸引装置及转运急救箱。

3.转运医生及护士必须掌握新生儿各项急救技能，能正确处理各类问题，掌握转运所需监护、治疗仪器的应用和数据评估。

4.转出前制度

（1）转入医院应确认转出医院不具备救治危重新生儿的能力。

（2）在转入医院医生及护士到来前由转出医院医生和护士负责维持新生儿生命体征并完成必要的检查，转入医院与转出医院应保持通信通畅，根据新生儿病情随时进行指导。

（3）转入医院应确认转出医院填写转运病历。

（4）转入医院根据转运新生儿数量及病情危重程度确认转运小组成员，并再次确认需要携带的设备设施及药械，检查完好备用。

（5）转入医院准备床单位，做好收治新生儿准备。

（6）转入医院医护人员到达转出医院后，与转出医院医护人员共同完成转出前评估，评估内容包括：新生儿血糖、体温、维持气道开放及呼吸支持情况、血压情况、实验室检查结果（如血气分析情况）等。

（7）评估结论为病情不适宜转运的新生儿不能转运。

（8）转运前应将新生儿的病情、转运的必要性、潜在风险、转运和治疗费用告知家属，获取新生儿家属的知情同意和合作，并在知情同意书上签字。

5.转运中制度

（1）转入医院医生及护士宜将新生儿放置在达到预设温度的转运暖箱中，妥善固定暖箱及新生儿，保持其气道通畅，给予必要的呼吸支持。

（2）监测并记录新生儿呼吸、心率、脉搏、血氧饱和度，必要时监测血糖及血气分析，根据新生儿病情及时救治。

（3）填写转运中记录单：转运人员必须填写完整的转运记录单，内容包括途中新生儿的一般情况、生命体征、检测指标、接受的治疗、突发事件及处理。

（4）确保转运途中安全。

（5）新生儿法定监护人或法定监护人授权的亲属随行。

6.转入后制度

（1）转入医院开通绿色通道，新生儿到达后直接进入病房抢救治疗。

（2）转运医务人员与病房新生儿主管医护人员共同测量新生儿生命体征并记录在转运中记录单及入院病历中。

（3）转运医务人员与病房主管医生交接新生儿病情。

（4）转运病历、转运中记录单归档于病历中。

（5）每次转运结束后清点物品，并补充急救箱内材料。

（6）做好转运车终末消毒处理。

十一、血液净化中心护理管理制度

（一）血液净化中心工作制度

1.护理人员须有高度责任心，坚守工作岗位，遵守护理核心制度，有计划地完成护理工作。

2.护理人员严格遵守医院感染管理制度，按照无菌技术操作原则和操作规程进行各项治疗操作，防止交叉感染。保证血液透析治疗安全顺利进行。

3.护理人员进入工作区域必须穿工作衣裤，更换清洁鞋，戴帽子、口罩，防止交叉感染发生。

4.血液透析治疗环境应保持安全、安静、整洁，严禁室内吸烟。

5.热情接待患者，耐心、细致地做好患者的解释和宣教工作，解除患者紧张心理，指导患者及其家属饮食管理。

6.治疗期间护理人员严密观察病情及仪器监护系统，及时处理并发症，并做好记录。

7.每班透析结束须对透析单元、物表进行清洁消毒。两班之间须清场，开窗通风30min，透析机根据说明进行化学消毒，更换床单元被服，做到一人一用一更换。

8.科室药品、物品齐全；仪器设备、无菌物品、医用耗材、被服用具由专人负责保管，随时处于备用状态。

9.对每月透析治疗数量、消耗品进出量、费用收支量等详细记录，并做好登记工作。

10.定期对透析用水、透析液、空气、医务人员的手、工作台面等进行病原微生物检测。

11.科室制定各项应急预案与处置流程，每日治疗结束后须准备好次日所需物品，检查电源、水源，门窗、空调及其他设备，确保安全。

12.血液净化中心全体医护人员应24h保持通信通畅，做到随叫随到。

（二）血液净化中心水处理间管理制度

1.水处理室设定为清洁区，医护人员更换工作鞋后方能进入水处理室。

2.建立水处理系统设备档案和日常维护记录，包括设备出厂信息、安装调试记录、故障排查记录及教育培训记录。

3.每日巡查水处理设备运行情况，监测并记录透析用水电导度、硬度、游离氯含量。

4.保持地面清洁、干燥。水、电分开，每天进行地面清洁1次，空气消毒2次，1h/次以上。

5.注意安全，严禁外人进出水处理间，每日透析机消毒结束后及时关闭水源，水处理室门及时上锁。

6.水处理室须专人专管，不得放置任何杂物。

7.水处理设备砂罐、树脂罐、活性炭罐、反渗膜等须按照生产厂家要求或根据水质情况，进行日常反冲、再生，或进行填料更换。

8.每3个月对水处理设备及管道进行化学消毒，消毒后测试过氧乙酸残余量并记录。

9.每3个月对透析用水进行细菌菌落数检测和内毒素检测。每年对透析用水化学污染物检测1次，水质符合《血液透析和相关治疗用水》（YY 0572—2015）的要求。

（三）血液净化中心消毒隔离制度

1.医护人员进入血液净化中心治疗区域应穿工作服，戴工作帽，换清洁鞋。

2.血液净化中心分清洁区、半清洁区、污染区。清洁区：辅助功能区办公室和生活区、水处理室、配液室、透析准备室（治疗室）、清洁库房；半污染区：接诊室、候诊室、患者更衣室；污染区：透析治疗室、洁具污洗间、污物处理室等。透析治疗室设普通患者透析治疗室、隔离患者透析治疗室。各区域标识清楚。患者和家属避免进入透析治疗室，严格按照探视时间探视。

3.医护人员严格执行手卫生和无菌操作。在透析单元之间放置速干手消毒液。

4.每日定时空气消毒，1h/次以上，每班之间执行中间清场制，开窗通风30min，枕套、床单、被套须一人一用一更换，被血液、体液等污染应立即更换。

5.机器设备使用后每班消毒，机器使用消毒液、消毒时间和方法根据透析机厂家提供的方法执行。

6.每次透析结束后对透析单元所有物品表面（透析机外部、透析床/椅、小桌板等）、地面进行清洁消毒。机器表面及治疗车每班次用500mg/L含氯消毒剂擦拭。被血液、体液等污染时，先用2000mg/L含氯消毒剂擦拭清洁，再用500mg/L含氯消毒剂擦拭消毒1次（阳性区先用2000mg/L含氯消毒剂擦拭清洁，再用1000mg/L含氯消毒剂擦拭1次），并做好消毒记录。

7.血液透析治疗室内一切清洁工作均应湿式打扫，地面擦拭用扁平式可卸式地巾，严格分区使用。每天清洁4次，拖布每次使用后应先洗净、消毒，再晾干。

8.每季度对空气细菌菌落数检测，标准值为：≤4.0(5min)cfu/cm^2，医务人员手及物体表面≤10cfu/cm^2。

9.每季度对透析用水进行检测，标准值为：透析液细菌菌落总数必须<100cfu/mL，内毒素<0.25EU/mL。

10.首次透析患者应在治疗前进行感染相关检查，保留原始记录。长期血液透析患者每6个月定期做感染相关检查，并登记检查结果。

11.对经血传播疾病，如乙型肝炎病毒（HBV）、丙型肝炎病毒（HCV）、梅毒螺旋体及艾滋病病毒（HIV）感染患者，应在隔离透析治疗区专机透析。隔离透析治疗区配备专用物品，患者使用透析机、监护仪、病历、血压计、听诊器、治疗车、急救车等应专区使用并有相应标识。

12.一次性物品及透析耗材不得重复使用，做到一人一用一丢弃，使用完毕放入黄色医疗废物袋（阳性区装双层医疗废物袋）。由专人送到指定医疗废弃物处理地点并登记。

13.医护人员掌握自我防护知识；定期进行乙肝、丙肝病毒标记物检查并建立健康档案。乙肝表面抗体阴性的医护人员应接种乙肝疫苗。

（四）血液净化中心设备管理制度

1.在科主任、护士长领导下，由专人管理机器设备并进行维护保养。

2.建立机器设备档案，记录相关信息（内容包括设备名称、型号、购入时间、价格、厂家等）。

3.每日巡视机器设备工作运行情况，及时记录每台机器设备日常运行、维护检查、配件耗材更换情况，每年对机器设备使用及维修进行总结。

4.制定机器设备的操作规范标准，定期对机器设备操作护理人员进行培训和指导。

5.对有故障的机器设备及时维修，维修期间悬挂"维修中"标识，维修完成并经过检测合格后方可使用。不允许机器设备在使用状态下进行维修，杜绝设备"带病"工作和使用。

6.科室备有所有设备的使用手册，以备查阅，资料应妥善保管，防止遗失。

7.科主任每半年对本制度落实情况进行检查、督促。

（五）腹膜透析室工作制度

1.工作人员进入腹膜透析室应更换工作服和鞋，非工作人员未经允许禁止入内；患者入腹膜透析室前应更换拖鞋。不得在腹膜透析室内会客、进餐等与工作无关的事情。

2.腹膜透析室严格划分清洁区、污染区、无菌区。

3.护理人员操作前应关闭门窗，戴口罩、帽子，洗手，腹膜透析操作时严格执行无菌技术操作。

4.护理人员认真完成分管患者的治疗、护理，密切观察患者病情变化并记录，发现异常及时报告处理。建立并更新患者腹膜透析档案资料。

5.护理人员认真完成腹膜透析患者的健康宣教，正确、规范、指导、培训患者或家属进行腹膜透析操作；耐心解答患者提出的各种问题，对患者出现的各种并发症，及时正确处理。

6.腹膜透析室抢救药品、手术器械、仪器设备、腹膜透析用具等专人保管，做到"四定"。未经许可不得私自拆装及外借，以备应急。

7.护理人员积极参加相关培训，每月进行2次业务学习，并定期进行相关知识考核。

8.积极开展科研，提高医疗诊治水平，并在临床工作中总结经验，撰写论文。

十二、内镜诊疗中心工作制度

（一）内镜诊疗中心工作制度

1.遵守各项法律法规和医务人员医德规范，认真履行岗位职责。

2.落实首问负责制、首接负责制，高效、合理、有序安排患者就诊。

3.严格落实患者身份识别及查对制度，严防差错事故。

4.严格执行各项诊疗技术操作规范，诊疗过程态度和蔼，动作轻柔，有爱伤观念，注意保护患者隐私，充分体现人文关怀。

5.严格落实医院感染管理相关制度、规范及要求，防止交叉感染。

6.各类检查报告单书写符合专业要求，实行医生审核签发制度。

7.各种文字资料记录规范，按要求妥善保存，保证资料完整性。

8.设备专人管理，专册登记，定期维护，运行状况及时记录。

9.急救物品定人管理，定点放置，定期检查，保证合格备用。

10.爱护设施、设备和器械，任何人不得蓄意损坏、挪用或外借。

（二）内镜诊疗中心消毒隔离制度

1.医务人员应具备较强的医院感染防控观念和扎实的专业知识，严格落实科室消毒、隔离制度及《内镜清洗消毒技术规范》，职业防护措施落实到位。

2.区域设置科学、合理。清洁区、半清洁区、污染区划分明确；有独立的患者候诊区、准备区、观察区、内镜诊疗区、清洗消毒区等。

3.各类内镜及附件严格参照《内镜清洗消毒技术规范》处理。

4.不同系统内镜如消化内镜与呼吸内镜的诊疗应分室进行，不同系统、不同部位的内镜洗消设备、所用附件及物品严格分开，标识清楚，不可混用。

5.凡是穿破黏膜的附件如切开刀、活检钳等必须经过灭菌处理。

6.内镜附属器械如吸引器、注水瓶等，按规范清洗、消毒后备用。

7.内镜储存柜保持清洁，定时消毒。

8.保持环境整洁、无异味；诊室勤通风，新风量不少于10次/h，空气消毒2次/d，30min/次。物表、地面及检查床保持清洁、无污渍，擦拭消毒2次/d。

9.使用中的消毒液每日进行有效浓度监测，做好记录，并保存资料。

10.每季度对运行内镜及消毒液进行生物学监测，并对监测结果及时分析，实施持续质量改进。

十三、健康管理中心护理制度

（一）健康管理中心工作制度

1.工作人员严格遵守国家法律法规及医院各项规章制度，保证体检工作的科学化、规范化、制度化。

2.体检环境整洁、舒适、安全、安静，保持体检秩序井然有序。

3.工作人员提前10min到岗，做好体检前的准备工作。

4.工作人员着装整洁，佩戴胸牌，语言规范，礼貌待人，服务热情。主动为体检者提供便捷、优质、高效的服务。老、弱、病、残者优先安排，并给予适当照顾。认真做好体检的组织、协调、咨询及解释工作。

5.工作人员严格执行查对制度。

6.严格执行隐私保护制度，尊重体检者的宗教、信仰及隐私权。未经体检者同意，不得擅自向他人提供体检者的信息资料。

7.加强体检中的信息管理，确保信息的真实、准确和完整。个人工号用后及时退出，不得擅自登录他人工号查阅相关信息。

8.严格执行消毒隔离制度，做好各检查室的清洁消毒工作，医疗器械按要求消毒灭菌。

9.制定应急预案并演练，遇到突发事件，积极采取应急措施并及时上报。

10.定期检查、维护仪器设备，确保体检工作安全顺利进行。

11.下班前整理工作环境，关闭电脑、门窗及水电开关，防止意外事件的发生。

（二）健康管理中心查对制度

1.接待查对制度

（1）团体体检开始前，须与单位体检负责人核对体检人数、体检项目及体检时间。

（2）团体体检人员基本信息及体检项目录入体检系统后，须经2人查对无误后方可保存。

（3）个人体检项目选定后，须与体检者核对基本信息及体检项目，确认无误后缴费。

（4）体检指引单打印前，凭体检者有效证件，核对姓名、性别、年龄、体检类型、体检项目；个人体检同时核对缴费单。

（5）体检指引单、条码单、申请单打印后，再次核对姓名、性别、年龄、体检类型、体检项目是否一致，确认无误后交于体检者。

（6）体检指引单收回时，确认体检项目已经全部完成。

2.采血查对制度

（1）严格执行无菌操作及静脉采血规范。

（2）严格执行"三查八对"（三查：采血前、采血中、采血后；八对：姓名、性别、年龄、体检类型、采血项目、采血管、采血量、有效期）。

（3）严格查对采血物品是否在有效期内，包装是否完好，采血项目与采血管类型是否相符。

（4）采血前应询问体检者是否空腹，有无晕针晕血史。

（5）采血后与中央运输人员核对血标本质量及数量，并做好交接记录。

3.其他岗位查对制度

（1）检查室工作人员在体检前、体检中及体检后严格查对体检者姓名、性别、年龄、体检项目，确认无误后方可检查。

（2）导医人员在导检过程中认真核对体检者检查项目，准确引导体检项目完成。收回指引单时，认真核对体检者所有项目是否已完成。

（3）接待人员与收费人员认真核对收费金额与体检项目是否相符，如有疑问须与相关人员核对后方可执行。

（4）体检报告汇总人员收集相关科室检查报告单时，应认真核对姓名、性别、年龄、体检编号、体检类型及体检项目，并做好交接记录。

（5）体检报告管理人员严格执行体检报告管理制度，及时通知体检单位或个人领取体检报告。

（三）体检报告管理制度

1.严格执行查对制度及体检报告汇总流程，体检报告出具前，须再次查对，确保无误后方可打印装订。

2.严格执行体检者隐私保护制度，体检报告严禁外传或随意放置，不得擅自向他人提供体检者信息资料。

3.严格落实体检危急值管理，对需要进行复检或进一步诊治的体检者，及时通知单位负责人或本人及家属，疑似重大疾病的及时上报科主任及护士长，并做好相应记录及追踪。

4.严格执行体检报告出具时间，入职入学体检3个工作日、个人及团体体检7个工作日。

5.因特殊原因当日未完成体检项目者，工作人员须及时通知体检者在7日内完成。

6.质控小组每周定期抽查体检报告质量及完成发放情况。

7.团体体检报告完成后，工作人员及时与单位负责人联系，领取体检报告，并做好交接记录。

8.个人体检报告完成后，凭体检指引单或有效证件，核对无误后发放并签名。未在规定时间领取体检报告者，及时通知本人领取。

9.体检者对体检报告有邮寄需求的，认真核对体检者信息及邮寄地址，核对无误后及时邮寄。

十四、中央运输护理制度

（一）中央运输工作制度

1.严格遵守医院及科室的各项规章制度。尊重老师，团结同事，相互协作。

2.中央运输24h对住院患者、急诊患者提供陪检、手术转运药物配送、标本收集和配送等服务。

3.员工仪表整洁，统一佩戴胸牌，提前15min到岗。服务过程中使用文明用语，严禁与病员及家属、医务人员发生争吵。

4.自觉遵守医院规章制度，在工作中认真履行岗位职责，严防差错发生。

5.服从科室的工作安排及调配。出现突发事件及时上报组长或护士长，尽快给予协助解决。

6.保护患者隐私，公共场所不能大声喧哗，不在对讲机里讲与工作无关的事情。

7.严格执行消毒隔离制度，做好工具保养、清洁、消毒工作。

8.爱护公物，正确使用各种运输工具，保障患者安全。

9.按时参加科室理论、技能培训并做好笔记，无故不能缺席。

10.每月参加科室大扫除，不能参加者必须向科室请假说明情况。

11.工作时间不得使用手机做与工作无关事宜。

12.下班前整理好用物，并做好交接班。

（二）中央运输标本运送管理制度

1.按时到岗，仪表整洁，按区域收集标本并及时送达检验科。

2.标本组要求每30min巡回1次，巡回间隙接听电话，做好电话记录。

3.收取标本时认真查看标本柜，避免遗漏标本及床旁检查申请单。

4.收取标本后检查标本是否合格，即刻扫条码分类装箱，及时安全送达，以免影响检验结果。

5.需要中转的标本要做好标本的交接。

6.遇到急诊标本时，区域负责人不在时，由组长进行调配。做到急诊标本及时收取与送达，避免延误。

7.各类报告单、急诊胶片、文件等送达病区时要做好交接并签字确认。

8.检验科退回的问题标本要进行登记，并告知区域负责人，及时退回原科室并说明情况。

9.工具箱每日清洁、消毒，并做好记录。

10.周末及节假日标本遇到特殊情况，由调度负责，夜间由夜班负责，保障工作顺利完成。

11.标本收取过程中出现问题首先与当班负责人沟通。发生问题及时向组长及二线班或护士长汇报，科室尽快协助解决。

12.各班认真履行工作职责，交接工作落实到位。

（三）中央运输陪检工作制度

1.按时到岗，仪表整洁。根据临床科室要求携带相应运送工具，按区域进行陪检。

2.到达病区询问患者是否符合检查要求，查看检查申请单填写是否完整。

3. 按要求正确使用运输工具，安全将患者带到检查科室。安排患者在等候区等候，并做好沟通及交接。员工如有特殊需要离开接下一批患者时，必须做好交接。患者检查完毕，将患者安全送回病区，与病区护理人员进行交接。

4. 如果患者不符合检查要求，告知病区护理人员，在派工单上注明原因，请病区护理人员签字确认。

5. 接患者检查时，如患者不在病区，应向当班护理人员询问患者去向；如患者自行前往检查，即刻与相应陪检组联系。其他原因30min后2次巡回时再次接患者。

6. 陪检过程中正确使用运送工具及约束带，保障患者安全。

7. 工作结束后检查运输工具完好性，保证次日正常使用。周五对约束带、运输工具分别进行清洁、消毒、保养。

8. 周末及节假日由放射值班及超声值班人员分别负责本组陪检工作及次日的检查预约、取片及报告。

9. 放射组长负责不定时取急诊陪检胶片。超声、放射陪检负责安排、转运、协调患者所有的检查项目及报告单的收取。

10. 陪检过程出现问题首先与当班负责人沟通。发生问题及时向组长、二线班或护士长汇报，科室尽快协助解决。

11. 认真履行工作职责，各班做好患者与工具的交接工作。

（四）中央运输药品、物资下送管理制度

1. 仪表整洁，按时到岗。与夜班做好交接，及时配送静配中心当日第一批液体。

2. 静配中心液体按种类进行装箱，严禁混装。

3. 临床用药及时、安全、准确送达病区。病区护理人员开箱或开袋时进行当面清点，确认无误后双方签字并注明接收时间。药品清单双方各留1份保管。

4. 急诊用药区域员工见药即刻下送，及时到位，体现急诊效果。

5. 清点药品过程中有破损或少药，请护理人员认真填写《缺药、少药单》，注明时间并签字。将单据拿回药房沟通解决，有问题请组长协助解决。补发药品须装袋，用红笔标明科室，尽快送往病区。如有"多药"，将药品登记后交与组长，由组长与药房人员做好交接签字确认。

6. 高值耗材、卫生物资、消杀物资及药品在配送过程中轻拿轻放，避免造成损坏。

7. 使用运输工具前进行检查，有问题及时维修，确保工具完好，药品安全送达。

8. 每日对药品运输工具进行清洁，月末进行清洗、保养登记。

9. 工作中发生问题及时与组长沟通并向护士长汇报，尽快协助解决。

10. 周末及节假日药品、物资有问题由药配留守人员负责，同时负责当天单据整理装订。

11. 认真履行工作职责，各班做好交接工作。

（五）中央运输手术患者管理制度

1. 仪表整洁，按时到达手术室接送患者。

2. 接送手术患者，必须严格遵守查对制度及工作流程。

3. 接患者时与当班护理人员做好交接，并按要求核查病历。到达手术室再次与手术室护理人员做好交接。

4.送患者时查看患者神志是否清醒，与麻醉恢复室护理人员做好交接工作（病历、胶片、引流管、药物等）。

5.转运患者过程中，妥善固定各种管路，打起平车护栏，保障患者安全。中途患者遇到特殊情况即刻推往就近急诊科或病房。

6.手术结束将患者安全送回病区，与护理人员做好交接并将手术接送卡双方签字确认，并夹在病历里。

7.同时协助病区护理人员将患者移至病床，护理人员监测患者生命体征后，患者病情平稳方可离开。

8.各班每日按照科室规定数量进行人均分台，责任到人，任务完成后方可下班，否则不能离岗。

9.手术增加或减少时，手术组人员必须服从科室工作机动调配。

10.白班、夜班急诊手术按照科室规定流程进行。

11.手术患者发生特殊情况时，及时与各科室手术医生联系解决。

12.急诊班负责急诊抢救室患者的转运、陪检及标本收取与下送。

13.在手术结束后，手术被褥、对接车、轮椅、输液架放置在规定位置，以免影响工作。

14.各班次下班前需与夜班进行交接，如手术量大、患者堆积较多，应协助缓解后方可下班。

15.周末工作中出现问题及时与手术室沟通。特殊情况及时向组长及护士长汇报，科室尽快协助解决。

（六）中央运输工具使用保管制度

1.科室配置的平车、轮椅每日由陪检组进行交接并做好登记。

2.陪检组每人配置轮椅2辆，使用者每日出库、入库进行检查，保证正常使用。发现故障及时上报总务班或组长，由总务联系维修，同时做好维修记录。

3.运输工具及约束带每周五进行清洁、消毒、保养并做好记录。

4.外借运输工具由总务负责清洁、消毒、保养并做好记录。

5.平车由陪检组做好检查、清洁、消毒、保养及记录。

6.静配中心液体专用药箱每日由药配组进行检查、清洁、消毒及记录。

7.运送长期药品的药箱等运输工具由药配组组长负责检查、维修，每日进行清点交班。

8.运输工具使用后放置在规定的位置。禁止使用有安全隐患的运输工具。

9.员工每人配备对讲机，由个人或各班次人员进行保管，总务做好登记，对讲机出现故障及时上报科室进行维修或调整。

十五、洗涤中心护理工作制度

（一）洗涤中心工作制度

1.遵守职业道德规范及医院规章制度，严格执行操作流程，认真完成工作任务。

2.非本科室工作人员未经许可不得进入工作区域。

3.工作期间按要求着装，文明用语。

4.坚守工作岗位，服从工作分配，不得脱岗、早退。不得私自调班，如遇特殊情况，须向护士长申请。

5.物品定点放置，标识明确。

6.爱护公共财产，不得私自借出科室财物。

7.工作区域严禁吸烟。

8.工作时间禁止玩手机、扎堆聊天、打闹、干私活等。

9.保持环境整洁，禁止在工作区吃东西、乱丢杂物。

10.按时参加科室组织的会议及学习培训。

（二）洗涤中心消毒隔离制度

1.工作区域布局合理，严格区分污染区、清洁区，各区有明确标识。工作流程应由污到洁，不交叉，不逆流。

2.工作期间按要求着装，做好基本防护。接触污物要戴手套，脱去手套后用流动水洗手，保持手卫生。

3.对脏污织物和感染性织物进行分类收集，收集时应减少抖动；专车专人运输，运送车辆洁污分开，防尘，防潮；每日运送完毕后车辆用500mg/L含氯消毒液清洗消毒。

4.根据医用织物使用对象和污渍性质、程度，应分机或分批洗涤、消毒。新生儿、婴儿的医用织物应专机洗涤、消毒；工作服单独洗涤、消毒；手术室的医用织物（如手术衣、手术铺单等）宜单独洗涤；布巾、地巾宜单独洗涤、消毒。严格按分类、分色洗涤，防止交叉感染。

5.对被朊毒体、气性坏疽、突发不明原因传染病的病原体污染或其他有明确规定的传染病病原体污染的感染性织物，以及多重耐药菌感染或定植患者使用后的感染性织物，若需重复使用，应遵循先消毒后洗涤的原则。

6.污染区根据需要使用防护用品，如乳胶手套、口罩、帽子、胶鞋、隔离衣、防护眼镜等。

7.洗衣机清洗完毕后应进行消毒处理，应对污染区的地面与台面采用有效消毒剂进行拖洗/擦拭。

8.清洁用具如地巾、拖把、抹布、消毒小桶等，严格分区放置，专用。

（三）洗涤中心职业防护制度

1.加强对科室人员职业防护意识的宣传教育，防止发生职业暴露意外事件及职业伤害。

2.在污染区和清洁区穿戴的个人防护用品不应交叉使用。

3.在污染区应遵循"标准预防"原则，按照《医院隔离技术规范》的隔离要求，穿戴工作服（包括衣裤）、帽、口罩、手套、防水围裙和胶鞋，并按《医务人员手卫生规范》要求进行手卫生。

4.在清洁区应穿工作服、工作鞋，可根据实际工作需要戴帽和手套，并保持手卫生。

5.回收清点污脏织物时，应戴乳胶手套、口罩及帽子。

6.配制消毒液、清洗液等化学溶液时，应戴厚的加长耐酸碱防护手套。

7.操作高温设备仪器时，应戴隔热手套，防止烫伤。

8.取放重物时，应注意人体力学原理，防止肌肉损伤等意外。

9.正确处理意外伤口，手部接触到血液时应立即用抑菌洗手液洗手，如被刺伤或损伤，应尽量把血液从伤口挤出，用流动水冲洗，用碘伏擦拭消毒伤口并妥善包扎；眼睛或口腔受到血液或体液污染时，用大量的水反复冲洗干净，及时上报医院公共卫生管理处。

10.凡发生传染病职业暴露意外，按医院相关应急处理程序处理，及时上报医院公共卫生管理处。

（四）洗涤中心安全管理制度

1.严格遵守各种设备的安全技术操作规程等相关规定，正确使用并熟练掌握设备的操作方法。

2.正确使用各种仪器设备，定期维护保养。

3.严禁非本岗人员对相应设备进行操作。

4.设备发生故障或存在安全隐患，应立即停机并通知维修人员进行检修，严禁私自对设备进行故障处理和拆卸设备。

5.禁止违规操作各类电器，禁止湿手启动电器开关。

6.工作区域严禁吸烟，不得私自用电。

7.每日工作结束后关闭科内所有水、电、气开关，巡查安全隐患。

8.各区域配备灭火器材，应定点放置，专人管理。科室工作人员应熟练掌握灭火器的使用。

（五）洗涤中心仪器设备管理及维护保养制度

1.科室设资产管理员1名，协助护士长负责各类仪器设备的申报、报废及建账盘点工作。

2.科室设立设备管理小组，各区域设专人负责仪器设备的日常维护、保养工作，资产管理员定期组织对各类仪器设备进行盘点并登记。

3.设备管理小组成员协助护士长制定相应的操作规程及使用注意事项等。

4.设备操作人员应严格执行操作规程，并做好日常维护与保养工作。发现异常及时上报护士长，严禁擅自拆修。

5.新进设备必须经厂家工程师进行现场技术培训，操作人员经培训合格后方能上机操作。

6.资产管理员每月定期检查各类仪器设备的维护保养计划落实情况及维修登记记录。

7.对洗衣机、烘干机、烫平机等每半年应申报设备维修科进行大检修一次。

8.建立仪器维修保养登记记录，并妥善保管。

（六）医用织物报废制度

1.临床科室使用的医用织物报废工作统一由洗涤中心管理。

2.临床科室医用织物出现破损、废旧现象，须向洗涤中心提交报废申请，由洗涤中心集中报废。

3.洗涤中心向临床科室出具报废织物回执单，以保存备查。

4.洗涤中心报废工作由洗涤中心2名人员及总务科1名人员完成，护士长进行监督。

5.洗涤中心保存报废资料，以保存备查。

第九节 护理应急预案

一、停水应急预案

1.措施

（1）接到停水通知，科室应准备充足的水，并向患者及其家属做好解释工作，协助患者及其家属准备足量的水。

（2）如遇突然停水，医护人员应立即打电话向动力科值班室询问停水原因及停水时间的长短。

（3）停水后，应及时关闭开水房锅炉电源，并张贴停水通知，加强巡回及耐心做好解释工作，取得患者的谅解。

（4）来水后，及时通知患者，并认真检查公共设施及各病房水龙头是否关好。

（5）每日下班前，值班人员应认真检查水龙头，及时关闭未关闭的水源。

（6）加强相关指导工作，告知患者节约用水及停水时的注意事项。

2.组织管理

（1）正常工作时间由护士长负责联系相关部门。

（2）夜间、周末及节假日由值班护理人员负责联系相关部门。

3.本预案涉及部门及联系电话

总值班：×××××××　　　　动力科：×××××××

护理部：×××××××　　　　保卫处：×××××××

二、停电应急预案

1.措施

（1）接到停电通知后，立即做好停电准备。备好应急灯、手电等；同时向患者及其家属做好解释工作，如有抢救患者使用动力电器时，须找替代的方法。

（2）突然停电后，应立即关闭无蓄电池的监护仪、呼吸机、计算机等仪器设备。

（3）医护人员应立即采取相应的应急措施，并向患者说明，使其保持安静。

（4）立即使用抢救患者机器运转的动力方法，维持抢救工作，使用呼吸机的患者应立即使用人工简易呼吸气囊辅助呼吸。

（5）夜间开启应急灯等照明设施。

（6）立即与相关部门联系，尽早排除故障，或开启应急发电系统。

（7）加强病房巡视，安抚患者，同时注意火灾、盗窃等意外事件发生。

（8）预防措施

1）贮备应急照明设备，固定放置位置。

2）定期对设备进行检查维修，如发生本科室跳闸停电现象，应向有关部门汇报，进行仔细详查，查找原因，杜绝隐患。

3）每日治疗结束后，护理人员应认真检查所有设备，关闭电源。

4）加强健康教育，告知患者停电时的注意事项、医护人员的处理。停电时一般不会对患者造成损害，患者及其家属应听从医护人员的指挥，积极配合。

5）平时对心电监护仪、除颤仪、微量注射泵等可充电的设备做好充电准备。

2.组织管理

（1）正常工作时间由护士长负责联系相关部门。

（2）夜间、周末及节假日由值班护理人员负责联系相关部门。

3.本预案涉及部门及联系电话

护理部：×××××××   总值班：×××××××   电工值班：×××××××

动力科：×××××××   保卫处：×××××××

三、火灾应急预案

1.措施

（1）一旦发生火灾，立即组织现场医护人员用灭火器灭火，使小火在开始燃烧时被扑灭，并及时向保卫处报告；如已发生大火，应立即拨打119电话求救，上报医院保卫处、医院总值班及院部。科主任和护士长应立即赶到科内组织抢救。

（2）科室值班人员立即成立抢救小组，明确分工，各司其职，指挥病房内患者避开火源，有序就近疏散，切勿慌乱，避免拥挤发生踩踏事故，造成逃生失败或人员伤亡；同时迅速组织患者用湿毛巾捂住口鼻，有组织地通过安全通道右侧屈身有序逃生；重危患者和不能独立行走的患者由医务人员和家属负责运送至安全地带，同时密切观察患者病情，给予必要的急救和保暖。

（3）清点患者、家属及工作人员，如有遗漏应及时组织寻找抢救，对去向不明的人员立即上报。

（4）如楼下发生火灾，火势迅猛，首先要紧闭所有门窗，防止火焰窜入房内；如楼房不高，可用室内床单一头牢系固定点，一头牢系患者，让患者从窗口逃生；如楼层太高，切记不可跳窗逃生，要紧闭房门，等待消防人员救助。

（5）火灾后及时组织医护人员讨论火灾发生的原因及防范措施，并积极整改火灾安全隐患。

（6）预防措施

1）向患者及其家属做好安全宣教，严禁在病区吸烟，用电炉、电热器等。

2）定期检查是否有火灾隐患并及时排查，定期进行消防演习。

3）做好火灾基本知识和消防知识的宣传教育，并确保安全通道通畅；平时经常组织医护人员学习灭火、逃生常识，掌握灭火器的使用方法及放置地点。

4）科内设消防宣传员1名，并定期检查灭火器的完好性及有效期。

2.组织管理

（1）正常工作时间由科主任和护士长负责组织救火及联系相关部门。

（2）夜间、周末及节假日由值班医生及护理人员负责组织救火及联系相关部门。

3.本预案涉及部门及联系电话

总值班：×××××××   电工值班：×××××××   动力科：×××××××

护理部：×××××××   保卫处：×××××××

四、地震应急预案

1.措施

（1）科内现有人员立即组成抢救小组，分工明确，各负其责，立即组织患者及其家属通过安全通道有序疏散，并注意沿墙根、楼梯右行。科主任和护士长在最短时间内到达现场，参与组织抢救。

（2）关闭电源、水、氧气等开关，以免引起火灾等次生灾害。

（3）向患者做好解释安慰工作，告知患者及其家属保持冷静，切忌慌乱，以免乱跑、拥挤造成踩踏事故。

（4）保护重危患者，紧急转移患者至空旷地区，避免房屋倒塌时砸伤，如来不及转移，应将患者安置在较为安全的地方，并给予必要的急救和保暖。

（5）清点患者、家属及工作人员，如有遗漏应及时组织寻找抢救。如被困时用手电、呼救声等向搜救人员求救。

（6）立即搜集抢救药品、器械，组织医护人员抢救伤员。

（7）及时向上级汇报灾情及患者情况。

2.组织管理

（1）正常工作时间由科主任和护士长负责组织疏散及联系相关部门。

（2）夜间、周末及节假日由值班医生及护理人员负责组织及联系相关部门。

3.本预案涉及部门及联系电话

总值班：×××××××　　电工值班：×××××××　　动力科：×××××××

护理部：×××××××　　保卫处：×××××××

五、泛水应急预案

1.措施

（1）发现泛水时，立即查找泛水的原因，通知相关部门维修，同时积极采取措施阻止泛水。

（2）协助保洁及维修人员共同清扫积水，保持环境清洁。

（3）告知患者，不要涉足泛水区域或潮湿处，并放置醒目标识，防止跌倒。

2.组织管理

（1）正常工作时间由护士长负责联系相关部门。

（2）夜间、周末及节假日由值班护理人员负责联系相关部门。

3.本预案涉及部门及联系电话

总值班：×××××××　　　　动力科：×××××××

护理部：×××××××　　　　保卫处：×××××××

六、患者发生输血不良反应应急预案

1.措施

输血时应严格执行查对制度，一旦发生输血不良反应，按以下应急预案处理，同时填写《输血不良反应登记表》。

（1）发热反应

1）发热反应轻者，应减慢输血速度。

2）密切观察生命体征，给予对症处理，并通知医生。必要时遵医嘱给予解热镇痛药和抗过敏药，如异丙嗪或肾上腺皮质激素等。

3）症状继续加重者，立即停止输血，给予生理盐水静脉滴注，撤下输血器及剩余血液保留，以备检查。

（2）过敏反应

1）轻者减慢输血速度，继续观察，重者立即停止输血。

2）呼吸困难者给予吸氧，严重喉头水肿者行气管切开，循环衰竭者应给予抗休克治疗。

3）遵医嘱给予0.1%肾上腺素0.5～1mL皮下注射，或应用抗过敏药物和激素如异丙嗪、氢化可的松、地塞米松等。

（3）溶血反应

1）停止输血并通知医生，保留余血，采集患者血标本重做血型鉴定和交叉配血试验。

2）保持静脉输液通畅，给予升压药和其他药物，同时静脉注射碳酸氢钠以碱化尿液，保护肾脏。

3）双侧腰部封闭，并用热水袋热敷双侧肾区，解除肾血管痉挛，保护肾脏。

4）密切观察生命体征和尿量，并做好记录。对少尿、尿闭者，按急性肾功能不全处理。

5）出现休克症状时，立即配合抗休克治疗。

（4）与大量溶血有关的反应

短时间内输入大量库存血时，应密切观察患者意识、血压、心率、脉搏等变化，注意皮肤、黏膜或手术伤口有无出血。

（5）枸橼酸中毒反应

观察患者的反应。输入库存血1000mL以上时，须按医嘱静脉注射10%葡萄糖酸钙或氯化钙10mL。

（6）预防

1）取血、输血时严格执行"三查十对"。

2）输血过程中应加强巡视，认真听取患者的主诉。

3）严格落实采血、贮血和输血操作各环节的制度和流程，是预防输血反应的关键。

2.组织管理

（1）正常工作时间由科主任和护士长负责组织抢救及联系相关部门。

（2）夜间、周末及节假日由值班医生及护理人员负责抢救及联系相关部门。

3.本预案涉及部门及联系电话

总值班：××××××　　医务处：××××××　　输血科：××××××

护理部：××××××　　保卫处：××××××

七、护理人员紧急调配应急预案

1.措施

（1）为确保在紧急状态下合理安排、使用护理人力资源，科室突遇危重患者和抢救患者时，值班人员立即通知二线值班人员，报告科主任、护士长，由护士长根据情况紧急调配科室人员，必要时全科护理人员全体参加，统一服从调配。

（2）病区及科护士长接到通知后立即赶赴现场，组织人员积极抢救，同时报告护理部及总值班。

（3）护理部接到通知后，调集相关科室护理人员参加抢救工作，同时可启动护理应急储备队队员。

（4）科室每日应做好人力资源储备，在夜间及节假日安排1～2名护理人员为二线，突发紧急情况时，可立即调配。

（5）护理人员应树立救死扶伤、全心全意为患者服务的思想，遇重大抢救能招之即来，来之能战。

（6）总值班、护理部有权统一调配任何科室人员参加抢救，被调配人员接到通知后应立即前往协助抢救，不得以任何借口拒绝。凡接到通知不能到岗者，将追究责任，并纳入科室考核，情节严重者，可根据医院规章制度及相关法律法规做出相应处理。

（7）报告程序

1）正常上班时间：一线护士→护士长→科护士长→护理部→主管院领导→院长。

2）夜班、周末及节假日：一线护士→总值班→护理部→主管院领导→院长。

3）特别紧急情况下，可根据具体情况越级上报或直接通知有关人员。

2.组织管理

（1）正常工作时间由护士长负责联系相关部门。

（2）夜间、周末及节假日由值班护理人员联系相关部门。

3.本预案涉及部门及联系电话

总值班：×××××××　　　　　医务处：×××××××

保卫处：×××××××　　　　　护理部：×××××××

八、重大意外伤害事故护理应急预案

1.措施

（1）凡遇到重大、复杂、批量、紧急抢救的突发事件，当班护理人员应及时通知护士长，科室护士长上报护理部，夜间及节假日向总值班报告。护理部在接到重大急救报告后，除积极组织人力实施救护工作外，立即向分管院长报告，并逐级上报。

（2）对重大急救工作，开辟绿色通道，优先处理。

（3）启动护理应急储备队。

（4）急救程序

1）院内急救程序

①伤病员来院后，首先由急诊科护理人员做好应急处理，同时在总值班或相关职能科室协助下，以最快速度通知相关科室主任，立即成立相应的抢救小组，以组为单位对

患者分别实施救治。

②严格执行重大事件报告制度。

③急诊科护理人力不足时，由护理部或总值班调集相关科室护理人员参加急救工作。

④由医务处、护理部或总值班负责组织、协调患者的急救、转科、用血、保卫等工作。

⑤门诊及住院患者在门诊、检验、超声、内镜、放射科等检查科室突发意外的情况时，所在科室或就近科室应就地进行抢救，并迅速通知急诊科医护人员前往参加急救或将患者转至急诊科进一步急救，同时报告医务处、护理部协助组织抢救。

2）院外救援程序

①接到院外救援通知的部门（院办、医务处、护理部、总值班）立即组织协调。需要护理人员时，调集医院护理应急储备队队员到急诊科待命。

②严格执行重大事件报告制度。

③护理部根据抢救需要组建第二梯队救援人员。

2.组织管理

（1）正常工作时间由科主任和护士长负责组织及联系相关部门。

（2）夜间、周末及节假日由值班医生及护理人员联系相关部门。

3.本预案涉及部门及联系电话

总值班：×××××××　　　医务处：×××××××

护理部：×××××××　　　保卫处：×××××××

九、常用仪器、设备使用应急管理预案

1.措施

（1）中心吸氧装置突然出现故障应立即使用备用氧气设备，试好流量，连接吸氧管，继续为患者吸氧；向患者及其家属做好解释安慰工作；立即通知设备科检修。科室应在日常工作中做好备用氧气设备（氧气袋或氧气桶）的储备。

（2）心电监护仪突然出现故障应立即更换，必要时用手动血压计测量血压；立即通知设备科维修并做好标识及记录。

（3）除颤仪突然出现故障应立即更换，并立即通知设备科维修并做好标记；除颤仪应按使用说明做好维护保养，确保完好率100%。

（4）中心吸痰装置突然出现故障应立即更换电动吸痰器或改用注射器抽吸，不得中断患者的抢救；立即通知设备科检修并做好标识及记录。

（5）输液泵、注射泵使用中出现报警等故障，应立即排查报警原因，必要时更换输液泵、注射泵，同时通知设备科检修并做好标识及记录。

（6）呼吸机使用中若出现故障，立即检查报警原因，必要时立即更换简易呼吸气囊，并通知设备科检修并做好标识及记录。已坏或有故障的呼吸机不得出现在抢救室备用仪器中。

（7）常用仪器设备每次使用前后清洁检查，定时检查设备完好情况及充电情况。已坏或有故障的仪器应标记明显，禁止使用，不得出现在备用仪器柜中。

2.组织管理

（1）正常工作时间由护士长负责联系相关部门。

（2）夜间、周末及节假日由值班护理人员联系相关部门。

3.本预案涉及部门及联系电话

总值班：×××××××　　设备处（科）×××××××　　护理部：×××××××

十、职业暴露应急预案

1.措施

医护人员发生职业暴露后，应立即遵照《医务人员职业暴露防护处置标准操作规程》处理：

（1）局部紧急处理措施

1）立即从伤口的近心端向远心端挤出伤口的血液，再用肥皂液和流动水进行冲洗；禁止进行局部伤口的挤压。

2）伤口冲洗后，应立即使用碘伏消毒液或75%乙醇消毒，并包扎伤口。

3）如果是黏膜暴露，应反复用生理盐水冲洗干净。

（2）上报医院感染管理科，并填写《医务人员发生职业暴露登记表》，部门负责人签字后送交医院感染管理科。节假日期间发生职业暴露，应及时向总值班报告，由总值班签字确认后采血，并于正常上班后第一个工作日向医院感染管理科上报。

（3）被乙肝、丙肝及HIV阳性患者血液、体液污染的锐器刺伤后，应尽可能在24h内采取预防措施，按照医院《医务人员职业暴露防护处置标准操作规程》进行处理。

（4）评估、预防、随访和咨询均按照医院《医务人员职业暴露防护处置标准操作规程》执行。

（5）预防措施

1）医务人员进行有可能接触患者血液、体液的诊疗和护理损伤性操作时必须戴手套，操作完毕脱去手套后立即洗手，必要时进行手消毒。

2）在诊疗、护理操作过程中，有可能发生血液、体液飞溅到医护人员的面部时，医护人员应当戴口罩、防护眼罩；有可能发生血液、体液大面积飞溅或者有可能污染医护人员的身体时，还应穿戴具有防渗透性能的隔离衣或者围裙。

3）医务人员手部皮肤发生破损，在进行有可能接触患者血液、体液的诊疗和护理操作时必须戴双层手套。

4）医务人员在进行侵袭性诊疗、护理操作过程中，要保证充足的光线，并特别注意防止被针头、缝合针、刀片等锐器刺伤或者划伤。

5）使用后的锐器应当直接放入耐刺、防渗漏的利器盒，或者利用针头处理设备进行安全处置，以防刺伤。禁止将使用后的一次性针头重新套上针头套。禁止用手直接接触使用后的针头、刀片等锐器。

2.组织管理

（1）正常工作时间由科主任和护士长负责联系相关部门。

（2）夜间、周末及节假日由值班医生及护理人员负责联系相关部门。

3.本预案涉及部门及联系电话

总值班：×××××××　　　　医务处：×××××××

护理部：×××××××　　　　感染管理处：×××××××

十一、紧急封存患者病历及反应标本应急预案

1.措施

（1）发生医疗事故争议时，患者本人及其代理人提出封存病历申请。科室要保管好病历，以免丢失。

（2）及时准确记录患者病情变化、治疗及护理情况。

（3）备齐所有有关患者的病历资料。如为抢救患者，病历应在抢救结束后6h内据实补记。

（4）迅速与科主任、护士长及医务处联系（夜间、周末及节假日联系总值班）。

（5）在医务处或总值班与患者或直系亲属共同在场的情况下封存死亡患者的病历。

（6）封存的病历由医务处保管，夜间、周末及节假日由总值班保管然后移交医务处。

2.组织管理

（1）正常工作时间由科主任和护士长负责组织抢救及联系相关部门。

（2）夜间、周末及节假日由值班医生和护理人员负责联系相关部门。

3.本预案涉及部门及联系电话

总值班：×××××××　　　　医务处：×××××××

护理部：×××××××　　　　保卫处：×××××××

十二、医院暴力侵害事件应急预案

1.措施

（1）发生医院暴力侵害事件时，值班人员应以保护医护人员、患者及其他人员的生命安全为原则，采取必要的防护措施；同时立即拨打保卫处或"110"报警电话。

（2）值班人员立即向护士长、科主任、总值班报告，并逐级上报主管部门，隐匿不报者，将承担可能引起的一切后果。

（3）现场紧急处置：事发现场或科室负责人在组织科室人员做好自我保护的同时，尽力疏导现场人员转移至安全区域，将事件损害降到最低，并尽可能地控制现场局面，等待保安和公安人员到来协助处理。

（4）如有人员伤亡，应积极救治，把伤员就近转移至安全地点实施救治，并通知受伤人员家属。

（5）保护好现场，配合警方调查取证。

（6）如遇媒体采访，应由医院院长办公室及宣传部门负责，确定新闻发言人，统一新闻媒体的宣传口径，正确引导舆论导向。其他人员未经授权，不得随意接受媒体采访，防止产生负面影响。

（7）及时恢复正常的医疗就诊秩序。

2.组织管理

（1）正常工作时间由科主任和护士长负责组织抢救及联系相关部门。

（2）夜间、周末及节假日由值班医生和护理人员负责组织及联系相关部门。

3.本预案涉及部门及联系电话

总值班：×××××××　　　　医务处：×××××××

护理部：×××××××　　　　　　保卫处：×××××××

十三、网络系统瘫痪应急预案

1.措施

为防止因医院信息系统出现故障而影响医院正常医疗秩序，确保患者在特殊情况下能够得到及时有效的治疗，当发现计算机数据库不能访问、程序无法连接时应立即与网络中心联系，查询原因，紧急处理，并做好以下应急工作：

（1）入院患者可先安排住院，建好纸质版病历，做好登记工作，待网络恢复后再补录相关信息。

（2）出院患者可先安排患者离开病区，请家属等待或留下联系电话，待系统恢复后再通知家属补办出院手续；医保患者可于次日办理出院手续。

（3）急诊、重危患者应先抢救，口服用药、静脉输液时，医生开具手写医嘱，护理人员签名并手写输液卡、服药单，经医生确认后再执行。须向药房借药时，借条一式两联，一份存放于科室，一份存放于药房。对必须进行的检查、检验等，应与相关科室沟通，医生手写检查、化验申请，及时安排检查，待系统恢复后及时补录提交。

（4）在此期间，患者医疗、护理所产生的费用，应详细、及时用纸质版记录，待系统恢复后再及时补录。

（5）各病区应准备一定基数的抢救药品及物品。

（6）全院范围的网络问题，按《医院计算机网络系统应急预案》执行。

2.组织管理

（1）正常工作时间由科主任和护士长负责组织及联系相关部门。

（2）夜间、周末及节假日由值班医生及护理人员负责联系相关部门。

3.本预案涉及部门及联系电话：

总值班：×××××××　　　　网络中心：×××××××　　　护理部：×××××××
住院结算中心：×××××××　　门诊收费处：×××××××　　医保处：×××××××
检验科：×××××××　　　　　放射科：×××××××　　　　输血科：×××××××
药剂科：×××××××　　　　　电工房：×××××××　　　　动力科：×××××××
保卫处：×××××××　　　　　维修车间：×××××××　　　设备科：×××××××

十四、围手术期患者应急预案

1.措施

（1）临床护理人员发现患者出现病情变化要立即报告医生或护士长，遵医嘱实施各项抢救护理措施。

（2）若患者出现呼吸、心搏骤停，应根据病情配合医生进行胸外心脏按压、气管插管或呼吸机辅助呼吸。

（3）若出现术后出血，要观察伤口渗血、引流液性质并立即汇报，并遵医嘱应用止血药，准备第2次手术。

（4）护理人员应及时、准确、客观地记录抢救过程。

（5）主管医生或科主任应及时与家属进行有效沟通，做好患者家属的解释工作，有利于家属积极配合患者抢救治疗。

（6）预防措施

1）护理人员应熟练掌握各项护理技能操作，加强护理基础知识、专科知识培训。

2）对围手术期患者，护理人员应根据病情和手术的种类进行分阶段（入院阶段、手术前阶段、手术阶段、恢复阶段、出院阶段）健康教育指导。

3）手术护理人员对手术患者进行严格安全核查，遵守技术操作规范。

4）护理人员应做好患者心理护理、围手术期的准备及检查，有计划地完成围手术期各项治疗和护理。

5）严格执行值班交接班制度，密切观察围手术期患者的病情变化。

6）急救药品、物品做到"五定一及时"。五定：定数量品种，定点放置，定专人管理，定期消毒灭菌，定期检查维修；一及时：及时维修补充。

2.组织管理

（1）正常工作时间由科主任、护士长负责组织抢救及联系相关部门。

（2）夜间、周末及节假日由值班医生和护士负责联系相关部门。

3.本预案涉及部门及联系电话

总值班：××××××　　医务处：××××××　　麻醉科：××××××

护理部：××××××　　保卫处：××××××　　ICU：××××××

输血科：××××××

十五、危重患者处理应急预案

1.措施

（1）凡遇到急、危、重症患者后，当班护理人员应及时向护士长、科主任汇报，护士长接到通知后，应及时组织护理人员开展抢救及护理工作。

（2）严格执行抢救工作制度。

（3）迅速通知医生积极处理，备好抢救用物，并快速完成生命体征的测量和记录。迅速执行医嘱，紧急情况执行口头医嘱时大声复述一遍确认后执行，抢救结束后6h内据实补记，完成各项抢救记录和相关资料。

（4）做好与家属的有效沟通，以利于患者的抢救治疗。

2.组织管理

（1）正常工作时间由科主任和护士长负责组织抢救及联系相关部门。

（2）夜间、周末及节假日由值班护理医生和护理人员负责联系相关部门。

3.本预案涉及部门及联系电话

总值班：××××××　　医务处：××××××　　麻醉科：××××××

护理部：××××××　　保卫处：××××××　　ICU：××××××

十六、患者用药错误应急预案

1.措施

（1）一旦发现用药错误，立即停止正在使用的药物（如停止静脉输液或回收未曾服完的口服药），报告医生迅速采取措施，将损害降至最低。

（2）妥善处理和安慰患者及其家属。护士长应与科主任（主管医生或值班医生）一起做好解释及道歉工作，并逐级上报。

（3）遵医嘱采取恰当的治疗护理措施，密切观察患者病情及其反应，预防并发症。

（4）填写《护理不良事件上报表》，护士长调查核实并组织护理人员进行分析讨论，提出整改措施并按不良事件处理规定的时间上报护理部。

（5）护理部定期组织护理质量与安全管理委员会，分析讨论出现的护理工作关键问题，提出整改意见和措施，限期整改。

2.组织管理

（1）正常工作时间由科主任和护士长负责组织抢救及联系相关部门。

（2）夜间、周末及节假日由值班医生和护理人员负责及联系相关部门。

3.本预案涉及部门及联系电话

总值班：×××××××　　　　医务处：×××××××

护理部：×××××××　　　　药剂科：×××××××

十七、采集标本错误应急预案

1.措施

（1）护理人员发现采集标本错误，立即停止送检，与医生沟通，向患者及其家属做好解释工作，并征得同意后重新采集标本。

（2）发现标本有误或检验结果有质疑，立即核查，通知医生，做好解释，重新采集标本。

（3）各类标本在采集、暂存与运送过程中发生标本撒漏、标本容器破损等紧急意外事件时，立即按医疗垃圾处理标本。并与医生沟通，向患者及其家属做好解释工作，征得同意后重新采集标本。

（4）必要时逐级上报，并填报《护理不良事件上报表》，护士长调查核实并组织护理人员进行分析讨论，提出整改措施于规定时间内上报护理部。

2.组织管理

（1）正常工作时间由科主任和护士长负责组织及联系相关部门。

（2）夜间、周末及节假日由值班医生和护理人员负责及联系相关部门。

3.本预案涉及部门及联系电话

总值班：×××××××　　医务处：×××××××　　检验科：×××××××

护理部：×××××××　　中央运输：×××××××

十八、管路滑脱应急预案

1.措施

（1）一旦发生导管脱落，立即报告医生迅速采取措施，将损害降至最低。

（2）同时注意观察患者生命体征及病情变化，根据情况决定是否重插，并做好护理记录。

（3）立即向护士长汇报，并将发生经过、患者状况及后果按照护理不良事件处理相关规定及时上报护理部。

（4）护士长要组织科室人员认真分析讨论，提出整改措施，持续改进护理质量，并进行追踪评价。

（5）发生患者管路滑脱的科室或个人，有意隐瞒不报，一经发现将严肃处理。

（6）护理部定期进行分析及预警，制定防范措施，不断改进护理工作。

2.组织管理

（1）正常工作时间由科主任和护士长负责组织抢救及联系相关部门。

（2）夜间、周末及节假日由值班医生和护理人员负责联系相关部门。

3.本预案涉及部门及联系电话

总值班：××××××　　医务处：××××××　　护理部：××××××

第十节　护理相关流程

一、护理文件修订流程

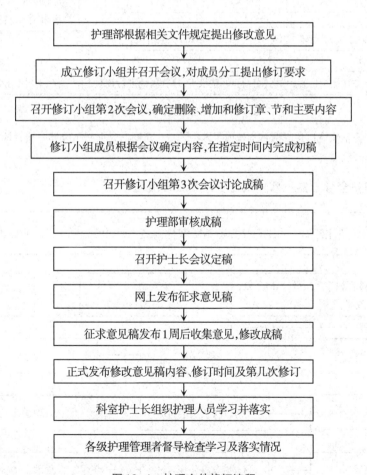

图13-4　护理文件修订流程

注：本流程适用于修订护理管理制度、岗位职责、工作流程、操作规范、疾病护理常规等。

二、医嘱核对与处理流程

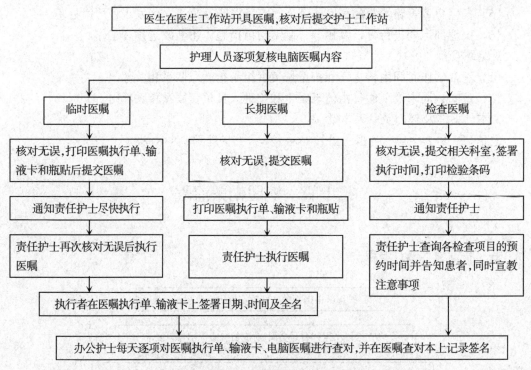

图13-5 医嘱核对与处理流程

注：一般情况不执行口头医嘱，抢救或手术中的口头医嘱必须向医生复述一遍，核对无误后方可执行，督促及时补开医嘱。

三、护理安全（不良）事件报告程序和处理流程

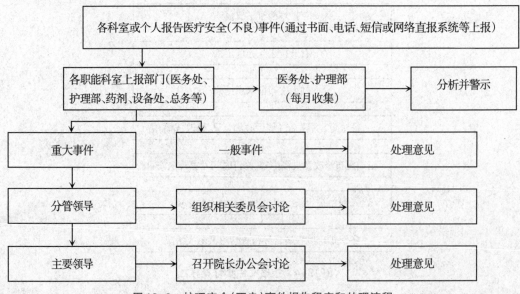

图13-6 护理安全(不良)事件报告程序和处理流程

四、手术部位识别、标识工作流程

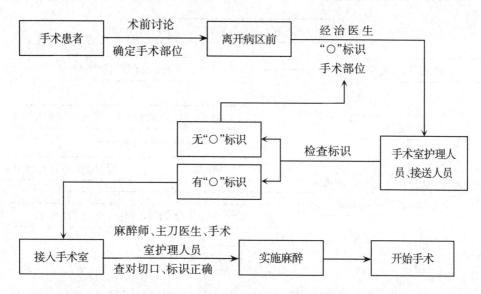

图13-7 手术部位识别、标识工作流程

五、患者跌倒/坠床工作管理流程

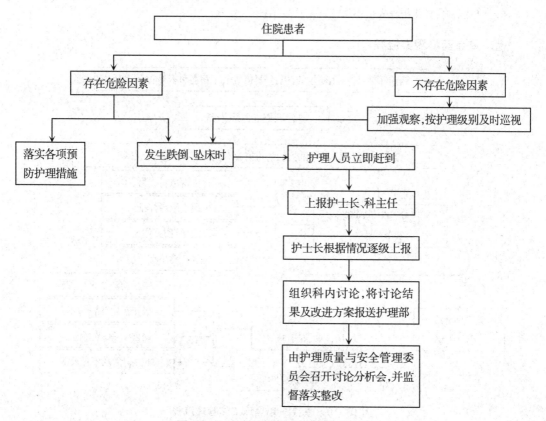

图13-8 患者跌倒/坠床工作管理流程

六、药物不良反应处理流程

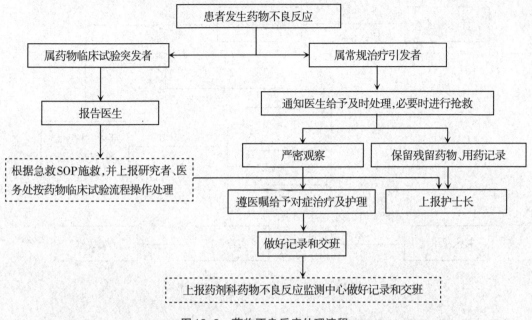

图13-9　药物不良反应处理流程

注：＊虚线框内操作护理人员不执行。

七、重点药物观察流程

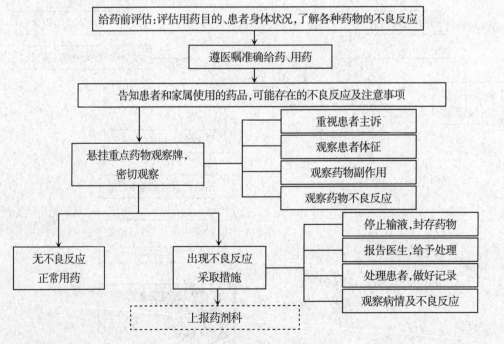

图13-10　患者跌倒/坠床工作管理流程

注：虚线框内操作护理人员不执行。

八、输液反应处理流程

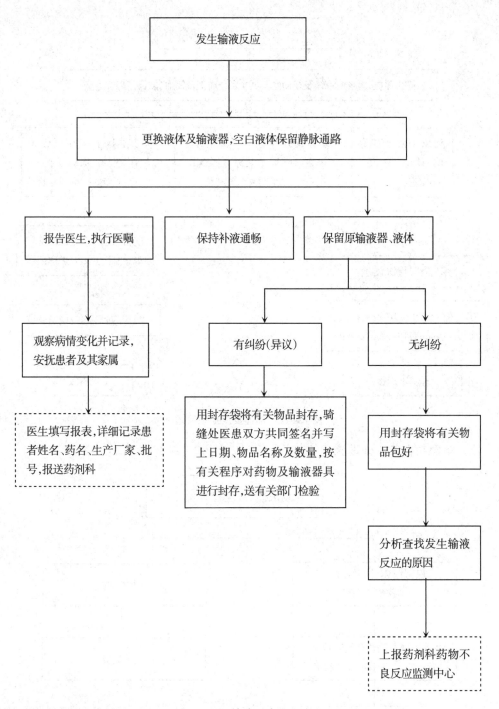

图 13-11　输液反应处理流程

注：本预案可用于输错液体；虚线框内操作护理人员不执行。

九、输血反应处理流程

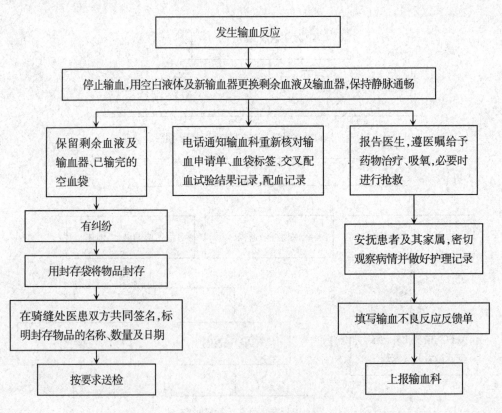

图13-12　输血反应处理流程

十、紧急封存实物处理流程

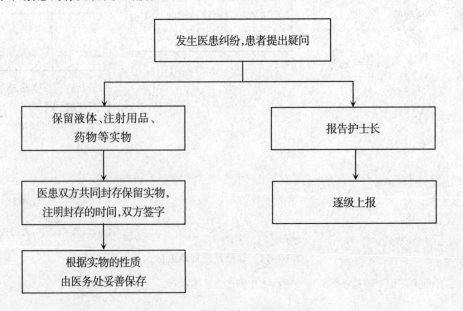

图13-13　紧急封存实物处理流程

十一、危重患者转运流程

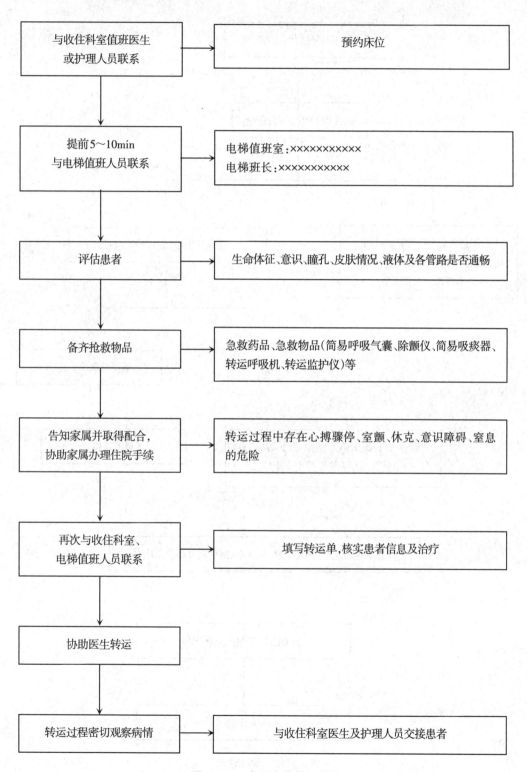

图13-14　危重患者转运流程

十二、转床流程

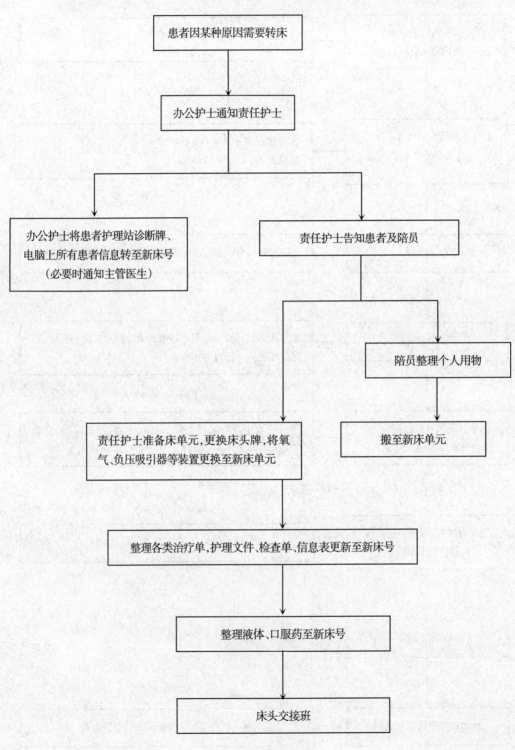

图 13-15　转床流程

十三、护理会诊流程

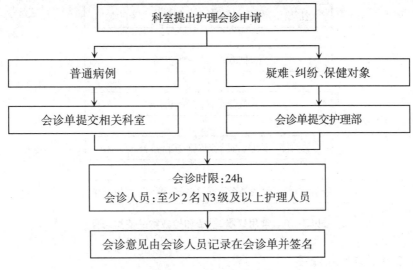

图 13-16　护理会诊流程

十四、抢救仪器与设备维护和保养流程

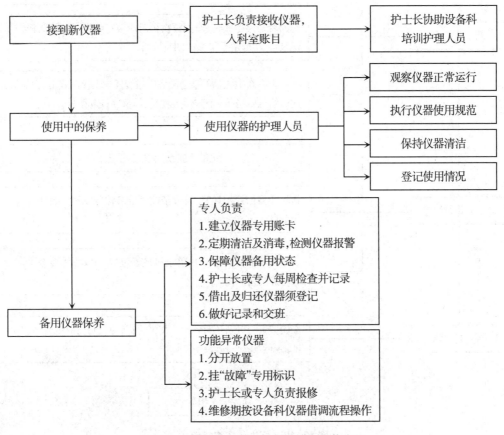

图 13-17　抢救仪器与设备维护和保养流程

十五、常用仪器、设备和抢救物品使用流程

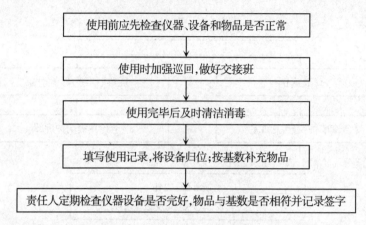

图13-18　常用仪器、设备和抢救物品使用流程

十六、新生儿防抱错流程

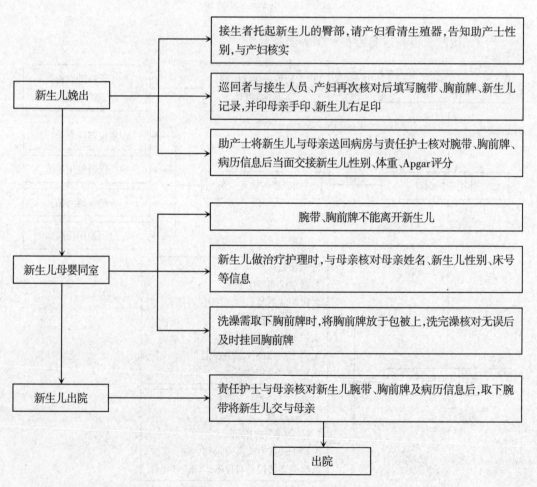

图13-19　新生儿防抱错流程

十七、危重患者管理流程

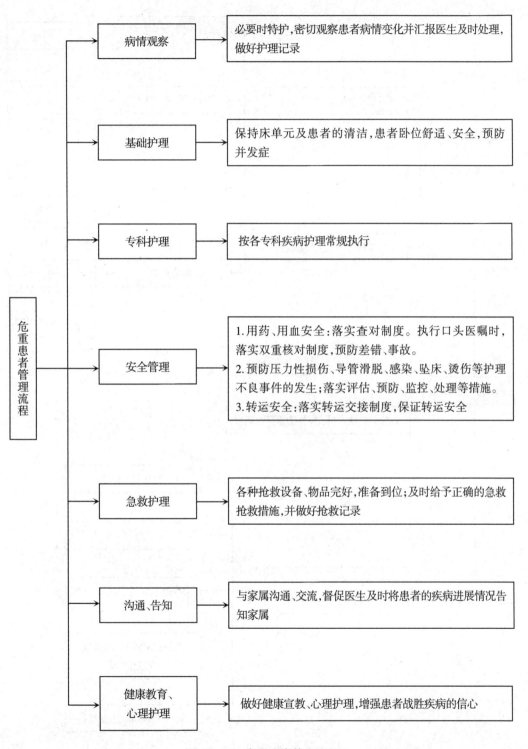

图13-20 危重患者管理流程

十八、围手术期患者管理流程

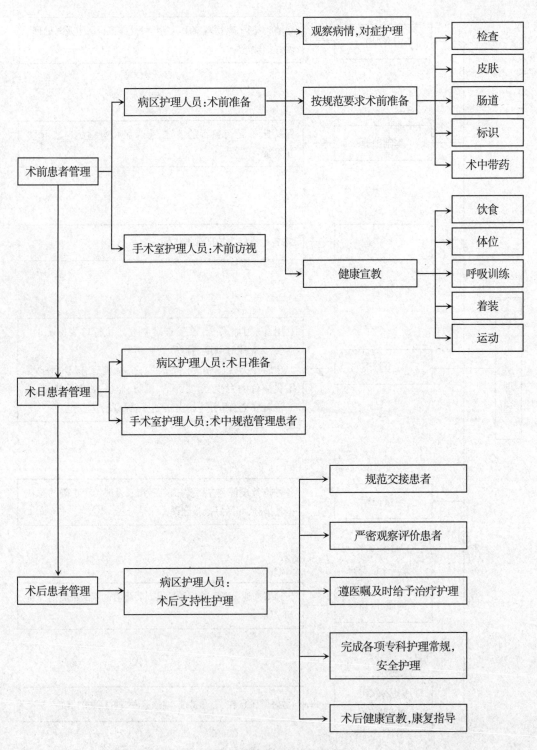

图13-21 围手术期患者管理流程

十九、输液泵/注射泵操作流程

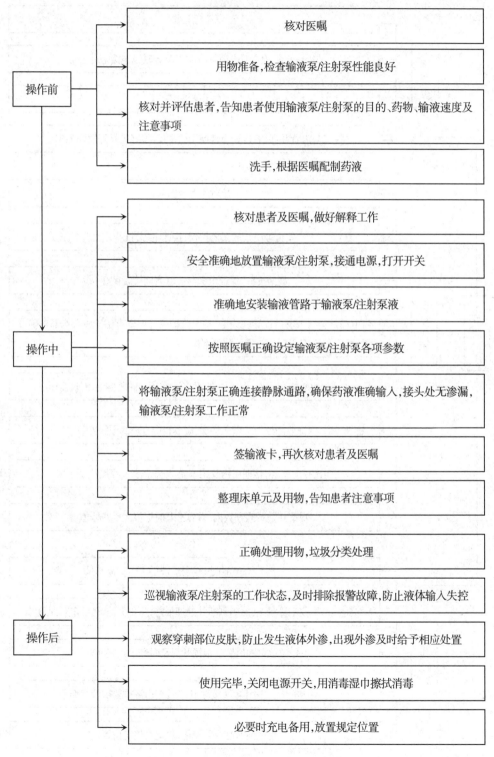

操作前
- 核对医嘱
- 用物准备,检查输液泵/注射泵性能良好
- 核对并评估患者,告知患者使用输液泵/注射泵的目的、药物、输液速度及注意事项
- 洗手,根据医嘱配制药液

操作中
- 核对患者及医嘱,做好解释工作
- 安全准确地放置输液泵/注射泵,接通电源,打开开关
- 准确地安装输液管路于输液泵/注射泵液
- 按照医嘱正确设定输液泵/注射泵各项参数
- 将输液泵/注射泵正确连接静脉通路,确保药液准确输入,接头处无渗漏,输液泵/注射泵工作正常
- 签输液卡,再次核对患者及医嘱
- 整理床单元及用物,告知患者注意事项

操作后
- 正确处理用物,垃圾分类处理
- 巡视输液泵/注射泵的工作状态,及时排除报警故障,防止液体输入失控
- 观察穿刺部位皮肤,防止发生液体外渗,出现外渗及时给予相应处置
- 使用完毕,关闭电源开关,用消毒湿巾擦拭消毒
- 必要时充电备用,放置规定位置

图13-22 输液泵/注射泵操作流程

二十、心电监护仪操作流程

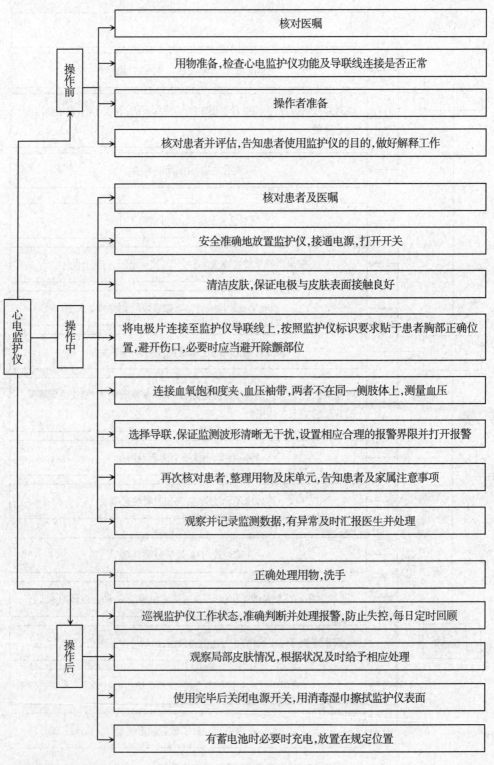

图13-23　心电监护仪操作流程

二十一、职业暴露上报流程

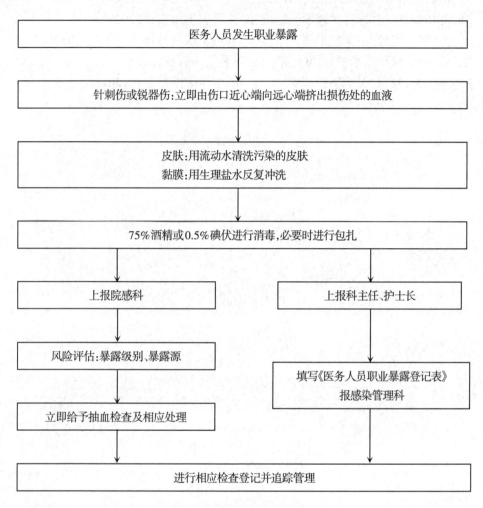

图13-24 职业暴露上报流程

参考文献

[1] 吴晓英.急危重症护理学[M].北京:北京大学医学出版社,2015.

[2] 黄艺仪,李欣,张美芬,等.临床急诊急救护理学[M].北京:人民军医出版社,2015.

[3] WS 310—2016,医院消毒供应中心行业标准规范[S].

[4] 张青,钱黎明.消毒供应中心管理与技术指南(2021年版)[M].北京:人民卫生出版社,2021.

[5] 李秀华,李庆印,陈永强.重症专科护理[M].北京:人民卫生出版社,2017.

[6] 周秀花.急危重症护理学[M].北京:人民卫生出版社,2011.

[7] 王惠珍.急危重症护理学[M].北京:人民卫生出版社,2014.

[8] 刘大为,邱海波,严静.中国重症医学专科资质培训教程[M].北京:人民卫生出版

社,2013.

[9] 郭莉.手术室护理实践指南[M].北京:人民卫生出版社,2024.

[10] 陈丽华,李明.外科护理学[M].北京:人民卫生出版社,2020.

[11] 王小明,周玲.手术室护理指南[M].上海:上海科学技术出版社,2019.

[12] 张晓红.外科手术护理[M].南京:江苏科技出版社,2021.

[13] 李红梅,刘伟.手术室护理学[M].广州:中山大学出版社,2018.